978 7801551214
U0856283

中国物价年鉴

2000

主　　办　国家发展计划委员会

承　　办　国家发展计划委员会价格司
国家发展计划委员会价格监督检查司
国家发展计划委员会经济政策协调司
国家发展计划委员会市场与价格研究所

编辑出版　《中国物价年鉴》编辑部

中国物价年鉴

2000

*

《中国物价年鉴》编辑部

北京华正印刷厂印刷

*

787×1092毫米　16开本 33.5印张 1072千字

2000年12月第1版　2000年12月第1次印刷

刊号：ISSN1005—0620 / CN11—3285/F

定价：180.00元

《中国物价年鉴》编委会和编辑人员名单

编辑委员会委员 （以姓氏笔画为序）

马　凯　王永治　王兴家　王宝伟　王春正
白和金　成致平　刘树杰　毕井泉　严才宝
李增琪　李德昆　李　镭　汪　洋　陈　俊
陈德尊　张化中　张卓元　林　军　林兆木
郑新立　赵小平　袁依山　黄　达　韩永文
韩慧芳　曾安平

主　　编 王兴家

副 主 编 陈德尊　毕井泉　赵小平
韩永文　刘树杰　邵　虹（常务）

编辑部负责人 邵　虹（兼）　张光远

编辑部成员 朱明龙　朱志明　赵宏越
李常青　李铁军　曹新敏

特约编辑

柯　似（北京）　郭永峰（天津）　李胜群（河北）
霍喜福（山西）　刘建敏（内蒙古）　陈宝德（辽宁）
王培智（大连）　胡长玉（吉林）　宋秀梅（黑龙江）
李振新（上海）　章　吟（江苏）　陈　琪（浙江）
王庆华（宁波）　程双林（安徽）　林作明（福建）
陈国光（厦门）　何国强（江西）　匡　敏（山东）
李德爱（青岛）　郭宏文（河南）　曾青松（湖北）
肖谷成（湖南）　庄振锡（广东）　范鸣春（深圳）
黄云忠（广西）　邓新生（海南）　杨治凡（重庆）
简旭东（四川）　张玉玺（贵州）　杜凤鸣（云南）
李菊兰（西藏）　熊经肇（陕西）　向国咏（甘肃）

编 辑 说 明

一、《中国物价年鉴》是全面反映中华人民共和国价格政策、价格情况的综合性、资料性年刊，于1989年创刊。本书是总第12卷。

二、本书包括9个部分：(1)概述；(2)重要文件；(3)各地物价；(4)香港、澳门特区与台湾地区物价；(5)各种价格指数与主要商品价格及服务收费资料；(6)价格管理与改革记事；(7)物价机构；(8)价格研究与教育；(9)附录。

三、"重要文件"在分类基础上按时间顺序编排；"各地物价"按行政区划顺序编排；"价格管理与改革记事"按时间顺序编排。

《中国物价年鉴》编辑部

2000年12月

目　录

Ⅰ　概　述

Ⅱ　重要文件

综合部分

价格法规部分

农产品价格部分

工业产品价格部分

能源、原材料价格

旅游价格部分

价格监督检查部分

Ⅲ 各地物价

Ⅳ 香港、澳门特区及台湾地区物价

香港特别行政区

澳门特别行政区

台湾地区

V　物价统计

各种价格指数

主要商品价格和服务收费

Ⅵ 价格管理与改革记事

Ⅶ 物价机构

Ⅷ 价格研究与教育

Ⅸ 附 录

政府工作报告(节选)

——2000年3月5日在第九届全国人民代表大会第三次会议上

国务院总理　　朱镕基

一、1999年国内工作回顾

1999年,全国各族人民在中国共产党领导下,奋发图强,努力推进改革开放和现代化建设事业,各方面工作都取得了新的成绩。

国民经济发展质量提高。国内生产总值增长率达到预期目标,经济结构有所调整,经济效益明显改善。农业生产获得好收成,种植结构开始进行调整。工业生产在结构调整中持续增长,淘汰了一批落后生产能力,减少了市场滞销产品的生产,产品销售率稳定上升。全年工业企业实现利润2202亿元,比上年增长52%;其中国有和国有控股工业企业实现利润967亿元,增长77.7%,都创造了近五年来的最高水平。大多数行业经济效益明显回升,全国有27个省、自治区、直辖市工业效益好于上年。国家财政收入比上年增加1501亿元,总额首次突破万亿元,达到11377亿元。金融平稳运行,货币供应和信贷总量继续增长。外贸出口从7月份开始大幅度回升,全年达到1949亿美元,比上年增长6.1%。实际利用外商直接投资比上年略有减少,但保持了相当规模。人民币汇率稳定,国家外汇储备年底达到1547亿美元。整个国民经济继续朝着好的方向发展。

国有企业改革和脱困取得重要进展。政企分开步伐加快,中央党政机关与所办经济实体和管理的直属企业脱钩的工作基本完成,军队、武警部队和政法机关不再从事经商活动。重点国有企业的改组继续推进,组建了一批大型企业集团。企业内部改革和转换经营机制的工作进一步加强。通过兼并破产、改组联合、债转股和加强管理等措施,国有及国有控股大中型工业企业中的亏损户,有了显著减少。纺织行业提前一年实现三年脱困目标,其他行业也出现了增盈或减亏的好势头。东北三省等老工业基地国有企业改革和脱困有了重大转机,扭亏增盈成效显著。这些进展鼓舞了广大干部群众战胜困难的勇气和信心,说明中央确定的国有企业改革和脱困三年目标是能够实现的。

科技教育和社会事业全面发展。技术创新和科技成果转化的步伐加快,基础科学研究和高技术研究得到加强。科技体制改革进一步深化。基本普及九年义务教育和基本扫除青壮年文盲的工作取得重要进展。普通高等学校招生规模比上年扩大47.4%,增幅之大是多年来没有的。教育改革迈出新的步伐,素质教育逐步推进。环境保护和生态建设明显加强。社会科学进一步发展。文学艺术、新闻出版、广播影视、计划生育、卫生、体育等各项事业,都取得新成绩。社会主义精神文明和民主法制建设继续加强,基层民主政治建设有新的进展。深入开展严厉打击各种犯罪活动的斗争,强化社会治安综合治理,维护了社会稳定。廉政建设和反腐败斗争取得新的成果。国防现代化建设进一步加强。

城乡人民生活继续改善。从1999年7月1日起,国家较大幅度增加了城镇中低收入者的收入。包括将国有企业下岗职工基本生活费水平、失业保险金水平、城镇居民最低生活保障金水平提高30%;增加机关事业单位在职职工工资和离退休人员的离退休费;提高国有企业离退休人员养老金标准;补发拖欠的国有企业离退体人员统筹项目内的养老金;提高部分优抚对象抚恤标准等。落实这些措施,国家财政共增加支出540多亿元,全国有8400多万人受益。城镇居民人均可支配收入,考虑价格下降因素比上年实际增长9.3%;农村居民人均纯收入实际增长3.8%。贫困人口减少800万人。国家增加了法定节假日天数,既促进了消费,又提高了人民的生活质量。

1999年,我们隆重庆祝了新中国成立50周年,顺利实现了澳门回归祖国。这两件大事,极大地激发了全国各族人民振兴中华的热情,增强了民族凝聚力。

这些成绩的取得,是以江泽民同志为核心的党中央统揽全局、正确领导的结果。1999年我们坚决反对以美国为首的北约袭击我国驻南联盟使馆的野蛮行径,沉重打击以李登辉为代表的台湾分裂势力的嚣张气焰,果断处理"法轮功"邪教问题,这些斗争取得的重大胜利,具有极其深远的政治意义,为我们从事经济建设创造了良好的社会环境。根据党中央的决定,在县级以上党政领导班子和领导干部中开展"讲学习、讲政治、讲正气"的教育,明显提高了各级领导干部的思想政治素质,保证了改革开放和社会主义现代化建设的顺利进行。与此同时,中央正确把握经济走势,在1999年二季度经济出现下滑的关键时刻,果断作出了增发国债、增加居民收入等进一步扩大内需的重要决策,综合运用各种宏观调控手段,鼓励投资、消费、出口,对拉动经济增长和效益回升发挥了重大作用。经过这几年的实践和探索,我们既积累了治理通货膨胀的丰富经验,又取得了遏制通货紧缩趋势的初步经验。

这些成绩的取得,也是全国上下努力奋斗的结果。广大干部群众面对各种困难,坚定信心,知难而进,认真贯彻执行中央的方针政策,发挥了主动精神,付出了辛勤劳动。这里,我代表国务院,向奋斗在全国各条战线的广大工人、农民、知识分子、干部、人民解放军和武警部队官兵、公安干警以及各界人士,表示崇高的敬意!向关心与支持祖国建设和统一的香港特别行政区、澳门特别行政区同胞和台湾同胞以及海外侨胞,表示衷心的感谢!

我们清醒地看到,前进中还有不少困难和问题。经济生活中的主要问题仍然是有效需求不足,经济结构不合理的矛盾仍很突出,劳动就业压力增大,农民收入增长减缓。许多领域和单位管理松懈,效率低下,损失浪费惊人,重大安全事故时有发生。有些政府工作人员漠视群众疾苦,官僚主义、形势主义和虚报浮夸等问题比较突出。有的政策在一些基层没有得到认真落实。一些消极腐败现象滋生蔓延的势头还没有得到遏制。有的地方社会治安状况不好。对于这些问题,我们要继续采取有力措施,切实加以解决。

2000年是世纪交替之年,是全面实现我国社会主义现代化建设第二步战略目标的最后一年,做好今年政府工作具有承前启后的重要意义。各级政府要按照党中央关于今年工作的总要求,以邓小平理论和党的基本路线为指导,认真贯彻党的十五大和十五届三中、四中全会精神,继续执行中央关于推动改革开放和经济发展的一系列政策措施,正确处理改革、发展、稳定的关系,保持国民经济持续快速健康发展,切实加强社会主义精神文明建设和民主法制建设,促进社会全面进步,以优异的成绩迎接新世纪。

关于1999年国民经济和社会发展计划执行情况与2000年国民经济和社会发展计划草案的报告(节选)

——2000年3月6日在第九届全国人民代表大会第三次会议上

国家发展计划委员会主任　曾培炎

一、1999年国民经济和社会发展计划执行情况

过去的一年,在中国共产党的正确领导下,全国各族人民同心同德,团结奋斗,克服前进道路上的各种困难,改革开放和现代化建设取得了新成就,国民经济持续快速健康发展,各项社会事业全面进步。总的看来,1999年计划执行情况是好的,基本实现了国民经济和社会发展的主要调控目标。

国民经济发展继续保持良好态势,增长质量和效益有所提高。国内生产总值完成82054亿元,比上年增长7.1%。农业生产条件继续改善,结构调整迈出重要步伐,抗御自然灾害能力进一步增强。节水灌溉和旱作农业加快发展,优良品种和先进适用技术推广面积不断扩大。推广水稻抛秧、小麦地膜覆盖及优质早稻、双低油菜等18项农业适用技术面积增加7000万亩。粮食产量继续稳定在5亿吨的较高水平。工业增加值增长8.5%。工业内部结构调整取得明显进展,电子信息等高技术产业发展加快。移动通信设备、电子计算机和大规模集成电路产量分别增长43.5%、196.4%和149%。工业产品销售率达97.16%,提高0.56个百分点。全年工业企业经济效益综合指数99.3,提高8.4个百分点。国有及国有控股工业企业盈亏相抵,实现利润967亿元,增长77.7%。第三产业增加值增长7.5%。旅游、信息、咨询服务业发展加快。

投资结构继续改善,工程质量得到提高。全社会固定资产投资完成29876亿元,比上年增长5.2%。实施积极的财政政策,增发国债,扩大投资,对促进经济发展发挥了重要作用。全年完成国债投资1010亿元,加上带动的地方、部门、企业投资和银行贷款,建设了一批重大项目,集中力量解决了一些多年来想办而没能办成的大事。进一步加固6100公里大江大河大湖堤防,提高了防洪标准;在长江中下游沿岸实施的退田还湖、移民建镇工程,涉及近百万人民群众,增加行蓄洪面积1500多平方公里;公路在建规模2.4万公里,其中高速公路1万公里,新增公路通车里程4740公里,其中高速公路1895公里;投产铁路新线1005公里、复线547公里;城市基础设施和环保建设大大加快,新增城市日供水能力850万立方米,新增污水日处理能力580万吨;农村电网改造与建设在全国铺开,500个县完成改造任务;建成了仓容250亿公斤的粮食储备库;企业技术改造和高技术产业化进程加快;配合扩大招生,加大了教育设施建设投人。60%以上的国债投资用于中西部地区。为加强国债资金管理,确保建设工程质量,国务院召开了全国加强基础设施建设工程质量管理会议,做出了规定,采取了措施。各地普遍建立了层层负责的工程质量责任

制。加强了对重大项目的稽察、审计工作。

财政收支增长较快，金融持续平稳运行。通过强化税收征管，加大清理欠税力度，严厉打击走私活动，有效地促进了财政收入的较快增长。全国财政收入（不含债务收入）完成11377亿元，比上年增长15.2%。全国财政支出（不含债务支出）13136亿元，增长21.7%。全国财政收支相抵，支出大于收入1759亿元，其中中央财政赤字1797亿元，地方财政结余38亿元。努力发挥货币政策作用，降低存贷款利率和法定存款准备金率，扩大消费信贷，增加中央银行对中小金融机构再贷款规模，适度增加货币供应量，促进了内需的扩大和经济的发展。1999年末，广义货币供应量(M_2)、狭义货币供应量(M_1)、市场现金流通量(M_0)分别增长14.7%、17.7%、20.1%。全部金融机构年末贷款余额9.4万亿元，当年增加1.08万亿元。深化金融改革，加强金融监管，对防范和化解金融风险发挥了重要作用。年末外汇储备达到1547亿美元，增加97亿美元。

国有企业改革和脱困取得明显进展，其他各项重要改革继续深化。政企分开步伐加快。企业兼并破产和行业重组力度加大。在军工、有色金属、电信等行业，组建了一批新的大型企业集团。国有企业脱困工作取得成效，国有及国有控股亏损企业亏损额比上年下降15.9%。纺织、建材、有色金属、铁道等行业实现了扭亏为盈。490多万国有企业下岗职工实现了再就业，未实现再就业的下岗职工有93%进入再就业服务中心，其中97%领到了基本生活费。基本实现了企业离退休人员养老金按时足额发放。城镇职工医疗保险制度改革继续展开。

进一步理顺价格关系。调整铁路货运、医疗服务价格和邮电资费标准，提高公有住房租金和高等教育、城市供水、环保收费标准，促进了基础产业和社会公共事业的发展。降低高耗电企业电费负担和农村电价水平。整顿外贸进出口环节收费，适当降低部分偏高的收费标准，减轻了出口企业负担。

粮棉流通体制改革继续推进。落实按保护价敞开收购农民余粮的政策，实行优质优价，保护了农民的利益，促进了种植结构的调整。国有粮食购销企业坚持顺价销售，收购资金实现了封闭运行，经营管理水平有所提高，扭转了大幅度亏损的局面。棉花流通体制改革进展顺利。

外贸进出口增长较快，利用外资质量继续提高。坚持实施以质取胜和市场多元化战略，运用增加出口信贷、提高出口商品综合退税率和扩大生产企业自营出口权等多种政策手段，努力扩大出口，下半年外贸出口转降为升，增长速度加快。全年进出口总额3607亿美元，比上年增长11.3%。其中，出口1949亿美元，增长6.1%；进口1658亿美元，增长18.2%。出口商品结构不断优化。机电产品出口增长14.7%，净增99亿美元，占全部出口净增总额的88%。

实际利用外资563亿美元，比上年减少3.9%。吸引外商投资454亿美元，其中外商直接投资404亿美元，仍居发展中国家首位。国家鼓励的资金和技术密集型投资项目明显增加，单项规模扩大，到我国投资设厂的跨国公司增多。

科技和教育发展加快，各项社会事业全面进步。科技体制改革进一步深化。10个国家局所属242家科研机构经过改制后，有80%进入企业。加大了对基础研究、行业共性技术、关键技术和高技术研究项目的支持力度。国家重点基础研究发展规划项目和科技型中小企业技术创新基金顺利启动。数字高清晰度电视、稀土材料应用和生物技术等重大产业化专项取得进展。“神舟号”飞船试验飞行成功，标志着我国载人航天事业迈出了重要步伐。

各级各类教育改革和发展取得新成就。把实施科教兴国战略与扩大内需结合起来，扩大了普通高校和成人高等教育招生规模。普通高校招生160万人，比上年增长47.4%。积极支持贫困地区改善基础教育办学条件。通过基本普及九年义务教育和基本扫除青壮年文盲验收的人口地区覆盖率达80%。素制教育全面推进。高等院校的学科建设得到加强。

文化艺术、新闻出版、广播影视、社会科学、计划生育、卫生、体育等各项社会事业全面发展，社会主义精神文明建设继续加强。人口自然增长率8.77‰。“村村通”广播电视工程全面启动，使近4000万农民结束了听不到广播、看不到电视的历史。贫困地区农民健康工程开始启动。

市场销售开始转旺，人民生活继续改善。扩大个人消费信贷、增加法定节假日和改善消费环境等措施，促进了消费需求增长，下半年市场销售额稳步回升。全年社会消费品零售总额31135亿元，比上年增长6.8%，加上物价下降因素，实际增长10.1%。从去年7月1日起，提高了城镇低收入居民和公职人员的收入。全年城镇居民人均可支配收入5854元，比上年实际增长9.3%。城镇人均居住面积9.6平方米，增加0.6平方米。城镇登记失业率3.1%。落实减轻农民负担的各项措施，努力增加农民收入。农村居民人均纯收入2210元，实际增长3.8%。扶贫工作取得新进展，又解决800万左右贫困人口的温饱问题。

这些巨大成绩，为庆祝新中国成立50周年和迎接澳门回归祖国创造了良好环境，增强了国内外对我国经济发展的信心。实践证明，以江泽民同志为核心的党中央完全能够应对各种复杂局面，驾驭全局，带领全国各族人民，团结奋斗，开拓进取，实现国民经济持续快速健康发展。

我们也清醒地看到，经济和社会发展中还有不少困难和问题。一是有效需求不足。固定资产投资增长速度放慢，国有单位投资增速从一季度的22.7%降到四季度的3.8%。一些因素制约着居民消费的增加，影响了消费领域的扩大。居民消费价格和商品零售价格去年分别下降1.4%和3%。二是就业压力加大。截止去年底，国有企业下岗职工有650万人待业，还有失业人员，需要解决就业问题。乡镇企业从业人员减少。大量农村剩余劳动力需要转移。三是农民收入增长减缓。由于供求关系变化，农产品价格持续下跌，乡镇企业效益下降，去年农民人均纯收入仅增加48元。四是经济结构不合理的矛盾仍很突出。一般产品生产能力过剩的问题仍很严重，一些企业不能适应市场需求变化，开发和创新能力不足，产品更新换代缓慢，竞争力不强。五是一些地区生态环境继续恶化，部分城市污染严重。对这些问题，我们要采取有效措施，认真加以解决。

关于1999年中央和地方预算执行情况及2000年中央和地方预算草案的报告（节选）

——2000年3月6日在第九届全国人民代表大会第三次会议上

财政部部长　项怀诚

一、1999年中央和地方预算执行情况

1999年，在党中央、国务院的正确领导下，全国人民团结一致，共同奋斗，国民经济和社会各项事业取得重大成就。在九届全国人大二次会议批准1999年中央预算以后，针对国民经济发展中出现的固定资产投资增长放慢，外贸出口和外商直接投资下降，消费需求不振，物价持续走低，国内有效需求不足等情况，党中央、国务院审时度势，果断作出了进一步加大实施积极财政政策力度的重大决策，以保持1998年下半年以来出现的经济回升的良好势

头。其主要内容包括:在年初预算确定的国债发行规模的基础上,由财政部向商业银行增发600亿元长期国债,其中300亿元列入1999年中央预算,相应扩大中央财政赤字;300亿元由中央政府代地方政府举借,不列入中央预算。较大幅度地增加城镇中低收入居民收入,提高行政事业单位职工工资,调整外贸出口退税政策和国内税收政策。由此影响财政减收增支的部分,通过增加财政收入和调整支出结构解决,不扩大中央财政赤字。1999年8月,九届全国人大常委会第十一次会议审议批准了国务院提出的增发国债用于增加固定资产投入和中央预算调整方案的议案。执行结果表明,以实施积极财政政策为主要内容的宏观调控措施取得显著成效,国民经济实现了稳定增长,国内生产总值比上年增长7.1%,经济运行质量和效益有了明显提高,各项改革继续顺利推进,人民生活进一步改善。

在国民经济稳定增长的基础上,1999年中央和地方预算执行情况比较好。中央财政总收入6396亿元,完成预算的108.7%。其中,中央财政本级收入5798亿元,完成预算的109.6%;地方上解中央收入598亿元,与预算持平。中央财政总支出8193亿元,完成预算的106.6%。其中,中央财政本级支出4098亿元,完成预算的92.9%;补助地方支出4095亿元,完成预算的124.9%。中央财政收支相抵,赤字1797亿元,比九届全国人大常委会第十一次会议批准调整预算确定的1803亿元减少6亿元。

分项目看,1999年中央预算中部分收支项目实际执行数与年初预算相比增减变化较大:关税和进口产品消费税、增值税完成预算的192%,主要是国家集中力量打击走私,鼓励合法渠道进口,海关加强税收征管,使收入大幅度增加;营业税和国有企业所得税分别完成预算的86.1%和70.5%,主要是国家几次调低贷款利率,金融企业上交收入相应减少;证券交易印花税完成预算的165.6%,主要是股票交易额扩大,相应增加了该项税收收入;基本建设支出完成预算的79.6%,是在执行中将一部分原列中央财政本级的基本建设支出补助给地方使用的缘故。

1999年中央财政共发行国债4015亿元,除代地方政府举措的300亿元外,中央财政债务收入3715亿元,完成调整预算的100%。其中,用于偿还国内外债务本息1911亿元,弥补当年赤字1797亿元,建立中央财政偿债基金7亿元。此外,1999年中央政府性基金收入1349亿元,中央政府性基金支出1349亿元。

地方财政总收入9675亿元,完成预算的109.9%。其中,地方财政本级收入5580亿元,完成预算的101%;中央补助收入4095亿元,完成预算的124.9%。地方财政总支出9637亿元,完成预算的110.2%;上解中央支出598亿元,完成预算的100%。地方财政收支相抵,结余38亿元。这个结余数字是全国各地区的汇总数字,由于各地区发展不平衡,有些地区财政还相当困难。

中央和地方预算执行数汇总,1999年全国财政收入11377亿元,完成预算的105.3%;全国财政支出13136亿元,完成预算的104.2%。全国财政收支相抵,支出大于收入1759亿元。上述预算执行数字,在中央和地方决算编制汇总后,还会有些小的变化。

为了圆满完成1999年的各项预算任务,国务院和地方各级人民政府重点抓了以下几项工作:

(一)强化收入征管,确保财政收入稳定增长。1999年全国财政收入突破万亿元,比上年增加1501亿元,增长15.2%;财政收入占国内生产总值的比重由1997年的11.6%、1998年的12.4%上升到1999年的13.9%。这是国民经济稳定增长、财税体制有效运行、征收管理不断加强的结果。在去年增加的收入中,关税和进口环节增值税、消费税比上年增加706亿元,增长81.2%;证券交易印花税增加40亿元,增长19.4%;清理欠交税收100亿元。上述几项因素共增加收入846亿元,占当年财政收入增加额的56.4%。而与企业密切相关的国内增值税、消费税仅增长5.8%,营业税仅增长5.7%,均低于经济增长幅度。这说明,1999年财政收入的大幅度增长并没有增加企业的税收负担,我国企业的税收负担在国际上仍处于中等偏低水平。与此同时,我们认真清理整顿乱收费,共取消涉及企业负担的行政事业性收费和政府性基金项目388个,减轻企业负担约180亿元。

(二)认真落实积极财政政策,较好地发挥了财政宏观调控作用。一是各地区、各有关部门继续做好国债投资项目选择和资金使用管理工作,按照国务院确定的投资方向确定项目,坚决不搞重复建设,认真安排支出预算和转贷资金使用计划,并加强对资金使用的监督检查,保证了国债资金的使用效益。二是调整了个人收入分配政策,较大幅度提高了国有企业下岗职工基本生活费、失业保险金和城镇居民最低生活保障金水平,增加了行政事业单位职工工资和离退休人员的离退休费,提高了国有企业离退休人员养老金标准和部分优抚对象抚恤标准,受益职工和居民达8400多万人。财政部门会同有关部门集中精力,在较短时间内完成了从制定实施方案,筹措资金,到具体落实政策等一系列工作。绝大部分地区在国庆节之前将增加的工资、养老金和补贴发放到职工和居民手中。考虑到一些地方财政比较困难以及年初预算安排不足等因素,中央财政通过转移支付办法,从超收收入中安排343亿元,用于补助24个省、自治区、直辖市落实调整收入分配政策。这项政策的实施,深受广大干部职工特别是低收入阶层群众的欢迎,促进了消费,也为万众一心喜庆建国50周年和澳门回归创造了良好的气氛。三是及时调整了部分税收政策。为了支持出口,开拓和扩大国际市场,分两次提高了部分商品的出口退税率,使我国出口货物的平均退税率提高5.5个百分点,达到15%以上,当年退税626亿元,比预算增加156亿元,比上年增长43.5%。为了鼓励投资,从1999年7月1日起,对实际完成的投资额减半征收固定资产投资方向调节税,并对符合国家产业政策的企业技术改造项目购置国产设备,准许按40%抵免企业所得税。为了适当调节个人收入,缩小分配差距,刺激居民储蓄向消费、投资转化,扩大国内需求,从11月1日起,对居民储蓄存款利息恢复征收个人所得税。

(三)着力调整支出结构,重点项目的保障程度不断提高。1999年,各级财政按照社会主义市场经济发展的要求,逐步调整和优化支出结构,突出重点,较好地保证了与改革、发展、稳定大局密切相关的各项支出需要。1999年,全国财政支出比上年增长21.7%,其中中央财政支出增长27.1%,这是多年来少有的。中央财政支出包括补助地方的支出中,重点保证的项目是:(1)基本建设支出1486亿元,比上年增长74.9%;企业技术改造和贴息支出61亿元。(2)社会保障支出360亿元,比上年增长1.1倍,其中用于确保国有企业下岗职工基本生活费补助和确保企业离退休人员养老金发放的支出257亿元,比上年增长1.7倍。(3)教育经费占本级财政支出的比重1999年又提高1个百分点,实际支出127亿元。如果考虑中央部分高校下划地方等因素,按同口径比较,比上年增长23%;建立科技发展基金,实施知识创新工程,增加对基础研究和重点科研项目的投入,实际支出98亿元,比上年增长14.6%。(4)加大扶贫力度,扶贫资金实际支出91亿元。此外,中央财政在建立中央社会保障专用资金,安置中央企业破产职工等方面也安排了必要的资金,在不断优化支出结构的同时,积极探索财政支出管理办法,通过扩大政府采购制度试点,试用零基预算编制方法,对各种专项资金支出实行跟踪反馈制度等,规范和加强了财政管理,提高了资金使用效益。

(四)加强财政法制建设和监督管理,促进了依法理财。根据依法治国、依法理财的方针,财政法制建设步伐加快,1999年,修改和完善了《会计法》,制定了《中央预算执行违法违纪行为处罚暂行办法》等财政规章制度60余件。重点开展了国债专项资金、中央特大防汛补助费和水利建设基金、中央部门预算外资金、中央财政扶贫资金、社会保障资金的专项检查活动,组织了百户酿酒企业会计信息质量和社会中介机构审计的国有企业年度会计报表的抽查,查处了一批违反财经法纪的案件和涉案人员。税务、海关等征管部门进一步加大了依法治税的力度,严厉打击偷税、逃税、骗税行为。我们对会计师事务所、评估师事务所进行了清理整顿,到1999年12月底已基本完成脱钩改制工作。另外,我们还编报了1999年中央单位预算外资金收支计划,全面推行了行政事业性收费和罚没收入上缴国库及预算外资金财政专户的“收支两条线”管理办法。

这些工作对整顿财经秩序，堵塞财政收支漏洞，遏制经济犯罪，提高财政资金使用效益起到了重要作用。

各级人民代表大会及其常委会和审计机关，根据《宪法》和有关法律对预算执行情况进行监督，对加强和改进政府管理工作具有重要作用；九届人大常委会第13次会议审议通过的《关于加强中央预算审查监督的决定》，对规范预算管理，促进财税改革和发展具有十分重要的积极作用。1999年6月，全国人大常委会在审议1998年中央决算和中央财政审计报告时，指出了中央财政预算执行中存在的一些突出问题。对此，国务院十分重视，责成财政部认真检查纠正。财政部在1999年7月召开的全国财政工作会议上和部机关开展的"三讲"教育活动中，都作为一个重要专题进行了深入研究，并制定了具体的整改方案。对违规作法已及时进行了纠正和处理；对涉及到管理和制度方面的问题，按照既积极又稳妥的原则，已经制定了改革措施，有些已在编制2000年预算中得到了贯彻落实。

回顾1999年的预算执行情况，我们也清醒地看到，财政工作和预算执行中还存在一些不容忽视的问题。一是财经领域的违规行为和违法犯罪活动还相当严重，财政秩序还比较混乱，有法不依、执法不严、违法不究的现象仍相当普遍。二是财政保障能力依然不强，各级财政的压力都很大，尤其是部分县、乡财政困难突出，一些行政事业单位职工工资不能按时发放，某些该保障的资金支出还得不到充分保障。三是调整支出结构虽然已起步，但步伐不快，力度不大，财政包揽过多的问题依然存在，财政供给"越位"和"缺位"的问题仍未得到根本改变。上述问题必须在经济稳定发展的基础上，通过深化财税改革，完善财经制度，健全财政职能，规范经济秩序，加强财政监督，严格财政管理，逐步加以解决。

积极发挥价格杠杆作用 更好地为扩大内需　促进经济发展服务[①]

国家发展计划委员会副主任　汪　洋

一、发挥价格杠杆的作用，围绕扩大内需积极开展价格工作

1999年以来，我国价格总水平继续走低，通货紧缩迹象进一步显现。截止10月份，全国商品零售价格总水平已连续25个月，居民消费价格总水平已连续19个月低于上年同期水平。预计全年居民消费价格和商品零售价格总水平比上年下降1.3%和2.9%左右。价格总水平持续下降对保持国民经济持续快速健康发展形成了不小的压力，也给价格调控工作带来了严峻的挑战。面对日趋复杂的市场价格形势，各级物价部门认真贯彻党中央、国务院关于综合运用各种经济政策刺激有效需求的重大决策，紧紧围绕党和政府的经济工作中心，积极发挥价格杠杆的调节作用，做了大量的工作，特别是在贯彻落实中央12号文件过程中发挥了积极的作用。

1、围绕促进需求增长和经济结构调整，深化价格改革，完善价格形成机制。针对近年来买方市场逐步形成，市场价格总水平持续走低的经济形势，各级物价部门及时转变价格调控方向，把工作重点转到积极运用价格杠杆促进内需增长、结构优化和经济发展等方面上来。在继续加大清理、取消通货

① 此文为汪洋同志在1999年11月22日全国计划会议上与物价局局长座谈时的讲话。

膨胀时期采取的一些管理办法的同时，及时出台了一系列刺激消费、刺激投资和促进产业结构调整的价格政策。一是继续深化农副产品价格改革。根据中央深化粮食流通体制改革的统一部署，适应经济形势发展变化，降低了部分粮食定购价和保护价水平，拉开粮食品种差价、等级差价、季节差价和地区差价。放开棉花收购价格，发布收购指导性价格，初步建立了在政府宏观调控下主要由市场形成棉花价格的机制。下调食糖指导价格，调整了烟叶收购价格政策。改革了化肥、农膜原料价格管理办法，放开化肥零售价格。二是继续运用价格杠杆促进基础产业和第三产业的发展。进一步降低农村电价、固定电话初装费、移动电话入网费、互联网收费和国际及港澳台电话资费，降低出口煤炭运输价格和港口收费。加强经济适用住房价格管理，清理取消、降低了涉及住宅建设和销售的一批收费。提高铁路货运价格和国内邮政资费标准。许多地区配合高等学校扩招，提高了非义务教育收费。一些地区还不同程度地提高了城市供水、公交车票、旅游园林门票等价格和公有住房租金、医疗、环保等收费标准。这些改革措施的出台对调整农业生产结构、促进基础产业和第三产业发展，促进电信消费市场扩大，培育和发展教育、房地产等新经济增长点发挥了积极的作用，有力地促进了经济结构的调整。

2、大力整顿价格秩序，为经济发展创造良好的价格环境。减轻企业和居民不合理价格负担，是当前增加企业、居民收入，扩大市场需求，促进市场经济健康发展的重要环节。各级物价部门始终把清费、治乱、减负当作一项重要任务来抓。1999 年以来，各地物价部门继续加大清理涉及企业的各项收费，进一步完善《收费许可证》和企业交费登记卡制度，大力制止乱收费。重点整顿药品价格、电价秩序和外贸进出口收费，清理取消了违反国家规定在电价外加收的 560 项附加费和基金，降低了企业注册登记、个体工商户管理、进出口等 468 项收费标准。据估算，共计减轻社会负担约 690 亿元。积极开展了农村收费、道路交通、电信、教育、民航机票、涉及外资企业收费等专项检查和粮食、药品、房地产、物业管理等常规性价格检查。1～9 月份，共查处各类价格违法案件 22.9 万件，查处违法所得金额 23.4 亿元，上缴财政 7.8 亿元，退还用户 5.6 亿元。继续开展制止低价倾销工作，规范企业价格行为，对个别涉及低价倾销的企业进行了调查和检查，为继续保持国民经济持续快速健康发展创造了良好的价格环境。

3、加强价格法制建设，积极促进形成依法治价的社会氛围。价格工作既要维护市场价格竞争秩序，又要保护广大经营者和消费者的合法经济权益。搞好价格法制建设，坚持依法治价是做好这两项工作的重要保证。1999 年以来，各级物价部门一方面继续组织开展大规模学习、宣传、贯彻《价格法》的活动，进一步提高全社会的价格法律意识，为依法管价、依法治价创造良好的社会氛围。另一方面继续围绕建立完善价格宏观调控体系，进一步加强以《价格法》为核心的价格法规体系建设。在规范价格行为方面，国家计委颁布了《价格违法行为行政处罚规定》、《关于制止低价倾销行为的规定》、《关于制止彩色显像管、彩色电视机不正当价格竞争的试行办法》。在价格管理基础性工作方面，颁布了《价格监测规定》、《农产品成本调查管理办法》等。在收费管理方面，颁布了《游览参观点门票价格管理办法》。在价格服务方面，颁布了《价格认证管理办法》、《关于建立价格鉴证师执业资格制度的暂行规定》。各地还根据当地的实际情况颁布了一批与《价格法》配套的法规、规章和规范性文件，使价格工作法制化建设又有了新的发展。

4、加强和改善价格监测、成本调查、价格调研、价格培训、价格信息和价格事务工作，努力提高价格工作服务水平。适应发展社会主义市场经济的要求，各级物价部门积极开拓新的工作领域，服务市场、服务政府、服务社会的意识进一步提高，既为各级政府制定经济决策起到重要参谋作用，也使物价部门在转变职能、改进工作方法等方面有了明显进步。一是配合深化粮食流通体制改革，加强了农产品成本调查工作，及时掌握粮棉等农产品成本和收益情况。二是在完善国内重要消费品和服务价格监测的基础上，加强了对国内投资价格和国际市场价格形势的分析监测。三是以中国价格信息网为主体的计算机互联网建设取得重大进展，全国已有20多个省、区、市建立了地方网站，与中国价格信息网实现了网络互联。四是继续大力开展价格鉴定、价格认证、价格评估、价格咨询等价格事务工作。各级价格学会配合物价部门在加强价格调研、政策宣传以及价格中介服务等方面做了很多工作。物价出版和价格理论研究工作也取得了一些可喜的成果。

1999年的价格工作为我们在探索通货紧缩形势下如何做好价格工作积累了许多宝贵经验，得到了各级党和政府的高度重视。在此，我代表国家计委向辛勤工作在价格工作第一线的全体同志表示诚挚的慰问和衷心的感谢。

二、总结提高，进一步认识价格工作的重要作用

2000年是跨世纪的一年。在面向新世纪，考虑“十五”和2015年价格工作发展规划的时候，认真总结并充分认识价格工作在社会主义市场经济中的地位作用，无论是使社会各方面进一步重视并运用价格杠杆促进国民经济发展、推进经济体制改革，还是对进一步提高我们的工作水平，完成日益繁重的改革和工作任务，都具有十分重要的意义。

1、价格是宏观调控的重要手段。20年来，价格工作通过不断调整放开工农产品价格，调动了社会生产积极性，促进了工农业综合生产能力迅速提高和基础设施建设快速发展，缓解了经济发展中的许多“瓶颈”制约，推进了我国产业结构调整的进程。在抑制通货膨胀的工作中，物价部门在各级党和政府的领导下，综合运用经济、法律和必要的行政手段，实施价格调控目标责任制，使过高的通货膨胀率得到了及时抑制，顺利实现国民经济“软着陆”。这两年，物价部门认真贯彻中央一系列扩大内需的政策措施，利用价格手段，配合财政、货币、税收等其他经济杠杆，在抑制通货紧缩的工作中也发挥了不可替代的作用。从一定意义上说，没有价格手段的运用，我国农业综合生产能力的提高，农民收入和生活水平的改善，基础产业和基础设施“瓶颈”制约的缓解，以及抑制通货膨胀，完成经济“软着陆”可能都难以顺利实现。

2、价格改革是经济体制改革的重要工具。我国建立社会主义市场经济体制改革的目标实质，是使市场在国家宏观调控下对资源配置起基础性作用。而市场配置资源的基础性作用要借助市场价格形成和运行的机制来实现。因此，价格改革既是经济体制改革的关键内容，又是经济体制改革的重要工具。20年来，我们通过推进农产品价格改革，有力地促进了农村经济体制改革的步伐；通过建立由市场形成价格为主的价格形成机制和市场竞争机制，促进了企业自主经营、自负盈亏经营机制的发育和发展；通过放开价格、理顺价格关系，改变了不同行业和企业间的分配关系，创造了公平竞争环境。价格改革的稳妥和顺利推进，保证了整个经济体制改革的顺利进行。

3、价格调节是促进国民经济持续、快速、健康发展的重要手段。我国是发展中国家，而且处于社会主义建设的初级阶段，建设资金短缺，市场竞争秩序不完善。调节社会分配关系，为经济建设筹集资金，维护合理的市场竞争秩序，是我国价格工作的重要特征。据不完全统计，1979～1998年，我国通过价格调整和价格改革使农民增加收入9800亿元；为交通、通讯、电力、石油、煤炭等基础产业发展累计提供建设资金1万亿元。近两年，随着我国社会主义市场经济体制的逐步确立和经济总量平衡关系的转换，价格工作将重点转移到为促进经济结构调整、扩大内需服务和规范价格行为、整顿收费秩序、创造良好的经济发展环境上来。国家计委连续下发了发挥价格作用促进经济结构调整和促进需求增长的意见。北京、广东、江苏、湖南、江西、黑龙江、河北、辽宁、山西等地物价部门结合当地经济发展中的实际情况，积极探索开展了运用价格杠杆促进经济结构调整的具体工作，为促进当地经济发展做出了重大贡献。认真贯彻党的十五大提出的依法治国方略，加快推进价格法制建设步伐，以《价格法》为核心出台了一大批法规规章，使价格工作法制化、规范化建设大大地向前迈进了一步。天津、内蒙古、上海、浙江、山东、河南、贵州、云南、广西、青海、宁夏等地物价部门根据市场经济发展的需要，加快地方价格法规建设步伐，研究制定了一大批价格法规、规章，对规范市场竞争秩序、促进各地经济的健康

发展都起到了积极的作用。

4、价格工作是党和政府联系群众的重要纽带。价格工作一头连着市场和广大人民群众的利益，一头连着党和政府的工作决策。价格水平的高低，各种商品和服务的比价关系是否合理，直接牵扯着人民群众的利益，也直接牵动着党和政府工作的注意力。党和政府发展生产、提高人民生活水平的各项经济政策和为人民服务的宗旨很多是通过价格政策体现出来的。改革开放以来，我们通过做好价格工作、保持价格总水平基本稳定，保证了人民生活水平的提高和社会安定。这些年来，通过价格监督检查，累计查处价格违法案件995万件，实现经济制裁196亿元，并责成价格违法者将违法所得尽可能退还给用户，为保护消费者利益做出突出贡献。另外，通过价格来信来访和开办社会举报工作，直接听取广大群众对价格和收费的意见，解决价格纠纷，使党和政府及时听到群众的呼声，有效地促进了经济决策和工作的改进。物价部门的广大干部职工用自己的实际行动，加强了党和政府与人民群众的联系，获得了广泛的好评。

价格工作取得的成绩是各级党和政府正确领导的结果。价格工作在经济工作中的地位和作用也得到党和政府及社会的确认。价格工作要在新的世纪再上新的台阶，今后仍然离不开各级党和政府的继续重视和支持。我们要注意总结、宣传价格工作的重要性，努力以有为的工作来进一步确立价格工作的地位。当前，随着经济体制改革的不断深化和国民经济的迅速发展，价格改革和价格工作的许多难点和重点问题都会逐步浮出水面。价格调控工作又面临着以往从未遇到过的通货紧缩问题。这些问题不仅增加了价格工作的难度，也增大了价格工作的挑战性。我们要继续发扬价格工作的好传统，正视困难，勇于实践，以饱满的热情迎接这些挑战。

三、2000年价格调控目标和总体工作要求

在国内外经济环境仍然十分复杂、国内市场有效需求仍然不足的情况下，积极发挥价格杠杆作用，更好地为扩大内需、促进产业结构调整服务，仍然是2000年和今后一个时期价格工作的中心任务。

2000年我国经济发展的国际环境总体上趋于宽松。亚洲金融危机的影响逐渐减弱，遭受冲击国家的经济继续复苏和回升，世界经济和贸易增长都将有所加快。国际市场价格可能会出现缓慢回升。从国内环境看，随着党的十五届四中全会精神的深入贯彻实施，国有企业的改革和发展会有新的进展，中央扩大需求政策措施实施效果进一步显现，社会保障体系进一步完善，迎接新世纪和增加法定节假日所激发出来的消费需求，会对扩大国内需求起到一定的促进作用。企业库存下降，利润增加，有利于扩大社会投资。这些因素对推动生产资料和居民消费价格总水平回升会起到积极的作用。但是，制约价格上升的因素仍然存在。在国际市场上，由于许多国家结构调整和产业重组加快，初级产品和一般工业制成品供大于求的状况难以改变，竞争更加激烈，我国保持出口增长的难度不容低估。国内市场投资和消费增长仍受到制约，农产品和一般工业消费品、大宗生产资料相对过剩和有效供给不足。居民收入特别是农民收入增加难度加大，就业压力增大，又限制了消费能力的增长。

初步分析，这些因素综合作用到2000年全国价格总水平的变动上，将会出现这样的格局：消费品市场仍将处于多数产品供过于求，价格水平相对稳定的状态。农副产品价格总体回升乏力，但适应市场需要的优质农副产品、名牌家用电器及文化教育用品的价格水平会出现回升，居住和教育等服务价格继续上升。除石油、化工、有色金属价格会继续随国际市场价格行情波动外，其他原材料和能源产品价格仍将在低位徘徊。从区域上看，东南沿海发达地区的价格水平将出现回升，中西部大多数地区价格跌势趋缓或略有回升。全国居民消费价格总水平将可以实现转负为正。

合理确定2000年价格总水平调控的预期目标，利用价格总水平调控预期信号，引导市场投资与消费信心，抑制通货紧缩，促进景气回升，是价格工作贯彻中央12号文件和中央经济工作会议精神的一个重要环节。根据中央经济工作会议部署，拟将2000年居民消费价格总水平上升幅度的预期调控目标确定为1%左右。适应我国经济发展形势变化、

建立社会主义市场经济体制以及与国际市场接轨的要求，拟从2000年起不再提出商品零售价格总水平的预期调控目标。

2000年价格工作的总体要求是：**坚持以邓小平理论和党的基本路线为指导，认真贯彻落实党的十五大和十五届三中、四中全会精神，按照中央经济工作会议的部署，紧紧围绕扩大国内需求和经济结构调整，积极发挥价格杠杆作用，继续深化价格体制改革；加强价格服务，加强价格法制建设，加强价格、收费的监督检查，加强调查研究和价格理论研究，进一步理顺价格关系，努力促进价格总水平合理回升，为国民经济持续快速健康发展和社会全面进步创造良好的环境。**

根据这个总体要求，2000年价格调控工作既要努力促进价格总水平适度合理回升，调动市场投资和市场消费信心，加快推动经济结构调整的步伐，也要注意监控一些地区可能出现通货膨胀的苗头。要充分考虑企业下岗职工增加、农民收入增长放慢、社会总体承受能力下降的实际情况，把握好改革的节奏，适时适度地调整不合理的商品和服务价格。在调价的同时，要注意研究提出有关保障低收入居民基本生活消费的配套政策措施。

我国价格总水平下降既是总供给与总需求平衡关系转换所导致的必然结果，也是产业结构不合理、低水平重复建设所引发出来的问题。因此，2000年价格调控工作要把扩大内需和促进经济结构调整密切结合起来，既要着眼于扩大需求，也要注重于促进产业结构和产品结构调整。要从供给和需求两个方面发挥价格杠杆的调节作用，把以刺激供给为主的价格政策进一步转移到以刺激需求为主的价格政策上来，把以刺激生产为主的价格政策转到以刺激消费为主的价格政策上来，把刺激产量增长的价格政策转到刺激产品更新、质量提高、效益增加、结构调整和开发适应农村消费特点产品的价格政策上来。

当前我国经济发展中的有效需求不足，主要原因之一是企业活力不够、效益不高、农民收入增长缓慢、投资和消费能力下降。不解决这些问题，贯彻、实施促进需求增长的政策措施很难取得良好的效果，也难以为国内需求的稳步增长提供持久动力。2000年的价格工作要把推进国有企业改革、促进国有企业解困、促进农民减负增收、整顿农村电价和教育收费作为重要的着力点，努力研究和解决当前我国价格运行和管理中不利于企业发展和提高农民收入的突出问题。

我国市场形成价格的机制还相当不健全，价格调控手段还很薄弱，市场价格行为还很不规范。必须继续深化价格改革。在通货膨胀压力较大的情况下，价格改革受到市场承受能力的制约。通货紧缩尽管也对价格改革形成了一定的压力和制约，但压力要比通货膨胀时期小得多。2000年要利用好价格总水平较低这个相对有利的环境，理顺价格矛盾，加快推进价格形成机制改革，稳步推进服务价格和收费改革，进一步理顺价格关系，推进价格管理规范化、法制化建设。

四、2000年价格工作的主要任务

为了实现2000年的价格调控预期目标，更好地发挥价格杠杆的调节作用，为扩大需求、促进经济结构调整、保持国民经济持续快速健康发展服务，2000年价格工作的主要任务是：

1、统筹兼顾，促进价格总水平合理适度回升。价格总水平长时间大范围持续下降，是我国改革开放以来从未遇到过的现象。应该说价格总水平的下降有消化前几年价格“泡沫”及生产力提高，供求关系改善等各种因素的影响，同时，也是低水平重复建设，造成供大于求的结果。从宏观角度讲，这有利于促进市场竞争和产业结构调整。但价格过度下降，压抑了居民消费欲望，加重了生产经营者的困难，影响了投资者的信心，进而影响社会就业和城市居民收入增长。所以，2000年的价格调控工作首先要配合落实国家各项宏观调控目标，围绕促进价格总水平合理适度回升，引导和改善居民的收支预期来进行。

要正确认识促进价格总水平合理回升在宏观调控工作中的作用。促进价格总水平合理回升能够影响消费者“买涨不买落”的消费心理，有利于扩大消费，促进社会总需求的增长；能够增加企业产品销售利润、稳定农副产品价格，有利于城乡居民收入增长和消费支出增加，进而加快社会再生产的循环。当然，价格总水平回升，也可能暂时对低收入居民的生活产生一定影响，但只要做到合理控制价格总水平回升的幅度，保证社会商品和服务的价格有升有降，就不会影响居民生活安定。从根本上说，只要能够刺激生产发展和就业扩大，价格总水平适度回升是有利于居民收入增加的。

促进价格总水平合理适度回升，关键是要把工作的着力点放在制定和推进促进消费、促进投资和刺激出口以及结构调整的价格政策方面，通过促进社会总供给与总需求关系的改变影响价格总水平的变动。要加强价格监测，跟踪分析价格走势，利用各种新闻媒介宣传国家抑制通货紧缩促进价格回升的政策措施，引导社会预期和消费心理。要及时考虑用居民消费价格指数取代商品零售价格指数的统计、分析和对外公布。要继续坚持和落实按保护价敞开收购农民粮食的政策。充分发挥粮食风险基金、价格调节基金的作用。认真贯彻《关于制止低价倾销行为的规定》，引导经营者加强价格自律，通过调整结构、改善品种、提高质量、加强管理、降低成本、增加销售来提高经济效益。

2、实施积极的价格政策，努力促进需求增长。促进需求增长，价格工作要从规范价格行为，创造良好的消费环境；合理调整政府定价，引导和刺激消费需求；减负增收，提高消费能力等方面入手，抓实抓好，抓出成效。

进一步规范价格行为，整顿消费市场价格秩序。通过修改颁布明码标价规定、制裁价格欺诈、清理乱收费，为消费者创造良好的消费环境。

合理制定政府定价和政府指导价，改进作价和计价办法，促进居民增加消费。对超过一定数量的电力消费实行价格优惠，扩大电力消费；继续降低电话初装费和实行一户多机免收初装费；对部分铁路路段的客票实行季节和时段浮动价格，促进铁路与公路运输的竞争；制定民航客票价格折扣办法，适当降低国内航线实际票价水平，促进航空运输市场扩大。通过清理乱收费、引入价格竞争、加强企业成本约束等途径，继续降低住房、旅游、药品价格和农村电话月租费、通话费，减免汽车购买、落藉、使用等环节的收费，促进相关产品和服务的消费。

加大清费治乱力度，减负增收，提高消费能力。在市场约束和成本约束不断增强的市场竞争条件下，通过清费、治乱、减负提高企业盈利水平和农民收入，是一条促进需求增长的有效途径。2000 年要在这方面有进一步的突破。要全面贯彻党中央、国务院关于切实减轻农民和企业负担的一系列政策措施，重点针对涉企、涉农、涉外收费进行清理整顿。对近两年已经清理取消的各项收费进行复查，防止反弹；对现有收费标准进行重新审核，能降低的降低，能减免的减免。

3、发挥价格杠杆作用，促进产品结构和产业结构调整优化。加快经济结构调整，是解决我国产品结构性供给过剩，优化资源配置，提高国民经济增长质量的关键环节。各级物价部门要充分发挥价格杠杆的调节作用，为推动我国经济结构调整服务。

用价格信息引导结构调整。要加强对农民和企业进行市场价格信息的发布与引导工作。继续宣传、推广邯钢成本、价格管理经验，协助企业和农民做好成本调查和成本核算工作。提高农产品成本常规调查、直报调查的代表性、准确性和时效性，充分发挥农本调查网络和中国价格信息网的优势，开展价格咨询服务，定期向经营者发布国内外重要市场供求和价格信息，引导农民、企业按市场需求调整生产结构，促进搞活农副产品流通。

用价格政策促进结构调整。目前我国粮食、棉花等主要农产品供应已经出现了阶段性总量供给过剩，因供给过剩而导致价格不断下跌和农民收入增长放缓。必须引导农民适应市场需求变化调整产业结构、产品结构和质量品种结构，通过提高产品价值含量来增加农民收入。要进一步推进和完善粮食、棉花流通体制改革，促进粮棉供求平衡，稳定粮棉价格。加大落实优质优价、按质论价政策的力度，较大幅度地拉大粮食优质品种和劣质品种、高等级与低等级之间的差价，引导农民调整种植结构。要加强种籽价格管理，严厉打击炮制、贩卖假种坑农害农的行为，配合、协调有关部门做好优质农产品良种培育、质量检验、技术培训、仓储设施建设等方面的工作。积极研究利用价格调节基金支持农副业生产结构调整,支持农业科技实验,扶持良种培育及有关质量检测仪器的购置等。在充分考虑企业和居民承受能力的基础上,适时、适度地疏导一些价格矛盾。适当提高天然气、水利工程供水、城市供水价格,疏导电价矛盾,促进水利建设和能源生产。推行垃圾处理收费制度,逐步提高污水处理费标准。

用价格手段促进结构调整,为基础设施建设和公用设施建设提供必要的资金积累。要进一步探索和完善通过调整价格和收费为基础设施建设筹集资金的办法。对道路、城市供水、城市公交等重要投资项目,物价部门可以考虑通过测算建成后价格和收费水平,向投资者提供价格收费信息;通过收费权资本化或价格、收费批文质押贷款等方式来引导社会投资方向,增强投资者信心,吸引国内外资金投向政府鼓励、经济发展需要的建设项目。

4、深化价格和收费改革,完善价格形成和调控机制。建立适应社会主义市场经济发展要求的价格管理体制,对推进新的经济体制建立、实现两个根本性转变有着重要的意义。要按照党的十五大确定的改革目标,加快推进价格体制改革,完善价格形成机制。

进一步扩大市场调节价的范围,规范政府定价行为。根据市场供求关系变化,及时将适宜放开的价格改为由市场供求决定。进一步清理取消通货膨胀时期对某些市场价格实行临时监审的措施。修订和颁布中央和省两级定价目录,建立政府价格决策听证制度,进一步规范政府定价行为。

继续完善价格形成机制和调控机制。要从逐步建立成本约束和成本认证机制、价格竞争机制、价格听证制度等方面,形成一套管理垄断行业价格的办法。目前我国大多数商品的价格已经放开,少数没有放开的商品价格大多属于垄断性行业,虽然数量不多但对国民经济影响很大。2000年要着重研究改革这些行业的价格形成机制。要研究改革上网电价审批办法,在电力行业试行竞争上网电价,约束电厂建设和经营成本。加快改革农村电价管理体制和农村电网改造的步伐,分期分批实行城乡同网同价。完善原油和成品油价格形成机制,鼓励石油、石化两个公司合理竞争。在电信、铁路、民航、城市公交行业引入竞争机制,建立价格决策听证制度,约束这些行业的企业成本,提高经济效益。分清市场和政府责任,完善医疗服务和教育的成本补偿机制,推进公益事业价格改革。在整顿药品价格秩序、完善药品价格政策、改革药品流通体制和医院管理体制的基础上,合理调整医疗服务价格,规范医疗机构价格行为。积极推进教育收费改革,适当调整教育收费标准,建立激励高校降低办学成本,提高办学效益的机制。

加快收费体制改革,推进税费改革步伐。重点梳理应该保留的收费项目,加快研究按照国家机关收费、公用事业价格、公益服务价格、中介服务价格的性质建立不同的管理体制,纳入不同的管理体系。积极配合财政部门全面推进农村费税体制改革工作。

5、加快价格法制建设,提高依法治价水平。加快价格法制建设,进一步做好价格法制工作,对于推进依法行政,逐步形成和维护公平、有序的价格竞争环境,保障国民经济健康发展具有重要意义。

加快价格立法进程,进一步提高立法质量和水平。根据《价格法》的基本规定,紧紧围绕当前经济和价格工作的中心任务,本着急用先行,抓重点、少而精的原则,有针对性地研究制定一批与《价格法》相配套的法规、规章。修订、颁布《政府价格决策听证办法》、《商品和服务明码标价规定》、《国家行政机关收费管理条例》、《水利工程供水价格管理办法》。研究制定《价格垄断行为认定和处罚办法》、《价格欺诈、价格歧视行为认定和处罚办法》、《医疗服务价格管理办法》、《省际间粮食价格衔接办法》、《上网电价管理暂行办法》、《药品价格管理办法》。在深入调查研究的基础上,着手研究制定《价格调节基金管理办法》、《行业组织价格行为规则》以及房地产价格管理办法等。各地物价部门也要结合当地实际情况加快与《价格法》及有关价格法规、规章相配套的法规建设。在加快立法进程的同时,进一步提高立法的质量和水平。

继续深入宣传、普及《价格法》,提高全社会的价格法律意识。全方位地向社会各界宣传《价格法》在国家法制建设和宏观调控中的作用。注意搜集、总结、分析价格执法过程中的一些典型案例，灵活开展普法教育。要在价格系统内部重点进行有关《价格法》、《行政复议法》、《行政处罚法》、《行政诉讼法》、《国家赔偿法》等主要法律及专业性法规的普及、宣传、培训工作，提高价格工作者特别是价格执法工作者依法行政意识，促进依法决策、依法治价。

落实《价格违法行为行政处罚规定》，加大价格执法和价格执法监督力度。搞好价格监督检查，大力整顿市场价格秩序，改善消费和投资环境。开展全国电力价格、药品价格、公安部门收费、中介机构服务收费等专项和常规检查，减轻企业负担和城乡居民消费负担。加强农村价格监督检查，促进农村经济发展。继续加大对涉农收费监督检查的力度，把农民反映强烈的农村中小学教育、医疗、婚姻登记、计划生育、建房用地等乱收费作为检查重点，增加检查频率，加大执法力度。在夏粮和秋粮收购期间，继续抓好粮食价格检查，坚决纠正各种违反中央政策的做法，保证"三项政策、一项改革"粮食流通体制改革措施落实到位。开展住房价格和物业管理收费、旅游业价格、教育收费检查，促进城乡居民扩大消费。继续开展对不正当价格行为的监督检查。加强对不正当价格行为的调查研究，制定切实可行的检查办法，及时受理对不正当价格行为的举报，缜密调查，严肃处理，促使企业加强价格自律。充分发挥群众的价格监督作用，积极维护消费者的合法权益。认真贯彻《行政复议法》，依法开展价格行政复议工作，加强对价格行政复议活动的监督检查。

五、加强物价系统队伍建设

社会主义市场经济条件下的价格工作与计划经济条件下的价格工作有着本质的不同，我国的国情特点又决定我国的价格管理与市场经济国家的价格管理有很大区别，价格总水平持续下降形势下的价格工作，与通货膨胀时期的价格工作也有本质上的差异。这就需要价格工作队伍要不断地加强自身学习和建设，不断地开创新的工作思路，增强价格工作对社会主义市场经济发展的适应性。1999年年底、2000年年初，地方物价部门还面临着机构改革的考验。各级物价部门要正确处理好机构改革和价格工作的关系，积极转变职能，转变作风，努力保持物价机构职能完整，思想不散，队伍不乱，工作不断。

1、加强理论学习，提高价格队伍的政治和业务素质。提高干部素质的关键在于不断地学习。首先是要加强政治学习，提高政治思想水平，增强在新的世纪做好价格工作，为人民服务的使命感。价格工作战线的同志们要高举邓小平理论的伟大旗帜，认真学习有中国特色社会主义理论，贯彻党的十五大和十五届三中、四中全会精神，认真学习江泽民同志关于讲学习、讲政治、讲正气的论述，坚持实事求是的思想路线。要认真学习市场经济知识、价格理论知识、法律知识。只有不断地加强业务知识学习，才能不断地提高价格工作队伍的业务素质，提高价格工作的整体水平和对社会主义市场经济发展的适应性。

2、重视调查研究，加强对解决当前价格难点问题的工作指导。随着社会主义市场经济的不断发展，价格工作的难度越来越大。我们要不断地深入实际加强调查研究，探索做好新形势、新体制下价格工作的路子和方法。要发动实际工作者、价格学(协)会、价格研究单位，针对经济发展和价格调控中的新情况、新问题，开展深入细致的调查研究。最近几年，四川、河北、福建、吉林、安徽、新疆、甘肃、湖北等地物价部门针对党和政府关注的、人民群众关心的、企业和农民渴望早日解决的价格问题进行了大量的调查研究，制定了不少符合当地实际情况的价格政策。国家计委有关司也对一些重大价格问题组织了数次调查。这些调查对提高价格决策的科学性，促进经济发展，改进价格工作起到了重要作用。2000年各级物价部门仍要加强这方面的工作。要针对防止通货紧缩趋势发展、促进价格合理回升，我国加入世界贸易组织对价格工作的影响，扩大国内消费、帮助国有企业解困、开拓农村市场、增加农民收入，发展非公有制经济、加快开发西部地区和小城镇建设，以及深化价格改革等方面的问题进行调查研究，提出一批具有操作性的政策建议，指导基层价格工作。

3、强化价格工作基础建设，提高价格工作水平。基础工作是做好新形势下价格工作的重要条件，要切实加强价格工作基础建设。一是要加强社会主义市场经济条件下的价格理论建设。理论是实践的总结，又是实践的指导。没有正确的理论指导，工作就容易出偏差。邓小平理论和20年价格改革实践为建立社会主义市场经济条件下的价格理论奠定了基础。要组织力量对20年价格改革的实践进行总结、提炼；要结合完善和发展社会主义市场经济条件下价格宏观调控手段、机制，建立健全价格法制体系，以及政府管理价格决策科学化等问题，深入开展理论研究和理论建设工作。争取经过一个时期的努力，形成能够指导新世纪价格工作的、符合社会主义市场经济要求的、有中国特色的价格理论。从当前和长远考虑，要积极研究、探讨建立与社会主义市场经济体制相适应的价格管理组织体系、监督检查组织体系和价格服务组织体系。要研究市场经济转轨过程中，具有中国特色的价格管理特征和任务，处理好宏观和微观的关系、极少数商品服务价格管住管好和大多数商品服务价格放开放活的关系。要研究哪些管理工作放在中央层次，哪些管理工作放在省级和省以下地方政府，哪些工作应委托价格中介服务组织去做。二是要加快物价系统的信息网络建设，开发和共享价格信息资源，准确反映市场价格变动趋势，提高政府价格决策工作的科学性和时效性。要继续完善中国价格信息中心与各省、自治区、直辖市的计算机互联网，建立药品价格、国家机关收费等信息网络。努力取得政府和财政部门的支持，增加价格监测和价格信息资源开发经费，保障全国价格监测网络系统的正常运行。三是要进一步建立和完善各项价格工作制度。要保持各项价格工作制度在机构改革当中的正常运行，做到制度不中断、不分解。继续贯彻《价格监测规定》，完善价格监测分析制度、价格信息汇总报告制度、价格工作会商制度。协助有关部门研究改进价格统计制度。完善农产品成本调查、对垄断行业公用事业成本调查和认定制度。

4、积极开拓价格服务工作领域，做好各项价格工作，进一步发展价格工作的好局面。现在，社会各方面对价格信息、价格鉴证、价格评估、价格认证的需求越来越多。因此，要继续加强价格学(协)会的工作，发挥其宣传、调研、协调、服务作用。2000年要做好对中国价格学会向中国价格协会转制的组织指导工作。积极为企业和社会做好价格指导和咨询服务，定期向经营者发布国内外重要市场供求和价格信息，引导生产者按市场需求调整生产结构。发挥价格事务所的作用，努力做好价格鉴证、评估、咨询工作。研究制定《涉案物品价格鉴证管理条例》，落实价格鉴证人员注册和持证上岗制度。物价出版工作是价格工作的重要阵地，要注意发挥出版工作的作用，多出书、出好书，为价格工作做出应有的贡献。

5、积极转变工作作风，切实加强廉政建设。要结合形势发展对价格工作的要求，切实转变价格工作人员的观念，强化宏观调控和法制意识。转变工作作风，提高为市场和社会服务的意识。加强廉政建设，提高价格工作人员的自我约束能力。建立健全防范干部滥用职权的制度，杜绝以权谋私、徇私枉法等违法违纪现象的发生，维护价格工作人员在人民群众中的良好形象。

新形势下的价格工作具有很大的挑战性，也极具开拓性。我们一定要按照中央经济工作会议的部署，高举邓小平理论的伟大旗帜，不断探索、实践、总结、开拓，逐步形成一套符合社会主义市场经济发展要求的、行之有效的价格工作思路和工作方法。各级物价部门要按照党中央、国务院的总体部署，结合本地区经济发展和价格工作实际，抓重点、攻难点，注意解决好政府和广大人民群众十分关注的敏感问题，扎扎实实地做好本世纪最后一年的价格工作，为顺利进入二十一世纪打下一个良好的基础。

Ⅰ 概 述

适应新形势大力推进价格改革和价格工作

1999年，在党中央、国务院采取的增加投入、扩大内需等一系列宏观调控措施作用下，国民经济保持平稳增长态势，经济运行质量有所提高，经济结构调整也取得新进展。但是由于有效需求不足、经济结构不合理的矛盾仍很突出，继1998年我国市场价格总水平出现改革开放20年以来的首次下降后，1999年市场价格总水平继续走低，全年全国居民消费价格和商品零售价格总水平分别比上年下降1.4%和3%，价格降幅比1998年分别扩大0.6和0.4个百分点。价格总水平持续走低给价格工作带来了新的问题、新的挑战，各级物价部门及时转变抑制通货膨胀时期的工作思路，认真贯彻中央经济工作方针，努力做好新形势下的价格工作，为扩大需求、促进经济结构做出了应有的贡献。

一、市场价格运行情况

1、各月价格持续负运行，2季度价格降幅达到全年最低水平，全年价格运行呈现缓V字型。各月居民消费价格和商品零售价格总水平与上年同期相比一直处于下降的状态。截止12月份，全国商品零售价格总水平已连续27个月、居民消费价格总水平已连续21个月低于上年同期水平。从价格总水平的变动情况看，上半年价格同比降幅呈现出逐月扩大的态势，居民消费价格总水平同比降幅从1月份的1.2%逐步扩大到4、5月份的2.2%，商品零售价格总水平同比降幅也从1月份的2.8%逐步扩大到4、5月份的3.5%，达到了全年的最低水平。此后，由于一些地区加大教育收费和城市基础设施调价力度、国家提高城镇居民收入等刺激消费需求措施逐步出台，以及肉禽蛋价格恢复性上涨，部分地区鲜菜价格受水灾影响上扬，后几个月价格同比降幅有所缩小。12月份，居民消费价格总水平降幅回缩至1%，商品零售价格总水平降幅也缩至1.5%。

2、多数商品价格继续走低，价格下降的地区进一步增多。在列入居民消费价格指数统计的8类价格中，除医疗保健、居住和服务项目3类价格比上年上涨外，其他5类商品价格都是下降的，具体降幅分别为：食品4.2%，衣着2.7%，家庭设备及用品2.3%，交通和通讯工具5.5%，娱乐教育文化用品3.2%。在列入商品零售价格指数统计的14类商品价格中，除中西药品、书报杂志、燃料等3类价格比上年上涨外，其他11类商品价格都呈下降态势，具体降幅分别为：食品4.2%，饮料烟酒2.7%，服装鞋帽2.7%，纺织品2%，化妆品0.4%，文化体育用品0.5%，日用品2.1%，家用电器6%，首饰5.5%，建筑装潢材料1.7%，机电产品4.9%。工业生产资料和农业生产资料价格也继续下降，分别比上年下降4.8%和4.2%。分地区看，全国31个省(区、市)的商品零售价格总水平依然是全面下降，居民消费价格总水平的下降面由1998年的68%扩大到90%。

3、食品价格持续下降仍然是拉动价格总水平继续走低的主导因素。食品价格比上年下降4.2%，拉动居民消费价格总水平下降约2个百分点。除饮食业、鲜菜价格与上年同期基本持平外，多数食品价格受供求关系影响均有明显下降。其中，粮食下降3.1%，肉禽及其制品下降9.3%，蛋类下降8.4%，水产品下降6.7%。

粮食价格逐月走低。上半年，由于粮食库存充裕，市场供过于求，价格逐月小幅下滑，1～7月份各月粮价平均分别比上月下降约0.5%。1999年粮食再获丰收，使下半年粮食市场供过于求的矛盾更加突出。各地进一步下调了粮食收购价格，小麦、玉米、稻谷等主要粮食收购价格平均比上年下调12.7%；为推陈出新，各地还出台了降价销售陈化粮措施，使粮食市场价格下降幅度不断加大，8～12月份各月粮价分别比上月下降0.9%、0.9%、1.5%、2.5%和2%。

肉禽及其制品价格是各类食品价格中下降幅度最大的品种(仅此一项，就拉动居民消费价格总水平下降约1个百分点)。这是肉禽及其制品价格在上年下降9.1%基础上的进一步走低。由于农业生产结构调整步伐缓慢，各地生猪生产发展规模依然难以得到有效控制，生猪存栏量继续保持在较高水平。春节消费高峰期过后，猪肉价格迅速下滑，到6月份跌至全年最低水平。由于价格下降速度过快、幅度过大，使生猪供需状况得到了一定程度的改善，猪肉价格在7、8、9月出现恢复性上涨。10月份以后，受饲料价格下跌的影响，猪肉价格又有所下跌。

4、受国家政策性调价等因素影响，少数服务和公用事业价格继续上涨。为支持第三产业和城市基础设施发展，一些部门、地区利用价格总水平走低的时机，积极疏导价格矛盾，不同程度地提高了部分报纸、城市供水、公交车票、旅游园林门票等价格和教育收费、国内邮政资费、公有住房租金、医疗等收费标准。受此影响，服务项目、居住、书报杂志价格继续呈现上涨态势，分别比上年上涨10.6%、1.7%和4.9%。

5、国际市场价格波动对国内部分商品价格走势产生了重要影响。国际、国内两个市场商品价格变动的关联度进一步提高。国际市场粮、棉等大宗农产品普遍过剩、价格低迷对国内市场粮、棉等农产品价格呈现持续下降的态势影响很大。国内钢材市场供过于求、价格持续走低，除了生产能力供过于求、产品结构调整跟不上需求之外，国际市场上低价进口钢材的冲击也是一个重要原因。在国际市场原油价格大幅上涨的带动下，国内燃料价格比上年上涨0.4%，这对居住价格上涨也起到了一定的推动作用。4季度我国生产资料价格出现止跌回稳迹象也是和国际石油价格持续上涨、有色金属和部分化工原料价格明显回升密切相关。

二、价格继续走低的原因分析

1、我国市场价格总水平下跌有成本下降的积极因素在发挥作用。一是近年来随着科学技术的迅猛发展，农业生产条件的改善，企业生产经营规模不断扩张，使劳动生产率水平不断提高，产量大幅度增加，许多产品的单位生产成本有了明显下降；二是近年来我国市场化体系建设、交通通讯基础设施建设飞速发展，市场化网络已初具规模，多数商品已形成全国大市场、大流通的基本格局，商品在流通领域所需时间较以前明显缩短，商品交易成本也在不断下降；三是国家为减轻企业负担、促进消费采取了整顿市场价格和收费秩序，取消几百种乱收费，降低收费标准，多次下调银行存贷款利率，降低电信、粮食、棉花等一些商品价格等措施，从而大大降低了生产经营成本。这些因素对价格走低发挥的作用是积极的，对提高生产效率、推动产业结构调整、促进生产力进步是有利的。

2、我国价格总水平走低的决定性因素是社会供求总量矛盾进一步加剧。据国家内贸局对605种主要商品供求状况的排队分析，1999年供过于求的商品品种不断增多，上半年供过于求的商品比重就由1998年下半年的34%提高到72%，下半年供大于求商品比重又进一步扩大到80%，没有供不应求的商品。造成我国市场供大于求的矛盾不断加剧状况的主要原因是：

(1)国内资源供给总量继续明显增加。一是农业生产继续稳定增长，主要农产品大面积过剩。在农业生产连年获得丰收，粮食等主要农产品库存充足的基础上，1999年粮食继续获得好收成，粮食收购价格在供给不断增加的压力下再次下调；生猪、禽蛋也由于生产过剩价格继续下跌。农产品生产的大面积过剩成为价格进一步回落的一个重要原因。二是主要生产资料资源增长较快。受国家扩大内需、增加投资政策影响，生产资料需求稳步回升，生产资料销售总额比上年增长7.8%。但由于生产资料生产能力过剩较多，生产资料需求的增长带动了部分闲置生产能力开动，使资源增长超过需求增长，钢材、十种有色金属、汽车等主要生产资料产量分别增长12.3%、10.6%、13.5%。在这种情况下，需求增长很难拉动价格的回升。三是部分消费品继续保持快速增长。电冰箱、房间空调器、彩色电视机等部分耐用消费品继续保持快速增长势头，分别比上年增长14.1%、15.6%和21.9%。四是国际市场上部分低价产品进口较多。在国际市场商品价格继续下降的情况下，我国外贸进口呈现快速增长，全年外贸进口增长18.2%。受利益趋动，一些国内企业大量进口了不少国内可以生产而国际市场上价格更低的产品。这些低价产品的大量进口进一步加剧了我国国内市场供求矛盾，对我国价格总水平走低也产生了重要影响。

(2)相对于供给增长而言，我国市场需求虽有增长但仍显不足，而且需求增长速度有所放缓。一是从投资需求看，作为拉动我国经济增长主要力量的固定资产投资增长势头减弱。由于上年国债项目对投资的拉动作用逐渐减弱，民间投资意愿仍然不旺，非公有制投资增长缓慢，加之市场约束继续增强，企业更新改造积极性不高等因素的影响，固定资产投资增长速度从年初开始逐月放慢，到下半年各月实际投资增幅下降更加明显。全年全社会固定资产投资同比仅增长5.1%。二是从消费需求看，最终消费需求增长乏力，扩大消费需求、开拓市场效果还不明显。全年社会消费品零售总额比上年增长

6.8%。消费需求难以明显扩大的主要原因是居民收入尤其是农民收入增长缓慢，全年农村居民人均纯收入仅比上年增长2.2%。此外，住房、医疗、教育、养老保险制度等各项改革措施的相继出台使居民的消费支出范围扩大，这不仅直接分流了现实的消费品购买力，而且使人们对未来支出增长的心理预期进一步增强，致使居民储蓄倾向超常上升，即期消费倾向下降。到12月末，城乡居民储蓄存款余额为59622亿元，比上年同期增长11.6%，远高于同期居民收入增长速度。三是亚洲金融危机的影响没有完全消除，上半年外贸出口形势严峻，出口需求出现下降，全年平均出口虽有增长但增幅不大，全年我国外贸出口比上年增长6.1%。外贸出口受阻使我国市场供过于求的状况进一步加剧。

3、价格总水平持续走低不仅是社会供求总量问题在价格上的反映，也是我国经济结构矛盾长期未能解决、产品结构性供过于求矛盾在价格上的一种体现。虽然国家加大了对纺织、煤炭、钢材等限产压库的力度，但由于多年来低水平重复建设产生了大量过剩的生产能力，且许多部门过剩的生产能力在短期内还压不下去，致使商品库存积压依然十分严重，工业产成品资金占用不断增加，到12月末已达6442.3亿元，比上年同期增长4.6%。由于生产能力和产品过剩较多，企业又不可能在短期内调整结构，为了竭力维持生产经营和生存，降价成为企业促进产品销售的重要手段。另外，随着科学技术的不断进步及人们生活水平的不断提高，居民消费需求结构已发生很大变化，但我国产业结构和经济结构并没有适应需求结构的变化而做及时调整，特别是部分城市和广大农村扩大消费所需要的基础设施建设滞后，农村消费领域相对狭窄等，也影响了居民对部分产品的消费，使这些产品出现"过剩"而导致价格进一步下跌。

4、造成我国目前供求总量及结构性矛盾突出的重要因素之一是体制问题，这是导致我国价格总水平持续走低的深层次原因。主要表现在以下几个方面：

(1)新的金融体制尚未完全建立，银行信贷规模难以有效扩大。在建立新的金融体制、加快金融改革、银行防范金融风险意识增强的同时，由于还没有相应地建立起贷款担保机制，银行对一些效益不明显的中小企业不敢增加贷款；在群众的金融风险意识增强的同时，储蓄存款迅速向"工、农、中、建"四大商业银行集中，使地方中小金融机构资金不足，广大非公有制中小企业及经营者的贷款需要无法得到满足。一些非国有企业因缺乏资金支持而无法更有效地创造需求，国家增加货币投放的愿望难以完全实现，扩张性的货币政策在执行过程中也打了不少折扣。

(2)现代企业制度改革相对滞后，使国家增加的货币投放没有充分转化成现实的需求。由于目前我国企业还没有形成正常的破产、倒闭制度，以及多年以来结构不合理，产品滞销严重使企业之间的信用制度受到一定程度破坏，相互拖欠严重，企业间大量的"三角债"使得相当一部分货币投放并没有充分进入"货币资金—生产资金—商品资金—货币资金"的正常循环，而是首先用于归还拖欠的债务，导致国家增加的一部分货币投放并没有转化为现实的需求，从银行和财政又流回银行。在这种资金不足的背景下，许多企业为了回笼资金维持企业的正常运转，也只好不惜降价促销。

(3)分配体制改革滞后影响居民消费增长。由于分配体制方面的改革(如转移支付、社会保障等)明显滞后，分配结构扭曲，有消费欲望的居民因收入较低而不敢消费，收入较高的居民因需求基本满足而没有消费欲望，也限制了居民的消费需求增长。

三、一年来的价格工作

1、继续深化价格改革，完善价格形成机制，进一步发挥市场在价格形成中的作用。进一步清理通货膨胀时期制定的价格法规和管理办法，停止实行价格监审。改革棉花价格形成机制，放开棉花收购价格，发布收购指导性价格，初步建立了在政府调控下主要由市场形成棉花价格的机制。改革化肥、农膜原料价格管理办法，化肥、农膜原料出厂价格由政府定价改为政府指导价，同时放开化肥零售价格。

2、积极运用价格杠杆促进经济结构调整。一是运用农产品价格政策引导农业经济结构调整。根据中央深化粮食流通体制改革的统一要求和部署，物价部门积极研究制定适应经济形势发展变化的粮食收购价格和优质优价政策，降低了部分粮食定购价和保护价水平，进一步拉开了粮食质量差价、等级差价、季节差价和地区差价。下调了食糖指导价格，降低了蚕茧收购价格，调整了烟叶收购价格政策。针对生猪价格一度出现持续下跌的情况，部分地区制定了生猪收购保护价。二是运用价格杠杆促进基础产业和第三产业的发展。为支持铁路建设和邮电业发展，提高了铁路货运价格和国内邮政资费标准。为促进文化、教育产业发展，上调了部分报纸价格，并配合高等学校扩招，提高了非义务教育收费标准。为促进城市环保事业发展，提高了含铅汽油价格。此外，为促进城市基础产业和第三产业的发展，一些地区还不同程度地提高了城市供水、公交车票、旅游园林门票等价格和公有住房租金、医疗、环保等收费标准。三是根据国际市场价格变动和国内市场供求状况，适当提高了成品油价格，缓解了油品生产经营企业的困难，保障了市场供应。这些措施的出台对调整农业生产结构、促进基础产业和第三产业发展发挥了积极的作用。

3、采取积极、灵活的价格政策，促进国内需求增长。根据中央关于综合运用各种经济政策刺激有效需求的经济工作指导方针，国家计委制定了《关于发挥价格杠杆作用扩大内需促进经济增长的若干意见》，大多数省、市、区物价局也相继制定了这方面的政策措施。为扩大电信消费市场，促进电信、信息产业发展，进一步降低了固定电话初装费标准和移动电话入网费标准，降低了国际及港澳台电话资费，大幅度降低互联网收费。为扩大煤炭出口，降低了出口煤炭运输价格和港口收费。为促进房地产业发展，对经济适用住房加强价格管理，清理取消、降低了涉及住宅建设和销售的一些收费，降低了住宅价格。

4、大力整顿价格秩序，为经济增长创造良好的价格环境。继续清理涉及企业负担的各项收费，进一步完善《收费许可证》和企业交费登记卡制度，大力制止乱收费，努力减轻企业负担。整顿外贸进出口收费，取消海关部分单证收费，降低了企业注册登记、个体工商户管理、进出口等468项收费标准。继续整顿电价秩序，清理取消了各地违反国家规定在电价外加收的560项附加费和基金，有效地降低了电价水平；同时降低了耗电量大的工业企业电费标准，减轻了企业用电负担。为解决药品虚高定价问题，继续整顿药品价格秩序，规范药品销售折扣行为，降低部分药品价格。据估算，这些价格措施共计减轻社会负担约690亿元。此外，各级物价部门还积极开展了农村收费、道路交通、电信、教育、民航机票、涉及外资企业收费等专项价格检查和粮食、药品、房地产、物业管理等常规性价格检查。全年共查处各类价格违法案件36.78万件，查处违法所得金额48.63亿元，实现经济制裁总金额27.51亿元，其中，上缴财政15.34亿元，退还用户12.17亿元。重点围绕制止低价倾销等不正当价格竞争行为，规范市场价格秩序，对个别涉嫌低价倾销的企业进行了调查和检查，为保持国民经济持续快速健康发展创造了良好的价格环境。

5、加强价格法制建设，提高依法治价水平。全国各级物价部门结合《价格法》实施一周年，组织开展了大规模的学习、宣传、贯彻《价格法》活动，进一步提高全社会的价格法律意识，为依法管价、依法治价创造了良好的社会氛围。同时，继续围绕建立完善价格宏观调控体系，进一步加强以《价格法》为核心的价格法规体系建设，国家计委颁布了《价格违法行为行政处罚规定》、《关于制止低价倾销行为的规定》、《关于制止彩色显像管、彩色电视机不正当价格竞争的试行办法》、《价格监测规定》、《农产品成本调查管理办法》、《游览参观点门票价格管理办法》、《价格认证管理办法》、《关于建立价格鉴证师执业资格制度的暂行规定》等一批规章和规范性文件。各地还根据当地的实际情况颁布了一批与《价格法》配套的法规、规章和规范性文件，使价格工作法制化建设又有了新的发展。

6、适应发展社会主义市场经济的要求，进一步加强和改善价格基础性工作。针对经济和价格形势出现的新情况、新问题，各级物价部门积极转变工作思路，努力开拓新的工作领域，进一步加强和改善了价格监测、价格调研、成本调查、价格培训、价格信息和价格事务等价格基础性工作，使价格工作服务市场、服务政府、服务社会的水平又有了新的提高。一是在完善国内重要消费品和服务价格监测的基础上，加强了对国内投资价格和国际市场价格形势的分析监测，较准确地预测了全年价格总水平走势，为各级政府宏观经济决策起到重要参谋作用。二是配合深化粮食流通体制改革，加强农产品成本调查工作，及时掌握粮棉等农产品成本和收益情况，为合理制定农产品价格政策提供了客观依据。三是价格信息化基础建设进一步推进，以中国价格信息网为主体的计算机互联网建设取得重大进展，全国已有20多个省、区、市建立了地方网站，与中国价格信息网实现了网络互联。四是按照转变职能、改进方法、服务社会的要求，各级物价部门继续大力开展价格鉴定、价格认证、价格评估、价格咨询等价格事务工作，使价格事务工作在各地得到了迅速发展。　（王一军）

附表一

1999 年全国居民消费价格和商品零售价格总指数

（以上年同期价格为 100）

项目	全年	1月	2月	3月	4月	5月	6月	7月	8月	9月	10月	11月	12月
居民消费价格总指数	98.6	98.8	98.7	98.2	97.8	97.8	97.9	98.6	98.7	99.2	99.4	99.1	99.0
商品零售价格总指数	97.0	97.2	97.2	96.8	96.5	96.5	96.6	97.4	97.4	97.2	97.4	97.2	97.0

附表二

1999 年全国居住和服务项目价格指数

（以上年同期价格为 100）

项目	全年	1月	2月	3月	4月	5月	6月	7月	8月	9月	10月	11月	12月
居住	101.7	100.6	100.4	100.3	100.5	100.9	101.0	102.0	103.4	103.4	102.8	102.5	102.9
服务项目	110.6	108.6	109.3	109.5	109.1	109.1	108.5	108.1	108.2	113.7	114.0	114.0	114.5

完善粮食价格形成机制
推动粮食流通体制改革

1999 年，国务院先后下发了《关于进一步完善粮食流通体制改革政策措施的通知》（国发[1999]11 号）和《关于进一步完善粮食流通体制改革政策措施的补充通知》（国发[1999]20 号），在坚持按保护价敞开收购农民余粮、顺价销售、收购资金封闭运行及加强国有粮食企业自身改革等各项政策的基础上，针对粮食流通中存在的主要问题，相继出台了一系列政策措施，对粮食流通体制改革及价格政策进行了必要补充和完善。按上述文件有关要求，国家计委相继发出了《关于 1999 年粮食收购价格政策的通知》（计价格[1999]568 号）和《关于 1999 年秋粮收购价格有关问题的通知》（计电[1999]96 号），对粮食价格政策作了明确规定。

一、完善粮食流通体制改革的主要政策措施

按照“三项政策、一项改革”的具体要求，1998 年国家积极采取措施不断推进粮食流通体制改革，有效地遏制了市场粮价下跌，保护了农民利益，有力地加强了农业基础地位，保持了国民经济持续稳定增长和农村社会稳定。但在粮改过程中，也遇到了一些新情况，新问题，如粮食总量和结构性矛盾并存；按保护价敞开收购范围偏大；粮食超储补贴办法不尽合理，导致一些国有粮食企业不积极销售、坐拿超储补贴等。为将粮食流通体制改革不断推向深入，1999 年，国家出台了一系列政策措施。

1、适当调整粮食保护价收购范围。东北三省及内蒙古东部、河北北部、山西北部的春小麦和南方早籼稻、江南小麦，从 2000 年新粮上市起退出保护价收购范围。考虑到这些粮食品种当时已经播种或插秧的情况，1999 年暂不退出保护价收购范围，但要较大幅度调低收购保护价水平。

2、完善粮食收购价格政策，促进粮食总量平衡和农业结构调整。各地要按照有利于促进粮食生产结构调整、有利于农民获得合理收益和有利于国有粮食购销企业实现顺价销售的原则，合理确定 1999 年粮食收购保护价格。在保持粮食定购制度和定购价格的前提下，定购粮收购价格可以调低到保护价格水平。要求各地落实好优质优价政策，根据市场需求和粮食内在品质，进一步拉开粮食品质差价、季节差价和地区差价。

3、采取各种措施，促进顺价销售。一是完善粮食超储补贴办法。中央对地方粮食风险基金的补助，在合理确定补助基数的前提下，从 1999 年起实行地方政府包干办法。实行包干后各地节余的粮食

风险基金只能用于粮食方面的支出，不得挪作他用。实行粮食风险基金包干后，地方财政部门要根据国有粮食购销企业敞开收购的实际情况，确保粮食超储补贴及时足额拨补到位。二是采取优惠税收政策。对国有粮食购销企业销售的粮食，以及其他国有粮食企业销售的军粮、救灾救济粮、水库移民口粮，免征增值税。三是采取“老粮新价，新粮老价，等量对冲”的销售方式。为促进国有粮食购销企业扩大销售，允许库存粮按新购进粮食的成本顺价销售，新购进粮食等量对冲入库。

4、处理陈化劣变粮食。为减少库存损失，国家决定加快处理陈化粮。销售陈化劣变粮发生的价差亏损，属于中央储备粮的，由中央财政负担；属于地方储备粮的，由地方财政负担；属于国有粮食购销企业周转库存粮的，由粮食风险基金适当补助。

此外，国务院还要求各级政府及有关部门加强对粮食收购市场的管理工作，维护正常的收购秩序；加快国有粮食企业改革步伐，政企分开，减员增效，降低费用，提高国有粮食企业的竞争能力，使其成为自主经营、自负盈亏、自我约束、自我发展的经济实体。

二、完善粮食收购价格政策，推动粮食流通体制改革

1、完善价格机制，实行粮食定购价和保护价水平“并轨”。除上海、四川、贵州、广西等少数省市区外，绝大多数地方都在保留定购制度和定购价格形式的前提下，把小麦、稻谷和玉米的定购价与保护价安排在同一水平，实现了按单一价格水平收购农民的粮食。这样有利于促使定购任务比重不同的地区和企业在顺价销售粮食时站在同一起跑线上公平竞争，也有利于减少粮食经营中的不正之风。

2、下调粮食收购价格水平，促进总量平衡和顺价销售。多数地方较大幅度地下调了粮食收购价格水平。小麦、稻谷和玉米三种粮食全国综合平均收购价格由上年的每50公斤63元下调到55元，降幅12.7%。其中，玉米、中籼稻和粳稻收购价格下调幅度较大，小麦、早籼稻和晚籼稻收购价格下调幅度相对较小。

(1)小麦。1999年全国平均定购价每50公斤61.8元，比上年下调9.4元，下调幅度13.2%；保护价60.9元，比上年下调2.6元，下调幅度4.1%。其中，冀鲁豫等北方地区冬花麦收购价格下调到每50公斤62～64元，比上年定购价下降10元左右，比保护价下降1元。南方地区红小麦收购价格大幅度下调。江苏、安徽等主产区收购价格下调到每50公斤56元，比上年定购价下降14～15元，比保护价下降4～5元。

(2)稻谷。全国综合平均定购价格每50公斤57.1元，比上年下降10元；保护价56.6元，比上年下降4.6元。其中，早籼稻定购价每50公斤52.7元，比上年下调6.4元；保护价52.2元，比上年下调1.2元。中籼稻定购价56.1元，比上年下调11.2元；保护价54.7元，比上年下调5.8元。晚籼稻定购价57.7元，比上年下调9.9元；保护价57.2元，比上年下调3.5元。粳稻定购价60.3元，比上年下调13.5元；保护价60.3元，比上年下调6.9元。

(3)玉米。全国平均定购价每50公斤46.9元，比上年下调11.7元；保护价46.3元，比上年下调6.8元。其中，东北及内蒙古四省区玉米(18%含水量)收购价格40～42元，比上年定购价下调8～9元；比上年保护价下调4～6元。华北地区玉米(14%含水量)收购保护价每50公斤46元，比上年定购价下调15元；比上年保护价下调8元。

3、落实优质优价政策，优化粮食生产结构。

(1)加强对优质粮食品种收购价格的指导。河北省规定，经质量技术监督部门认定的优质小麦，可以按比普通小麦高10～15%的价格进行收购。上海市对小麦优质品种的价外补贴增加到8元，比一般品种高出3元。安徽、湖南等省规定，优质早籼稻在普通早籼稻收购价格基础上加价10%以上；湖北省规定，一般早籼稻优质品种加价15%，高档优质品种和地方名特品种加价25%。东北和华北地区优质玉米品种收购价格由国有购销企业或用粮单位在物价部门的指导下按照“购得进、销得出”的原则确定。

(2)进一步拉开粮食品种差价。河北、河南、江苏、安徽等四省拉开了小麦品种差价，尤其是拉开了质量较差的红小麦与花麦、白麦的差价。河北省把红麦与花麦的差价率由上年的2%(约每50公斤1.3元)扩大到4%(约2.5元)，较大幅度降低红麦价格。河南省将白、花、红小麦之间的差价由上年的0.5元扩大到1元。江苏省花、红小麦之间的差价由上年的2元扩大到6元。安徽省规定1999年红小麦与花小麦之间的差价由上年的1.5元扩大至6.5元。南方早籼稻主产区大幅度降低劣质早籼稻收购价格。湖南、江西、湖北等省规定，对一些劣质品种早籼稻按低于成本的价格每50公斤45元收购。

(3)扩大等级差价率。北京、河北、山东、河南、

山西等五省(市)均不同程度地扩大了小麦等级差价。北京市规定,三等以上小麦继续执行3%的差价率,三等以下小麦等级差价率由3%扩大到5%。河北省三等以上小麦仍执行3%的差价率,三等以下小麦由3%扩大到4%。山东省三等以上小麦的差价由以前的3%(约1.9元)扩大至2元,三等以下由3%扩大到3元。山西省小麦等级差价由上年1元扩大到2元。湖南、江西等省将早籼稻等级差价由1元扩大到2元。河北、河南、山东等省玉米等级差率也有所扩大,并统一按4%执行。

(4)部分地区对玉米继续实行季节差价。为鼓励农民交售低水分玉米,促进均衡售粮,减轻国有粮食购销企业集中收储和烘干的压力,辽宁、吉林、黑龙江、内蒙古四省区商定,从次年5月1日起,对农民交售的安全水分(14%)玉米,在按国家规定标准增价的基础上,每50公斤再加价1元。

4、适当安排地区差价,促进粮食有序流通。辽宁、吉林、黑龙江三省的玉米和水稻收购价格,辽宁比吉林高1元,吉林比黑龙江高1元。北京、天津、河北、山东、河南、山西、内蒙古等北方七省市区在东北地区价格衔接会之后,根据东北地区玉米价格水平,按照与东北保持适当地区差价的原则,协商确定了玉米收购价格,折相同水分比较,比东北地区平均收购价格高2元左右。湖南、湖北、安徽、江西、广西等稻谷产区在研究制定稻谷收购价格时,也注意把主产区的价格安排略低一些,把非主产区的价格安排略高一些。

此外,为及时掌握市场粮食价格情况,为制定和落实价格政策提供重要依据,国家还加强了粮食价格监测分析工作,每月定期分析预测国内外粮食价格形势,不断完善粮食价格监测分析体系和粮价旬报制度。针对粮食生产和流通中出现的新情况、新问题,今后粮食流通体制改革还需要进一步完善。粮价政策方面,如何进一步落实按保护价敞开收购和顺价销售政策;如何建立有效的粮食价格调控方式,促使当前市场粮价回升等问题,还需要在今后的改革实践中作进一步探索。 (王兆阳)

完善棉花价格机制
促进棉花产销平衡

为尽快建立起主要依靠市场机制实现棉花资源合理配置的新体制,1998年11月28日国务院发出了《关于深化棉花流通体制改革的决定》(国发[1998]42号,以下简称《决定》),在棉花流通体制及价格机制改革方面迈出重大步伐。《决定》规定,从1999年9月1日新的棉花年度起,进一步放开棉花收购价格,逐步建立起政府调控下主要由市场形成棉花价格的机制。其主要内容:(1)放开棉花购销价格,棉花价格主要由市场供求决定,政府不再制定具体价格,国家主要通过储备棉吞吐、进出口等经济手段对棉花市场进行调节,防止棉花价格大起大落。(2)放开棉花价格后,为引导农民合理调整种植结构,优化棉花生产布局,促进棉花正常合理流通和消费,政府于每年冬小麦播种前(此时需预留春播棉面积),对下一年度的棉花收购价格进行分析预测,发布不具行政约束力的棉花收购指导性价格。(3)特殊情况下,国家可在一定时期内对棉花收购价格或销售价格规定一定程度的限制。

棉花价格由市场形成是棉花价格形成机制的重大转折。1999年是放开棉花收购价格的第一年,为保证新老棉花流通体制平稳过渡,充分发挥市场形成价格的作用,促进棉花产销平衡,按照《决定》要求以及《国务院办公厅关于做好1999年度棉花工作有关问题的通知》(国办发[1999]57号)精神,在棉花价格政策方面主要采取了以下措施:

一、积极引导棉花收购价格合理形成,促进总量平衡

1、预测发布棉花收购指导性价格,引导农民压缩棉花生产。1月11日,经请示国务院同意,国家计委以明传电报形式(计电[1999]2号)发布了1999年度棉花收购指导性价格,以引导农民调减棉花种植面积,促进棉花总量平衡。在6月初召开的全国棉花工作会议上,针对国内棉花面积不能在短时间内压缩以及国际市场棉花价格持续下跌的新情况,国家计委再次认真分析了国内外棉花供求及价格形势,认为新棉上市后收购价格很可能较大幅度下

降，要求各地进一步加强宣传，引导农民正确把握市场动态。

2、对新棉收购价格予以必要指导。为防止各地、各企业在新棉收购初期相互等待观望以及毗邻地区之间出现价格水平差距过大的问题，8月底在供销社系统召开的棉花收购工作会议上，通过综合分析棉花供求、生产成本等各方面因素，国家计委会同供销总社对各地新棉收购价格进行了指导协调，发布了每担380～400元的预测协调价格。

3、认真宣传落实国家各项棉花价格政策。各地通过多种形式向农民广泛宣传价格主要由市场形成的改革方向，宣传由于当前棉花严重供大于求、收购价格必然大幅度下降的趋势，用供求信息和价格信号引导农民调减棉花播种面积。

4、加强棉花价格信息工作。各级政府价格主管部门加强了棉花价格信息监测工作，建立和完善棉花价格信息监测网络，及时监测掌握国内外市场情况和价格走势，并向社会公开发布，为了解棉花价格走势及制定相关政策提供了重要依据。同时，各地积极落实优质优价政策，引导棉花购销企业根据市场需求进一步拉开质量差价、品种差价和等级差价，优化品种结构，提高棉花质量。

上述价格政策措施的实施，促进了1999年度棉花收购价格的合理形成和新老棉花流通体制的平稳过渡，有力地推进了棉花流通体制改革。这些政策措施，对于调减棉花播种面积，促进棉花总量平衡发挥了积极作用。

二、规范棉花销售价格秩序

按照《国务院办公厅关于做好1999年度棉花工作有关问题的通知》(国办发[1999]57号)精神，国家计委积极采取措施，制止个别省区棉花企业低价竞销行为，提出了1999年度棉花顺价销售的作价办法，规范棉花销售行为，从而有效地维护了棉花市场秩序，对棉花收购资金实现封闭运行、保护企业和国家利益发挥了积极作用。

棉花价格放开后，多年积累的产销矛盾促使棉花收购价格大幅度降低，农民种棉收益较多减少。棉花平均实际收购价格由上年的每担594元降到381元，下降213元，降幅约36%。农民收益相应大幅度减少，全国农本调查显示，每担棉花减税纯收益由上年的177元降到22元，减幅88%。棉花销售价格逐月下跌，由年初的每吨13000元下跌到年底的8500元左右，降幅约35%。

棉花价格形成机制迈出了关键一步，由市场形成棉花价格的机制初步建立。但棉花价格机制还存在着一些亟待完善的地方，如价格形势如何把握、棉农利益如何保护、价格调控如何改进等，这些问题都需要在今后的改革实践中作出回答，需要在培育公平竞争市场环境和完善棉花价格宏观调控体系两个方面作进一步的积极探索。 (王兆阳)

烤烟市场与价格

1996年以后，随着粮食市场价格下跌和各地增加烟叶收购中的价外补贴，烟粮比价从偏低转为偏高，农民种烟积极性高涨，各地超计划种植烤烟情况严重，致使烟叶总量“产大于销、供过于求”的矛盾日益突出。据统计，到1998年6月，全国烟叶工商库存7500万担，是全国卷烟生产两年多的用量，超过正常库存量2000万担，烟草部门为此多占压资金200多亿元。为控制烤烟生产的盲目发展，促进烤烟供求平衡，国务院于1998年7月下发了《关于调整烟叶和卷烟价格及税收政策的紧急通知》，要求整顿烟叶收购价格秩序，在适当提高收购价格的同时，取消各种形式的烟叶收购价外补贴。

根据上述文件精神，国家计委和国家烟草专卖局调整了烤烟收购价格政策，适当提高了烤烟收购价格，平均收购价格由每50公斤242元提高到350元，并明确要求各地取消烤烟收购中的价外补贴。同时，为了促进烤烟生产布局的合理调整，有利于烤烟质量总体水平的提高，1999年国家根据各产区烤烟的质量差异和市场需求等情况，将全国各烤烟产区划分为五个价区，各价区中准级(X2F)烤烟的收购价格分别为：一价区每50公斤425元，二价区410元，三价区380元，四价区350元，五价区330元。国家烟草专卖局根据上述中准级价格，按照优质优价、保持合理等级差价的原则，在保证全国各等级烤烟平均收购价格为每50公斤350元的前提下，测算下达了各价区其它各等级烤烟的具体收购价格。实施上述价格政策后，对控制烤烟种植面积和产量，提高烟叶质量，合理优化烤烟种植布局，起到了积极作用。

同时，1999年国家计委会同国家烟草专卖局分地区制定了白肋烟和香料烟的中准级收购价格。白肋烟中四级收购价格河南、四川、湖北、重庆分别为每50公斤230元、250元、270元、280元；香料烟中准级收购价格，浙江、河南、湖北（三级）分别为每50公斤480元、400元、400元，云南、新疆（B2级）分别为每50公斤600元、700元。　（祁玉军）

茧丝市场与价格

一、适应市场供求适当下调茧丝价格

目前，国家对蚕茧（鲜茧和干茧）实行中央指导下的省级政府定价，即国家制定中准价格及浮动幅度，地方在规定的幅度内制定具体价格。对厂丝实行中央政府指导价。由于受亚洲金融危机的影响，我国茧丝绸产品内销和出口不旺，企业经营困难。针对这一情况，为促进茧丝供需平衡，1999年国家适当下调了茧丝价格，鲜茧中准收购价格由每50公斤700元下调到670元，干茧、厂丝中准价格分别由每吨4.4万元、19万元下调到4.2万元和18万元，蚕茧和厂丝的浮动幅度均维持10%不变。

下调茧丝价格对供给起到了明显的调控作用，茧丝产大于销的矛盾得到较大缓解。初步统计，1999年全国桑园面积896.4万亩，发放蚕种1342.4万张，桑蚕茧产量40.9万吨，收购量为33.2万吨。与上年相比，桑园面积减少3.6%，发种量减少9.4%，桑蚕茧生产量下降8.1%，收购量下降9.8%。

二、蚕茧价格秩序良好，但厂丝价格波动较大

各地制定的蚕茧具体收购价格水平比较合理，符合市场供求形势和调控需要，价格政策执行情况较好。在蚕茧收购中，绝大多数地方能严格执行价格政策，基本没有压级压价或抬级抬价现象，也未出现相邻产区在边界抢购蚕茧的现象，收购市场秩序良好。桑蚕茧收购综合均价为每50公斤631.5元，比上年下降9.5%。

厂丝价格长期低迷，年底略有回升。受东南亚经济危机的影响，我国丝绸类商品出口困难，内销不畅，全年厂丝价格低位徘徊，中国茧丝绸交易市场厂丝（20/22D）平均成交价格大体维持在每吨16～18万元，6月份以来，厂丝价格多次跌至每吨15万元以下。年底时，由于国际丝绸市场需求逐步恢复，特别是日本、韩国、印度等市场恢复较快，国内市场对丝绸产品的需求也有所升温，国内厂丝价格略有回升。11～12月，厂丝（20—22D）市场成交价格逐步稳定在每吨18万元左右。　（王兆阳）

糖料市场与价格

在1995年国家大幅度提高糖料收购价格的政策刺激下，农民种植糖料的积极性高涨，我国糖料生产连续几年获得丰收，食糖产量也大幅度增长，加上受食糖进口、走私的影响，从1998年开始，食糖市场供过于求，糖价持续下跌。为了控制糖料种植面积，减少糖料和食糖生产，促进食糖供求平衡，1999年国家适当下调了糖料收购中准价格，并扩大了浮动幅度。甘蔗收购中准价格由1995年的每吨230元下调到170元，甜菜由每吨280元下调到220元，浮动幅度由10%扩大到15%。在价格管理体制和管理方式上，继续实行中央政府指导下的省级政府定价。糖料的具体收购价格由各产地人民政府在上述浮动幅度范围内结合本地实际情况制定。为推广优质高糖品种，促使农民通过提高糖料单产及含糖量增加收入，国家还要求各地通过实行良种加价等办法贯彻落实优质优价政策，促进糖料种植结构

的优化和糖料生产向质量效益型转变。为促进糖料价格形成机制改革，在总结部分地区试点经验的基础上，国家明确各地可逐步试行糖料价格与食糖价格挂钩联动的办法，使糖料的收购价格随着食糖销售价格的变动而有所变化，建立糖厂与糖农利益共享、风险共担的机制。 （祁玉军）

主要副食品市场价格运行情况

1999 年，我国农副产品生产继续保持稳定增长，副食品市场货源充足，购销活跃。受供求关系及粮食价格持续走低的影响，肉、蛋价格明显下降。蔬菜价格"前低后高"，全年平均价格与上年基本持平。

一、肉禽及其制品价格继续大幅下降

1999 年，我国畜牧业生产继续稳定增长，全年肉类总产量 5949 万吨，比上年增长 3.9%。其中，猪肉产量为 4005.6 万吨，比上年增长 3.1%；牛肉产量为 505.4 万吨，比上年增长 5.3%；羊肉产量为 251.3 万吨，比上年增长 7.1%。居民肉类消费继续呈现平稳增长。全年城镇居民家庭人均消费猪肉 16.91 公斤，比上年增长 6.5%，牛羊肉消费量比上年略有下降；农村居民家庭人均消费猪牛羊肉 13.87 公斤，比上年增长 5.1%。畜牧业生产的稳定发展及居民肉类消费量的增加，使全年肉类市场购销一直处于比较活跃的状态，但受供求关系及粮食价格不断下降、畜牧业生产成本随之走低的影响，全年肉禽及其制品价格比上年下降了 9.2%。肉禽及其制品价格继续大幅走低主要是受猪肉价格走势的影响。1999 年，各地生猪生产发展规模依然难以得到有效控制，生猪存栏量继续保持在较高水平，另外，受粮食价格持续下降影响，饲料价格一路走低，使猪肉价格年内一直处于低位运行状态。春节消费高峰期过后，猪肉价格迅速下滑，到 6 月份跌至全年最低水平。据对全国 36 个大中城市的集市价格监测，6 月份猪肉价格（新鲜去骨后腿肉）平均为 5.18 元/500 克，比 1 月份的平均价格 6.60 元/500 克下降 21.52%。由于猪肉价格下降速度过快、幅度过大，生猪饲养业出现严重亏损，为此，国务院、农业部采取了稳定生猪生产的四项紧急措施，并建立和拨出专项资金支持猪肉储备，在一定程度上缓解了供求矛盾，猪肉价格在 7、8、9 月出现恢复性上涨，7～9 月份 36 个大中城市集市猪肉价格分别比上月上涨 4.44%、12.02%和 7.59%。由于生猪生产形势并未发生逆转，且受饲料价格持续下跌的影响，10 月份以后，猪肉价格再度走低，12 月份 36 个大中城市集市猪肉价格（新鲜去骨后腿肉）平均为 6.13 元/500 克，比年初价格低 7.1%。

导致猪肉价格下跌的重要原因是生猪生产成本下降。受粮食价格不断走低影响，1999 年以来，生猪生产成本持续大幅下降，且降幅超过了猪肉价格降幅。因此，尽管生猪及猪肉价格持续数月下降，但到 1999 年底，生猪饲养业反而扭亏为盈。据对全国 36 个大中城市生猪出厂价格和生产成本的监测，1 月份，每 50 公斤生猪生产成本为 370.07 元，出厂价格为 342.25 元，成本比价格高 7.5%，生猪饲养业处于亏损状态；但到 12 月份，生猪生产成本逐步降至 317.56 元，出厂价格也降为 328.71 元，价格比成本高 3.5%。

二、蛋类价格明显走低

1999 年，禽蛋饲养业生产发展较快，全年全国禽蛋产量达到 2143.7 万吨，比上年增长 5.6%。居民蛋类消费继续保持增长，但增速相对较低。全年城镇居民家庭人均消费鲜蛋 10.92 公斤，比上年增长 1.5%，农村居民家庭人均消费蛋及制品 4.28 公斤，比上年增长 4.1%。受供求关系及饲料价格不断下滑的影响，全年蛋类价格比上年下降 8.4%。据对全国 36 个大中城市集市价格的监测，1999 年鸡蛋平均价格每 500 克 2.79 元，与上年相比下降 9.7%。从各月情况看，鸡蛋价格基本呈一路下滑走势。受元旦、春节节日需求增加及天气寒冷影响，1、2 月份鸡蛋价格处于小幅上涨状态，每 500 克平均价格分别为 3.24 和 3.32 元，春节过后，鸡蛋价格止涨回落，不断走低。至 8 月份，鸡蛋价格降至 2.63 元。受国庆、中秋两节鸡蛋消费需求增加影响，9 月份鸡蛋价格出现明显反弹，价格升至 2.82 元。但节后鸡蛋价格重又步入下降通道，至 12 月份，价格已降至 2.4 元，与价格最高的 2 月份相比，下降 25.7%。

三、蔬菜价格前低后高，全年平均价格与上年基本持平

1999年，各地蔬菜生产继续保持较快发展，全年蔬菜播种面积达13347千公顷，比上年增长8.6%，蔬菜种植结构进一步改善。随着农业技术进步加快，蔬菜加工贮藏运输能力继续提高，蔬菜上市均衡性也进一步增强，各月鲜菜价格虽继续呈现季节性波动，但波动幅度有所减弱。全年鲜菜价格与上年基本持平，仅略涨0.7%。从各月价格变化情况看，全年鲜菜价格呈现"前低后高"的态势。由于1998年前几个月蔬菜生产受"倒春寒"影响基期价格较高，1～5月份鲜菜价格处于较低价位，累计比上年同期下降11.5%。6月份以后，基期价格变动趋于正常，鲜菜价格由降转升，6～12月份各月鲜菜价格分别比上年同期上涨5.1%、14%、4.9%、5.5%、15.4%、11.8%和8.7%。 （王一军）

水产品市场

1999年，渔业持续稳定发展，水产品产量稳步增长，但速度放慢。1999年我国水产品总产量为4122.43万吨，比上年增加215.78万吨，增长5.52%；水产品进出口贸易呈现恢复性增长，全年水产品对外贸易总量达到265.32万吨，贸易总额44.3亿美元，分别比上年的214.4万吨、38.6亿美元增加50.92万吨、5.7亿美元，增长23.8%、14.8%。另据国家工商行政管理局统计，全国商品交易市场水产品成交量1653.13万吨，比上年的1491.26万吨增加161.87万吨，增长10.85%。成交金额1800.66亿元，比上年的1659亿元增加141.66亿元，增长8.54%。水产品市场供求基本平稳，市场价格持续走低。

一、全国水产品市场运行特征

1、全国水产品市场总体走势与国家宏观经济运行基本吻合，渔业生产稳步、健康发展，水产品货源充裕，品种丰富，市场交易活跃，市场运行基本稳定；水产品从结构性、区域性、季节性过剩变为总量过剩，价格从低价位波动到持续走低。

据全国水产品市场信息计算机网络对全国60多个水产品市场20个品种的价格统计分析，1999年水产品市场综合价格指数为12.09，比上年下降1.5%，其中，海水产品价格综合指数为19.34，比1998年下降13.62%；淡水产品综合价格指数为9.70，比1998年下降9.4%。春节过后，水产品市场价格逐月走低，只是到了6月份，由于受我国沿海全面伏季休渔的影响，人们担心水产品上市量减少，价格出现了轻微的反弹，可是好景不长，随着7月份淡水鱼上市量的增加，海、淡水产品价格失去了心理支撑点迅速走低。9月份是水产品上市旺季，但同时也是传统消费旺季，加之中秋和国庆两大节日都在9月份，因此，商人都将这两个节日当作难得的发财机会，倍加珍惜。然而事实却出人意料。据广东黄沙水产品交易市场反映，农历8月15那天，登场水产品超过600吨，比往日增加了三成多，其中蟹类约180吨，虾类120吨，虾蟹如此大量集中上市在过去也是不多见的。但是，商家的热情只是一厢情愿，市场并不买帐，一天交易下来，除了经营罗氏沼虾的客户小有赢利外，多数是平帐甚至亏损，特别是蟹类经营者，全部以亏报收。从全国水产品价格走势中也可看出，9月份水产品价格不但没有上涨，反而还轻微下跌，国庆节过后，水产品市场价格开始止跌起稳，即使在千年之喜的岁末也未走出象样的行情，一直延续到年终，可以看出节日对市场需求的拉动作用已微乎其微。

2、名优养殖品种及海洋捕捞季节性品种居跌幅榜前列。在构成综合价格指数的20个品种中，与年初相比，12个品种综合平均价格下降，2个品种价格基本持平，6个品种价格上涨。降幅最大的是甲鱼、鲐鱼、马鲛鱼、大闸蟹和对虾，分别下降43%、39%、33%、27%和26%。上涨幅度最大的是河鳗、海鳗和鳜鱼，分别上涨9.5%、8.3%和7.6%。在跌幅榜的前五位中有三个品种是水产养殖的名优品种，其余的两个品种是海洋捕捞季节性品种。

3、价格以跌势为主，各品种价格波动幅度增大。从20个单个品种价格走势分析，1999年水产品价格波动幅度之大历年少见。其中有16个品种超出正常波动范围（1998年只有5个品种超出正常波动范围），价格波动幅度最大的是马鲛鱼达到111个百分点，其次是对虾和大闸蟹，波动幅度分别为88和87个百分点；而1998年价格波动幅度最大的是鳜鱼达到25个百分点，其次为对虾和大闸蟹，分别为

23 和 22 个百分点。可见水产养殖的名优品种及海洋捕捞的季节性品种的结构调整已成为水产品市场可持续发展的关键。名优品种的价格下跌主要是由于养殖技术的改进,鱼种出成率和单位面积产量提高,鱼用饲料价格降低,从而大大降低了养殖成本。其次是名、特、优水产品优质高价,很难进入城乡居民的“菜篮子”,主要用于餐饮业和礼品类特殊消费,市场很狭小,加之公费吃请受到一定的遏制,以名、特、优为原料的高档餐饮业的发展速度减慢,从而使优质高价水产品过剩。甲鱼市场由于受大量非法进口的影响,导致价格大幅度下降。后因政府出台了禁止非法进口甲鱼的政策,才使甲鱼价格继续大幅度下跌趋势得到抑制。

3、耐储存及地方性水产品价格相对稳定。20 个品种中,价格波动幅度最小的是鱿鱼干、进口带鱼和石斑鱼,分别为 3.97、12.53 和 14 个百分点,主要是因为象鱿鱼干等干类产品,货源充足,基本不受季节的影响,价格走势十分平稳。而地方性的水产品如石斑鱼,上市量比较均衡,价格走势基本平稳。利润低且货源充足,供需平衡的产品价格走势也基本平稳,象带鱼。

二、影响水产品市场价格的主要因素

1、宏观经济变动趋势仍是影响水产品市场价格走低的主要原因。根据国家统计局公布的资料,1999 年商品零售价格同比指数、居民消费价格同比指数连续处于负值状态。价格总水平在下滑中继续表现出两个明显的特征:一是价格指数的负值状态在缓慢地向下移动,表明通货紧缩的压力在继续增强,整个经济运行还未能有效地消化这种压力;二是以年度指标衡量,新的降价因素在逐步增大,商品价格的主要变动趋势仍然是价格下降或在较低的水平上运行。

2、水产品产量增长的速度快于社会有效需求增长的速度。1998 年,我国水产品总产量达 3900.65 万吨,比上年增长 8.46%,而城乡居民家庭可支配收入仅分别增长 6.6%和 4%,城乡居民家庭收入中用于生活消费支出的分别增长 6.7%和 2.78%,其中用于食品消费支出的部分仅增长 2%和 0.54%。1999 年水产品总量达到 4122.43 万吨,比 1998 年增长 5.5%,高出城乡居民可支配收入增幅 2.28 个百分点。水产品总量增加,市场总体压力增大,水产品市场有效供给增长速度将高于水产品有效需求的增长速度,供过于求必然导致水产品价格的下滑。

3、名、特、优水产养殖发展势头强劲,优质、高质水产品增加,市场压力巨大。而优质、高质的水产品消费群体相对狭小,因而很难抑制其价格走低的态势。

4、水产品集中上市,季节性过剩严重。渔业生产的季节性与水产品市场需求的均衡性矛盾一直存在,尤其是水产养殖业的快速发展,大宗水产养殖产品主产区的这种矛盾就更为尖锐。水产养殖除存在严重的季节性、区域性过剩外,还因沿海全面休渔而使海洋捕捞也成为典型的季节性生产。休渔不仅使海洋捕捞产品上市集中,而且还因产量上升,产品质量提高,水产品市场有效供给增加,加剧了市场季节性供过于求的矛盾。

5、传统消费对市场的影响正在逐渐弱化。一年来几大节日消费拉动市场乏力,没有明显改变水产品价格低位运行的走势,说明传统消费对市场的作用正在逐步弱化。水产品流通的矛盾已不再单纯是市场供求矛盾,而是转为更深层次的生产快速发展与人们需求不相适应的矛盾。水产品生产要实现健康稳定快速的发展,必须寻找一个新的供需平衡点。

6、城乡居民收入增长低于远期支出的预期值,消费需求不旺。一年来,中央在继续实行积极的财政政策的基础上,又推出了信贷政策、降低储蓄利率、增加工资等措施,以扩大内需,但由于城乡居民收入增长缓慢,市场有效需求不足,下岗和失业人员增多,贫困群体增加,加之住房、医疗、养老、教育等措施的全面实施,使居民即期消费受到很大限制。农民收入没有好转的迹象,整个消费市场很难转旺。

(郭志杰)

生产资料市场价格

1999 年,随着国民经济的稳步增长,国内生产资料市场出现了需求回升,企业经营状况好转,价格趋于稳定，但资源增长失控、国际市场低价冲击五个特征。具体体现为：

1、社会需求有明显增长。随着国家一系列启动经济政策的实施，生产资料市场从1998年四季度开始出现需求回升的动向，1999年以来得到进一步发展。据统计，1999年全社会生产资料销售总额接近4.2万亿元，比上年同期增长7.1%，剔除价格下降的因素后，增幅达到10%左右，比1998年提高近4个百分点。从钢材、木材、水泥、汽车、化工等19种重要生产资料来看，1999年消费使用总量增长8.5%。其中，钢材增长近13%，水泥增长9.7%，木材增长超过6%，汽车增长超过15%。随着世界经济形势趋于好转和国家采取提高出口退税率等一系列措施，生产资料出口也出现回升势头。8月份以来，各月的生产资料出口总额同比增长均在16%以上，其中，电机、电气设备类、锅炉、机械及零件类等增长在30%以上。

2、生产资料市场价格总水平降幅不断缩小。据中国物资信息中心统计，与上年同期相比，1999年生产资料价格总水平下降2.5%，其中，流通企业的市场销售价格降幅下降4.8%。虽然自1996年4月开始出现的这一下降趋势所持续的时间，进一步延续到了45个月，但是从动态趋势看降势明显缩小，降幅从1月的9.5%缩小到12月的2%(详见下表)。

1996年以来流通环节生产资料销售价格分月指数

(以上年同期为100)

	1月	2月	3月	4月	5月	6月	7月	8月	9月	10月	11月	12月
1996年	1.7	1.2	0	−1.1	−1.4	−2.0	−2.1	−2.0	−2.0	−1.6	−1.8	−2.1
1997年	−2.6	−2.7	−3.2	−2.7	−2.5	−2.9	−2.3	−2.0	−1.4	−1.6	−2.4	−1.3
1998年	−1.2	−1.9	−2.8	−4.9	−5.9	−6.7	−8.5	−9.7	−10.7	−10.1	−8.6	−8.8
1999年	−9.5	−8.1	−7.0	−7.4	−6.6	−5.2	−5.1	−4.1	−3.7	−2.8	−2.4	−2.0

尤其是10月以来，一些生产资料价格出现了止跌回升。如钢材中薄板的某些规格品，铜、铝、锌、镍等有色金属原料，天然橡胶，聚乙烯、聚丙烯、聚氯乙烯等部分塑料原料，甲苯、甲二苯等部分有机化工产品，以及南方地区的大径级马尾松原木、杉木等的价格都比年初有所回升；油品市场价格也明显攀升。

3、物资流通企业经营状况有所好转。随着客观环境和外部条件的好转，以及企业积极转变观念，加大改革力度等原因，物资企业多年来销售大幅萎缩的势头有所遏制，扭亏减亏工作取得了一定成效。据统计，1999年全国地方物资企业销售总额比上年同期下降4%，降幅比上年同期减少了近18个百分点，其中，11、12两月销售额同比分别增长了3.6%和9.2%，这是全国物资系统自1995年下半年出现销售负增长以来的首次正增长。物资企业扭亏减亏工作也取得了较好成绩。1～11月，国有物资企业亏损总额为27.4亿元，比上年同期减亏13.1亿元，减幅超过30%。

4、资源增长过快，供大于求的矛盾未能缓解。为了保持生产资料供求大体平衡，国家有关部门计划采取一系列限产减产、控制进口等措施，但收效甚微。按照国家有关部门的要求，钢材应减产10%，但实际增长却达到13.4%；水泥应淘汰5000万吨的生产能力，实际反而增产了近10.3%。再加上进口失控，使资源增长远远超过需求增长。据对19种物资的统计测算，全年资源增幅达8.7%，高于需求8.5%的增幅，社会库存资源总量比年初上升5.1%。由于资源增长过快，供大于求的矛盾加剧，为生产资料价格扭转下跌趋势带来极大的难度。目前市场上不少物资出现了价格低于成本、销售价格低于出厂价格等不正常现象，不仅影响了生产资料市场的正常运行，而且影响了生产者、投资者的信心和积极性，不利于整个国民经济的持续、稳定发展。

5、国际市场价格低迷的冲击。1999年国际市场价格发生了较大变化。在初级产品方面，除石油和木材以外的产品价格持续下降。据对80余种进口比重较大的生产资料统计测算，1999年生产资料进口价格下降较多，其中，化工类进口价格下降32%，橡胶类下降23%，生铁钢坯类下降10.6%，钢材类下降8.3%。国际市场价格低迷对国内市场价格造成极大冲击。

从主要物资看，其变化有所不同：

钢材：需求有了较大增长，但资源增长更快。据初步统计，包括国内消费和出口在内的需求总量增长近13%，但由国内生产和进口构成的资源总量却增长13%以上，其中，国内生产近1.2亿吨，增长了

13.4%,进口1486万吨,造成严重供过于求的局面,致使市场销售价格持续下跌,全年钢材市场价格总水平同比下降8.7%。

水泥:由于90年代初新建了一批水泥生产厂,因此供大于求的格局一直没有改变,1999年确定的减产5000万吨的目标不仅没有兑现,实际产量反而增长10.3%,再加上出口下降超过20%,资源总量十分充足,供大于求的矛盾十分突出。尽管市场价格总水平在低价位上基本保持稳定,但严重影响了绝大多数企业的效益。需要把水泥限产和调整品种结构结合起来,解决水泥资源总量过大的问题。

木材:由于国家继续实施天然林保护工程,国内木材生产下降了14%,但由于进口增长迅猛,增幅接近100%,资源总量仍上升3%左右。需求方面,南方木材市场购销两旺,价格上扬,市场有所回升,大径级松木、杉木和硬杂木资源日紧,价格不断攀升。北方木材市场则较为平淡,除优质针叶材较紧外,其他需求不旺。全年消费需求总量约增加近6个百分点。由于库存相当充裕,供求总体基本平衡,价格总水平同比下降2%。

煤炭:出现资源减少、需求下降的局面。全年全国煤炭产量为9.8亿吨,比上年下降11.9%,实现压产1.3亿吨,与国家有关部门制定的全年压产2.5亿吨的调控目标相比,相距甚远。由于各地普遍重视环境保护,大抓节能和寻求煤炭替代品,全年消费下降超过6%,再加上社会库存较大,可供资源总量仍远大于求,始终未摆脱市场疲软的状态,市场价格在较低水平上,比上年同期下降了8.7%。

汽车:国内市场运行平稳,生产和消费同步增长,价格基本保持稳定。全年全国汽车资源总量超过197万辆,比上年增长近13%;使用总量将达182万辆,增长超过12%。汽车市场价格同比约下降2%,其中,载重汽车下降2.1%,小轿车下降2.9%。

(中国物资信息中心)

石油价格与国际市场接轨

一、现行石油价格形成机制

为了适应社会主义市场经济的要求,加快石油价格改革步伐,1998年6月,经国务院批准,国家计委下发《原油、成品油价格改革方案》,对油价进行了改革,使原油、成品油价格基本实现了与国际市场接轨,初步建立了政府调控下以市场形成价格为主的机制。

1、原油价格。石油集团公司与石化集团公司之间购销的原油价格由双方协商确定,协商的基本原则是国内陆上原油运达炼厂的成本与进口原油到厂成本相当。购销双方不含税结算价格由原油基准价格和贴水(或升水)两部分构成。原油基准价由国家计委根据每月国际市场相近品质原油离岸价加关税确定。贴水(或升水)由购销双方根据原油运杂费负担和国内外油种的质量差价以及市场供求等情况协商确定。

2、成品油价格。汽、柴油零售价格实行政府指导价,国家计委制定各省、自治区、直辖市汽油、柴油(标准品)零售中准价,石油、石化两大集团公司在上下5%的幅度内确定具体零售价格。汽、柴油零售中准价确定的基本原则是,以国际市场汽、柴油进口完税成本为基础,加按合理流向计算的从炼厂经中转配送到各加油站的运杂费,再加批发企业和零售企业的经营差率制定。当新加坡市场汽、柴油交易价格累计变动幅度超过5%时,相应调整国内汽、柴油零售中准价。汽、柴油的出厂价格、批发价格、批零差率由石油、石化两个集团公司自主制定。供应军队、国家储备、铁道、交通、民航等专项部门的用油价格由国家计委制定。

二、1999年石油价格变化情况

1、原油价格。国内原油价格基本实现了与国际市场接轨。在具体操作上,由国家计委按月公布新加坡市场与国内陆上原油品质相近的4种原油现货月度平均价格,加上定额关税作为国内原油的基准价;石油、石化两大集团公司再根据双方议定的贴水确定与用户的结算价格。为了避免国际市场原油价格大幅度升降给原油生产和炼油加工正常运行带来较大影响,1999年9月,两大集团公司议定:将原油价格分为正常、高价和低价三个区间,分别确定不同的升贴水标准。

2、成品油价格。1998年6月油价改革后至1999年3月这段时间,国内外成品油价格比较低迷。1999

年3月份国际市场价格开始逐步回升，到9月份，新加坡市场95号无铅汽油和0号柴油平均离岸价分别上涨了47%和30%左右，折合90号汽油和0号柴油的进口完税成本分别比国内炼厂同标号汽、柴油出厂价高450元和178元。由于原油价格上涨，国内炼化企业生产成本增加，经营困难。针对这种情况，经国务院批准，国家计委自1999年11月5日起对成品油价格进行了适当调整。全国汽、柴油零售中准价平均上调5%，汽、柴油价格分别上调140元和121元；同时相应调整石油、石化两个集团公司供军队、国家储备及铁路、交通、民航等专项用油部门的油品供应价格。

三、对现行油价接轨机制的简要评述

实践表明，建立与国际市场接轨的石油价格形成机制对促进石油、石化企业转换经营机制，提高企业参与市场竞争的意识，建立统一、开放和竞争有序的市场体系起到了积极的促进作用。但在执行过程中也逐渐暴露出一些问题，主要表现为：与国际市场接轨的方法以及市场参照系的选择不尽合理，对国内市场产生了逆调节，扭曲了生产者和消费者之间的利益关系，掩盖了企业生产经营中的问题；两大集团公司南北分治的市场组织结构不利于鼓励市场竞争，企业受利益驱动经常发生无视国家政策规定随意突破限价的行为，造成价格秩序比较混乱。

（牛玉斌）

电力价格管理工作

1999年，电力价格管理主要围绕完善价格形成机制、疏导价格矛盾和促进电力消费进行，重点开展了以下几项工作：

一、改革还本付息电价政策

为了深化电价改革，约束电力成本上升，减轻社会电费负担，根据国务院领导的批示精神，提出了对1985年以来实行的还本付息电价进行改革的政策建议：(1)按电力项目经营期平均核定上网电价；(2)改变用电力建设基金形成的投资实行还本付息政策；(3)适当延长电力项目还本付息年限；(4)严格控制老电厂因改制和向境外企业出售产权而提高电价。经国务院批准后，目前正在组织实施。改革还本付息电价政策是电价形成机制的重大变革，是电价机制适应社会主义市场经济发展的一次重大调整，将有力地促进我国电力工业与国民经济的协调、健康发展。

二、运用价格杠杆，扩大电力市场，促进电力消费

研究实施加强电价整顿工作，规范用电价格和收费秩序；对工业企业新增用电量实行电价优惠；实行居民超基数用电优惠电价；降低农村电价，扩大农村消费市场；推行峰谷和丰枯分时电价制度等政策措施，为促进电力市场的复苏，扩大电力生产和消费起到了积极的作用。

三、推进城乡用电同价工作

为了贯彻落实国务院办公厅《转发国家计委关于改造农村电网改革农电管理体制实现城乡同网同价请示的通知》精神，下发了《国家计委关于进一步做好城乡用电同价工作的通知》，要求各级物价部门积极参与农网改造和农电体制改革（“两改”）工作，加强对农网改造工程材料价格、取费标准和劳务费用的审核和监督；认真做好农网改造资金的还本付息加价工作；从严核定农村低压电网维护费标准，降低农村到户电价；实事求是编制城乡同价具体实施方案；妥善处理农网改造中向农民收费的问题。并明确了有关农网还贷加价和城乡用电同价的政策口径及具体的测算公式，对“两改一同价”工作起到了积极的指导作用，推进了全国各地城乡用电同价工作的顺利开展。

四、进一步贯彻落实清理整顿电价的各项措施

1998年底，国家计委会同有关部门联合下发了《关于整顿电价秩序坚决制止乱加价乱收费行为的通知》，取消各地违反国家规定在电价外加收的560个加价项目。为了使上述措施落到实处，年初，国家计委会同有关部门对各地贯彻落实整顿电价措施情况进行了检查。结果表明，电价整顿取得了显著成效，共计减轻用户电费负担约400亿元，用户负担的电价水平平均每千瓦时降低5分左右。据此，以国家计委等六部委的名义向国务院上报了《关于整顿

电价秩序制止乱加价乱收费行为有关情况的报告》,为疏导电价矛盾创造了条件。

五、疏导价格矛盾,缓解国有企业生产经营困难

针对电力价格存在的突出矛盾,按照国务院批准的在总体上不增加用户负担的前提下,利用电价整顿空间,个别疏导电价矛盾的精神,编制了全国大多数省的电价疏导方案,核定了1997年下半年以来新建成投产的70多个电厂的上网电价,解决了1997～1998年投产的电网项目的还本付息问题。疏导电价矛盾后,全国平均销售电价为每千瓦时0.405元左右,与电价整顿前相比,用户实际用电价格平均降低2.3分左右。疏导电价矛盾工作为缓解电力企业的生产经营困难,促进电力工业正常发展起到了积极作用。

六、对重点用电企业实行电价优惠政策

1、降低达到经济规模的高耗电企业电费负担。经国务院批准,适当降低了年生产能力在5万吨及以上的电解铝企业和铜生产企业的电价,并减免了电力建设基金和城市公用事业附加,使上述铝、铜企业实际电价平均每千瓦时分别下降了3.1分和2.4分。同时,在疏导各地电价矛盾时,将年生产能力在4万吨以上的铁合金企业和年生产能力在3万吨以上的氯碱企业,在1998年实际用电价格的基础上平均每千瓦时降低1分钱。

2、在电价"双轨制"并轨的地区对重点工业企业实行电价优惠。为了保证并轨后原来使用低价统配电量较多、高价集资电量较少的企业实际电费负担不增加,在安排浙江、河南等省的统一销售电价方案时,安排了一定的电价空间对这些用户实行优惠,使其电价在3年内逐步到位,确保了统一销售电价改革方案平稳出台。

3、减轻高电压等级、高负荷率工业企业电费负担。为体现公平负担的原则,在疏导电价矛盾时,拉大各电压等级之间的价差,降低高电压等级用电的电价;提高两部制电价中基本电价比重,基本电价多提,电度电价尽量少提,以降低高电压等级、高负荷率工业企业的电费负担。 (李才华)

农业生产资料商品价格

一、农资商品产销情况

1、化肥:1999年全国生产化肥14363.6万吨(标肥,下同),比上年增长7.4%,基本保证了农业生产用肥的需要。供销社系统销售化肥6705万吨,比上年下降7.3%。其中,销售氮肥4069.1万吨,比上年下降7.4%;销售磷肥1233万吨,比上年下降10.6%;销售复合肥1177.1万吨,比上年下降1.6%。据海关统计,全年进口化肥1335.1万吨,比上年同期下降4.1%,全年出口化肥169.8万吨,比上年增长45.8%。

2、农药:全年全国大型骨干企业化学农药的产量42.35万吨,比上年增长10.8%;供销社系统销售化学农药43.6万吨,比上年下降10.1%。其中,销售杀虫剂28万吨,比上年下降11.8%;杀菌剂6.9万吨,比上年下降1.7%;除草剂6.8万吨,比上年增长2.3%。

3、农用塑料薄膜:供销社系统购进农膜23.2万吨,比上年下降13.9%;购进地膜8.1万吨,比上年下降20.4%。全年销售农膜22.9万吨,比上年下降13.1%;销售地膜11.3万吨,比上年下降10%。

二、农资价格政策

(一)化肥价格政策

为贯彻落实《国务院关于深化化肥流通体制改革的通知》精神,国家计委就进一步改革化肥价格管理办法的有关政策作了如下规定:从1999年1月1日起,国家决定进一步改革化肥价格管理办法,建立政府指导下主要由市场形成化肥价格的机制。

1、化肥出厂价格由现行政府定价改为政府指导价,政府指导价根据化肥生产成本及市场供求变化适时调整。合成氨年生产能力为30万吨以上的大型氮肥企业生产的尿素、硝酸铵的中准出厂价格和上下浮动幅度由国家计委制定。尿素中准出厂价格为每吨1400元,硝酸铵为每吨1100元,上下浮动幅度为10%,具体价格由供需双方根据淡旺季节及市场情况在规定的浮动幅度内协商确定。中小氮肥企业生产的化肥中准出厂价格和上下浮动幅度由各地物价部门参照大型氮肥企业以及比值比价的原则制定。磷肥、钾肥及复合(混)肥中准出厂价格和

上下浮动幅度由各地物价部门制定。

2、中央进口化肥调拨价格由国家计委根据实际进货成本加合理经营费用，按照保本微利的原则制定，取消中央进口尿素、磷酸二铵综合平均调拨价格，为保持进口化肥价格的相对稳定，对中央进口化肥调拨价格实行一定时期的批量综合作价。中国农业生产资料集团公司和中国化工进出口公司经营的进口化肥调拨价格，由国家计委根据实际进货成本加1.7%综合经营差率核定。地方进口化肥调拨价格由各地物价部门参照上述办法，并结合本地实际情况确定。

3、放开化肥零售价格，必要时各地省级物价部门可对部分品种化肥实行最高零售限价。在正常情况下，化肥经营企业(包括化肥生产企业的经营销售点)直接销售给农民使用的化肥零售价格主要通过市场竞争形成，实行市场调节价。

4、国家储备化肥价格政策。国家计委以计价格〔1999〕706号文，通知各地物价部门和中国农业生产资料公司，就中央救灾储备化肥收购价格和出库价格的有关政策作了如下规定；国产储备化肥的收购价格，由中国农业生产资料集团公司与生产企业在国家规定的指导价格范围内协商确定，具体价格水平由中国农业生产资料集团公司确定并报国家计委备案。进口储备化肥的收购价格，由国家计委按照现行进口化肥调拨价格作价办法核定。救灾化肥出库价格，按照库存成本加综合差率制定，综合经营差率(含管理费用、财务费用、利润)按不超过进货成本的2.5%掌握。

(二)进口农药价格政策

在进货价格(包括折人民币到岸价、关税、外贸代理手续费、银行手续费、保险费、商检费)基础上顺加不超过4.8%的经营差率，再加国家规定的定额港口杂费作价对各地调拨，其中定额港口杂费每吨为260元，对于根据用户需求，少数需要分装或加工的进口农药，以上述农药进货价格与实际加工费用或分装费用之和为基础，顺加不超过4.8%的综合经营差率作价，对各地调拨，不再另加港口杂费。另外，国家农药出厂价格和零售价格均已放开。

(三)农膜价格政策

国家对农膜原料出厂价由国家定价改为政府指导价。1999年度的国家农膜原料指导价是按照兼顾农膜原料生产企业和农膜加工企业的利益、保持农膜价格基本稳定的原则确定的，具体价格是：一级品高压聚乙烯含税中准出厂价格为每吨6200元；一级品线性低密度聚乙烯含税中准出厂价格为每吨5600元；一级品聚氯乙烯含税中准出厂价格为每吨5000元，上下浮动幅度均按10%执行。北京燕山石油化工(集团)公司和上海石化股份有限公司外供乙烯的中准出厂价格由每吨4000元调整为每吨3700元，上下浮动幅度按10%执行。农膜出厂价格和零售价格，由各省、自治区、直辖市物价部门按照保本微利原则核定。中央有关部门的所属公司受农膜生产企业委托经营进口农膜料的按最高不超过到岸价的1.5%收取代理费(含外贸手续费)，且只能收取一次，不得复重收取。

三、主要农资商品价格动态

1、化肥价格。化肥价格普遍下跌。主要原因：一是化肥供求关系发生了很大变化，除个别品种和个别地区外，化肥出现了供大于求，销售由畅到滞，价格由涨到跌。二是国际化肥市场价格下跌。由于我国从1997年4月开始，停止进口氮肥，使国际市场尿素一路下滑，平均每吨下降70～80美元，国际市场价格下跌影响到我国价格下降。三是农副产品价格下降。1999年粮食主要品种小麦、玉米、稻谷价格平均下降12.7%，棉花收购价格下降34%，其他农副产品价格也有不同幅度的下跌。农副产品价格下降，直接影响到农民收入，使农民对农田投入减少和农资购买力下降，导致农资价格下跌。四是自从执行国务院关于化肥流通体制改革通知后，化肥流通渠道拓宽，在化肥流通体制引进了竞争机制，减少了化肥流通的中间环节和费用，促使价格下降。

尿素价格：全年商业进价平均每吨1336元，比上年同期的1404元下降4.8%；各月环比，除9月份价格反弹外，其他月份小幅度下降，12月份最低商业进价1245元，比1月份的1436元下降3.3%。全年商业零售价平均每吨1469元，比上年同期的1534元下降4.2%；1季度和3季度价格逐月下降，2季度和4季度价格有升有降。

硝酸铵价格：全年商业进价平均每吨1298元，比上年同期的1331元下降2.5%；各月环比，除2、6月份价格各有反弹外，其他月份价格下跌。全年商业零售价平均每吨1364元，比上年同期的1454元下降6.2%；各月环比，除2月份外，各月价格逐月下降，最低的12月份每吨1297元，比最高的2月份1458元下降11%。

过磷酸钙价格：全年商业进价平均每吨389元，比上年同期的427元下降8.9%；分月看，各月价格在379～401元之间波动。全年商业零售价平均每吨

470元,比上年同期的500元下降6%;分月看,上半年价格水平每吨在471～494元之间,下半年在449～471元之间。

碳酸氢铵价格:全年商业进价平均每吨396元,比上年同期的422元下降6.2%;分月看,除3、7、9月份上涨外,其他月份价格下降,12月份最低为370元,比最高的1月份418元下降11.5%。全年商业零售价平均每吨458元,比上年同期的489元下降4.3%;分月看,1季度价格逐月上涨,2季度价格逐月下降,下半年除8、9月份价格略有反弹外,其他月份价格下降。

复合肥价格:全年商业进价平均每吨1705元,比上年同期的1814元下降6%;各月价格在1619～1813元之间,升降幅度不大,全年最低的12月份每吨1619元,比最高的2月份1826元下降11.3%。全年商业零售价平均每吨1794元,比上年同期的1907元下降5.9%;1季度价格水平在1930元左右,其他3个季度价格在1702～1813元之间。

2、农药价格。农药货源充足,供大于求,形成买方市场,价格稳中趋降。

乐果价格:全年商业进价平均每吨14004元,比上年同期的15115元下降7.3%;分月看,价格波动幅度不大,最低的12月份13950元,比最高的9月份14250元下降2.1%。全年商业零售价平均每吨16243元,比上年同期的17020元下降4.6%;各月环比,除2、9、11月份价格上涨外,其他月份价格小幅下降。

敌敌畏价格:全年商业进价平均每吨15948元,比上年同期的18671元下降14.6%;上半年价格比下半年价格高36.7%,10月份价格最低为14600元,比最高的1月份18900元低22.8%。全年商业零售价平均每吨20154元,比上年同期的21386元下降5.8%;从各月看,价格小幅度波动,除3、4、7、9、11月份价格反弹外,其他月份价格下降。

敌百虫价格:全年商业进价平均每吨10994元,比上年同期的12755元下降13.8%;上半年价格比下半年价格高9.9%,12月份价格最低为10400元,比最高的5月份12100元低14%。全年商业零售价平均每吨13630元,比上年同期的15097元下降9.7%;分月看,价格水平在11800～14800元之间波动,1季度价格比4季度高17.6%。

一六〇五价格:全年商业进价平均每吨16819元,比上年同期的18567元下降9.4%;从各月看,1季度价格在15400元左右,从4月份起,价格开始上涨,9月份价格为17700元,比最低的2月份高15.5%。全年商业零售价平均每吨18173元,比上年同期的19818元下降8.3%;除1～4月份外,其他月份价格水平在18100～18800元之间。

氧化乐果价格:全年商业进价平均每吨17992元,比上年同期的19626元下降8.3%;从各月看,1～4月份价格水平在18020～18900元之间,5～12月价格水平在17910～17430元之间。商业零售价平均每吨19666元,比上年同期的21847元下降10%;价格水平在18100～21500元之间波动,全年最低的12月份每吨零售价为18100元,比最高的5月份21500元下降15.8%。

四、塑料薄膜价格

货源充足,供大于求,需求不旺,购销价格下降。

农膜价格:全年商业进价平均每吨8350元,比上年同期的8870元下降5.9%;从各月看,价格波动幅度不大,除12月份外,价格水平在8100～8830元之间。全年商业零售价平均每吨8767元,比上年同期的9553元下降8.2%;分月看,价格水平除2、4月份在9000元以上外,其他月份价格在7958～8996元之间波动。

地膜价格:全年商业进价平均每吨8072元,比上年同期的8506元下降5.1%;分月看,1～5月份价格在8000元以上,6月份起价格下降,价格水平在7386～7980元之间波动。全年商业零售价8627元,比上年同期的9413元下降8.3%;分月看,1季度价格在9244～9561元之间,4月份起价格水平在7980～8661元之间波动,全年最低的12月份7980元,比最高的1月份9561元下降16.5%。

(杨德敏)

主要日用工业消费品价格

1999年,我国社会消费需求增长缓慢,国内日用工业消费品市场继续呈现供大于求的买方市场格局，商品供求矛盾进一步加剧。据有关部门统计，上半年约有87%、下半年约有91%的工业消费品处于供过于求的状态，其余的商品供求基本平衡，没有供不应求的商品。在商品供大于求的巨大压力下，市场竞争愈发激烈，降价促销成为许多厂家、商家提高市场占有率、降低商品库存、加快资金周转的重要手段，日用工业消费品价格几乎全面下降。饮料烟酒价格下降2.7%，服装鞋帽价格下降2.7%，家用电器价格下降6%，首饰价格下降5.5%，建筑装潢材料价格下降1.7%。

一、饮料烟酒价格

饮料烟酒价格基本呈现一路走低的态势。除2月份价格与上月持平外，其余各月价格均比上月有不同程度的下降，降幅在0.1～0.4%之间。至12月份，饮料烟酒价格已比年初下降2.8%，全年平均价格比上年下降2.7%。据对36个大中城市的监测，12月份，红梅硬盒云烟、硬盒红中华、硬盒红塔山平均每盒价格分别为8.79元、34.88元和9.96元，价格分别比1月份下降4.14%、5.70%和7.18%。飞天茅台酒(43度)、五粮液酒(39度)、长城干红葡萄酒(750ml)平均每瓶价格分别为245.25元、222.15元和39.10元，分别比1月份下降9.61%、11.76%和3.67%。

二、服装鞋帽价格及纺织品价格

服装鞋帽价格变动呈现先逐步走低后略有回升的态势。1～8月份，服装鞋帽价格持续下滑，各月价格比上月均有不同程度的下降，降幅在0.2～0.7%之间。在国家陆续出台增加机关事业单位职工和离退休人员的工资、提高社会保障线水平、延长节假日、开征利息税、高校扩招等许多刺激消费需求政策后，社会消费需求逐步走旺，加之天气逐步转凉，人们的衣着消费增加，从9月份开始，服装鞋帽价格由降转升，9～12月份价格分别比上月上涨0.3%、1.0%、0.5%和0.2%，但全年平均价格比上年下降2.7%。据对36个大中城市的监测，12月份，宜而爽牌女式纯棉背心(L号)平均每件价格为14元，比年初下降4.36%。纺织品价格也以降为主。除9月份价格与上月持平，11月份价格比上月微涨0.1%外，纺织品其余各月价格均比上月有不同程度的下降，降幅在0.1～0.4%之间。全年平均纺织品价格比上年下降2%。12月份，纯毛单面华达呢平均每米价格分别为75.84元，比年初下降7.11%。

三、日用品价格

日用品价格除3月份与上月持平外，其余各月价格均比上月有不同程度的下降，降幅在0.1～0.4%之间。全年平均日用品价格比上年下降2.1%。据对36个大中城市洗涤用品市场价格的监测，12月份，熊猫手洗洗衣粉平均每袋(400克)价格为5.00元，比1月份下降9.09%；白猫超浓缩洗衣粉平均每袋(400克)价格为4.49元，比1月份下降4.47%；奥妙(手洗)洗衣粉平均每袋(400克)价格为5.90元，比1月份下降2.80%；舒肤佳香皂平均每块价格为4.44元，比1月份上升1.37%；洁诺氟加钙牙膏(115克)和中华(新)含钙牙膏(120克)平均每支价格分别为4.73元和3.26元，比1月份分别下降5.78%和5.51%。

四、家用电器价格

1999年，我国彩电、冰箱、空调、VCD等家用电器生产能力相对过剩的情况依然相当严重，近一半左右的家电产品生产能力利用率不足60%，空调器的生产厂家开工率只有30%，洗衣机开工率只有43.4%。在供大于求矛盾日益严重的压力下，家用电器市场竞争异常激烈，价格不断创出新低。全年各月家用电器价格均比上月有不同程度的下降，降幅在0.1～1.3%之间，全年平均家用电器价格比上年下降6%，跌幅位于所有工业日用消费品价格之首。

彩电价格大战最为激烈，国内主要彩电品牌价格大幅下跌。从全国36个大中城市彩电价格变动情况看，12月份，长虹D2117A、D2523A和D2965A彩电每台平均价格分别为1353.21元、2082.32元和3310.50元，分别比1月份下降23.35%、18.51%和19.93%；康佳T2588N、T2987XIII彩电每台平均价格分别为2180.13元和3336.88元，分别比1月份下降17.87%和13.92%。TCL王牌2968P、2166彩电每台平均价格分别为3404.43元、1401.09元，分别比1月份下降8.57%、10.75%。国外品牌国内组装彩电价格变动幅度较小，12月份索尼29英寸彩电、松下29英寸彩电(均为国内组装)每台平均价格分别为6810.36元和5231.52元，分别比1月份下降6.24%、3.34%。

洗衣机市场价格稳中有降。12月份，小鸭滚筒XQG50—865洗衣机、海尔小神童XQB45—A洗衣机、小天鹅XQB50—95洗衣机每台平均价格分别为3239.64元、2233.64元和1880.11元，分别比1月份下降4.21%、2.68%和上升0.70%。

冰箱冰柜价格小幅下降。12月份，海尔大王子BCD—268L冰箱每台平均价格为4198.06元，容声

BCD－196L无氟冰箱每台平均价格为2695.91元，长岭BCD－216B无氟冰箱每台平均价格为2752.16元，新飞BCD－216B无氟冰箱每台平均价格为2785.09元，分别比1月份下降1.14%、2.20%、1.42%和3.04%，分别比上年同期下降1.75%、0.54%、0.54%和2.43%。（郭兰云）

药品医疗服务价格改革

1999年，为配合城镇职工基本医疗保险体制改革，落实国务院纠正医药购销中不正之风工作部署，继续深化药品、医疗服务价格改革，调整药品价格政策，改革药品价格管理体制，整顿市场价格秩序，降低药品虚高价格，进一步理顺医疗服务比价结构，促进了医药卫生事业健康发展。

一、降低药品"虚高"价格，减轻社会医药费负担

继续把整顿药品价格秩序、降低药品"虚高"价格作为药品价格工作的中心任务。国家计委出台了一系列有关政策。1月19日，国家计委下发了《关于在全国开展药品市场价格调查的通知》，全面部署有关药品价格调查工作，为整顿药品市场价格秩序做准备。7月6日，国家计委印发了《关于降低药品"虚高"价格有关政策问题的通知》，提出降低药品"虚高"价格的具体原则和方法，指导各地开展"降虚"工作。《通知》要求各地物价部门以批发和零售单位实际购进价格为基础，在不降低生产企业实际出厂价、不缩小批发企业实际进销差率、不减少零售单位合法批零差价收入和折扣收入的前提下，降低价格中超过国家规定差率多给折扣的部分，以逐步挤干药品虚高价格中的水分。12月13日，国家计委再次下发《关于做好降低药品"虚高"价格工作的通知》，要求各地在"降虚"过程中不得以本地产品价格限制外地产品价格，将进销差率和批零差率合并计算，同时注意区分GMP和非GMP企业产品价格，坚持鼓励企业GMP改造的原则等。《通知》对于减少各地间药品价格矛盾、促进药品生产经营企业调整产品结构，促进企业公平竞争发挥了作用。

1999年，中纪委第三次会议和国务院廉政工作会议将纠正医药购销中的不正之风作为纠风工作重点之一。为此，国务院成立了由国务院纠风办牵头、国家计委等六部门参加的部际协调小组，负责医药纠风工作的组织实施。8月初，国务院办公厅批转下发了《国务院纠风办等六部委关于纠正医药购销中不正之风工作的实施意见》。8月11日，六部委联合召开了全国电视电话会议，全面部署纠正医药购销不正之风工作。国家计委卢时彻同志在会议上发表讲话，提出了在纠风工作中物价部门的任务和要求，对再次降低药品虚高价格工作进行了部署。

根据有关"降虚"工作政策和纠正医药购销中不正之风工作要求，国家计委在反复征求有关部门、地方及企业意见的基础上，研究制定了部分药品价格降价方案。4月14日，下发了《关于重新审定头孢类等部分中央管理的药品价格的通知》，降低中管22种170个规格化学药品价格，平均降价幅度10%。6月3日，下发了《关于降低西力欣等114种进口（进口分装）药品价格的通知》，降低了114种进口药品价格，平均降价幅度5%。8月10日，下发了《关于降低降纤酶等2种生化药品价格的通知》，降低部分生化药品价格，平均降价幅度15%。此外，各地物价部门也相继出台了药品降价方案。据不完全统计，全年药品累计降价金额约50亿元。降低药品虚高价格政策和降价方案的实施，对于抑制药品价格过快上涨、减轻社会医药费用负担发挥了积极的作用。

二、完善药品价格政策，深化药品价格改革

按照国办发75号文件精神，配合全国纠正医药购销中不正之风工作，10月17日，国家计委下发了《关于列入政府定价的药品不再公布出厂价和批发价的通知》，对药品价格政策进行了改进和调整。主要内容：一是提出今后政府定价药品目录要与列入社会医疗保险用药目录大体衔接；二是规定从1999年10月开始，对列入政府定价目录的药品，不再公布出厂价格和批发价格，不再实行按实际进价加规定差率作价的规定；三是对生产中管药品的企业主动要求降价的，在国家计委统一降价前，经产地省级价格主管部门批准后可先行降低药品零售价格；四是要求对市场供大于求的药品，按社会先进成本

定价。

针对部分地区药品价格登记行为不规范问题，6月5日，国家计委发出了《关于药品价格登记有关问题的通知》，要求生产企业必须遵守诚实信用原则，如实提供企业按作价办法自主定价的药品价格；产地省级物价部门对登记的价格要及时通过指定媒介向社会公布，不得委托其他机构代办登记手续，不得要求企业报送成本资料，不得收取费用。此外，为规范政府定价行为，提高药品价格管理工作水平和效率，国家计委办公厅印发了《中央管理药品价格申报审批办法》，对企业申报药价程序及政府审批时限等做出了严格规定。

三、进一步调整医疗服务价格

为贯彻落实《国务院关于建立城镇职工基本医疗保险制度的决定》精神，进一步理顺医疗服务价格，指导各地做好医疗服务价格改革工作，8月31日，国家计委下发了《关于报送医疗服务收费有关情况的通知》，要求各地开展医疗服务价格调查测算工作。同时，明确了医疗服务价格调整的原则和补偿的总量，以及医疗服务价格调整的重点。国家计委在《通知》中要求各地在调整医疗服务价格过程中，注意拉开不同档次医院的服务价格水平，促进患者的合理分流。要重点规范医疗单位价格行为，切实制止乱设项目乱收费、分解项目重复收费现象发生。为增加医疗机构补偿能力，减少医疗机构对药品差价收入的依赖，各地区按照中央的统一要求和部署，结合当地实际情况，积极研究制定医疗服务价格调整方案。1999年，先后有上海、江苏、广东、天津、辽宁、贵州、云南、西藏等省区市出台了医疗服务价格调整方案，进一步理顺了医疗服务比价结构，改善了医疗服务补偿结构，促进了医疗卫生事业的健康发展。 （郭剑英）

运输邮电价格

一、铁路

1、对铁路货运价格进行结构性调整，促进铁路运输企业扭亏增盈。1998年8月，为减轻新疆自治区企业和群众运费负担，增强出疆物资的市场竞争能力，经国务院批准，取消了兰新复线在统一运价基础上每吨公里2.5分的加价，影响铁路运输企业全年减收11.5亿元。此外，随着近年来电力价格的提高，铁路机车牵引用电成本逐年增长，铁路运输企业收取的电力附加费已不足以补偿实际用电成本，不利于铁路运输企业扭亏增盈。为解决上述问题，经国务院批准，自1999年2月1日起，将取消的兰新线加价在全路正式营业线实行均摊，每吨公里均摊1.1厘；将铁路货运电力附加费征收标准由每吨公里1分提高到1.2分，用于补偿铁路运输企业增加的机车牵引用电成本。通过上述措施，铁路全年增加运输收入约18亿元，对运输企业提前一年实现扭亏目标发挥了积极作用。

2、实行春运浮动票价，引导旅客合理分流。春运期间，铁路客运量大，运输时间、方向集中，对铁路正常运输秩序造成冲击。为引导旅客合理分流，保证铁路正常的运输生产秩序，经国务院批准，对春运期间铁路客运实行了浮动票价，允许春节前后在上海、南昌、广州、柳州、成都等5个铁路局发到的部分旅客列车票价适当浮动，其中，硬座票价浮动幅度不超过10%，硬卧、软席票价浮动幅度不超过20%。上述措施出台后达到了预期的目的，春运期间未出现旅客严重滞留现象。同时，铁路运输企业增收2.2亿元，实现了增运增收目标。

3、发挥价格杠杆作用，促进铁路运输企业积极参与市场竞争。近年来，随着公路、航空等运输方式的迅速发展，国内运输市场竞争日趋激烈。而铁路运价形成机制滞后于运输市场的发展，不能及时反映市场变化，使铁路运输企业在市场竞争中处于不利地位，运营效益下降。为增强铁路运输企业的市场竞争能力，促进铁路运输企业积极参与竞争，扩大市场份额，提高经济效益，国家计委向国务院提出了对部分旅客列车实行政府指导价，推行铁路客票销售代理制的建议。具体措施包括：由国家计委会同铁道部重新公布《铁路旅客票价表》，提高票价透明度，方便旅客选择不同的交通方式和列车等级；允许客流较大线路、经济发达地区线路和春运、暑运、节假日客运繁忙线路的铁路旅客票价适当上浮，允许已经形成竞争、客流较小、经济欠发达地区线路和客运淡季的旅客票价适当下浮；允许对旅行社或社会团体包租、包乘的非定期定时开行的旅游列车等新的客运服务项目,试行市场调节价,由双方协商定价,鼓励运输企业拓展服务项目,提高服务质量;在铁路售票环节引入竞争机制,允许社会上具备条件的企业代理铁路客票销售业务,参照民航机票销售代理办法,代理售票单位按售票收入的一定比例向铁路运输企业收取代理手续费,不再向旅客加收其他费用。上述措施已经得到国务院的批准。随着这些措施的逐步落实,将有利于铁路运输企业充分发挥价格杠杆作用,积极参与国内运输市场竞争,也将有利于整顿铁路客运价格秩序,减轻旅客负担,促进铁路运输事业健康发展。

二、民航

1、整顿市场价格秩序,规范航空公司及销售代理人经营行为。1998年以来,受东南亚金融危机和国内宏观经济环境的影响,在民航运力快速增长的同时,运量增长缓慢,国内航空运输市场运能大于运量的矛盾突出,竞争激烈。由于国家对航空公司票价折扣缺乏统一规范,管理不严,部分航空公司滥用折扣手段,竞相降价促销,有的甚至低于成本销售机票,严重扰乱了市场价格秩序,造成国有资产流失,是1998年民航全行业亏损的重要原因之一。一些机票销售代理人趁机要挟航空公司,索要高额代理费,加重了航空公司经营困难。针对上述问题,2月1日,经国务院批准,国家计委、民航总局出台了加强民航国内航线票价管理,制止低价竞销行为的规定。一是规定航空公司销售国内航线机票,必须严格执行国家规定的公布票价,不得擅自提高、降低票价,或以任何名义进行折扣销售。二是对团体、教师、学生、伤残军人等实行的优惠票价统一按公布票价的90%核定,优惠机票实行定点销售制度。据民航总局测算,采取制止低价竞销措施后,直属航空公司增加运输收入约10亿元,对民航全行业扭亏为盈发挥了积极作用。在制止航空公司低价竞销行为的同时,规范客票销售代理人代理收费行为。要求航空公司向代理人支付手续费必须执行规定标准,不得变相提高手续费标准,同时规范代理人票据使用管理,减轻了航空公司客票销售费用负担。

2、利用价格杠杆,拉动国内需求。取消折扣票价后,国内民航市场客运量有所下降。为扩大消费,提高航空公司运营效益,国家计委会同民航总局出台了暑假期间对教师、学生乘坐国内航班实行优惠票价的措施。自7月1日起至9月15日,教师、学生乘坐国内航班实行统一优惠票价,教师优惠25%,学生优惠40%。上述措施,有利于航空公司吸引客源,扩大国内航空运输市场消费。

三、邮电

1、对邮政、电信资费进行结构性调整,促进邮电企业经营管理体制改革和国内信息产业发展。1998年以前,我国邮电资费存在的问题,一是电信资费标准偏高,限制了国内电信市场的进一步扩大;二是邮政资费水平偏低,主要依靠内部交叉补贴弥补经营亏损,不利于建立独立经营、自负盈亏的现代企业制度。针对上述问题,在召开价格听证会,广泛征求各方面意见的基础上,经国务院批准,对邮电资费进行了结构性调整。一是为促进邮电行业深化体制改革,减少邮政企业亏损,取消内部交叉补贴,完善企业独立核算制度,自3月1日起,适当提高了邮政资费水平,国内平信本、外埠首重20克以内资费分别提高到0.6元和0.8元,其他邮政资费相应调整。仅此就使邮政企业全年增加收入16亿元。二是分别于3月1日和10月1日,两次大幅度降低了出租电路资费、上网费、固定电话初装费和移动电话入网费政府指导价、国际及港澳台电话资费。减轻用户负担合计287亿元,促进了国内电信市场的进一步扩大。同时,允许联通公司向用户收取的电话初装费、移动电话入网费、通话费及其他各项收费在国家规定的收费标准基础上实行上下浮动10%,对联通公司利用价格杠杆扩大市场份额,形成与中国移动公司的有效竞争发挥了积极作用。

2、整顿邮电行业价格秩序,减轻消费者负担。在降低电信资费,适当提高邮政资费水平的同时,整顿邮电价格秩序,减轻消费者负担。主要是:规范本地网营业区内电话资费,在取消各地附加在本地网营业区内通话费上的电信附加费,不增加用户负担的前提下,适当提高本地网通话费,并统一将全国市话通话费划分为四档;整顿各级政府在邮政、电信业务资费上加收的各种附加费,取消附加在邮政业务资费、本地网营业区内及区间通话费的附加费,降低长途电话费上的附加费标准;坚决制止各种乱涨价、乱收费行为,加大监督检查力度,强化邮政、电信企业明码标价制度,从严查处搭车涨价、擅自增设收费项目、提高收费标准、扩大收费范围等乱收费行为。

四、其他

1、减免铁路、港口收费,促进煤炭出口。1999

年，国内煤炭市场供大于求，煤炭企业生产经营困难。同时，受亚洲金融危机影响，国际市场煤炭价格下降。我国出口煤炭生产经营成本高于国际市场价格，影响企业出口积极性和经营效益。为减轻企业负担，扩大煤炭出口，缓解国内市场供求矛盾，根据国务院领导同志批示精神，有关部门出台了一系列鼓励煤炭出口的优惠政策。具体措施包括：免收经大秦等4线运输出口煤炭的铁路建设基金，免收出口煤炭港口建设费，降低出口煤炭港口装船费，取消秦皇岛港装车费等。通过上述措施，出口煤炭国内运杂费负担平均每吨降低36.7元，对减轻出口煤炭企业负担，完成全年煤炭出口4000万吨任务发挥了积极作用。

2、加强联运代理服务市场管理，规范经营者收费行为。近年来，国内联运代理市场发展较快，但由于缺乏统一、规范的管理，联运代理市场经营者良莠不齐，一些经营者经营、价格行为不规范，社会反映强烈。为促进联运代理服务业健康发展，在广泛征求各方面意见和充分调查研究的基础上，国家计委、国家经贸委出台了加强联运代理服务市场管理、规范收费行为的措施。分别对联运代理服务中涉及铁路货运延伸服务、其他货运代理服务和铁路及民航客票销售代理服务的价格管理权限作出明确规定。同时，加强对联运代理服务企业价格行为的监督检查，落实明码标价制度，依法从严查处联运代理服务中强制服务、强行收费，或以联运代理服务为名，巧立名目乱加价、乱收费，只收费不服务等价格行为。上述措施出台后，对规范联运代理人经营、收费行为，整顿市场价格秩序，起到了积极作用，受到社会各界的欢迎。 （王 伟 张冬生）

城市供水价格

为规范城市供水价格构成，促进节约用水，1998年，国家计委、建设部颁布了《城市供水价格管理办法》。《办法》规定，城市供水价格实行政府定价；城市供水实行分类水价，根据使用性质可分为居民生活用水、工业用水、行政事业用水、经营服务用水、特种用水等五类；污水处理费计入城市供水价格；制定城市供水价格应遵循补偿成本、合理收益、节约用水、公平负担的原则；城市供水逐步实行容量水价和计量水价相结合的两部制水价或阶梯式计量水价，促进节约用水。为指导各地做好《办法》的贯彻实施工作，推进城市供水价格改革，1999年，国家计委、建设部下发了《关于贯彻城市供水价格管理办法有关问题的通知》，确定保定、哈尔滨、徐州、梧州等14个城市作为供水价格改革试点城市，重点开展居民生活用水实行“阶梯式计量水价”和非居民生活用水实行“两部制水价”的试点工作。为解决城市供水价格长期以来偏低，水价结构不合理，污水处理率低、水资源浪费严重的矛盾，各地继续加大了对城市供水价格调整和改革的力度。全国36个大中城市中，拉萨、杭州、南宁、西宁、银川、合肥等城市相继调整了城市供水价格。目前，全国36个大中城市居民生活用水价格平均为1.15元；同时，积极推进水价改革试点工作，部分城市已进入实施阶段，河北保定市出台了对居民生活用水实行阶梯式水价政策，广西区梧州市已制定出水价改革的初步方案，其他城市水价改革也在进行之中；此外，加大了污水处理费征收力度。目前，全国已有200多个城市征收了污水处理费，北京、天津、上海、广东、河北、江苏、辽宁、四川、内蒙古、新疆等省（市、区）规定在全省的城市范围内收取污水处理费。城市供水价格偏低、水价结构不合理的状况进一步得到改善。 （徐义忠）

进出口商品价格

1999年，我国外贸总值达3603.3亿美元，比上年增长11.3%。其中，出口1949.3亿美元，增长6.1%；进口1657亿美元，增长18.2%。

外贸进出口虽然保持快速增长，但贸易条件略有恶化。1999年，全国出口商品价格总指数为92.5%，进口商品价格指数为94.9%，贸易条件指数为97.5%。这意味着与上年相比，出口同样数量的货物，将少进口2.5%的商品。进出口商品价格变动呈现如下特征：

一、出口商品价格大面积下降，传统大宗出口商品价格降幅相对较小

1999年，在海关统计的97章出口商品中，有89章商品出口价格下降，占92%，其中，37章商品价格下降幅度超过10%。价格上扬的仅有8章，且分布无规律。动植物产品中，肉食品价格下降9.9%，水海产品价格下降16%，蔬菜平均降价11.6%，谷物降价5.9%；矿产品平均降价10%；无机化学品降价8.4%；有机化学品降价12.2%；塑料及制品降价7.7%；皮革及制品降价10.4%；木及木制品降价4%；纸及纸品降价5.6%；在纺织原料中，蚕丝降价12.5%，棉花降价4.7%，化纤短纤降价10.2%；珍珠宝石及贵金属降价9.4%；钢铁降价14%。我国传统大宗出口商品价格下滑，但降幅不大。服装价格下降6%，鞋类降价2%，玩具及运动用品降价4%，钟表及零件降价6.3%，收录音机等电器降价4.3%，车辆降价8.4%，照相及医疗器械价格上涨1.4%。（以上列名商品全年出口值都在百万美元以上）。

二、主要进口商品价格均有下降

在所有海关统计的98章商品中，有62章商品价格下降，占63%，其中，23章商品的降价幅度超过10%，降价幅度无规律可循。谷物降价12.4%；动植物油降价16.6%；糖及糖食降价19.1%；矿砂降价9.9%；肥料降价5.9%；塑料及其制品降价5.3%；纸及纸制品降价1.9%；橡胶及其制品降价6.9%；纺织原料中，羊毛降价4.5%，棉花涨价1%，化纤原料降价6.1%；金属及其制品中，钢铁降价11.4%，铜降价3.8%，铝降价2.1%；电器产品涨价3.8%；机械降价14.8%；钟表及零件降价12%。

1999年我国进出口商品价格大面积、大幅度下降，主要是由于：

1、1997年中期爆发的亚洲经济危机加深，国际市场上商品购买力严重下降，供大于求的矛盾突出。

2、1999年我国经济进入一个周期的谷底，社会有效需求不足，供给过剩，国内商品价格一直下滑。

3、国际金融市场上美元升值，各主要币种对美元的汇率下降，使得用美元表示的商品价格相对较低。

4、由于自然灾害（旱灾、洪灾、火灾、地震等）的影响减弱，人类抗天灾能力增强，部分农产品产量提高，导致相关商品价格下挫。

通过对以下主要商品进、出口价格指数进行简单相关分析可知，进口、出口商品的价格指数几乎不存在线性相关关系，原因是我国进口、出口商品的结构（质量、型号、规格等）不一致。

附表

1999年主要商品进出口价格指数

（1998年＝100）

商品名称	价格指数	
	出口	进口
肉	90.1	89.6
鱼	84.0	112.6
蔬菜	88.4	105.0
谷物	94.1	87.6
动植物油	89.1	83.4
糖	83.7	80.9
饮料、酒	105.2	101.6
矿砂	87.9	90.1
无机化学品	91.6	95.0
有机化学品	87.8	100.6
药品	81.8	110.1
肥料	100.8	94.1
塑料及其制品	92.3	94.7
橡胶及其制品	92.9	93.1
木及木制品	96.0	102.7
纸及其制品	94.4	98.1
蚕丝	87.5	100.6
羊毛	101.7	95.5
棉花	95.3	101.0
化纤	88.8	94.1
服装	94.0	101.5
鞋	98.0	120.4
陶瓷产品	87.1	87.0
玻璃产品	92.1	96.7
钢铁	86.0	88.6
铜及其制品	93.5	96.2
铝及其制品	99.3	97.9
机械	89.0	85.2
电器	95.7	103.8
车辆	91.6	103.9
光学及医疗设备	101.4	92.7
玩具	96.0	93.6

（黄国华）

游览参观点门票价格

为规范游览参观点价格行为，维护正常的价格秩序，促进旅游事业的发展，1999年，国家计委印发了《游览参观点门票价格管理办法》（以下简称《办法》）。《办法》规定，游览参观点门票依据其关系社会文化生活和国际国内旅游重要程度，分别实行政府定价、政府指导价；游览参观点门票价格实行分级管理，省及省以下各级政府价格主管部门管理的游览参观点门票价格不应高于上一级政府价格主管部门管理的同类游览参观点门票价格；游览参观点门票价格的制定，应区别不同情况，实行分类作价，保持合理比价。对保护性开放的重要文物古迹、大型博物馆、重要的风景名胜区和自然保护区，门票价格应按照有利于景点保护和适度开放的原则核定，对与居民日常生活关系密切的城市公园、纪念馆和展览馆等，门票价格应按照充分考虑居民承受能力、适当补偿成本费用的原则核定；游览参观点门票实行一票制。游览参观点内确有实行重点保护性开放的特殊游览参观点，需要单独设置门票的，以及为方便游客，将普通门票和特殊参观点门票或相邻的游览参观点门票合并成联票的，报上一级政府价格主管部门批准。游览参观点普通门票、特殊参观点门票及联票必须一并公示，由游客自愿选择。

各级价格主管部门会同有关部门加大了对游览参观点门票及相关服务价格管理和监督检查，在保持游览参观点门票价格的合理稳定和保护旅游消费者的合法权益等方面做了大量切实有效的工作，旅游市场秩序有所改善。　（徐义忠）

收费改革

1999年，在进一步完善农村税费改革方案、交通和车辆税费改革方案的基础上，继续大力治乱减负，取消不合理收费，积极推进价费分离的改革，建立和完善收费管理法规，促进收费秩序的好转，使收费改革的各项工作取得明显进展。

一、继续大力治乱减负，改善经济发展环境

1、取消收费项目。为贯彻落实党中央、国务院关于继续保持国民经济持续快速健康发展的重大决策，以及《中共中央、国务院关于治理向企业乱收费、乱罚款和各种摊派等问题的决定》（中发[1997]14号）精神，切实减轻企业负担，经国务院减轻企业负担部际联席会议批准，公布了第三批取消的省及省以下部门制定的各种基金、资金、附加、收费项目共计73项，每年减轻企业负担100亿元，并于年底公布取消了第三批行政事业性收费项目，涉及经贸、交通、劳动和社会保障、新闻出版、海关、环保、外汇、司法8个部委的20个项目，每年减轻企业负担10亿元。

2、降低第二批收费标准。为进一步减轻企业负担，改善投资环境，促进外贸进出口和社会经济的健康发展，经国务院减轻企业负担部际联席会议批准，国家计委会同财政部于10月20日发出《关于第二批降低收费标准的通知》（计价格[1999]1707号）。此次降低收费标准，影响面较广，降低了包括社会福利生产管理费、贷款证费、口岸管理费、生产许可证审查费、企业注册登记费、城乡集贸市场管理费、个体工商户管理费和海关、进出口商品检验、国境卫生检疫、动植物检疫收费等收费标准，降幅都在20～50％之间，每年可减轻企业和其他方面负担约30亿元，对外贸进出口的增长和经济发展起到了重要的促进作用。

3、为贯彻国务院有关千方百计扩大出口的指示精神，国家计委会同财政部、国家出入境检验检疫局于4月23日联合下发了《关于降低加工贸易品质检验和外商投资财产鉴定收费标准的通知》（计价格[1999]472号），降低了加工贸易品质检验和外商投资财产鉴定收费标准，可减轻进出口企业负担

4.2亿元。

4、根据国家计委要求,5月31日,海关总署下达了《关于规范海关业务单证收费降低部分单证收费标准的通知》,对现行收取工本费的104种海关业务单证收费进行了整顿,其中,取消60种单证的收费,合并21种,保留23种。保留的23种收费中,降低了15种报关单、加工贸易核销记录本、来往香港汽车驾驶人员专用手册、进出境汽车驾驶人员专用手册和深圳海关条码卡及IC卡等工本费标准。

5、开展收费的专项清理整顿工作。近年来,集成电路卡(以下简称IC卡)以储存信息量大、安全保密性好、读卡简单快速等优点,在公安、工商、财税、金融等领域得到广泛的应用,取得了一定的社会效益和经济效益。但是,在IC卡的推广应用中也出现了一些问题,主要是:一些部门和行业凭借行政权力和垄断地位,强制推行和销售IC卡并收费;有的公用事业单位通过推行IC卡变相提高价格;有的行政机关一边发放有关证照,一边推行等效的IC卡,进行重复收费;各自为政、自行其事、盲目发卡现象比较普遍,增加了企业和群众的负担。为促进IC卡推广使用的有序进行,规范收费行为,制止一些部门和行业凭借行政权力和垄断地位,强制推行和销售IC卡,高收费、乱收费,维护企业和广大群众的合法权益,减轻社会各方面负担,根据国务院领导同志的指示精神,11月11日,国家计委会同国家经贸委、财政部、监察部、国务院纠风办等部门联合下发了《关于清理整顿集成电路卡(IC卡)收费等有关问题的通知》,明确规定国家行政机关及其所属事业单位推广使用IC卡并收费,未经省、自治区、直辖市政府及省级以上物价、财政主管部门批准的,一律立即停止收费;行政机关在发放证照的同时推行等效IC卡重复收费的,要予以取消;公交、铁路、供水、供电、公路交通、电信等公用事业单位,不得以推广使用IC卡为由向用户另行收取IC卡费,凡另行收费的应立即停止收费;应停不停的,视为乱收费,由物价部门依法查处。

二、努力推进价费分离改革,促进第三产业的健康发展

为适应建立和完善社会主义市场经济体制的要求,规范中介机构收费行为,维护中介机构和委托人的合法权益,促进中介服务业的健康发展,根据《价格法》的规定,12月22日,国家计委联合有关部门下发了《中介服务收费管理办法》,该办法明确了中介服务收费实行公平竞争、依法准入和自愿有偿的原则,并规定了中介服务收费的范围、收费的管理形式、收费管理权限和审批程序、审批收费标准的原则和收费行为准则等方面的内容。该办法的出台和实施,有利于转变政府职能,实现"政企分开、政事分离",促进中介机构走向市场;有利于规范中介服务市场秩序,促进公平竞争的市场环境和中介机构自律性运行机制形成;有利于促进规范中介机构的收费行为,解决当前中介机构依附行政机构并利用或借助行政权力强制收费、只收费不服务或少服务多收费、巧立名目乱收费等问题。该办法的发布实施,有力地推进了价费分离的改革。

三、起草并向国务院呈报《国家行政机关收费管理条例》

5月7日,朱镕基副总理主持国务院第56次常务会议讨论《价格法(草案)》时强调指出:《价格法》起草小组不要解散,可立即着手起草行政性收费管理法规。同时指示,起草行政性收费管理规定时要有改革精神。1997年12月29日,全国人大审议通过的《价格法》规定:国家行政机关的收费,应当依法进行,严格控制收费项目,限定收费范围和标准。收费的具体管理办法由国务院另行制定。根据《价格法》的规定和国务院领导同志的指示精神,国家计委研究提出了收费改革的基本思路,并于1999年1月8日向国务院上报了《国家计委关于呈送中华人民共和国国家行政机关收费管理条例(送审稿)的报告》(计价格[1999]23号)。《国家行政机关收费管理条例》(送审稿)在三个方面对现行收费管理进行了重大改革:一是改革收费体系,确定收费范围。《条例》(送审稿)明确了国家行政机关收费的依据和范围,废除过去以部门单位经费不足作为审批收费的依据,把收费范围限定在国家行政机关为特定对象实施特定管理或提供特定服务,费用不应由全体纳税人承担的收费,主要包括四类:(1)按法律、法规规定进行登记、注册、审验、颁发证照,可收取登记、注册、审验和证照费;(2)特许使用国家资源进行经营性活动的,可收取特许权使用费;(3)对生产经营造成环境污染或损害环境的,可收取环境补偿治理费;(4)审判机关收取的诉讼费。今后审批和实施收费,包括法律、法规设定的收费均应符合上述收费范围。二是改变了"收费项目管理"与"收费标准管理"人为割裂的体制,建立"收费行为管理"与"收费资金管理"的新体制。即将现行的财政部门管收费立项,物价部门管收费标准制定的一家管一半的管理模式改变为一家管一段的管理模式,物价

部门进行从项目到标准制定的“收费行为管理”，财政部门进行从执收到资金使用的“收费资金管理”。这种模式的好处是遵循了收费运行的客观规律，分工明确，对乱收费具有双重约束机制。三是改变收、管、用“三位一体”的管理办法，建立收缴和使用分离的机制。拟实施三种征收方式：(1)各种附加费实行随税征收，直接进入国库；(2)大宗收费款项由银行代收，通过银行解缴国库；(3)居民一次性交纳的小额收费，为方便群众，由收费单位代售税务局印制的定额(代金)发票，定期与税务机关对帐，解缴国库。采取上述征收方式，资金直接进入国家预算，可以有效地防止资金流失，降低征收成本，排除刺激收费膨胀的经济动因。

四、全面实行污水处理收费政策，促进环保产业发展

根据《水污染防治法》的有关规定，目前全国已有部分城市向用户包括居民收取污水处理费，用于污水集中处理设施的建设和运行，对于减少污染，保护环境发挥了重要作用。但是，现行污水集中处理率低，多数城市还没有收取污水处理费。已经收取污水处理费的城市，大部分收费标准偏低，难以补偿污水集中处理设施的运行维护费用。在征收过程中，欠费和漏收问题比较严重，污水处理费收入的管理不规范，截留、挪用等问题也亟需解决。根据《中共中央、国务院关于转发〈国家发展计划委员会关于当前经济形势和对策建议〉的通知》(中发[1999]12号)中有关运用价格杠杆促进经济增长，加大对污水处理费征收力度的精神，为加快污水集中治理的步伐，促进环境保护产业的发展，由国家计委起草并会同建设部、国家环保总局下发的《关于加大污水处理费的征收力度建立城市污水排放和集中处理良性运行机制的通知》，明确污水处理费是水价的重要组成部分，不再作为行政事业性收费进行管理。截止年底，全国已有200多个城市开征了污水处理费，收费金额约30亿元。另外，为促进使用清洁能源，推广使用低硫煤炭，降低二氧化硫排放，改善首都环境质量，根据国务院第34次总理办公会议精神，经国务院批准，同意北京市提高燃煤二氧化硫排污费标准，高硫煤由现行的每公斤0.2元提高到1.2元，低硫煤由每公斤0.2元提高到0.5元。同时，扩大了征收范围，具体实施方案由北京市政府研究制定。此次提高北京市二氧化硫排污费标准，可促进燃煤单位采取节能、脱硫等治理措施，有利于低硫煤的推广使用，抑制燃煤二氧化硫的排放，筹集改善能源结构和推广使用清洁能源的建设资金，对改善首都环境具有重要作用，也有利于环保产业的发展。　(许昆林　吴晓宁)

深入开展依法制止低价倾销工作

1999年，制止低价倾销工作的重点是引导企业加强自律、完善法律法规和开展对违法行为的检查。

一、发布行业平均成本，指导企业合理定价和开展制止低价倾销工作

国家计委依据制止低价倾销行为的有关规定，会同有关部门先后发布了彩电、彩管、小四轮拖拉机、单缸柴油机、电线电缆、普通纸面石膏板、钢材、钨品等多种工业品行业平均成本，适时调整了平板玻璃、部分钢材品种的行业平均成本，其中，既有工业消费品，也有工业生产资料；既有内销产品，也有出口产品。发布行业平均成本的目的，一是指导企业合理定价，努力降低经营成本。测定和发布行业平均成本一般采用行业先进成本，这样可以引导成本偏高的企业努力改进管理，降低经营成本，以适应市场竞争的需要。二是作为行业和企业自律及举报低价倾销行为的依据。对以低于行业平均成本销售，造成市场秩序混乱的企业，受损害的企业可以向省级以上政府价格主管部门举报。

发布行业平均成本的产品中，有两个品种有特殊意义。一个是钨品，另一个是普通纸面石膏板。前者是出口产品，直接面对国际市场；后者虽是内销产品，但生产者大多是外商独资企业。对这两个品种在政策处理上需特别慎重。我国拥有占世界70%的钨存储量和60%的钨品出口量，在国际市场上占绝对的主导地位。但由于对钨品生产和出口缺乏必要管理，过度开采、多头出口现象严重，一些企业甚至低于直接成本销售，导致我国钨品在国际市场上的价格直线下滑，严重损害了国家利益和其他企业利益。为了规范出口企业行为，经多次研究，决定依据制止低价倾销的有关规定，依法制止出口产品的不正当价格行为，维护国家利益。考虑到钨品主要用于出口，在国际贸易中成本应是绝对保密的，因此，平均成本最终以最低出口价格的形式公布。最低出口价格发布后，国际钨品市场价格明显回升。制止钨品低价倾销为规范其他产品出口价格起到了良好的示范作用。普通纸面石膏板是一种新型的建筑材料，国外许多大型跨国集团纷纷看好中国市场，到中国投资建厂。一些外资企业利用集团雄厚实力，不惜血本，以低于自身成本的价格销售，抢占中国市场。例如安徽可耐福公司(德资企业)就以明显低于成本的价格在北方市场销售产品，遭到了同行包括其他外资企业的反对，行业组织要求国家价格部门依法予以制止。针对这种情况，经反复研究，并多次征求主要外资企业意见后，测定、发布了普通纸面石膏板行业平均成本。平均成本发布后，整个行业价格秩序有明显好转，外资企业自律、监督、举报尤为积极。发布普通纸面石膏板行业平均成本，依法制止低价倾销行为，对我国加入 WTO 后如何应对外国企业不正当竞争具有指导意义。

各工业行业积极进行价格自律。建材、冶金、机械等行业均成立了反倾销办公室或类似机构，专人负责制止低价倾销工作，定期召开企业座谈会，研究开展价格自律问题，对行业内部出现的不正当竞争行为进行批评和规劝。国家冶金局对鞍钢等企业低于成本销售行为进行了通报批评。电线电缆协会积极开展制止低价倾销工作，对在重庆城网改造工程项目招投标中，江苏宝胜集团有限公司、深圳拓普金实业有限公司等企业以低于成本的价格投标行为，及时进行了规劝，并多次向招标单位反映情况，最终废止了招标结果，招标单位转而选用了价格合理、信誉好的其他企业的产品。此外，针对目前产品严重供过于求的情况，钢材中厚板、彩色显像管产品还积极进行了限产工作，以保证价格自律和制止低价倾销工作的顺利实施。

二、继续完善制止低价倾销法规

1、发布《低价倾销工业品的成本认定办法(试行)》。为解决制止低价倾销工业品成本认定问题，避免因企业核算方法、享受政策不一造成核算差异，增强制止低价倾销工作的可操作性，国家计委会同有关部门研究制定了《低价倾销工业品的成本认定办法(试行)》，于 1999 年 3 月 1 日起实施。主要内容是：(1)规定工业品成本列支范围。生产企业的成本包括制造成本和应合理分摊的期间费用(管理费用、销售费用和财务费用)以及为销售该工业品而发生的销售税金和附加；经销企业的成本包括该工业品单位进价和应分摊的单位运杂费以及应纳价内税。(2)明确低价倾销工业品的成本认定应遵循的原则和计算方法。①成本认定按照《中华人民共和国会计法》、《企业会计准则》、《企业财务通则》和行业财务会计制度的规定进行；②成本认定遵循会计核算的基本原则和一般原则，按照实际成本认定。企业成本计算及分摊方法一经确定，不得随意变更；③成本认定中，生产企业以上月成本为确认依据，必要时可根据情况考核企业以前的成本；经销企业以当批商品的实际发生成本为确认依据。同时规定，当企业折旧率低于国家规定的低限折旧率、企业因享受特殊优惠政策、企业未按权责发生制进行核算、企业采取不正当手段降低成本造成的成本差异要在成本认定中追加。(3)明确规定低价倾销工业品的成本认定机构和认定程序。国务院和省级政府价格主管部门是低价倾销工业品的成本认定机构。政府价格主管部门对以低于发布行业平均成本的价格销售，造成市场秩序混乱，受到有关单位和个人举报的涉嫌低价倾销行为要及时立案，可直接或委托有关行业主管部门或行业协会组织、中介机构进行成本调查。在审核成本认定报告基础上，做出被调查企业是否低价倾销的判定。(4)规定特殊情况下的成本认定办法。如果被调查企业提供资料不全，使成本认定难以进行，或企业的降价行为已明显对市场秩序和国民经济造成重大影响，严重损害了其他经营者的利益，但短期内难以核定其成本时，国务院价格主管部门可临时采取直接依据行业平均成本和合理下浮幅度的办法认定其是否为低价倾销行为。行业平均成本下浮幅度由国务院价格主管部门会同行业主管部门根据市场状况、行业先进生产水平等情况确定。

2、研究出台《价格违法行为处罚办法》，加大对低价倾销行为的处罚力度。在制止低价倾销工作中遇到的一个难题是处罚力度不够。根据《中华人民共和国价格法》规定，对不正当价格行为，有违法所得的，没收违法所得，可以并处违法所得 5 倍以下罚款；没有违法所得的，予以警告，可以并处罚款。低价倾销行为没有违法所得，只能处以罚款。但根据原有的价格处罚规定，经济上只能处以 1 万元以下罚款，处罚明显过轻，对违法者无法起到约束作用。

1999年8月1日，经国务院批准，新的《价格违法行为处罚规定》(国家计委1999年1号令)公布出台，其中对低价倾销等没有违法所得的违法行为处罚力度明显加大。新的《价格违法行为处罚规定》规定，经营者违反价格法第十四条，有相互串通，操纵市场价格，损害其他经营者或消费者合法权益的；除依法降低处理鲜活商品、季节性商品、积压商品等商品外，为了排挤竞争对手或者独占市场，以低于成本的价格倾销，扰乱正常的生产经营秩序，损害国家利益或其他经营者合法权益的；提供相同商品或者服务，对具有同等交易条件的其他经营者实行价格歧视的，要责令其改正，没收违法所得，可以并处违法所得5倍以下罚款；没有违法所得的，予以警告，可以并处3万元以上30万元以下罚款；情节严重的，责令停业整顿，或者由工商行政管理机关吊销营业执照。根据新的《价格违法行为处罚规定》，对低价倾销者最高可处以30万元罚款，从法律上解决了经济处罚过轻问题，完善了制止低价倾销工作。此外，新的《价格违法行为处罚规定》还规定，经营者拒绝提供价格监督检查所需资料或者提供虚假资料的，要责令改正，给予警告；逾期不改的，可以处5万元以下罚款，对直接负责的主管人员和其他直接责任人给予纪律处分。这些规定，对行业主管部门发布行业平均成本、价格监督检查人员执法检查提供了有力依据。

3、出台《关于制止低价倾销行为的规定》。针对低价倾销行为有从工业产品向所有商品和服务扩展的情况，为了深入、全面开展制止低价倾销工作，国家计委在总结工业行业制止低价倾销工作经验和教训的基础上，依据《中华人民共和国价格法》，研究制定了在所有商品中通用的《关于制止低价倾销行为的规定》(国家计委1999年2号令)，于1999年8月3日发布实施。与以前的制止低价倾销法规相比，其主要区别是：(1)以部门令形式下发，增强了法律的严肃性和权威性；(2)将制止低价倾销范围由工业产品扩大到所有商品；由一般经销商品扩大到包括招投标等各种方式销售的商品。(3)明确低价倾销认定权限。属于跨省区的低价倾销行为，由国务院价格主管部门认定。国务院价格主管部门可以根据需要委托省级价格主管部门进行调查；属于省及省以下区域性的低价倾销行为，由省、自治区、直辖市人民政府价格主管部门认定。省级价格主管部门可以根据需要委托当地政府价格主管部门进行调查。(4)明确对低价倾销行为的处罚适用听证制度。政府价格主管部门对低价倾销行为作出行政决定之前，应告知当事人有要求举行听证的权利；当事人要求听证的，政府价格主管部门应当组织听证。听证程序依照《中华人民共和国行政处罚法》的有关规定执行。(5)明确经营者在销售依法降价处理的商品时，除正常标注应当标明的商品价格内容外，还应当清晰、准确地标明原价、降低后的价格或者折扣、赠送的商品或者服务内容。

三、依法调查、处理低价倾销行为

1999年4月，厦门华侨电子股份有限公司(简称厦华公司)向国家计委举报，四川长虹电器股份有限公司(简称长虹公司)从4月份起在全国范围内大幅度降低其彩电产品价格，其中部分产品存在低价倾销行为。之后，长虹公司也向国家计委举报，深圳康佳集团股份有限公司(简称康佳公司)、厦华公司部分彩电存在低价倾销行为。针对这一情况，国家计委依据《价格法》和制止低价倾销行为有关规定及时立案，与信息产业部成立了联合调查组，并请会计师事务所的注册会计师参加，到上述三家公司进行了调查。经过4个月的调查取证，初步查清了有关情况。长虹、厦华、康佳等三家公司均存在部分品种规格的彩电实际出厂价格低于生产成本的问题。三家公司对调查结果没有提出异议。国家计委会同信息产业部召开会议，对三家公司的行为进行口头警告，责令其立即改正，要求企业今后要认真学习，严格执行国家政策，遵守有关法律法规。

各地物价检查部门也对低价倾销行为进行了查处。上海市物价局对某超市以低于成本的价格销售洗衣粉、某乳品公司低价销售牛奶的行为依法进行了查处。黑龙江、广东等地也对本地一些涉嫌低价倾销的行为进行了调查。　(程行云)

房地产价格

1999年，房地产价格工作的中心任务是，贯彻落实《国务院批转国家计委关于加强房地产价格调控加快住房建设的通知》(国发[1998]34号)精神，加强房地产价格调控，推进住房商品化进程，促进住房建设与消费，扩大国内需求。各级政府价格主管部门主要在以下几方面加强了管理：

1、以保持住房价格的稳定为重点，加强对房地产市场价格的调控。初步形成了规范有序的住房价格管理体制。建立了向高收入家庭出售的商品住房实行市场调节价、向中低收入家庭供应的经济适用住房实行政府指导价，向最低收入家庭供应的廉租住房实行政府定价的新的住房价格管理制度。

2、加强经济适用住房价格管理。在国务院价格主管部门的统一指导下，一些省市已经制定出台了经济适用住房价格管理办法。主要内容是：明确制定经济适用住房价格应当与城镇中低收入家庭的经济承受能力相适应，以保本微利为原则，并体现合理的区位差价和质量差价；明确经济适用住房价格构成项目的具体内容；对价格申报审批程序，以及销售价格行为进行规范。

3、继续开展住房建设项目收费的清理整顿。为减轻企业和购房者负担，降低住房销售价格，启动住房消费市场，各地进一步加大了对建设项目收费的整顿力度，取消商业网点建设费等一批不合理的收费项目，降低部分偏高的收费标准，收费膨胀的势头初步得到抑制。对城市基础设施配套费、人防工程易地建设费等重大建设项目收费拟定了整顿规范的意见。

4、积极推进公有住房租金改革。为促进住房销售，逐步理顺租售比价，各地按照充分考虑职工的承受能力，与提高职工工资相结合的原则，加大了租金改革力度。广州、福州、厦门、长春、上海等城市出台了具体调租方案，并对困难职工采取了相应减免措施，保证了租金改革方案的顺利实施。

(唐铁军)

价格法制工作

1999年，各级价格主管部门积极宣传贯彻《价格法》，进一步加强价格立法工作，加大价格执法力度，提高依法行政、依法治价水平，取得了很大成绩。

一、加强立法工作

按照1999年价格立法计划，并结合经济工作实际问题，制定出一批与《价格法》配套的法规、规章，进一步增强了《价格法》的可操作性和解决实际经济问题的针对性，为贯彻落实中央提出的经济工作中心任务，维护良好的市场经济秩序，提供了有力的法律保障。有关政府价格决策听证制度、制止价格欺诈等一批价格法规、规章也正在调研、起草或上报过程中。一年来，各级价格主管部门在价格法制建设方面都取得了不同程度的进展，许多地方已经或准备出台贯彻实施《价格法》的地方性法规及其配套法规、规章。

1、经国务院批准，国家计委在《价格法》原则规定的基础上，起草并颁布了《价格违法行为行政处罚规定》，进一步明确了价格违法行为的法律责任，强化了执法手段。该行政法规对价格违法行为进行了列举，并细化了罚款数额，增强了《价格法》的可操作性，是与《价格法》配套的重要行政法规。

2、自1998年以来，虽然国家计委先后出台了《关于制止低价倾销钢材的不正当竞争行为的暂行规定》等规章，但经济生活中低价倾销等价格违法行为频繁发生，并有进一步蔓延的趋势。为制止低价倾销行为，支持和促进公开、公平、合法的市场竞争，维护国家利益，保护消费者和经营者的合法权益，国家计委一方面又出台了《关于制止低价倾销行为的规定》，对低价倾销的表现形式、成本的认定、调查的管辖和认定等作了进一步规定，另一方面要求各地价格主管部门加大查处力度，并引导企业依据《价格法》进行合法的价格竞争。

3、为适应建立和完善社会主义市场经济体制的要求，规范中介机构收费行为，维护中介机构和委托人的合法权益，促进中介服务业的健康发展，国家计委与其他部门联合发布了《中介服务收费管理办法》。该办法对中介机构进行了分类，对中介机构的定价形式进行了划分，还对收费管理权限、收费标准的制定、收费行为的规范等进行了具体规定。为加强对价格认证工作的管理，国家计委还颁布了《价格认证管理办法》，该办法对价格认证的法律效力、委托与受理程序、价格认证程序、认证的基本原则等进行了规定。

4、为科学、有效地组织价格监测工作，保证价格监测数据的准确性、及时性，发挥价格监测在宏观经济调控和价格管理中的重要作用，正确引导生产、流通和消费，稳定市场价格总水平，国家计委发布了《价格监测规定》。对价格监测的基本制度、价格监测定点单位、价格监测资料的采集和发布、价格监测人员等作了具体规定。为了规范和促进农产品成本调查工作，为国家宏观调控和农产品价格制定提供科学依据，为农业生产经营者加强经济核算和提高经济效益服务，国家计委还发布了《农产品成本调查管理办法》，对农产品成本调查的范围、对象、方法与成本资料的发布等作了明确规定。

5、为规范游览参观点价格行为，维护正常的价格秩序，促进旅游事业的健康发展，国家计委制定了《游览参观点门票价格管理办法》，对游览参观点门票价格管理的原则、门票价格的制定等作了规定。

二、进一步宣传《价格法》

在《价格法》颁布一周年之际，各地价格主管部门按照国家计委宣传贯彻《价格法》的有关通知精神，在积极组织参与国家计委举办全国《价格法》知识竞赛和价格法制征文活动的同时，组织各有关部门，利用报纸、电台、电视台等各种舆论工具和媒体，积极开展形式多样的《价格法》宣传活动，如河北、湖北等省举办了《价格法》文艺晚会，吉林、山西等省还与电视台共同举办了专题宣传节目，收到较好的宣传效果。同时，各级价格主管部门利用《价格法》实施一周年的有利时机，组织社会各界的经济、法律专家，以座谈、研讨等形式，开展多层次的价格法制建设调查研究，把价格法制建设进一步推向深入。

三、价格法规的清理、修订

价格法规、规章及其他规范性文件的清理、修订工作取得了积极进展。按照《价格法》、《行政处罚法》的要求，国家计委组织专门人员对现行价格法规、规章及其他规范性文件进行集中清理，这项工作已告一段落。地方价格法规、规章的清理工作多数已基本完成，未完成的地方也在加紧清理之中。由国家计委组织的明码标价方面的法规修订工作，在前期广泛征求各地和各部门意见的基础上，已完成上报国务院。

四、加强地方价格法制工作的指导与协调

国家计委通过分片召开价格法制研讨会、专项立法座谈会以及《价格法制专刊》，进一步加强了中央与地方、地方与地方的法制工作交流，推广地方价格立法和执法经验。

五、存在的不足

在充分肯定价格法制工作所取得成绩的同时，应当看到当前价格系统要实现依法治价的目标，仍然存在很多不容忽视的问题，突出表现是：价格立法的步伐仍需进一步加快，与《价格法》配套的许多法规急需研究制定；一些价格管理人员依法行政意识不强，对依法治价重要意义的认识有待于进一步提高，对价格管理人员需要加大普法教育；一些地方对规范性文件的清理抓得不紧，个别地方不仅仍在沿用过时的法规规章，甚至超越权限出台一些不合法的文件；价格法制监督工作尚未引起足够的重视，对《行政复议法》等一些重要法律的实施，在机构、人员、培训、规章制度、程序等方面还缺乏必要的准备。

（张正明）

全国价格监督检查

1999年，各级价格主管部门认真贯彻中央12号文件精神，按照全国计划会议和价格监督检查工作会议的部署，继续清费治乱减负，大力整顿价格秩序，制止不正当价格竞争，共查处价格违法案件36.78万件，查出违法所得金额48.63亿元，实现经济制裁总金额27.51亿元，其中，上缴财政15.34亿元，退还用户12.17亿元。为扩大国内需求、推动结构调整、促进经济增长做出了积极贡献。

一、整治各种涉及车辆和道路的乱收费，切实减轻企业和群众负担

各级价格主管部门会同交通部门组织开展了全国交通收费专项检查，共检查涉及车辆和道路收费的单位6300多个，查出违法所得金额38亿元。对武汉等地人民群众反映强烈、社会舆论关注的新桥、老桥"捆绑"收费问题进行了纠正。通过检查，交通乱收费行为受到遏制，企业和群众负担有所减轻，为燃油税费改革创造了条件。

二、制止向外商投资企业乱收费，改善投资环境，扩大出口需求

国家计委、外经贸部联合部署在全国范围内对各种面向外商投资企业的收费进行清理检查。各地结合实际确定检查范围、方式、时间和步骤，重点检查了工商、技术监督、卫生、海关、商检等部门，基本摸清了外商投资企业的负担情况，依法对乱收费的单位实施了经济制裁，切实维护了外商投资企业利益，改善了投资环境。

三、规范电信行业价格秩序，保证国家电信资费政策的贯彻执行，促进电信业健康发展

国家计委、信息产业部联合组织开展了全国电信资费专项检查，11月下旬在京召开全国电信资费检查电视电话会议进行动员部署。各地价格主管部门和电信管理部门高度重视，密切配合，抽调业务骨干，组织检查小组，突出检查重点，严格掌握政策，使检查工作取得了积极成果。

四、对不正当价格行为进行调查和检查，制止企业恶性竞争，维护公平竞争的市场环境

为制止彩电行业不正当价格竞争，对一些企业涉嫌低价倾销的行为进行调查和检查，11月在京召开了彩电、彩管价格工作会议，促进企业加强价格自律。国家计委还会同有关部门开展了食糖价格专项检查、民航国内航线客票价格专项检查。上海、吉林、甘肃等地依法对农用车、超市经营、啤酒等低价倾销行为进行了查处。

此外，各地价格主管部门还按照《国家计委1999年价格监督检查工作要点》的要求，结合本地实际，开展价格专项检查，并取得了可喜的成效。湖南、广东等14个省市开展了农村电价检查，降低农民用电价格，为扩大农村市场消费创造了条件。陕西、新疆等地开展了涉农收费检查，减轻农民负担，维护农民利益。河北、福建等15个省市开展了粮食价格检查，有利地促进了粮食流通体制改革有关政策的顺利实施。黑龙江、江苏等省开展了住房价格和物业管理收费检查。河南、贵州等16个省市开展了药品价格专项检查，整顿药品价格折扣，规范药品价格行为。

五、出台《价格违法行为行政处罚规定》，价格法制建设取得新的进展，价格行政执法水平有所提高

经国务院批准，国家计委发布了《价格违法行为行政处罚规定》，进一步明确了价格违法行为的法律责任，强化了执法手段。《价格违法行为行政处罚规定》的发布实施，为进一步制定部门规章提供了法律依据。为落实全国依法行政会议精神、贯彻《价格违法行为行政处罚规定》，国家计委于8月在青岛召开了第五届全国价格违法案件审理工作会议。组织了第三届全国价格监督检查案卷考核评比活动，湖北、吉林等10个省(区、市)获得评比优秀奖。

六、认真受理价格投诉举报，大力推行明码标价，切实维护消费者的合法权益

截止年底，全国有17个省级价格主管部门成立了价格举报中心，其他地方也都明确由价格监督检查机构行使举报中心职能。福建省对公路通行费、

医疗单位、邮电等行业的明码标价实行统一规范；浙江、安徽等省开展创建、表彰明码标价示范街、示范单位活动；辽宁省规范并完善了大中专院校及中小学收费的明码标价；上海、山东等地坚持开展“物价计量信得过”活动，都取得了积极的成果。

七、开展向先进人物学习活动，加强干部培训和基层工作指导，价格行政执法人员素质进一步提高

组织“全国价格监督检查先进事迹报告团”，在北京等地巡回演讲，扩大了物价检查工作的影响，进一步焕发了广大干部的工作热情。根据“规范化基层物价检查所标准”，国家计委组织开展了规范化物价检查所创建活动。举办了全国价格法律法规研讨培训班和价格行政执法人员执法资格培训考试，有效地提高了队伍素质。

1999年价格监督检查工作的基本经验是：

1、紧密围绕经济工作中心，努力为宏观经济政策服务。1999年，各级价格主管部门加大清费治乱力度，围绕减轻企业和农民负担，大力整治各种乱收费。这些工作，着眼大局，中心明确，对保障宏观经济政策取得预期成效发挥了积极作用。实践证明，价格监督检查工作只有紧密围绕经济工作的中心任务，积极为宏观经济政策服务，才能真正体现价格监督检查工作的价值，才能真正有为有位，也才能真正得到各级党委、政府和社会的支持和认可。

2、紧密围绕建立和规范价格秩序，努力维护公平竞争的市场环境。价格监督检查就其本质而言是为规范市场价格秩序服务的，在我国建立社会主义市场经济体制过程中，由于体制尚不健全、法制尚不完善，特别是近年来又面临着前所未有的通货紧缩迹象，价格监督检查维护公平竞争市场环境的任务更为艰巨。

3、紧密围绕价格监督检查法制建设，努力实施依法行政。近两年，价格法制建设取得突破性进展。继1998年《价格法》施行以后，1999年又制定出台了《价格违法行为行政处罚规定》，价格监督检查的法律地位更高、执法权威更强。各地的经验表明，价格监督检查作为政府的执法行为，在社会主义市场经济条件下，必须依法行政。依法行政是价格监督检查工作过去取得成绩的保证，也是今后价格监督检查工作的努力方向。

4、紧密围绕干部队伍建设，努力提高人员素质。近两年全国各地采取了一系列举措，如对执法人员进行资格考核、对各级物价检查所负责人和业务骨干分批轮训、开展创建规范化物价检查所活动、组织全国价格监督检查先进事迹报告团巡回讲演等，对提高队伍素质起到了积极的作用。但提高素质是一项没有止境的工作，只有坚持不懈地做下去，才能不断提高价格监督检查的工作水平。

（李常青　刘　刚）

物价特派员工作

一、调查全国计划物价工作会议贯彻情况

年初，物价特派员办公室对各地贯彻全国计划物价工作会议情况进行了调查了解，发现各地安排的价格指数控制目标均高于全国计划会议提出的控制目标，居民消费价格指数都在4.31％以上，商品零售价格指数多数在2.26％左右。及时向上反映，计委、中办、国办都采用了这一信息。

二、深入了解粮食流通体制改革情况

自从粮食流通体制三项政策一项改革出台后，各级政府十分重视，认真贯彻执行，广大农民更是欢欣鼓舞，生产积极性高涨，三项政策一项改革取得了显著成效。但在粮食生产与流通中也出现了一些新情况、新问题，主要是粮食连年丰收，总量相对过剩，结构矛盾突出；按保护价收购粮食范围偏大，不利于农业与粮食生产结构调整；超储补贴办法有欠缺，不利于顺价销售，财政负担过重。特派员在对重庆市涪陵、武隆、南川、綦江、江津等五个区县的调查中发现，粮改中存在以下亟待解决的矛盾：定购价、保护价偏高与顺价销售之间的矛盾；库容严重不足与敞开收购之间的矛盾；库存粮食品种与居民需求品种之间的矛盾；产区粮食市场管理与不能敞开收购之间的矛盾；粮改人员分流与资金来源之间的矛盾等等，结果出现敞不开、装不下、顺不出的

情况。对此，物价特派员提出了对策建议。

此外，特派员还参与协调东北玉米价格和七省秋粮价格协调会，以及全国农产品成本会议，与有关部门共同研究策划这些工作。

三、开展棉花价格放开情况的调研

1999年是棉花价格放开、经营渠道拓宽的第一年。为了弄清棉花价格放开的购销情况和棉农的反映，物价特派员办公室于11月派员赴棉花主产地——冀、鲁、豫、苏四省19个县市进行了调查，听取各级棉麻公司和物价局的汇报，察看了15个棉花收购站及棉花加工厂，召开5个棉农座谈会，走访10余户棉农，仔细听取他们的意见。从调查了解到的情况看，放开棉花价格，拓宽经营渠道的决策是完全正确的，也是成功的。搞活了棉花经营企业，充分调动了他们的积极性，实现了扭亏为盈；棉农虽然大幅度减少收入，但是情绪基本稳定，售棉积极性仍很高。但也存在一些问题，为此，特派员提出了一些改进意见：(1)必须强化棉花市场管理。一些县市私商棉贩十分活跃，土轧花机、土打包机又重新开动起来，对棉花资源的破坏十分严重。不严厉打击私商棉贩，不仅税收流失，还严重扰乱市场，破坏资源，必须加大打击力度。(2)必须严格审批符合条件的收购单位。直接参与收购的是一些乡镇小纺织厂，这些小厂委托个体棉贩加工，与全国限产压锭产生矛盾。(3)全国商品粮基地县和优质棉基地县要求政策倾斜，以增加农民收入。

在调查中了解到，河南周口地区太康县棉麻集团公司积极推进贸工农一体化，保护棉农利益，建立棉花可持续发展的新模式。他们的做法：一是以合同书形式，对一部分乡镇建立棉花产业化基地村，与棉农结成利益共同体。二是完善收购体系，建立风险保障机制，对签订棉花产业化合同的农户，不论任何时间，当市场价低于合同保护价时，一律按合同保护价收购，当市场价高于合同保护价时，每斤按高于市价5分至1角收购，切实保护农民利益。三是以资源优势为基础，形成资本积累发展机制，实现棉花产业链条的对接。用自己的棉花或棉纱，通过兼并，组建了具有一定规模集纺纱—织布—印染—服装—针织品出口为一体的大型棉纺集团，或与国内大型针织厂联合搞增值深加工。还利用棉花副产品大力开发科技含量较高的生态源系列产品，并利用这些产品大力发展种植业和养殖业。

四、调查蚕茧流通改革情况，提出改革建议

党的十五届三中全会《关于农业和农村工作若干重大问题的决定》中提出蚕茧等工业原料也要进一步深化流通体制改革。为此，物价特派员办公室调查了所有主产省，广泛征求了各方面的意见，提出《关于桑蚕茧、厂丝流通体制和价格改革的建议》供领导决策参考。报告对茧丝生产经营管理和流通体制改革提出两条意见：一是将目前多环节、少渠道的流通体制改为多渠道、少环节的体制，尽可能使产销直接见面，减少中间环节。根据不同情况将现在的茧丝生产经营体制改为“公司＋农户”，引入股份合作制，打破传统的公司与农户之间的买卖关系，建立“利益共享、风险共担”的紧密结合的经济实体。也可以批准一部分有条件的大中型缫丝厂作为工厂、蚕农直接挂钩的试点企业。二是在全国组建几个跨省市、跨地区的茧丝绸股份集团公司，实行从科研、生产、加工到贸易，以贸易牵头的贸工农一体化的股份公司。各集团公司都有自己牢固的桑蚕基地，各集团公司之间可以充分利用国际、国内两个市场，展开公开、公平、公正的竞争，在竞争中促进桑蚕事业的大发展。在茧丝价格改革方面，建议在国家做好宏观调控的基础上，逐步放开茧丝价格。在茧丝价格放开之前，建立蚕茧价格“安定带”制度，即由政府规定蚕茧价格波动的合理区间。“安定带”的下限是最低收购保护价，上限是最高销售限价。当蚕茧市场收购价格低于下限价格，严重影响蚕农生产积极性时，政府即动用风险调节基金按最低保护价入市收购；当市场价格高于“安定带”上限价格，严重影响企业经济效益与出口创汇时，政府入市抛售储备的茧丝，增加供给，使价格稳定在“安定带”区域内。此外，报告还建议对茧丝出口价格加强管理，在注意出口的同时，积极开发国内市场，促进丝绸消费需求。改革意见刊登在《价格情况》后，引起国家蚕丝绸协调办公室的重视。

五、调查生猪生产下滑原因

1998年春开始至1999年初，生猪生产和价格出现改革以来第三次大波动。为了弄清原因，物价特派员办公室派人到湖南、河南进行实地调查研究，发现主要原因是生猪生产过剩，在生产上缺乏宏观调控，始终处于无序状态，完全受市场左右，使养猪业经常出现周期性的较大波动，给广大农民和养猪业带来巨大损失。还有，养猪的科技含量提高了，生猪生长期由过去一年出一次栏变成一年出两次栏。再有，城乡居民饮食结构发生变化，饮食多样

化，猪肉消费量减少。为此提出以下改进意见：(1)加强宏观调控，必要时由有关部门根据国内外的需要量给各省下一个指导性计划；(2)建立健全信息网络，在全国特别是在11个生猪主产省建立健全信息系统，加强日常的监测，分析预测生猪生产的走势，发现异常及时发出警告，通报全国，防止大波动；(3)加快生猪的品种改良；(4)冻肉储备和活猪储备相结合，以活猪储备为主，冻肉储备应急市场需要。

六、研究加入WTO对国内市场价格的影响

根据朱镕基总理对"关于加入WTO的价格影响对策研究"的批示和计委领导安排，特派员又一次对主要进出口商品和10个部门代表商品的国内外价格进行了分析对比，并写出研究报告，指出由于受国际市场需求不足和国内价格结构调整等影响，大多数重要商品国内价格高于国际价格，同时提出了一系列对策建议。中国价格学会转发给全国各省、自治区、直辖市价格学会，引起了重视，有关省、市和委内有关司、室也加强了国内外价格研究工作。

七、调查外商投资企业的收费问题

为改善外商投资环境，减轻企业负担，针对一些部门向外商投资企业乱收费问题进行调查，发现一些收费单位对效益较好的外商投资企业的乱收费和乱摊派层出不穷，外商投资企业经理叫苦不迭。为了应付这些乱收费，不仅影响他们精力，而且影响了外商投资环境和信心。在调查中发现，丹东市政府、物价局强化收费管理力度，营造宽松投资环境的做法值得借鉴。他们不仅在全市范围内对所有向外商投资企业的收费单位进行彻底检查清理，登记造册，还在法制上作了一些规定。市政府颁布了《丹东市对外商投资企业收费管理规定》和对部分外商投资企业试行《收费通知书》、《收费监督卡》，对投资规模、经营规模、影响面较大的部分外商投资企业实行定点监护和挂牌保护制度。这些措施取得了良好的社会效益和经济效益，受到外商投资企业的一致好评，物价局也得到市政府的嘉奖。

八、各地对稳定地方物价机构的要求十分强烈

物价特派员整理了一些省市自改革开放以来，物价工作在完善价格形成机制，促进经济结构调整和促进地方经济发展卓有成效方面的材料，提供有关领导参阅，为促进地方物价机构稳定做了一些工作。　（李培初）

全国价格鉴证工作

一、价格鉴证的基本状况

1999年是我国价格鉴证工作进一步规范、发展的一年。在国家计委的正确领导和大力支持下，价格鉴证理论的研究进一步深入，建章立制得到进一步加强，各级价格主管部门对价格鉴证工作更加重视，各地价格鉴证机构的人员素质进一步提高，业务量成倍增长，呈现出良好的发展前景。

1999年6月23～24日，国家计委召开第二次全国价格鉴证、评估暨事务工作会议，总结交流价格评估、价格鉴证和价格事务工作经验，表彰先进；研究落实市场经济条件下价格事务机构的职能；提出进一步做好价格评估、价格鉴证、价格服务工作的意见。国家计委常务副主任王春正同志在会上作了《抓住机遇、转换职能、强化价格鉴证评估与事务工作》的讲话，强调价格部门要统一认识、抓住机遇，加快职能转变。要进一步做好价格和价格事务工作，发挥价格事务机构的积极作用，抓紧抓好抓出更大的成效。同时，也要在规范各种价格中介服务的行为上下功夫，营造公平竞争的环境，维护当事人各方合法权益。继续完善价格鉴证、评估和事务工作的立法，健全价格评估市场准入制度，进一步落实价格事务所的职能，健全组织，认真做好基础工作，不断提高价格管理和价格服务的工作水平。

会议还以国家计委的名义表彰了安徽省物价局等92个先进单位，有9个单位在大会上作了经验交流。制定了《价格认证管理办法》(计价格[1999]1074号)，人事部、国家计委联合制定了《价格鉴证师执业资格制度暂行规定》、《价格鉴证师执业资格考试实施办法》(人发[1999]66号)，国家计委办公

厅并就价格鉴证中的一些具体问题作出了答复。各地物价部门也积极工作,提请当地人大和政府就价格鉴证工作制定地方性法规。目前已有北京、四川、宁夏、黑龙江、湖南、安徽、湖北、河北、青海、河南、辽宁、吉林、广西、新疆等省、自治区、直辖市的人大或者政府以及大连、西安、武汉、广州、青岛、厦门、沈阳、南京市政府颁布了价格鉴证的管理条例或办法,对规范价格鉴证行为起到了积极的作用。

价格鉴证业务量也迅速增加。全国各级价格鉴证机构办理各种司法、行政执法和仲裁案件中的价格鉴证849774件,鉴证标的案值达770.5亿元。其中,刑事案件27.3万件,案值315.5亿元;经济案件18.5万件,案值235亿元;仲裁案件2201件,案值4.8亿元;其他价格认证7.67万件,案值177.3亿元。价格鉴证案值总值比上年增加了1倍。

二、价格鉴证机构的清理规范和发展方向

由于经济鉴证类中介机构在发展和工作中出现了"乱办、乱管、乱执业、乱收费"的现象,1999年,国务院办公厅发出了《清理整顿经济鉴证类社会中介机构的通知》,国务院成立了清理整顿经济鉴证类社会中介机构领导小组,会计、审计、律师、国有资产、房地产、土地、价格等各种经济类鉴证机构均列入清理整顿的范围。国家计委配合国务院清理整顿领导小组作了大量的调查和协调工作,使价格鉴证工作在理论研究、工作范围、操作规范等方面有了进一步的发展,清理规范价格鉴证工作取得了重大成果。

1、统一了对价格鉴证工作性质的认识。一段时间,社会上对如何认识价格鉴证、特别是涉案物品价格鉴证的性质,价格鉴证与资产评估的区别及与政府部门的关系等问题,存在不同看法。在清理整顿中,各部门、各地区的同志对此取得了一致认识,即涉案物品价格鉴证具有价格认定、价格仲裁、处理价格争议的性质。《中华人民共和国价格法》中明确规定,各级政府价格部门是价格的管理部门,具有处理价格争议、认定价格合理水平和价格合法行为的职能。价格鉴证机构开展价格认定、处理价格纠纷等价格鉴证工作是政府价格部门授权的职能。我国《刑事诉讼法》第119条、《民事诉讼法》第72条、《行政诉讼法》第35条、《仲裁法》第44条都明确规定,刑事、民事、行政诉讼案件以及仲裁案件中的司法鉴定由司法机关"指定鉴定部门鉴定"。最高人民法院、最高人民检察院依法指定国家计委和各级政府价格部门是刑事、民事、行政诉讼案件涉案物品价格鉴定的主管部门,其设立的价格鉴证机构是指定的涉案物品价格鉴定机构,这是司法程序在价格领域的延伸,也使价格鉴证机构认定、仲裁价格的行为具有了司法鉴定的性质。

而资产评估是经济鉴证类中介机构接受当事人委托,对生产、流通领域的资产进行的估价。评估机构的行为不是由处理社会经济案件的国家机关指定或者授权,其评估活动不直接涉及第三者的利益裁定,不具备处理价格矛盾和纠纷的职能,其评估报告也没有价格认定或仲裁的效力,当事人不认可时可以另找价格评估机构评估,因此其作用属于经济咨询范围。资产评估与价格鉴证的性质不同,管理方式也不应相同。

2、明确了价格鉴证机构的工作范围和方向。由于涉案物品价格鉴证工作直接服务于司法和行政执法,直接影响到罪与非罪的判定和"罪刑相适应原则"的实现,政策把握性很强,时限性要求高。目前市场发育还很不完善,市场竞争也很不规范,社会监督体系不健全,放开涉案物品价格鉴证业务,将价格鉴证机构推向市场的条件还不成熟。在这种情况下,价格鉴证机构的清理整顿任务主要是如何加强和规范管理问题。经经济鉴证类机构清理整顿领导小组请示国务院批准,清理规范价格鉴证机构的总体原则是"保留机构,性质不变,退出中介,统一名称,保障生存,强化管理"。

(1)保留机构,性质不变。各级政府价格主管部门设立的价格鉴证机构仍作为事业单位保留,县级以上每个行政区划内只设一个价格鉴证机构,为国家司法机关指定的涉案物品价格鉴证机构。各级政府价格部门为价格鉴证机构的主管部门,负责本行政区域内价格鉴证机构的监督管理工作。进一步明确司法机关、行政执法机关和仲裁机构在办理各自管辖的案件中,凡涉及到需要对案件标的物进行价格鉴证的,都应由司法机关指定的价格鉴证机构鉴证,非价格鉴证机构不得承办涉案物品价格鉴证业务。价格鉴证机构从事涉案房地产、土地价格等鉴证业务时,可不要求机构具备相应的评估资质,只要具有符合相应评估行业规定数量及条件的评估专业人员,并在鉴证报告上签字,其鉴证结果应予认可。若价格鉴证机构没有相应资质的评估专业人员,则应通过相关专业机构聘请相应专业人员进行评估,出具评估报告。

(2)退出中介,统一名称。价格鉴证机构应为国

家司法机关指定的专司涉案物品的价格鉴证机构，不再具有社会中介服务职能。凡要求继续从事社会中介评估业务的价格鉴证机构及人员，一律与物价管理部门脱钩，达到相应中介评估行业规定的设立条件，接受其管理，并不得从事涉案物品价格鉴定工作。为明确价格鉴证机构的性质，将全国各级价格鉴证机构名称统一规范为“价格认证中心”。

(3)规范经费来源渠道，保障生存。价格鉴证机构的发展要按照国家事业单位改革目标进行。为确保价格鉴证机构的有效运作，要通过两种途径来解决经费问题：一是刑事案件中的涉案物品鉴证费用，由同级财政部门根据价格鉴证机构业务量大小，核定专项经费拨款或补贴。二是其它涉案物品鉴定费用，实行“谁委托谁付费”的原则，由委托方按标准支付。这部分收费应作为行政事业性收费立项，纳入预算外资金管理，做到收支两条线。

(4)加快立法，强化管理。加快价格鉴证工作的立法步伐，尽快报请国务院制定全国统一的涉案物品价格鉴证管理条例或规范性文件。同时，要完善和修订与涉案物品价格鉴证有关的地方性法规。各级价格主管部门要加强对涉案物品价格鉴证业务的监督管理，进一步完善价格鉴证机构资质管理制度和价格鉴证人员资格管理制度，督促价格鉴证机构加强内部管理，整章建制，强化约束机制。加强价格鉴证队伍的思想政治教育工作和职业道德，颁布统一的执业标准和规范，制定切实可行的收费标准，加大对违法违纪机构和人员的处罚力度，全面规范价格鉴证机构。

(国家计委价格认证中心)

金融发展述评

一、金融宏观调控目标基本实现，各项金融指标基本良好

1、年初制定的宏观调控目标基本实现。金融的宏观调控是市场经济条件下宏观调控的重要手段。与整个国民经济的宏观调控相一致，宏观金融调控的目标也是实现社会总供给与社会总需求的平衡，而这种调控主要是通过对货币供给量的调控来完成的。通过各种货币政策工具及措施的运用，实现货币供应量量值增减和变化率的调节，以匹配经济发展速度和社会物价水平，从而达到控制社会总供给和总需求的目的。

1999年，我国对货币供应量的调控是成功的。GDP的量值为82054亿元，与上年同比增长7.1%，社会商品零售价格总指数为97，同比下降了3%，与此相适应，货币供应量也保持了一个较为理想的水平，广义货币M_2余额为119897.8亿元，较上年同比增长了14.7%。在保持金融稳定的基础上，保证了经济增长对资金的需求，基本实现了年初确定的预期调控目标。

但是，也应该注意到，金融宏观调控下货币供应量增长幅度在下降，对支撑一个稳定而高速的经济增长速度不利。

2、金融统计多项指标均向绿灯上限区靠近。

(1)货币供应量指标。除了M_2之外，狭义货币M_1的余额为45837.2亿元，其中，流通中现金量指标M_0为13455.5亿元，分别与上年同比增长17.7%和20.1%，高于M_2的增长幅度，各指标量值及增幅与经济增长和物价水平相适应，同时货币供应结构也出现了积极变化。

(2)存、贷款余额指标。全部金融机构吸收的居民储蓄存款较上年下降了5.5个百分点，而发放贷款继续保持了一定增幅，全年新增贷款10846亿元，存贷余额仍处在一个安全合理的区间之内。

(3)外汇储备指标。年底我国外汇储备余额总计为1546.8亿美元，外汇储备充足，全年新增外汇储备97.2亿美元，增长6.7%，增幅较上年的3.6%有所回升，渐趋理想。

(4)存款货币银行资产负债指标。截止年底，全国货币存款银行的负债合计为113908.9亿元，资产合计为123264.2亿元，资产中对企业和个人的债权为91160.2亿元，其中，不良债权的比例已控制在20%以下，抗风险能力有所提高。

尽管如此，统计金融指标仍暴露出不少问题，例如，货币供应量增长幅度下降，货币流通速度也在下降；新增贷款量偏少，“惜贷”迹象明显；存款银行的资本金不足，不良资产量仍然偏大，风险系数

较高。

二、有效地推动经济继续增长

1、减轻了企业和政府的负担，促进了经济目标的实现。一年来，我国的经济快速发展面临着不少困难，金融为最终实现GDP增长7.1%作出了巨大的贡献。仅是运用利率杠杆，降低利率一项，据测算，企业通过享受较低的利率可以节省2000多亿元的资金成本，政府和政策性银行通过发行以较低的存贷款利率为基准利率的国债及政策性金融债可以节省利息支出近300亿元。这大大地减轻了企业和政府的负担，有力地支持了企业的再生产和政府的各项财政政策实施。

但是，也应该看到其中的不足。尽管中央银行在存款准备金、再贴现、信贷及利率等方面出台了一系列政策措施，但直接或间接扩大内需的效果仍然不够理想，大部分企业的经营效益依然较差，经济增长依旧表现为一定程度的疲软。

2、尽可能地保障了各经济主体对资金的需求。商业银行，包括符合条件的农村信用社，由于风险意识不断提高，对贷款的发放变得比以前更为谨慎，但即使如此，全部金融机构以大局为重，积极地增加信贷资金的投放量，全年新增贷款10846亿元，而且贷款的范围不断扩大，尽可能地满足企业和居民对资金的旺盛需求，促进了经济的稳定增长。

比较突出的问题是中小企业得到的资金支持不够。因为历史的、体制上的原因，绝大部分的存款集中在国有商业银行，而中小金融机构的可用资金十分有限，面对中小企业在经济中所处地位日益重要的现实，大的商业银行对他们“惜贷”，而中小金融机构的贷款能力又不强，对中小企业的发展十分不利。

3、货币市场和资本市场的迅猛发展为经济的增长增加了新的活力。以银行间债券市场、同业拆借市场、票据市场等共同构建的货币市场不断趋于完善，以股票市场为代表的资本市场在坚持“法制、监管、自律、规范”八字方针的基础上，快速发展并不断走向成熟，在顺利发行政府债券和提高企业经营管理水平等方面发挥了十分积极的作用，为我国经济的健康运行和持续增长提供了有力的支撑。

同样，货币市场和资本市场的发展尚存在诸多不尽人意的地方，还需要在发展中进一步完善。

三、金融体制改革进一步深化

1999年是实现1997年金融会议提出的金融体制改革目标的关键一年。经过艰苦的努力，金融体制改革不断走向深入。在金融体系方面，机构体系、市场体系、监管体系、调控体系等的改革和建设都取得了不同程度的突破性进展；在金融监管方面，人民银行、证监会、保监会等在强化监管的基础上，各司其职，相互协作，金融监管的整体水平得以极大的提高，金融业的服务水平和竞争能力得到一定的提升；在金融内控方面，各金融机构不断改革管理体制，堵塞内控漏洞，加强内控机制建设，成效显著；在金融法规方面，1999年先后出台了一系列新的重要的金融法律法规，如《证券法》，并针对以前已颁布实施的法律法规在实践中遇到的问题，进行了必要的增补和修改，为金融及经济的进一步发展创造了更良好的环境。

金融改革的深化，有效提高了整个金融业的经营管理水平，基本实现了金融秩序的明显好转，一定程度地消除了金融隐患和增强了防范金融风险的能力。但是，我国金融业马上面临加入WTO的挑战，金融体制改革任重而道远，许多深层次矛盾还有待逐步解决，决不可能一蹴而就。

四、货币政策开始发挥应有作用

货币政策作为调控经济的一种重要手段，近几年正逐步得到重视并付诸实施，其效果也逐步明显。央行综合运用准备金率、再贴现、公开市场业务等货币政策工具，既配合了国家财政政策的实施，又通过市场传导，实现了对货币供应的调节，调控了经济的运行，货币政策取得了一定的成效。总的看，货币供应的量值和增幅与经济增长及物价水平相适应，而且货币供应的结构较前几年更加理想，受储蓄存款影响较大的M_2的增幅不断下降，与市场销售密切相关的流通中现金M_0和反映企业资金松紧状况的M_1的增幅不断提高，M_1/M_2和M_0/M_1的比例不断攀升。这些积极变化使不同层次货币供应量更能适应生产与消费、储蓄与投资的合理需要，将促进我国经济早日结束调整时期，重新活跃。

但是据此断言1999年货币政策已取得巨大成功，恐怕有点言过其实。由于操作工具和手段的缺乏，尤其是传导机制不健全和渠道不通畅，货币政策的功能还没有充分发挥，功效还不是十分明显。

（宋万斌）

劳动力市场

1999年我国劳动就业工作的重点是，确保国有企业下岗职工基本生活和离退休人员养老金的发放，促进就业、特别是下岗职工再就业，加快社会保险制度改革步伐，做好劳动关系调整和企业工资改革，积极推进集体协商和集体合同制度；进一步完善劳动争议处理体制，解决劳动争议。经过一年的努力，各项工作取得很大进展，就业总量继续增长，就业结构进一步改善。截止年底，全国城乡共有从业人员70586万人，比上年增加629万人。城镇从业人员为21014万人，比上年增加336万人。城镇登记失业率为3.1%。全国实有下岗职工937万人，其中，国有企业652万人，比上年底增加42万人；95%的下岗职工进入再就业服务中心，其中，90%的人领到了生活费。在取得就业与再就业工作成绩的同时，不断扩大了就业的市场取向成分，促进了劳动力市场的发展。

一、劳动力市场的发育和进展情况

1、市场就业机制进一步发育。从计划经济向市场经济转型，要求我们建立一个以劳动力市场为主配置的劳动力资源的新机制。改革20年来，我们一直坚持走市场取向的改革道路。比如，实行三结合就业方针，多种渠道就业；推行劳动合同制，为新增劳动力能进能出奠定基础；建立就业服务体系，率先将政府的管理职能引向市场服务职能；确立劳动者自主择业、市场调节就业和政府促进就业方针，进一步明确了市场主导就业格局。市场调节就业的范围不断扩大，市场就业的活力开始显现出来。

1999年开展的国有企业下岗职工基本生活保障和再就业工作，是总结20年改革发展的经验，实现对计划体制的彻底变革和对市场机制最新的启动。比如，基本生活保障是用三条线实现，将企业的大锅饭、铁饭碗真正转为社会的保障；开展再就业培训是将政府办学转为政府指导、市场定向和发动社会搞培训；促进就业政策是更多体现经济发展中扩大就业的含量，按社会生产需求引导劳动者自主就业；解决隐性就业劳动关系问题是从根本上解决劳动制度的实质和核心；劳动力市场科学化、规范化和现代化建设是加快市场就业机制形成的推动器，同时，更重要的是塑造一代市场就业新人的革命。总之，实施再就业工程，也就是培育和发展劳动力市场的过程。

2、企业工资改革稳步推进。为推进劳动力市场的建设，1999年确立了劳动力市场工资指导价位制度。工资指导价位制度，是指劳动保障部门按照国家统一规范和制度要求，定期对各类企业中的不同职业（工种）的工资水平进行调查分析、汇总、加工，形成各类职业（工种）的工资价位，向社会发布，用以指导企业合理确定职工工资水平和工资关系，调节劳动力市场价格的一种制度。建立劳动力市场工资指导价位制度，有利于政府转变职能，由直接的行政管理转变为充分利用劳动力市场价格信号指导企业合理进行工资分配，为企业合理确定工资水平和各类人员的工资关系，开展工资集体协商提供重要依据；有利于促进劳动力市场形成合理的价格水平，减少劳动力供求双方的盲目性，提高劳动者求职的成功率和劳动力市场运作的整体效率；有利于引导劳动力合理、有序地流动，调节地区、行业之间的就业结构。劳动力市场工资指导价位制度已在35个大中城市开展试点，2000年扩大到100个劳动力市场"三化"建设试点城市，2001年要在全国所有地级以上城市全面建立劳动力市场工资指导价位制度。

改革国有企业工资总额管理办法，建立新的企业工资决定机制。结合国有企业改革，对实行工资制改造、内部法人治理结构完善的企业，尤其是上市公司逐步放开工资总量行政管理，由企业根据劳动力市场工资价位和经济效益自主确定工资水平。据不完全统计，北京、江苏、山西、湖北、吉林、大连等省市约1700户企业进行了工资集体协商的试点。此外，有6700户企业进行了经营者年薪制试点。

3、劳动力市场建设取得新进展。一年来，劳动力市场科学化、规范化、现代化建设试点工作在全国100个大中城市全面铺开，劳动力市场信息网络建设迅猛发展。全国已建成11个省级劳动力市场信息网络监测中心，45个试点城市已初步建成城区广域网。全国共有20个省、自治区和直辖市出台了劳动力市场管理的地方法规或行政规章。全年清理非法设立的职业中介机构4000多个，依法取缔严重违规的中介机构500多个。到年底，全国共有各类职业介绍机构30685所，全年为1500万人提供了职业介绍服务。

目前，我国已有10余万人在公共职业介绍机构工作。近年来，随着社会主义市场经济体制的建立，市场就业机制不断发育，对职业指导人员的素质提出了更高的要求。1999年，劳动保障部颁布了“职业指导人员国家职业标准(试行)”，编辑出版了相应的培训教材，对职业指导人员的素质培养提出了明确目标，并逐步实现全部持证上岗。我国职业介绍和职业指导队伍建设将进一步走向规范化。

4、劳动合同管理进一步完善。到年底，全国城镇国有企业、集体企业、外商投资企业试行劳动合同制的职工人数为10088万人；城镇私营企业试行劳动合同制的从业人员为612万人；签订劳动合同的个体工商户雇工人数为474万人；乡村集体企业试行劳动合同制的从业人员为2326万人。下岗职工劳动关系进一步理顺，在再就业服务中心的530.5万下岗职工中，有189.5万人解除或中止劳动合同，占35.7%。

5、社会保障事业取得新进展。城镇基本养老保险的覆盖面继续扩大。到年底，全国有9502万职工和2984万离退休人员参加了基本养老保险社会统筹，社会化发放率达47%。城镇职工医疗保险改革有新突破。到年底，全国已有36个地级统筹地区和23个县级统筹地区正式实施基本医疗保险改革方案。参加职工大病医疗费用和离退休人员医疗费用社会统筹的人数为1471万人。失业保险覆盖面继续扩大，全国参加失业保险的人数为9852万人，比上年增长24.3%。全年平均每月为101万失业人员发放失业保险金，并从7月起，将失业保险金发放标准提高了30%。工伤、生育保险改革继续深入进行，全国有1713个县(市)实行了工伤保险费用社会统筹，参保职工3960.3万人，比上年增长4.7%；全国参加生育费用社会统筹的职工近3000万人，比上年增长8%。

二、加大劳动就业市场化取向需进一步加强的几项工作

1999年就业与再就业工作中不断扩大市场取向的成分，促进了劳动力市场的发展。但从总体上看，在其它生产要素的市场化程度已经很高的情况下，我国劳动力仍是市场化程度最低的一个生产要素，劳动力市场也是发育最为迟缓的一个。目前，我国劳动力市场发育中面临的主要问题是劳动力供大于求，就业环境不宽松，给劳动力流动带来一定障碍。即使存在流动的可能，也由于输入地对外来劳动力收取的各种管理费用太高，导致进入成本太大，形成外来劳动力与当地劳动力不平等的就业环境，这种歧视不利于规范的劳动力市场的形成。劳动力市场的建设还不能适应劳动力流动的需要，“骡马大会”式的有形劳动力市场仍然占较大的比例，白领和蓝领劳动力市场严重割裂，信息共享的机制没有建立。有些以牟利为目的的职业介绍机构甚至制造垃圾信息，扰乱市场秩序，侵犯求职者的合法权益，降低了市场配置劳动力的效益。从外部环境来看，劳动力市场的发育涉及城市化水平、户籍制度等，所以，我国劳动力市场还需经过多年努力，才能逐步成熟。

今后加大劳动力就业市场化取向应加强以下工作：

1、城市就业管理应进一步向社区转移，让社区服务与再就业对接，充分运用市场机制解决再就业问题。近年来，面对下岗职工和失业人员的再就业需要，各地发展了许多适应市场经济体制需要的劳动就业组织形式，如建立社区再就业中心、自立市场、再就业基地、社区生产自救劳动组织、街道家政服务部等。这些组织大多依托社区，从事社区服务业、多种非正规就业、非全时就业或其它就业形式。这种新型组织形式与劳动服务企业不同，它不依托职工所在单位，也不主要是围绕单位的生产和服务。它是依托街道办事处等基层机构出面组织，面向全社会的一种组织形式。这些再就业组织形式对推进我国服务社区化和产业化的进程起到了积极作用。建立以社区化就业为核心的服务观念，把就业指导和服务的重点由企业内转向企业外，是搞好劳动力社会化分流的一个重要渠道。同时也扩大了市场调节就业的范围，显现出市场就业的活力，更好地体现了市场调节就业的方针。当前迫切需要制定切合实际的政策，妥善解决从事非正规部门就业、非全时就业、弹性工作时间就业以及各类社区服务业下岗职工的社会保险接续，劳动关系处理和劳动组织形式等问题。

2、进一步规范职业介绍活动，加快培训机构市场化步伐。从根本和长远角度看，健全、公正、充满活力的劳动力市场是解决就业和再就业问题的基础所在。要按照科学化、规范化和现代化的要求，加

强和完善职业介绍服务网络,规范职业介绍活动。政府要加强劳动力市场立法建设,使劳动力供求主体双方的行为受到有关法规的约束。另一方面,要加强执法的监督检查,及时处理不规范的劳动力市场行为。

职业培训机构应逐步独立,减弱其对政府部门的依赖,积极主动地参与市场竞争。根据劳动力市场显示的需求和预测,发布培训任务,通过招标确定承接培训任务的培训单位,签订培训合同。提高再就业培训的参与率与成功率。利用行政和经济手段,动员更多的职业培训机构参与再就业培训,采取灵活、多样、实用的培训方式,开展职业培训活动,使广大失业、下岗人员能及时获得再就业培训机会。提高再就业培训的成功率,具体表现为失业、下岗人员的技能提高程度及培训后对再就业的稳定程度。

3、把农村剩余劳动力的转移纳入整个社会经济发展的大局,构造城乡统一的就业市场。农村劳动力就业与流动面临很大压力。加快农村劳动力转移步伐,一要打破城乡封锁,消除就业歧视,构造城乡统一的劳动力市场;二是实施较为宽松的户籍管理制度;三是加快小城镇建设,增强吸纳农村剩余劳动力的能力;四是推进劳务输出的产业化经营,提高转移的组织化、市场化程度;五是提高农村劳动力素质,增强转移劳动力的市场竞争能力。

(谢晓凌)

信息服务业市场与价格分析

一、信息服务业总体运行状况

1999年,在宏观经济受通货紧缩的影响而继续下滑的情况下,信息服务业却继续保持超常增长的势头,与1998年相比,增长幅度接近20%,比同期国民经济增长速度高出近两倍,信息服务业的总体规模达到1680亿元。信息服务业的超常增长是整个信息产业快速成长的结果,也是以互联网和电子商务为主导的信息技术飞速发展的结果。从信息服务业的增长结构看,以计算机、互联网和软件技术为基础的现代信息服务业依然是增长最快的领域,其增长速度接近30%,而传统的信息服务业如出版业、广告业、中介服务业的增长速度只有10%左右。据统计,1999年软件及计算机信息服务业的销售收入达到414.5亿元,比1998年增长27.5%,其中,软件收入为200亿元,系统集成收入为180亿元,网络增值服务业收入为34亿元。

在信息服务业的发展过程中,以互联网和电子商务为代表的现代信息服务业对传统信息服务业的渗透和整合作用日益突出,二者之间的界限越来越模糊。一方面,互联网公司已经渗透到传统信息服务业的各个角落,提供各种在线信息服务,如在线新闻、在线刊物、在线娱乐服务、在线广告、远程教育等。另一方面,传统的信息服务业也开始大举进入互联网,以适应互联网技术发展所带来的市场和消费者需求的变化。同时,互联网和电子商务也在逐步地改变信息服务业的服务方式和定价机制。

二、互联网继续保持快速增长势头,网络资费呈下降趋势

中国互联网继续保持快速增长势头,互联网基础设施得到很大改善,五大顶级网络运营商的国际带宽达到了351M,比上年增加了208M。互联网用户继续保持每隔6个月就翻一番的增长速度,据中国互联网信息中心的权威调查,截止到年底,中国上网用户数达到了890万个,比上年的210万个用户数增加了3倍多,上网计算机数达到350万台,其中,直接上网计算机41万台,拨号上网计算机309万台,CN下的域名数达到48695个,WWW站点数为5153个。从用户结构看,以家庭用户为主的拨号上网用户的增长快于以机构用户为主的专线上网用户的增长,这反映了互联网正在迅速地走向中国家庭。从用户的文化程度看,80%以上的用户是大专及大专以上学历的用户,这表明互联网在中国主要是以知识阶层为基础的网络。在互联网用户飞速增长的同时,互联网公司也继续呈现出火爆的势头,成为最热门的投资领域,特别是国外风险资本追逐的领域。据有关统计,中国最有影响的大部分商业网站,其资本来源主要是国外风险资本,其中新浪融进了7500万美元;搜狐第一期融进了400万美元,第二期数千万;阿里巴巴第一期为500万美元,第二期也高达数千万美元。在国外风险资本蜂

拥而入的同时，国内的风险投资机构和企业也随之跟进，清华同方、北京控股以及联想集团纷纷发起成立风险投资基金，联想集团同时开始向互联网企业的战略转变，斥资上亿元建立自己的商务站点。

互联网的资费水平有较大幅度的下调。原因有两方面，一是政府主管部门对互联网的基准收费标准进行了大幅度的下调。2月5日，信息产业部下发"关于调整部分邮政电信资费的通知"，电话拨号上网用户的开户费下调为100元，比过去减少了200元左右，基本费下调到每小时4元，比1997年下降了6～10元。同时，还规定节假日、休息日以及非节假日23点至次日8点减半收费。数字专线的租赁费下调幅度更大，以64kps数字专线为例，1997年月租费为15万元，这次下调到每月2.4万元。导致互联网资费下调的另一个原因是ISP的激烈竞争。为了吸引互联网用户和抢占接入市场，ISP们纷纷推出各种优惠和促销措施，使上网费一降再降，由年初的每小时5元，下降到4元、3元，到年底时，有些ISP还推出了每小时2元的超低价。在政府主管部门和ISP的共同努力下，互联网的资费结构逐渐地趋于合理，这也反过来推动了上网人数的快速增长。但是，总体来看，互联网的收费水平依然偏高，超出了普通民众的收入承受能力。同时，互联网资费的调整依然受到基础电信垄断的制约，定价机制还保持着政府主导的格局，需要继续进行改革。

三、电子商务进入实施阶段，发展势头迅猛

上年，电子商务在中国还处于宣传和准备阶段，进入1999年后，特别是下半年，电子商务开始进入了实质性的发展阶段。新的电子商务网站和电子商务项目如雨后春笋般迅猛增加，出现了一大批网上书店、网上商场、网上拍卖等站点。电子商务的进展主要表现在以下几个方面：一是政府的立法和管理加强。在国家信息化办公室的主持下，中国电子商务的立法、制度、标准等管制框架方案已基本形成，各级政府机构也都对电子商务的发展给予了前所未有的支持，并纳入了政府的议事日程，同时，作为政府全面立法前的一种过渡，电子商务企业积极探索电子商务的市场规则，基本保证了电子商务的正常成长。二是网上支付体系开始投入实用。上年，招商银行开始网上支付的试验，1999年，这一支付系统投入实际运行。尽管这一系统还存在各种问题，但已使网上支付这一制约电子商务发展的瓶颈得到有效缓解，电子商务站点的网上交易活动开始活跃起来。三是商品配送系统取得突破。商品配送是电子商务发展的一个重要支撑点，也是中国电子商务发展过程中面临的一个主要瓶颈。一年来，部分电子商务企业在建立商品配送系统方面进行了有效尝试。例如，时空网在全国建立了包括27个配送中心、2500个配送点的商品配送体系，"8848"与中国邮政的EMS合作开展配送业务。四是几家著名的互联网公司进入电子商务领域，进一步扩大了电子商务的声势。网易在年初率先推出网上拍卖业务，随后，搜狐和新浪迅速跟进，搜狐在其站点推出了网上购物频道，新浪推出了新浪商城，在这些公司的带动下，其他网络服务商也争先恐后地推出自己的电子商务站点和电子商务解决方案。五是电子商务的商业模式日益多元化。BtoC的模式已经扩展到图书、商品零售、旅游服务以及证券交易等领域，同时，BtoB这一面向企业和企业之间的商务活动的站点也开始出现。

尽管电子商务在1999年取得了重大进展，但是就总体而言，中国电子商务的实际规模与其所制造的强大声势极不相称，据有关专家的估计，网上交易的规模只有一亿多元，因此，中国的电子商务还处于非常原始的阶段，互联网用户规模过小，信用体系不完善、网上支付体系落后以及缺乏全国性的有效的物流配送系统，依然是电子商务发展所面临的主要约束。同时，有关电子商务的立法、规章、标准和网络安全等还需进一步补充和完善。

四、软件及其服务业市场继续稳定增长，但软件市场价格呈现出疲软态势

软件及其服务业一方面受市场需求、特别是互联网和电子商务的驱动，另一方面受政府信息化加快和企业信息化加快的驱动而继续保持了快速增长的势头。1999年软件销售收入达到200亿元，其中，财务和管理类软件为34亿元，教育和娱乐类软件为28亿元，工具类软件为26亿元，办公和文字处理软件为26亿元，数据库为30亿元，操作系统为16亿元，其它为40亿元。由于高性能计算机市场和网络市场增长强劲，网络操作系统及其支撑软件成为软件市场增长最快的领域，增长率接近50%，其次是杀毒软件和教育软件，增长率也在30%以上。

1999年，软件产品的价格在经历了多年的低迷之后依然没有回升的迹象，尽管软件厂商加大了投入力度，并且推出了更多的新产品和换代产品，但是由于厂商之间的竞争越来越激烈，软件盗版猖獗和宏观经济环境的不景气，软件市场的总体价格水

平继续呈现出下降的趋势。金山公司在上半年推出“龙行世纪”大型促销活动，通过低价让利的方式发起了 WPS2000 办公软件的销售攻势。之后在 4 月份，由于 CIH 病毒的大爆发，杀病毒软件成为市场的热销产品，杀毒软件厂商为了抢占市场份额，也纷纷采用低价竞销的方式，致使杀毒软件价格大幅降低。在教育软件市场，价格战也是此起彼伏，部分多张光盘的套装软件的价格甚至降到了 100 元以下，而且产品的价格往往随新版本的推出而呈现出螺旋下降的趋势。除了软件市场的价格战这一原因之外，盗版软件驱逐正版软件也是导致软件市场价格下降的一个重要原因。软件盗版问题一直是困扰中国软件产业发展的一大痼疾，长期得不到有效解决。尽管国家版权局在 4 月份发布了“关于不得使用非法复制的计算机软件的通知”，但是软件市场的盗版行为仍然有增无减。盗版软件充斥市场，迫使正版软件不得不降价以维持自己的市场地位。但是，正版软件由于受开发、制作、市场推广等成本因素的限制，其在与盗版软件的竞争中，无论如何都在价格方面处于下风。在盗版行为异常猖獗的情况下，软件公司产品的价格上不去，企业的收入减少、利润下降以至亏损，以及缺乏开发新产品的动力也就在情理之中。因此，中国软件企业要在激烈的市场竞争中成长壮大，一方面要调整自己的市场战略，如针对高速发展的互联网和电子商务市场开发相关的应用产品，针对细分的用户市场开发专业化的软件等，另一方面必须严厉打击软件盗版行为，提高正版软件的普及率。　　（李红升）

Ⅱ　重要文件

综 合 部 分

国家计委关于认真做好制止低价倾销工作及开展对低价倾销进行检查的通知

1999年1月16日　　计价格〔1999〕42号

为了贯彻落实国务院领导同志的批示精神，认真做好制止低价倾销工作，现就有关事项通知如下：

一、近年来，随着经济的发展，一些行业出现了产品供过于求、企业间降价竞争的现象。企业间的价格竞争有利于促进产品销售和市场供求总量的平衡，促使企业加强内部管理降低生产成本，推动企业的技术进步和新产品开发，促进经济结构调整和资源的合理配置。但有些企业以低于产品成本的价格销售，有的企业采取使用走私原材料、降低产品质量等非法手段降低成本降价倾销，扰乱了正常的价格秩序，损害了其他经营者和消费者的合法权益。因此，各级物价部门要充分认识制止低价倾销的必要性和紧迫性，根据国家计委颁布的一系列制止低价倾销的法规性文件，在保护竞争、促进竞争的同时，坚决依法制止低价倾销等不正当价格行为，维护正常的经济秩序。

二、为了切实做好制止低价倾销工作，各地要对低于行业平均成本销售产品的企业进行调查，把平板玻璃、钢材、彩色显像管、彩色电视机、食糖等产品价格作为1999年上半年检查工作的重点。检查的具体内容是：

（一）生产企业的出厂价格、经销企业的销售价格，是否存在国家计委、国家经贸委颁发的《关于制止低价倾销工业品的不正当价格行为的规定》第五条所列的及制止低价倾销平板玻璃、钢材等法规中规定的低价倾销行为；

（二）生产企业的出厂价格、经销企业的销售价格，是否有采取使用走私原材料和零配件、以次充好、减少功能、降低质量和虚报少列成本等非法手段降低成本，进行低价倾销的行为；

（三）生产企业的出厂价格、经销企业的销售价格，是否低于政府指导价格的下浮界限。各地可以根据实际情况，自行确定制止低价倾销的重点产品进行检查。

三、各地在开展检查前要深入基层，搞好调查研究，摸清情况，确定检查的单位和产品品种。并要认真抓好检查的试点工作，在取得经验的基础上，组织好集中性的检查。

四、对列入制止低价倾销的产品，可要求企业首先进行自查，并组织力量选择一些重点企业进行检查，对检查出使用走私原材料和零配件的企业，以及采取减少功能、以次充好、虚报成本的企业，要勒令其改正，并依据有关法规进行惩处，直至提请有关部门吊销其营业执照。各地要认真受理对低价倾销行为的举报，对被举报有低价倾销问题的企业，要及时进行查处。国家计委将组成工作组到部分地区督促、指导，必要时将组织有关部门进行专项调查。

五、各地在制止低价倾销等不正当价格行为的过程中，要注意保护公平、正当、合法的价格竞争，不能限制竞争，保护落后。认定和查处低价倾销行为必须以企业先进、合理的个别成本为主要判定依据，以行业主管部门公布的行业平均成本作为参照依据。企业低于行业平均成本，但不低于自身成本销售其产品，不应作为低价倾销行为处罚。对企业间相互串通，进行价格垄断，压迫其他竞争对手，或人为抬高价格牟取不正当利益的，要依据《价格法》

的有关规定予以制止。

六、鉴于制止低价倾销工作的政策性强，难度大，各级物价部门要在当地政府的统一领导下，准确把握政策界限，依法行政，严格执法。对情节严重、性质恶劣的低价倾销典型案件要公开曝光，以促使企业增强自我约束能力，自觉遵守国家有关价格法律、法规和政策，有效制止企业间盲目降价、恶性竞争。

七、各地在制止低价倾销工作中的经验、存在问题和重大典型案件请及时报告国家计委。

国家计委价格司关于判定低价倾销的成本依据问题的复函

1999年1月18日　　计司价格函〔1999〕5号

广东省物价局《关于低价倾销不正当价格行为认定问题的请示》(粤价〔1998〕317号)收悉。现将低价倾销成本判定依据问题明确如下：

根据国家计委、国家经贸委颁布实施的《关于制止低价倾销工业品的不正当价格行为的规定》(下称《规定》)，认定和查处企业低价倾销，要以企业自身成本为判定依据。行业主管部门经国家计委同意发布行业平均成本是为了指导企业合理定价，加强价格自律。当企业以低于发布的行业平均成本的价格销售时，其他经营者可以据此进行举报。但物价部门在认定和查处企业低价倾销时，不能以行业平均成本作为认定和查处的依据(《规定》第十五条情况除外)。只要企业不低于自身成本销售，即使低于行业平均成本，仍不属于低价倾销行为。

国家计委价格司关于土地收益有关问题的复函

1999年3月9日　　计司价格函〔1999〕16号

湖南省物价局《关于"土地收益"收取问题的请求》(湘价传电〔99〕第8号)收悉。经研究，现函复如下：

关于土地收益问题，《城市房地产管理法》第三十九条、第五十五条规定，以划拨方式取得土地使用权，转让房地产按规定可以不办理土地使用权出让手续的，或以营利为目的将建成房屋出租的，应将土地收益上缴国家。上述规定表明，国家是城镇国有土地的所有者，国家对国有土地实行有偿使用制度。土地收益上缴国家是国有土地有偿使用的体现。是土地使用权价格的具体表现形式，属于价格范畴。

土地价格是对国民经济发展和人民生活影响重大的基础性价格，按照《价格法》有关对关系国计民生重要的商品价格实行政府指导价或政府定价的规定，政府价格主管部门应当加强监管。请湖南省物价局结合贯彻落实《国务院批转国家计委关于加强房地产价格调控加快住房建设意见的通知》(国发[1998]34号精神，进一步健全和完善土地价格管理，规范价格行为，做好房地产价格调控工作。在国务院有关土地收益的具体规定出台前，地方政府价格主管部门可会同有关部门研究制定土地收益金标准确定办法，报经当地政府批准后实施。

国家计委办公厅关于“菜篮子”商品价格行政干预权限的复函

1999年5月11日　　计办价格〔1999〕326号

山东省物价局《关于授权青岛市人民政府“菜篮子”商品价格行政干预权限的请示》(鲁价调发〔1999〕42号)收悉。经研究,现函复如下:

青岛市是计划单列市,享有省级经济管理权限。当“菜篮子”价格出现突发性波动时,市人民政府可以采取经济手段,运用商品储备和价格调节基金,吞吐调剂,增加供给,平抑物价。如果采取这些措施仍不能保证价格稳定时,可以提请省人民政府根据《价格法》第三十条的规定,采取价格干预措施。

国家计委印发关于发挥价格杠杆作用扩大内需促进经济增长的若干意见的通知

1999年6月29日　　计价格〔1999〕742号

为贯彻中央经济工作会议精神,发挥价格杠杆作用,扩大内需,促进国民经济持续稳定发展,国家计委制定了《关于发挥价格杠杆作用扩大内需促进经济增长的若干意见》,现印发,请结合本地实际,在价格管理工作中参照执行。

附件

国家计委关于发挥价格杠杆作用扩大内需促进经济增长的若干意见

为贯彻中央经济工作会议关于把扩大国内需求作为促进经济增长主要措施的精神,发挥价格杠杆作用,开拓市场,扩大内需,促进国民经济持续稳定发展,特提出如下意见:

一、运用价格杠杆,调整农业生产结构,减轻农民负担。

(一)认真贯彻落实党中央、国务院关于进一步完善粮食流通体制改革的政策措施,在坚持按保护价敞开收购农民余粮、粮食收储企业实行顺价销售、农业发展银行收购资金封闭运行、加快粮食企业自身改革的“三项政策,一项改革”基础上,适当调整粮食保护价收购范围,完善粮食收购价格政策,按照有利于促进粮食结构调整、有利于农民获得合理收益和有利于粮食购销企业实现顺价销售的原则,合理确定粮食定购价和保护价。较大幅度地降低市场销售不畅的粮食劣质品种收购价格。根据市场需求和粮食内在品质,进一步拉开粮食品种差价、等级差价、季节差价和地区差价,切实做到按质论价、优质优价。放开棉花收购价格,建立政府调控下主要由市场形成棉花价格的机制,指导棉花经营企业根据市场需求拉开优质产品与劣质产品之间的差价,落实优质优价政策,压缩棉花播种面积,促进棉花产销平衡。合理确定烟、茧、糖等其他农产品的价格水平,拉开品质差价,促进农产品种植结构的优化和产品质量的提高，增加农民收入，加强农业基础地位。

（二）认真贯彻落实党中央、国务院关于减轻农民负担的决定精神，加大涉农收费清理整顿力度，切实取消强行向农民的乱收费、乱集资和各种摊派。整顿关系农民生活的教育、医疗、婚姻登记、计划生育、建房等收费，切实减轻农民负担，维护农民合法权益，保持农村社会的稳定。

（三）加强农村电价管理，积极推进“两改一同价”的改革，切实减轻农民电费负担，改善农村生产条件，提高农民生活水平，带动农村消费市场的发展。整顿和降低农村电话通话费，逐步实行在一个行政县范围内城乡通话费同价，开拓农村电信市场。

（四）积极发挥价格调节基金的作用。在当前价格持续下跌的情况下，要调整价格调节基金投放重点和对象，保护养猪、养鸡等副食品生产者、经营者利益，扶持适销对路副食品的开发和生产，防止价格剧烈波动。规范价格调节基金的征收，加强管理，严禁挪用。

二、完善价格政策，促进基础产业发展。

（一）积极疏导突出不合理的价格矛盾。在充分考虑社会各方面承受能力的前提下，调整水利工程和城市供水、公共交通等基础产业价格，促进基础产业发展。在电费负担总水平不增加的前提下，个别疏导新投产机组上网电价的矛盾。降低高耗电企业电费负担，促进电力消费。

（二）完善基础产业价格政策，促进基础设施的建设。按照建立公路建设和管理成本约束机制、规范路桥收费标准和收费期限、鼓励外商和社会资金投资公路建设的原则，抓紧研究制定《收费公路价格管理办法》，减轻社会负担，促进公路建设持续健康发展。加大污水处理费征收力度，收费标准首先做到能够补偿污水处理厂的运行成本，以后逐步提高到能够补偿污水处理厂建设成本的水平。加强对污水处理厂的管理，严格控制污水处理厂的成本和费用。实行垃圾处理收费制度，促进城市环保产业发展。

（三）实行土地使用权出让价格的结构性调整，经济适用住房用地采取行政划拨方式供应，严禁将用于经济适用住房的行政划拨土地有偿转让；继续清理整顿住宅业开发、销售环节的收费，适当减免对经济适用住房建设项目的取费，控制房地产开发企业的利润率，降低住宅价格水平，促进商品住宅销售。规范商品房交易市场价格秩序，切实加强办理购房抵押贷款业务的收费管理，减轻购房者负担。逐步提高公有住房租金，促进住房体制改革。规范住宅小区物业管理服务收费，坚决取缔乱收费行为，为住房消费创造一个良好的环境。

三、整顿价格秩序，为促进经济增长创造良好的价格环境。

（一）继续清理涉及企业负担的各项收费，切实减轻企业负担，为国有企业3年解困创造良好的价格环境。继续贯彻落实《中共中央、国务院关于进一步扩大对外开放，提高利用外资水平的意见》（中发〔1998〕6号）精神，全面清理向外商投资企业的各项收费，取消不合理不合法的收费。整顿企业办理抵押贷款过程中的各种收费，规范收费项目，降低过高的收费标准，制止各种强制性评估收费。进一步完善《收费许可证》和企业交费登记卡制度，坚决制止一切形式的乱收费、乱罚款和各种摊派，保护企业依法拒付不合法不合理收费，减轻企业负担。继续贯彻落实国务院六部委办《关于对企业实施改革改组改造过程中有关收费实行减免的通知》（计价费〔1998〕1077号）精神，对企业改制和下岗职工再就业的中介服务收费、再就业登记费、培训费、管理费、职业介绍费等有关收费，实行适当减免。

（二）结合商检、卫检和动植检“三检合一”的机构改革，整顿外贸进出口收费，取消重复收费，降低偏高的收费标准，坚决制止各种乱收费；整顿港口各生产、管理环节的收费，降低出口成本，减轻出口企业负担，增强产品竞争力，促进出口增长。

（三）继续贯彻落实1998年11月国务院六部委办《关于整顿电价秩序坚决制止乱加价乱收费行为的通知》（计价格〔1998〕2212号）精神，对于已经取消的收费项目，任何单位和个人均不得恢复；尚未取消的，要坚决予以取消。对政府按规定核准的电价，要向社会公布，加强社会舆论和公众的监督。降低供用电贴费标准，停止征收电力增容费。继续抓好铁路运价和收费公路明码标价制度落实工作，完善铁路运价和收费“一票制”政策，督促铁路运输企业严格执行国家价格政策，切实加强铁路运价、杂费和延伸服务收费管理，降低用户运输成本费用。

（四）整顿各种乱加价乱收费，减轻消费者负担。清理整顿汽车购买、落籍、使用过程中的各项收费，取消各级人民政府违反国务院规定加收的各种增容费、管理费、建设费等收费项目，减轻车主负担，促进汽车消费。清理涉及旅游产业的不合理收费，降低旅游企业经营成本，规范旅游景点门票、停车、住宿、餐饮等服务价格，净化旅游市场，吸引国内外客源，促进旅游业发展。配合医疗保障制度改革，规范药品折扣，降低虚高价格，规范医疗服务收费，切实减轻社会医药费负担。

（五）按照《关于制止低价倾销工业品不正当价格行为的规定》，规范企业定价行为，制止低价倾销等不正当的价格行为。加强对粮食、电力、药品、化肥、房地产、旅游服务、交通、邮电价格，物业管理、教育、劳动就业收费的检查，加强价格违法行为处罚力度，促进市场价格秩序根本好转，促进社会稳定和经济增长。抓紧修订和制定明码标价、反暴利、制止低价倾销、价格垄断、价格欺诈、价格歧视、价格违法行为处罚等价格法规。

四、加强价格监测和成本调查工作，引导结构调整和需求增长。

（一）改善价格监测分析工作，积极引导社会预期和消费心理。加强价格监测分析，及时提出促进价格总水平回升和防止通货紧缩的政策建议，引导居民对价格的心理预期，增加即期消费。加强对企业的价格指导和咨询服务，定期向经营者发布国内外重要市场供求和价格信息，促使企业以市场为导向调整产品结构。

（二）进一步加强成本调查工作，开展不同品种、不同技术、不同投入的农产品成本和收益情况比较调查及信息发布工作，引导农民调整种植结构，推广使用优良品种和先进耕作技术，发展质量效益型农业，增加农民收入。

（三）建立健全价格政务公开制度，提高政府价格决策的科学性和透明度。制定定价、调价和价格监督检查处罚工作程序，建立价格听证会制度，切实为企业和群众解决经济生活中的价格矛盾，为促进经济增长和社会稳定作出贡献。

（四）加强价格评估工作，健全各项社会价格评估工作制度，积极拓宽价格评估领域，促进资产流动和资源合理配置。开展名优商品的价格鉴证服务，帮助地方产品提高价格信誉，开拓市场。

国家计委办公厅关于旧机动车辆交易价格评估工作有关问题的通知

1999年7月5日　　计办价格〔1999〕508号

最近，新疆维吾尔自治区物价局报来《关于价格事务所能否开展旧机动车辆交易价格评估工作的请示》（新价事字〔1999〕2号），要求予以明确。鉴于这一问题在全国具有普遍性，经研究，现就有关问题通知如下：

一、各种资产价格评估是一种价格行为，旧机动车辆交易价格评估是价格评估的组成部分，是一种具体的价格行为，在《中华人民共和国价格法》调整范围之内。国务院及各级人民政府的价格主管部门应对此加强管理和指导。

二、各种旧机动车交易机构是旧机动车市场交易的组织和经营者。按照价格评估应当公平公正的原则，当事人不能兼事价格评估。各类市场中介组织从事价格评估，要严格执行《价格评估机构管理办法》（国家计委计价费〔1996〕2655号）。

三、经各级编委（办）批准成立的或者经工商管理部门登记注册并符合《价格评估机构管理办法》的价格事务所，可以依法从事旧机动车辆价格评估工作。获得国家计委统一印制、省级以上人民政府价格主管部门核发的《价格鉴证人员资格证》的人员，具有对旧机动车辆价格评估的资格。

国家计委关于进一步做好城乡用电同价工作的通知

1999年8月19日　　计价格〔1999〕1024号

目前，改革农村电力管理体制、改造农村电网、实现城乡用电同网同价（“两改一同价”）的工作正在进行之中。为了进一步明确城乡用电同价的有关政策，规范农网建设与改造中的价格和收费管理，促进城乡用电同价工作的顺利实施，根据国务院国发〔1999〕2号和国务院办公厅国办发〔1998〕134号文件精神，现就城乡用电同价有关事项通知如下：

一、改革农村电力管理体制、改造农村电网、实现城乡用电同网同价，是党中央、国务院为减轻农民负担，促进农村经济发展而采取的一项重大举措，是扩大内需，拉动经济增长的一项重要工作。各级物价部门要积极参与“两改一同价”工作，在“同价”工作中发挥综合协调和主导作用，确保“同价”与“两改”工作有机衔接，促进城乡用电同价目标顺利实现。

二、为保证城乡用电同价工作的顺利实施，各地物价部门要积极参与农网建设与改造工作。一是要参与农网项目的资产评估、招投标和验收工作，加强对资金使用的监督。要督促加大对10千伏及以下电网的投入，以最大限度地降低变线损，为“同价”打下基础。农网改造项目调整概算，省级物价部门必须根据还贷加价情况提出是否可行的意见。二是要根据本地实际情况制定具体的价格管理办法。各地要加强对工程材料价格、工程取费标准、劳务费用的审核和监督，约束造价。三是督促项目法人厉行节约，量力而行。要注意制止盲目追求高标准、扩大投资的倾向，以避免浪费，节约投资，减轻还贷加价的压力。四是要主动参与农电体制改革工作，对农村电工人数、工资水平及农村电网维护管理费用按照有关规定从严审核和监督，确保农电体制改革能达到“两改一同价”方案要求的标准。

三、认真做好农网建设与改造资金的还本付息加价工作。

（一）国家批复的农网建设和改造资金的还本付息均通过在销售电价中加价的形式解决，专项用于农网改造资金的还本付息。下列投资不能计入电价：(1)突破国家计委批复规模的投资；(2)因工程质量不合格而追加的投资；(3)被挤占挪用的投资。

（二）对计入电价的农网改造投资，加价标准按以下口径测算：(1)固定资产形成率按100%计算；(2)农网改造投资中的资本金税后利润率按比同期用于农网改造投资的专项财政债券（含中央和地方债券）利率高2个百分点计算；(3)银行贷款的还本付息年限按项目经济寿命期20年测算；(4)农网改造形成的固定资产，年折旧率按5%计算，修理费按固定资产的1.5%计算；(5)折旧资金90%用于偿还贷款本金；(6)还贷加价平摊的电量，按还贷中期（农网改造完成后8～10年）的预期电量计算。(7)依法计入税金（要考虑抵扣进项税因素）。具体还贷加价公式见附件。

（三）统筹安排还贷加价分摊的范围。直供直管县和趸售代管县农网改造资金的还本付息，原则上在全省（区、市）电网总售电量上均摊。趸售代管县也可先在一县范围均摊部分还本付息，最后在全省（区、市）电网统一均摊加价。电力企业改制为有限责任公司的县、未实行代管的趸售县和自供自管县，还本付息在本县电网电量上均摊。在一县范围内均摊还贷对县城电价推动过大的，可以分步到位，实现同价的时间可以适当推迟。

（四）妥善把握还贷加价执行时间。根据国家统一部署，考虑各地的经济发展情况和用户承受能力，还贷加价要分年实施，逐步到位。根据“两改”进度，结合电价调整方案统一安排。

四、在未实现城乡用电同价前，从严核定农村低压电网维护费（即农村电价高于城市电价部分），逐步降低农村到户电价。

为避免与还贷加价重复，农村低压维护费中不再计提农网新增资产的折旧和修理费。(1)要根据农电体制改革情况，按电力部门有关定员定编的要求，核定各县的农电电工人数，并按社会平均水平核定其工资报酬；(2)要按全省（区、市）农网的先进管理水平，核定各县的农网维护管理费用。(3)要根据农网建设与改造进度，核定各县的农网综合线损和变损水平。按上述三项因素，合理确定各县的农村低压电网维护费标准，并规定相应的农村到户电价。以上标准原则上一年核定一次，要及时向社会公布。农村低压电网维护费在城乡同价实现后即自行取消。

五、规范城乡价差平摊，编制同价具体实施方案，确保顺利实现城乡用电同价。按照国家改造农网的技术要求和改革农电体制的管理要求，最大限度地降低农村供电成本，在“两改”完成的基础上再实行城乡价差平摊，防止简单地通过“平摊”实现“同价”。城乡价差平摊要分期实施，可先实行城乡居民用电同价，然后逐步实现城乡各类用电同价。城乡价差平摊在还贷加价的范围内进行。实行“一县一价”的县，不负担全网的平摊加价；最终实行全网平摊的县，在进行全网平摊时，要及时取消在一县范围内平摊的加价。各省（区、市）物价部门要根据国家计委批复的本地“两改一同价”方案的目标和步骤，按以上原则制定出具体的城乡同价的分步实施方案，并分解到各地（市）、县（市）。要调动各地（市）、县（市）物价部门的积极性，加强对每一步实施方案的监督检查，确保各项措施落实到位，最终达到国家计委批复的本省（区、市）的城乡用电同价水平。

六、严格价格管理权限，规范工作制度。在全网实行农网还贷加价和价差平摊的，由省级物价部门测算方案后报国家计委审批；在一县范围实行平摊加价的，由省级物价部门审批并报国家计委备案。以上加价平摊方案原则上一年报批一次。为解决新机上网、电网配套工程还贷等其它问题进行的电价调整，仍按现行管理权限和方式审批。

七、尽量减少城乡同价对城市电价的推动。改革电力短缺时期的有关电价政策，下列腾出的电价空间解决农网还本付息和城乡价差均摊问题：(1) 2000年取消每千瓦时加收的2分钱电力建设基金腾出的空间；(2)降低还贷已结束的发电机组上网电价和尚未结束还贷的机组按剩余的经营期及现行贷款利率重新核定上网电价腾出的空间。

八、妥善处理农网改造中向农民收费的问题。各地要高度重视和认真解决农网400伏及以下线路的资金投入问题，合理安排资金进行建设改造。按照国务院办公厅国办发〔1998〕134号文件的要求，供电企业要加大对用户电能表等计量器具的投入，实行统一校验，统一管理，不能强行要求农民集资购买。农民已出资购置符合国家计量标准的电能表的，不再交纳电能表保证金。由于国家已安排专款用于农网改造，除电能表以下入户线由农民出资购买、部分改造资金不足地区电能表由农民集资购买外，严禁再向农民收取任何形式的材料费、施工费、管理费、手续费等费用。凡由电力企业组织农民出资购买的用电器材，其收费标准由省级物价部门统一核定。对农村电网建设与改造过程中新增的电力容量，不得向农民收取供、配电贴费（增容费）。

九、严格审查并规范农网改造的“差价还息”工作。考虑到农网改造的特殊性，在国家未出台统一还贷加价方案前，为保证贷款利息的偿还，作为过渡措施，对通过“两改”降低供电成本、增加供电量的效益不足以解决农网改造资金还息的县，经报省级物价部门同意，可从“两改”获得的农村电价降低空间中预留少部分空间（不得超过一半）用于还息。这部分收入必须建立专项帐户，专款专用，不得挪用。国家出台统一还贷加价方案时，这部分预留的价差应冲抵还贷加价标准，及时降低农村电价。

十、建立“同价”工作定期联系制度。各省级物价部门要以简报形式，每季度向国家计委报告“同价”工作进度和执行中出现的问题。国家计委将组织各地进行交流，并及时对各地工作进行指导和监督，以确保“同价”工作顺利实施。

十一、1999年各地要着重抓好重点改造县的城乡同价工作，编制好重点改造县城乡居民用电同价的计划和方案，将同价方案具体分解到每个县。列入重点改造的县要力争1999年与“两改”验收同步实现城乡居民生活用电同价，确有困难的可适当推迟到2000年上半年。属于直供直管县和趸售代管县的重点县，原则上在全网居民生活售电量上统一均摊加价，实现城乡居民用电同价。这类重点县的同价方案需报国家计委审批。其他类型的重点改造县原则上在本县范围内实行居民用电同价，即一县一价，由省级物价部门审批。在一县范围内均摊加价对县城电价推动过大的，可适当推迟加价的时间，逐步创造条件在全网电量上均摊。

附件：还本付息加价和城乡用电同价计算公式

(1)还本付息加价计算公式

M1＝W×i×(1＋i)＾n/〔(1＋i)＾n－1〕

M2＝M1－W/n

R1＝(W/n－折旧×90%)/(1－33%)(若R1＜0，则取R1＝0)

R2＝资本金×(财政专项债券利率＋2%)/(1

－33%）

P＝（M2＋折旧＋修理费＋R1＋R2）×1.187/还贷中期城乡年售电量

M1：每年还本付息额；

M2：每年付息额；

W：贷款总额；

i：年利率（按实际发生利率加权平均）；

n：还贷年限（取20年）；

R1：还贷利润；

R2：资本金利润；

P：还本付息加价。

（2）城乡居民生活及其他类用电同价公式

P3＝〔P1×Q1＋P2×（Q－Q1）〕/Q＋P

P3：城乡居民生活（其他类）用电同网同价的水平；

P1："两改"完成后农村居民生活（其他类）用电到户电价；

P2：城市居民生活（其他类）用电价格；

P：还本付息加价；

Q1：还贷中期农村居民生活（其他类）年售电量；

Q：还贷中期城乡居民生活（其他类）年售电总量。

卫生部　国家计委　教育部　民政部　财政部　人事部　劳动和社会保障部　建设部　国家计划生育委员会　国家中医药管理局关于印发《关于发展城市社区卫生服务的若干意见》的通知

1999年7月16日　　卫基妇发〔1999〕326号

根据国务院办公厅指示，现印发《关于发展城市社区卫生服务的若干意见》，请结合当地实际认真贯彻执行。

附件

关于发展城市社区卫生服务的若干意见

建国以来，特别是改革开放以来，卫生事业为保护和增进人民健康，促进社会主义现代化建设发挥了重要作用。但是，在发展中逐渐暴露出一些深层次问题，尤其是在城市，资源配置、利用不合理，医药费用增长过快，卫生服务特别是基层卫生服务同城市化、人口老龄化、疾病谱改变、医学模式转变、群众卫生服务需求的变化及建立城镇职工基本医疗保险制度等不相适应，亟待改革、完善。

自《中共中央、国务院关于卫生改革与发展的决定》做出"改革城市卫生服务体系，积极发展社区卫生服务，逐步形成功能合理、方便群众的卫生服务网络"的重要决策以来，不少城市积极试点探索，并已取得初步经验，显示出社区卫生服务具有旺盛的生命力和广阔的发展前景。但是，从全国看，这项工作尚处于起步阶段。

随着《国务院关于建立城镇职工基本医疗保险制度的决定》的实施，加快医疗机构改革，积极发展社区卫生服务，已成为一项紧迫任务。为贯彻党的十五大精神，改革城市卫生服务体系，建立城镇职工基本医疗保险制度，现就进一步发展城市社区卫生服务提出如下意见：

一、充分认识发展社区卫生服务的重要意义

社区卫生服务是社区建设的重要组成部分，是在政府领导、社区参与、上级卫生机构指导下，以基层卫生机构为主体，全科医师为骨干，合理使用社区资源和适宜技术，以人的健康为中心、家庭为单

位、社区为范围、需求为导向，以妇女、儿童、老年人、慢性病人、残疾人等为重点，以解决社区主要卫生问题、满足基本卫生服务需求为目的，融预防、医疗、保健、康复、健康教育、计划生育技术服务等为一体的，有效、经济、方便、综合、连续的基层卫生服务。

发展社区卫生服务具有十分重要的意义：

第一，是提供基本卫生服务，满足人民群众日益增长的卫生服务需求，提高人民健康水平的重要保障。社区卫生服务覆盖广泛、方便群众，能使广大群众获得基本卫生服务，也有利于满足群众日益增长的多样化卫生服务需求。社区卫生服务强调预防为主、防治结合，有利于将预防保健落实到社区、家庭和个人，提高人群健康水平。

第二，是深化卫生改革，建立与社会主义市场经济体制相适应的城市卫生服务体系的重要基础。社区卫生服务可以将广大居民的多数基本健康问题解决在基层。积极发展社区卫生服务，有利于调整城市卫生服务体系的结构、功能、布局，提高效率，降低成本，形成以社区卫生服务机构为基础，大中型医院为医疗中心，预防、保健、健康教育等机构为预防保健中心，适应社会主义初级阶段国情和社会主义市场经济体制的城市卫生服务体系新格局。

第三，是建立城镇职工基本医疗保险制度的迫切要求。社区卫生服务可以为参保职工就近诊治一般常见病、多发病、慢性病，帮助参保职工合理利用大医院服务，并通过健康教育、预防保健，增进职工健康，减少发病，既保证基本医疗，又降低成本，符合“低水平、广覆盖”原则，对职工基本医疗保险制度长久稳定运行，起重要支撑作用。

第四，是加强社会主义精神文明建设，密切党群干群关系，维护社会稳定的重要途径。社区卫生服务通过多种形式的服务为群众排忧解难，使社区卫生人员与广大居民建立起新型医患关系，有利于加强社会主义精神文明建设。积极开展社区卫生服务是为人民办好事、办实事的德政民心工程，充分体现全心全意为人民服务宗旨，有利于密切党群干群关系，维护社会稳定，促进国家长治久安。

二、发展社区卫生服务的总体目标和基本原则

发展社区卫生服务，要以邓小平理论为指导，坚持党的基本路线和基本方针，坚持新时期卫生工作方针，深化卫生改革，满足人民卫生服务需求，与经济社会发展相同步，构筑面向21世纪的、适应社会主义初级阶段国情和社会主义市场经济体制的现代化城市卫生服务体系。到2000年，基本完成社区卫生服务的试点和扩大试点工作，部分城市应基本建成社区卫生服务体系的框架；到2005年，各地基本建成社区卫生服务体系的框架，部分城市建成较为完善的社区卫生服务体系；到2010年，在全国范围内，建成较为完善的社区卫生服务体系，成为卫生服务体系的重要组成部分，使城市居民能够享受到与经济社会发展水平相适应的卫生服务，提高人民健康水平。

发展社区卫生服务应遵循以下基本原则：

坚持为人民服务的宗旨。依据社区人群的需求，正确处理社会效益和经济效益的关系，把社会效益放在首位。

坚持政府领导，部门协同，社会参与，多方筹资，公有制为主导。

坚持预防为主，综合服务，健康促进。

坚持以区域卫生规划为指导。引进竞争机制，合理配置和充分利用现有卫生资源；努力提高卫生服务的可及性。做到低成本、广覆盖、高效益，方便群众。

坚持社区卫生服务与社区发展相结合。保证社区卫生服务可持续发展。

坚持实事求是。积极稳妥，循序渐进，因地制宜，分类指导，以点带面，逐步完善。

三、加强政府对社区卫生服务的领导

社区卫生服务是政府实行一定福利政策的社会公益事业的具体体现，积极推进社区卫生服务是政府的重要责任，各级政府要切实加强对社区卫生服务的领导。

要把积极推进社区卫生服务列入政府工作目标，纳入当地经济与社会发展总体规划和城市社区两个文明建设规划，作为社区建设和社区发展的一项重要内容予以统筹规划、组织实施。

各级政府要成立社区卫生服务协调组织，卫生、计划、财政、物价、劳动和社会保障、民政、人事、教育、建设、计划生育、中医药等有关部门，按照各自职能，各负其责，完善有关配套政策与措施，为社区卫生服务工作提供良好的环境，及时协调解决社区卫生服务工作中所遇到的各种具体问题和困难。

街道办事处作为政府派出机构，对推进社区卫生服务、提高本社区全体居民健康水平负有重要责任。要积极协调辖区内各方力量，在卫生行政部门指导下，支持和帮助社区卫生服务机构解决必需的业务用房和工作中遇到的困难，切实支持发展社区

卫生服务。

四、健全社区卫生服务体系

社区卫生服务是城市卫生服务体系的基础。要在区域卫生规划指导下，充分发挥现有基层卫生机构作用，引入竞争机制，统一规划社区卫生服务机构，逐步建立健全结构适宜、功能完善、规模适度、布局合理、有效经济的社区卫生服务体系，使社区居民都能够拥有自己的全科医师。

健全社区卫生服务体系要依托现有基层卫生机构，形成以社区卫生服务中心、社区卫生服务站为主体，其它医疗卫生机构为补充，以上级卫生机构为指导，与上级医疗机构实行双向转诊，条块结合，以块为主，使各项基本卫生服务逐步得到有机融合的基层卫生服务网络。

社区卫生服务中心和社区卫生服务站，应当根据当地规划和群众需求设置。社区卫生服务中心一般以街道办事处所辖范围设置，可由基层医院(卫生院)或其它基层医疗卫生机构改造而成。社区卫生服务中心服务区域过大的，可下设适量的社区卫生服务站。上级医院及疾病控制中心(卫生防疫站)、妇幼保健院、健康教育所等预防保健机构，要在当地卫生行政部门领导下，加强统一协调，发挥对社区卫生服务机构的指导作用。坚决防止盲目设置新的医疗卫生机构，搞重复建设。

深化城市卫生服务体系改革，实行医疗卫生机构功能调整，优化重组，健全社区卫生服务体系，要着重引导公立基层医疗机构转变观念，进行结构和功能的双重改造。社区卫生服务机构要健全管理体制和运行机制，增强生机和活力，不断完善社区卫生服务发展模式。

社区卫生服务人员主要由全科医师、护士等有关专业卫生技术和管理人员组成。要把人员队伍建设作为促进社区卫生服务持久、健康发展的基础性、战略性任务抓紧抓好，努力造就一支高素质的以全科医师为骨干的社区卫生服务队伍，适应居民对社区卫生服务的需求。

社区卫生服务机构要积极采用中医药、中西医结合与民族医药的适宜技术。

五、加强社区卫生服务的规范化管理

卫生行政部门是社区卫生服务的行业主管部门，负责业务上的组织、指导、监督和管理。发展社区卫生服务必须改善服务态度、保证服务质量、提高服务水平，取信于民。

加强社区卫生服务的标准化、规范化、科学化管理。逐步建立健全社区卫生服务机构的基本标准、基本服务规范和管理办法，完善各种规章制度。建立科学的考核、评价体系。加强社区卫生服务人员执业资格管理，规范服务行为，进行基础理论、基本知识、基本技能的培训与考核，竞争上岗，树立严格要求、严密组织和严谨态度的良好作风。要依法严格对社区卫生服务机构和执业行为的监督管理。逐步建立社区卫生服务的管理信息系统。完善社区卫生服务的计划、实施和评价的全过程管理。

设置社区卫生服务机构或开展社区卫生服务，都必须经当地政府卫生行政部门批准；从事社区卫生服务专业技术工作的人员，必须具有政府卫生行政部门认可的卫生专业技术人员资格。

加强社区卫生服务的科学研究，不断研究和总结我国社区卫生服务的经验，使社区卫生服务在实践和理论上都日臻完善。

六、完善社区卫生服务的配套政策

政府各有关部门要认真研究，积极完善有关配套政策，支持发展社区卫生服务。

社区卫生服务的经费实行国家、集体和个人合理分担。教育、引导居民树立正确的健康消费意识，增加健康投入。

发展计划部门要将社区卫生服务纳入区域卫生规划和社会发展总体规划，合理布局社区卫生服务机构。

财政和卫生行政部门要调整卫生经费的支出结构，按社区卫生服务人口安排社区预防保健等公共卫生服务所需工作经费。各地可根据实际情况，在充分利用现有资源基础上，适当安排社区卫生服务管理信息系统及公立社区卫生服务机构设备更新等方面的启动经费和人才培养、健康教育经费。按国家规定安排公立社区卫生服务机构的离退休人员费用和卫生人员的医疗保险费。研究制定有利于社区卫生服务发展的财政经济政策。

劳动和社会保障部门要把符合要求的社区卫生服务机构作为职工基本医疗保险定点医疗机构，把符合基本医疗保险有关规定的社区卫生服务项目纳入基本医疗保险支付范围。参保人员在社区卫生服务机构和大中型医院就诊时可实行不同的医药费用自付比例，引导参保人员在社区卫生服务机构诊治一般常见病、多发病和慢性病，促进社区卫生服务机构与上级医疗机构之间形成有效的双向转诊机制。

物价部门要建立和完善社区卫生服务的价格

体系。要规范社区卫生服务项目的名称、服务内容，合理制定社区卫生服务收费标准，促进社区卫生服务的发展。

民政部门要将社区卫生服务作为指导各地进行社区建设和开展社区服务工作的重要内容，把支持开展社区卫生服务作为考核和表彰模范街道、居委会和社区服务中心(站)的条件。要帮助城市优抚对象解决在参与和享受社区卫生服务中遇到的各种困难，给予政策和经济上的扶持。

人事行政部门要支持和指导卫生行政部门加强社区卫生服务专业技术人员和管理人员队伍建设。要及早研究建立全科医师资格标准，制定在职人员培训规划、计划，完善继续教育规章制度，形成育人、选人、用人一体化机制，吸引优秀卫生技术人才在社区工作。

教育行政部门要支持和指导卫生行政部门建立以毕业后医学教育为核心的全科医学教育体系。当前，重点是培训在职人员，培养技术骨干，加强全科医学理论、知识和技能的学习与培训；要逐步开展全科医师继续教育；加强社区卫生服务管理人员队伍的培训，满足不断发展的社区卫生服务需要。

建设行政部门在新建或改建城市居民居住区时，要把社区卫生服务设施纳入建设规划。

计划生育行政部门在制定与落实人口计划、推行优质服务时，要积极支持城市社区卫生服务的发展；社区卫生服务机构应当根据基层计划生育工作的需要、居民的需求和自身条件，开展计划生育与生殖保健宣传教育和适宜的技术服务。

各级政府和有关部门要解放思想、更新观念、抓住机遇、大胆探索、勇于实践，促进社区卫生服务工作健康地向前发展。

国家计委办公厅关于开展价格鉴证机构资质认证的通知

1999年8月2日　　计办价格〔1999〕596号

根据国家计委《价格评估机构管理办法》、《涉案物品价格鉴定复核裁定管理办法》和《价格事务所工作管理暂行办法》的有关规定，从事涉案物品价格鉴证的机构需要办理《价格鉴证评估机构资质证书》。

目前价格鉴证人员资格的第一批认证工作基本结束，开展价格鉴证机构资质认证的条件已经具备。现将开展涉案物品价格鉴证机构资质认证的有关事项通知如下：

一、认证范围

涉案物品价格鉴证机构指由国家编制管理部门批准、各地政府价格主管部门设立的价格鉴证中心、价格事务所等机构，包括价格鉴证机构和价格鉴证复核裁定机构。

二、认证形式

《中华人民共和国涉案物品价格鉴证评估机构资质证书》由国家计委统一印制，盖有“中华人民共和国国家发展计划委员会价格鉴证证件专用章”，证书为一份正本，二份副本。持有《价格鉴证评估机构资质证书》的机构在所在行政区域内，具有对刑事、民事、经济、行政和仲裁案件中各种标的价格鉴定、认证、评估的资质。价格鉴证机构按照国家计委的规定实行年检制度，年检由发证机构办理。

三、一般价格鉴证机构资质的申办条件：

(一)经国家编制管理部门批准、由当地政府价格主管部门设立；

(二)具有独立承担民事责任的法人资格；

(三)有固定的办公场所；

(四)有3人以上具有国家计委统一印制、省级以上政府价格主管部门颁发的《中华人民共和国涉案物品价格鉴证人员资格证》；

(五)国家计委规定的其他条件。

四、价格鉴证复核裁定机构资质的申办条件：

(一)经国家编制管理部门批准、由省级政府价格主管部门批准设立的价格鉴证机构及其分支机构；

(二)具有独立承担民事责任的法人资格(分支机构除外)；

(三)有固定的办公场所；

(四)有5人以上具有国家计委统一印制、省级以上政府价格主管部门颁发的《中华人民共和国涉案物品价格鉴证人员资格证》，且注明具有涉案物品价格鉴证复核裁定资格。

(五)国家计委规定的其他条件。

五、申请资质认证时，应当提交以下材料：

(一)价格鉴证机构资质认定申请表；

(二)国家编制管理部门批准文件的复印件；

(三)价格主管部门批准的"三定"方案复印件；

(四)单位法人代表的证明文件及简历材料；

(五)价格鉴证人员资格及技术职称证明材料；

(六)价格鉴证实例(2例)。

六、资质申办程序

(一)申办一般价格鉴证机构资质的单位，由各省、自治区、直辖市价格鉴证机构办理前期申办手续后，统一到国家计委价格鉴证机构办领证书。"价格鉴证机构资质认定申请表"由国家计委印制，各省、自治区、直辖市价格鉴证机构代发。

(二)申办价格鉴证复核裁定机构资质证书的单位，直接向国家计委价格鉴证机构申请办理。

七、具体发证年检工作由国家计委价格鉴证机构办理。

国家经贸委　国家计委　财政部　监察部　审计署　国务院纠风办关于整顿营销信息发布秩序　坚决制止乱排序、乱评比行为的通知

1999年8月6日　　国经贸贸易〔1999〕757号

最近一个时期，一些行业组织和市场调查机构擅自以排序、推荐、认定、上榜、抽查检验、对比实验、宣传介绍、统计、公布市场调查结果等形式(以下简称排序活动)，随意向社会发布缺乏有效依据的"排行榜"和"推荐品牌"等企业经营信息，实际上是对企业搞评比或变相评比活动，以此向企业索取高额费用。这些排序活动严重违反了国家有关规定，不仅干扰了企业正常营销活动，增加了企业负担，助长了弄虚作假不正之风，而且对消费者造成欺诈和误导，严重影响了公平竞争的市场环境的形成，社会各方面反映强烈。

根据《中共中央、国务院关于治理向企业乱收费、乱罚款和各种摊派等问题的决定》(中发〔1997〕14号)和《中共中央办公厅、国务院办公厅关于严格控制评比活动有关问题的通知》(厅字〔1996〕10号)等文件的精神，为减轻企业负担，正确引导消费，为企业营销创造公平竞争的市场环境，经国务院减轻企业负担部际联席会议批准，现就整顿营销信息发布秩序，坚决制止乱排序、乱评比行为的有关问题通知如下：

一、清理整顿各种排序评比活动。各地区、各部门、社会团体、新闻单位、企事业单位及民间组织正在举办的对企业商品、服务等综合评介、带有排序、评比性质的企业和商品信息发布活动和假借宣传国家监督抽查合格产品及生产企业的名义向企业收费的活动一律立即停止，并认真进行清理整顿。对已收取的费用要立即如数退还，不能退还的由物价部门没收上缴财政。同时，坚决制止在产品销售中乱发证和重复检查，禁止以各种名义介入企业产品销售活动。新闻单位对上述带有排序评比性质的企业营销信息发布活动不得进行宣传报道，禁止利用任何媒介发布含有上述内容的广告。

二、严格规范信息发布渠道。按照中共中央、国务院中发〔1997〕14号和中共中央办公厅、国务院办公厅厅字〔1996〕10号文件的要求，今后凡举办各类带有排序评比性质的企业营销信息发布活动，须经国家有关行政主管部门审核同意，统一归口国家经贸委从严审查，报国务院审批。国家经贸委要会同有关部门加强对有关企业营销信息发布活动的监管，尽快研究制定对企业营销信息发布活动的管理规定，包括归口审查办法、市场调查项目设置条件、主办单位资格认定、申报审批程序、调查范围以及宣传报道等。对于经过批准的全国性或行业性的市场调查信息发布活动，应以政府统计部门的数据为准，一律不得向企事业单位及个人收取费用或变相收费。

三、加大执法力度，加强监督检查。对非法进行排序评比活动，擅自向社会发布统计调查结果，进行广告宣传，甚至进行欺诈活动的主办单位，有关部门要按照《统计法》、《广告法》、《质量法》等有关法律、法规坚决予以查处。对于冒用国家机关的名义进行认证、发布或超越经营范围进行市场调查的企事业单位、社会团体要依法惩处。对在排序评比过程中向企业收费或变相收费的行业组织或市场调查机构，要按乱收费由物价部门查处。情节严重的要给予党纪、政纪处分，触犯刑律的要依法追究其刑事责任。

四、企业要加强营销工作，提高自身防范能力。对未经批准举办的排序评比活动，有关企事业单位要自觉进行抵制，并及时向有关行政主管部门举报。同时要切实改善和加强营销管理，大力提高营销水平，进一步确立以质量、服务赢得市场的观念，在公平竞争中提高企业的整体素质和竞争能力，不给各类乱排序乱评比活动以可乘之机。

各地区、各部门要充分认识建立公平竞争的营销环境对于推动企业加强营销、促进脱困的重要意义，切实做好对本地区、本行业有关乱排序、乱评比活动的清理整顿工作，搞好自查自纠，并将清理整顿结果报国务院减轻企业负担部际联席会议办公室。对有令不行、有禁不止的地区、部门和企业，要严肃查处，并追究主办单位领导和有关人员的责任。

国家计委　建设部　国家环保总局关于加大污水处理费的征收力度建立城市污水排放和集中处理良性运行机制的通知

1999 年 9 月 6 日　　计价格〔1999〕1192 号

根据《水污染防治法》的有关规定，目前全国已有部分城市向用户包括居民收取污水处理费，用于污水集中处理设施的建设和运行，对于减少污染，保护环境发挥了重要作用。但是，现行污水集中处理率低，多数城市还没有收取污水处理费；已经收取污水处理费的城市，大部分收费标准偏低，难以补偿污水集中处理设施的运行维护费用；在征收过程中，欠费和漏收问题比较严重；污水处理费收入的管理不规范，截留、挪用等问题也亟需得到解决。为贯彻落实《中共中央、国务院关于转发〈国家发展计划委员会关于当前经济形势和对策建议〉的通知》(中发〔1999〕12 号)中有关运用价格杠杆促进经济增长，加大对污水处理费征收力度的精神，加快污水集中治理的步伐，促进环境保护产业的发展，现就在水价上加收污水处理费的有关问题通知如下：

一、在供水价格上加收污水处理费，建立污水排放和集中处理的良性运行机制

污水处理费是水价的重要组成部分。根据用户用水数量(包括从城市供水企业取水、自备井和从江河湖泊取水)，各城市要在供水价格上加收污水处理费，以补偿城市排污和污水处理成本，建立污水集中处理良性运行机制。污水处理企业(单位)要实行企业化管理，独立核算，自负盈亏，照章纳税。

污水处理费由城市供水企业在收取水费中一并征收，按月划拨给排水和污水处理企业(单位)，用于城市排污管网和污水处理厂的运行、维护。没有建成污水处理厂的城市，加收的污水处理费，经当地人民政府批准，可以用于补充排污管网和污水处理厂的建设资金，但必须在 3 年内建成污水处理厂，并投入运行。

二、污水处理费标准的核定原则和权限

污水处理费应按照补偿排污管网和污水处理设施的运行维护成本，并合理盈利的原则核定。运行维护成本主要包括污水排放和集中处理过程中发生的动力费、材料费、输排费、维修费、折旧费、人工工资及福利费和税金等。

污水处理费标准，可以根据当地各方面的承受能力，分步到位。1999 年，“三河”(淮河、海河、辽河)和“三湖”(太湖、巢湖、滇池)流域等污染严重的城市征收的污水处理费标准，应达到排污管网和污水集中处理设施的运行维护成本。

污水处理费的具体征收标准，按城市供水价格管理权限审批。

三、建立健全对污水处理费的征收管理和污水处理厂运行情况的监督制约机制

要加强污水处理费的征管工作，提高污水处理费的征收率，防止跑、冒、滴、漏，努力作到足额征收。任何部门和单位都不得擅自减免污水处理费。对严重亏损的企业，经当地人民政府批准后可以缓交污水处理费，但不得免交。

城市污水处理厂要按责、权一致的原则，确保正常运行和运行质量，做到达标排放。各级建设行政主管部门应加强对污水处理企业（单位）运行情况的监督检查，对擅自停止运行或不满负荷运行的，应责令其纠正，并追究企业（单位）的法人责任。环保部门要加强对城市污水处理企业（单位）处理过的水质的监测，发现水质超标的，除按规定征收超标排污费外，应责令其整改，直至达标排放。

四、切实做好征收污水处理费的各项工作

对排水环节的收费要进行全面清理。收取污水处理费后，要取消在排水环节征收的建设费、运行费、增容费和建设性基金及其它违反法律、法规规定的收费。征收污水处理费后，依照《水污染防治法》的规定，环保部门不再向排入城市排污管网和污水集中处理设施污水的单位征收污水排污费，同时取消建设部门征收的城市排水设施使用费。各地物价、建设等部门要通力合作，密切配合，共同努力，切实做好污水处理费的收取、管理工作，促进城市污水处理事业的发展。

国家计委 财政部关于第二批降低收费标准的通知

1999年10月20日　　计价格〔1999〕1707号

为认真贯彻落实《中共中央、国务院关于治理向企业乱收费、乱罚款和各种摊派等问题的决定》（中发〔1997〕14号）和国务院有关千方百计扩大出口的指示精神，切实减轻企业负担，改善我国的投资环境，促进外贸进出口和社会经济的健康发展，国家计委、财政部对国务院各有关部门现有收费项目的收费标准进行了清理，经国务院减轻企业负担部际联席会议批准，决定下达第二批降低现有收费项目的收费标准。通知如下：

一、公安部

特种行业许可证费，由现行的每证（含正、副本）最高不超过20元，降为每证（含正、副本）最高不超过10元。

二、民政部

社会福利生产管理费，由现行的按社会福利企业销售（或营业）收入额的1%（最高）收取，降为按社会福利企业销售（或营业）收入额的0.5%（最高）收取，并改为定额核定，由省、自治区、直辖市价格主管部门会同财政部门核定具体收费标准。

三、国土资源部

地质勘察报告审批费，由现行的大型报告9000元、中型报告7000元、小型报告5000元，降为大型报告7000元、中型报告5000元、小型报告3000元。

四、中国人民银行

贷款证收费，由现行的每证120元，降为每证100元。

五、海关总署

（一）进口商品退税（关）手续费、车辆超时占用验场费、货物行李物品保管费、知识产权保护备案费4项收费在现行收费标准基础上下调20%，即：(1)进口商品退税（关）手续费由50元/次降为40元/次；(2)车辆超时占用验场费由20元/车·次（2～5小时，含5小时）、50元/车·次（5小时以上）分别降为16元/车·次（2－5小时，含5小时）、40元/车·次（5小时以上）；(3)货物行李物品保管费由1～10元/日·件降为0.8～8元/日·件，贵重物品如文物、精密仪器、金银制品及其他价格极高（人民币5000元以上）或需特殊保护物品扣留第一个月内由每日每件按其价值（以海关估算为准）的0.2%收取保管手续费降为每日每件按其价值的0.16%收取，一月以上至三个月以内由每日按估价的0.4%收取保管手续费降为每日按估价的0.32%收取；(4)知识产权保护备案费由每件1000元降为每件800元。

（二）监管区域外监管手续费、报关单位注册登

记手续费、出口监管仓库货物监管手续费、验车费4项收费在现行收费标准基础上下调50%，即：(1)监管区域外监管手续费由每一关员每一工作日人民币50元降为每一关员每一工作日人民币25元；(2)报关单位注册登记手续费由30元降为15元；(3)出口监管仓库货物监管手续费由按货物离岸价的0.5‰向发货人或其代理人收取降为按货物离岸价的0.25‰向发货人或其代理人收取；(4)验车费由30～60元/车·次降为15～30元/车·次。

(三)口岸管理费(国务院及财政部、国家计委批准的满州里、绥芬河、二连、凭祥、东兴、畹町、瑞丽、河口和深圳9个陆路口岸)，在现行收费标准基础上全面下调30%，即深圳陆路口岸建设管理费由40英尺集装箱车辆每辆次11元(往返22元)，其他车辆每辆次5.5元(往返11元)降为40英尺集装箱车辆每辆次8元(往返16元)，其他车辆每辆次4元(往返8元)；其他8个陆路口岸的口岸管理费或口岸过货管理费由向货主收取0.6元/吨降为0.42元/吨。

六、国家工商行政管理局

(一)城乡集贸市场管理费和个体工商户管理费2项，在现行收费标准基础上下调20%，并改为定额核定，由省、自治区、直辖市价格主管部门会同财政部门核定具体收费标准。除这两项外，工商行政管理部门收取的其它市场管理费一律取消。

(二)企业注册登记费，在现行收费标准基础上下调20%，并由现行的按企业注册资金的比率收取，改为定额收取，另文下达。在定额收费标准文件下发之前，注册资金总额在1000万元(含1000万元)的，暂按注册资金总额的0.8‰收取，注册资金总额超过1000万元的，超过部分暂按注册资金总额的0.4‰收取。

七、国家林业局

陆生野生动物资源保护管理费，对批准捕捉、猎捕国家重点保护野生动物或其产品，收费标准不降；对批准出售、收购、利用的国家一级保护野生动物或其产品，由按其成交额的8%向供货方收费，降为6%，对受货方不予收费；对批准出售、收购、利用的国家二级保护野生动物或其产品，由按其成交额的6%向供货方收费，降为4%，对受货方不予收费；对中医药生产企业收取的野生动物资源保护管理费收费标准仍按《国家计委、财政部关于第一批降低22项收费标准的通知》(计价费[1997]2500号)执行。

八、国家质量技术监督局

生产许可证审查费由每证2500元降为2200元。

九、国家出入境检验检疫局

原进出口商品检验、进出境动植物和国境卫生检疫等检验、检疫费合并为出入境检验检疫费，总体收费水平下调1/3。具体检验检疫项目的降低幅度，依据成本变化情况可以有所不同，具体收费标准，由国家计委会同财政部重新核定后，另文下达。在核减后的具体收费标准文件下发之前，所有进出口商品检验、进出境动植物和国境卫生检疫的检验、检疫收费一律按现行《国家计委、财政部关于发布进出口商品检验鉴定收费办法及收费标准的通知》(计价格[1994]794号)、《国家计委、财政部关于发布进出境动植物检疫收费管理办法及收费标准的通知》(计价格[1994]795号)和《国家计委、财政部关于发布国境卫生检疫收费管理办法及收费标准的通知》(计价格[1994]796号)规定的收费标准的2/3比例收费。

本通知自1999年11月1日起执行，此前国家计委(包括原国家物价局)会同财政部及国务院其它有关部门制定的收费标准与本通知规定不符的，以本通知为准。

财政部 国家经贸委 国家计委 审计署 监察部 国务院纠风办关于公布第三批取消的各种基金(资金 附加 收费)项目的通知

1999年11月6日 财综字〔1999〕180号

为贯彻落实党中央、国务院关于继续保持国民经济持续快速健康发展的重大决策,以及《中共中央、国务院关于治理向企业乱收费、乱罚款和各种摊派等问题的决定》(中发[1997]14号)精神,切实减轻企业负担,为企业生产经营创造良好的外部环境,积极扩大内需,改善有效供给,经国务院减轻企业负担部际联席会议批准,并报经国务院同意,决定公布第三批取消的各种基金(资金、附加、收费,下同)项目。现将有关事项通知如下:

一、本批公布取消的各种基金项目,包括国务院有关部门和地方各级人民政府及其所属部门,未按国家规定报经国务院或财政部会同有关部门批准,越权设立的各种基金,以及虽按国家规定程序报经批准设立,但已不适应目前经济发展要求,应停止征收的各种基金,共计73项(具体项目详见附件)。

公布取消的各种基金项目,自本通知发布之日起停止执行。其他地区和部门已出台征收的基金项目,凡与本通知公布取消的基金项目相类似的,一律参照本通知规定予以取消。

二、各地区、各部门要认真做好公布取消的各种基金项目在本地区、本部门的落实工作,不得以任何理由拒绝执行或变相拖延执行。对已取消的各种基金项目,公民、法人和其他社会组织有权拒交。

取消各种基金项目后,有关事业发展出现的资金缺口等问题,各地区、各部门应予以妥善解决和处理。

三、国务院减轻企业负担部际联席会议办公室和各省、自治区、直辖市减轻企业负担办事机构要组织专门力量对本通知公布取消的各种基金项目进行专项检查。对不按规定取消各种基金项目的地区和部门,一经发现,应责令将其非法所得退还缴费单位和个人,对确实无法清退的非法收入,一律没收上缴中央财政。同时,要按规定追究有关地方和部门主要负责人和直接责任人的责任。

四、各地区、各部门要严格执行中发[1997]14号文件的有关规定,未经国务院或财政部会同有关部门批准,一律不得自行设立各种资金。

五、请各有关省、自治区、直辖市人民政府和国务院有关部门于1999年11月30日前,将落实本通知的有关情况函告财政部、国家经贸委、国家计委、审计署、监察部、国务院纠风办。

附件

第三批取消的各种基金(资金、附加、收费)项目

收费部门或地方	序号	项目	文件依据
国家国内贸易局	1	商业网点建设费	内贸市字[95]200号
国家电力公司	2	电费、电度表保证金	能源经[89]561号、电力部综合[97]1号
国家煤炭工业局	3	煤炭生产发展专项基金	价重字[90]635号

天 津	4	自来水增容费	津价管字(92)201 号
	5	城市道路建设附加费	津价费字(93)8 号
	6	小汽车摩托车专控附加	津政办发(92)67 号
河 北	7	技校互助发展基金	冀计经社(93)20 号
	8	控购商品附加	冀控字(88)31 号、冀政(92)81 号
	9	粉煤灰综合利用专项资金	河北省政府令 1991 年第 62 号
内蒙古	10	地方教育附加费(指向区外销售原油、成品油、液化气、电力征收的部分)	内政发[95]120 号
山 西	11	协作煤资金	晋政发[89]9 号
	12	专控商品附加费	晋政发[88]82 号
	13	商业网点建设费	晋政发[91]88 号
	14	煤城建设基金	晋政发[93]65 号
辽 宁	15	林业开发建设基金	辽政办发(87)171 号
吉 林	16	地方新购车附加费	吉政发(95)65 号
	17	道路桥梁附加	吉政发(85)11 号
	18	育苇基金	吉价字(94)63 号
黑龙江	19	专控商品附加费	黑财综字(93)第 186 号
上 海	20	旅游发展附加费	沪府发(1997)4 号、沪财企工(1997)11 号、沪税外分业(1997)5 号
浙 江	21	购置(国产、进口)小汽车调节金	浙控字(98)9 号、浙控字(99)1 号
	22	旅游发展统筹资金	浙政(97)8 号、浙政办发(98)300 号
	23	购置大、小客车调节金	浙江甬财政控(99)168 号
	24	城市交通管理设施费	浙江温政办(97)74 号
	25	新增小型客车计划额度单竞购费	浙江温政策会议纪要办(98)15 号
	26	旅游附加费	[93]浙财综 51 号、[93]浙价发 42 号、杭直税[93]572 号
安 徽	27	燃煤附加	皖计字(95)563 号
	28	控购附加	皖政(92)27 号
江 西	29	专控商品附加	赣府发(93)23 号
	30	粉煤灰综合利用开发基金	赣府发(88)71 号
江 苏	31	小汽车、大轿车消费附加费	苏财控(94)1 号
山 东	32	专控商品附加费	鲁价涉字(92)76 号
湖 北	33	专控商品调节基金	鄂政发(92)18 号
湖 南	34	新车交通建设费	湘政发(95)6 号、湘价费字(95)68 号
	35	通讯设施建设基金	湘政发(93)3 号、湘政发(93)9 号
	36	种子风险基金	湘政办发(95)7 号、湘农业(95)种管字 153 号
	37	土地开发基金	湘发(97)10 号
	38	控购调节基金	湘控购字(92)1 号
广 东	39	医疗卫生发展基金	粤卫字(92)348 号
	40	社会养老保险共济基金	粤潮府(94)48 号
	41	佛山大堤代劳金	粤府函(87)191 号、粤佛府(95)11 号

广　西	42	优待金	桂政发(99)53 号
	43	漓江交通基金	桂政办(92)419 号
	44	用地交通基金	桂政发(94)27 号
	45	新增车辆基金	桂政办发(95)5 号
	46	港口建设基金	桂政办(93)90 号
	47	邮电通信建设资金	桂政发(88)83 号
	48	地方电力建设基金	桂水电财字(92)41 号
	49	建材工业发展基金	桂政发(90)124 号
	50	容县供水工程建设费	桂价房函(97)234 号
	51	专控商品附加费	[89]桂控购字 3 号、桂政办(92)152 号
云　南	52	(石化)科技发展基金	[90]云化科字第 481 号
	53	(煤炭)多种经营开发基金	[92]云煤发字第 104 号
	54	茶叶生产扶持费	云政发(94)2 号
	55	种子价格调节基金	[92]云农(种)联字第 27 号
	56	农副产品风险基金	[90]云经财字第 140 号
贵　州	57	新增车辆公路建设费	黔府办发(95)79 号
四　川	58	石油基金	川办函(89)149 号
	59	中小水电建设基金	川计经(89)能 191 号
	60	森林资源专项基金	川材计(93)318 号
	61	农用化学工业发展基金	川计经(90)366 号
	62	专控商品附加	川办发(91)102 号
	63	林业发展基金	川林财(82)202 号
	64	企业扶持基金	川办发(85)49 号
	65	电网地方附加费	川价函(98)209 号
	66	农电大修基金	川价字(91)158 号
陕　西	67	专控商品附加	陕政办发(94)81 号
甘　肃	68	控购商品附加费	甘政办发(93)43 号
青　海	69	特别消费品附加费	青政(88)11 号
宁　夏	70	计划生育基金	宁计生发(91)79 号
新　疆	71	控购商品附加费	新政办(89)65 号
	72	消防设施购置基金	新政发函(92)14 号
	73	甘草资源保护开发基金	新政办(89)182 号

财政部　国家计委关于公布取消第三批行政事业性收费项目的通知

1999 年 12 月 30 日　　　　财综字〔1999〕195 号

为贯彻落实《中共中央、国务院关于转发〈国家发展计划委员会关于当前经济形势和对策建议〉的通知》(中发[1999]12 号)和《中共中央、国务院关于治理向企业乱收费、乱罚款和各种摊派等问题的决定》(中发[1997]14号)精神,切实减轻企业和社会负担,为企业生产经营创造良好的外部环境,积极支持国有企业深化改革,财政部、国家计委对国务院各部委、各直属机构及其系统内的行政事业性收费项目进行了清理。经国务院减轻企业负担部际联席会议批准,决定公布取消第三批行政事业性收费项目(以下简称"收费项目")。现将有关事宜通知如下:

一、公布取消的第三批收费项目共计20项,分别涉及经贸、交通、劳动和社会保障、新闻出版、海关、环保、外汇、司法部门。具体项目见附件。

二、国务院各部委、各直属机构和各省、自治区、直辖市及计划单列市要严格执行本通知规定,坚决落实取消的收费项目,不得以任何理由拒绝执行或变相拖延执行,并于2000年1月31日前,将落实本通知的有关情况函告财政部、国家计委。对公布取消的收费项目,公民、法人和其他社会组织有权拒交。

三、公布取消第三批收费项目后,有关执收部门和单位要按规定到指定的价格主管部门办理收费许可证变更手续,并到同级财政部门办理收费票据变更手续。

四、公布取消第三批收费项目后,有关部门和单位履行行政管理职能所必需的经费开支,由同级财政部门通过预算酌情安排。

五、国务院减轻企业负担部际联席会议办公室和各省、自治区、直辖市及计划单列市减轻企业负担办事机构要组织专门力量对已取消的收费项目进行重点检查。对不按规定取消或变相继续收费的,一经查出,应将其非法所得清退给原缴费单位或个人,确实无法清退的,全部没收上缴同级财政。同时,要按国家规定追究有关单位主要负责人和直接责任人的责任。

六、本通知自2000年1月1日起执行,过去有关规定与本通知不一致的一律废止。

附件

取消的第三批行政事业性收费项目

部 门	收 费 项 目	收 费 依 据
一、经贸	机电设备委托招标服务费(中标设备服务费仍按价费字[1992]581号有关规定执行)	原国家物价局、财政部价费字[1992]581号
二、交通	水上危险货物监督管理费	原国家物价局、财政部价费字[1992]191号 价费字[1993]17号
	清除污染管理费	同上
三、劳动和社会保障	援外职工劳动保险证明书费	劳动和社会保障部门规定
四、新闻出版	插图版面国际展览评审鉴定费	原国家物价局、财政部价费字[1992]402号
五、海关	国际集装箱批准手续费	原国家物价局、财政部价费字[1992]293号
	查单费	同上
六、环保	机动车尾气检测费	国家环保总局、公安部规定
	最佳环保应用技术评审费	国家环保总局规定
	环保科技成果证书工本费	国家环保总局规定
	环境工程设计证书评审费	国家环保总局规定
七、外汇	经济外汇业务许可证费	原国家物价局、财政部价费字[1992]186号
	外债登记证费	同上

	转贷款登记证费	同上
	出口收汇核销单工本费	原国家物价局、财政部价费字[1992]623号
	进口付汇核销单工本费	财政部、原国家物价局财综字[1995]144号
	携带外币出境许可证费	国家外汇管理局规定
	进口付汇备案表工本费	地方外汇管理局规定
八、司法	律师事务所(或律师)管理费	(86)司发计字第164号
	乡镇法律服务所管理费	司发(1990)166号

价格法规部分

国家计委关于印发《游览参观点门票价格管理办法》的通知

1999年1月19日　　计价格[1999]48号

为了规范游览参观点的价格行为,维护正常的价格秩序,国家计委制定了《游览参观点门票价格管理办法》,现印发,请认真贯彻执行。

附件

游览参观点门票价格管理办法

第一条　为规范游览参观点价格行为,维护正常的价格秩序,促进文化及旅游事业健康发展,依据《中华人民共和国价格法》,制定本办法。

第二条　本办法适用于除商业性投资所建景观外的公园、博物馆、文物古迹、自然风景区等游览参观点门票价格。

第三条　各级政府价格主管部门是游览参观点门票价格的主管部门,依法对游览参观点门票价格实施管理。

第四条　游览参观点门票价格管理,应当坚持既要有利于增加社会效益、环境效益,又要兼顾补偿服务价值的原则,保持价格水平合理稳定,维护正常的价格秩序。

第五条　游览参观点门票价格依其关系社会文化生活和国际国内旅游的重要程度,分别实行政府定价、政府指导价。

在国内外享有较高声誉的全国重点文物保护单位、大型博物馆、国家级风景名胜区和自然保护区等极少数重要游览参观点门票价格,由国务院价格主管部门管理,其它游览参观点门票价格,由省、自治区、直辖市政府价格主管部门确定价格管理权限,实施管理。

第六条　国务院价格主管部门管理的游览参观点门票价格的制定与调整,由游览参观点所在省、自治区、直辖市政府价格主管部门征求有关部门意见后提出方案,报国务院价格主管部门审批。

第七条　省级及省级以下各级政府价格主管部门管理的游览参观点门票价格不应高于上一级政府价格主管部门管理的同类游览参观点门票价格。确有特殊情况的，报上一级政府价格主管部门批准。

第八条　游览参观点门票价格的制定，应区别不同情况，实行分类作价，保持合理比价。

（一）对保护性开放的重要文物古迹、大型博物馆、重要的风景名胜区和自然保护区等，门票价格应按照有利于景点保护和适度开放的原则核定。

（二）对与居民日常生活关系密切的城市公园、纪念馆和展览馆等，门票价格应按照充分考虑居民承受能力、适当补偿成本费用的原则核定。

第九条　游览参观点门票应实行一票制。

游览参观点内确有必须实行重点保护性开放的特殊参观点，需要单独设置门票的，以及为方便游客，将普通门票和特殊参观点门票或相邻的游览参观点门票合并成联票的，报上一级政府价格主管部门批准。

联票价格应当低于各种门票价格相加的总和。

游览参观点普通门票、特殊参观点门票及联票必须一并公示，由游客自愿选择。

第十条　季节性较强的游览参观点，可以分别制定淡、旺季门票价格。

为方便当地城市居民日常休闲、锻炼，游览参观点可以设置月（季、年）度门票。月（季、年）度门票应当体现价格优惠。

对学生、现役军人等游客及10人以上团队可以实行优惠票价。

第十一条　制定、调整游览参观点门票价格实行向上一级政府价格主管部门备案制度。

第十二条　游览参观点不得区别中外游客、本地外地游客设置两种门票价格。

第十三条　游览参观点单位应当在售票处显著位置标明门票种类、游览项目、价格、售票办法及优惠票价的优惠对象、幅度等。

境外游客较多的游览参观点还应当分别用中、英等两种或两种以上文字标明前款规定的内容。

第十四条　游览参观点门票价格应当印制在门票票面的明显位置上，不得用加盖印章形式在票面上标示价格。不得在出售门票的同时代收保险费及其他任何费用。

第十五条　游览参观点违反本办法规定的，由政府价格主管部门依据国家有关规定予以处罚。

第十六条　政府价格主管部门违反本办法规定的，由上级政府价格主管部门予以纠正，并依据国家有关规定给予通报批评。

第十七条　省、自治区、直辖市政府价格主管部门可以依据本办法制定实施细则。

第十八条　本办法自发布之日起施行。

国家计委关于印发低价倾销工业品的成本认定办法（试行）的通知

1999年2月23日　　计价格〔1999〕177号

为制止低价倾销工业品的不正当价格行为，根据国家计委、国家经贸委颁布的《关于制止低价倾销工业品的不正当价格行为的规定》，国家计委制定了《低价倾销工业品的成本认定办法（试行）》，现印发，请认真贯彻执行。执行中出现的问题，请及时向国家计委反映。

附件

低价倾销工业品的成本认定办法（试行）

第一条　为制止低价倾销工业品的不正当价格行为，根据《关于制止低价倾销工业品的不正当价格行为的规定》和国家有关财务会计法律、法规及制度，制定本办法。

第二条 本办法适用于依据《关于制止低价倾销工业品的不正当价格行为的规定》测定发布行业平均成本的工业品。

第三条 当企业以低于国家有关行业主管部门发布的行业平均成本的价格销售工业品，受到有关单位和个人举报时，政府价格主管部门应及时立案调查并依据本办法组织进行该工业品成本认定。

第四条 本办法所称工业品成本是指企业生产、销售该工业品发生的相关单位成本费用。生产企业的成本包括制造成本和应合理分摊的期间费用(管理费用、销售费用和财务费用)以及为销售该产品而发生的销售税金和附加。经销企业的成本包括该工业品单位进价和应分摊的单位运杂费以及应纳价内税。

第五条 国务院和省级政府价格主管部门是低价倾销工业品的成本认定机构。

第六条 低价倾销工业品的成本认定应遵循以下原则：

一、成本认定按照《中华人民共和国会计法》《企业会计准则》、《企业财务通则》和行业财务会计制度的规定进行。

二、成本认定遵循会计核算的基本原则和一般原则，按照实际成本认定。生产费用归集和分配时，直接费用直接计入成本核算对象，间接费用按规定的标准或一定的比例分摊计入成本核算对象。企业成本计算及分摊方法一经确定，不得随意变更。间接费用的分配标准确定后，一个会计年度内不得变动。

三、成本认定时，一般承认在国家规定的折旧提取范围内产生的折旧成本差异。但以下情况造成的成本差异不予承认，应在成本认定时追加：

(一)企业折旧率低于国家规定的低限折旧率造成的成本差异；

(二)企业因享受特殊优惠政策造成的成本差异；

(三)企业未按权责发生制进行核算，期间费用应提未提、应摊未摊造成的成本差异；

(四)企业采取不正当手段降低成本造成的成本差异。

四、成本认定时，生产企业按上月成本为确认依据，必要时可根据情况考核企业以前的成本；经销企业按当批商品的实际发生成本为确认依据。

第七条 生产企业单位完全成本按以下规定核算：

一、制造成本以企业成本报表中对应品种、规格的准确、真实、可靠的数据为依据。

二、期间费用分配。首先计算出当期期间费用(扣除特定产品销售费用)与全部完工产品总制造成本(或总制造工时)的比率，作为分摊系数。其次，用分摊系数分别乘对应品种、规格的单位制造成本(或单位制造工时)，确定该产品应分摊的期间费用。计算公式如下：

(一)该产品应分摊的单位期间费用＝该产品单位制造成本(单位制造工时)×分摊系数

(二)分摊系数＝当期全部期间费用(扣除特定产品销售费用)÷当期全部完工产品总制造成本(总制造工时)

三、销售税金及附加的分配，首先根据损益表中的销售税金及附加和销售收入，计算出销售税金及附加占销售收入的比例，作为分摊系数。其次，用分摊系数乘以对应品种、规格的销售价格，作为应分摊的单位销售税金及附加。具体计算公式如下：

(一)该产品应分摊的产品销售税金及附加＝该产品单位售价×分摊系数

(二)分摊系数＝当期全部产品销售税金及附加÷当期全部产品销售收入之和。

第八条 经销企业成本按进货价格与相应发生的运杂费及应纳价内税之和计算。具体计算公式如下：

一、某商品单位成本＝该商品单位进价＋该商品应分摊的单位运杂费＋该商品应纳价内税

二、该商品应分摊的运杂费＝该商品单位进价×分摊系数

三、分摊系数＝本次采购发生的全部运杂费÷本次采购全部商品进价之和

第九条 低价倾销工业品的成本按以下程序认定：

一、政府价格主管部门对以低于发布行业平均成本的价格销售，造成市场秩序混乱，受到有关单位和个人举报的涉嫌低价倾销行为要及时立案。

二、涉嫌低价倾销案件立案后，需要进行成本调查的，政府价格主管部门可直接进行成本调查，也可委托有关行业主管部门或行业协会组织、中介机构进行成本调查。调查人员(不得少于2人)应按照《中华人民共和国会计法》、《企业会计准则》、《企业财务通则》及行业财务会计制度和企业真实、可

靠数据，认定企业成本。在核实确认的基础上，出具成本认定报告。

三、政府价格主管部门在审核成本认定报告基础上，做出被调查企业是否低价倾销的判定，确属低价倾销行为的，依法进行处罚。

第十条　如被调查企业提供资料不全，使成本认定难以进行，或短期内难以核定其成本，但企业的降价行为已明显对市场秩序和国民经济造成重大影响，严重损害了其他经营者利益，必须及时制止时，国务院价格主管部门可临时采取直接依据行业平均成本和合理下浮幅度的办法认定其是否为低价倾销行为。行业平均成本下浮幅度由国务院价格主管部门会同行业主管部门根据市场状况、行业先进生产水平等情况确定。

第十一条　本办法由国家计委负责修订和解释。

第十二条　本办法自1999年3月1日起施行。

国家计委关于印发《价格监测规定》的通知

1999年2月4日　　计经调〔1999〕124号

为贯彻《价格法》，进一步开展价格监测工作，国家计委制定了《价格监测规定》，现印发，请按照执行。

价格监测规定

第一条　为科学、有效地组织价格监测工作，保证价格监测数据的准确性、及时性，发挥价格监测在宏观经济调控和价格管理中的重要作用，正确引导生产、流通和消费，稳定市场价格总水平，根据《中华人民共和国价格法》第二十八条，制定本规定。

第二条　本规定所称价格监测主要包括政府价格主管部门为适应价格调控和管理需要，对重要商品、服务价格和成本的变动进行监测分析以及对价格政务信息的搜集活动。

第三条　国务院价格主管部门负责组织和协调全国价格监测工作，县级以上地方各级人民政府价格主管部门负责组织和协调本地区的价格监测工作。

第四条　国务院价格主管部门制定全国统一的价格监测制度，规定价格资料和价格政务信息采集、收集、汇总、计算、传输、报告、分析、公布、使用和信息服务的具体办法，以及相应的价格监测项目、指标、代码、表式的统一标准。

第五条　地方价格主管部门按照国家确定的统一制度和标准，确定价格监测地区和定点监测单位，并可根据本行政区域内经济活动的实际情况和价格调控的需要，制定补充的价格监测标准，但不得与国家制定的价格监测标准相抵触。

第六条　国家建立全国统一的价格监测系统。各级人民政府要有计划地加强和支持价格监测的信息处理、传输设备和技术现代化建设。

第七条　县级以上各级人民政府价格主管部门可以根据工作需要，委托其所属的价格信息机构开展有关价格监测工作，充分利用已建成运行的全国价格监测信息网络，提供必要的监测经费。受委托的价格信息机构必须按照规定要求完成价格监测任务。

第八条　价格监测以周期性价格监测报表和定点监测为基础，并开展专项调查、临时性调查、非定点监测等，收集、整理价格监测资料。

第九条　价格主管部门根据价格监测需要指定有关国家机关、企事业单位以及其他组织和个人确定或作为定点价格监测单位收集价格监测资料，并责成其按监测制度和标准向价格主管部门提供和上报。

有关国家机关、企事业单位以及其他组织报送的价格监测资料，必须经报送单位负责人审核。

第十条 县级以上各级人民政府价格主管部门要向同级人民政府和上级价格主管部门及时上报价格监测报告和价格形势分析报告，反映重要商品和服务的价格变动、价格形势以及价格政策执行情况，并为国务院和地方各级政府制定宏观调控政策、确定最低工资标准、最低生活补贴标准等项社会保障政策，以及价格主管部门认定不正当价格行为和指导行业价格自律提供价格依据。

第十一条 价格监测资料由价格主管部门发布或由价格主管部门委托的价格信息机构按有关制度以价格主管部门的名义向社会公布部分价格监测资料。

属于国家机密和企业商业秘密的价格资料，按照国家有关保密规定执行，不得对外公布。

第十二条 各级价格主管部门要充分利用价格监测资料和价格信息发布为社会服务，引导市场经营主体的生产经营和投资活动，为工程建设估算、概算、预算、工程编标、审标、价格评估提供价格依据。

第十三条 县级以上各级人民政府价格主管部门根据价格监测工作的需要完善价格监测职能，配备相应的价格监测人员。有关国家机关、企业、事业单位以及其他组织应按照价格主管部门的要求指定专兼职价格监测人员，负责本单位的价格信息收集与报告工作。

第十四条 价格监测人员应当坚持实事求是的工作作风，具备履行价格监测职责所需的专业知识。各级人民政府价格主管部门应当加强对价格监测人员的专业培训。

第十五条 有关国家机关、企业、事业单位和其他组织以及价格监测人员必须依照国家规定的价格监测项目和标准，如实提供有关价格监测资料，完成国家和地方价格主管部门下达的价格监测任务，搜集整理提供价格监测资料；对本单位的价格监测资料实行监督，以保证价格资料的真实性、时效性；不得虚报、瞒报、拒报、迟报，不得伪造、篡改价格监测资料。

第十六条 有关国家机关、企业、事业单位以及其他组织有下列行为之一的，由下达监测任务的县级以上人民政府价格主管部门责令改正，予以通报批评；情节严重的，提请任免机关或监察机关对负有直接责任的主管人员和其他责任人员依法予以行政处分。

（一）错报、虚报、瞒报价格监测资料的；

（二）伪造、篡改价格监测资料的；

（三）拒报或屡次迟报价格监测资料的。

第十七条 各级人民政府价格主管部门的工作人员凡有下列行为之一的，由上级人民政府价格主管部门分别给予通报批评，或建议任免机关或监察机关依法予以行政处分。

（一）不执行价格监测制度，影响价格监测工作的；

（二）上报价格数据错误较多，严重影响数据真实性和代表性的；

（三）玩忽职守、弄虚作假、瞒报、虚报或篡改价格数据资料，造成全国或地区汇总数据严重失实的。

第十八条 县级以上地方各级价格主管部门和有关国家机关、企业、事业单位以及其他组织的领导人自行修改价格监测资料，编造虚假数据，或者强令授意价格监测人员篡改编造虚假数据的，提请任免机关或监察机关依法予以行政处分。

县级以上地方各级价格主管部门和有关国家机关、企业、事业单位以及其他组织的领导人对履行职责的价格监测人员进行打击报复的，提请任免机关或监察机关依法予以行政处分。构成犯罪的，依法追究刑事责任。

价格监测人员参与篡改价格监测资料、编造虚假数据的，由下达价格监测任务的人民政府价格主管部门予以通报批评，提请任免机关或监察机关依法予以行政处分。

第十九条 各级人民政府价格主管部门和价格监测工作人员违反有关保密规定的，依照有关法律规定处分。

第二十条 受委托的价格信息机构不按规定要求完成价格监测任务的，由委托的价格主管部门责令改正，予以通报批评；情节严重的，价格主管部门可以取消其进行价格监测的资格。

第二十一条 本规定由国家发展计划委员会负责解释。

第二十二条 本规定自1999年3月1日起实施。

国家计委 信息产业部印发 关于制止彩色显像管、彩色电视机不正当价格竞争的试行办法的通知

1999年3月15日 计价格〔1999〕264号

为了制止彩色显像管、彩色电视机行业的不正当价格竞争行为，维护正常的市场竞争秩序，国家计委、信息产业部制定了《关于制止彩色显像管、彩色电视机不正当价格竞争的试行办法》（以下简称《办法》），现印发，请认真贯彻执行，并就有关事项通知如下：

一、近几年来，由于产品供过于求，市场竞争日趋激烈，彩色电视机价格大幅度下降。在降价竞争中，一些彩色电视机、彩色显像管生产企业以低于生产成本的价格进行销售，扰乱了正常的价格秩序，损害了其他经营者和消费者的合法权益。各地价格、电子主管部门要会同计划、经贸等有关部门，加强领导，密切配合，共同做好《办法》的贯彻实施工作。

二、遵照国务院领导同志的指示精神，国家计委、信息产业部决定，将彩色显像管和彩色电视机作为1999年制止低价倾销、依法规范市场秩序的重点品种。各地要加强监督检查，检查的主要内容是：彩色显像管、彩色电视机生产企业的出厂价格是否低于其生产成本，经销企业的销售价格是否低于其进货成本；是否采取折扣、补贴、多给数量等手段低价销售；是否采取使用走私进口原材料和零配件、降低性能指标、以次充好、虚报成本等手段低价销售。

三、彩色显像管和彩色电视机生产企业要严格执行《办法》的各项规定，自觉规范价格行为，据实、准确记录与核定生产成本及进货成本，严禁少摊费用，虚置成本。同时要对有无不正当价格竞争行为进行自查自纠，并积极向价格主管部门举报不正当价格竞争行为。

四、各地在贯彻实施《办法》和监督检查过程中存在的问题，请及时报告国家计委和信息产业部。

附件

关于制止彩色显像管、彩色电视机不正当价格竞争的试行办法

第一条 为制止彩色显像管、彩色电视机行业的不正当价格竞争行为，维护公平、公开、合法的市场竞争和正常的价格秩序，维护国家利益，保护经营者和消费者的合法权益，根据《中华人民共和国价格法》（以下简称《价格法》）及国家其他有关法律，制定本办法。

第二条 凡在中华人民共和国境内从事生产、销售彩色显像管、彩色电视机的经营者，均应执行本办法。

第三条 本办法所称的不正当价格竞争行为，是指经营者为了排挤竞争对手或独占市场，以低于本企业成本销售，或者采取其它不正当手段降低成本低价销售，扰乱正常的生产经营秩序，损害国家利益或其它经营者合法权益的行为。

第四条 彩色显像管、彩色电视机经营者的下列行为属于不正当价格竞争行为：

（一）生产企业的出厂价格低于其同一时期生产成本，经销企业的销售价格低于其同一时期进货成本；

（二）采取折扣、补贴、多给数量等方式，使生产企业的实际出厂价格低于本企业生产成本，经销企业实际销售价格低于本企业进货成本；

（三）使用走私进口原材料和零配件、降低性能标准、以次充好、虚报成本等手段低价销售；

(四)市场份额占较大优势的彩色显像管购买者利用其优势地位迫使彩色显像管生产企业低于其生产成本销售产品;

(五)采取其它方式,使生产企业的实际出厂价格低于其同一时期生产成本,或经销企业的实际销售价格低于其同一时期进货成本。

第五条 信息产业部定期发布彩色显像管、彩色电视机主要品种、规格的行业平均生产成本。国家计委会同信息产业部确定和公布合理的下浮幅度。

第六条 生产企业的出厂价格原则上不应低于行业平均生产成本;经销企业的销售价格不应低于正常进货成本。

第七条 生产企业以低于发布的行业平均生产成本销售,经销企业以低于其同期进货成本销售,造成市场价格秩序混乱、损害其它生产企业和经销企业利益的,受损害的生产企业和经销企业可向国家计委或者省、自治区、直辖市政府价格主管部门举报;政府价格主管部门根据情况立案调查。

第八条 举报人应当据实反映情况,提供被举报人不正当价格竞争行为的事实材料和被损害的情况。被举报的经营者,应当配合政府价格主管部门调查,如实提供相关的帐薄、单据、凭据以及其它资料。

第九条 经调查认定,被举报的彩色显像管、彩色电视机经营者确有本办法第四条所列不正当价格竞争行为的,由政府价格主管部门责令改正,并视具体情况依据《价格法》进行下列处罚:

(一)予以警告;

(二)处以罚款;

(三)责令其停业整顿;

(四)提请工商行政管理机关吊销其营业执照。

第十条 价格主管部门实施检查时,首先应以生产、经营者的个别成本为主要判定依据,当个别成本难以认定时,以行业平均成本和合理的下浮幅度为主要判定依据。

第十一条 彩色显像管、彩色电视机经营者应当建立、健全内部价格管理及成本、费用核算制度,据实、准确记录与核定生产成本及进货成本,不得弄虚作假。

第十二条 各级电子工业主管部门及彩色显像管、彩色电视机行业协会应当督促彩色显像管、彩色电视机经营者执行本办法。对生产企业和经销企业违反本办法的,规劝其改正;规劝无效的,可向政府价格主管部门举报,要求立案调查。

第十三条 本办法由国家计委负责解释。

第十四条 本办法自1999年4月1日起执行。

国家计委办公厅关于印发
中央管理药品价格申报审批办法的通知

1999年3月25日　　计办价格〔1999〕208号

为规范中央管理药品价格申报审批程序,提高药品价格管理的水平和效率,国家计委办公厅制定了《中央管理药品价格申报审批办法》(附后),现印发,请按照执行,并将执行中的有关情况和问题及时报告国家计委(价格司)。

附件

中央管理药品价格申报审批办法

第一条 根据现行药品价格管理的有关规定,制定政府定价药品价格申报审批办法。

第二条 国家计委负责制定国产中管药品各剂型代表规格品和麻醉药品、一类精神药品、进口药品各剂型各规格品价格。国产中管药品各剂型非代表规格品价格由产地省级价格主管部门按与代表规格品保持合理比价的原则制定，报国家计委备案。

第三条 中管药品在上市销售前须由生产经营企业向产地省级价格主管部门提出定价申请。在京中央有关部门直属企业可以直接向国家计委提出调定价申请。

第四条 中管药品价格一般每年审议一次。在此期间，由于市场供求、生产成本发生变化，生产、经营企业可以提出调价申请。

第五条 企业的调定价申请报告，应说明要求调定价药品的基本情况、定价成本、要求核定或调整的价格意见及理由，并附调定价品种的生产、经营、财务等资料(见附件一、二)。

第六条 省级价格主管部门负责审核企业申报资料，并正式行文上报国家计委。省级价格主管部门上报国家计委的报告应包括企业调定价药品的简要情况、对企业申报资料的审核情况、对申请调定价药品的价格核定或调整的建议等内容。上述工作在收到生产、经营企业调定价申请的20个工作日内完成。因企业提供的申报资料不全而补报资料的时间不计算在内。

第七条 国家计委根据药品价格管理的有关规定，对省级价格主管部门申报的调定价意见进行审核后，将审定的药品价格批复给省级价格主管部门。上述工作一般应在收到调定价报告后的20个工作日内完成。因申报资料不全而补报资料的时间不计算在内。如需邀请专家进行咨询论证，审定时间一般再延长10个工作日。

第八条 省级价格主管部门在接到国家计委药品价格批复文件的10个工作日内，将文件转发到下级价格主管部门及有关单位，并向社会公布。

附件一

国产药品调定价申报要求

一、国产药品调定价申请报告

申请调定价报告应包括以下内容：(1)申请调定价药品的通用名称及商品名称；(2)规格、剂型；(3)药品适应病症及基本药理结构；(4)生产企业的基本情况；(5)调定价理由；(6)要求核定的价格水平建议。

二、国产药品价格申报表(见附表一，略)

三、国产药品价格申报附属资料

(1)药品生产许可证、合格证及营业执照和批准生产文件、药品说明书复印件；

(2)取得GMP认证的证明；

(3)属原研制或享有国家专利、行政及新药保护的证明；

(4)申请调定价药品与国内市场同种(类)药品的质量、临床疗效、安全性和价格水平等方面的比较。

附件二

进口药品(进口分包装药品)调定价申报要求

一、进口药品调定价申请报告

进口药品调定价申请报告应说明：(1)进口药品的通用名称及商品名称；(2)规格、剂型；(3)适应病症及基本药理结构；(4)国外生产厂家、国内总经销商、代理或分销商的基本情况；(5)进口数量；(6)调定价主要理由；(7)要求核定的价格水平建议。

二、进口药品价格申报表(见附表二、三，略)

三、进口药品价格申报附属资料

(一)申请调定价进口药品的注册许可证或进口分包装批准文件；

(二)合同及代理或经销协议书；

(三)报关单、海关进口关税、代征增值税缴款书；

(四)药检报告书和药品说明书；

(五)购货发票和信用证;

(六)港口发生的各种杂费(包括报关费、药检费、卫生检疫费、储运费等)发票;

(七)在我国专利保护或行政保护情况及国外专利保护证明材料;

(八)申请调定价的进口药品在生产国的出厂价、零售价情况及其销往其他国家的到岸价(离岸价)情况。

(九)调定价品种与国内市场同种(类)药品的质量、临床疗效、安全性和价格等方面的比较。

(以上1～9项复印件也可,其中第1项和第3项还须附原件,阅后退回。)

国家计委关于发布《农产品成本调查管理办法》的通知

1999年7月5日　　计价格〔1999〕797号

为了规范和促进农产品成本调查工作,根据《中华人民共和国价格法》有关规定,在征求各地物价部门及国务院有关部门意见的基础上,国家计委制定了《农产品成本调查管理办法》,现正式发布,请按照执行。

附件

农产品成本调查管理办法

第一条　为了加强农产品成本调查工作,为国家宏观调控和农产品价格制定提供科学依据,为农业生产经营者加强经济核算和提高经济效益服务,根据《中华人民共和国价格法》制定本办法。

第二条　本办法所称农产品成本,是指农林牧渔产品及其加工转化产品在生产经营过程中发生的物化劳动和活劳动耗费的总和。

第三条　本办法所称农产品成本调查(以下简称成本调查),是指政府价格主管部门与有关业务部门为满足宏观经济调控和价格管理的需要,按照规定的统一调查表式和方法,对农产品生产经营成本及相关经济指标进行调查的行政活动。

第四条　农产品成本调查实行统一领导、分级负责。国家发展计划委员会负责全国成本调查工作,县级以上地方各级人民政府价格主管部门负责本地区的成本调查工作。各级有关业务部门配合价格主管部门做好本部门分管的农产品成本调查工作。

第五条　地级(含地级)以上各级人民政府价格主管部门一般应当设立专门的成本调查机构。承担调查任务的县级价格管理机构中要有固定人员承担农产品成本调查工作。

第六条　列入成本调查范围的农产品主要有粮食、油料、棉花、麻类、糖料、烟叶、药材、蔬菜、瓜果、林产品、畜牧产品、水产品等,具体品种由国家发展计划委员会规定。列入政府指导价、政府定价目录的农产品,必须开展成本调查;实行市场调节价的农产品中与人民生活密切相关的大宗产品,可以根据国家宏观调控的需要进行成本调查。

第七条　成本调查对象包括从事农产品生产、收购、储运、销售、加工等活动的一般农户、农村专业户、国有和集体农(林、养殖)场等以农副产品为生产经营对象的公民、法人和其他组织。

选取成本调查对象的原则,由国家发展计划委员会统一规定。县级以上地方各级人民政府价格主管部门根据国家规定的原则,确定本地区的成本调查对象。成本调查对象一经确定,由国家发展计划委员会委托省级人民政府价格主管部门向其颁发"国家定点农产品成本调查单位(户)"证书。

第八条　成本调查主要采用典型调查和抽样调查方法,以定点调查农户(场)逐日逐项登记投入产出情况为基础,以一次性调查和专项调查为补充，由县一级政府价格主管部门和有关业务部门负责对原始成本资料进行收集、整理、汇总，并按工作程序逐级报送上级政府价格主管部门和有关业务部门。

第九条　成本调查的品种目录、调查表式、指标涵义、调查计算方法和计算机汇总编码由国家发展计划委员会会同有关业务部门统一制定、修订。

第十条　各级人民政府价格主管部门和有关业务部门要加强对成本调查指标体系的科学研究，提高成本资料的真实性、时效性和科学性。

第十一条　成本数据的取得必须经过登记、审核、汇总上报三个环节。

(一)登记。调查对象要按照价格主管部门和有关业务部门的有关规定和统一印制的登记表式，对每一调查品种生产全过程所发生的一切物化劳动和活劳动耗费以及其它按规定应登记的费用，要随时、如实记录，不漏记、不错记、不重记、不估记。

(二)审核。各级人民政府价格主管部门和有关业务部门对调查对象或下级部门报送的成本调查资料，必须根据调查制度规定和报表要求进行分类整理、合理分摊、认真审核、逐项检查。未经审核的成本调查资料，不得向上报送。成本调查机构和调查人员如发现资料来源或数据计算有误，改正前必须征询调查对象和数据报送单位的意见。

(三)汇总、上报。成本调查资料经审核后，价格主管部门和有关业务部门应按照报表要求进行汇总，对调查情况进行综合分析，按规定期限上报。

第十二条　成本调查资料由政府价格主管部门按有关规定向社会发布。

属于国家机密和企业商业秘密的成本资料，按照国家有关保密规定执行。

第十三条　县级以上各级人民政府价格主管部门在成本调查方面履行下列职责：

(一)制定成本调查计划，部署和检查全国或本行政区域内的成本调查工作；

(二)组织开展成本调查，收集、整理、妥善管理成本调查资料，向有关业务部门提供成本调查汇总资料；

(三)研究分析成本变化原因，预测成本变动趋势；

(四)指导、监督和检查成本调查对象的成本资料登记、审核和上报工作；

(五)指导、监督和检查下级人民政府价格主管部门、有关业务部门的成本调查工作。

第十四条　县级以上各级人民政府有关业务部门履行下列职责：

(一)配合政府价格主管部门确定本部门或本行业成本调查品种，制定和修改成本调查报表制度；

(二)组织、部署和监督本部门或本行业范围内的成本调查工作，按要求向政府价格主管部门提供成本、价格、财务报表及其它必要的资料。

第十五条　成本调查对象享有下列权利：

(一)从政府价格主管部门和有关业务部门获取相关品种农产品社会平均生产经营成本资料；

(二)在有可能损害成本调查对象利益的前提下，要求成本调查机构及人员对其生产经营和成本效益情况保密；

(三)获得适当的经济补偿。

第十六条　成本调查对象应承担以下义务：

(一)根据成本调查机构的要求，设置原始登记台帐，建立健全成本资料的登记、审核、汇总、交接等管理制度；

(二)原始登记台帐内容要全面、真实、准确；

(三)服从政府价格主管部门和有关业务部门的成本调查管理，按要求如实提供成本、价格、财务报表及其它必要的资料。

第十七条　政府价格主管部门成本调查人员有下列行为之一，情节轻微的，由县级以上人民政府价格主管部门责令改正，并可以通报批评；情节严重的，依法给予行政处分。

(一)不上报或不按时上报有关调查资料，影响成本调查工作进度的；

(二)资料采集不科学、上报数据错误较多，严重影响资料的真实性和代表性的；

(三)玩忽职守、敷衍塞责、弄虚作假、瞒报虚报漏报或篡改数据资料，造成不良后果的；

(四)违反本办法规定，泄露调查对象生产经营情况，造成损害的。

第十八条　成本调查对象有下列行为之一的，由下达调查任务的县级以上人民政府价格主管部门责令改正。逾期不改正，且造成严重后果的，取消其成本调查对象的资格，对企业、事业单位、个体经营户予以警告，并可以处以罚款。

(一)拒报或屡次迟报成本调查资料的；

(二)错报、虚报、瞒报成本调查资料的；

(三)伪造、篡改成本调查资料的。

第十九条　本办法适用于政府价格主管部门

统一组织的成本调查工作。各省、自治区、直辖市人民政府价格主管部门根据本办法制定实施细则，并报国家发展计划委员会备案。

第二十条 本办法由国家发展计划委员会负责解释。

第二十一条 本办法自公布之日起施行。

中华人民共和国国家发展计划委员会 1 号令

1999 年 8 月 1 日　　第 1 号

《价格违法行为行政处罚规定》1999 年 7 月 10 日已经国务院批准，现予公布，自 1999 年 8 月 1 日起施行。

价格违法行为行政处罚规定

（1999 年 7 月 10 日国务院批准
1999 年 8 月 1 日国家发展计划委员会发布）

第一条 为了依法惩处价格违法行为，保护消费者和经营者的合法权益，根据《中华人民共和国价格法》（以下简称价格法）的有关规定，制定本规定。

第二条 县级以上各级人民政府价格主管部门依法对价格活动进行监督检查，并决定对价格违法行为的行政处罚。

第三条 价格违法行为的行政处罚由价格违法行为发生地的地方人民政府价格主管部门决定；国务院价格主管部门规定由其上级价格主管部门决定的，从其规定。

第四条 经营者违反价格法第十四条的规定，有下列行为之一的，责令改正，没收违法所得，可以并处违法所得 5 倍以下的罚款；没有违法所得的，给予警告，可以并处 3 万元以上 30 万元以下的罚款；情节严重的，责令停业整顿，或者由工商行政管理机关吊销营业执照：

（一）相互串通，操纵市场价格，损害其他经营者或者消费者的合法权益的；

（二）除依法降价处理鲜活商品、季节性商品、积压商品等商品外，为了排挤竞争对手或者独占市场，以低于成本的价格倾销，扰乱正常的生产经营秩序，损害国家利益或者其他经营者的合法权益的；

（三）提供相同商品或者服务，对具有同等交易条件的其他经营者实行价格歧视的。

第五条 经营者违反价格法第十四条的规定，捏造、散布涨价信息，哄抬价格，推动商品价格过高上涨的，或者利用虚假的或者使人误解的价格手段，诱骗消费者或者其他经营者与其进行交易的，责令改正，没收违法所得，可以并处违法所得 5 倍以下的罚款；没有违法所得的，给予警告，可以并处 2 万元以上 20 万元以下的罚款；情节严重的，责令停业整顿，或者由工商行政管理机关吊销营业执照。

第六条 经营者违反价格法第十四条的规定，采取抬高等级或者压低等级等手段销售、收购商品或者提供服务，变相提高或者压低价格的，责令改正，没收违法所得，可以并处违法所得 5 倍以下的罚款；没有违法所得的，给予警告，可以并处 1 万元以上 10 万元以下的罚款；情节严重的，责令停业整顿，或者由工商行政管理机关吊销营业执照。

第七条 经营者不执行政府指导价、政府定价，有下列行为之一的，责令改正，没收违法所得，可以并处违法所得 5 倍以下的罚款；没有违法所得的，可以处 2 万元以上 20 万元以下的罚款；情节严重的，责令停业整顿：

（一）超出政府指导价浮动幅度制定价格的；

（二）高于或者低于政府定价制定价格的；

（三）擅自制定属于政府指导价、政府定价范围内的商品或者服务价格的；

（四）提前或者推迟执行政府指导价、政府定价的；

（五）自立收费项目或者自定标准收费的；

（六）采取分解收费项目、重复收费、扩大收费范围等方式变相提高收费标准的；

（七）对政府明令取消的收费项目继续收费的；

（八）违反规定以保证金、抵押金等形式变相收费的；

（九）强制或者变相强制服务并收费的；

（十）不按照规定提供服务而收取费用的；

（十一）不执行政府指导价、政府定价的其他行为。

第八条　经营者不执行法定的价格干预措施、紧急措施，有下列行为之一的，责令改正，没收违法所得，可以并处违法所得5倍以下的罚款；没有违法所得的，可以处4万元以上40万元以下的罚款；情节严重的，责令停业整顿：

（一）不执行提价申报或者调价备案制度的；

（二）超过规定的差价率、利润率幅度的；

（三）不执行规定的限价、最低保护价的；

（四）不执行集中定价权限措施的；

（五）不执行冻结价格措施的；

（六）不执行法定的价格干预措施、紧急措施的其他行为。

第九条　本规定第四条至第八条规定中经营者为个人的，对其没有违法所得的价格违法行为，可以处5万元以下的罚款。

第十条　经营者违反法律、法规的规定牟取暴利的，责令改正，没收违法所得，可以并处违法所得5倍以下的罚款；情节严重的，责令停业整顿，或者由工商行政管理机关吊销营业执照。

第十一条　经营者违反明码标价规定，有下列行为之一的，责令改正，没收违法所得，可以并处5000元以下的罚款：

（一）不标明价格的；

（二）不按照规定的内容和方式明码标价的；

（三）在标价之外加价出售商品或者收取未标明的费用的；

（四）违反明码标价规定的其他行为。

第十二条　拒绝提供价格监督检查所需资料或者提供虚假资料的，责令改正，给予警告；逾期不改正的，可以处5万元以下的罚款，对直接负责的主管人员和其他直接责任人员给予纪律处分。

第十三条　政府价格主管部门进行价格监督检查时，发现经营者的违法行为同时具有下列3种情形的，可以依照价格法第三十四条第（三）项的规定责令其暂停相关营业：

（一）违法行为情节复杂或者情节严重，经查明后可能给予较重处罚的；

（二）不暂停相关营业，违法行为将继续的；

（三）不暂停相关营业，可能影响违法事实的认定，采取其他措施又不足以保证查明的。

政府价格主管部门进行价格监督检查时，执法人员不得少于两人，并应当向经营者或者有关人员出示证件。

第十四条　经营者因价格违法行为致使消费者或者其他经营者多付价款的，责令限期退还；难于查找多付价款的消费者、经营者的，责令公告查找；公告期限届满仍无法退还的价款，以违法所得论处。

第十五条　经营者有行政处罚法第二十七条所列情形的，应当依法从轻或者减轻处罚。

经营者有下列情形之一的，应当从重处罚：

（一）价格违法行为严重或者社会影响较大的；

（二）屡查屡犯的；

（三）伪造、涂改或者转移、销毁证据的；

（四）转移与价格违法行为有关的资金或者商品的；

（五）应予从重处罚的其他价格违法行为。

第十六条　经营者对政府价格主管部门作出的处罚决定不服的，应当先依法申请行政复议；对行政复议决定不服的，可以依法向人民法院提起诉讼。

第十七条　逾期不缴纳罚款的，每日按罚款数额的3%加处罚款；逾期不缴纳违法所得的，每日按违法所得数额的2‰加处罚款。

第十八条　任何单位和个人有本规定所列价格违法行为，情节严重，拒不改正的，政府价格主管部门除依照本规定给予处罚外，可以在其营业场地公告其价格违法行为，直至改正。

第十九条　价格执法人员泄露国家秘密、经营者的商业秘密或者滥用职权、玩忽职守、徇私舞弊，构成犯罪的，依法追究刑事责任；尚不构成犯罪的，依法给予行政处分。

第二十条　本规定自发布之日起施行。

中华人民共和国国家发展计划委员会2号令

1999年8月3日　　第2号

根据《中华人民共和国价格法》，特制定《关于制止低价倾销行为的规定》，现予发布施行。

关于制止低价倾销行为的规定

第一条　为制止低价倾销行为，支持和促进公开、公平、合法的市场价格竞争，维护国家利益，保护消费者和经营者的合法权益，根据《中华人民共和国价格法》，制定本规定。

第二条　本规定所称低价倾销行为是指经营者在依法降价处理商品之外，为排挤竞争对手或独占市场，以低于成本的价格倾销商品，扰乱正常生产经营秩序，损害国家利益或者其他经营者合法权益的行为。

第三条　本规定适用于实行市场调节价的商品。

第四条　本规定第二条所称成本是指生产成本、经营成本。

生产成本包括制造成本和由管理费用、财务费用、销售费用构成的期间费用。

经营成本包括购进商品进货成本和由经营费用、管理费用、财务费用构成的流通费用。

第五条　本规定所称低于成本，是指经营者低于其所经营商品的合理的个别成本。

在个别成本无法确认时，由政府价格主管部门按该商品行业平均成本及其下浮幅度认定。

第六条　本规定第二条所称依法降价处理的商品是指：

(一)积压商品；

(二)过季或者临近换季的商品；

(三)临近保质期限、有效期限的商品；

(四)临近保质期限的鲜活商品；

(五)因依法清偿债务、破产、转产、歇业等原因需要以低于成本的价格销售的商品。

第七条　本规定第二条所称以低于成本的价格倾销商品的行为是指：

(一)生产企业销售商品的出厂价格低于其生产成本的，或经销企业的销售价格低于其进货成本的；

(二)采用高规格、高等级充抵低规格、低等级等手段，变相降低价格，使生产企业实际出厂价格低于其生产成本，经销企业实际销售价格低于其进货成本的；

(三)通过采取折扣、补贴等价格优惠手段，使生产企业实际出厂价格低于其生产成本，经销企业实际销售价格低于其进货成本的；

(四)进行非对等物资串换，使生产企业实际出厂价格低于其生产成本，经销企业实际销售价格低于其进货成本的；

(五)通过以物抵债，使生产企业实际出厂价格低于其生产成本，经销企业实际销售价格低于其进货成本的；

(六)采取多发货少开票或不开票方法，使生产企业实际出厂价格低于其生产成本，经销企业实际销售价格低于其进货成本的；

(七)通过多给数量、批量优惠等方式，变相降低价格，使生产企业实际出厂价格低于其生产成本，经销企业实际销售价格低于其进货成本的；

(八)在招标投标中，采用压低标价等方式使生产企业实际出厂价格低于其生产成本，经销企业实际销售价格低于其进货成本的；

(九)采用其它方式，使生产企业实际出厂价格低于其生产成本，经销企业实际销售价格低于其进货成本的。

第八条　经营者应当依据生产经营成本和市场供求状况合理定价，并通过改进生产经营管理，降低生产经营成本，在市场竞争中获取合法利润。

第九条 经营者应当根据自身的经营条件建立、健全内部价格管理制度,建立并保留价格变动台帐。严格按照国家财经法规进行成本核算、费用分摊,准确记录与核定商品和服务成本,不得弄虚作假。

第十条 在个别成本无法确认时,行业组织应当协助政府价格主管部门测定行业平均成本及合理的下浮幅度,制止低价倾销行为。

第十一条 违反《价格法》和本规定,属于跨省区的低价倾销行为,由国务院价格主管部门认定;属于省及省以下区域性的低价倾销行为,由省、自治区、直辖市人民政府价格主管部门认定。

第十二条 经营者以低于成本的价格销售本规定第六条所列商品时,除正常标注应当标明的商品价格内容外,还应当清晰、准确地标明原价、降低后的价格或者折扣、赠送的商品或者服务内容。

第十三条 为认定低价倾销行为,必要时,政府价格主管部门可以会同行业主管部门或者委托有资质的中介事务机构对个别成本予以认定。

第十四条 行业组织受政府价格主管部门和行业主管部门的委托,对个别成本无法确认的商品进行行业平均成本测定及其信息发布。商品的行业平均成本及其下浮幅度由政府价格主管部门会同行业主管部门确定和公布。消费者和经营者在举报低价倾销行为时,可将其作为主要依据。政府价格主管部门在调查认定低价倾销行为时,可将其作为参考依据。

第十五条 任何单位和个人均有权向政府价格主管部门举报低价倾销行为。政府价格主管部门应当对举报人员给予鼓励,并负责为举报者保密。

省级以下政府价格主管部门受理举报,或者认为存在以及可能存在低价倾销行为时,应当及时报请省级政府价格主管部门认定。

对于省及省以下区域性的低价倾销行为,省级政府价格主管部门可以根据需要委托当地政府价格主管部门进行调查。

对跨省区的低价倾销行为,国务院价格主管部门可以根据需要委托省级政府价格主管部门进行调查。

第十六条 政府价格主管部门开展低价倾销调查时,应当听取行业组织、相关经营者、消费者和消费者协会的意见。

第十七条 政府价格主管部门开展低价倾销调查时,经营者应当如实提供调查所必需的账簿、单据、凭证、文件以及其它资料。

第十八条 省级以上人民政府价格主管部门依法对低价倾销行为实施行政处罚。

政府价格主管部门对低价倾销行为作出行政处罚决定之前,应当告知当事人有要求举行听证的权利;当事人要求听证的,政府价格主管部门应当组织听证。听证程序依照《中华人民共和国行政处罚法》第四十二条执行。

违反本规定第十二条的,按《中华人民共和国价格法》第四十二条规定处罚。

违反本规定第十七条,不如实提供调查所必需的账簿、单据、凭证、文件以及其它资料的,按《中华人民共和国价格法》第四十四条的规定处罚。

第十九条 本规定由国家发展计划委员会负责解释并组织实施。省、自治区、直辖市人民政府可根据本地情况制定本规定实施细则。

第二十条 本规定自发布之日起施行。

国家计委关于印发《价格认证管理办法》的通知

1999年8月17日 计价格〔1999〕1074号

为了加强对价格认证工作的管理,减少价格纠纷,保护经营者和消费者的合法权益,促进价格认证工作健康开展,根据《中华人民共和国价格法》的有关规定,制定了《价格认证管理办法》。现印发,请按照执行。开展价格认证是社会主义市场经济发展的要求,也是经济建设和发展的客观需要。加强对价格认证的管理,制定统一规范的价格认证管理办法,是政府价格主管部门正确管理、引导、规范市场价格的重要措施。

各级政府价格主管部门要按照本办法的规定，建立健全相应的规章制度，认真履行自己的职责，切实做好工作。

对在本办法执行中出现的问题，请及时报告。

附件

价格认证管理办法

第一章 总 则

第一条 为了加强对价格认证工作的管理，保护经营者和消费者的合法权益，根据《中华人民共和国价格法》的有关规定制定本办法。

第二条 本办法所称价格认证，是指依法设立的价格鉴证机构接受各类市场主体及公民的委托，对其提出的各类商品（财产）和有偿服务项目价格进行的公证性认定。

第三条 各类市场主体及公民因生产经营、合同签订、抵押质押、理赔索赔、实物应税、物品拍卖、资产评估、财产分割、工程审价、清产核资、经济纠纷、法律诉讼、司法公证等情形，需要对相关物品或服务价格及有关事项证明时，可以向价格鉴证机构委托进行价格认证。

第四条 各类市场主体及公民为了证实价格的合法性、合理性，可以委托依法设立的价格鉴证机构进行价格认证。价格鉴证机构应当按照国家有关法律法规的规定，客观、公正地进行价格认证，并按照规定的程序出具《价格认证书》。

第五条 价格鉴证机构出具的《价格认证书》，当事人可以作为举证的证明。经司法机关、行政执法部门和仲裁机构确认后，可以作为司法机关、行政执法部门和仲裁机构办理各类案件的证据。

第六条 国务院及地方人民政府价格主管部门是价格认证工作的主管部门，依法设立的价格鉴证机构是受理价格认证的专业机构，其他任何机构或者个人出具的价格证明不具备价格公证性效力。

第七条 价格认证机构实行资质管理制度。从事价格认证的机构必须配备一定数量的价格鉴证人员，并按照规定取得国家计委核发的《价格鉴证机构资质证书》。没有取得资质证书的，不准从事价格认证工作。

第八条 价格认证应当遵循当事人自愿的原则。除法律法规规定必须由价格鉴证机构进行价格认证的事项外，任何单位和个人不得强制当事人接受价格认证。

第二章 委托与受理程序

第九条 各类市场主体或者公民在委托价格认证时，应当送交《价格认证委托书》。《价格认证委托书》应当包括以下内容：

（一）价格认证的理由和要求；

（二）价格行为人的有关证件或者证明材料；

（三）认证事项的行为和情景描述；

（四）认证事项涉及物品的品名、牌号、规格、种类、数量、生产成本以及购进价格等资料；

（五）物品被使用、损坏程度的记录，重要的物品应当附照片；

（六）认证事项的地域范围和有效日期；

（七）其他需要说明的情况。

委托单位送交的《价格认证委托书》应当加盖单位公章；公民委托时应当签名并留存身份证号码。

第十条 价格鉴证机构受理委托人的《价格认证委托书》时，应当认真审核委托书的各项内容及要求，如委托书所提要求无法做到时，应当立即与委托人协商；委托的价格认证事项不符合国家法律法规的，应当不予受理。

第三章 价格认证程序

第十一条 价格鉴证机构在接受委托后，应当按照《价格鉴证委托书》载明的情况进行查验，对认证物品一般应留有影像资料。如有疑问或者发现差异，应立即与委托人共同确认。

价格鉴证机构一般不留存认证物品，如确需留存时，应当征得委托人同意，并严格办理交接手续。

第十二条 价格鉴证机构认证时，可以要求委托人协助查阅本单位的有关帐目、文件等资料。可以向与委托事项有关的单位和个人进行调查或索取证明材料。

第十三条 价格鉴证机构在接受委托时应与委托人约定认证工作完成期限。

第十四条　接受委托的价格鉴证机构认为必要时，在征得委托人同意后，可以将委托事项转送上级政府价格主管部门设立的价格鉴证机构进行认证，并将有关情况书面通知原委托人。

第十五条　价格鉴证机构办理价格认证事项时，应当由两名以上具有价格鉴证执业资格的人员共同承办，出具的价格认证书必须经过内部审议。

第十六条　价格鉴证机构的人员遇有下列情形之一的应当回避：

(一)与认证事项当事人有亲属关系或与该认证事项有利害关系的；

(二)与认证事项当事人有其他关系，可能影响对认证事项公正认证的。

第十七条　价格鉴证机构在完成认证后，应当向委托人出具《价格认证书》，并由委托人在认证书送达单上签收。

《价格认证书》应当包括：

(一)认证事项的范围和内容；

(二)认证依据；

(三)认证方法和过程要述；

(四)认证结论；

(五)其他需要说明的问题及有关材料；

(六)具有价格鉴证执业资格的人员签名。

价格鉴证机构出具的《价格认证书》应当加盖单位公章。

第十八条　委托人对价格鉴证机构出具的《价格认证书》有异议的，可以向原认证机构要求补充认证或者重新认证。委托人仍然有异议时，可以委托上级政府价格主管部门设立的价格鉴证机构重新认证。

第十九条　行政执法机关、司法机关、监察机关以及经济仲裁机构，对《价格认证书》有异议的，按照《扣压、追缴、没收物品估价管理办法》规定的涉案物品价格鉴定程序，由执法、司法机关另行委托相关价格鉴证机构进行价格鉴定。

第四章　价格认证的基本原则

第二十条　认证价格行为的合法性要以《价格法》为准则，按照有价格管理权限的部门制定的有关价格管理规定为依据。其他任何组织和机构越权制定的各种有关价格的规定，不得作为界定价格行为合法性的依据。

第二十一条　认证价格水平的合理性要遵循以下原则：

(一)实行政府指导价的商品或服务价格，应当在国家规定的幅度、利润率或者管理办法之内；

(二)实行市场调节价格的商品和服务，在正常生产经营情况下，价格应当不低于生产企业的生产成本或者经销企业的进货成本，不超过国家规定的利润率或者进销差率；合理的价格应当接近该商品的行业生产平均成本加社会平均利润。

(三)价格鉴证机构对委托价格认证的文物、邮票、字画、贵重金银、珠宝及其制品等特殊物品，应当送有关专业部门作出技术、质量鉴定后，根据其提供的有关依据，作出价格认证。

(四)实行政府定价的商品和服务价格，不进行价格水平合理性的认证。

第五章　法律责任

第二十二条　价格鉴证机构和鉴证人员对出具的《价格认证书》的内容分别承担相应法律责任。

第二十三条　价格鉴证机构及其工作人员对价格认证中涉及的有关资料和情况负责保密。

第二十四条　严禁价格鉴证人员虚假认证、徇私舞弊、玩忽职守、泄露当事人秘密。凡违反规定，造成价格认证失实对当事人造成经济损失的，要负责赔偿。对责任人员将视情节轻重给予处分；构成犯罪的，交司法部门依法追究刑事责任。

第六章　附　则

第二十五条　价格认证实行有偿服务，按照国家规定的价格鉴证收费标准执行。

第二十六条　本办法由国家发展计划委员会负责解释。

第二十七条　本办法自发布之日起施行。

国家计委关于印发建设项目前期工作咨询收费暂行规定的通知

1999年9月10日　　计价格〔1999〕1283号

为规范建设项目前期工作咨询收费行为，维护委托人和工程咨询机构的合法权益，促进工程咨询业的健康发展，国家计委制定了《建设项目前期工作咨询收费暂行规定》，现印发，请按照执行，并将执行中遇到的问题及时反馈国家计委。

附件

建设项目前期工作咨询收费暂行规定

第一条　为提高建设项目前期工作质量，促进工程咨询社会化、市场化，规范工程咨询收费行为，根据《中华人民共和国价格法》及有关法律法规，制定本规定。

第二条　本规定适用于建设项目前期工作的咨询收费，包括建设项目专题研究、编制和评估项目建议书或者可行性研究报告，以及其它与建设项目前期工作有关的咨询服务收费。

第三条　建设项目前期工作咨询服务，应遵循自愿原则，委托方自主决定选择工程咨询机构，工程咨询机构自主决定是否接收委托。

第四条　从事工程咨询的机构，必须取得相应工程咨询资格证书，具有法人资格，并依法纳税。

第五条　工程咨询机构应遵守国家法律、法规和行业行为准则，开展公平竞争，不得采取不正当手段承揽业务。

第六条　工程咨询机构提供咨询服务，应遵循客观、科学、公平、公正原则，符合国家经济技术政策、规定，符合委托方的技术、质量要求。

第七条　工程咨询机构承担编制建设项目的项目建议书、可行性研究报告、初步设计文件的，不能再参与同一建设项目的项目建议书、可行性研究报告以及工程设计文件的咨询评估业务。

第八条　工程咨询收费实行政府指导价。具体收费标准由工程咨询机构与委托方根据本规定的指导性收费标准协商确定。

第九条　工程咨询收费根据不同工程咨询项目的性质、内容，采取以下方法计取费用：

（一）按建设项目估算投资额，分档计算工程咨询费用（见附件一、二）。

（二）按工程咨询工作所耗工日计算工程咨询费用（见附件三）。

按照前款两种方法不便于计费的，可以参照本规定的工日费用标准由工程咨询机构与委托方议定。但参照工日计算的收费额，不得超过按估算投资额分档计费方式计算的收费额。

第十条　采取按建设项目估算投资额分档计费的，以建设项目的项目建议书或者可行性研究报告的估算投资为计费依据。使用工程咨询机构推荐方案计算的投资与原估算投资发生增减变化时，咨询收费不再调整。

第十一条　工程咨询机构在编制项目建议书或者可行性研究报告时需要勘察、试验，评估项目建议书或者可行性研究报告时需要对勘察、试验数据进行复核，工作量明显增加需要加收费用的，可由双方另行协商加收的费用额和支付方式。

第十二条　工程咨询服务中，工程咨询机构提供自有专利、专有技术，需要另行支付费用的，国家有规定的，按规定执行；没有规定的，由双方协商费用额和支付方式。

第十三条　建设项目前期工作咨询应体现优质优价原则，优质优价的具体幅度由双方在规定的收费标准的基础上协商确定。

第十四条　工程咨询费用，由委托方与工程咨询机构依据本规定，在工程咨询合同中以专门条款确定费用数额及支付方式。

第十五条　工程咨询机构按合同收取咨询费用后，不得再要求委托方无偿提供食宿、交通等便利。

第十六条　工程咨询机构对外聘专家的付费按工日费用标准计算并支付，外聘专家，如有从业单位的，专家费用应支付给专家从业单位。

第十七条　委托方应按合同规定及时向工程咨询机构提供开展咨询业务所必须的工作条件和资料。由于委托方原因造成咨询工作量增加或延长工程咨询期限的，工程咨询机构可与委托方协商加收费用。

第十八条　工程咨询机构提交的咨询成果达不到合同规定标准的，应负责完善，委托方不另支付咨询费。

第十九条　工程咨询合同履行过程中，由于咨询机构失误造成委托方损失的，委托方可扣减或者追回部分以至全部咨询费用，对造成的直接经济损失，咨询机构应部分或全部赔偿。

第二十条　涉外工程咨询业务中有特殊要求的，工程咨询机构可与委托方参照国外有关收费办法协商确定咨询费用。

第二十一条　建设项目投资额在3000万元以下的和除编制、评估项目建议书或者可行性研究报告以外的其他建设项目前期工作咨询服务的收费标准，由各省、自治区、直辖市价格主管部门会同同级计划部门制定。

第二十二条　本规定由各级价格主管部门监督执行。

第二十三条　本规定由国家发展计划委员会负责解释。

第二十四条　本规定自发布之日起执行。

附件一

按建设项目估算投资额分档收费标准

单位：万元

	3000万元—1亿元	1亿元—5亿元	5亿元—10亿元	10亿元—50亿元	50亿元以上
一、编制项目建议书	6—14	14—37	37—55	55—100	100—125
二、编制可行性研究报告	12—28	28—75	75—110	110—200	200—250
三、评估项目建议书	4—8	8—12	12—15	15—17	17—20
四、评估可行性研究报告	5—10	10—15	15—20	20—25	25—35

注：1、建设项目估算投资额是指项目建议书或者可行性研究报告的估算投资额。

2、建设项目的具体收费标准，根据估算投资额在相对应的区间内用插入法计算。

3、根据行业特点和各行业内部不同类别工程的复杂程度，计算咨询费用时可分别乘以行业调整系数和工程复杂程度调整系数(见附件二)。

附件二

按建设项目估算投资额分档收费的调整系数

行　业	调整系数(以附件一所列收费标准为1)
一、行业调整系数	
1、石化、化工、钢铁	1.3
2、石油、天然气、水利、水电、交通(水运)、化纤	1.2
3、有色、黄金、纺织、轻工、邮电、广播、电视、医药、煤炭、火电(含核电)、机械(含船舶、航空、航天、兵器)	1.0
4、林业、商业、粮食、建筑	0.8
5、建材、交通(公路)、铁道、市政公用工程	0.7
二、工程复杂程度调整系数	0.8—1.2

注：工程复杂程度具体调整系数由工程咨询机构与委托单位根据各类工程情况协商确定。

附件三

工程咨询人员工日费用标准

单位:元

咨询人员职级	工日费用标准
一、高级专家	1000～1200
二、高级专业技术职称的咨询人员	800～1000
三、中级专业技术职称的咨询人员	600～800

国家计委　国家质量技术监督局关于印发产品质量认证收费管理办法和收费标准的通知

1999年10月14日　　　计价格〔1999〕1610号

为加强产品质量认证收费管理,维护产品质量认证双方的合法权益,促进中介市场健康发展,根据《中华人民共和国价格法》和《中华人民共和国产品质量法》的有关规定,结合我国产品质量认证的实际情况,国家计委、国家质量技术监督局制定了《产品质量认证收费管理办法》和《产品质量认证收费标准》。现印发,请按照执行。

附件一

产品质量认证收费管理办法

第一条　为加强产品质量认证收费管理,规范收费行为,维护认证双方的合法权益,促进产品质量认证工作的发展,制定本办法。

第二条　本办法适用于经国务院产品质量监督管理部门授权的认可机构认可的产品质量认证机构的收费行为。

第三条　产品质量认证机构可依据本办法和规定的收费标准向被认证方收取认证费。

第四条　产品质量认证收费项目包括:申请费、审核费、产品质量检验费、审定与注册费(含证书费)和年金(含标志使用费)。

第五条　产品质量认证获证企业在证书有效期内申请质量体系认证的,免交质量体系认证中与产品质量认证相重复的质量体系审核费。

第六条　企业要求对产品质量认证所使用的技术标准进行确认的,产品质量认证机构可收取质量认证技术标准确认费,具体标准可由认证双方协商议定,但最高不得超过2000元。

第七条　认证机构可在规定收费标准向下浮动20%幅度的范围内,与被认证方协商议定具体收费标准。

第八条　产品质量认证机构为中介服务组织,其收费收入依法纳税。

第九条　产品质量认证收费主要用于与认证有关的人员经费,房屋、设备等固定资产折旧和维护,办公费用,以及上交认可机构的年金等。收费收入不得用于以营利为目的的投资。

第十条　产品质量认证机构应每年向产品质量认证机构国家认可委员会交纳其认证总收入3%的认可年金。产品质量认证机构将认证业务中部分项目转由其分支机构承担的,其分支机构应将所承担项目收费收入的3%直接上交国家认可机构。

第十一条　产品质量认证机构应严格执行本办法,不得在规定的收费项目以外向被认证企业收取任何费用。

第十二条 产品质量认证机构接受境外企业申请，赴境外从事认证业务的，其收费标准由双方参照境外同业收费水平协商制定，并报产品质量认证机构国家认可委员会备案。

第十三条 各级价格主管部门负责本办法执行情况的监督检查，对违反本办法的行为，依据《中华人民共和国价格法》进行查处。

第十四条 本办法由国家计委负责解释。

第十五条 本办法自发布之日起施行，原国家物价局、财政部发布的《产品质量认证收费管理试行办法》(价费字〔1993〕56号)同时废止。

附件二

产品质量认证收费标准

序号	收费项目	收费标准	备注
一	申请费	2000元	
二	审核费 1、审核费 2、监督审核费	 3000元×初次审核人日数 3000元×监督审核人日数	人日数是审核所需人员天数(人数×天数)，具体由中国产品质量认证机构国家认可委员会按国际惯例规定，报国家计委价格司备案后执行。
三	产品质量检验费	按国家规定的有关产品质量委托检验收费标准收取	
四	审定与注册费(含证书费)	3000元	
五	年金(含标志使用费)	5000元	每年交纳一次

国家计委关于印发《金饰品价格管理暂行办法》的通知

1999年11月5日　　计价格〔1999〕1839号

为改进金饰品价格管理，推动金饰品工艺进步和产品结构调整，促进公平竞争，国家计委制定了《金饰品价格管理暂行办法》，现印发，请认真贯彻执行。

附件

金饰品价格管理暂行办法

第一条 为改进金饰品价格管理，建立适应社会主义市场经济的金饰品价格形成机制，鼓励和保护公平竞争，促进金饰品行业持续稳定发展，依据《中华人民共和国价格法》的有关规定，制定本办法。

第二条 凡在中华人民共和国境内从事生产、销售金饰品的经营者，均应执行本办法。

第三条 本办法所称金饰品是指足金、22K以下的K金、铂金及镶嵌饰品；金饰品经营者是指经批准从事金饰品加工、批发及零售活动的企业及个人；金饰品价格为含税价格。

第四条 国家对足金饰品价格实行政府定价，22K以下的K金、铂金及镶嵌饰品价格实行市场调节价。

第五条 金饰品价格依据生产经营成本和市场供求状况，参考国际市场金饰品价格水平制定，并应体现金饰品的工艺价值。

第六条 金饰品价格由基准价格与加工费两部分组成。基准价格和加工费标准按克重计价。

金饰品基准价格，包括出厂(批发)基准价格和零售基准价格。

第七条 金饰品的基准价格计算公式为：

(一)金饰品出厂(批发)基准价格＝黄金配售价格×(1＋材料差率)

(二)金饰品零售基准价格＝金饰品出厂(批发)基准价格×(1＋零售差率)

第八条 足金饰品的材料差率、零售差率由省级政府价格主管部门提出，经国务院价格主管部门衔接平衡后实施。22K以下的K金、铂金及镶嵌饰品的材料差率、零售差率由金饰品经营者自主制定；黄金配售价格按照中国人民银行规定执行。

第九条 足金饰品的加工费标准，由省级价格主管部门根据足金饰品的品种款式、工艺繁简程度合理制定，并报国家计委备案。特殊类别的足金饰品加工费，可由金饰品加工企业自主制定；22K以下的K金、铂金及镶嵌饰品加工费标准，由金饰品经营者自主制定。

第十条 金饰品经营者应当严格执行明码标价，在经营场所的显著位置标示金饰品基准价格和加工费标准，并在售货发票上分别列明所售金饰品的重量、基准价格和加工费。

第十一条 金饰品经营者违反本办法的规定，构成价格违法行为的，由县级以上政府价格主管部门依法处罚。

第十二条 本办法由国家计委负责解释，自1999年12月1日起施行。

国家计委 国家经贸委 财政部 监察部 审计署 国务院纠风办关于印发《中介服务收费管理办法》的通知

1999年12月22日　　计价格〔1999〕2255号

根据《中华人民共和国价格法》的有关规定，特制定《中介服务收费管理办法》。经国务院减轻企业负担部际联席会议批准，现印发，请贯彻执行。

附件

中介服务收费管理办法

第一章 总 则

第一条 为适应建立和完善社会主义市场经济体制的要求，规范中介机构收费行为，维护中介机构和委托人的合法权益，促进中介服务业的健康发展，根据《中华人民共和国价格法》，制定本办法。

第二条 本办法适用于中华人民共和国境内独立执业、依法纳税、承担相应法律责任的中介机构提供中介服务的收费行为。

根据法律、法规规定代行政府职能强制实施具有垄断性质的仲裁、认证、检验、鉴定收费，不适用本办法。

第三条 本办法所称的中介机构是指依法通过专业知识和技术服务，向委托人提供公证性、代理性、信息技术服务性等中介服务的机构。

(一)公证性中介机构具体指提供土地、房产、物品、无形资产等价格评估和企业资信评估服务，以及提供仲裁、检验、鉴定、认证、公证服务等机构。

(二)代理性中介机构具体指提供律师、会计、收养服务，以及提供专利、商标、企业注册、税务、报关、签证代理服务等机构；

(三)信息技术服务性中介机构具体指提供咨询、招标、拍卖、职业介绍、婚姻介绍、广告设计服务等机构。

第四条 中介机构实施收费必须具备下列条件:

(一)经政府有关部门批准,办理注册登记,取得法人资格证书;

(二)在有关法律、法规和政府规章中规定,须经政府有关部门或行业协会实施执业资格认证,取得相关市场准入资格的,按规定办理;

(三)依法进行税务登记,取得税务登记证书;

(四)未进行企业注册登记的非企业法人需向价格主管部门申领《收费许可证》。

第五条 中介机构提供服务并实施收费应遵循公开、公证、诚实信用的原则和公平竞争、自愿有偿、委托人付费的原则,严格按照业务规程提供质量合格的服务。

按照法律、法规和政府规章规定实施的中介服务,任何部门、单位和个人都不得以任何方式指定中介机构为有关当事人服务。

第六条 中介服务收费实行在国家价格政策调控、引导下,主要由市场形成价格的制度。

(一)对咨询、拍卖、职业介绍、婚姻介绍、广告设计收费等具备市场充分竞争条件的中介服务收费实行市场调节价;

(二)对评估、代理、认证、招标服务收费等市场竞争不充分或服务双方达不到平等、公开服务条件的中介服务收费实行政府指导价;

(三)对检验、鉴定、公证、仲裁收费等少数具有行业和技术垄断的中介服务收费实行政府定价。

法律、法规另有规定的,从其规定。

第二章 收费管理权限的划分

第七条 国务院价格主管部门负责研究制定中介服务收费管理的方针政策、收费标准核定的原则,以及制定和调整重要的政府定价或政府指导价的中介服务收费标准。

国务院其他有关业务主管部门或全国性行业协会等社会团体应根据各自职责,协助国务院价格主管部门做好中介服务收费监督和管理工作。

第八条 省、自治区、直辖市人民政府价格主管部门负责国家有关中介服务收费管理的方针政策的贯彻落实,制定分工管理的政府定价或政府指导价的中介服务收费标准。

省级以下其他有关业务部门或同级行业协会等社会团体应根据各自职责,协助本级价格主管部门做好中介服务收费管理工作。

第九条 实行政府定价、政府指导价的分工权限和适用范围,按中央和省级价格主管部门颁布的定价管理目录执行。定价目录以外的中介服务项目,实行市场调节价。

第十条 对实行市场调节价的中介服务收费,政府价格主管部门应进行价格政策指导,帮助中介机构做好价格管理工作。

第三章 收费标准的制定

第十一条 制定中介服务收费标准应以中介机构服务人员的平均工时成本费用为基础,加法定税金和合理利润,并考虑市场供求情况制定。

法律、法规和政府规章指定承担特定中介服务的机构,其收费标准应按照补偿成本、促进发展的非营利的原则制定。

中介服务收费标准应体现中介机构的资质等级、社会信誉,以及服务的复杂程度,保持合理的差价。

第十二条 实行市场调节价的中介服务收费标准,由中介机构自主确定。实施服务收费时,中介机构可依据已确定的标准,与委托人商定具体收费标准。

第十三条 价格主管部门制定或调整政府定价、政府指导价的中介服务收费标准,应认真测算、严格核定服务的成本费用,充分听取社会各方面的意见,并及时向社会公布。

第四章 收费行为的规范

第十四条 应委托人的要求,中介机构实施收费应与委托人签订委托协议书。委托协议书应包括委托的事项、签约双方的义务和责任、收费的方式、收费金额和付款时间等内容。

第十五条 中介机构向委托人收取中介服务费,可在确定委托关系后预收全部或部分费用,也可与委托人协商约定在提供服务期间分期收取或在完成委托事项后一次性收取。

第十六条 中介机构应在收费场所显著的位置公布服务程序或业务规程、服务项目和收费标准等,实行明码标价,自觉接受委托人及社会各方面的监督,不得对委托人进行价格欺诈和价格歧视。

第十七条 中介机构的行业协会等社会团体以及中介机构之间不得以任何理由相互串通,垄断或操纵服务市场,损害委托人的利益。

第十八条 中介机构要严格执行国家有关收

费管理的法规和政策，不得违反规定设立收费项目、扩大收费范围、提高收费标准。

第十九条　中介机构不得以排挤竞争对手或者独占市场为目的，低于本单位服务成本收费，搞不正当竞争。

第二十条　委托人可自主选择中介机构提供服务，中介机构不得强制或变相强制当事人接受服务并收费。

第五章　法律责任

第二十一条　因中介机构过错或其无正当理由要求终止委托关系的，或因委托人过错或其无正当理由要求终止委托关系的，有关费用的退补和赔偿事宜依据《合同法》办理。

第二十二条　中介机构与委托人之间发生收费纠纷，由所在地业务主管部门或行业协会协调处理，委托人对业务主管部门或行业协会的处理有异议的，可申请所在地价格主管部门协调处理，当事双方或其中一方对行政机关或行业协会协调处理仍有异议的，可协议申请仲裁或依法向人民法院起诉。

第二十三条　中介机构违反本办法规定，有下列行为之一的，由价格主管部门依据《价格法》和《价格违法行为行政处罚规定》予以查处：

(一)不符合本办法规定的收费条件，实施收费的；

(二)违反收费管理权限，自立收费项目，自定收费标准收费的；

(三)擅自提高收费标准、扩大收费范围、增加收费频次、超越收费时限收费的；

(四)违反已签定的协议(合同)实施收费的；

(五)违反自愿原则，与行政机关或行使行政职能的事业单位、行业组织联合下发文件或协议，强制或变相强制委托人购买指定产品或接受指定服务并收费的；

(六)公证性的中介机构提供虚假服务成果收费的；

(七)未按规定实行明码标价或对委托人进行价格欺诈、价格歧视的；

(八)违反规定相互串通，垄断或操纵服务市场，损害委托人利益的；

(九)违反规定搞不正当价格竞争，以低于本单位服务成本收费的；

(十)其它违反本规定的收费行为。

第六章　附　则

第二十四条　省、自治区、直辖市人民政府价格主管部门可依据本办法结合本地实际制定实施细则。

第二十五条　本办法由国家计委负责解释。

第二十六条　本办法自发布之日起实施。

农产品价格部分

国家计委关于发布 1999 年度棉花收购指导性价格的通知

1999 年 1 月 9 日　　计电〔1999〕2 号

根据《国务院关于深化棉花流通体制改革的决定》(国发〔1998〕42 号)精神，从 1999 年度起，进一步放开棉花收购价格，棉花购销价格主要由市场形成；国家计委会同有关部门根据市场供求形势等因素于每年冬小麦播种前，研究发布下一年度的棉花收购指导性价格，引导棉花生产，促进总量平衡。经国务院批准，现将 1999 年度棉花收购指导性价格有关问题通知如下：

一、棉花收购指导性价格的性质

棉花收购指导性价格是政府根据棉花供求及

价格形势的分析而提出的棉花收购预测价格。政府发布棉花收购指导性价格，主要供棉花生产、经营及使用者在安排棉花生产、经营或消费计划时参考。棉花收购指导性价格对购销双方不具行政约束力，具体收购价格由棉花经营企业与棉农双方根据市场供求等情况确定。在棉花收购中，实际收购价格可能比政府公布的指导性价格高，也可能比指导性价格低。在市场情况没有发生重大变化的情况下，实际收购价格和指导性价格不应偏差过大。

二、1999 年度棉花收购指导性价格水平

根据目前棉花供大于求，种棉收益高于种粮收益较多，国内棉价较大幅度高于国际市场棉价的情况，为了引导棉农调整种植结构，优化棉花生产布局，促进棉花的正常生产、流通和消费，1999 年度棉花收购指导性价格标准级皮辊棉每 50 公斤 500 元。新疆棉花收购指导性价格由自治区人民政府参照上述水平自行确定。

三、继续做好 1998 年度棉花收购工作

各级政府要按照《国务院关于切实做好 1998 年度棉花工作的通知》的要求，继续做好 1998 年度的棉花收购工作。1999 年 9 月 1 日前，棉花收购价格不放开。各地供销社收购农民的棉花仍按照国家规定的指导价执行。内地标准级皮辊棉每担不低于 617.5 元，新疆、甘肃棉花收购价格按照省区政府确定的价格执行。各级供销社棉花经营企业要严格执行国家棉花政策和收购价格，严禁压级压价，敞开收购农民手中的棉花，不得停收、限收、拒收。各级物价部门要加强对棉花收购价格执行情况的检查，对违反国家价格政策、损害棉农利益的行为要严肃查处。

附件：国家计委发布 1999 年度棉花收购指导性价格（新闻稿）（略）

国家计委　国家烟草专卖局关于下达 1999 年度白肋烟香料烟和新疆自治区烤烟中准级收购价格的通知

1999 年 2 月 24 日　　计价格〔1999〕184 号

根据《国家计委、国家烟草专卖局关于 1999 年烟叶收购价格政策的通知》（计价格〔1998〕2119 号）中的有关规定，参照全国烤烟收购价格，我们研究制定了 1999 年度白肋烟、香料烟及新疆自治区烤烟中准级收购价格。现就有关事项通知如下：

一、新疆自治区烤烟的中准级（X2F 级）收购价格为每 50 公斤 280 元。白肋烟和香料烟的分地区中准级收购价格见附表。白肋烟、香料烟和新疆自治区烤烟的其他各等级收购价格，由国家烟草专卖局按照与中准级比质比价、保持适当质量差价的原则确定后另行下达。

二、白肋烟、香料烟收购价格调整后，各级政府在其收购中规定的各种价外补贴要一律取消，不得有任何保留。各级物价部门要会同烟草等部门加强对白肋烟、香料烟收购价格政策执行情况的监督检查，对抬级抬价、压级压价、越权调价或以价外补贴等形式变相调整收购价格的违法违纪行为，要严肃查处。

附表一

1999 年白肋烟中准级收购价格表

单位：元/50 公斤

地区	等级	价格
河南	中四	230
湖北	中四	280
重庆	中四	270
四川	中四	250

附表二

1999 年香料烟中准级收购价格表

单位：元/50 公斤

地区	等级	价格
浙江	三级	480
河南	三级	400
湖北	三级	400
云南	B2	660
新疆	B2	700

国家计委 国家经贸委关于1999年茧丝价格政策及加强收购管理工作的通知

1999年3月1日 计价格〔1999〕213号

为稳定蚕茧生产和茧丝价格,促进茧丝产销平衡,维持正常的蚕茧收购秩序,确保茧丝行业稳步发展,现将1999年茧丝价格政策及收购管理的有关规定通知如下:

一、桑蚕茧、丝价格政策及标准

(一)桑蚕鲜茧收购价格继续实行中央指导下的省级政府定价。1999年桑蚕鲜茧(干壳量9.2克,上车茧率100%)中准收购价格(含税)由每50公斤700元调整为670元,可上下浮动10%。具体价格由省级政府在上述规定的范围内制定,定价权不得下放。对试行"组合售茧,缫丝计价"的地区,每1%鲜茧出丝率价格为52元。

桑蚕鲜茧干壳量和茧层率级差差价继续按照国家茧丝绸协调小组、国家计委《关于1997年蚕茧价格政策和收购管理的通知》(国茧协〔1997〕2号)的规定执行。

(二)干茧供应价格继续实行中央指导下的省级政府定价。1999年春茧上市后干茧(10级,出丝率31%)中准供应价格(含税)为每吨4.2万元,可上下浮动10%,具体价格由省级政府在规定的浮动幅度内自行确定。

(三)厂丝出厂价格继续实行中央政府指导价。厂丝(20/22,2A级)中准出厂价格(含税)为每吨18万元,生产企业可在上下不超过10%的浮动幅度内自主确定出厂价格。

各省、自治区、直辖市要将制定的具体价格及时报国家计委和国家经贸委备案。

二、加强价格和流通监督管理

各地要认真贯彻执行国家经济贸易委员会等4部门联合下发的《茧丝价格及流通管理办法》(国经贸〔1998〕315号)的规定。各级物价部门要会同茧丝绸主管部门,切实加强茧丝价格监督检查,在当前情况下,要重点防止压级压价收购蚕茧,切实保护蚕农利益。为搞活市场流通,实现资源优化配置,取消干茧准运证和成交证明。

三、加强蚕茧生产和收购的组织领导

受亚洲金融危机影响,国际市场需求在一定时期内仍将难以好转。各级政府要严格控制蚕茧生产规模,控制发种量,避免盲目扩大桑园面积,搞好总量平衡。要引导农民在保持现有桑园面积的基础上,加强桑园管理,努力提高蚕茧单产和质量,增加农民收入。各级政府要加强对蚕茧收购资金的协调工作,保证收购资金,杜绝打"打白条"。各有关银行应继续支持蚕茧收购。用于蚕茧收购的银行贷款要专款专用,不得挤占挪用。各地应向有关银行通报所需蚕茧收购资金情况,及时落实收购资金。各地茧丝绸主管部门要协助银行按期收回贷款资金,形成收购贷款资金的良性循环。蚕茧收购期间,各级政府及有关部门要高度重视蚕茧收购工作,密切配合,积极做好省际、市县之间蚕茧收购的协调工作。采取行之有效的措施,组织有关部门进行执法检查,打击非法经营,对违反规定者要严肃处理,确保收购秩序和价格稳定。

国家计委关于1999年糖料价格政策的通知

1999年5月7日 计价格〔1999〕502号

为适应食糖市场形势的变化,引导农民适当控制糖料种植面积,促进糖料及食糖市场供需平衡,经研究,决定适当降低糖料收购价格。现就有关事项通知如下:

一、1999年糖料收购价格实行中央指导下的地方政府定价，由国家计委制定中准价和浮动幅度，由各地物价部门在国家规定范围内根据当地实际情况自行确定具体价格。1999年甘蔗、甜菜中准价分别为每吨170元和220元，上下浮动幅度为15%。个别地区如确有特殊情况，价格水平需超过规定浮动幅度的，需报国家计委审批。

二、为鼓励推广高产高糖品种，促使农民通过提高糖料单产及含糖量增加收入，各地要通过实行良种加价等办法认真贯彻落实优质优价政策，促进糖料种植结构的优化和糖料生产向质量效益型转化。

三、各地可逐步试行糖料价格与食糖价格挂钩联动的办法，合理确定食糖销售价与对应的糖料收购价，建立糖厂与糖农利益共享、风险共担的机制。

请各地根据上述原则，结合本地实际情况抓紧研究制定糖料价格具体水平，及时向农民发布，以引导农民合理安排糖料生产。各地糖料价格安排情况请及时报国家计委备案。

国家计委关于
1999年粮食收购价格政策的通知

1999年5月26日　　计价格〔1999〕568号

为指导各地合理安排1999年粮食定购价和保护价，做好粮食收购工作，引导农民优化粮食生产结构，经国务院同意，现将1999年粮食收购价格政策有关问题通知如下：

一、安排1999年粮食收购价格政策的基本原则。研究确定1999年粮食定购价和保护价的原则是：(1)有利于农民获得合理收益，保护农民生产积极性；(2)有利于国有粮食购销企业实现顺价销售，减轻财政负担，促进粮食流通；(3)有利于农民面向市场调整和优化粮食种植结构，减少市场销售不畅的粮食品种的生产，促进优质品种的培育和推广。

二、合理确定粮食定购价和保护价水平。在保留粮食定购制度和定购价格形式的前提下，各地可以调整定购粮收购价格。在当前市场粮价较低的情况下，可以将定购价调低到保护价水平。

要降低市场销售不畅的粮食品种的定购价和保护价。1999年黑龙江省、吉林省、辽宁省和内蒙古自治区东部以及河北省、山西省北部春小麦和南方早籼稻、江南小麦的定购价和保护价，要适应市场供求状况，较大幅度地降低收购价格。这几个品种中的劣质产品的定购价和保护价，可以按照低于生产成本的原则确定，以拉开品质差价。

三、拉开粮食品种差价。要利用价格杠杆，鼓励质量好、市场销价高的优质品种的推广，优化种植结构。质量技术监督部门要会同粮食、农业等部门抓紧制定粮食的质量标准，并尽快公布实施。在制定定购价和保护价时，各地要根据市场需求和粮食的内在质量，进一步拉开优质品种与一般品种之间的差价，促进优质品种的发展。

各省级物价部门要加强对优质粮食品种收购价格的指导。优质品种的具体购销价格，由国有粮食购销企业根据市场情况，按照购得进、销得出的原则自行确定。

大型农业产业化龙头企业和饲料生产企业，经主管部门批准与农民直接签订自用粮收购合同的，其优质粮食品种的收购价格由签订合同的双方按照优质优价的原则协商确定；一般品种的收购价格不得低于政府规定的保护价。

四、进一步拉开粮食等级差价。国有粮食购销企业要增强质量意识和市场意识，改变现行分等收购、混等销售的作法，逐步实现分等收购、分等储存、分等销售，真正实现优质优价。各地物价部门要进一步拉开粮食的等级差价，促使农民去除杂质、提高质量。对等外粮，国有粮食购销企业可按市场供求形成的价格进行收购。各地要在粮食收购中普遍推行使用科学仪器验等验级，防止压级压价。

五、合理安排粮食收购的季节差价。各地要根据当地实际情况，对于推迟交售可以降低水分、提高内在质量的粮食品种，合理安排季节差价，把节省的利息和储存费用的大部分通过拉开季节差价的形式让利给农民，以减轻财政负担，降低流通成本，增加农民种粮收入。针对东北地区玉米上市初期水分大的特点，要进一步拉开收购前中后期的季节差价，鼓励农民降低玉米水分，交售安全水分的粮食。

六、做好粮食价格政策平衡衔接工作。要建立毗邻产区粮食价格衔接制度。每年在确定夏粮和秋粮定购价和保护价之前，相邻产区各省级人民政府要及时沟通情况，交流信息，加强协调。在确定定购价和保护价时，要注意拉开省际之间以及省内各产销区之间的地区差价，以利于不同地区的粮食购销企业平等竞争，促进粮食有序流通。国家计委将加强对各地粮食价格衔接工作的指导。

各地要根据上述精神，结合当地实际情况，尽快研究制定1999年粮食定购价和保护价，做好粮食收购工作，引导农民合理安排农业生产，促进粮食生产从数量型向数量效益型的转变。

国家计委关于粮食优质优价政策有关问题的通知

1999年7月20日　　计价格〔1999〕890号

最近，各地认真贯彻落实《国务院关于进一步完善粮食流通体制改革政策措施的通知》(国发〔1999〕11号)精神，按照优质优价的要求，进一步拉开了粮食内部的品种差价，等级差价，促进粮食种植结构的调整。为了防止在落实优质优价政策过程中变相提高粮价水平，影响粮食结构调整的顺利进行，增加粮食购销企业销售困难，现就有关问题通知如下：

一、贯彻落实粮食优质优价政策，要坚持以市场为导向，优质粮食品种的收购价格主要由市场供求形成。在确定粮食优质品种价格、拉开品质差价时，要充分考虑加工、饲料等用粮单位和消费者的需求，注意提高粮食内在品质，鼓励农民降低生产成本，提高市场竞争力。

二、优质粮食品种的具体收购价格，由国有粮食购销企业根据市场情况，按照购得进、销得出的原则，自行确定，不得盲目抬价。各地要加强对粮食购销企业贯彻优质优价政策的指导，但不要硬性规定优质粮收购价格。

三、加强组织与协调工作，推进粮食种植结构调整。在落实好优质优价政策的同时，粮食、物价部门要与有关部门密切合作，引导农民以市场为导向，加快结构调整。要配合农业部门，采取措施，增加优良品种种子的供应能力，满足农民生产需要。各地要为农民提供必要的技术指导和信息服务。要利用各种宣传工具，广泛宣传粮食优质优价的政策，促进粮食种植结构的调整。

四、各级物价和粮食行政管理部门要加强对粮食优质优价政策执行情况的监督检查。要加强粮食种子市场价格的规范化管理，稳定优质品种的种子价格，保证种子质量，打击假冒伪劣、坑农害农的行为。

国家经贸委　国家计委关于做好1999年秋茧生产与收购工作的通知

1999年9月9日　　国经贸外经〔1999〕877号

1999年春茧收购工作已经结束，基本实现了国家确定的蚕茧生产总量控制目标。为促进茧丝产销平衡，维持正常的蚕茧收购秩序，确保茧丝绸行业稳步发展，现就做好1999年秋茧生产和收购工作的有关事项通知如下：

一、按照指导性计划控制好蚕种发种量和蚕茧生产规模。各地要根据1999年市场供求形势，严格执行蚕种、蚕茧生产指导性计划，严格控制秋茧发种量，防止蚕茧生产规模盲目扩张。要继续引导农民采用先进的养蚕技术，努力提高单产和质量。蚕种场要努力改良品种，防治病虫害，为蚕农提供优质服务。

二、认真执行茧价政策，保持鲜茧收购价格基本稳定。各地要认真贯彻执行国家发展计划委员会、国家经济贸易委员会《关于1999年茧丝价格政策及加强收购管理工作的通知》(计价格〔1999〕213号)的有关规定。蚕茧收购单位要认真执行蚕茧收购价格政策，切实保护农民利益。各级物价部门要会同茧丝绸主管部门，切实加强茧丝价格监督检查，在当前情况下，要重点防止压级压价收购蚕茧。

三、各地要加强对蚕茧收购资金的协调工作，通过多种渠道筹措蚕茧收购资金，杜绝打“白条”。用于蚕茧收购的银行贷款要专款专用，不得挤占挪用。各地茧丝绸主管部门应向有关银行及时通报秋茧收购所需资金情况，协助银行按期收回贷款资金，形成收购资金的良性循环。

四、各地茧丝绸主管部门应会同质量技术监督部门和工商行政管理部门加强茧站管理，继续对茧站进行清理整顿、监督检查；要坚持使用仪器评定蚕茧质量，确保优质优价，按质论价，保证蚕茧收购中质价相符。

五、蚕茧收购期间，各地有关部门要加强组织领导，认真贯彻执行国家经济贸易委员会等四部门下发的《茧丝价格及流通管理办法》(国经贸〔1998〕315号)的规定，继续加强蚕茧收购秩序管理，积极做好省际、市县之间蚕茧收购的协调工作，组织有关部门进行执法检查，打击非法经营，对违反有关规定者要严肃处理，确保收购秩序和价格稳定。

工业产品价格部分

能源、原材料价格

国家计委关于江苏省实行售电统一价格和峰谷电价方案的批复

1999年1月8日　　计价格〔1999〕24号

江苏省物价局：

你局《关于江苏省实行统一销售电价和峰谷分时电价的请示》(苏价工字〔1998〕462号)、《关于江苏省实行统一销售电价有关问题补充说明的函》(苏价工函〔1998〕201号)、《关于江苏省电力建设费有关问题的请示》(苏价工字〔1998〕505号)收悉。根据国务院批准的全面推行统一销售电价的意见，经研究，决定同意你省实行统一销售电价和峰谷分时电价。现批复如下：

一、关于统一销售电价

(一)你省实行全省统一销售电价后，同时取消省内各地区二级综合加价。

(二)核定你省统一销售电价平均为每千瓦时0.527元，各类用户具体价格水平见附表一。其中，城市各类用电价格为用户最终执行的标准；农村居民生活、农业生产、贫困县排灌等用电价格为电网供到村变压器的价格，农村到户电价由你局按照《国家计委关于加强农村电价管理，制止乱加价、乱收费行为的通知》(计电〔98〕39号)和《国家计委关于江苏省农村电网改造工程、农电管理体制改革和城乡用电同价方案的批复》(计基础〔1998〕2113号)的有关规定核定。

(三)根据国家计委等部门联合发布的《关于整顿电价秩序坚决制止乱加价乱收费行为的通知》(计价格〔1998〕2212号)精神及你省具体情况,同意你省在2000年底以前,暂时保留电力建设附加费每千瓦时1分钱,用于解决国家已批准开工的电力项目中江苏省投资部分的资金缺口。上述电力建设附加费及国家原来批准的电力建设基金、三峡基金、新安江移民基金和城市公用事业附加均已纳入电网销售电价表,不得在价外另行加收。

(四)适当降低集资电厂和地方小火电上网电价。地方集资电厂上网电价在现行基础上平均每千瓦时降低1分钱;小火电上网电价最高不得超过每千瓦时0.4元。各电厂具体电价标准由你局按上述原则核定,并报国家计委备案。

(五)对实行统一销售电价后电费支出增加较多的用户,电价分3年逐步到位,3年内在电价上给予优惠。请你局会同有关部门按照直接优惠到户、逐年降低优惠幅度的原则制定具体办法并负责组织实施,同时将有关情况报国家计委备案。

二、关于峰谷分时电价

(一)峰谷分时电价的实施范围为变压器容量为315千伏及以上的工业用户的电度电价。

(二)每日分为高峰、低谷、平段3个时段,每个时段各为8小时。具体时间为:

高峰:7:00—11:00,17:00—21:00;

平段:11:00—17:00,21:00—23:00;

低谷:23:00—7:00。

(三)平段电价按统一销售电价表中的标准执行,高峰、低谷电价分别在平段电价的基础上上浮和下浮50%。各类用户具体执行的峰谷分时电价标准见附表二和附表三。

三、以上各项自1999年1月1日起执行。

四、鉴于你省实行统一销售电价是价格管理的一项重大改革,涉及各地区、各行业的利益关系,请你们精心组织,周密安排,并做好宣传解释工作,确保统一销售电价和峰谷分时电价方案的顺利出台。执行中出现的情况,请及时报告国家计委。

附表一

江苏电网销售电价表

电价类别	电度电价(元/千瓦时)					基本电价	
	1KV以下	1—10KV	35—110KV	110KV	220KV及以上	最大需量(元/千瓦/月)	变压器容量(元/千伏安/月)
城镇居民生活	0.520	0.510					
农村居民生活		0.393					
商业照明	0.899	0.884					
其它照明	0.791	0.776					
非工业、普通工业	0.664	0.649	0.634				
其中:省戴帽中小化肥	0.342	0.327	0.312				
大工业		0.473	0.458	0.443	0.428	27.00	18.00
其中:1、电石、电解烧碱、合成氨、电炉黄磷		0.463	0.448	0.433	0.418	27.00	18.00
2、省戴帽中小化肥		0.214	0.199	0.184		27.00	18.00
农业生产	0.421	0.411	0.396				
贫困县农业排灌	0.275	0.273	0.269				

注:1、商业用电执行范围为:凡从事商品交换,提供有偿服务等电力用户的照明用电,包括:商品销售

业:如商场、商店、批发中心、超市、加油站等;物资供销、仓储业:如物资公司、仓库等;宾馆、饮食、服务业:如宾馆、饭店、招待所、旅社、酒店、咖啡厅、茶座、餐馆、美容美发厅、浴室、休闲中心等;文化娱乐场所:如收费的旅游点、公园、影剧院、录像放映点、游艺机室、健身房、保龄球馆、游泳池、歌舞厅、卡拉OK厅等;修理、修配服务业;其他服务业:如洗染店、彩扩、摄影店等;

2、其它照明用电执行范围为:原非居民照明用电扣除上述商业照明用电户以外的电力用户。

附表二

江苏电网峰谷分时电价表

单位:元/千瓦时

时段			高峰	平段	低谷
大工业	非优待	1—10KV	0.710	0.473	0.237
		35—110KV	0.687	0.458	0.229
		110KV	0.665	0.443	0.222
		220KV及以上	0.642	0.428	0.214
	优待	1—10KV	0.695	0.463	0.232
		35—110KV	0.672	0.448	0.224
		110KV	0.650	0.433	0.217
		220KV及以上	0.627	0.418	0.209
非工业 普通工业		1KV以下	0.996	0.664	0.332
		1—10KV	0.974	0.649	0.325
		35KV及以上	0.951	0.634	0.317

注:大工业优待指电石、电解烧碱、合成氨、电炉黄磷。

附表三

江苏电网中小化肥峰谷分时电价表

单位:元/千瓦时

时段		高峰	平段	低谷
大工业	1—10KV	0.321	0.214	0.107
	35—110KV	0.299	0.199	0.100
	110KV及以上	0.276	0.184	0.092
非工业 普通工业	1KV以下	0.513	0.342	0.171
	1—10KV	0.491	0.327	0.164
	35—110KV	0.468	0.312	0.156

注:大工业优待指电石、电解烧碱、合成氨、电炉黄磷

国家计委关于公布1999年2月份国内原油基准价格的通知

1999年1月31日　　计价格〔1999〕100号

根据国家计委1998年6月3日印发的《原油、成品油价格改革方案》(计电〔1998〕52号)中的有关规定,现将1999年2月份国内原油基准价予以公布(见附表),请据此加上贴水确定国内原油的具体结算价格。

附表

1999年2月份国内原油基准价格表

油　种	基准价格(元/吨)	离岸价(美元/桶)	关税(元/吨)	油　种	基准价格(元/吨)	离岸价(美元/桶)	关税(元/吨)
轻质油	815	12.243	16	重质油	594	10.278	16
中质油 I	685	10.870	16	平　均	687	10.966	16
中质油 II	653	10.472	16				

注:1、新加坡市场离岸价是采用美国普氏报价系统1998年12月26日至1999年1月25日期间各交易日估价的平均值;

2、人民币与美元汇率按8.28元人民币兑换1美元计算。

国家计委关于万家寨水利枢纽暂定上网电价的批复

1999年2月4日　　计价格〔1999〕126号

水利部报来的《关于核批万家寨水利枢纽上网电价的函》(水财〔1998〕349号)收悉。经研究,现批复如下:

根据水利部办公厅办函〔1992〕21号文件确定的发电与供水的投资分摊比例,暂定万家寨水利枢纽上网电价为每千瓦时0.503元(含税)。上网电价与售电地区电网销售电价调整同时执行。在电网销售电价调整以前,按国家计委计价格〔1998〕2075号文件的有关规定,核定万家寨水利枢纽上网临时结算电价为每千瓦时0.171元(含税),在因国家政策因素导致电网供电成本发生变化时可相应进行调整。

国家计委关于－5号轻柴油品质比率的批复

1999年2月14日　　计价格〔1999〕173号

中国石油天然气集团公司《关于确定－5号轻柴油品质比率的请示》(中油财字〔1998〕第237号)收悉。经研究,现批复如下:

－5号轻柴油品质比率确定为103%。

本规定自1999年3月1日起执行。

国家计委关于伊敏煤电有限责任公司上网电价的批复

1999年3月1日　　计价格〔1999〕201号

东北电力集团公司报来的《关于伊敏华能东电煤电有限责任公司上网及销售电价的请示》(东电财[1997]967号)收悉。经研究,批复如下:

核定伊敏电厂上网电价(含税)为每千瓦时0.433元,该电价与售电地区电网销售电价调整同时执行。在电网销售电价调整以前,按国家计委计价格[1998]2075号文件的规定,暂定伊敏电厂上网临时结算价(含税)为每千瓦时0.20元,销售电价按国家规定的目录电价执行。

国家计委关于公布1999年3月份国内原油基准价格的通知

1999年3月3日　　计价格〔1999〕206号

根据国家计委印发的《原油、成品油价格改革方案》(计电[1998]52号)中的有关规定,现将1999年3月份国内原油基准价予以公布(见附表),请据此加上贴水确定国内原油的具体结算价格。

附表

1999年3月份国内原油基准价格表

油　种	基准价格(元/吨)	离岸价(美元/桶)	关税(元/吨)	油　种	基准价格(元/吨)	离岸价(美元/桶)	关税(元/吨)
轻质油	770	11.545	16	重质油	582	10.055	16
中质油Ⅰ	678	10.760	16	平均	671	10.709	16
中质油Ⅱ	653	10.476	16				

注:1、新加坡市场离岸价是采用美国普氏报价系统1月26日至2月25日期间各交易日估价的平均值;

2、人民币与美元汇率按8.28元人民币兑换1美元计算。

国家计委关于同意在北京经济技术开发区试行新电价改革方案的批复

1999年3月18日　　计价格〔1999〕288号

北京市物价局、华北电业管理局联合报来的《关于在北京经济技术开发区试行新电价改革方案的请示》(京价(工)字〔1999〕第052号)收悉。经商国家电力公司,现批复如下:

一、为逐步建立科学合理的销售电价体系,体现用户公平负担电力成本的原则,促进用户合理、节约用电,同意在北京经济技术开发区试行新电价改革方案,即执行新的目录电价表(详见附件)。

二、新的目录电价中的各类电价标准均为用户最终执行价格;电价之外不再收取其它费用。

三、工业用户均执行两部制电价;商业用户和其他用户可在两部制电价和单一制电价中任选其一。

经济技术开发区内居民生活用电价格与市内其他地区执行相同的电价标准。

四、为避免增加用户电费负担,凡是执行新的目录电价后实际电费负担超过执行单一制商业电价即每千瓦时0.78元的用户,1999年暂按每千瓦时0.78元执行。

五、新的目录电价表自1999年1月1日抄见电量起执行。

六、执行新目录电价过程中出现的问题,请及时向国家计委报告。

附件

北京经济开发区电价表(含税)

用户类别	两部制电价				单一制电价(元/千瓦时)
	容量电价(元/月/千伏安)	电量电价(元/千瓦时)			
		高峰	平段	低谷	
工业用电电价					
其中:100kw及以上	30.00	0.401	0.315	0.242	
100kw以下	20.00	0.695	0.468	0.262	
商业用电电价	30.00	0.439	0.343	0.262	0.78
其他用电电价	28.00	0.465	0.356	0.262	0.68
居民生活用电电价					0.3618

国家计委价格司关于北京经济技术开发区试行新电价改革方案的补充通知

1999年3月26日　　计司价格函〔1999〕28号

北京市物价局、华北电业管理局：

现就《国家计委关于同意在北京经济技术开发区试行新电价改革方案的批复》(计价格〔1999〕288号)有关问题补充通知如下：

该文所附《北京经济开发区电价表(含税)》中各类电量电价中均包括国家批准加收的电力建设基金、三峡基金和城市公用事业附加。上述三项费用，要在电力企业销售收入中单列科目，在财政部门的监督下拨付有关部门专款专用。

请你们将上述规定与计价格〔1999〕288号文一并转发执行。

国家计委关于江西省部分集资电厂上网电价的批复

1999年3月27日　　计价格〔1999〕318号

江西省物价局报来的《关于调整我省部分集资电厂上网电价的请示》(赣价工字[1998]125号)收悉。经研究，现批复如下：

同意江西省丰城、新余、景德镇发电有限责任公司上网电价分别调整为每千瓦时0.36元、0.382元和0.363元，自1998年10月1日起执行。

国家计委关于公布1999年4月份国内原油基准价格的通知

1999年3月30日　　计价格〔1999〕345号

根据国家计委印发的《原油、成品油价格改革方案》(计电[1998]52号)中的有关规定，现将1999年4月份国内原油基准价予以公布(见附表)，请据此加上贴水确定国内原油的具体结算价格。

附表

1999年4月份国内原油基准价格表

油　种	基准价格(元/吨)	离岸价(美元/桶)	关税(元/吨)	油　种	基准价格(元/吨)	离岸价(美元/桶)	关税(元/吨)
轻质油	867	13.029	16	重质油	638	11.059	16
中质油Ⅰ	748	11.903	16	平均	744	11.901	16
中质油Ⅱ	722	11.613	16				

注:1、新加坡市场离岸价是采用美国普氏报价系统2月26日至3月25日期间各交易日估价的平均值;

2、人民币与美元汇率按8.28元人民币兑换1美元计算。

国家计委关于二滩水电开发有限责任公司上网临时结算电价的批复

1999年4月12日　　计价格〔1999〕391号

四川省电力公司《关于二滩电站和二滩送出工程临时结算价格问题的报告》(川电司财[1999]10号)收悉。经商国家电力公司,现批复如下:

核定二滩水电开发有限责任公司与四川省、重庆市电力公司之间的上网临时结算电价为每千瓦时0.185元,重庆市电力公司经过四川电网输送二滩电量向四川省电力公司支付的过网费为每千瓦时0.048元。

以上价格,自二滩水电开发有限责任公司投入商业运行之日起执行,至二滩水电开发有限责任公司正式上网电价执行时废止。

国家计委办公厅关于铁路机车柴油供应渠道和供应价格有关问题的复函

1999年4月15日　　计办价格〔1999〕263号

国务院办公厅将《铁道部关于对铁道机车柴油供应渠道和供应价格问题的请示》(铁物[1998]143号),批转国家计委研究办理。根据国务院《研究清理整顿小炼油厂和完善原油成品油生产流通体制有关问题的会议纪要》(国阅[1999]23号)精神,经研究,现就有关问题函复如下:

一、关于向铁道等专项用油部门直供成品油问题,仍按《国家计委关于铁道、交通等部门专项用油供应办法和供应价格的通知》(计经贸[1998]1475号)的有关规定执行。其成品油结算价格在出厂价基础上上浮5%的限度内,由供需双方协商确定。

二、铁道等专项用油部门应加强内部管理,专项用油要严格限于内部使用,不得超出范围对社会销售,以确保油品专供专项使用。如发现违反规定将直供的成品油进行经营的,国家计委将取消其直供成品油资格。

三、石油、石化两集团公司与铁道等专项用油部门的供销事宜,由供需双方根据国家计划统一衔接,并组织所属单位签订合同,实行合同化管理,各下属单位不得自行衔接。在实际执行中,铁道等专项用油部门要根据本系统用油情况,实事求是地按季度提报用油需求数量,石油、石化两集团公司据此组织供应。供需双方要均衡供油提油,不得随意欠供欠提。年度末,专项用油部门和石油、石化两集团公司要向国家计委报告年度计划执行情况。国家计委将据此调整下一年度专项用油部门油品配置计划。

国家计委关于公布 1999 年 5 月份国内原油基准价格的通知

1999 年 5 月 4 日　　计价格〔1999〕485 号

根据国家计委印发的《原油、成品油价格改革方案》(计电[1998]52 号)中的有关规定,现将 1999 年 5 月份国内原油基准价予以公布(见附表),请据此加上贴水确定国内原油的具体结算价格。

附表

1999 年 5 月份国内原油基准价格表

油　种	基准价格(元/吨)	离岸价(美元/桶)	关税(元/吨)	油　种	基准价格(元/吨)	离岸价(美元/桶)	关税(元/吨)
轻质油	1062	16.021	16	重质油	812	14.146	16
中质油 I	963	15.393	16	平均	940	15.126	16
中质油 II	925	14.943	16				

注:1、新加坡市场离岸价是采用美国普氏报价系统 3 月 26 日至 4 月 25 日期间各交易日估价的平均值;

2、人民币与美元汇率按 8.28 元人民币兑换 1 美元计算。

国家计委关于干武、包兰电气化铁路甘肃段供电工程还贷电价的批复

1999 年 5 月 5 日　　计价格〔1999〕487 号

甘肃省物价局、电力局报来的《关于干武、包兰电气化铁路供电工程电价测算方案的报告》(甘价工[1998]302 号)收悉。经审核,现批复如下:

干武、包兰电气化铁路甘肃段供电工程铁路机车动力用电价格为:在执行电网目录电价的基础上,每千瓦时分别加价 0.171 元和 0.14 元。加价收入专项用于供电工程还贷。价外加收的电力建设基金和三峡建设基金按国家有关规定执行。

以上加价标准自供电工程投入运营用电之日起执行。

国家计委关于京郑电铁北京段牵引站供电工程还贷电价的批复

1999 年 5 月 5 日　　计价格〔1999〕488 号

华北电力集团公司报来的《关于京郑电铁(北京段)牵引站供电工程电价的请示》(华北电集财[1998]249 号)收悉。经审核,现批复如下:

京郑电铁北京段牵引站供电工程铁路机车动

力用电价格为：在执行电网目录电价的基础上，每千瓦时加价 0.116 元。加价收入专项用于供电工程还贷。价外加收的电力建设基金和三峡建设基金按国家有关规定执行。

以上加价标准自供电工程投入运营用电之日起执行。

国家计委关于内蒙古自治区孪井滩提灌电价的通知

1999 年 5 月 5 日　　计价格〔1999〕503 号

内蒙古自治区物价局《关于上报孪井滩扬水灌区用电情况及用电价格意见的报告》（内价工发[1999]28 号）收悉。经研究协调，并商国家电力公司，现将内蒙古自治区阿盟孪井滩提灌工程用电价格的有关事项通知如下：

一、根据国家计委计价管[1997]838 号文件精神，1998 年宁夏电力公司供内蒙古自治区阿盟孪井滩提灌工程用电价格仍维持 1997 年实际用电价格每千瓦时 0.165 元不变。

二、1998 年底国家经贸委已明确宁夏自治区向内蒙古自治区跨区供电的营业区已全部划归内蒙古电力（集团）有限责任公司，自 1999 年 1 月 1 日起，内蒙古自治区阿盟孪井滩提灌工程用电由内蒙古电力（集团）有限责任公司向宁夏自治区电力公司购电转售。内蒙古电力（集团）有限责任公司向宁夏自治区电力公司购电的价格按宁夏电网平均销售电价执行（目前为每千瓦时 0.268 元），今后随宁夏电网销售电价调整而相应调整。

三、内蒙古电力（集团）有限责任公司对孪井滩提灌工程用电的销售价格暂按每千瓦时 0.165 元执行；待国家批准内蒙古西部电网统一销售电价方案并执行后，按内蒙古西部电网销售电价表中的贫困县农业排灌电价执行。

四、内蒙古电力（集团）有限责任公司向宁夏电力公司购电价格与其对孪井滩提灌工程的销售电价之间的价差，在调整内蒙古西部电网销售电价时统一解决。

国家计委关于国家储备含铅汽油出库价格等问题的通知

1999 年 5 月 25 日　　计价格〔1999〕563 号

根据国务院有关规定，汽油的生产、使用和销售要逐步实现无铅化，因此，国家储备含铅汽油需尽快轮换出库。现就国家储备含铅汽油出库价格等问题通知如下：

一、国家储备含铅汽油轮换出库价格为：90 号车用含铅汽油每吨 2050 元，70 号车用含铅汽油每吨 1968 元。

二、国家储备含铅汽油交中国石油天然气集团公司、中国石油化工集团公司统一配置，交货地点为各储备油库，交货方式为车船交货，交货后费用由中国石油天然气集团公司、中国石油化工集团公司负担。

三、请按照国家计委的协调意见，于 1999 年 6 月 30 日前完成国家储备含铅汽油的出库工作。

国家物资储备局要积极配合中国石油天然气集团公司、中国石油化工集团公司，做好含铅汽油出库工作。

国家计委办公厅关于张家口发电厂5号机组临时上网电价的批复

1999年5月27日　　计办价格〔1999〕381号

华北电力集团公司《关于申报张家口发电厂5号机组临时上网电价的请示》(华北电集财[1999]34号)收悉。经研究,现批复如下:

根据国家计委计价格[1998]2075号文件的有关规定,核定张家口发电厂5号机组临时上网电价为每千瓦时0.2624元,京津唐地区通过京津唐电网跨省供电的其他新投产电厂的临时上网电价亦按此价格执行。以上价格自新投产机组正式投入商业运行之日起执行,至机组正式上网电价核定并执行之日起停止。

国家计委　建设部关于贯彻城市供水价格管理办法有关问题的通知

1999年6月2日　　计价格〔1999〕611号

为指导各地做好《城市供水价格管理办法》(以下简称《办法》)的贯彻实施工作,积极稳妥地推进城市供水价格改革,现就有关问题通知如下:

一、城市供水价格改革工作要贯彻积极稳妥的方针,对于实施《办法》中的难点问题,按照"先试点、后推开"的原则,有计划、有步骤地进行。1999年首先选择部分城市(试点城市名单附后)进行试点,在总结试点城市改革经验的基础上,统一安排全国范围的推广工作。

二、试点城市要在省、自治区、直辖市价格主管部门、城市供水行政主管部门的指导下,结合水价调整,重点开展居民生活用水实行"阶梯式计量水价"和非居民生活用水实行"两部制水价"的试点工作。水价改革要纳入价格调控计划。国家确定的试点城市水价改革试点方案要经同级人民政府审定后,报省级价格主管部门批准,并报国家计委、建设部备案。

三、在水价改革中,供水价格水平的安排,要与居民和企业承受能力相适应,《办法》中规定的资金利润率要分步到位,现有财政补贴要逐步减少,不能一次取消,以确保新旧水价体制实现平稳转换。居民生活用水实行"阶梯式计量水价",非居民生活用水实行"两部制水价",应与现行超计划用水加价的有关规定相衔接。

四、污水处理费应按《办法》的有关规定,随水费征收。在区分供水企业和用户责任的基础上,对为用户自用管网单独提供供水设施配套改建、增容、维修、计量器具安装等服务的,应坚持自愿委托原则,其劳务和原材料价格要从严核定。

五、已由省级人民政府批准对城市供水价格实行监审的,有关城市价格主管部门应在调价前30日内向省级价格主管部门申报或备案。

六、各地要加强对城市供水企业的价格和资金的管理,指导企业建立健全内部价格管理制度,促进企业改善经营,提高管理水平,降低生产经营成本。要严格规范价格构成,加强成本监测工作,监督企业如实申报有关价格和资金收支情况。

附件

供水价格改革试点城市

天津市:天津市
河北省:保定市
黑龙江省:哈尔滨市
江苏省:徐州市
浙江省:温州市
河南省:许昌市
湖南省:长沙市
广东省:广州市、开平市
广西区:梧州市
福建省:福州市
重庆市:重庆市
四川省:成都市
陕西省:西安市

国家计委关于公布
1999年6月份国内原油基准价格的通知

1999年6月5日　　计价格〔1999〕630号

根据国家计委印发的《原油、成品油价格改革方案》(计电[1998]52号)中的有关规定,现将1999年6月份国内原油基准价予以公布(见附表),请据此加上贴水确定国内原油的具体结算价格。

附表

1999年6月份国内原油基准价格表

油　种	基准价格(元/吨)	离岸价(美元/桶)	关税(元/吨)	油　种	基准价格(元/吨)	离岸价(美元/桶)	关税(元/吨)
轻质油	1110	16.763	16	重质油	875	15.265	16
中质油Ⅰ	1048	16.775	16	平均	1009	16.263	16
中质油Ⅱ	1004	16.250	16				

注:1、新加坡市场离岸价是采用美国普氏报价系统4月26日至5月25日期间各交易日估价的平均值;

2、人民币与美元汇率按8.28元人民币兑换1美元计算。

国家计委关于
提高葛洲坝电厂上网电价的通知

1999年6月25日　　计价格〔1999〕724号

为筹集三峡工程建设资金,经国务院批准,决定将葛洲坝电厂上网电价提高到每千瓦时0.102元,并自1999年7月1日起执行。

国家计委关于陕甘宁至银川天然气管道运输价格的批复

1999年7月5日　　计价格〔1999〕798号

宁夏自治区物价局《关于陕甘宁至银川天然气管道运输价格的报告》(宁价(重)发[1999]75号)收悉。经研究,现批复如下:

一、核定陕甘宁至银川天然气化肥用气管道运输价格为每立方米0.17元,其它用气管道运输价格为每立方米0.22元。上述价格自通气运行之日起执行。任何单位和个人不得在上述收费标准之外加收未经国家计委批准的收费项目。

二、关于陕西靖边县政府收取的天然气地方发展基金每立方米0.01元的问题。根据国务院国发明电[1994]15号和国发[1996]29号文件的有关规定,地方政府无权批准设立基金项目,因此,该项目属违法收费,用户有权拒付。

国家计委关于公布1999年7月份国内原油基准价格的通知

1999年7月6日　　计价格〔1999〕812号

根据国家计委印发的《原油、成品油价格改革方案》(计电(1998)52号)中的有关规定,现将1999年7月份国内原油基准价予以公布(见附表),请据此加上贴水确定国内原油的具体结算价格。

附表

1999年7月份国内原油基准价格表

油　种	基准价格(元/吨)	离岸价(美元/桶)	关税(元/吨)	油　种	基准价格(元/吨)	离岸价(美元/桶)	关税(元/吨)
轻质油	1117	16.861	16	重质油	863	15.048	16
中质油Ⅰ	1037	16.597	16	平均	1005	16.180	16
中质油Ⅱ	1002	16.215	16				

注:1、新加坡市场离岸价是采用美国普氏报价系统5月26日至6月25日期间各交易日估价的平均值;

2、人民币与美元汇率按8.28元人民币兑换1美元计算。

国家计委关于
协调山西省上网电价有关问题的通知

1999年7月19日　　　　计价格〔1999〕880号

山西省物价局、电力局：

长期以来，由于各方面意见分歧，山西省上网电价执行情况混乱，影响了部分独立发电企业的正常生产和经营。为了理顺电价关系，规范电价秩序，经反复研究和协调，现就有关问题通知如下：

一、由于银行贷款利率连续下调，电力生产企业财务费用降低，将榆社电厂、柳林电厂和阳泉第二发电厂上网电价分别调整为每千瓦时0.3326元、0.3975元和0.344元，自1999年1月1日起执行。

二、1996年至1998年，榆社、柳林电厂上网电价均在山西省物价局核批的各年度上网电价的基础上每千瓦时分别降低3分；其他独立核算电厂（包括小水电和小火电）上网电价和榆社电厂1996年以前的上网电价按省物价局核批的标准执行。

三、山西省电力局要严格按照上述调整后的电价水平和各电厂每年实际上网电量与各独立核算电厂结算电费。1999年以前各年度山西省电力局欠付各独立电厂的电费，由山西省电力局自本文下发之日起4年内付清，每年支付不得少于1/4。

四、鉴于山西省电力局目前生产经营比较困难，为了使山西省电力局能及时支付欠费，保证各独立核算电厂的正常运行，在下次调整山西电网销售电价时，每千瓦时加价0.3分，执行4年。执行期满后降低电价或用于解决电网其它增支因素。具体由国家计委另行下达。

五、请山西省物价局对山西省电力局与各独立核算电厂之间的电费结算情况进行监督与指导，并将有关情况及时报告国家计委。

国家计委关于公布
1999年8月份国内原油基准价格的通知

1999年8月2日　　　　计价格〔1999〕967号

根据国家计委印发的《原油、成品油价格改革方案》（计电[1998]52号）中的有关规定，现将1999年8月份国内原油基准价予以公布（见附表），请据此加上贴水确定国内原油的具体结算价格。

附表

1999年8月份国内原油基准价格表

油　种	基准价格（元/吨）	离岸价（美元/桶）	关税（元/吨）	油　种	基准价格（元/吨）	离岸价（美元/桶）	关税（元/吨）
轻质油	1266	19.154	16	重质油	928	16.216	16
中质油 I	1137	18.229	16	平均	1108	17.856	16
中质油 II	1100	17.825	16				

注：1、新加坡市场离岸价是采用美国普氏报价系统6月26日至7月25日期间各交易日估价的平均值；

2、人民币与美元汇率按8.28元人民币兑换1美元计算。

国家计委关于三门峡水库供水价格的批复

1999年8月2日　　计价格〔1999〕969号

水利部《关于请审批我部三门峡水库供水价格的函》(水经调[1998]397号)收悉。经研究,现批复如下:

长期以来,三门峡水库无偿向河南、山西两省供水,水管单位亏损严重,不利于用户节约用水。鉴于此,为了改变三门峡水库无偿供水的不合理现象,缓解供水管理单位的生产经营困难,保证工程的正常运行和维护,以满足工、农业和居民生活用水的需要,决定对三门峡水库核定正式供水价格。具体价格水平为:工业用水每立方米3分钱,生活用水每立方米2分钱,农业用水每立方米0.5分钱。上述供水价格自1999年8月1日起执行。

国家计委关于调整湖北省电网电价有关问题的通知

1999年8月19日　　计价格〔1999〕1094号

为了筹集三峡工程建设资金,适当解决新投产电力项目的还本付息问题,经国务院批准,决定在整顿电价、取消随电价加收的各种乱加价乱收费的基础上,适当调整湖北电网电价水平。现将有关事项通知如下:

一、适当调整独立核算的电厂上网电价

(一)为了筹集三峡工程建设资金,将葛洲坝电厂上网电价调整为每千瓦时0.102元。

(二)为适当弥补老水电站经营亏损,将丹江口水电站上网电价调整为每千瓦时0.142元。

(三)由于银行贷款利率连续下调,电厂发电用煤价格下降,加上部分电厂还贷已经结束,降低湖北电网内部分电厂上网电价,影响销售电价每千瓦时降低0.7分。各电厂具体降价幅度由省物价局核定。

二、新建成投产的机组上网电价(含税)分别核定为:汉川电厂4号机每千瓦时0.342元;阳逻电厂4号机每千瓦时0.338元;鄂州电厂每千瓦时0.40元;襄樊电厂每千瓦时0.358元;武钢钢电股份公司每千瓦时0.37元;长顺电厂每千瓦时0.394元;小溪口电站每千瓦时0.411元;长源江津电厂2号机每千瓦时0.361元;襄樊市热电厂每千瓦时0.383元。上述电价均为整个经营期电价。

三、为了解决上述电厂上网电价调整对电网销售电价的影响以及新投产电网项目投资的还本付息需要,将湖北省电网销售电价平均每千瓦时提高2.5分钱(包括华中电力集团公司经销的电量的供电成本),各类用户具体价格水平见附表。

大工业用户的基本电费的计费方式(按变压器容量或按最大需量)由用户自行选择,但一年之内应保持不变。

四、为增加电价透明度,将电力建设基金、三峡工程建设基金、城市公用事业附加并入目录电价。电力建设基金、三峡工程建设基金现行征收标准和征收办法不变。城市公用事业附加费,未开征的地区不得征收,电价标准按附表一执行;已开征的地区,征收标准统一为:居民生活照明用电按每千瓦时1.2分钱征收,其余的用户按每千瓦时1分钱征收,趸售县和农业用电不征收,电价标准按附表二执行。上述三项基金和收费项目由电力企业收取后专户存储,不得在价外另行收取。

五、为减轻国有重点高耗电企业和城镇低收入居民家庭的电费负担,决定实行以下电价优待措施:

(一)对生产能力在4万吨及以上的铁合金和3万吨及以上的氯碱企业生产用电,电度电价标准适当降低。在本文所附电价表中电炉铁合金、电解烧碱电价标准的基础上,各电压等级的电度电价每千瓦时分别降低2.5分钱。

(二)城镇低收入居民家庭基本生活用电量电价原则不提高,具体实施办法由湖北省物价局会同湖北省电力局制定。

六、以上电价自1999年7月15日抄见电量起执行。1997年国家计委、原电力部印发的《湖北省电网销售电价表》(计价管[1997]448号)同时废止。

七、请按照本通知要求,精心组织,周密安排,做好宣传解释工作,确保湖北省电价调整方案的顺利出台。执行中出现的问题,请及时报告国家计委。

附表一

湖北省电网(未开征城市公用事业附加的地区)销售电价表

用电分类	电度电价(元/千瓦时)					基本电价	
	不满1千伏	1—10千伏	35—110千伏	110千伏	220千伏及以上	最大需量(元/千瓦/月)	变压器容量(元/KVA/月)
一、居民生活电价	0.445	0.435	0.435				
二、非居民照明电价	0.592	0.582	0.582				
三、商业电价	0.827	0.817	0.817				
四、非工业、普通工业电价	0.509	0.499	0.489				
其中:中、小化肥电价	0.373	0.363	0.353				
五、大工业电价		0.375	0.355	0.345	0.340	24.00	16.00
其中:1、电炉铁合金、电解烧碱、合成氨、钙镁磷肥、电炉黄磷		0.365	0.345	0.335	0.330	24.00	16.00
2、电石电价		0.355	0.335	0.325	0.320	24.00	16.00
3、中小化肥电价		0.260	0.240	0.230	0.225	24.00	16.00
六、农业生产电价	0.430	0.420	0.410				
七、贫困县农业排灌电价	0.200	0.195	0.190				

附表二

湖北省电网(已开征城市公用事业附加的地区)销售电价表

用电分类	电度电价(元/千瓦时)					基本电价	
	不满1千伏	1—10千伏	35—110千伏	110千伏	220千伏及以上	最大需量(元/千瓦/月)	变压器容量(元/KVA/月)
一、居民生活电价	0.457	0.447	0.447				
二、非居民照明电价	0.602	0.592	0.592				
三、商业电价	0.837	0.827	0.827				
四、非工业、普通工业电价	0.519	0.509	0.499				
其中:中、小化肥电价	0.383	0.373	0.363				
五、大工业电价		0.385	0.365	0.355	0.350	24.00	16.00
其中:1、电炉铁合金、电解烧碱、合成氨、钙镁磷肥、电炉黄磷		0.375	0.355	0.345	0.340	24.00	16.00
2、电石电价		0.365	0.345	0.335	0.330	24.00	16.00
3、中小化肥电价		0.270	0.250	0.240	0.235	24.00	16.00
六、农业生产电价	0.430	0.420	0.410				
七、贫困县农业排灌电价	0.200	0.195	0.190				

附表三

湖北省电网企业趸售电价表

单位:元/千瓦时

用电分类	1—10千伏	35千伏及以上	用电分类	1—10千伏	35千伏及以上
一、县级趸售电价	0.349	0.349	二、县以下趸售电价	0.360	0.360
其中:中、小化肥电价	0.255	0.240	其中:中、小化肥电价	0.255	0.240

注:1、以上三张附表所列价格,除“贫困县农业排灌电价”外,均含中央电力建设基金每千瓦时2分和三峡建设基金每千瓦时1.5分。

2、附表二中所列价格,除“农业生产电价”和“贫困县农业排灌电价”外,均含城市公用事业附加。具体标准为:居民生活用电每千瓦时1.2分,其它用电每千瓦时1分。

3、根据《国家计委关于在“九五”期间继续征收电力建设基金的通知》(计交能[1996]583号)文件规定,对已下放地方管理的原国有重点煤炭企业,核工业铀扩散厂、堆化工厂生产用电价格,按表一、表二中所列的分类电价每千瓦时降低1.7分执行;抗灾救灾用电,原化工部发放生产许可证的氮肥、磷肥、钾肥、复合肥生产企业用电,按表一、表二所列分类电价每千瓦时降低2分执行。

国家计委关于调整新疆自治区电网电价有关问题的通知

1999年8月31日　　计价格〔1999〕1152号

新疆自治区物价局、电力局:

为适当解决新投产电力项目的还本付息问题,缓解电力企业生产经营困难,在整顿电价、取消随电价加收的各种乱加价乱收费的基础上,按总体上不增加用户负担的原则,决定适当调整新疆电网电价水平。经商国家经贸委、国家电力公司,现将有关事项通知如下:

一、核定你区新建成投产的机组上网电价(含税)分别为:苇湖梁电厂每千瓦时0.233元;风力发电厂每千瓦时0.533元;昌吉热电厂每千瓦时0.237元;艾维尔沟电厂每千瓦时0.387元;托克逊电厂每千瓦时0.36元。上述电价均为整个经营期电价。

二、为了解决上述电厂上网电价调整对电网销售电价的影响以及新投产电网项目投资的还本付息需要,将新疆自治区电网销售电价平均每千瓦时提高3.2分钱(其中,新机上网影响1.47分钱,电网项目还本付息1.73分钱),各类用户具体价格水平见本文所附电价表。大工业用户基本电费的计费方式(按变压器容量或按最大需量)由用户自行选择,但在一年之内应保持不变。

三、为增加电价透明度,将电力建设基金、三峡工程建设基金、城市公用事业附加列入销售电价。电力建设基金、三峡工程建设基金现行征收标准和征收及使用办法不变。根据你区的意见,城市公用事业附加征收范围为大工业电价和非工业、普通工业电价,标准为每千瓦时1.1分钱。上述三项基金和收费项目由电力企业收取后专户存储,不得在价外另行收取。

四、为减轻你区国有重点高耗电企业和城镇低收入居民家庭的电费负担,决定实行以下电价优待措施:

(一)对生产能力在4万吨及以上的铁合金和3万吨及以上的氯碱企业生产用电,电度电价标准适当降低。在本文所附电价表中电炉铁合金、电解烧碱电价标准的基础上,各电压等级的电度电价每千瓦时分别降低3.9分钱。

(二)城镇低收入居民家庭基本生活用电量电

价原则不提高，具体实施办法由省物价局制定。

（三）为开拓电力市场，扩大电力销售，减轻工业用户电费负担，供电企业可以对工业用户新增用电量实行电价优惠。具体措施由供用电双方协商确定。

五、以上电价自1999年9月1日抄见电量起执行。1997年原国家计委、电力部印发的《新疆自治区电网销售电价表》（计价管[1997]454号）同时废止。

六、请按照本通知要求，精心组织，周密安排，做好宣传解释工作，确保你区电价调整方案的顺利出台。执行中出现的问题，请及时报告国家计委。

附表

新疆自治区电网销售电价表

用电分类	电度电价（元/千瓦时）				基本电价	
	不满1千伏	1—10千伏	35—110千伏	110千伏	最大需量（元/千瓦/月）	变压器容量（元/KVA/月）
居民生活电价	0.387	0.377				
非居民照明电价	0.374	0.369				
商业电价	0.507	0.502				
非工业、普通工业电价	0.344	0.342	0.339			
其中：中、小化肥电价	0.319	0.317	0.315			
大工业电价		0.280	0.275	0.263	20.00	13.00
其中：电炉铁合金、电解烧碱、合成氨、电炉钙镁磷肥、电炉黄磷		0.266	0.263	0.253	20.00	13.00
中小化肥电价		0.148	0.145	0.142	20.00	13.00
农业生产电价	0.180	0.178	0.175			

注：1、以上价格中，商业电价、非工业、普通工业电价（不含中小化肥电价）、大工业电价（不含中小化肥电价）均含电力建设基金每千瓦时2分。

2、以上价格中，除农业生产电价外，均含三峡工程建设基金每千瓦时0.4分。

3、以上价格中，非工业、普通工业电价和大工业电价中均含城市公用事业附加每千瓦时1.1分。

4、根据《国家计委关于在“九五”期间继续征收电力建设基金的通知》（计交能[1996]583号）文件规定，对已下放地方管理的原国有重点煤炭企业，核工业铀扩散厂、堆化工厂生产用电价格，按表中所列的分类电价每千瓦时降低1.7分执行；抗灾救灾用电，原化工部发放生产许可证的氮肥、磷肥、钾肥、复合肥生产企业用电，按表所列分类电价每千瓦时降低2分执行。

国家计委关于调整陕西省电网电价有关问题的通知

1999年8月31日　　　　计价格〔1999〕1153号

为了适当解决新投产电力项目的还本付息问题，缓解电力企业生产经营困难，经商国家经贸委、国家电力公司，决定在整顿电价、取消随电价加收的各种乱加价乱收费的基础上，按总体上不增加用户负担的原则，适当调整陕西电网电价水平。现将有关事项通知如下：

一、陕西省新建成投产的机组上网电价分别核定为：蒲城电厂每千瓦时0.33元，李家峡电厂每千瓦时0.294元，神木电厂每千瓦时0.34元，宝鸡第二发电厂每千瓦时0.33元，新力有限公司（白水电厂)每千瓦时0.33元。上述电价均为整个经营期电价。

二、为了解决上述电厂上网电价调整对电网销售电价的影响以及新投产电网项目投资的还本付息需要,将陕西省电网销售电价平均每千瓦时提高2.86分钱(分别为新机1.43分钱,电厂送出工程1.33分钱,西北电网陕西段联络线0.1分钱),各类用户具体价格见附表。

大工业用户基本电费的计费方式(按变压器容量或按最大需量)由用户自行选择,但在一年之内应保持不变。

三、为增加电价透明度,将电力建设基金、三峡工程建设基金、城市公用事业附加列入销售电价。电力建设基金、三峡工程建设基金现行征收标准和征收及使用办法均不变。根据陕西省的意见,未开征城市公用事业附加的地区不得征收,电价标准按附表一执行;已开征地区征收标准统一为:大工业、非工业、普通工业用电为每千瓦时0.6分钱,居民、非居民照明用电为每千瓦时2分钱,电价标准按附表二执行。上述三项基金和收费项目由电力企业收取后专户存储,不得在价外另行收取。

四、为减轻陕西省高耗电企业、涉农企业和城镇低收入居民家庭的电费负担,决定实行以下电价优待措施:

(一)对生产能力在4万吨及以上的铁合金企业和生产能力在3万吨及以上的氯碱企业生产用电,电度电价标准适当降低。在本文所附电价表中电炉铁合金、电解烧碱电价标准的基础上,各电压等级的电度电价每千瓦时分别降低3分钱。

(二)对符合国家产业政策、达到年生产规模5万吨以上的电解铝企业生产用电的电价优待措施另行下达。

(三)为开拓电力市场,扩大电力销售,减轻工业用户电费负担,供电企业可以对工业用户新增用电量实行电价优惠。具体措施由供用电双方协商确定。

(四)城镇低收入居民家庭基本生活用电量电价原则上不提高,具体实施办法由省物价局制定。

五、以上电价自1999年9月1日抄见电量起执行。1997年原国家计委、电力部印发的《陕西省电网销售电价表》(计价管[1997]450号)同时废止。

六、请按照本通知要求,精心组织,周密安排,做好宣传解释工作,确保陕西省电价调整方案的顺利出台。执行中出现的问题,请及时报告国家计委。

附表一

陕西省电网(未开征城市公用事业附加的地区)销售电价表

用电分类	电度电价(元/千瓦时)					基本电价	
	不满1千伏	1—10千伏	35—110千伏以下	110—220千伏以下	220千伏及以上	最大需量(元/千瓦/月)	变压器容量(元/KVA/月)
居民生活电价	0.392	0.382	0.382				
非居民照明电价	0.555	0.546	0.546				
商业电价	0.673	0.664	0.654				
非工业、普通工业电价	0.468	0.461	0.452				
其中:中、小化肥电价	0.301	0.297	0.293				
大工业电价		0.357	0.337	0.317	0.312	24.00	16.00
其中:电炉铁合金、电解烧碱、合成氨、电炉钙镁磷肥、电炉黄磷		0.347	0.327	0.307	0.302	24.00	16.00
电石		0.337	0.317	0.297	0.292	24.00	16.00
中、小化肥		0.206	0.191	0.181	0.176	24.00	16.00
农业生产电价	0.399	0.391	0.381				
农业排灌电价	0.219	0.217	0.214				

附表二

陕西省电网(已开征城市公用事业附加的地区)销售电价表

用电分类	电度电价(元/千瓦时)					基本电价	
	不满1千伏	1—10千伏	35—110千伏以下	110～220千伏以下	220千伏及以上	最大需量(元/千瓦/月)	变压器容量(元/KVA/月)
居民生活电价	0.412	0.402	0.402				
非居民照明电价	0.575	0.566	0.566				
商业电价	0.693	0.684	0.674				
非工业、普通工业电价	0.474	0.467	0.458				
其中:中、小化肥电价	0.307	0.303	0.299				
大工业电价		0.363	0.343	0.323	0.318	24.00	16.00
其中:电炉铁合金、电解烧碱、合成氨、电炉钙镁磷肥、电炉黄磷		0.353	0.333	0.313	0.308	24.00	16.00
电石		0.343	0.323	0.303	0.298	24.00	16.00
中、小化肥		0.212	0.197	0.187	0.182	24.00	16.00
农业生产电价	0.399	0.391	0.381				
农业排灌电价	0.219	0.217	0.214				

附表三

陕西省电网企业趸售电价表

单位:元/千瓦时

用电分类	县级趸售		县以下趸售	
	1—10千伏	35千伏及以上	1—10千伏	35千伏及以上
居民生活电价	0.288	0.288		
非居民照明电价	0.420	0.420		
商业电价	0.505	0.505		
工业、非工业电价	0.339	0.331		
其中:中、小化肥电价	0.225	0.220		
农业生产电价	0.312	0.300		
农业排灌电价	0.158	0.153		

注:1、以上三张附表所列价格,均含中央电力建设基金每千瓦时2分和三峡工程建设基金每千瓦时0.4分。贫困地区农业排灌电价在"农业排灌电价"基础上每千瓦时降低2.4分执行。

2、附表二中所列价格,除"农业生产电价"和"农业排灌电价"外,均含城市公用事业附加。具体标准为:居民生活电价、非居民照明电价、商业电价每千瓦时2分,非工业、普通工业电价、大工业电价每千瓦时0.6分。

3、根据《国家计委关于在"九五"期间继续征收电力建设基金的通知》(计交能[1996]583号)文件规定,对已下放地方管理的原国有重点煤炭企业,核工业铀扩散厂、堆化工厂生产用电价格,按表一、表二中所列的分类电价每千瓦时降低1.7分执行;抗灾救灾用电,原化工部发放生产许可证的氮肥、磷肥、钾肥、复合肥生产企业用电,按表一、表二所列分类电价每千瓦时降低2分执行。

国家计委关于公布1999年9月份国内原油基准价格的通知

1999年9月2日　　计价格〔1999〕1175号

根据国家计委印发的《原油、成品油价格改革方案》(计电[1998]52号)中的有关规定,现将1999年9月份国内原油基准价予以公布(见附表),请据此加上贴水确定国内原油的具体结算价格。

附表

1999年9月份国内原油基准价格表

油　种	基准价格(元/吨)	离岸价(美元/桶)	关税(元/吨)	油　种	基准价格(元/吨)	离岸价(美元/桶)	关税(元/吨)
轻质油	1413	21.394	16	重质油	1046	18.306	16
中质油Ⅰ	1201	19.263	16	平　均	1203	19.417	16
中质油Ⅱ	1153	18.703	16				

注:1、新加坡市场离岸价是采用美国普氏报价系统7月26日至8月25日期间各交易日估价的平均值;

2、人民币与美元汇率按8.28元人民币兑换1美元计算。

国家计委办公厅关于调整燕山石化公司和上海石化公司外供乙烯价格的通知

1999年9月1日　　计办价格〔1999〕668号

鉴于近期国际市场原油价格持续上涨,乙烯生产成本增加,为有利于乙烯生产经营,兼顾化工企业承受能力,经研究,决定将北京燕山石油化工(集团)公司和上海石化股份有限公司外供乙烯的含税中准出厂价格,由每吨3700元提高到每吨4000元,上下浮动幅度仍为10%。调整后的乙烯价格自1999年9月20日起执行。

国家计委关于石油石化集团公司互供原油贴水办法的通知

1999年9月23日　　计价格〔1999〕1410号

石油天然气集团公司《关于石油石化两大集团公司原油贴水谈判协商意见的报告》(中油财字

[1999]第500号)收悉。根据《国家发展计划委员会关于印发〈原油、成品油价格改革方案〉的通知》(计电[98]52号)的有关规定,现将石油集团公司与石化集团公司互供原油的贴水问题通知如下:

一、同意中国石油天然气集团公司、中国石油化工集团公司协商达成的原油贴水协议,建立国内原油贴水随着国际市场油价波动相应调整的机制。

二、原油增减贴水的具体确定办法按照中国石油天然气集团公司、中国石油化工集团公司商定的意见执行。

三、新的原油贴水标准自1999年9月1日起执行。

国家计委价格司关于华中电力集团公司电价有关问题的通知

1999年9月22日　　　　计司价格函〔1999〕80号

根据《国家计委关于调整湖北省电网电价有关问题的通知》(计价格[1999]1094号)有关规定,华中电力集团公司每年向湖北省电力公司收取的新增供电成本为每千瓦时0.13分,按湖北省电力公司年售电量340亿千瓦时结算,自1999年7月15日抄见电量起执行。

国家计委关于调整贵州省电网电价有关问题的通知

1999年9月28日　　　　计价格〔1999〕1424号

为适当解决新投产电力项目及农网改造的还本付息问题,缓解电力企业生产经营困难,在整顿电价、取消随电价加收的各种乱加价乱收费的基础上,按总体上不增加用户负担,电力企业适当消化成本增支的原则,决定适当调整贵州电网电价水平。经商国家经贸委、国家电力公司,现将有关事项通知如下:

一、新建成投产的机组上网电价(含税,下同)分别核定为:安顺电厂每千瓦时0.21元,凯里电厂每千瓦时0.20元。

二、全省小水电上网电价统一调整为每千瓦时0.12元。

三、为了解决上述电厂上网电价调整对电网销售电价的影响,以及新投产电网项目和农网改造投资的还本付息需要,将贵州电网销售电价平均每千瓦时提高2.4分钱(其中,新机上网影响0.56分,小水电提价影响0.08分,电网项目还本付息影响1.51分,解决南电联电网投资还本付息问题影响0.1分,农网改造还贷加价0.15分),各类用户具体价格水平见本文所附的电价表。

大工业用户的基本电费的计费方式(按变压器容量或按最大需量)由用户自行选择,但一年之内应保持不变。

四、为增加电价透明度,将电力建设基金、三峡工程建设基金、城市公用事业附加列入销售电价。电力建设基金、三峡工程建设基金现行征收标准和征收及使用办法不变。对城市公用事业附加,未开征的地区不得征收,电价标准按附表一执行;已开征地区征收标准统一为:大工业、非工业、普通工业用电每千瓦时0.8分钱,城市照明用电、非居民照明用电、商业用电每千瓦时2分钱,电价标准按附表二执行。上述三项基金和收费由电力企业收取后专户存储,不得在价外另行收取。

五、为减轻国有重点高耗电企业和城镇低收入居民家庭的电费负担,决定实行以下电价优待措施:

(一)对生产能力在4万吨及以上的铁合金企业和生产能力在3万吨及以上的氯碱企业生产用电,电度电价标准适当降低。在本文所附电价表中电炉铁合金、电解烧碱电价标准的基础上,各电压等级的电度电价每千瓦时分别降低2.5分钱。

(二)城镇低收入居民家庭基本生活用电量电价原则上不提高,具体实施办法由省物价局商省电力局制定后另行下达。

(三)为开拓电力市场,扩大电力销售,减轻工业用户电费负担,供电企业可以对工业用户新增用电量实行电价优惠。具体措施由省电力局商工业用户确定。

六、以上电价自1999年10月10日抄见电量起执行。1997年国家计委、原电力部印发的《贵州省电网销售电价表》(计价管[1997]456号)同时废止。

七、请按照本通知要求,精心组织,周密安排,做好宣传解释工作,确保电价调整方案的顺利出台。执行中出现的问题,请及时报告国家计委。

附表一

贵州省电网(未开征城市公用事业附加的地区)销售电价表

用电分类	电度电价(元/千瓦时)					基本电价	
	不满1千伏	1—10千伏	35—110千伏以下	110—220千伏以下	220千伏及以上	最大需量(元/千瓦/月)	变压器容量(元/KVA/月)
一、居民生活电价	0.383	0.373					
二、非居民照明电价	0.493	0.483					
三、商业电价	0.728	0.718					
四、非工业、普通工业电价	0.399	0.389	0.379				
其中:中、小化肥电价	0.323	0.313	0.303				
五、大工业电价		0.308	0.288	0.273	0.263	21.00	14.00
其中:1、电炉铁合金、电解烧碱、合成氨、电炉钙镁磷肥、电炉黄磷		0.298	0.278	0.263	0.253	21.00	14.00
2、电石		0.288	0.268	0.253	0.243	21.00	14.00
3、中、小化肥		0.236	0.216	0.201	0.191	21.00	14.00
六、农业生产电价	0.328	0.318	0.308				
七、贫困县农业排灌电价	0.178	0.173	0.168				

附表二

贵州省电网(已开征城市公用事业附加的地区)销售电价表

用电分类	电度电价(元/千瓦时)					基本电价	
	不满1千伏	1—10千伏	35—110千伏以下	110—220千伏以下	220千伏及以上	最大需量(元/千瓦/月)	变压器容量(元/KVA/月)
一、居民生活电价	0.403	0.393					
二、非居民照明电价	0.513	0.503					
三、商业电价	0.748	0.738					
四、非工业、普通工业电价	0.407	0.397	0.387				
其中:中、小化肥电价	0.331	0.321	0.311				
五、大工业电价		0.316	0.296	0.281	0.271	21.00	14.00
其中:1、电炉铁合金、电解烧碱、合成氨、电炉钙镁磷肥、电炉黄磷		0.306	0.286	0.271	0.261	21.00	14.00
2、电石		0.296	0.276	0.261	0.251	21.00	14.00
3、中、小化肥		0.244	0.224	0.209	0.199	21.00	14.00
六、农业生产电价	0.328	0.318	0.308				
七、贫困县农业排灌电价	0.178	0.173	0.168				

附表三

贵州省电网企业趸售电价表

用电分类	县级趸售(元/千瓦时)		县以下趸售(元/千瓦时)	
	1—10千伏	35千伏及以上	1—10千伏	35千伏及以上
一、居民生活电价	0.293		0.313	
二、非居民照明电价	0.387	0.387	0.407	0.407
三、商业电价	0.618	0.618	0.638	0.638
四、工业、非工业电价	0.295	0.290	0.305	0.300
五、农业生产电价	0.264	0.254	0.264	0.254
六、贫困县农业排灌电价	0.131	0.126	0.131	0.126

注:1、以上三张附表所列价格,除"贫困县农业排灌电价"外,均含中央电力建设基金每千瓦时2分和三峡工程建设基金每千瓦时0.4分。

2、附表二中所列价格,除农业生产电价和农业排灌电价外,均含城市公用事业附加。具体标准为:居民生活电价、非居民照明电价、商业电价每千瓦时2分,非工业、普通工业电价、大工业电价每千瓦时0.8分。

3、根据《国家计委关于在"九五"期间继续征收电力建设基金的通知》(计交能[1996]583号)文件规定,对已下放地方管理的原国有重点煤炭企业,核工业铀扩散厂、堆化工厂生产用电价格,按表一、表二中所列的分类电价每千瓦时降低1.7分执行;抗灾救灾用电,原化工部发放生产许可证的氮肥、磷肥、钾肥、复合肥生产企业用电,按表一、表二所列分类电价每千瓦时降低2分执行。

国家计委关于调整部分成品油价格的通知

1999年11月1日　　　计电〔1999〕104号

近几个月,国际石油价格大幅度上涨,国内炼化企业生产经营困难,部分地区汽、柴油供应趋紧,市场零售价格已突破政府指导价上限。根据《国家发展计划委员会关于印发〈原油、成品油价格改革方案〉的通知》(计电[98]52号)有关规定,经报国务院批准,决定适当提高汽、柴油零售指导价。现就有关事项通知如下:

一、全国平均90号无铅汽油零售中准价由每吨2797元提高到2937元;0号柴油由每吨2408元提高至2529元。同时,将汽油标准品由90号含铅汽油调整为90号无铅汽油,相应调整汽油品质比率。调整后的品质比率见附表一。

二、各省、自治区、直辖市调后的汽、柴油零售中准价,区分两种情况:

(一)已经实行配送制和全省一价的地区,汽、柴油零售中准价均提高5%。继续实行全省统一价格。

(二)暂不实行全省一价的地区,中心城市平均汽、柴油零售中准价分别提高4%,省内其他地区的零售中准价由省级物价部门按以下原则确定:(1)省(区、市)内价区原则上不得超过3个(含中心城市);(2)各价区零售中准价的水平在中心城市零售中准价基础上考虑运杂费增减因素从紧安排,全省平均价格水平调整幅度控制在5%左右;(3)毗邻省(区、市)要主动衔接好接壤地区的价格。暂未实行全省一价的地区,要继续深化成品油流通体制改革,创造条件尽快实现全省一价,以减轻边远地区的负担。

调整后的各省(区、市)或中心城市汽、柴油零售中准价见附表三。各省(区、市)调价方案报国家计委备案,同时抄送石油、石化两个集团公司。

三、汽、柴油零售中准价调整后,石油、石化两个集团公司要按照上述要求,在上下5%的幅度内制定和公布具体零售价格。考虑到北京、天津、河北、山西、甘肃、青海、宁夏、新疆、黑龙江、吉林、辽宁等省(区、市)汽、柴油的市场供求状况,石油、石化两个集团公司要从严控制这些地区的价格调整幅度,在方案出台时,上浮幅度暂按不超过3%控制。

四、石油、石化集团公司供应系统外社会加油站的汽、柴油批发价,批零差率原则上不得小于

5.5%。尚未实行全省一价的地区，由省级物价部门在此基础上加运杂费因素合理确定批零差率的低限。

五、石油、石化集团公司供军队及新疆生产建设兵团、国家储备用汽油(标准品)出厂价格每吨由2205元调整为2345元，柴油(标准品)出厂价格每吨由1900元调整为2020元。其他非标准品价格由石油、石化集团公司按照国家规定的品质比率确定。供军队用的灯用煤油每吨由1950元调整为2070元；海军燃料油每吨由1270元调整为1350元。

供铁道、交通等其他部门专项用油价格仍按照《国家发展计划委员会关于铁道、交通等部门专项用油供应办法和供应价格的通知》(计经贸[1998]1475号)的规定，在国家规定的调后供军队出厂价基础上，在上浮5%的幅度内由供需双方协商确定。为减缓油价调整对有关行业的冲击，1999年底以前，供各专项部门的汽、柴油价格上浮幅度要控制在3%以内。

六、化肥用重油、航空煤油出厂价参照与汽油标准品的合理比价从低安排，适当调整，调整后的具体价格见附表二。石油、石化集团公司要增加对民航系统的航空煤油供应量，以减缓民航系统自行进口航空煤油的困难。

七、灯用煤油、化工轻油、非化肥用重油价格，由石油、石化两个集团公司以调后供军队汽油价格为基础，按照现行比价制定；计划内民用液化气出厂价，由省级物价部门商石油、石化集团公司按照现行比价，根据合理补偿成本，兼顾居民承受能力的原则制定，在两至三年内逐步到位。

八、石油、石化集团公司供地方炼厂原油和外供的烧用原油价格，在国家计委公布的原油基准价基础上加两个集团公司互供原油的贴水制定。石油、石化集团公司收购地方炼厂生产的汽、柴油价格，按照两个集团公司内部就近炼厂出厂价每吨加50元确定(其中，陕西省地方炼厂的汽、柴油收购价格另行规定，在新的规定下发前，暂按目前双方签订的协议执行)。

九、进一步加强对石油价格的管理。各级物价部门、石油、石化企业要密切配合，建立工作联系制度，共同做好油价工作。各级物价部门要加强对市场油价的监测，认真分析研究成品油市场情况和价格执行过程中的矛盾和问题，并及时向当地人民政府和国家计委报告。两个集团公司在调整汽、柴油批发价和零售价时，要提前10日报国家计委备案，并抄送省级物价部门，出台时向社会公开发布。各级石油公司要认真执行有关价格规定，及时向物价部门汇报市场情况，接受物价部门的管理和监督，并在转发集团公司有关价格文件时，抄送同级物价部门。

十、以上各项规定自1999年11月5日起执行，石油、石化集团公司和各省(区、市)物价部门、石油公司要做好方案出台前的各项准备工作，认真研究制定调价方案(包括各价区具体价格安排)，确保按时出台。云南省具体执行时间，根据汽、柴油市场价格情况，由省级物价部门商石化集团公司灵活掌握。

十一、石油、石化集团公司要加强成品油的调运和配置，确保油品正常供应，以利石油价格调整方案平稳出台。

附表一

汽油品质比率表

品　名	品质比率
90号无铅汽油(标准品)	100
70号无铅汽油	93
93号无铅汽油	107
95号无铅汽油	110
97号无铅汽油	113

注：70号无铅汽油品质比率自2000年7月1日停止销售时即废止。

附表二

化肥用重油、航空煤油出厂价格表

单位：元/吨

	出厂价格
一、化肥用重油	880
二、喷气燃料	
1号喷气燃料	2070
2号喷气燃料	2070
3号喷气燃料	2120
4号喷气燃料	2030
大比重喷气燃料	2300
高闪点喷气燃料	2210
海军多用途燃料	2160

附表三

各省(区、市)和中心城市汽、柴油零售中准价

单位:元/吨

	90号无铅汽油	0号柴油		90号无铅汽油	0号柴油
一、实行一省一价的地区			二、暂不实行一省一价的地区		
北京市	2885	2475	呼和浩特市	2900	2490
天津市	2885	2475	南京市	2870	2465
河北省	2885	2475	杭州市	2900	2490
山西省	2950	2530	合肥市	2905	2495
辽宁省	2885	2475	福州市	2935	2520
吉林省	2885	2475	南昌市	2905	2495
黑龙江省	2885	2475	武汉市	2870	2460
上海市	2900	2480	长沙市	2900	2490
山东省	2895	2485	成都市	3090	2695
河南省	2905	2495	重庆市	3075	2660
海南省	3020	2600	贵阳市	3050	2625
广东省	2960	2540	昆明市	3080	2655
其中:深圳市	3180	2700	西安市	2870	2485
广西自治区	3020	2600	兰州市	2840	2470
宁夏自治区	2890	2475	西宁市	2840	2505
新疆自治区	2680	2380			

国家计委关于公布1999年10月份国内原油基准价格的通知

1999年10月10日　　　　计价格〔1999〕1554号

根据国家计委印发的《原油、成品油价格改革方案》(计电(1998)52号)中的有关规定,现将1999年10月份国内原油基准价予以公布(见附表),请据此加上贴水确定国内原油的具体结算价格。

附表

1999年10月份国内原油基准价格表

油　种	基准价格(元/吨)	离岸价(美元/桶)	关税(元/吨)	油　种	基准价格(元/吨)	离岸价(美元/桶)	关税(元/吨)
轻质油	1528	23.155	16	重质油	1160	20.339	16
中质油Ⅰ	1321	21.222	16	平均	1321	21.352	16
中质油Ⅱ	1274	20.690	16				

注:1、新加坡市场离岸价是采用美国普氏报价系统8月26日至9月25日期间各交易日估价的

平均值；

2、人民币与美元汇率按8.28元人民币兑换1美元计算。

国家计委关于公布1999年11月份国内原油基准价格的通知

1999年10月29日　　计价格〔1999〕1742号

根据国家计委印发的《原油、成品油价格改革方案》（计电（1998）52号）中的有关规定，现将1999年11月份国内原油基准价予以公布（见附表），请据此加上贴水确定国内原油的具体结算价格。

附表

1999年11月份国内原油基准价格表

油　种	基准价格（元/吨）	离岸价（美元/桶）	关税（元/吨）	油　种	基准价格（元/吨）	离岸价（美元/桶）	关税（元/吨）
轻质油	1576	23.901	16	重质油	1214	21.282	16
中质油Ⅰ	1402	22.543	16	平均	1390	22.485	16
中质油Ⅱ	1366	22.212	16				

注：1、新加坡市场离岸价是采用美国普氏报价系统9月26日至10月25日期间各交易日估价的平均值；

2、人民币与美元汇率按8.28元人民币兑换1美元计算。

国家计委关于调整青海省电网电价有关问题的通知

1999年11月4日　　计价格〔1999〕1866号

为适当解决新投产电力项目的还本付息问题，缓解电力企业生产经营困难，在整顿电价、取消随电价加收的各种乱加价乱收费的基础上，按总体上不增加用户负担，电力企业适当消化成本增支的原则，决定适当调整青海电网电价水平。经商国家经贸委和国家电力公司，现将有关事项通知如下：

一、将目前青海省统一在价外加收的还本付息加价（每千瓦时6.3分钱）并入目录电价，用于解决以下问题：

（一）核定新投产机组整个经营期的上网电价（含税，下同）为：桥头电厂六期每千瓦时0.258元，李家峡水电厂每千瓦时0.294元，分别推动销售电价每千瓦时上升1.4分钱和1.2分钱。

（二）核定全省新投产小水电厂的平均上网电价为每千瓦时0.25元钱，影响电网销售电价每千瓦时上升0.2分钱。各小水电厂的具体上网电价水平由省物价局核定，报国家计委备案。

（三）解决1997、1998年新投产的电厂送出工程、电网联络线工程投资还本付息问题，推动销售电价每千瓦时提高3.5分钱（含西北集团公司部分）。

二、调整后各类用户的具体价格水平见本文所附的电价表。大工业用户基本电价的计费方式（按变压器容量或按最大需量）在不影响电网安全经济运行的前提下，经供用电双方协商后由用户自行选择，但一年之内应保持不变。

三、为增加电价透明度，将电力建设基金、三峡工程建设基金、城市公用事业附加列入销售电价。电力建设基金、三峡工程建设基金现行征收标准和征收及使用办法不变。对城市公用事业附加，未开征的地区不得征收，电价标准按附表一执行；已开征地区征收标准统一为：大工业每千瓦时1.5分钱，非、普工业每千瓦时2分钱，非居民照明每千瓦时2.5分钱，电价标准按附表二执行。上述三项基金和收费由电力企业收取后专户存储，不得在价外另行收取。

四、为减轻国有重点高耗电企业电费负担，决定实行以下电价优待措施：

（一）按照《国家计委、财政部关于降低电解铝等有色金属企业电费及免征有关政府性基金的通知》（计价格[1999]977号）的要求，降低年生产能力在5万吨以上的电解铝企业和铜生产企业的电价，免收电力建设基金和城市公用事业附加。对年生产能力在4万吨及以上的铁合金企业和生产能力在3万吨及以上的氯碱企业生产用电，电度电价标准适当降低。在本文所附电价表中电炉铁合金、电解烧碱电价标准的基础上，各电压等级的电度电价每千瓦时分别降低1分钱。

（二）为开拓电力市场，扩大电力销售，减轻工业用户电费负担，对工业用户在生产规模不扩大的前提下新增的用电量，可以在不超过现行价格10%的幅度内实行价格优惠。具体价格由省电力公司与用户协商确定，报国家电力公司和省物价、经贸部门备案。

五、以上电价自1999年10月1日抄见电量起执行。1997年国家计委、电力部印发的《青海省电网销售电价表》（计价管[1997]453号）同时废止。

六、请按照本通知要求，精心组织，周密安排，做好宣传解释工作，确保电价调整方案的顺利出台。执行中出现的问题，请及时报告国家计委。

附表一

青海电网（未开征城市公用事业附加的地区）销售电价表

用电分类	电度电价（元/千瓦时）					基本电价	
	不满1千伏	1—10千伏	35—110千伏以下	110—220千伏以下	220千伏及以上	最大需量（元/千瓦/月）	变压器容量（元/KVA/月）
居民生活电价	0.362	0.357					
非居民照明电价	0.440	0.433	0.433				
商业电价	0.660	0.650	0.640				
非工业、普通工业电价	0.328	0.323	0.317				
大工业电价		0.254	0.244	0.234		20.00	13.00
其中：电炉铁合金、电解烧碱、合成氨、电炉钙镁磷肥、电炉黄磷		0.244	0.234	0.224		20.00	13.00
电石		0.234	0.224	0.214		20.00	13.00
中、小化肥		0.147	0.137			20.00	13.00
农业生产电价	0.279	0.274	0.267				
贫困县农业排灌电价	0.203	0.201	0.198				

附表二

青海省电网(已开征城市公用事业附加的地区)销售电价表

用电分类	电度电价(元/千瓦时)					基本电价	
	不满1千伏	1—10千伏	35—110千伏以下	110—220千伏以下	220千伏及以上	最大需量(元/千瓦/月)	变压器容量(元/KVA/月)
居民生活电价	0.362	0.357					
非居民照明电价	0.465	0.458	0.458				
商业电价	0.660	0.650	0.640				
非工业、普通工业电价	0.348	0.343	0.337				
大工业电价		0.269	0.259	0.249		20.00	13.00
其中:电炉铁合金、电解烧碱、合成氨、电炉钙镁磷肥、电炉黄磷		0.259	0.249	0.239		20.00	13.00
电石		0.249	0.239	0.229		20.00	13.00
中、小化肥		0.162	0.167			20.00	13.00
农业生产电价	0.279	0.274	0.267				
贫困县农业排灌电价	0.203	0.201	0.198				

附表三

青海省电网趸售电价表

单位:元/千瓦时

用电分类	县级趸售		县以下趸售	
	1—10千伏	35千伏及以上	1—10千伏	35千伏及以上
居民生活电价	0.281	0.281	0.300	0.300
非居民照明电价	0.344	0.344	0.363	0.363
工业、非工业电价	0.252	0.249	0.260	0.257
农业生产电价	0.224	0.215	0.224	0.215
贫困县农业排灌电价	0.156	0.150	0.156	0.150

注:1、以上三张附表所列价格,除贫困县农业排灌电价、中小化肥电价外,均含中央电力建设基金每千瓦时2分;除贫困县农业排灌电价外,均含三峡工程建设基金每千瓦时0.4分。

2、附表二中所列价格,除居民生活电价、商业电价、农业生产电价、贫困县农业排灌电价外,均含城市公用事业附加,具体标准为:非居民照明电价每千瓦时2.5分,非工业、普通工业电价每千瓦时2分,大工业电价每千瓦时1.5分。

3、根据《国家计委关于在"九五"期间继续征收电力建设基金的通知》(计交能[1996]583号)文件的规定,对国有重点煤炭企业生产用电、核工业铀扩散厂和堆化工厂生产用电价格,按表列的分类电价每千瓦时降低1.7分执行;农业排灌用电,按表所列的分类电价每千瓦时降低2分执行。

4、年生产能力在5万吨及以上的电解铝企业电价按国家计委计价格[1999]977号文件规定执行;年生产能力在4万吨及以上的铁合金和年生产能力在3万吨及以上的氯碱企业,电价按附表中同类电价标准降低1分钱执行。

国家计委办公厅关于湖北省电价执行有关问题的复函

1999年11月4日　　　　计办价格〔1999〕848号

湖北省物价局《关于执行新电价有关问题的紧急请示》(鄂价传字[1999]7号)收悉。经商国家电力公司,现函复如下:

一、列入目录电价的电力建设基金、三峡建设基金和城市公用事业附加,不执行力率调整电费办法和峰谷、丰枯分时电价。在确定计费基础电价时,应在目录电价的基础上扣除上述三项基金。

二、新建成投产的机组投产后至执行正式上网电价以前的上网电量,按照湖北省物价局会同湖北省电力局根据《国家计委关于核定新建电力项目上网电量临时结算电价的通知》(计价格〔1998〕2075号)有关规定核定的临时上网电价执行。

三、《国家计委关于调整湖北省电网电价有关问题的通知》(计价格〔1999〕1094号)中所附电价表中的"商业电价"执行范围为:从事商品交换或提供商业性、金融性、服务性的有偿服务消耗的电量。

国家计委关于漳河上游引水渠首工程供水价格的批复

1999年11月10日　　　　计价格〔1999〕1981号

水利部《关于请审批我部漳河上游引水渠首工程供水价格的函》(水经调[1998]399号)收悉。经研究,现批复如下:

为了缓解漳河上游引水渠首工程管理单位的生产经营困难,保证工程的正常运行和维护,满足河南、河北两省工、农业用水的需要,决定对漳河上游引水渠首工程核定正式供水价格。考虑到当地用户尤其是农民的承受能力,拟将水价分步到位,第一步从低安排,各分类水价分别为:工业用水每立方米1分钱,农业用水每立方米0.4分钱。

以上价格自1999年12月1日起执行。

国家计委关于公布1999年12月份国内原油基准价格的通知

1999年12月6日　　　　计价格〔1999〕2143号

根据国家计委印发的《原油、成品油价格改革方案》(计电(1998)52号)中的有关规定,现将1999年12月份国内原油基准价予以公布(见附表),请据此加上贴水确定国内原油的具体结算价格。

附表

1999年12月份国内原油基准价格表

油 种	基准价格（元/吨）	离岸价（美元/桶）	关税（元/吨）	油 种	基准价格（元/吨）	离岸价（美元/桶）	关税（元/吨）
轻质油	1618	24.539	16	重质油	1277	22.411	16
中质油Ⅰ	1455	23.394	16	平均	1445	23.398	16
中质油Ⅱ	1429	23.247	16				

注：1、新加坡市场离岸价是采用美国普氏报价系统10月26日至11月25日期间各交易日估价的平均值；

2、人民币与美元汇率按8.28元人民币兑换1美元计算。

国家计委关于华北四省市汽、柴油零售价格问题的批复

1999年12月15日　　计电〔1999〕116号

中国石油化工集团公司：

你公司《关于解决当前油品市场价格问题的请示》（中国石化[1999]财字686号）收悉。经研究，现批复如下：

一、同意将北京、天津、河北、山西四省市的汽、柴油零售价在零售中准价基础上的上浮幅度由3%调整至5%，并自12月16日起执行。你公司要采取措施，做好成品油总量平衡和配送工作，确保市场油品正常供应。

二、你公司提出的其它问题将另行研复。

国家计委关于调整京津唐电网电价有关问题的通知

1999年12月16日　　计价格〔1999〕2239号

为了适当解决新投产电力项目的还本付息问题，缓解电力企业生产经营困难，决定在整顿电价、取消随电价加收的各种乱加价、乱收费的基础上，按总体上不增加用户负担的原则，适当调整京津唐电网（北京、天津、河北北部）电价水平。经商国家经贸委、国家电力公司，现将有关事项通知如下：

一、核定京津唐电网新建成投产的机组上网电价（含税，下同）分别为：国华盘山电厂每千瓦时0.3679元，华能高碑店1－3号机每千瓦时0.478元，杨柳青电厂每千瓦时0.3936元，张家口5号机每千瓦时0.379元，长城风电每千瓦时0.8106元，秦皇岛热电厂4号机每千瓦时0.3305元，滦河电厂7号机每千瓦时0.366元，云岗电厂7号机每千瓦时0.364元。上述电价均为整个经营期电价。

二、考虑银行利率下调及煤价降低因素，将部分电厂上网电价重新核定为：云岗6号机组每千瓦时0.307元，石景山2、3号机每千瓦时0.264元，石景山4号机每千瓦时0.389元，秦皇岛热电厂1－3号机每千瓦时0.356元，滦河6号机每千瓦时0.3486元，大唐发电股份有限公司每千瓦时0.327元，沙岭子2号机每千瓦时0.3005元，军粮城5号机每千瓦时0.249元，军粮城7、8号机每千瓦时

0.299元，天津一厂11号机每千瓦时0.335元，大港4号机每千瓦时0.331元，内蒙东送电每千瓦时0.285元，山西东送电每千瓦时0.262元。

三、为适当弥补老水电站经营亏损，将潘家口水电站上网电价调整为每千瓦时0.18元。

四、为了解决上述电厂及国华北京热电厂上网电价调整对电网销售电价的影响，以及新投产电网项目投资的还本付息需要，将京津唐电网销售电价调整如下：

北京地区销售电价平均每千瓦时提高2.41分钱，各类用户具体价格水平见附件一。天津地区销售电价平均每千瓦时提高2.52分，各类用户具体价格水平见附件二。河北北部地区销售电价平均每千瓦时提高1.58分，各类用户具体价格水平见附件三。

大工业用户的基本电费的计费方式(按变压器容量或按最大需量)，在不影响电网安全经济运行的前提下，经供用电双方充分协商后，由用户自行选择，但在1年之内应保持不变。

五、为增加电价透明度，将电力建设基金、三峡工程建设基金列入销售电价。电力建设基金、三峡工程建设基金现行征收标准和征收及使用办法均不变。上述两项基金由电力企业收取后专户存储，不得在价外另行收取。已开征的城市公用事业附加仍在价外收取，但要尽快由定率征收改为定额征收。

六、为减轻大工业企业特别是高耗电企业的电费负担，决定实行以下电价优待措施：

(一)对生产能力在4万吨及以上的铁合金企业和生产能力在3万吨及以上的氯碱企业生产用电，电度电价标准适当降低。在本文所附电价表中电炉铁合金、电解烧碱电价标准的基础上，各电压等级的电度电价每千瓦时分别降低2分钱。

(二)为开拓电力市场，扩大电力销售，减轻工业用户电费负担，对工业用户在生产规模不扩大的前提下新增的用电量，可以在不超过目录电价10%的幅度内实行价格优惠。具体价格由省(市)电力公司与用户协商确定，报国家电力公司和省物价、经贸部门备案。

七、以上电价自1999年12月25日抄见电量起执行。1997年国家计委、电力部印发的《京津唐电网北京地区目录电价表》、《京津唐电网天津地区目录电价表》、《京津唐电网河北北部地区目录电价表》(计价管[1997]438号)同时废止。

八、请按照本通知要求，精心组织，周密安排，做好宣传解释工作，确保电价调整方案的顺利出台。执行中出现的问题，请及时报告国家计委。

附件一

京津唐电网北京地区销售电价表

一、北京地区销售电价表

用电分类	电度电价(元/千瓦时)					基本电价	
	不满1千伏	1－10千伏	35－110千伏	110千伏	220千伏及以上	最大需量(元/千瓦/月)	变压器容量(元/KVA/月)
一、居民生活电价	0.373	0.363	0.363				
二、非居民照明电价	0.567	0.557	0.557				
三、商业电价	0.573	0.563	0.563				
四、非工业、普通工业电价	0.522	0.512	0.502				
其中：中、小化肥电价	0.358	0.352	0.344				
五、大工业电价		0.385	0.370	0.360	0.355	22.50	15.00
其中：电石、电解烧碱、合成氨、电炉黄磷		0.375	0.360	0.350	0.345	22.50	15.00
中、小化肥		0.252	0.244	0.238	0.233	18.00	12.00
六、农业生产电价	0.445	0.435	0.425				
七、贫困县农业排灌电价	0.258	0.255	0.252				

二、北京地区趸售电价表 单位:元/千瓦时

用电分类	趸售(二)		趸售(三)	
	1—10KV	35KV 及以上	1—10KV	35KV 及以上
一、居民生活电价	0.293	0.293	0.313	0.313
二、非居民照明电价	0.468	0.468	0.508	0.508
三、商业电价	0.472	0.472	0.512	0.512
四、工业、非工业电价	0.412	0.402	0.442	0.442
五、农业生产电价	0.371	0.361	0.401	0.401
六、贫困县农业排灌电价	0.206	0.201		

三、北京地区峰谷分时销售电价表 单位:元/千瓦时

分类		电压等级 \ 时段	高峰	非峰谷	低谷
大工业	非优待	1—10KV	0.542	0.385	0.242
		35KV—110KV	0.524	0.370	0.231
		110KV—220KV	0.513	0.360	0.221
		220KV 及以上	0.505	0.355	0.218
	优待	1—10KV	0.521	0.375	0.242
		35KV—110KV	0.503	0.360	0.231
		110KV—220KV	0.492	0.350	0.221
		220KV 及以上	0.484	0.345	0.218
非、普工业		不满 1KV	0.825	0.522	0.240
		1—10KV	0.815	0.512	0.229
		35KV 及以上	0.804	0.502	0.219
商业用电		不满 1KV	0.925	0.573	0.244
		1—10KV	0.913	0.563	0.235
		35KV 及以上	0.912	0.563	0.235
非居民用电		不满 1KV	0.916	0.567	0.241
		1—10KV	0.904	0.557	0.232
		35KV 及以上	0.903	0.557	0.232
农业生产		不满 1KV	0.658	0.445	0.249
		1—10KV	0.648	0.435	0.238
		35KV 及以上	0.637	0.425	0.230

四、北京地区峰谷分时趸售电价表　　单位:元/千瓦时

分类	项目	趸售电价(2)		趸售电价(3)	
		1—10KV	35KV及以上	1—10KV	35KV及以上
工业、非工业	高峰	0.671	0.657	0.733	0.733
	非峰谷	0.412	0.402	0.442	0.442
	低谷	0.167	0.161	0.168	0.168
农业	高峰	0.590	0.573	0.651	0.651
	非峰谷	0.371	0.361	0.401	0.401
	低谷	0.166	0.162	0.165	0.165
商业	高峰	0.789	0.789	0.861	0.861
	非峰谷	0.472	0.472	0.512	0.512
	低谷	0.172	0.172	0.182	0.182
非居民	高峰	0.783	0.783	0.855	0.855
	非峰谷	0.468	0.468	0.508	0.508
	低谷	0.170	0.170	0.180	0.180

五、北京地区中、小化肥用电电价表

分类		电压等级 \ 时段	电度电价(元/千瓦时)			基本电价	
			高峰	非峰谷	低谷	变压器容量(元/KVA/月)	最大需量(元/千瓦/月)
直供	非、普工业	不满1KV	0.560	0.357	0.167		
		1—10KV	0.556	0.351	0.160		
		35KV及以上	0.547	0.343	0.153		
	大工业	1—10KV	0.351	0.252	0.163	12.00	18.00
		35KV	0.342	0.244	0.156	12.00	18.00
		110KV	0.335	0.238	0.150	12.00	18.00
		220KV	0.328	0.233	0.150	12.00	18.00
	合成氨	1—10KV	0.337	0.246	0.163	12.00	18.00
		35KV	0.328	0.238	0.156	12.00	18.00
		110KV	0.321	0.231	0.150	12.00	18.00
		220KV	0.321	0.231	0.150	12.00	18.00
趸售	趸售(一)	1—10KV	0.458	0.283	0.118		
		35KV及以上	0.451	0.278	0.115		
	趸售(二)	1—10KV	0.500	0.304	0.118		
		35KV及以上	0.500	0.304	0.118		

注:1、以上附表所列价格,除贫困县农业排灌电价外,均含中央电力建设基金每千瓦时2分和三峡工程建设基金每千瓦时0.7分。

2、根据《国家计委关于在"九五"期间继续征收电力建设基金的通知》(计交能[1996]583号)文件的规定,对国有重点煤炭企业生产用电、核工业铀扩散厂和堆化工厂生产用电价格,按表所列的分类电价每千瓦时降低1.7分执行;抗灾救灾用电,原化工部发放生产许可证的氮肥、磷肥、

钾肥、复合肥生产企业用电，按表所列分类电价每千瓦时降低2分执行。

3、对执行该表价格的用户，原未收取中央电建基金的按表中价格扣除2分/千瓦时执行。

4、对符合国家有关规定的合成氨用电按表五中相关价格执行。

5、年生产能力在5万吨及以上的电解铝企业电价按国家计委计价格[1999]977号文件规定执行；年生产能力在4万吨及以上的铁合金和年生产能力在3万吨及以上的氯碱企业，电价按附表一中同类电价标准降低2分钱执行。

附件二

京津唐电网天津地区销售电价表

一、天津地区销售电价表

用电分类	电度电价(元/千瓦时)					基本电价	
	不满1千伏	1—10千伏	35—110千伏	110千伏	220千伏及以上	最大需量(元/千瓦/月)	变压器容量(元/KVA/月)
一、居民生活电价	0.372	0.362	0.362				
二、非居民照明电价	0.535	0.525	0.525				
三、商业电价	0.537	0.527	0.527				
四、非工业、普通工业电价	0.488	0.478	0.468				
其中：中、小化肥电价	0.359	0.349	0.339				
五、大工业电价		0.359	0.344	0.334	0.329	22.50	15.00
其中：电石、电解烧碱、合成氨、电炉黄磷		0.349	0.334	0.324	0.319	22.50	15.00
中、小化肥		0.237	0.227	0.217	0.212	22.50	15.00
六、农业生产电价	0.419	0.409	0.399				
七、贫困县农业排灌电价	0.178	0.175	0.172				

二、天津地区趸售电价表

单位：元/千瓦时

用电分类	趸售(二)		趸售(三)	
	1—10KV	35KV及以上	1—10KV	35KV及以上
一、居民生活电价	0.295	0.295		
二、非居民照明电价	0.447	0.447		
三、商业电价	0.449	0.449		
四、工业、非工业电价	0.394	0.384		
五、农业生产电价	0.362	0.352		
六、贫困县农业排灌电价	0.135	0.130		

三、天津地区峰谷分时销售电价表　　　　单位:元/千瓦时

分类		电压等级＼时段	高峰	非峰谷	低谷
大工业	非优待	1—10KV	0.511	0.359	0.222
		35KV—110KV	0.491	0.344	0.210
		110KV—220KV	0.481	0.334	0.200
		220KV及以上	0.472	0.329	0.197
	优待	1—10KV	0.490	0.349	0.222
		35KV—110KV	0.471	0.334	0.210
		110KV—220KV	0.460	0.324	0.200
		220KV及以上	0.451	0.319	0.197
非、普工业		不满1KV	0.776	0.488	0.221
		1—10KV	0.760	0.478	0.215
		35KV及以上	0.745	0.468	0.211
商业用电		不满1KV	0.872	0.537	0.225
		1—10KV	0.855	0.527	0.221
		35KV及以上	0.855	0.527	0.221
非居民用电		不满1KV	0.869	0.535	0.224
		1—10KV	0.852	0.525	0.220
		35KV及以上	0.852	0.525	0.220
农业生产		不满1KV	0.635	0.419	0.219
		1—10KV	0.620	0.409	0.214
		35KV及以上	0.603	0.399	0.210

四、天津地区峰谷分时趸售电价表　　　　单位:元/千瓦时

分类	项目	趸售(一)	
		1—10KV	35KV及以上
工业、非工业	高峰	0.644	0.630
	非峰谷	0.394	0.384
	低谷	0.160	0.153
农业	高峰	0.582	0.564
	非峰谷	0.362	0.352
	低谷	0.157	0.154
商业	高峰	0.754	0.754
	非峰谷	0.449	0.449
	低谷	0.162	0.162
非居民	高峰	0.751	0.751
	非峰谷	0.447	0.447
	低谷	0.161	0.161

五、天津地区中、小化肥用电电价表

分类		电压等级＼时段	电度电价(元/千瓦时) 高峰	非峰谷	低谷	基本电价 变压器容量(元/KVA/月)	最大需量(元/千瓦/月)
直供	非普工业	不满 1KV	0.577	0.359	0.156		
		1—10KV	0.562	0.349	0.150		
		35KV 及以上	0.546	0.339	0.145		
	大工业	1—10KV	0.343	0.237	0.142	15.00	22.50
		35KV	0.329	0.227	0.134	15.00	22.50
		110KV	0.318	0.217	0.125	15.00	22.50
		220KV	0.311	0.212	0.123	15.00	22.50
	合成氨	1—10KV	0.325	0.228	0.141	15.00	22.50
		35KV	0.311	0.217	0.132	15.00	22.50
		110KV	0.303	0.21	0.125	15.00	22.50
		220KV	0.296	0.204	0.123	15.00	22.50
趸售	趸售(一)	1—10KV	0.475	0.374	0.109		
		35KV 及以上	0.464	0.364	0.104		

注:1、以上附表所列价格,除贫困县农业排灌电价、中小化肥电价外,均含中央电力建设基金每千瓦时2分和三峡工程建设基金每千瓦时0.7分。

2、根据《国家计委关于在“九五”期间继续征收电力建设基金的通知》(计交能[1996]583号)文件的规定,对国有重点煤炭企业生产用电、核工业铀扩散厂和堆化工厂生产用电价格,按表所列的分类电价每千瓦时降低1.7分执行;农业排灌、抗灾救灾用电及原化工部发放生产许可证的氮肥、磷肥、钾肥、复合肥生产用电,按表所列分类电价每千瓦时降低2分执行。

3、年生产能力在5万吨及以上的电解铝企业电价按国家计委计价格[1999]977号文件规定执行;年生产能力在4万吨及以上的铁合金和年生产能力在3万吨及以上的氯碱企业,电价按附表一中同类电价标准降低2分钱执行。

附件三

京津唐电网冀北地区销售电价表

一、冀北地区趸售电价表

单位:元/千瓦时

用电分类	趸售(一) 1—10KV	趸售(一) 35KV 及以上	趸售(二) 1—10KV	趸售(二) 35KV 及以上
一、居民生活电价	0.292	0.292	0.287	0.287
二、非居民照明电价	0.435	0.435	0.427	0.427
三、商业电价	0.461	0.461	0.451	0.451
四、工业、非工业电价	0.383	0.373	0.373	0.363
五、农业生产电价	0.336	0.321	0.326	0.311
六、贫困县农业排灌电价	0.177	0.172	0.175	0.170

二、冀北地区销售电价表

用电分类	电度电价(元/千瓦时) 不满1千伏	1—10千伏	35—110千伏	110千伏	220千伏及以上	基本电价 最大需量(元/千瓦/月)	变压器容量(元/KVA/月)
一、居民生活电价	0.372	0.362	0.362				
二、非居民照明电价	0.520	0.510	0.510				
三、商业电价	0.550	0.540	0.540				
四、非工业、普通工业电价	0.477	0.467	0.457				
其中:中、小化肥电价	0.378	0.368	0.358				
五、大工业电价		0.356	0.341	0.331	0.326	22.50	15.00
其中:电石、电解烧碱、合成氨、电炉黄磷		0.346	0.331	0.321	0.316	22.50	15.00
中、小化肥		0.262	0.252	0.242	0.237	22.50	15.00
六、农业生产电价	0.392	0.382	0.372				
七、贫困县农业排灌电价	0.227	0.224	0.221				

三、冀北地区峰谷分时销售电价表

单位:元/千瓦时

分类		电压等级 \ 时段	高峰	非峰谷	低谷
大工业	非优待	1—10KV	0.506	0.356	0.219
		35KV—110KV	0.488	0.341	0.208
		110KV—220KV	0.477	0.331	0.198
		220KV 及以上	0.469	0.326	0.195
	优待	1—10KV	0.486	0.346	0.219
		35KV—110KV	0.467	0.331	0.208
		110KV—220KV	0.457	0.321	0.198
		220KV 及以上	0.455	0.316	0.195
非、普工业		不满 1KV	0.759	0.477	0.215
		1—10KV	0.744	0.467	0.209
		35KV 及以上	0.728	0.457	0.205
商业用电		不满 1KV	0.890	0.550	0.231
		1—10KV	0.873	0.540	0.227
		35KV 及以上	0.873	0.540	0.227
非居民用电		不满 1KV	0.845	0.520	0.216
		1—10KV	0.828	0.510	0.212
		35KV 及以上	0.828	0.510	0.212
农业生产		不满 1KV	0.606	0.392	0.194
		1—10KV	0.591	0.382	0.189
		35KV 及以上	0.574	0.372	0.185

四、冀北地区峰谷分时趸售电价表 单位:元/千瓦时

分类	项目	趸售电价(一) 1—10KV	趸售电价(一) 35KV 及以上	趸售电价(二) 1—10KV	趸售电价(二) 35KV 及以上
工业、非工业	高峰	0.627	0.614	0.609	0.594
	非峰谷	0.383	0.373	0.373	0.363
	低谷	0.154	0.148	0.153	0.147
农业	高峰	0.552	0.527	0.531	0.507
	非峰谷	0.336	0.321	0.326	0.311
	低谷	0.133	0.128	0.133	0.127
商业	高峰	0.772	0.772	0.752	0.752
	非峰谷	0.461	0.461	0.451	0.451
	低谷	0.169	0.169	0.168	0.168
非居民	高峰	0.733	0.733	0.716	0.716
	非峰谷	0.435	0.435	0.427	0.427
	低谷	0.156	0.156	0.156	0.156

五、冀北地区中、小化肥用电电价表

分类		电压等级	电度电价(元/千瓦时) 高峰	电度电价(元/千瓦时) 非峰谷	电度电价(元/千瓦时) 低谷	基本电价 变压器容量(元/KVA/月)	基本电价 最大需量(元/千瓦/月)
直供	非普工业	不满 1KV	0.609	0.378	0.162		
		1—10KV	0.595	0.368	0.157		
		35KV 及以上	0.580	0.358	0.153		
	大工业	1—10KV	0.378	0.262	0.156	15.00	22.50
		35KV	0.367	0.252	0.148	15.00	22.50
		110KV	0.355	0.242	0.139	15.00	22.50
		220KV	0.347	0.237	0.136	15.00	22.50
	合成氨	1—10KV	0.363	0.254	0.156	15.00	22.50
		35KV	0.347	0.242	0.147	15.00	22.50
		110KV	0.340	0.234	0.139	15.00	22.50
		220KV	0.332	0.233	0.136	15.00	22.50
趸售	趸售(一)	1—10KV	0.500	0.300	0.112		
		35KV 及以上	0.489	0.291	0.107		
	趸售(二)	1—10KV	0.485	0.291	0.111		
		35KV 及以上	0.472	0.283	0.106		

注:1、以上附表所列价格,除农业生产电价、贫困县农业排灌电价、中小化肥电价外,均含中央电力建设基金每千瓦时 2 分和三峡工程建设基金每千瓦时 0.7 分。

2、根据《国家计委关于在"九五"期间继续征收电力建设基金的通知》(计交能[1996]583 号)文件的规定,对国有重点煤炭企业生产用电、核工业铀扩散厂和堆化工厂生产用电价格,按表所列的分类电价每千瓦时降低 1.7 分执行;抗灾救灾用电,原化工部发放生产许可证的氮肥、磷肥、钾肥、复合肥生产企业用电,按表所列分类电价每千瓦时降低 2 分执行。

3、年生产能力在5万吨及以上的电解铝企业电价按国家计委计价格[1999]977号文件规定执行；年生产能力在4万吨及以上的铁合金和年生产能力在3万吨及以上的氯碱企业，电价按附表一中同类电价标准降低2分钱执行。

国家计委关于调整河北省南部电网电价有关问题的通知

1999年12月16日　　计价格〔1999〕2240号

为了适当解决新投产电力项目的还本付息问题，缓解电力企业生产经营困难，决定在整顿电价、取消随电价加收的各种乱加价、乱收费的基础上，按总体上不增加用户负担的原则，适当调整河北南部电网电价水平。经商国家经贸委、国家电力公司，现将有关事项通知如下：

一、核定河北南部电网新建成投产的机组上网电价（含税，下同）分别为：西柏坡电厂一期每千瓦时0.285元，西柏坡二期每千瓦时0.311元，邯郸电厂11号机每千瓦时0.378元。上述电价均为整个经营期电价。

考虑银行利率下调、发电燃料价格降低因素，将有关电厂上网电价重新核定为：上安电厂一期每千瓦时0.307元，上安二期（含配套送出工程）每千瓦时0.432元，衡水电厂1、2号机每千瓦时0.383元。其它电厂的上网电价由省物价局根据银行利率下调及发电燃料价格降低的情况适当下调，报国家计委备案。

二、为了解决上述电厂上网电价调整对电网销售电价的影响以及新投产电网项目投资的还本付息需要，将河北南部电网销售电价平均每千瓦时提高2.52分钱，各类用户具体价格水平见附表。

大工业用户的基本电费的计费方式（按变压器容量或按最大需量）在不影响电网安全经济运行的前提下，经供用电双方充分协调后由用户自行选择，但1年之内应保持不变。新增设的“商业电价”分类不执行峰谷分时电价。

三、为增加电价透明度，将电力建设基金、三峡工程建设基金列入销售电价，现行征收标准和征收及使用办法不变。上述两项基金由电力企业收取后专户存储，不得在价外另行收取。城市公用事业附加，未开征的地区不得征收；已开征的地区暂维持在价外收取，不得扩大征收范围，征收标准不得随销售电价调整而提高。但要尽快由从按率征收改为定额征收。

四、为减轻大工业企业特别是高耗电企业的电费负担，决定实行以下电价优待措施：

（一）对生产能力在4万吨及以上的铁合金企业和生产能力在3万及以上的氯碱企业生产用电，电度电价标准适当降低。在本文所附电价表中电炉铁合金、电解烧碱电价标准的基础上，各电压等级的电度电价每千瓦时分别降低2.6分钱。

（二）为开拓电力市场，扩大电力销售，减轻工业用户电费负担，对工业用户在生产规模不扩大的前提下新增的用电量，可以在不超过现行价格10%的幅度内实行价格优惠。具体价格由省电力公司与用户协商确定，报国家电力公司和省物价、经贸部门备案。

五、以上电价自1999年12月25日抄见电量起执行。1997年国家计委、电力部印发的《河北省南部电网销售电价表》（计价管[1997]439号）同时废止。

六、请按照本通知要求，精心组织，周密安排，做好宣传解释工作，确保电价调整方案的顺利出台。执行中出现的问题，请及时报告国家计委。

附表一

河北省南部电网销售电价表

用电分类	电度电价(元/千瓦时)					基本电价	
	不满1千伏	1—10千伏	35—110千伏	110千伏	220千伏及以上	最大需量(元/千瓦/月)	变压器容量(元/KVA/月)
一、居民生活电价	0.372	0.362	0.362				
二、非居民照明电价	0.527	0.517	0.517				
三、商业电价	0.674	0.664	0.664				
四、非工业、普通工业电价	0.500	0.490	0.480				
其中:中、小化肥	0.390	0.380	0.370				
五、大工业电价		0.347	0.332	0.322	0.317	22.50	15.00
其中:电石、电解烧碱、合成氨、电炉黄磷		0.337	0.322	0.312	0.307	22.50	15.00
中、小化肥		0.243	0.228	0.218	0.213	22.50	15.00
六、农业生产电价	0.380	0.370	0.360				
七、贫困县农业排灌电价	0.169	0.164	0.159				

附表二

河北省南部电网峰谷分时销售电价表

单位:元/千瓦时

分类		电压等级 \ 时段	高峰	非峰谷	低谷
大工业	非优待	1—10KV	0.507	0.347	0.187
		35KV—110KV	0.485	0.332	0.180
		110KV	0.470	0.322	0.175
		220KV及以上	0.462	0.317	0.172
	优待	1—10KV	0.491	0.336	0.182
		35KV—110KV	0.468	0.321	0.174
		110KV	0.453	0.311	0.169
		220KV及以上	0.446	0.306	0.167
	中小化肥	1—10KV	0.351	0.243	0.135
		35KV—110KV	0.329	0.228	0.128
		110KV	0.314	0.218	0.123
		220KV及以上	0.306	0.213	0.120
非、普工业		不满1KV	0.737	0.500	0.264
		1—10KV	0.722	0.490	0.259
		35KV及以上	0.707	0.480	0.254
非居民用电		不满1KV	0.777	0.527	0.277
		1—10KV	0.762	0.517	0.272
		35KV及以上	0.762	0.517	0.272
农业生产		不满1KV	0.557	0.380	0.204
		1—10KV	0.542	0.370	0.199
		35KV及以上	0.527	0.360	0.194

附表三

河北省南部电网企业趸售电价表

单位:元/千瓦时

用电分类	县级趸售		县以下趸售	
	1—10KV	35KV及以上	1—10KV	35KV及以上
一、居民生活电价	0.300	0.300	0.315	0.315
二、非居民照明电价	0.422	0.422	0.437	0.437
三、商业电价	0.565	0.565	0.580	0.580
四、工业、非工业电价	0.372	0.362	0.377	0.372
五、农业生产电价	0.319	0.304	0.319	0.304
六、贫困县农业排灌电价	0.128	0.123	0.128	0.123

注:1、以上附表所列价格,除农业生产电价、中小化肥电价、贫困县农业排灌电价外,均含电力建设基金每千瓦时2分钱,除贫困县农业排灌电价外,均含三峡工程建设基金每千瓦时0.7分钱。

2、根据《国家计委关于在"九五"期间继续征收电力建设基金的通知》(计交能[1996]583号)文件的规定,对已下放地方的原国有重点煤炭企业生产用电、核工业铀扩散厂和堆化工厂生产用电价格,按表所列的分类电价每千瓦时降低1.7分执行;抗灾救灾用电,原化工部发放生产许可证的氮肥、磷肥、钾肥、复合肥生产企业用电(不含中小化肥用电),按表所列分类电价每千瓦时降低2分执行。

3、年生产规模在4万吨及以上的铁合金企业、年生产规模在3万吨及以上的氯碱企业生产用电价格在上表所列价格基础上,每千瓦时降低2.6分。

国家计委关于调整湖南省电网电价有关问题的通知

1999年12月16日　　　　计价格〔1999〕2246号

为了适当解决新投产电力项目的还本付息问题,缓解电力企业生产经营困难,决定在整顿电价、取消随电价加收的各种乱加价、乱收费的基础上,按总体上不增加用户负担的原则,适当调整湖南电网电价水平。经商国家经贸委、国家电力公司,现将有关事项通知如下:

一、核定湖南电网新建成投产的机组上网电价(含税,下同)分别为:湘潭电厂1、2号机每千瓦时0.362元,凌津滩、大源渡、朗江电厂每千瓦时0.348元。上述电价均为整个经营期电价。

二、为了筹集三峡工程建设资金,将葛洲坝水电站上网电价调整为每千瓦时0.102元;为了解决华能岳阳电厂增值税率提高的因素,将其上网电价调整为每千瓦时0.36元;为缓解五强溪水电厂经营亏损问题,将其上网电价提高到每千瓦时0.348元,为解决地方小水电电价偏低、经营亏损问题,将全省地方小水电平均上网电价由每千瓦时0.095元提高到0.136元,各小水电厂的具体电价水平由省物价局核定,报国家计委备案。

三、由于银行利率下调及发电燃料价格降低,降低湖南电网内有关电厂的上网电价,影响电网销售电价每千瓦时降低0.2分钱,各有关电厂的具体降价幅度由省物价局核定,并报国家计委备案。

四、根据国家计委等六部委《关于整顿电价秩序坚决制止乱加价乱收费行为的通知》(计价格[1998]2212号)精神,取消湖南省在目录电价内代收的移民建设资金。同时,适当降低全省中小化肥用电价格。在此基础上,适当调整湖南电网销售电价,解决上网电价调整和电网新投产项目投资还本付息的影响,将电网电价平均每千瓦时提高1.88分钱,调后各类用户具体价格水平见附表。

五、大工业用户基本电费的计费方式(按变压器容量或按最大需量),在不影响电网安全、经济运行的前提下,经充分协商后由用户自行选择,但一年之内应保持不变。

六、为增加电价透明度,将电力建设基金、三峡工程建设基金、城市公用事业附加列入销售电价,现行征收标准和征收及使用办法均不变。城市公用事业附加,未开征的地区不得征收,电价标准按附表一执行;已开征的地区征收标准统一为:大工业及非、普工业用电每千瓦时0.7分钱,居民生活、非居民照明、商业用电每千瓦时2分钱,趸售县和农业用电不征收,电价标准按附表二执行。上述基金和附加由电力企业收取后专户存储,不得在价外另行收取。

七、为减轻工业企业特别是高耗电企业的电费负担,决定实行以下电价优待措施:

(一)按照《国家计委、财政部关于降低电解铝等有色金属企业电费及免征有关政府性基金的通知》(计价格[1999]977号)的要求,降低年生产能力在5万吨以上的电解铝企业和铜生产企业的电价,免收电力建设基金和城市公用事业附加。对年生产能力在4万吨及以上的铁合金企业和生产能力在3万吨及以上的氯碱企业生产用电,电度电价标准适当降低。在本文所附电价表中电炉铁合金、电解烧碱电价标准的基础上,各电压等级的电度电价每千瓦时分别降低4分钱。

(二)为开拓电力市场,扩大电力销售,减轻工业用户电费负担,对工业用户在生产规模不扩大的前提下新增的用电量,可以在不超过现行价格10%的幅度内实行价格优惠。具体价格由省电力公司与用户协商确定,报国家电力公司和省物价、经贸部门备案。

八、为减轻湖南省国营农场企业和居民的电费负担,根据国营农场的用电特性,同意湖南省国营农场用电实行趸售电价,各类用电价格按附表三执行。

九、以上电价自1999年12月25日抄见电量起执行。1997年国家计委、电力部印发的《湖南电网销售电价表》(计价管[1997]447号)同时废止。

十、请按照本通知要求,精心组织,周密安排,做好宣传解释工作,确保电价调整方案的顺利出台。执行中出现的问题,请及时报告国家计委。

附表一

湖南省电网(未开征城市公用事业附加地区)销售电价表

用电分类	电度电价(元/千瓦时)					基本电价	
	不满1千伏	1—10千伏	35—110千伏以下	110千伏	220千伏及以上	最大需量(元/千瓦/月)	变压器容量(元/KVA/月)
一、居民生活电价	0.483	0.478					
二、非居民照明电价	0.740	0.730					
三、商业电价	0.960	0.950					
四、非工业、普通工业电价	0.546	0.536	0.526				
其中:中、小化肥电价	0.388	0.379	0.369				
五、大工业电价		0.428	0.413	0.403	0.398	24.00	16.00
其中:电炉铁合金、电解烧碱、合成氨、电炉钙镁磷肥、电炉黄磷		0.418	0.403	0.393	0.388	24.00	16.00
电石		0.408	0.393	0.383	0.378	24.00	16.00
中、小化肥		0.268	0.256	0.246		24.00	16.00
六、农业生产电价	0.390	0.380	0.370				
七、贫困县农业排灌电价	0.256	0.254	0.251				

附表二

湖南省电网(已开征城市公用事业附加地区)销售电价表

用电分类	电度电价(元/千瓦时)					基本电价	
	不满1千伏	1—10千伏	35—110千伏以下	110千伏	220千伏及以上	最大需量(元/千瓦/月)	变压器容量(元/KVA/月)
一、居民生活电价	0.503	0.498					
二、非居民照明电价	0.760	0.750					
三、商业电价	0.980	0.970					
四、非工业、普通工业电价	0.553	0.543	0.533				
其中:中、小化肥电价	0.395	0.386	0.376				
五、大工业电价		0.435	0.420	0.410	0.405	24.00	16.00
其中:电炉铁合金、电解烧碱、合成氨、电炉钙镁磷肥、电炉黄磷		0.425	0.410	0.400	0.395	24.00	16.00
电石		0.415	0.400	0.390	0.385	24.00	16.00
中、小化肥		0.275	0.263	0.253		24.00	16.00
六、农业生产电价	0.390	0.380	0.370				
七、贫困县农业排灌电价	0.256	0.254	0.251				

附表三

湖南省电网趸售电价表

单位:元/千瓦时

用电分类	县级趸售		县以下趸售	
	1—10KV	35KV及以上	1—10KV	35KV及以上
一、居民生活电价	0.390	0.390		
二、非居民照明电价	0.596	0.596		
三、商业电价	0.783	0.783		
四、工业、非工业电价	0.407	0.397		
五、农业生产电价	0.314	0.304		
六、贫困县农业排灌电价	0.203	0.198		

注:1、以上三张附表所列价格,除贫困县农业排灌电价外,均含中央电力建设基金每千瓦时2分和三峡工程建设基金每千瓦时1.3分。

2、附表二中所列价格,除农业生产电价、贫困县农业排灌电价外,均含城市公用事业附加,具体标准为:居民生活、非居民照明、商业电价每千瓦时2分,大工业、非工业、普通工业电价每千瓦时0.7分。

3、根据《国家计委关于在"九五"期间继续征收电力建设基金的通知》(计交能[1996]583号)文件的规定,对已下放地方管理的原国有重点煤炭企业生产用电、核工业铀扩散厂和堆化工厂生产用电价格,按表所列的分类电价每千瓦时降低1.7分执行;抗灾救灾用电,原化工部发放生产许可证的氮肥、磷肥、钾肥、复合肥生产企业用电,按表所列分类电价每千瓦时降低2分执行。

4、年生产能力在4万吨及以上的铁合金和生产能力在3万吨及以上的氯碱企业，电价按附表一、表二中同类电价标准每千瓦时降低4分钱执行。

5、1980年以前投产、执行大工业电价的中小化肥企业，电价按附表一、表二中中小化肥电价标准每千瓦时降低1分钱执行。

国家计委价格司关于暂定92号无铅汽油临时品质比率的批复

1999年12月29日　　计司价格函〔1999〕110号

中国石油销售总公司《关于紧急请示确定92号无铅汽油临时品质比率的报告》(销函字[1999]第120号)收悉。经研究，同意中国石油销售总公司此次出口转内销的3.5万吨92号无铅汽油暂按105%(以90号无铅汽油为100%)的品质比率确定的价格销售。

国家计委关于2000年电煤政府指导价格有关问题的通知

1999年12月31日　　计价格〔1999〕2334号

为促进煤炭生产企业和发电企业稳定发展，保证正常的社会经济秩序，本着煤、电双方互惠互利、共同发展的原则，现就电煤指导价格有关问题通知如下：

一、2000年对全国所有煤炭生产企业供电力企业发电用煤出厂价格(不分计划内外)继续实行政府指导价。

二、根据煤炭市场供求及价格执行情况，决定2000年电煤指导价仍按1999年指导价政策执行，即以1997年10月份实际结算价格为基础，发电用煤价格超过同质市场煤价的地区，电煤价格不变；低于同质市场煤价的地区，电煤价格每吨最高可上调5元。

三、无论是国家订货或市场采购的电煤，煤、电生产企业均要按政府指导价有关规定执行。以上电煤指导价格自2000年1月1日起执行。

国家计委关于公布2000年1月份国内原油基准价格的通知

1999年12月30日　　计价格〔1999〕2339号

根据国家计委印发的《原油、成品油价格改革方案》(计电[1998]52号)中的有关规定，现将2000年1月份国内原油基准价予以公布(见附表)，请据此加上贴水确定国内原油的具体结算价格。

附表

2000 年 1 月份国内原油基准价格表

油 种	基准价格（元/吨）	离岸价（美元/桶）	关税（元/吨）	油 种	基准价格（元/吨）	离岸价（美元/桶）	关税（元/吨）
轻质油	1663	15.233	16	重质油	1312	23.025	16
中质油 I	1508	24.262	16	平均	1482	24.013	16
中质油 II	1447	23.530	16				

注：1、新加坡市场离岸价是采用美国普氏报价系统 11 月 26 日至 12 月 25 日期间各交易日估价的平均值；

2、人民币与美元汇率按 8.28 元人民币兑换 1 美元计算。

国家计委关于陕京管线榆林段天然气管道运输价格的批复

1999 年 12 月 30 日　　计价格〔1999〕2341 号

陕西省物价局《关于我省榆林市天然气管线输气价格的请示》(陕价电发[1999]42 号)收悉。经研究，核定陕京管线榆林段天然气管道运输价格为每立方米 0.20 元。此价格自通气之日起执行。

国家计委关于调整河南省电网电价有关问题的通知

1999 年 12 月 31 日　　计价格〔1999〕2381 号

河南省物价局、电力局：

为了适当解决新投产电力项目的还本付息问题，缓解电力企业生产经营困难，在整顿电价、取消随电价加收的各种乱加价、乱收费的基础上，按总体上不增加用户负担的原则，决定适当调整河南省电网电价水平，实行统一销售电价。经商国家经贸委、国家电力公司，现将有关事项通知如下：

一、实行全省统一销售电价，逐步取消省内各地区二级综合加价。考虑 1999 年影响电价的各项因素后，核定你省统一销售电价水平为每千瓦时 0.359 元。省内部分地区自建的小水、火电电价高出省网统一销售电价的部分，作为过渡措施，暂在本地区范围内实行二级加价，但要逐步降低加价标准，2000 年底以前取消二级加价。在实现城乡同价前，农村到户电价暂由你局按照《国家计委关于加强农村电价管理，制止乱加价、乱收费行为的通知》(计电[98]39 号)和《国家计委关于河南省农村电网改造工程、农电管理体制改革和城乡用电同价方案的批复》(计基础[1998]2118 号)有关规定核定。

对实行统一销售电价后电费支出增加较多的用户，电价分 3 年逐步到位。请你局会同有关部门按照直接优惠到户、逐年降低优惠幅度的原则制定具体办法并负责组织实施，同时将有关情况报国家计委备案。

二、核定河南省新建成投产的机组上网电价(含税，以下同)分别为：鸭河口电厂每千瓦时 0.41 元；安阳华祥电力公司每千瓦时 0.31 元；洛阳双源电厂每千瓦时 0.41 元。上述电价均为整个经营期电价。

核定南阳普光电力公司上网电价为每千瓦时

0.43元，丹河电厂上网电价为每千瓦时0.26元。将葛洲坝水电站上网电价由每千瓦时0.082元提高到0.102元，姚孟电厂上网电价每千瓦时提高0.5分钱，三门峡水电站上网电价从每千瓦时0.15元提高到0.165元，丹江口水电站上网电价从每千瓦时0.13元提高到0.142元。

三、考虑银行利率下调及煤价降低因素，将部分电厂上网电价重新核定为：郑州新力公司每千瓦时0.296元，首阳山电厂一期每千瓦时0.185元，首阳山电厂二期每千瓦时0.385元，开封新力公司每千瓦时0.342元，平顶山电厂3号机每千瓦时0.4元，平顶山电厂4号机每千瓦时0.289元，平顶山电厂5号机每千瓦时0.297元，开封余容电厂每千瓦时0.275元，豫新电厂每千瓦时0.28元，华懋电厂每千瓦时0.294元，发祥登封电厂每千瓦时0.304元，发祥五龙电厂每千瓦时0.334元，三门峡水电厂6、7号机每千瓦时0.28元，三门峡火电厂每千瓦时0.328元，濮阳电厂每千瓦时0.352元。

以外商投资为主的焦作万方电厂上网电价暂降为每千瓦时0.375元。如因电价原因，1999年度该电厂实现利润高于或低于合同约定的水平，可通过相应调整该厂2000年上网电价解决。具体待年终结算后，由河南省物价局提出意见报国家计委另行核定。

四、为了解决上述电价调整的影响和电网新投产项目投资还本付息的影响，将河南省电网销售电价平均每千瓦时提高2.3分钱，其中，用于解决电网新投产项目投资还本付息0.96分钱(含农网投资还本付息加价0.29分钱)。各类用户具体价格水平见附表。

大工业用户的基本电费的计费方式(按变压器容量或按最大需量)，在不影响电网安全经济运行的前提下，经供用电双方充分协商后，由用户自行选择，但在1年之内应保持不变。

五、为增加电价透明度，将电力建设基金、三峡工程建设基金、城市公用事业附加列入销售电价。电力建设基金、三峡工程建设基金现行征收标准和征收及使用办法不变。城市公用事业附加征收标准为大工业用电和非工业、普通工业用电、商业用电每千瓦时1分钱，居民生活和非居民照明用电每千瓦时1.5分钱。上述三项基金和收费项目已含在本文所附电价表中，由电力企业收取后专户存储，不得在价外另行收取。

六、为减轻大工业企业特别是国有重点高耗电企业的电费负担，决定实行以下电价优惠措施：

(一)对生产能力在4万吨及以上的铁合金和3万吨及以上的氯碱企业生产用电，在本文所附电价表中电炉铁合金、电解烧碱电价标准的基础上，各电压等级的电度电价每千瓦时分别降低2分钱。

(二)对符合国家产业政策、达到年生产规模5万吨以上的电解铝企业生产用电的电价优待措施，按国家计委计价格[1999]977号文件中的有关规定执行。

(三)为开拓电力市场，扩大电力销售，减轻工业用户电费负担，供电企业可以对大工业用户在不扩大规模的情况下的新增用电量实行电价优惠，但优惠幅度不超过10%。具体措施由供用电双方协商确定。

七、以上电价自2000年1月1日抄见电量起执行。其中，焦作万方电厂供焦作铝厂电量的电价自1999年1月1日起执行。1997年国家计委、原电力部印发的《河南省电网销售电价表》(计价管[1997]449号)同时废止。

八、请按照本通知要求，精心组织，周密安排，做好宣传解释工作，确保电价调整方案的顺利出台。执行中出现的问题，请及时报告国家计委。

附表一

河南省电网企业趸售电价表

单位：元/千瓦时

电价类别	县级趸售		县以下趸售	
	35千伏及以下	110千伏及以上	35千伏及以下	110千伏及以上
居民生活电价	0.348	0.348	0.368	0.368
非居民照明电价	0.373	0.368	0.393	0.388
商业电价	0.473	0.468	0.493	0.488
非、普工业电价	0.363	0.358	0.383	0.378
大工业电价	0.363	0.358	0.383	0.378
农业生产电价	0.328	0.328	0.348	0.348
贫困县农业排灌电价	0.285	0.285	0.305	0.305

附表二

河南省电网销售电价表

电价类别	电度电价(元/千瓦时)					基本电价	
	不满1千伏	1—10千伏	35—110千伏	110千伏	220千伏及以上	最大需量(元/千瓦/月)	变压器容量(元/KVA/月)
居民生活电价	0.410	0.371					
非居民照明电价	0.488	0.441					
商业电价	0.650	0.580					
非、普通工业电价	0.479	0.466	0.457				
大工业电价		0.373	0.364	0.355	0.346	21.00	15.00
其中:电炉铁合金、电解烧碱、电炉钙镁磷肥、电炉黄磷、电石		0.353	0.344	0.335	0.326	21.00	15.00
合成氨		0.318	0.308	0.298	0.288	21.00	15.00
农业生产电价	0.339	0.330	0.321				

注:1、以上附表所列价格,除农业生产电价、贫困县农业排灌电价外,均含中央电力建设基金每千瓦时2分。

2、以上附表所列价格,除贫困县农业排灌电价外,均含三峡工程建设基金每千瓦时1.3分。

3、附表二所列价格中,除农业生产电价、合成氨电价外,均含城市公用事业附加,标准为:居民生活电价和非居民照明电价每千瓦时1.5分,其余的每千瓦时1分。

4、根据《国家计委关于在"九五"期间继续征收电力建设基金的通知》(计交能[1996]583号)文件的规定,对已下放地方的原国有重点煤炭企业生产用电、核工业铀扩散厂和堆化工厂生产用电价格,按表所列的分类电价每千瓦时降低1.7分执行;农业排灌、抗灾救灾用电,原化工部发放生产许可证的氮肥、磷肥、钾肥、复合肥生产企业用电,按表所列分类电价每千瓦时降低2分执行。

农业生产资料价格

国家计委价格司关于下达部分进口化肥调拨价格的通知

1999年1月7日　　计司价格函〔1999〕1号

根据进口化肥调拨价格作价有关规定,现核定下达中农公司经营的部分1998年合同进口化肥调拨价格如下:

序号	品名	合同号	调拨价格(元/吨)	序号	品名	合同号	调拨价格(元/吨)
1	氯化钾	98SG11XB537XPK022	1148	3	复合肥	98SG11XB637XPM651	1699
2	氯化钾	98US11XB537XPK028	1209				

表中价格为带包装价格,交货地点为港口码头。进口化肥调拨价格内容包括:折人民币到岸价、保险费、报关手续费、银行手续费、关税、商检费、合理损耗、外贸企业代理手续费、散装化肥灌包费、中农公司调拨手续费。

国家计委价格司关于下达中化公司部分1998年合同国别政策进口化肥调拨价格的通知

1999年2月10日　　计司价格函〔1999〕12号

根据进口化肥调拨价格作价有关规定,现核定下达中国化工进出口总公司经营的部分1998年国别政策进口化肥调拨价格如下:

序号	品名	合同号	调拨价格(元/吨)	序号	品名	合同号	调拨价格(元/吨)
1	磷酸二铵	98MA/866a	2108	5	氯化钾	97XB/198	1136
2	磷酸二铵	98MA/866b	2108	6	氯化钾	98JO/112	1136
3	磷酸二铵	98MA/866c	2108	7	氯化钾	98IL/111	1136
4	磷酸二铵	98TN/934	2164	8	氯化钾	98IL/140	1136

表中价格为带包装价格,交货地点为港口码头。调拨价格内容包括:折人民币到岸价、保险费、报关手续费、银行手续费、关税、商检费、合理损耗、散装化肥灌包费、中化公司调拨手续费。

国家计委关于发布1999年度国产农膜原料出厂价格的通知

1999年2月13日　　计价格〔1999〕163号

为适应市场形势变化,鼓励农膜加工企业使用国产原料,保护农民利益,经与有关部门研究,决定调整国产农膜原料出厂价格,现就有关事项通知如下:

一、国产农膜原料出厂价格由政府定价改为政府指导价。政府指导价水平,按照兼顾农膜原料生产企业和农膜加工企业利益,保持农膜价格基本稳定的原则确定。农膜原料生产企业和农膜加工企业可在国家计委规定的国产农膜原料中准出厂价格浮动幅度内协商确定成交价格。

二、1999年度的国产农膜原料指导价格安排如下:一级品高压聚乙烯含税中准出厂价格为每吨6200元,一级品线性低密度聚乙烯含税中准出厂价格为每吨5600元,一级品聚氯乙烯含税中准出厂价格为每吨5000元,上下浮动幅度均按10%执行。

三、国产农膜原料和进口农膜原料的流通费用率,仍按《国家计委关于提高国产农膜料出厂价格的通知》(计价管〔1996〕1348号)规定,由省级物价部门从严从紧核定。

四、农膜出厂价格和零售价格,由各省、自治区、直辖市物价部门按照保本微利原则核定,并抄送国家计委。

五、北京燕山石油化工(集团)公司和上海石化股份有限公司外供乙烯的中准出厂价格由每吨4000元调整为每吨3700元,上下浮动幅度按10%执行。

六、农膜原料生产企业和农膜加工企业要严格执行国家价格政策,不得擅自以高于或低于国家指导价格上下浮动界限的价格销售。各级物价部门要加强对国产农膜原料价格的监督检查,对有哄抬价格和降价倾销等扰乱市场价格秩序行为者,要按照《价格法》予以处罚。

七、本通知自1999年2月25日起执行。今后国家计委将根据农膜原料生产成本和市场供求变化情况适时调整国产农膜原料中准出厂价格。

国家计委关于进一步明确进口化肥价格政策的通知

1999年5月27日　　计价格〔1999〕584号

近几年来,我国进口的化肥主要是国内资源比较短缺的钾肥、复合肥,是随着农业种植结构的调整和农民施肥观念的更新而使用量逐年增加的品种,需求对价格的约束不强。为认真贯彻落实《国家计委关于进一步改革化肥价格管理办法的通知》(计价格〔1998〕2552号)精神,防止进口化肥价格过高,保护农民利益,现将有关价格政策进一步明确如下:

一、中央进口化肥调拨价格(即港口交货价格)由国家计委根据实际进货成本加合理经营费用,按照保本微利原则制定。凡是分配给中国农业生产资料集团公司、中国化工进出口总公司以及烟草、农垦、林业等部门的进口化肥配额,不论是否规定分配流向,经营企业都必须按规定及时向国家计委申报有关资料,由国家计委核定港口交货价格。地方进口化肥调拨价格由各地物价部门参照上述办法,并结合本地实际情况确定。

二、各省级物价部门针对部分地区反映的进口化肥流通领域差价较大问题,必要时可根据国务院国发〔1998〕39号有关规定,结合本地实际情况,依据进口化肥港口交货价格、运杂费用水平,在考虑经营单位合理利益的基础上,采取规定最高零售限价等办法进行监管和调控,以保护农民利益。

三、各地物价部门要加强对进口化肥销售价格的监督检查,对擅自突破国家规定以及哄抬价格、牟取暴利的违法违规行为要严肃查处,并配合工商及质量技术监督部门严厉打击以国产化肥冒充进口化肥销售、以低含量化肥充当高含量化肥销售等坑农害农行为。

国家计委价格司关于下达中国烟草生产购销公司经营的进口化肥调拨价格的通知

1999年5月27日　　计司价格函〔1999〕48号

根据进口化肥调拨价格作价有关规定,经审核,现下达中国烟叶生产购销公司经营的进口化肥调拨价格(港口交货价格)如下:

序号	品名	合同号	调拨价格(元/吨)	序号	品名	合同号	调拨价格(元/吨)
1	硫酸钾	98GB11XB537NHS168	1995	5	氯化钾	98GB11XB537NHK319	1007
2	硫酸钾	98GB11XB537NHS174	1995	6	氯化钾	98GB11XB537NHK320	1007
3	氯化钾	98GB11XB537NHK317	990	7	氯化钾	98GB11XB537NHK035	984
4	氯化钾	98GB11XB537NHK318	1007	8	氯化钾	98GB11XB537NHK323	984

国家计委关于中央救灾储备化肥价格政策的通知

1999年6月18日　　计价格〔1999〕706号

根据《国务院关于深化化肥流通体制改革的通知》(国发〔1998〕39号)精神,经研究,现就中央救灾储备化肥收购价格和出库价格有关政策问题通知如下:

一、国产储备化肥的收购价格,由中国农业生产资料集团公司(以下简称中农公司)与生产企业在国家规定的指导价范围内协商确定,具体价格水平由中农公司报国家计委备案。进口储备化肥的收购价格,由国家计委按照现行进口化肥调拨价格作价办法核定。

二、救灾储备化肥出库价格,按照库存成本加综合差率制定。具体公式为:出库价格=[(收购价格+进货运杂费)×(1+综合经营差率)]+(仓储费用+损耗)。其中:(1)进货运杂费为从工厂或港口至仓库的实际运费和杂费。(2)损耗包括实际发生的仓储损耗、途中损耗等。(3)综合经营差率(含管理费用、财务费用、利润)按不超过进货成本的2.5%掌握。

三、中农公司在销售救灾储备化肥前,要及时将储备化肥的品种、数量、收购价格、进货运杂费、储存地点、储存起止时间、实际发生的仓储费用、损耗等有关情况报送国家计委,以便受灾地区急需化肥时,国家计委及时核定下达化肥出库价格。

国家计委价格司关于下达中农公司经营的进口化肥调拨价格的通知

1999年6月21日　　计司价格函〔1999〕52号

根据现行进口化肥调拨价格作价规定,经审核,现下达中农公司经营的部分1999年合同进口化肥调拨价格如下表:

序号	品名	合同号	调拨价格(元/吨)	序号	品名	合同号	调拨价格(元/吨)
1	磷酸二铵	99HK11XP137XPP023	2050	4	氯化钾	99CH11XP137SLK714	1158
2	磷酸二铵	99HK11XP237ZHP024	2050	5	氯三元	99HK11XP237ZHM603	1589
3	磷酸二铵	99HK11XP137XPP025	2050				

表中价格为带包装价格,交货地点为港口码头。调拨价格内容包括:折人民币到岸价,保险费,商检费,关税,银行手续费,报关费,合理损耗,散装化肥灌包费,中农公司合理经营费用。

国家计委价格司关于下达中国烟叶生产购销公司经营的进口化肥调拨价格的通知

1999年6月25日　　计司价格函〔1999〕55号

根据进口化肥调拨价格有关作价规定，经审核，现下达中国烟叶生产购销公司经营的进口化肥调拨价格（港口交货价格）如下：

序号	品名	合同号	调拨价格（元/吨）	序号	品名	合同号	调拨价格（元/吨）
1	氯化钾	98RU11XB537NHK313	1025	3	硫酸钾	98GB11XB537NHK172	1996
2	氯化钾	98RU11XB537NHK314	1025	4	硝酸钾	98US11XB537NHQ468	2451

国家计委价格司关于下达中化进出口总公司经营的进口化肥调拨价格的通知

1999年7月6日　　计司价格函〔1999〕58号

根据进口化肥调拨价格有关作价规定，经审核，现下达中化进出口公司经营的进口化肥调拨价格如下表：

序号	品名	合同号	调拨价格（元/吨）	序号	品名	合同号	调拨价格（元/吨）
1	磷酸二铵	98MA11XB437MJP751	2061	5	磷酸二铵	99US11XB437MJP832	2088
2	磷酸二铵	98TN11XB437MJP752	2070	6	磷酸二铵	99US11XB437MJP833	2088
3	磷酸二铵	99US11XB437MJP824	2088	7	磷酸二铵	99US11XB437MJP858	2088
4	磷酸二铵	99US11XB437MJP831	2088	8	氯化钾	98IL11XB537MJK321	1170

表中价格为带包装价格，交货地点为港口码头。调拨价格内容包括：折人民币到岸价、保险费、关税、银行手续费、商检费、报关手续费、合理损耗、散装化肥灌包费、中化公司合理经营费用。

国家计委价格司关于下达中农公司经营的进口化肥调拨价格的通知

1999年7月23日　　　　计司价格函〔1999〕63号

根据现行进口化肥调拨价格有关作价规定，经审核，现下达中农公司经营的部分1999年合同进口化肥调拨价格如下表：

序号	品名	合同号	调拨价格（元/吨）	序号	品名	合同号	调拨价格（元/吨）
1	磷酸二铵	99HK11XP137XPP002	2086	9	氯化钾	99HK11XP137XPK704	1205
2	磷酸二铵	99HK11XP137XPP003	2086	10	氯化钾	99HK11XP137XPK705	1188
3	磷酸二铵	99HK11XP137XPP004	2086	11	氯化钾	99HK11XP137XPK706	1188
4	磷酸二铵	99HK11XP137XPP005	2086	12	氯化钾	99HK11XP137XPK711	1188
5	磷酸二铵	99HK11XP237XPP022	2086	13	氯化钾	99HK11XP137XPK712	1161
6	氯化钾	99HK11XP137XPK701	1206	14	氯三元	99HK11XP137XPM602	1594
7	氯化钾	99HK11XP137XPK702	1205	15	氯三元	99HK11XP237ZHM603	1594
8	氯化钾	99HK11XP137XPK703	1205				

表中价格为带包装价格，交货地点为港口码头。调拨价格内容包括：折人民币到岸价，保险费，商检费，关税，银行手续费，报关费，合理损耗，散装化肥灌包费，中农公司合理经营费用。

国家计委价格司关于下达中农公司经营的进口化肥调拨价格的通知

1999年8月27日　　　　计司价格函〔1999〕69号

根据现行进口化肥调拨价格有关作价规定，经审核，现下达中农公司经营的部分1999年合同进口化肥调拨价格如下表：

序号	品名	合同号	调拨价格（元/吨）	序号	品名	合同号	调拨价格（元/吨）
1	氯化钾	99HK11XP237ZPK802	1100	4	氯三元	99HK11XP137XPM606	1602
2	氯化钾	99HK11XP237ZPK809	1108	5	氯三元	99HK11XP137XPM607	1602
3	氯化钾	99HK11XP237ZPK813	1100	6	氯三元	99HK11XP137FJM608	1602

表中价格为带包装价格，交货地点为港口码头。调拨价格内容包括：折人民币到岸价，保险费，商检费，关税，银行手续费，报关费，合理损耗，散装化肥灌包费，中农公司合理经营费用。

国家计委价格司关于下达中化进出口总公司经营的进口化肥调拨价格的通知

1999 年 9 月 22 日　　计司价格函〔1999〕79 号

根据进口化肥调拨价格作价有关规定，经审核，现下达中化进出口总公司经营的进口化肥调拨价格，氯化钾每吨 1161 元（合同号 99SG11XB537MJK045），硫酸钾每吨 1946 元（合同号 99GB11XB437MJS154）。上述价格为带包装价格，交货地点为港口码头。调拨价格内容包括：折人民币到岸价、保险费、关税、银行手续费、商检费、报关手续费、合理损耗、散装化肥灌包费、中化公司合理经营费用。

国家计委价格司关于下达中农公司经营的进口化肥调拨价格的通知

1999 年 12 月 7 日　　计司价格函〔1999〕103 号

根据现行进口化肥调拨价格作价规定，经审核，现下达中农公司经营的部分 1999 年合同进口化肥调拨价格如下表：

序号	品名	合同号	调拨价格（元/吨）	序号	品名	合同号	调拨价格（元/吨）
1	磷酸二铵	99HK11XP237ZHP044	1884	7	硝酸钾	99IL11XP137XPQ402	3154
2	磷酸二铵	99HK11XP237SDP053	1937	8	硝酸钾	99IL11XP137XPQ403	6982
3	磷酸二铵	99HK11XP137XPP058	1955	9	硝酸钾	99IL11XP137XPQ404	6982
4	磷酸二铵	99HK11XP137XPP033	1985	10	硝酸钾	99IL11XP137XPQ405	9006
5	氯三元	99GB11XP137HNM612	1569	11	硝酸钾	99IL11XP137XPQ406	10766
6	硝酸钾	99IL11XP137XPQ401	3154				

表中价格为带包装价格，交货地点为港口码头。调拨价格由以下项目构成：折人民币到岸价，保险费，商检费，关税，银行手续费，报关费，合理损耗，散装化肥灌包费，中农公司合理经营费用。

国家计委价格司关于下达中农公司经营的进口化肥调拨价格的通知

1999 年 12 月 8 日　　计司价格函〔1999〕105 号

根据现行进口化肥调拨价格作价规定，经审核，现下达中农公司经营的部分 1999 年合同进口化肥调拨价格如下表：

序号	品名	合同号	调拨价格（元/吨）	序号	品名	合同号	调拨价格（元/吨）
1	磷酸二铵	99BA11XP137XPP039	1955	6	氯化钾	99CH11XP237ZHK718	1179
2	磷酸二铵	99HK11XP137XPP049	1999	7	氯三元	99CH11XP137SLM609	1540
3	氯化钾	99HK11XP237ZHK826	1091	8	氯三元	99CH11XP137ZHM618	1558
4	氯化钾	99BS11XP237ZHK839	1091	9	氯三元	99GB11XP137HNS611	2224
5	氯化钾	99HK11XP237ZHK821	1091				

表中价格为带包装价格，交货地点为港口码头。调拨价格内容包括：折人民币到岸价，保险费，商检费，关税，银行手续费，报关费，合理损耗，散装化肥灌包费，中农公司合理经营费用。

机电产品价格

国家机械工业局关于公布全国三轮农用运输车行业平均成本的通知

1999年1月21日　　国机管〔1999〕45号

为贯彻落实国家计委、国家经贸委《关于发布〈关于制止低价倾销工业品的不正当价格行为的规定〉和加强行业自律的通知》精神，制止三轮农用运输车行业不正当价格竞争行为，保护生产者和消费者的合法权益，促进行业稳定健康发展，经国家计委价格司同意，现公布“全国三轮农用运输车行业平均成本”，并将有关事项通知如下：

一、此次公布的三轮农用运输车行业平均成本，是将行业内管理基础较好企业的成本加权平均后得出的。

二、凡在中华人民共和国境内从事三轮农用运输车生产的企业，原则上不应低于或变相低于公布的行业平均成本销售。对严重扰乱市场秩序，短期内难以核定其个别成本的降价销售行为，将依据行业平均成本下浮8%（不含运费等）认定其是否为低价倾销行为。

三、对低于公布的行业平均成本销售三轮农用运输车的生产企业，任何单位和个人都有权向行业协会反映，并向省级物价部门或国家计委举报。

四、对被举报的企业，国家机械工业局、行业协会会同国家计委、省级物价部门进行成本调查及核实。一经确认低价倾销的企业，将按有关规定进行处罚。

五、国家机械工业局将会同质量监督部门对低于行业平均成本销售的产品进行不定期的质量抽查，对抽查质量不合格的产品，由质量监督部门按有关法律、法规查处，并通过新闻媒体曝光，对质量问题严重的将取消其产品目录资格。

六、农用运输车行业协会要加强宣传工作，加强行业价格自律。对生产企业以低于行业平均成本价格销售的，可以规劝其改正；对不接受规劝，有低价倾销嫌疑的，可向价格主管部门直接举报。

七、对旧车的处理必须凭“旧车处理凭证”办理有关手续。“旧车处理凭证”由农用运输车行业协会负责发放。

八、今后国家机械工业局将根据三轮农用车企业生产情况适时调整行业平均成本。

九、以上规定自1999年1月26日起执行。国家机械工业局负责解释。

附件

全国三轮农用运输车行业平均成本

序号	品种	柴油机	轮胎	后桥	货厢	行业平均成本(元)
1	7Y－750 半封闭	185 水冷	5.00－16 普通钢圈	轻型3＋1 连体后桥	1.8米三开门车厢 小车架	4861
2	7Y－950 挡风板	195 1100	6.00－16 普通钢圈	3＋1 链传动	2米三开门车厢 大车架	4931
3	7Y－950 手把半封闭	195 1100	6.00－16 普通钢圈	3＋1 普通后桥	2米三开门车厢 小车架	5362
4	7Y－950 手把半封闭	195 1100	6.00－16 普通钢圈	3＋1 连体强化	2米三开门车厢 大车架	5811
5	7YP－950 方向盘半封闭	195 1100	6.00－16 普通钢圈	3＋1 连体强化	2米三开门大车厢 大车架	6004
6	7YPJ－950 手摇简易 棚不带门	195 1100	6.00－16 普通钢圈	3＋1 连体强化	2米三开门大车厢 大车架	6858
7	7YPJ－950 手摇简易 棚带门	195 1100	6.00－16 普通钢圈	3＋1 连体强化	2米三开门大车厢 大车架	7924
8	7YPJ－950 手摇全封闭	195 1100	6.00－16 普通钢圈	3＋1 连体强化	2米三开门大车厢 大车架	8139
9	7YPJ－950 电起动全封闭	195 1100	6.00－16 普通钢圈	3＋1 连体强化	2米三开门大车厢 大车架	9228

注:1、行业平均成本是指生产企业基本车型单位工厂成本,改变基本车型零部件按变型零部件实际购进成本加价;

4＋1连体强化后桥在基本型基础上加价400元,变速档位五档以上(不含五档)再加价100元;

4＋1轻型后桥在基本型基础上再加价150元;

简易棚带半门加价150元;

液压制动装置加价200元;

加装自卸装置加价1000元。

2、甘肃省之外的三轮农用运输车生产企业在甘肃省销售的价格应在各车型价格的基础上至少加价200元。

国家机械工业局关于发布部分电线电缆产品行业平均成本的通知

1999年3月7日　　国机管〔1999〕119号

目前电线电缆行业出现竞相降价、低价倾销的无序竞争现象。为维护电线电缆市场的正常价格秩序,根据国家计委、国家经贸委联合颁布的《关于制止低价倾销工业品的不正当价格行为的规定》(计价格〔1998〕2330号)和《国家计委关于同意发布部分电线电缆产品行业平均成本问题的批复》,国家机械工业局制定了部分电线电缆产品行业平均成本,现予以发布(详见附件),并将有关问题通知如下:

一、此次发布行业平均成本的电线电缆产品有交联电缆、架空线、塑力缆、控制电缆、钢芯铝绞线五大类40个规格。

二、凡在中华人民共和国境内从事上述产品生产的企业,其销售价格原则不能低于或变相低于发布的行业平均成本。

三、企业以低于行业平均成本销售,造成生产经营秩序混乱,任何单位、个人都可以向中国电器工业协会电线电缆分会和国家机械工业局反映,并向省级以上价格主管部门举报。

四、国家机械工业局、行业协会将积极配合政府价格主管部门严格按照国家计委《关于印发低价倾销工业品的成本认定办法(试行)的通知》精神,做好电线电缆产品成本认定工作。

五、国家机械工业局将会同国家质量技术监督部门对电线电缆企业,特别是低于产品行业平均成本销售的企业进行不定期的质量抽查,对抽查质量不合格的企业,由质量技术监督部门按有关法律、法规查处,并通过新闻媒体曝光。

六、电线电缆分会要督促、指导行业企业执行本通知,积极宣传国家有关的法律、法规,及时掌握成本、价格信息,引导企业进行价格自律,指定专人协助行业主管部门和价格主管部门做好制止低价倾销工作。

七、今后将根据电线电缆企业生产及市场情况适时调整和发布产品行业平均成本。

八、本通知自 1999 年 4 月 1 日起执行,由国家机械工业局负责解释。

附件

部分电线电缆产品行业平均成本表

单位:元/公里

交联电缆	规　格	行业平均成本	塑力缆	规　格	行业平均成本
YJV 8.7/10kV	3×50	88130	VV 0.6/1kV	3×6+1×4	8430
YJV 8.7/10kV	3×95	131220	VV 0.6/1kV	3×16+1×10	17320
YJV 8.7/10kV	3×240	243450	VV 0.6/1kV	3×70+1×35	62180
YJLV 8.7/10kV	3×50	62810	VLV 0.6/1kV	3×6+1×4	4460
YJLV 8.7/10kV	3×95	82960	VLV 0.6/1kV	3×16+1×10	7720
YJLV 8.7/10kV	3×240	132020	VLV 0.6/1kV	3×70+1×35	21880
YJV22 8.7/10kV	3×50	101920	VV22 0.6/1kV	3×6+1×4	11080
YJV22 8.7/10kV	3×95	145910	VV22 0.6/1kV	3×16+1×10	20960
YJV22 8.7/10kV	3×240	265480	VV22 0.6/1kV	3×70+1×35	69290
YJLV22 8.7/10kV	3×50	74730	VLV22 0.6/1kV	3×6+1×4	6790
YJLV22 8.7/10kV	3×95	95210	VLV22 0.6/1kV	3×16+1×10	11380
YJLV22 8.7/10kV	3×240	147580	VLV22 0.6/1kV	3×70+1×35	29260
YJV 0.6/1kV	3×35+1×16	37620	控制电缆		
YJV 0.6/1kV	3×70+1×35	69610	KVV 450/750V	4×1.5	3490
YJV 0.6/1kV	3×240+1×120	234190	KVV 450/750V	14×1.5	8940
YJV22 0.6/1kV	3×35+1×16	44420	KVV 450/750V	24×1.5	15920
YJV22 0.6/1kV	3×70+1×35	77710	KVV22 450/750V	4×1.5	5800
YJV22 0.6/1kV	3×240+1×120	248540	KVV22 450/750V	14×1.5	12590
YJLW02 110kV	1×400	443550	KVV22 450/750V	24×1.5	19130
YJLW02 110kV	1×630	542840			
架空线					
JKLYJ 6/10kV	1×185	19540			
JKLYJ 6/10kV	1×240	24010			
备　注	1kV 交联电缆和架空绝缘线采用幅照工艺生产的成本提高 5%				
钢芯铝绞线	钢芯铝绞线的平均成本计算原则按钢铝结构材料定额加 5%的消耗及包装费和每吨 1300～1500 元的加工费计算含税价格(单位:元/吨)				

国家计委关于云雀 GHK7060A 型轿车出厂价格的批复

1999 年 5 月 27 日　　计价格〔1999〕586 号

、贵州省物价局《关于"云雀牌"(GHK7060A)微型轿车出厂价格的请示》(黔价工农字〔1999〕97 号)及《关于"云雀牌"轿车申报价格补充材料的报告》(黔价工农字〔1999〕143 号)均悉。经研究,现批复如下:

同意云雀牌 GHK7060A 型微型轿车中准出厂价格定为 4.2 万元(含增值税)。生产企业可根据市场情况,在上下 10%的浮动幅度内自主定价。

国家计委关于上海通用汽车有限公司别克轿车价格的批复

1999 年 8 月 31 日　　计价格〔1999〕1204 号

上海市物价局《关于"上海通用"别克轿车价格的请示》(沪价商〔1999〕第 218 号)收悉。经研究,现批复如下:

同意上海通用汽车有限公司别克 CL－XDA1 型轿车中准出厂价格(不含税)定为每辆 243100 元,别克新世纪 XSJ—XDA2 型轿车中准出厂价格(不含税)定为每辆 283200 元。企业可根据市场情况在上下 10%的幅度内浮动。销售价格按《国家计委关于对国产小轿车实行国家指导价格的通知》(计价格〔1994〕1181 号)有关规定执行。其他选装车和变型车出厂价格由企业按合理比价确定,报国家计委备案。

以上价格自 1999 年 9 月 1 日起执行。

轻工产品价格

国家计委办公厅关于食糖价格政策有关问题的通知

1999 年 1 月 25 日　　计办价格〔1999〕51 号

为了适应市场形势的变化,调控和引导食糖价格,国家计委于 1998 年 11 月下发了《关于发布 1998 年跨 1999 年制糖期食糖指导价格的通知》(计价格〔1998〕2205 号)。《通知》下发后,对于遏制食糖价格过度下降,促进公平竞争和保护农民利益发挥了重要作用。但据一些地区反映,由于食糖销区的价格政策不明确,部分销区商业经销企业低价售糖,对产区制糖企业执行国家指导价格造成困难。因此,为稳定食糖价格,保证食糖指导价格政策的贯彻执行,现就有关问题通知如下:

一、食糖销区的商业经销企业销售食糖的最低价格,要按国家规定的产区食糖出厂指导价格下浮界限加合理运杂费执行。具体运杂费标准由食糖销区省级物价部门核定。

二、各食糖销区物价部门接到本通知后,要立即组织力量对所在区域商业经销企业的食糖销售价格进行集中检查,对以低于产区食糖出厂指导价格下浮界限加合理运杂费行为的价格销售食糖的,要按照《价格法》的有关规定予以查处。

三、食糖销区物价部门在检查中如发现产区制糖企业违反国家指导价格低价销售问题,要及时与食糖产区省级物价部门沟通情况,并报告国家计委(价格监督检查司)。

国家计委办公厅关于下调足金饰品价格的通知

1999 年 6 月 18 日　　计办价格〔1999〕444 号

鉴于中国人民银行近日下调了黄金收售价格,经与有关部门研究,决定适当下调足金饰品价格,现就有关问题通知如下:

一、国家标准二号黄金(黄金成色不小于 99.95%,杂质含量不大于 0.05%)、国家标准一号黄金(黄金成色不小于 99.99%,杂质含量不大于 0.01%)和成色及杂质含量不符合国家二号黄金标准的黄金收购价格分别为每克 72.64 元、73.44 元和 71.64 元,国家标准二号、国家标准一号黄金配售价格分别为每克 74.10 元和 74.90 元。新的黄金收售价格从 1999 年 6 月 9 日起执行。

二、足金饰品出厂价格下调为最低价每克 86 元,最高价每克 90 元;零售价格下调为最低价每克 102 元,最高价每克 112 元;批发企业从工厂的进货价由双方协商议定。各省级价格主管部门可在上述最低价和最高价范围内根据当地情况安排足金饰品的具体价格,并报国家计委备案。

三、当前,一些地区金饰品经营者擅自降价销售、不执行明码标价等问题比较突出,扰乱了正常的价格秩序。各级价格主管部门要加强监督检查,依法惩处违反国家金饰品价格政策的价格违法行为,维护国家利益和金饰品经营者的合法权益。

国家计委关于调整食糖价格政策的通知

1999 年 11 月 5 日　　计价格〔1999〕1838 号

为了进一步推动制糖工业结构调整,促进食糖供求总量平衡,有利于深化食糖产销体制改革,经与有关部门研究,决定调整食糖价格政策。现就有关事项通知如下:

一、自 1999 年跨 2000 年制糖期开始,食糖价格水平,由主产省、自治区政府价格主管部门根据本地区当年实际情况提出意见,经国家计委综合平衡后实施。各地要按照有利于适当控制食糖生产发展,促进企业加强内部管理、降低生产经营成本的原则研究食糖价格具体水平。

二、做好食糖价格平衡衔接工作。每年在制糖期开始之前,相邻产区省级政府之间要及时沟通情况,交流信息,协调、衔接价格,以利于不同地区的食糖企业平等竞争,维护食糖市场正常秩序。

三、中央储备食糖的收购和出库价格,由国家计委会同有关部门制定;地方储备食糖的收购和出库价格,由省级政府价格主管部门会同有关部门制定。

四、本通知自 1999 年 12 月 1 日起执行。

请各地接本通知后,抓紧研究安排本地区食糖价格,报国家计委备案。

药品价格

国家计委办公厅关于常规重组人胰岛素注射液价格的批复

1999年1月8日　　计办价格〔1999〕12号

吉林省物价局《关于常规重组人胰岛素注射液、注射用重组人生长素、重组人粒细胞集落刺激因子注射液和金葡液价格的请示》(吉省价生活字〔1998〕第134号)收悉。经研究,现对常规重组人胰岛素注射液价格批复如下:

一、吉林省通化东宝药业股份有限公司自行研制生产的常规重组人胰岛素注射液(商品名:甘舒霖R),属国家二类新药。根据《药品价格管理暂行办法》的有关规定,核定常规重组人胰岛素注射液价格每支400单位/10毫升出厂价格(含税)为49.10元、批发价格(含税)为59.90元、零售价格(含税)为68.90元。

二、上述价格自1999年1月20日起执行。各药品生产、经营企业和医疗单位可以低于上述规定的价格销售,但必须严格按照规定的进销差率或批零差率顺加作价,购进价格低于出厂价格或批发价格的,必须相应同幅度降低其批发价格或零售价格。

三、注射用重组人生长素、重组人粒细胞集落刺激因子注射液和金葡液的价格将另行审批。

国家计委关于公布北京双鹤药业股份有限公司等3家通过GMP认证(达标)企业生产的部分药品价格的通知

1999年1月25日　　计价格〔1999〕80号

北京市、广东省、江苏省物价局:

北京市物价局《关于申报制定盐酸林可霉素注射液价格的请示》(京价药字〔1998〕第353号)、广东省物价局《关于确特能((α—2b)等进口药品国内销售价格及建适辽(阿昔洛韦)药品价格申请单独定价的请示》(粤价〔1998〕241号)和江苏省物价局《关于申报富米汀等药品价格的函》(苏价工函〔1998〕206号)均悉。按照药品价格管理的有关规定,现将核定北京双鹤药业股份有限公司等3家企业生产的部分药品价格的有关事项通知如下:

一、核定按GMP标准生产的盐酸洁霉素等3种药品价格为:

(一)北京双鹤药业股份有限公司(GMP认证企业)生产的盐酸洁霉素针剂,规格为每支0.6克、每盒2毫升×10克,含税出厂、批发和零售价格分别为每盒11.68元、14.01元和16.10元。

(二)礼来苏州制药有限公司(GMP认证企业)生产的头孢克罗(商品名希刻劳)胶囊,规格为250毫克×6粒,含税出厂、批发和零售价格分别为每盒36.39元、43.30元和49.80元;规格为250毫克×12粒,含税出厂、批发和零售价格分别为每盒72.34元、86.09元和99元;头孢克罗(商品名希刻劳)干混悬剂,规格为每盒125毫克×6袋,含税出厂、批发和零售价格分别为每盒24.80元、29.52元和33.90元。

(三)汕头市八达制药有限公司生产的阿昔洛

韦(商品名建适辽)针剂,规格为每支250毫克,含税出厂、批发和零售价格分别为每支41.48元、49.77元和57.20元。

上述3种药品的具体出厂、批发和零售价格详见附表。

二、附表所列的药品价格自1999年2月10日起执行。

附表

北京双鹤药业股份有限公司等3家通过GMP认证(达标)企业生产的部分药品价格表

金额单位:元

编号	生产企业	品名(商品名)	剂型	规格	单位	出厂价格		批发价格		零售价格
						无税	含税	无税	含税	
一	取得GMP认证企业									
1	北京双鹤药业股份有限公司	盐酸洁霉素	注射剂	0.6g,2ml×10支	盒	9.98	11.68	11.98	14.01	16.10
2	礼来苏州制药有限公司	头孢克罗(希刻劳)	胶囊	250mg×6粒	盒	31.10	36.39	37.01	43.30	49.80
				250mg×12粒	盒	61.83	72.34	73.58	86.09	99.00
			干混悬剂	125mg×6袋	盒	21.20	24.80	25.23	29.52	33.90
二	通过GMP达标企业									
3	汕头市八达制药有限公司	阿昔洛韦(建适辽)	注射剂	250mg	支	35.45	41.48	42.54	49.77	57.20

国家计委办公厅关于公布青霉素V钾干糖浆等27种进口药品销售价格的通知

1999年2月13日　　计办价格〔1999〕111号

根据《药品价格管理暂行办法》及其补充规定,现印发审定的青霉素V钾干糖浆等27种进口药品的含税口岸价、批发价、零售价格表(附后,略),请按照执行,并将有关事项通知如下:

一、表列价格自1999年2月20日起执行。若进口药品口岸价发生变化,或进口其它规格药品时,销售价格需另行报批。此前有公布的价格与本文不一致的,一律以本文公布的价格为准。

二、对审定的青霉素V钾干糖浆等27种进口药品,各药品批发、零售企业和医疗单位可以低于表列的价格销售,但进货单位必须按实际进价加规定的差率顺加作价销售。在实际进价低于表列价格时,必须相应同幅度降低其销售价格。

国家计委关于审定公布脂肪乳注射液价格的通知

1999 年 2 月 14 日　　计价格〔1999〕166 号

按照药品价格管理的有关规定，现核定脂肪乳注射液出厂、批发和零售价格(详见附表，略)，并将有关事项通知如下：

一、对获得国家 GMP 认证或达标企业和未达标企业生产的脂肪乳注射液实行两种价格体系，即分别制定获得国家 GMP 认证或达标企业和未达标企业生产的脂肪乳注射液的出厂、批发和零售价格。

二、附表中未列的其它规格品价格，暂由产地省级物价部门根据现行药品价格管理的有关规定，按与表列代表规格品保持合理比价的原则核定，报国家计委(价格司)备案。

四、附表规定的价格自 1999 年 3 月 1 日起执行。

国家计委办公厅关于公布头孢拉定胶囊等14 种进口(进口分包装)药品销售价格的通知

1999 年 3 月 5 日　　计办价格〔1999〕138 号

根据《药品价格管理暂行办法》及其补充规定，现印发审定的头孢拉定胶囊等 14 种进口(进口分包装)药品的含税口岸价(出厂价)、批发价、零售价格表(附后，略)，请按照执行，并将有关事项通知如下：

一、表列价格自 1999 年 3 月 20 日起执行。

二、若进口药品口岸价发生变化，或进口其它规格药品时，销售价格需另行报批。此前有公布的价格与本文不一致的，一律以本文公布的价格为准。

国家计委办公厅关于调整药用阿片收购和调拨价格的通知

1999 年 3 月 5 日　　计办价格〔1999〕142 号

为保证药用阿片的生产供应，缓解生产企业和经营单位因成本上升造成的困难，经与有关方面研究，决定适当调整药用阿片的收购和调拨价格。现将有关事项通知如下：

一、药用阿片(按吗啡有效成份 10%，下同)的收购价格每公斤 450 元调整为 600 元；药用阿片的调拨价格(含税)由每公斤 500 元调整为 680 元。

二、上述价格自 1999 年 3 月 25 日起执行。

国家计委办公厅关于半乳糖—棕榈酸等20种进口（进口分包装）药品销售价格的通知

1999年3月23日　　计办价格〔1999〕202号

根据《药品价格管理暂行办法》及其补充规定，现印发审定的半乳糖—棕榈酸等20种进口（进口分包装）药品的含税口岸价格（出厂价）、批发价格、零售价格表（附后，略），请按照执行，并将有关事项通知如下：

一、表列价格自1999年4月1日起执行。

二、若进口药品口岸价发生变化，或进口其它规格药品时，销售价格需另行报批。此前有公布的价格与本文不一致的，一律以本文公布的价格为准。

国家计委办公厅关于制定小包装麻黄素价格的通知

1999年4月8日　　计办价格〔1999〕249号

为加强对麻黄素的管理，根据《国务院关于进一步加强麻黄素管理的通知》（国发〔1998〕3号）的规定，国家药品监督管理局决定将小包装麻黄素由北京中顺制药厂生产分装，由北京医药站统一收购，纳入麻醉药品供应渠道，供应全国医疗单位作为配方使用。鉴此，现就小包装麻黄素价格管理的有关问题通知如下：

一、按照现行的药品价格管理办法，根据企业生产成本情况，核定规格为每瓶50克和每瓶100克的小包装麻黄素含税出厂价格分别为50.31元和84.24元。

二、根据企业经营费用情况，核定规格为每瓶50克和每瓶100克的小包装麻黄素一级调拨价格（含税）分别为59.33元和99.35元。

三、小包装麻黄素的批发价格，由各地小包装麻黄素经营企业报当地省级物价部门按照《麻醉药品销售价格作价办法》（见原国家医药管理局国药财〔1988〕579号）的有关规定核定。

国家计委关于重新审定头孢类等部分中央管理的药品价格的通知

1999年4月14日　　计价格〔1999〕403号

根据现行药品价格管理办法的有关规定和各地对药品实际价格的调查情况，并广泛征求有关方面意见，现印发重新审定的头孢类等部分中央管理的药品的出厂、批发和零售价格（见附表一和附表二），请抓紧通知药品生产、经营企业，并向社会公布。现将有关事项通知如下：

一、目前药品价格折扣过高，严重影响了药品价格整改工作的顺利进行，因此，必须根据药品价格折扣情况及时降低药品价格。各地对各省制定的药品价格均应在调查的基础上重新审定，价格虚高及折扣过多的，要及时降价，并向社会公布。

二、这次重新审定头孢类等部分中央管理的药品出厂价格的原则是，在不降低企业的实际出厂价格的前提下，以各地调查的药品实际价格为基础，重新核定出厂价、批发价和零售价。

三、由于实际进销差率低于规定的进销差率，部分药品价格仍有虚高问题。因此，请各地加强监督检查，及时查处超过规定折扣率多给（或索要）折扣的行为。

四、各地要加强对中央管理药品实际价格执行情况的监督检查，发现实际价格低于规定价格较多的，要及时报告国家计委。国家计委将根据情况及时调整药品价格。

五、为了促进价值较低、疗效较好的少数基本治疗药品的使用，对这类药品这次没有降价，有关问题待实行差别差率时一并研究解决。

六、附表未列的中央管理的其他国产药品仍按现行国家规定的价格执行。

七、附表所列同一品种、剂型，但规格不同的药品价格，由产地省级物价部门按与表列代表规格品保持合理比价的原则核定，报国家计委（价格司）备案。

八、附表规定的价格从 1999 年 4 月 25 日起执行。

附表一：部分中央管理的国产药品价格表（非 GMP 价格）（略）

附表二：部分中央管理的国产药品价格表（GMP 价格）（略）

国家计委办公厅关于黄体酮等 10 种进口（进口分包装）药品销售价格的通知

1999 年 5 月 5 日　　计办价格〔1999〕311 号

根据《药品价格管理暂行办法》及其补充规定，现印发审定的黄体酮等 10 种进口（进口分包装）药品的含税口岸价（出厂价）、批发价、零售价格表（附后，略），请按照执行，并将有关事项通知如下：

一、表列价格自 1999 年 5 月 10 日起执行。

二、若进口药品口岸价发生变化，或进口其它规格药品时，销售价格需另行报批。此前有公布的价格与本文表列价格不一致的，一律以本文表列的价格为准。

国家计委关于降低西力欣等 114 种进口（进口分装）药品价格的通知

1999 年 6 月 3 日　　计价格〔1999〕617 号

根据现行药品价格管理办法的有关规定和各地对药品实际价格的调查情况，在广泛征求有关方面意见的基础上，现印发重新审定的部分进口（进口分装）药品含税口岸价（出厂价）、含税批发价和零售价（见附表），请抓紧通知药品生产、经营企业，并向社会公布，并将有关事项通知如下：

一、这次降低西力欣等 114 种进口（进口分装）药品价格，是在各地调查的基础上，以实际价格为基础重新核定的。

二、由于现行药品进销差率偏高，部分药品价格仍有虚高问题。各地要继续加强监测，如发现有超过 5%折扣率销售药品的行为，请及时报告国家计委以调整药品价格。

三、附表未列的其它已由国家计委公布价格的进口药品，仍按现行国家规定的价格执行。

四、附表规定的价格从 1999 年 6 月 20 日起执行。

附:西力欣等114种进口(进口分装)药品价格表(略)

国家计委关于
药品价格登记有关问题的通知

1999年6月5日　　计价格〔1999〕628号

根据国家计委《关于完善药品价格政策改进药品价格管理的通知》(计价格〔1998〕2196号)要求,各地对企业按作价办法自主定价的药品实行了价格登记,并通过指定的报刊向社会公布,这对于提高药品价格的透明度,指导企业和医疗单位选购药品,防止虚高定价、异地高价销售药品、牟取高利发挥了必要的作用。但是,部分地区的药品价格登记行为不规范,有的对中央及产地省级物价部门已制定的价格或登记公布的价格重新审价、重复定价;一些地方在登记过程中向企业收取费用,增加了药品生产经营企业的负担。为规范药品价格登记办法,现就有关问题通知如下:

一、对省(区、市)内企业生产按作价办法自主定价的药品,省级物价部门按企业提供的价格进行登记。企业必须遵守诚实信用的原则,提供的价格必须是实际执行的价格;出厂价格变动时须重新登记。企业对登记价格的真实性要承担法律责任,不得有《价格法》第十四条第四款中规定的价格欺诈行为。

二、产地省级物价部门应将企业登记的价格及时通过指定的报刊等媒介向社会公布,并抄报国家计委、抄送各省级物价部门。凡属国家计委和省级物价部门定价的产品,以及在产地省登记过的产品,销地省不得要求重复登记。

三、在产地省没有登记的药品价格,销地省级物价部门可以按企业提供的价格进行登记,并向社会公布,通告产地省级物价部门。

四、省级物价部门在办理药品价格登记过程中,不得委托其它机构代办登记手续,不得要求企业报送成本资料,不得收取费用。省以下价格部门不得要求企业进行价格登记。

五、各地对企业按作价办法自主定价的药品要加强市场调查跟踪。对于登记价格过程中,违反诚实信用原则,登记虚假价格进行价格欺诈的;对于违反国家规定虚高定价、给予高额折扣的,要依据《价格法》及有关规定予以严肃查处。

六、各地制定的药品价格登记公布办法,凡与上述规定不符的,要立即予以纠正,并将有关情况于7月1日前报国家计委。

国家计委办公厅关于
泛昔洛韦等新药价格的批复

1999年6月5日　　计办价格〔1999〕400号

广东省、浙江省、江苏省、北京市物价局:

广东省物价局《关于新药泛昔洛韦价格管理权限的请示》(粤价〔1999〕81号)、浙江省物价局《关于要求核定泛昔洛韦药品价格的请示》(浙价工〔1999〕145号)、江苏省物价局《关于申请核定硫酸依替米星等药品价格的函》(苏价工函〔1999〕70号)和北京市物价局《关于申报盐酸二氢埃托啡价格的请示》(京价药字〔1999〕191号)均悉。经研究,现批复如下:

一、按照现行药品价格管理的有关规定,核定下列新药价格：

（一）广东省珠海医药集团丽珠制药厂和浙江海正制药股份有限公司研制生产的国家二类新化学药品泛昔洛韦片剂，规格为每盒0.125克×4片，含税出厂、批发和零售价格分别为每盒46.09元、54.84元和63元；规格为每盒0.125克×6片，含税出厂、批发和零售价格分别为每盒66.83元、79.53元和91元；规格为每盒0.125克×8片，含税出厂、批发和零售价格分别为每盒88.51元、105.33元和121元；规格为每盒0.125克×10片，含税出厂、批发和零售价格分别为每盒109.96元、130.85元和150元；规格为每盒0.250克×6片，含税出厂、批发和零售价格分别为每盒124.90元、148.63元和171元。

（二）无锡山禾集团悉能制药有限公司研制生产的国家一类新化学药品硫酸依替米星注射水针，规格为每支1毫升：50毫克，含税出厂、批发和零售价格分别为每支34.50元、41.40元和47.60元；规格为每支2毫升：100毫克，含税出厂、批发和零售价格分别为每支56.93元、68.32元和78.60元。

（三）北京四环制药厂研制生产的麻醉药品盐酸二氢埃托啡（系一类新化学药品），规格为每盒20微克×10片，含税出厂价格为每盒29.00元。

盐酸二氢埃托啡的批发和零售价格，由各地麻醉药品经营企业报当地省级物价部门按《麻醉药品销售价格作价办法》（原国家医药管理局国药财〔1988〕第579号）的规定核定，报国家计委（价格司）备案。

上述药品的具体价格详见附表。

二、上述价格自1999年6月10日起执行。

附表

泛昔洛韦等新药价格表

金额单位：元

编号	品名	剂型	规格	单位	出厂价格		批发价格		零售价格	申报企业	备注
					无税	含税	无税	含税			
1	泛昔洛韦	片剂	0.125g×4片	盒	39.39	46.09	46.87	54.84	63	珠海丽珠医药集团丽珠制药厂 浙江海正药业有限公司	二类新化学药品
		片剂	0.125g×6片	盒	57.12	66.83	67.97	79.53	91		
		片剂	0.125g×8片	盒	75.65	88.51	90.02	105.33	121		
		片剂	0.125g×10片	盒	93.98	109.96	111.84	130.85	150		
		片剂	0.25g×6片	盒	106.75	124.90	127.03	148.63	171		
2	硫酸依替米星	注射水针	1ml:50mg	支	29.49	34.50	35.39	41.40	47.6	无锡山禾集团悉能制药有限公司	一类新化学药品
			2ml:100mg		48.66	56.93	58.39	68.32	78.6		
3	盐酸二氢埃托啡	片剂	20微克×10片	盒	24.79	29.00				北京四环制药厂	一类新化学药品

国家计委办公厅关于审定硝苯地平缓释片等5种中管药品新剂型价格的通知

1999年6月18日　　计办价格〔1999〕451号

根据《药品价格管理暂行办法》的有关规定，现印发审定的硝苯地平缓释片等5种中管药品新剂型的出厂、批发和零售价格表（附后），请按照执行，并将有关事项通知如下：

一、表中未列的其它规格药品的价格，暂由产地省级物价部门按与表列代表规格品保持合理比价的原则核定，并报国家计委（价格司）备案。

二、附表规定的价格自1999年6月25日起执行。

附表

硝苯地平缓释片等5种进口中管药品新剂型价格表

金额单位:元

编号	品名(商品名)	剂型	规格	单位	含税出厂价格	含税批发价格	零售价格	备注
1	硝苯地平	缓释片	10mg×30片	盒	13.92	16.57	19.1	四类新化学药品(非GMP企业)
		缓释胶囊	20mg×12粒	盒	11.52	13.71	15.8	四类新化学药品(非GMP企业)
2	法莫替丁(贝兰德)	片剂	20mg×10片	盒	11.69	13.91	16.0	GMP认证企业
			20mg×20片	盒	23.05	27.43	31.5	
3	脂肪乳(力能)	注射液	500ml(50克大豆油:3克卵磷脂)	瓶	78.39	94.07	108.0	GMP认证企业
4	克拉维酸钾/羟氨苄青霉素(奥格门汀)	片剂	375mg(125mg/250mg)×6片	盒	32.53	38.71	44.5	非GMP企业
		片剂	375mg(125mg/250mg)×10片	盒	52.65	62.65	72.1	
		注射液	0.6g(0.1g/0.5g)	瓶	20.91	25.09	28.9	GMP达标企业
		注射液	1.2g(0.2g/1.0g)	瓶	38.01	45.62	52.5	
5	羟氨苄青霉素钠	粉针剂	0.5g,模制瓶,铝盖	瓶	6.70	8.04	9.3	GMP达标企业
		粉针剂	0.5g,管制瓶,易拉盖	瓶	6.90	8.28	9.5	

国家计委办公厅关于公布法斯通等17种进口药品销售价格的通知

1999年6月25日　　　计办价格〔1999〕480号

根据《药品价格管理暂行办法》及其补充规定,现印发审定的法斯通等17种进口药品价格的口岸价、批发价、零售价格表(附后,略),请按照执行,并将有关事项通知如下:

一、表列价格自1999年7月1日起执行。

二、若进口药品口岸价发生变化,或进口其它规格药品时,销售价格需另行报批。此前有公布的价格与本文不一致的,一律以本文公布的价格为准。

国家计委办公厅关于公布佐米格等45种进口(进口分装)药品价格的通知

1999年6月28日　　　计办价格〔1999〕483号

根据《药品价格管理暂行办法》及其补充规定,现印发审定的佐米格等45种进口(进口分包装)药品的含税口岸价、批发价、零售价格表(附后,略),请按照执行,并将有关事项通知如下:

一、表列价格自1999年7月1日起执行。

二、若进口药品口岸价发生变化，或进口其它规格药品时，销售价格需另行报批。此前有公布的价格与本文不一致的，一律以本文公布的价格为准。

国家计委关于降低药品“虚高”价格有关政策问题的通知

1999年7月6日　　计价格〔1999〕813号

按照国家计委《关于开展全国药品价格调查的通知》（计价格〔1999〕62号）精神，各地根据市场供求和药品生产成本变化情况，及时降低“虚高”的药品价格，对于整顿药品价格折扣，贯彻药品价格管理办法，减轻社会医药费用负担，保障医疗保险制度改革的顺利进行，发挥了重要作用。但从各地制定省管药品降价方案的情况看，也存在一些问题。有的省（区、市）降价方案中涉及外省定价的产品，事先未与产地省（区、市）沟通协商；个别省（区、市）出台的降价方案中存在地方保护主义倾向；还有的省（区、市）药品价格整改工作缓慢，有的至今没有转发《国家计委关于完善药品价格政策改进药品价格管理的通知》（计价格〔1998〕2196号），没有制定出具体实施意见。药品价格整顿和改革工作是一项十分艰巨的任务，各地必须统一思想，统一行动，共同努力，规范折扣行为，降低“虚高”价格，做好药品价格整改工作。现就整顿药品价格有关问题通知如下：

一、各地降低药品“虚高”价格，重点是降低列入本省分管目录的药品价格。对调查中发现省管目录以外的药品价格“虚高”、折扣过大的，在按照药品价格管理办法有关规定对违法行为进行处罚的同时，要区别情况，采取以下措施：（一）属于国家计委管理价格的药品，要将调查情况及整顿意见及时上报国家计委，由国家计委拟定降价方案。（二）属于其它省（区、市）管理价格的药品，要将调查情况及整顿意见及时通报产地省级物价部门；产地省级物价部门在接到销地情况通报后10个工作日内将意见反馈销地省。产销地意见一致的，销地省可以列入降价方案，但只降低零售价，公布实际批发价，不准降低出厂价。产销地意见不一致的，由销地省级物价部门上报国家计委协调。产地省级物价部门也可以向国家计委反映。（三）属于企业按作价办法自主定价的药品，省级物价部门可以责成生产经营单位降低“虚高”价格，同时向社会公布其实际出厂价、实际批发价以及按规定差率（折扣率）计算的零售价。

二、各地降低药品“虚高”价格，必须在认真调查研究的基础上，以批发和零售单位药品实际购进价格为基础，切实降低价格中“虚高”和多给折扣的部分，在不降低生产企业实际出厂价格、不缩小批发企业实际进销差率、不减少药品零售单位合法的批零差价收入和规定折扣收入的前提下进行。作为降价依据的各种数据要真实准确，相互印证，具有广泛的代表性，防止以假劣药品的价格或其它没有代表性药品的价格作为降价依据，给药品生产经营企业造成损失和困难。在降低药品价格后的一段时间内，药品批发企业不得以降价为由要求生产企业降低实际出厂价格；药品零售单位不得以降价为由要求批发企业（包括生产企业）降低实际批发价格或多要折扣（让利）。

三、各地制定和调整的药品价格文件及这次拟定的药品降价文件，均需在发文的同时，抄报国家计委备案，抄送各省、自治区、直辖市物价部门。各销地省级物价部门要根据产地价格变动情况，及时更改公布的药品价格。

四、继续做好医疗服务价格调整工作。各地要对药品价格整改以来的医疗服务价格调整情况进行总结。凡是药品价格整改以来没有调整过医疗服务价格或调价不多的，现行医疗服务价格确实偏低的地区，要在降低药品“虚高”价格、规范药品价格折扣的基础上，在社会医药负担总水平不增加的前提下，适当提高医疗服务价格，确保医疗机构的正常运转。在整顿药品价格和提高医疗服务价格工作中，既要防止药价不降，医疗服务价格提高，增加社会负担；又要防止降低药品价格、规范药品折扣，减少医疗机构药品差价收入，影响医疗机构正常运转。

五、各地价格主管部门要加强对药品价格整改工作的领导，精心组织，妥善实施。尚未公布降价方案的省（区、市），要按上述要求抓紧制定、公布药品降价方案。已公布降价方案的省（区、市），也要按上述要求，对药品降价工作进行总结，并及时解决降价后出现的问题。各地要认真贯彻药品价格管理的各项政策规定，尚未转发国家计委计价格〔1998〕2196号文件的地区，要尽快转发。要加强对药品市场价格的监督检查，对于违反药品价格管理办法有关规定，超过规定差率作价和索要高额折扣的，要及时查处。

国家计委价格司关于塞格力、吉塞欣、恩格菲、里亚尔4种药品价格按有关文件执行的通知

1999年7月13日　　计司价格函〔1999〕60号

上海市、河北省、浙江省、黑龙江省物价局：

上海市物价局《关于重组人粒细胞集落刺激因子等药品销售价格的请示》（沪价商〔1999〕184号）、河北省物价局《关于制定重组人粒细胞集落刺激因子（吉塞欣）注射液价格的请示》（冀价工字〔1999〕第55号）、浙江省物价局《关于要求审定乌苯美司胶囊等药品价格的请示》（浙价工〔1999〕第212号）和黑龙江省物价局《关于核定"18－氨基酸注射液"等中管药品厂销价格的请示》（黑价工字〔1999〕第61号）均悉。经研究，现通知如下：

一、上海三维生物技术有限公司生产的塞格力（商品名）和华北制药集团有限责任公司生产的吉塞欣（商品名）两种重组人粒细胞集落刺激因子注射液价格，按国家计委办公厅计办价格〔1999〕236号文规定的价格执行，即规格为每支75微克的含税出厂价格、批发价格和零售价格分别为211元、257元和290元；规格为每支150微克的含税出厂价格、批发价格和零售价格分别为351元、428元和475元；规格为每支300微克的含税出厂价格、批发价格和零售价格分别为565元、689元和758元。

二、浙江省耀江药业有限公司生产的金葡液（商品名恩格菲）价格，按国家计委办公厅计办价格〔1999〕100号文规定的价格执行，即每支2毫升的含税出厂价格、批发价格和零售价格分别为57.50元、70.15元和80.70元。

三、哈尔滨里亚哈尔生物制品有限公司生产的重组人粒细胞巨噬细胞集落刺激因子注射液（商品名里亚尔）价格，按国家计委办公厅计办价格〔1999〕86号文规定的价格执行，即规格为每支75微克的含税出厂价格、批发价格和零售价格分别为214元、261元和295元；规格为每支150微克的含税出厂价格、批发价格和零售价格分别为369元、450元和500元。

上述药品价格自1999年7月25日起执行。

国家计委办公厅关于核定沙丁胺醇气雾剂等17种中管国产药品价格的通知

1999年8月2日　　计办价格〔1999〕582号

根据《药品价格管理暂行办法》的有关规定，现印发审定的沙丁胺醇气雾剂等17种中管国产药品的出厂、批发和零售价格表（详见附表，略），请按照执行，并将有关事项通知如下：

一、表中未列的其它规格药品价格，暂由产地省级物价部门按与表列代表规格品保持合理比价的原则核定，并报国家计委(价格司)备案。

二、附表规定的价格自1999年8月10日起执行。

国家计委办公厅关于公布克赛等23种进口(进口分装)药品销售价格的通知

1999年8月10日　　计办价格〔1999〕621号

根据《药品价格管理暂行办法》及其补充规定，现印发审定的克赛等23种进口(进口分装)药品的含税口岸价、批发价、零售价格表(附后，略)，请按照执行，并将有关事项通知如下：

一、表列价格自1999年9月11日起执行。

二、若进口药品到岸价发生变化，或进口其它规格药品时，销售价格需另行报批。此前有公布的价格与本文不一致的，一律以本文公布的价格为准。

三、若进口药品换发注册证，或改换名称，须由进口代理、经营企业或国外生产厂家重新申请公布其销售价格，同时准备新注册证、合同、最近一次进口关税单等资料，报送当地省级物价部门，由省级物价部门转报国家计委审批。

四、表中芬太尼贴剂的批发价、零售价按原国家医药管理局颁布的《麻醉药品销售价格作价办法》(国药财〔1988〕第579号)执行。

国家计委关于印发卢时彻同志在全国纠正医药购销不正之风工作电视电话会议上的发言的通知

1999年9月2日　　计价格〔1999〕1166号

为贯彻中纪委第三次会议和国务院廉政工作会议精神，纠正医药购销中的不正之风，8月11日，国务院纠风办会同国家计委、国家经贸委、卫生部、国家工商局、国家药品监督管理局等六部门联合召开了全国纠正医药购销不正之风工作电视电话会议。现印发国家计委党组成员、纪检组长卢时彻在会议上的发言，请认真贯彻执行。

卢时彻同志在全国纠正医药购销中不正之风工作电视电话会议上的发言

(1999年8月11日)

今天召开的全国纠正医药购销中的不正之风电视电话会议，是贯彻落实中纪委三次全会和国务院廉政会议精神的一次重要会议。刚才，国务院纠风办何勇同志对1999年纠正医药购销中的不正之风工作作了具体部署，国务委员、国务院秘书长王忠禹同志还要作重要讲话，各地价格主管部门要按照国务院领导同志的要求和国务院纠风工作的统一部署，加强药品价格管理，积极推进纠正医药购销不正之风工作。

近两年来，根据国务院整顿药品市场秩序的要求，国家计委组织开展了药品价格整顿和改革工作，规范药品价格管理，整顿药品价格秩序，降低了一大批"虚高"的药品价格，对于遏制药品价格的上涨，减轻社会医药费用负担，推进城镇职工基本医疗保险制度的改革，发挥了积极的作用。但药品价格中的问题仍然比较突出。一是部分药品价格"虚高"，有的企业虚列成本，有的中间环节加价过多，推动了药品价格的不合理上涨；二是在生产、流通环节，企业虚开价格，以折扣让利为手段推销药品相当普遍；三是部分药品供大于求，企业以低于成本的价格销售，造成市场秩序混乱。

整顿药品价格秩序，规范市场价格行为，是纠正药品购销中不正之风的重要组成部分，也是减轻社会医药费负担，扩大消费、启动市场、促进经济增长的重要措施之一。各地价格主管部门的同志，要按照纠风办的部署认真做好以下几方面工作：

一、继续降低"虚高"的药品价格。7月6日，国家计委印发了《关于降低药品"虚高"价格有关政策问题的通知》，具体部署降低药品"虚高"价格、整顿药品市场秩序的工作。各地要按照国家计委的统一要求，加强对药品市场价格的监测，及时了解医疗单位和零售药店药品实际购进价格变化情况，认真做好整顿药品价格秩序的工作。要在调查研究的基础上，以零售单位实际购进价格为基础，切实降低价格中"虚高"和多给折扣部分。对企业自主作价药品价格，省级价格主管部门要责成生产经营单位降低"虚高"价格，同时向社会公布其实际出厂价、实际批发价以及按规定差率计算的零售价。凡在药品实际购进价格之外进行折扣或变相折扣的，各地价格主管部门在调整药品价格时，也要将其作为价格"虚高"的组成部分，从药品价格中予以扣除。作为降价依据的各类数据要力求真实准确，具有广泛的代表性。

二、规范药品价格行为。在药品经销过程中必须实行明码标价，按照实际成交价格如实开具发票。严禁采用虚假开票等手段或在价格以外以促销费、宣传费、科研费、临床费等形式推销药品。药品生产经营单位对公益事业的捐赠，只能从药品生产经营利润中列支，不得计入生产经营成本和费用。严禁生产经营单位低价倾销药品。

三、加大对市场价格行为的检查力度。配合纠风治理工作，各地价格主管部门要加强对药品市场价格行为的监督检查。下半年，要有重点地继续进行药品价格检查，对于超过政府定价的行为，对于不按照规定作价办法作价、虚列成本、虚高定价、不如实开具发票的行为，对于超出规定差率制定批发价和零售价的行为，要依法查处。

四、继续做好医疗服务价格调整工作。各地要对药品价格整改以来的医疗服务价格调整情况进行总结，根据医疗机构收支状况，在降低药品"虚高"价格的基础上，在社会医药费负担总水平不增加的前提下，适当调整技术劳务性的医疗服务价格，解决部分医疗服务价格偏低的问题。同时要降低过高的大型医用设备检查治疗服务价格。各地要对医疗机构的收费进行全面清理，取消重复收费，合并被分解的收费，取缔非法收费，整顿一次性医用材料和试剂收费。医疗机构在结算医药费时，应向患者提供包括服务项目、收费标准及药品商品名称、数量、价格在内的医疗服务收费和药品费用清单，自觉接受社会监督。

五、进一步完善药品价格政策。要配合城镇职工基本医疗保险制度改革，按照推进社会医疗保险体制改革的要求，修订药品价格管理目录。对列入政府管理的药品价格，药品零售企业和医疗单位必须严格按照政府规定的零售价格执行，不再实行按实际进价加规定差率作价的规定。对经销环节差价收入过大的，由价格主管部门及时降低零售价格。对经营者按作价办法自主定价的药品，由生产单位按照成本核算和利润率的规定制定出厂价，批发企业和零售单位要在实际购进价格的基础上加规定差率制定批发价和零售价。对于违反作价办法的规定，虚列成本、超出规定的利润率、进销差率和批零差率定价的行为，要严肃处理。要建立健全药品价格市场监测制度。

整顿药品价格秩序，纠正药品购销中的不正之风，是一项长期而艰巨的任务。各地物价部门要充分认识做好纠风工作的艰巨性和长期性，要本着对党和人民高度负责的精神，努力使药品价格管理逐步规范化、法制化、科学化，切实减轻全社会医药费负担，为提高人民生活健康水平，促进医药卫生事业健康发展作出应有的贡献。

国家计委办公厅关于降低降纤酶等2种生化药品价格的通知

1999年8月10日　　计办价格〔1999〕622号

为进一步降低药品“虚高”价格，减轻社会医药费用负担，根据药品生产经营成本和市场实际销售价格等情况，经与有关方面研究，决定适当降低降纤酶、细胞色素C等2种生化药品的价格。现将有关事项通知如下：

一、降纤酶、细胞色素C等2种生化药品调整后的出厂、批发和零售价格详见附表。

二、附表所列药品价格，自1999年9月1日起执行。

三、表中未列的其它规格品价格，由产地省级物价部门按与表列代表规格品保持合理比价的原则，在1999年9月15日前核定，报国家计委（价格司）备案。

附表

降纤酶、细胞色素C两种生化药品价格表

金额单位：元

编号	品名	剂型	规　格	单位	出厂价	批发价	零售价	备注
1	降纤酶	注射剂	5单位	瓶	102.00	122.40	141	GMP企业
			10单位	瓶	181.00	217.20	250	
			5单位	瓶	84.00	100.80	116	非GMP企业
			10单位	瓶	148.00	177.60	204	
2	细胞色素C	注射水针	2ml×15mg×10支	盒	22.00	26.40	30.4	GMP企业
			2ml×15mg×10支	盒	20.00	24.00	27.6	非GMP企业
		冻干粉针	15mg×10支	盒	23.40	28.08	32.3	GMP企业
			15mg×10支	盒	21.20	25.44	29.3	非GMP企业

国家计委办公厅关于重组人干扰素α—2a栓等药品价格的批复

1999年8月25日　　计办价格〔1999〕648号

吉林省、广东省、内蒙古自治区、海南省物价局，中国生物制品总公司：

吉林省物价局《关于重组干扰素α—2a栓价格的请示》（吉省价生活字〔1999〕第59号）、广东省物价局《关于新药绿慕安等药品价格管理权限的请示》（粤价〔1999〕121号）、内蒙古自治区物价局《关于申请核定金双歧药品价格的请示》（内价工发〔1999〕70号）、海南省物价局《关于贝尔芬（注射用

重组干扰素 α—2a)价格的请示》(琼价工字〔1999〕220 号)、吉林省物价局《关于重组人胰岛素注射液价格的请示》(吉省价生活字〔1999〕76 号)和中国生物制品总公司《关于吸附精制百白破混合试剂(DTPa)价格的报告》(中生财字〔99〕第 6 号)均悉。经研究,现批复如下:

一、卫生部长春生物制品研究所和长春长生基因药业股份有限公司生产的二类生物制品重组人干扰素 α—2a 栓价格,每枚 5×10^5 国际单位的含税出厂价格、批发价格和零售价格分别为 18.08 元、24.35 元和 28 元。

二、丽珠医药集团股份有限公司生产的一类生物制品口服双歧杆菌活菌制剂(商品名:丽珠肠乐)价格,每盒 0.35 克×10 粒含税出厂价格、批发价格和零售价格分别为 12.83 元、15.65 元和 18 元。

三、内蒙古双奇药业股份有限公司生产的一类生物制品双歧三联活菌片(商品名:金双歧)价格,每盒 0.5 克×24 片含税出厂价格、批发价格和零售价格分别为 21.10 元、27.74 元和 29.60 元。

四、海南新大洲药业有限公司生产的二类生物制品注射用重组干扰素 α—2a(商品名:贝尔芬)价格,每支 500 万国际单位的含税出厂价格、批发价格和零售价格分别为 159.26 元、194.30 元和 222 元。

五、卫生部北京生物制品研究所生产的二类生物制品吸附精制百白破混合制剂价格,每人份(0.5 毫升×3 支)含税出厂价格、批发价格和零售价格分别为 16 元、19.52 元和 22.40 元。

六、吉林省通化东宝药业股份有限公司研制生产的二类生物制品常规重组人胰岛素(商品名:甘舒霖 R)和低精蛋白重组人胰岛素(商品名:甘舒霖 N)价格,每瓶 400 单位/10 毫升含税出厂价格、批发价格和零售价格分别为 42.70 元、52.10 元和 59.90 元。

上述药品价格自 1999 年 9 月 1 日起执行。

国家计委办公厅关于调整阿片酊、磷酸可待因等 2 种麻醉药品价格的通知

1999 年 9 月 1 日　　计办价格〔1999〕676 号

为保证阿片酊和磷酸可待因片两种麻醉药品的生产供应,根据其近年来生产成本变化情况,经与有关方面研究,决定适当调整上述两种麻醉药品的价格。现将有关事项通知如下:

一、阿片酊(10%,500 毫升)的含税出厂价格由每瓶 60 元调整为每瓶 89.50 元。

二、磷酸可待因片两个规格品(15 毫克×20 片和 30 毫克×20 片)的含税出厂价格分别由每盒 4.10 元和 7 元调整为 5.50 元和 9.30 元。批发和零售价格,由各地麻醉药品经营企业报当地省级物价部门按《麻醉药品销售价格作价办法》(原国家医药管理局国药财〔1988〕第 579 号)核定。

三、上述价格自 1999 年 9 月 15 日起执行。

国家计委办公厅关于核定左炔诺孕酮炔雌醚片等 2 种计划生育药品价格的通知

1999 年 9 月 1 日　　计办价格〔1999〕677 号

按照现行药品价格管理的有关规定,根据生产企业的平均成本等情况,核定左炔诺孕酮炔雌醚片和复方左炔诺孕酮片等两种计划生育药品的价格,现将有关事项通知如下:

左炔诺孕酮炔雌醚片(每盒 12 片,每片含左炔诺孕酮 6 毫克、炔雌醚 3 毫克)的出厂价格为每盒

6.75元;复方左炔诺孕酮片(每盒22片,每片含左炔诺孕酮0.15毫克、炔雌醇0.03毫克)的出厂价格为每盒0.84元。

上述价格自1999年9月15日起执行。

国家计委办公厅关于公布爱巴苏等27种进口(进口分装)药品销售价格的通知

1999年9月6日　　计办价格〔1999〕683号

根据《药品价格管理暂行办法》及其补充规定,现印发审定的爱巴苏等27种进口(进口分包装)药品的含税口岸价、批发价、零售价格表(附后,略),请按照执行,并将有关事项通知如下:

一、表列价格自1999年9月15日起执行。

二、若进口药品到岸价发生变化,或进口其它规格药品时,销售价格需另行报批。此前有公布的价格与本文不一致的,一律以本文公布的价格为准。

三、若进口药品换发注册证,或改换名称,须由进口代理、经营企业或国外生产厂家重新申请公布其销售价格,同时准备新注册证、合同、最近一次进口关税单等资料,报送当地省级物价部门,再由省级物价部门转报国家计委审批。

国家计委办公厅关于调整一类精神药品司可巴比妥钠价格的通知

1999年9月18日　　计办价格〔1999〕717号

为保证一类精神药品司可巴比妥钠的生产供应,根据其近年来生产成本变化情况,经与有关方面研究,决定适当调整上述药品的价格。现将有关事项通知如下:

一、司可巴比妥钠胶囊(0.1克×10粒)的含税出厂价格由每盒3.60元调整为每盒5.91元。

二、司可巴比妥钠胶囊批发和零售价格,由各地麻醉药品经营企业报当地省级物价部门按《麻醉药品销售价格作价办法》(原国家医药管理局国药财〔1988〕第579号)核定。

三、上述价格自1999年9月30日起执行。

国家计委办公厅关于公布萘普生等22种进口药品销售价格的通知

1999年9月23日　　计办价格〔1999〕726号

根据《药品价格管理暂行办法》及其补充规定,现印发审定的萘普生等22种进口药品的含税口岸价、批发价、零售价格表(附后,略),请按照执行,并将有关事项通知如下:

一、表列价格自1999年10月1日起执行。

二、若进口药品到岸价发生变化,或进口其它规格药品时,销售价格需另行报批。此前有公布的价格与本文不一致的,一律以本文公布的价格为准。

国家计委价格司关于欣粒康等药品价格的通知

1999年9月29日　　计司价格函〔1999〕81号

山西、上海、安徽、山东、重庆和广东省(市)物价局：

山西省物价局《关于对山西康宝生物制品股份有限公司生产的低PH静脉注射人血丙种球蛋白定价的申请报告》(晋价工字〔1999〕第260号)、上海市物价局《关于上海莱士生产的静脉注射丙种球蛋白等药品价格的请示》(沪价商〔1999〕第212号)、安徽省物价局《关于申请核批安徽绿十字静注人血丙种球蛋白价格的报告》(皖价工字〔1999〕235号)、山东省物价局《关于山东泉城生物技术研究所生产的“重组人粒细胞集落刺激因子注射液”和“注射用重组人白介素－2(125ser)”价格的请示》(鲁价工发〔1999〕179号)、广东省物价局《关于贝复舒等药品价格问题的请示》(粤价〔1999〕196号)和重庆市物价局《关于申请核定肌注人血丙种球蛋白价格的报告》(渝价〔1999〕429号)均悉。经研究，现通知如下：

一、山西康宝生物制品股份有限公司、安徽绿十字生物制品有限公司和广东省血液制品所生产的低PH静脉注射人血丙种球蛋白注射液价格，按国家计委办公厅计办价格〔1998〕968号文规定的价格执行，即规格为每瓶5%×25毫升(1.25克)的含税零售价格为264元；规格为每瓶5%×50毫升(2.5克)的含税零售价格为463元。

二、重庆健新血液制品有限公司和广东省血液制品所生产的肌注人血丙种球蛋白价格，按国家计委办公厅计办价格〔1998〕968号文规定的价格执行，即规格为每支10%×1.5毫升(150毫克)的含税零售价格为12.35元；规格为每支10%×3毫升(300毫克)的含税零售价格为23.58元。

三、卫生部上海生物制品研究所生产的冻干风疹活疫苗价格，按国家计委办公厅计办价格〔1998〕800号文规定的价格执行，即规格为每支0.5毫升的含税零售价格为21元。

四、山东泉城生物技术研究所生产的重组人粒细胞集落刺激因子注射液(商品名：欣粒康)价格，按国家计委办公厅计办价格〔1999〕236号文规定的价格执行，即规格为每支75微克的含税零售价格为290元；规格为每支150微克的含税零售价格为475元；规格为每支300微克的含税零售价格为758元。

上述药品价格自1999年10月10日起执行。

国家计委价格司关于善得定等5种进口药品更换药品名称和换发注册证后有关价格问题的通知

1999年9月29日　　计司价格函〔1999〕82号

根据《进口药品管理办法》和《药品命名原则》的有关规定，善得定、利糖妥、康泉等三种进口药品分别更名为善宁、瑞安吉、凯特瑞，岭南黑鬼油、岭南正红花油换发新注册证，并已经国家药品监督管理局批准。为便于药品经营单位销售上述药品，，现重新公布其价格，价格水平不变(详见附表)。

附表

善宁等5种进口药品价格表

序号	品名	规格、剂型	注册证号	计量单位	原产地	口岸价	批发价	零售价	备注
1	奥曲肽(善宁)	0.1mg/1ml×5支注射剂	BX960044	盒	瑞士	607	728	801	原商品名为善得定
2	格列吡嗪(瑞安吉)	5mg×30片 片剂	XT98006	盒	台湾	55.6	66.1	76.0	原商品名为利糖妥
3	格拉司琼(凯特瑞)	1mg×2片 片剂	X980501	盒	英国	221.4	263.5	298.0	原商品名为康泉
	格拉司琼(凯特瑞)	1mg×10片 片剂	X980501	盒	英国	1056	1257	1383	原商品名为康泉
	格拉司琼(凯特瑞)	3mg/3ml×5支针剂	BX960250	盒	英国	1660	1992	2191	原商品名为康泉
4	岭南黑鬼油	30ml酊剂	Z980009	瓶	香港	5.72	6.86	7.80	原注册证号为Z950006
5	岭南正红花油	30ml酊剂	Z980010	瓶	香港	5.72	6.86	7.80	原注册证号为Z960005

注：表中所列价格均为含税价格。

国家计委关于列入政府定价的药品不再公布出厂价和批发价的通知

1999年10月17日　　计价格〔1999〕1642号

为贯彻《国务院办公厅转发国务院纠正行业不正之风办公室等部门关于纠正医药购销中不正之风工作实施意见的通知》(国办发〔1999〕75号)精神，现就列入政府定价的药品不再公布出厂价、批发价的有关问题通知如下：

一、为了配合社会医疗保险制度改革，今后政府定价的目录要与列入社会医疗保险用药目录大体衔接，具体定价目录待医疗保险用药目录公布后，另行下达。

二、从1999年10月开始，对现行列入中央和省级政府定价目录的药品，不再公布出厂价和批发价，不再实行按实际进价加规定差率作价的规定。药品零售单位不得突破政府指定的零售价格销售。药品价格整改期间，生产中管药品的企业主动要求降价的，在国家计委统一降价前，经产地省级价格主管部门批准后，可以先行降低药品零售价格，并报国家计委备案。

三、对政府定价的药品，继续实行GMP与非GMP两种价格体系。对于原研制企业生产的疗效明显优于其它企业生产的同种药品、能够有效缩短治疗周期、总体上有利于减少药费开支的药品，经科学检验、专家论证后，继续实行单独定价。

四、对现行政府定价的药品进行清理，重新核定价格。对市场供大于求的药品，要按照社会先进成本定价，以促进市场供求总量平衡。对医疗机构购销差价过大的，要及时降价。要逐步建立政府定价的药品定期调整价格的机制。

五、在经营药品的过程，药品生产、经营企业及药品零售单位都必须按照实际交易价格如实开具发票。严禁开具虚假发票和经营中虚假价格的行为。

六、各地价格主管部门要加强对政府定价药品市场监测工作，及时了解医疗机构和社会零售药店的药品实际购进价情况。对于零售单位实际差率超过作价办法规定差率的药品，属于国家计委管理价格的，要及时报告国家计委；属于外地省级价格主管部门管理价格的药品，要及时向产地省级价格主管部门通报，由产地省级价格主管部门实施降价。

国家计委办公厅关于核定吗氯贝氨等11种中管国产药品价格的通知

1999年10月17日　　计办价格〔1999〕795号

根据《药品价格管理暂行办法》的有关规定,现印发审定的吗氯贝氨等11种中管国产药品的出厂、批发和零售价格表(详见附表),请按照执行,并将有关事项通知如下:

一、表中未列的其它规格药品价格,暂由产地省级物价部门按与表列代表规格品保持合理比价的原则于11月10日前核定,并报国家计委(价格司)备案。

二、附表规定的价格自1999年10月25日起执行。

附表

吗氯贝氨等部分中管国产药品价格表

金额单位:元

编号	品名(商品名)	剂型	规格	单位	出厂价格		批发价格		零售价格	备注
					无税	含税	无税	含税		
1	吗氯贝氨	片剂	0.15g×6片	盒	21.60	25.27	25.70	30.07	34.6	二类新化学药品,非GMP企业
			0.15g×12片	盒	42.00	49.14	49.98	58.48	67.2	〃
2	法莫替丁	注射水针	20mg×2ml×2支	盒	12.40	14.51	14.88	17.41	20.0	二类新化学药品,非GMP企业
3	盐酸萘替芬	软膏	10g:0.1g,铝管	支	11.55	13.51	13.74	16.08	18.5	二类新化学药品,非GMP企业
4	苄达赖氨酸	滴眼液	40mg:8ml	瓶	31.08	36.36	36.99	43.27	49.8	二类新化学药品,非GMP企业
		滴眼液	25mg:5ml	瓶	23.73	27.76	28.24	33.04	38.0	二类新化学药品,非GMP企业
5	盐酸氯米帕明	片剂	25mg×30片	盒	28.73	33.61	34.19	40.00	46.0	原研制产品,商品名安拿芬尼,GMP认证企业
		片剂	25mg×48片	盒	25.80	30.19	30.70	35.92	41.3	非GMP企业
6	酮康唑	胶囊	0.2g×10粒	盒	18.02	21.08	21.44	25.09	28.9	非GMP企业
7	双氯芬酸钠	注射剂	50mg×2ml×10支	盒	11.57	13.54	13.88	16.24	18.7	非GMP企业
8	阿斯匹林	肠溶片	25mg×100片	瓶	3.88	4.54	4.62	5.40	6.2	GMP认证企业
9	法莫替丁	颗粒剂	20mg×14袋	盒	8.63	10.10	10.27	12.02	13.8	GMP认证企业
10	吡嗪酰氨	片剂	250mg×100片	瓶	19.20	22.46	22.85	26.73	30.7	GMP认证企业
11	乙酰螺旋霉素	片剂	100mg×12片	盒	1.91	2.23	2.27	2.66	3.1	GMP认证企业

国家计委办公厅关于公布奥贝等4种进口(进口分装)药品销售价格的通知

1999年10月17日　　　计办价格〔1999〕796号

根据《药品价格管理暂行办法》及其补充规定，现印发审定的奥贝等4种进口(进口分装)药品的含税口岸价、批发价、零售价格表(附后)，请按照执行，并将有关事项通知如下：

一、表列价格自1999年10月25日起执行。

二、若进口药品到岸价发生变化，或进口其他规格药品时，销售价格需另行报批。此前有公布的价格与本文不一致的，一律以本文公布的价格为准。

附表

奥贝等4种进口(进口分装)药品价格表

单位:元

序号	品　名	规格、剂型	注册证号(分装批准文号)	计量单位	原产地	口岸价(出厂价)	批发价	零售价
一	进口药品							
1	双氯芬酸钠(奥贝)	100mg×5片缓释片剂	X19990195	盒	加拿大	21.52	25.61	29.50
2	细菌溶解产物(泛福舒)	3.5mg×10粒胶囊	S980050	盒	瑞士	69.67	85.00	97.80
	细菌溶解产物(泛福舒)	7.0mg×10粒胶囊	S980051	盒	瑞士	106.70	130.20	148.00
3	施图伦滴眼剂	0.4ml滴眼剂	X19990232	支	德国	3.53	4.20	4.83
二	进口分装药品							
4	非那甾胺(保列治)	5mg×10片 片剂	(95)卫药准字J—15号	盒	英国	67.81	80.69	92.80

注:表中所列价格均为含税价格。

国家计委办公厅关于公布必需磷脂等11种进口药品销售价格的通知

1999年12月4日　　　计办价格〔1999〕914号

根据《药品价格管理暂行办法》及其补充规定，现印发审定的必需磷脂等11种进口药品的零售价格表(附后)，请按照执行，并将有关事项通知如下：

一、表列价格自1999年12月10日起执行。

二、若进口药品到岸价发生变化，或进口其它规格药品时，销售价格需另行报批。此前有公布的价格与本文不一致的，一律以本文公布的价格为准。

附表

必需磷脂等11种进口药品价格表

单位:元

序号	品名	规格、剂型	注册证号	计量单位	原产地	零售价
1	必需磷脂(易善复)	300mg×30's 胶囊	X980389	盒	德国	69.5
	必需磷脂(易善复)	250mg/5ml 注射液	X980390	支	德国	33.2
2	丙泊酚(瑞可富)	200mg/20ml 注射剂	X19990162	支	芬兰	110
3	B型流感嗜血杆菌菌苗(贺新立适)	10ug/0.5ml 针剂	S19990004	支	比利时	116
4	酮洛芬缓释胶囊	100mg×10's 缓释胶囊	X980292	盒	法国	28.2
5	雌二醇(妇舒宁贴膜)	11cm²×8片贴膜	X970013	盒	法国	68.3
6	阿夫唑嗪缓释片(桑塔)	5mg×14's 缓释片剂	X970336	盒	法国	55.5
	盐酸阿夫唑嗪片(桑塔)	2.5mg×30's 片剂	X980143	盒	法国	93.0
7	唑吡坦片(思诺思片)	10mg×20's 片剂	X980137	盒	法国	75.3
8	倍他洛尔盐酸盐(卡尔仑片)	10mg×14's 片剂	X960576-(1)	盒	法国	55.1
9	硝酸甘油(耐较哼)	0.6mg×25's 片剂	X970483	瓶	美国	44.1
10	吉非贝齐胶囊(诺衡)	300mg×30's 胶囊	X960389-(1)	盒	澳大利亚	91.8
11	罗红霉素(罗力得)	50mg×10片分散片	BX980476	盒	法国	59.3

国家计委关于进一步做好降低药品“虚高”价格工作有关问题的通知

1999年12月13日　　计价格〔1999〕2176号

1999年以来,各地按照国家计委《关于降低药品“虚高”价格有关政策问题的通知》(计价格〔1999〕813号)的要求,普遍开展了以降低药品“虚高”价格为主要内容的药价整改工作,对于规范药品市场秩序、进一步减轻社会医药费用负担发挥了积极的作用。但有的地区以本地产品的价格来平衡进入本地区销售的外地产品价格;有的在降低外省(区、市)制定的药品价格时未按规定程序征求产地省级物价部门的意见,造成产销地之间的价格矛盾;有的以本地产品价格为标准,限制高于本地价格的外地产品销售。为进一步做好药品价格整改工作,现就有关问题通知如下:

一、各地降低“虚高”的药品零售价格,要严格按照《关于降低药品“虚高”价格有关政策问题的通知》(计价格〔1999〕813号)的要求执行,不得以本地产品的价格来平衡外地药品的价格;不得以本地生产的药品价格为限,采取不予登记等手段限制外地药品的销售;不得以价格为手段实行地区封锁。涉及产地省级物价部门制定的价格,降价前必须征得产地省级物价部门的同意,达不成一致意见时需报国家计委协调。涉及国家计委制定的价格,需将情况报告国家计委,由国家计委统筹研究决定。各地凡是与上述要求有抵触的规定,应立即纠正。

二、各地在降低药品“虚高”价格过程中,重点是降低生产企业“虚高”定价。要将药品的零售价与批发企业实际购进价(生产企业的实际出厂价)统一考虑，把超过政府规定的进销差率和批零差率之和的“虚高”部分切实降下来。对于由于药品批发企业让利造成医疗机构的实际批零差率超过政府规定的差率，但药品批发企业实际购进价和零售价的差价未超过规定的进销差率和批零差率之和的，可不作为“虚高”定价处理。

三、各地在降低药品“虚高”价格过程中，要根据现行规定，区分GMP认证企业、GMP达标企业与非GMP企业生产的同一种药品在生产成本和产品质量等方面的不同情况，实行不同的零售价格，以鼓励企业进行GMP改造，促进技术进步。

国家计委办公厅关于假单胞菌注射液等药品价格的批复

1999年12月15日　　计办价格〔1999〕947号

山东、湖北、广东省物价局，中国生物制品总公司：

山东省物价局《关于盐酸艾司洛尔注射液等药品价格的请示》(鲁价工发〔1999〕102号)、湖北省物价局《关于重组人干扰素 α－2a 栓(奥平)价格的请示》(鄂价农轻字〔1999〕290号)、广东省物价局《关于甲氨喋呤注射液等进口(国产)药品价格送审意见的报告》(粤价〔1999〕280号)和中国生物制品总公司《关于申请吸附精制百白破混合制剂价格的报告》(中生财字〔99〕第14号)均悉。经研究，现批复如下：

一、齐鲁制药厂生产的二类生物制品假单胞菌注射液(商品名：佳代胞)价格，规格为每支2毫升的含税零售价格为80元。

二、深圳卫武光明生物制品厂生产的二类生物制品治疗用绿浓杆菌菌苗(MSHA 菌毛株)注射液(商品名：绿慕安)价格，每支1毫升/安瓿的含税零售价格为61元。

三、武汉天奥制药有限公司研制生产的二类生物制品重组人干扰素 α－2a 栓(商品名：奥平)价格，每盒 6×10^4 国际单位×6枚的含税零售价格为52元。

四、卫生部长春生物制品研究所生产的二类生物制品吸附精制百白破混合制剂价格，每人份0.5毫升的含税零售价格为22.4元。

上述药品价格自1999年12月20日起执行。

国家计委办公厅关于核定盐酸万拉法新等10种中管国产药品零售价格的通知

1999年12月19日　　计办价格〔1999〕896号

根据《药品价格管理暂行办法》的有关规定，现印发审定的盐酸万拉法新等10种中管国产药品的零售价格表(详见附表)，请按照执行，并将有关事项通知如下：

一、表中未列的其它规格药品价格，暂由产地省级物价部门按与表列代表规格品保持合理比价的原则于12月30日前核定，并报国家计委(价格司)备案。

二、附表规定的价格自1999年12月15日起执行。

附表

盐酸万拉法新等部分中管国产药品零售价格表

金额单位:元

编号	品名	剂型	规格	单位	零售价格	备注
1	盐酸万拉法新	胶囊	25mg×12粒	盒	66.7	二类新化学药品,非GMP企业
			50mg×12粒	盒	108	〃
2	来曲唑	片剂	2.5mg×10片	盒	260	二类新化学药品,非GMP企业
3	泛昔洛韦	胶囊	125mg×6粒	盒	98	二类新化学药品,非GMP企业
			125mg×12粒	盒	190	〃
4	西红花多甙	片剂	25mg×12片	盒	52.4	二类新中成药,非GMP企业
			25mg×12片×2板	盒	103	〃
5	亚砷酸	注射液	10ml:10mg	支	228	二类新化学药品,非GMP企业
6	阿仑膦酸钠	片剂	10mg×6片	盒	46.0	二类新化学药品,非GMP企业
7	联苯苄唑	阴道片	100mg×8片	盒	30.7	四类新化学药品,非GMP企业
8	盐酸洛美沙星	注射液	250ml:洛美沙星400mg:葡萄糖12.5g	瓶	70.7	四类新化学药品,非GMP企业
		软膏	10g:30mg	支	28.3	四类新化学药品,非GMP企业
		滴眼液	5ml:15mg	支	28.0	〃
		滴耳液	5ml:15mg	支	26.0	〃
9	硝酸异山梨酯	注射剂	10ml:10mg	支	17.1	四类新化学药品,非GMP企业
		注射剂	200ml:20mg	支	37.2	〃
		缓释片	20mg×30片	盒	16.5	普通药品,非GMP企业
10	硝苯地平	控释片	20mg×12片	盒	13.4	普通药品,非GMP企业
			20mg×30片	盒	25.6	普通药品,非GMP企业

交通邮电价格部分

交通运输价格

国家计委　铁道部关于兰新复线新路新价全路均摊及提高铁路货运电力附加费标准的通知

1999年1月25日　　计价格〔1999〕66号

为解决兰新复线还本付息和补偿电力机车牵引用电成本问题,经报请国务院批准,决定自1999年2月1日起,将1998年8月1日取消的兰新复线每吨公里2.5分加价实行全路均摊;同时,适当提高铁路货运电气化区段电力附加费标准。现将有关事项通知如下:

一、兰新复线全路均摊。全路正式营业线和执行统一运价的运营临管线的货运新路均摊运价每吨公里提高1.1厘钱。

二、提高铁路电气化牵引区段货运电力附加费标准。铁路正式营业线电气化牵引区段的货运电力附加费收费标准由现行每吨公里1分钱提高到1.2分钱。同时,取消太焦线(大辛庄——高平)、焦柳线(济源——关林)和京广线(郑州——高碑店)3个电气化区段的电力加价。

三、相应修改《铁路货运价格及收费公告》。将《国家计委、铁道部关于铁路货物运输价格的公告》(计电〔98〕31号附件四)第三项电气化铁路电力附加费"每吨公里加价1分"修改为"每吨公里加价1.2分"。《国家计委、铁道部关于铁路特殊运价的公告》(计电〔98〕31号附件五)第5、6、7项的有关规定停止执行;将第3项"兰新复线加价"项目修改为"新路均摊加价"。

四、各级物价部门和铁路运输企业要认真执行上述规定,执行中发现的问题请及时报告国家计委、铁道部。

国家计委　民航总局关于加强民航国内航线票价管理制止低价竞销行为的通知

1999年1月25日　　　　计价格〔1999〕74号

为制止各航空公司低于成本销售民航机票的不正当价格行为,规范价格秩序,经国务院批准,决定加强民航国内航线票价管理。现将有关事项通知如下:

一、规范各航空公司的国内航线票价。各航空公司销售国内航线客票,除国家特殊规定外,都必须按国家计委、民航总局印发的《国内航段旅客票价、逾重行李运费表》(附后)中公布的价格销售(儿童票、婴儿票仍分别按公布票价的50%和10%计算)。各航空公司不得擅自提高或降低票价,不得以任何名义或优惠卡等任何形式进行折扣销售。各航空公司对经常乘机的旅客实行的奖励制度,必须经民航总局审批后执行。采用包座、包销经营的航班,其客票销售价格也必须严格按照上述规定执行。各航空公司售票处、营业部和销售代理人必须按照实收票款填开客票,严禁虚开客票票价。对弄虚作假者,一经发现,要按照《价格法》有关规定予以查处。

二、加强对特殊优惠票价的管理,规范各航空公司优惠客票的销售办法。对团体和寒暑假期间教师、学生乘坐国内航班实行特殊优惠票价,优惠票价按公布票价的90%核定;革命伤残军人的机票价格仍按公布票价的80%核定。优惠价客票只限在航空公司直接设立的售票处和营业部定点销售。航空公司没有直接设立售票处和营业部的城市,由航空公司指定代理人销售。指定的代理人必须是具有优良业绩的销售代理,须报经当地省级价格主管部门和民航地区管理局批准,并报民航总局和国家计委备案。同一城市中,航空公司指定的销售优惠价客票的代理人不得超过2家。指定代理人不得分点销售或委托其他代理人转销、包销。按优惠价销售客票时,必须在客票上注明优惠幅度和实际销售价格。严禁以团队优惠票价向散客销售客票,不得少收多开,或以"团队免票"、"奖励免票"等名义变相降低票价。国内航线优惠票价具体管理办法,由民航总局和国家计委另行下达。

三、各航空公司必须严格按规定的标准向销售代理人支付手续费。航空公司支付给销售代理人的手续费不得超过客票票价的3%。各航空公司不得采用"净价结算"、"促销奖励"和"有价免票"等形式变相提高代理手续费标准。各航空公司支付的国内航线客票销售代理手续费开支与国际航线客票销售代理手续费开支要分别记帐,单独列支,并接受各级价格主管部门和民航管理部门的监督检查。

四、已经使用中性客票(由国际航空运输协会监制的客票)销售的代理人,不得再使用航空公司客票进行销售。禁止同时使用中性客票和航空公司客票销售。

五、各级价格主管部门和民航管理部门要加强对国内航线运价和手续费执行情况的监督检查。对各航空公司、各销售代理单位违反上述规定擅自降价的行为,违反规定多付代理手续费争夺客源的行为,客票销售代理人继续混用中性客票和航空公司客票销售的行为等，由价格主管部门和民航有关部门依法查处。

六、以上各项自1999年2月1日(销售时间)起执行。对旅行社组织的10人以上旅游团队推迟至3月1日(航班时刻)起执行。

执行中出现的问题，请及时报告国家计委和民航总局。

附件：国内航段旅客票价、逾重行李运费表(略)

国家计委关于1999年春运期间铁路客运实行浮动票价的通知

1999年1月26日　　计价格〔1999〕78号

为有利于铁路运输企业合理安排运力，促进旅客合理分流，经国务院批准，决定1999年春运期间对铁路客运实行浮动票价。现将有关事项通知如下：

一、铁路客运执行春运浮动票价的范围：春节前从上海、南昌、广州、柳州、成都5个铁路局始发的部分旅客列车和春节后到达以上5个铁路局的部分旅客列车。

二、春运浮动票价执行的时间：春节前2月8日至14日和春节后2月21日至3月2日(春节期间，即2月15日至20日票价不上浮)。

三、春运浮动票价上浮幅度：硬座票价不超过10%，硬卧、软席票价不超过20%。

四、春运期间，现役军人、革命伤残军人、学生旅客票价不上浮。

五、春运期间，实行上浮票价的具体范围和标准，由铁道部根据上述4项规定和运输市场客流变化情况规定，并报国家计委备案后执行。

国家计委关于云南省增设铁路货物运输延伸服务收费项目的批复

1999年2月10日　　计价格〔1999〕140号

云南省物价局《关于申报铁路货运延伸服务收费项目的请示》(云价经发〔1998〕288号)收悉。经研究，现就有关问题批复如下：

一、同意在云南省境内增设“准窄轨一票直通服务”延伸服务收费项目。服务内容为：(一)代货主清点、处理、保管无法换装的货物；(二)代货主垫付有关运输费用；(三)代货主选配换装车辆，提供装车服务(包括提供货物装载加固材料及服务)。执行范围限定在窄轨铁路向准轨铁路发送货物运输。具体收费标准由云南省物价局审批，并报国家计委备案后执行。

二、不同意增设“木材组装服务”和“区间卸车组织服务”收费项目。木材换装有关服务项目可在“准窄轨一票直通服务”项目中增设子项。

三、新增铁路货运延伸服务项目，必须坚持货主自愿原则，延伸服务经营者不得强制服务、强行收费。新增收费项目及收费标准，必须实行明码标价，接受社会监督。

上述规定自1999年3月1日起执行。

国家计委　民航总局关于暑期对教师、学生乘机实行优惠票价的通知

1999年6月21日　　　　计价格〔1999〕708号

为扩大消费，提高运营效益，经研究，决定在暑期对教师、学生乘机实行优惠票价。现将有关事项通知如下：

一、自1999年7月1日起至9月15日止（乘机日期），教师、学生乘坐国内航班（含国际航线国内段）实行统一优惠票价，教师优惠25％、学生优惠40％。

二、购买教师、学生优惠客票，须提前7天出票。客票不得自愿变更。在航班规定离站时间前退票的，收取实收票款20％的退票费；在航班规定离站时间之后退票的，收取实收票款50％的退票费。教师、学生优惠与团队优惠不得相互组合使用，不得实行双重优惠。

三、购买教师、学生优惠客票，除出示有效身份证（或户口证明）外，还须出示有效的附加身份证明。教师身份证明为国家教育机关颁发的《教师资格证》（或学校颁发的《工作证》），并附学校介绍信；学生的身份证明为学校颁发的《学生证》（或《录取通知书》）等有关证明。

四、教师、学生优惠客票，仅限在航空公司售票处、营业部及经省级价格主管部门和民航地区管理局批准的具有销售折扣机票资格的销售代理人销售。销售教师、学生优惠机票时，应将教师、学生的附加身份证明复印留存，分别附在机票出票人联和会计联后；填开教师、学生优惠机票时，须在机票的票价等级、客票类别栏填开票价代号（教师票价代号为YDT、学生票价代号为YSD）及折扣率，以备核查；票价栏须按旅客实付票款金额填写。

五、各航空公司对教师、学生优惠票要实行舱位管理，对售出的教师、学生优惠票要做好统计工作，并将有关情况于10月1日前报民航总局。

六、各省、自治区、直辖市物价局（委员会）和民航各地区管理局要加强市场监管，对假借教师、学生名义扩大优惠范围，扰乱航空运输市场的价格违法行为，一经发现，要从严查处。

邮电价格

国家计委关于调整邮政电信资费的通知

1999年2月10日　　　　计价格〔1999〕134号

为配合邮政、电信体制的改革，促进信息产业发展和电信市场的扩大，抑制重复建设，经报请国务院批准，决定大幅度降低部分电信资费标准，适当提高部分邮政资费标准，整顿邮电建设附加费。现将有关事项通知如下：

一、大幅度降低互联网（即因特网）收费标准

（一）为了充分发挥互联网的作用，促进国民经济和科技教育文化事业的发展，减轻上网用户的负担，决定大幅度降低拨号上网用户的网络使用费，并对上网用户超过一定时限的通话费给予适当优惠。

1、在中国电信拨号上网的用户基本费（即网络使用费），每月使用时间在1～60小时部分，降低为每小时4元；超过60小时部分为每小时8元。中国电信以外的信息服务提供商（ISP）对用户的收费，参照上述标准执行。

2、上网用户的通话费，1～15小时部分，按普通市话资费(营业区内通话费)标准计收；超过15小时不足80小时部分，按普通市话资费标准减半计收；80小时以上部分，仍按普通市话资费标准计收。

3、电信企业营业窗口提供上网服务的收费，由现行每分钟0.8元降低到0.3元。

(二)为了减轻通过专线上网的普通用户和信息服务提供商(ISP)的负担，在降低拨号上网用户网络使用费标准的同时，降低通过专线上网用户的收费标准。采用计量制的收费标准为6.00元/兆字节(不分线路速率)；采用包月制的收费标准，按照线路速率分为7档，调整后具体标准见附表一。计量制和包月制两种收费方式，由用户自行选择。

(三)互联单位(指科研网、教育网、金桥网等)租用用于互联网的国际半电路(2MBPS)租费标准由现行每月43.16万元降低到32万元。

(四)通过分组交换上网用户包月制资费由现行每月600元降低到50元。

二、规范本地网营业地区内电话资费

为规范本地网营业区内电话资费结构，在取消各地附加在本地网营业区内通话费上的电信附加费(不包括城市公用事业附加)，基本不增加用户负担的前提下，提高本地网营业区内电话通话费(即市话通话费)。考虑到各地经济发展不平衡，现行收费标准差异较大，调整后的资费标准规定为每3分钟0.16元、0.18元、0.20元、0.22元四档。现行实际收取水平(通话费和附加费之和)低于0.16元的，调整到0.16元；高于0.22元的，降到0.22元；在0.16～0.22元之间的，就近靠入0.16元、0.18元、0.20元、0.22元。电话基本月租费仍按现行规定的标准收取。各省、自治区、直辖市制定的具体资费标准，报信息产业部和国家计委审核后执行。

三、降低固定电话初装费和移动电话入网费标准

随着网络规模的扩大，用户数量的增加，电信市场的供需矛盾已大为缓解，固定电话初装费和移动电话入网费的实际收取标准正在逐步降低。为进一步开拓市场，促进通信业的发展，同时避免引发恶性竞争，固定电话初装费指导性标准降为每部500～1000元，移动电话入网费降为每部500～1500元。住宅用户同址安装两部以上固定电话的，从第二部起不再收取初装费。为减轻农民负担，并考虑农村通话费标准较高，对农村用户的初装费收取标准可按比上述标准再低一些安排。各地制定的具体的初装费和入网费标准由省级邮电管理部门会同同级价格主管部门在上述规定的指导性标准范围内提出具体意见，经省级人民政府批准后执行，同时报信息产业部和国家计委备案。

四、大幅度降低出租电路资费

近年来，由于新技术的采用和长途干线光缆的建成开通，出租电路业务的成本有了较大幅度的下降。随着互联网、远程教育等业务的开发和应用，集团用户对出租电路的需求也不断增加。为促进国民经济信息化的发展，减少不必要的重复建设，维护公平竞争，更好地实现资源共享，决定大幅度降低出租电路资费：

(一)将用于移动通信(无线寻呼、450M集群、800M集群)的市内用户中继线租费标准由每月1000元下调到600元；

(二)将话音(音频)电路资费平均下调17%，数字数据电路(DDN)资费平均下调24.7%；数字电路资费下调57.4%(出租电路业务具体调整方案见附表二)；

(三)对不同租用数量的用户实行价格优惠，具体标准由各省级价格主管部门会同邮电管理部门制定。

五、降低国际及港澳台电话资费

现行国际及港澳台电话资费分为12个标准，资费标准由每分钟5.3元到27.6元不等，与世界其他国家相比仍然偏高。内地至港澳与广东省至港澳的电话差价较大。为促进国际电话业务的发展，减轻用户负担，打击非法经营，决定对国际及港澳台电话资费进行结构性调整，并适当降低国际及港澳台电话资费水平。

(一)降低国际电话资费标准。从中国大陆打往除中东地区以外的亚洲国家和地区的国际电话通话费，凡每分钟高于12元的全部降为12元，低于12元的维持原标准。从中国大陆打往其他国家和地区的国际电话通话费全部调至每分钟15元。

(二)广东省打往香港、澳门的电话资费维持原标准，内地(不含广东省)打往港澳地区的电话资费由每分钟8.1元降为每分钟5元。大陆打往台湾的电话资费由每分钟8.1元降为每分钟5元。

上述调整后的标准详见附表三。

六、提高部分国内邮政资费

为了缓解邮政亏损的矛盾，并尽量减少邮政调价对农村的影响，国内平信资费在城市城区和行政县范围内通信，首重资费每20克提高到0.6元；发

往城市城区外及行政县外信函的首重资费，提高到0.8元。其他邮政资费做相应调整(具体标准见附表四)。

七、允许联通公司向用户的收费适当浮动

上述电信资费调整后，联通公司向用户收取的电话初装费、移动电话入网费、通话费及其他各项收费可以在国家规定的收费标准的基础上上下浮动10%。

八、整顿邮政和电信附加费

为了规范电信价格秩序，减轻用户负担，在邮政和电信资费调整的同时，要整顿各级人民政府在邮政、电信业务资费上加收的各种附加费(不包括城市公用事业附加)。附加在邮政业务资费上的各类附加费、附加在本地网营业区内通话费上的附加费、附加在本地网营业区间通话费上的附加费一律取消；各级人民政府批准的附加在长途电话费上的附加费收取标准由现行不超过基本资费的30%一律降为不超过20%。现行标准低于20%的，不得提高。整顿附加费的情况由各地价格主管部门于4月底前报告国家计委。

九、坚决制止各种乱涨价、乱收费行为

在调整邮政电信资费标准的同时，各级价格主管部门要加大监督检查的力度，加强对邮电行业价格政策执行情况的监督检查。对借机搭车涨价、擅自增设收费项目、提高收费标准、扩大收费范围等乱收费行为，要依据《价格法》的规定严肃查处。邮政、电信企业要严格执行明码标价制度。价格调整后，必须在营业场所张贴调整邮政、电信资费的公告和有关标准，主动接受社会和用户的监督。对不执行明码标价制度的，各级价格主管部门要依法予以查处。全国邮电资费的全面检查，国家计委将在深入调查、试点后作统一部署。

十、以上各项自1999年3月1日起执行。其中，互联网拨号上网的通话费标准及磁卡、IC卡电话的收费标准，推迟到1999年4月1日起执行。

附表一

调整后的公用计算机互联网业务资费表

	开户费 (一次性收取)	基本费	通信费	存储费
电话拨号入网	100元/户	第1小时～60小时部分，4.00元/小时 第60小时以后部分，8.00元/小时 月累计使用时间尾数不足1小时的按1小时计	按电话网计费及优惠方式加收本地通话费	通过局方主机入网的用户，(1)免费存储1000千字符。(2)超过部分按每月每千字符0.20元收取
通过分组交换网入网	100元/户	包月制，50元/月	按分组交换网计费方式加收通信费	
通过数字专线入网	100元/户	计量和包月两种方式，用户任选其一： A、计量制 不分线路速率，根据通信流量按6元/MB计收 B、包月制 速率≤19.2kbit/s 6000元/月 19.2kbit/s<速率≤64kbit/s 1.4万元/月 64kbit/s<速率≤128kbit/s 2.4万元/月 128kbit/s<速率≤256kbit/s 3.8万元/月 256kbit/s<速率≤512kbit/s 6.1万元/月 512kbit/s<速率≤1Mbit/s 9.6万元/月 1Mbit/s<速率≤2Mbit/s 15万元/月	按DDN电路资费标准50%加收通信费	
电信营业窗口提供用户使用CHINANET服务		0.3元/分钟，不收取其他费用		

注：拨号上网用户的基本费，法定节假日，休息日0：00～24：00，非假日23：00至次日8：00减半计收。

附件二

出租电路资费调整表

单位:元/月

<table>
<tr><td rowspan="2">市内用户中继线</td><td colspan="2">模拟</td><td colspan="10">用于移动通信(无线寻呼、450M 集群、800M 集群)的月租费由 1000 元降为 600 元,其他不变</td></tr>
<tr><td colspan="2">数字(2Mbps)</td><td colspan="10">月租费由按模拟中继线 30 倍计算改为每月 9000 元</td></tr>
<tr><td rowspan="15">国内出租电路</td><td colspan="2" rowspan="2">种 类</td><td colspan="2">本地网营业区内</td><td colspan="2">本地网营业区间</td><td colspan="2">省 内</td><td colspan="2">省际 800 公里以内</td><td colspan="2">省际 800 公里以上</td></tr>
<tr><td>现行标准</td><td>调后标准</td><td>现行标准</td><td>调后标准</td><td>现行标准</td><td>调后标准</td><td>现行标准</td><td>调后标准</td><td>现行标准</td><td>调后标准</td></tr>
<tr><td colspan="2">(话音)音频</td><td>200</td><td>200</td><td>1600</td><td>1600</td><td>3000</td><td>2250</td><td>4000</td><td>2800</td><td>5000</td><td>3500</td></tr>
<tr><td rowspan="10">数字数据电路DDN</td><td>9.6kbps</td><td>1200</td><td>1200</td><td>1800</td><td>1800</td><td>3000</td><td>2250</td><td>4000</td><td>2800</td><td>5000</td><td>3500</td></tr>
<tr><td>19.2kbps</td><td>1330</td><td>1330</td><td>2000</td><td>2000</td><td>3600</td><td>2700</td><td>4800</td><td>3360</td><td>6000</td><td>4200</td></tr>
<tr><td>64kbps</td><td>1680</td><td>1680</td><td>2520</td><td>2520</td><td>5400</td><td>4050</td><td>7200</td><td>5040</td><td>9000</td><td>6300</td></tr>
<tr><td>128kbps</td><td>2540</td><td>2540</td><td>3810</td><td>3240</td><td>8200</td><td>6150</td><td>10900</td><td>7630</td><td>13600</td><td>9520</td></tr>
<tr><td>256kbps</td><td>4220</td><td>3290</td><td>6330</td><td>4940</td><td>13600</td><td>8980</td><td>18000</td><td>12600</td><td>22600</td><td>15820</td></tr>
<tr><td>384kbps</td><td>5800</td><td>4520</td><td>8700</td><td>6790</td><td>18640</td><td>11700</td><td>24860</td><td>17400</td><td>31070</td><td>21750</td></tr>
<tr><td>512kbps</td><td>7570</td><td>5900</td><td>11350</td><td>8850</td><td>24300</td><td>14360</td><td>32400</td><td>22680</td><td>40500</td><td>28350</td></tr>
<tr><td>768kbps</td><td>10750</td><td>8300</td><td>16120</td><td>12570</td><td>34540</td><td>19900</td><td>46050</td><td>32230</td><td>57560</td><td>40290</td></tr>
<tr><td>1Mbps</td><td>14250</td><td>11120</td><td>21370</td><td>16670</td><td>45800</td><td>25100</td><td>61000</td><td>42700</td><td>76300</td><td>53400</td></tr>
<tr><td>2Mbps</td><td>20160</td><td>15720</td><td>40320</td><td>27000</td><td>88000</td><td>46600</td><td>117000</td><td>81900</td><td>146000</td><td>100000</td></tr>
<tr><td colspan="2">数字电路(2Mbps)</td><td>20160</td><td>9000</td><td>40320</td><td>16000</td><td>60480</td><td>23000</td><td>80640</td><td>36200</td><td>100800</td><td>45300</td></tr>
</table>

附表三

调整后的国际及港澳台电话资费表

单位:元/分钟

国家或地区	通话费标准
一、国际	
阿尔及利亚、安哥拉、安圭拉岛(英)、安提瓜和巴布达、阿根廷、阿鲁巴岛、阿森松(英)、巴林、巴巴多斯、伯利兹、贝宁、百慕大群岛(英)、玻利维亚、博茨瓦纳、巴西、布基纳法索、布隆迪、喀麦隆、佛得角、开曼群岛(英)、中非、乍得、智利、哥伦比亚、巴哈马国、多米尼克国、科摩罗、刚果、哥斯达黎加、古巴、迪戈加西亚岛、吉布提、多米尼加共和国、厄瓜多尔、萨尔瓦多、赤道几内亚、厄立特里亚、埃塞俄比亚、法属圭亚那、加蓬、冈比亚、加纳、格林纳达、瓜得罗普岛(法)、危地马拉、几内亚、几内亚比绍、圭亚那、海地、科特迪瓦、牙买加、肯尼亚、基里巴斯、莱索托、利比里亚、利比亚、马达加斯加、马拉维、马里、马其顿、马提尼克(法)、洪都拉斯、毛里塔尼亚、毛里求斯、马约特岛、墨西哥、蒙特塞拉特岛(英)、摩洛哥、莫桑比克、纳米比亚、巴拉圭、荷属安的列斯群岛、尼加拉瓜、尼日尔、尼日利亚、巴拿马、秘鲁、皮特凯恩岛(英)、波多黎各(美)、留尼汪岛(法)、卢旺达、塞内加尔、塞舌尔、塞拉利昂、索马里、南非、圣皮埃尔岛及密克隆岛、圣克里斯托弗和尼维斯、圣卢西亚、圣多美和普林西比、圣文森特岛(英)、苏里南、斯威士兰、坦桑尼亚、多哥、托克劳群岛(新)、突尼斯、特立尼达和多巴哥、特克斯和凯科斯群岛、乌干达、乌拉圭、委内瑞拉、维尔京群岛(英)、维尔京群岛(美)、瓦里斯和富士那群岛、西撒哈拉、扎伊尔、赞比亚、津巴布韦、桑给巴尔、阿尔巴尼亚、安道尔、南极、奥地利、比利时、保加利亚、圣诞岛、加那利群岛(西)、科科斯岛、科克群岛(新)、克罗地亚、捷克、丹麦、法罗群岛、格陵兰岛、埃及、福克兰群岛、(马尔维纳斯群岛)、斐济、芬兰、法国、德国、法属波里尼西亚、直布罗陀(英)、希腊、关岛(美)、匈牙利、冰岛、爱尔兰、以色列、意大利、约旦、黎巴嫩、列支敦士登、卢森堡、马耳他、马里亚纳群岛、马绍尔群岛、密克罗尼西亚、摩纳哥、瑙鲁、荷兰、新喀里多尼亚群岛(法)、新西兰、纽埃岛(新)、诺福克岛(澳)、挪威、巴布亚新几内亚、波兰、葡萄牙、罗马尼亚、东萨摩亚(美)、西萨摩亚、圣马力诺、斯洛伐克、斯洛文尼亚、所罗门群岛(英)、西班牙、圣赫勒拿、苏丹、瑞典、瑞士、叙利亚、汤加、图瓦卢、英国、瓦努阿图、梵蒂冈、南斯拉夫、阿塞拜疆、白俄罗斯、爱沙尼亚、拉脱维亚、立陶宛、摩尔多瓦、俄罗斯、乌克兰、澳大利亚、加拿大、中途岛(美)、美国(包括夏威夷、阿拉斯加)、威克岛(美)	15.00

阿富汗、文莱、塞浦路斯、伊朗、伊拉克、柬埔寨、老挝、马来西亚、马尔代夫、不丹、印度、尼泊尔、锡金、菲律宾、帕劳、沙特阿拉伯、斯里兰卡、泰国、帝汶、也门、孟加拉国、缅甸、巴基斯坦、新加坡、印度尼西亚、科威特、阿曼、卡塔尔、土耳其、阿拉伯联合酋长国、日本、韩国、亚美尼亚、格鲁吉亚、哈萨克斯坦、吉尔吉斯斯坦、塔吉克斯坦、土库曼斯坦、乌兹别克斯坦	12.00
越南	11.60
朝鲜	5.40
蒙古	5.30
二、港、澳、台地区	
内地各地(广东省除外)至香港、澳门,内地各地至台湾	5.00
广东省各地至香港(深圳除外)、广东省各地至澳门(中山、珠海除外)	3.45
深圳至香港、中山至澳门	2.25
珠海至澳门	1.65

注:广东省各地至港、澳电话维持现行资费标准不变。

附表四

调整后邮政资费简表

<table>
<tr><th colspan="2" rowspan="2">业务种类</th><th rowspan="2">计费单位</th><th colspan="2">资费标准</th><th rowspan="2">备注</th></tr>
<tr><th>本埠(县)资费</th><th>外埠资费</th></tr>
<tr><td colspan="6">一、基本资费</td></tr>
<tr><td colspan="2" rowspan="2">1、国内信函</td><td>首重100克内,每重20克(不足20克按20克计算)</td><td>0.60元</td><td>0.80元</td><td rowspan="2"></td></tr>
<tr><td>续重101～2000克每重100克(不足100克按100克计算)</td><td>1.20元</td><td>2.00元</td></tr>
<tr><td colspan="2">2、国内明信片</td><td>每件</td><td colspan="2">0.60元</td><td></td></tr>
<tr><td colspan="6">二、非基本资费</td></tr>
<tr><td colspan="6">(一)国内资费</td></tr>
<tr><td colspan="2" rowspan="2">1、印刷品</td><td>首重100克(不足100克按100克计算)</td><td>0.30元</td><td>0.60元</td><td rowspan="2"></td></tr>
<tr><td>续重101～5000克每重100克(不足100克按100克计算)</td><td>0.15元</td><td>0.30元</td></tr>
<tr><td colspan="2">2、邮简</td><td>每件</td><td>0.60元</td><td>0.80元</td><td></td></tr>
<tr><td colspan="2">3、回音卡</td><td>每件</td><td colspan="2">0.60元</td><td></td></tr>
<tr><td colspan="2">4、挂号费</td><td>每件</td><td colspan="2">2.00元</td><td></td></tr>
<tr><td colspan="2">5、回执</td><td>每件</td><td colspan="2">3.00元</td><td>维持原标准</td></tr>
<tr><td colspan="2">6、盲人读物</td><td>按水陆路平常邮件寄递</td><td colspan="2">免费</td><td>维持原标准</td></tr>
<tr><td colspan="2" rowspan="2">7、包裹</td><td>每500克为一个计费单位</td><td colspan="2">按照寄递里程分区核定。具体标准详见现行《国内包裹资例表》</td><td>维持原标准</td></tr>
<tr><td>每件挂号费</td><td colspan="2">2.00元</td><td></td></tr>
<tr><td colspan="2">8、特快专递邮件</td><td colspan="4">维持原计费单位与资费标准</td></tr>
<tr><td rowspan="3">9、邮政汇兑</td><td rowspan="3">汇费</td><td>每汇1元(不足1元按1元计算)</td><td colspan="2">0.01元</td><td>维持原标准</td></tr>
<tr><td>每笔汇款最低汇费</td><td colspan="2">2.00元</td><td></td></tr>
<tr><td>每笔汇款最高汇费</td><td colspan="2">50.00元</td><td></td></tr>
</table>

	退汇、改汇费	每件	2.00元	
	撤回汇款手续费	每件	2.00元	
	使用电报办理汇兑的电报费	每件加收	2.00元	维持原标准
	电报汇款附言电报费	每字	0.13元	维持原标准
10、机要邮件	文件类	计费单位与资费标准同新定国内挂号信函资费		
	刊物类	计费单位与资费标准同新定国内挂号印刷品资费		
	机要保密费	每件	1.00元	维持原标准
11、保价费	维持原计费单位与资费标准			
12、存局候领手续费		每件	1.00元	维持原标准，仅限于函件和汇兑业务
13、撤回邮件或更改收件人名址手续费		每件	2.00元	
14、使用电报办理查询、撤回、更改收件人名址电报费		每件加收	2.00元	维持原标准
15、代发广告费		维持原计费单位与资费标准		
(二)国际与港澳台资费				
1、国际信函与印刷品		增加20克以上至50克计费档次：信函8.2元，印刷品4.0元，亚太地区信函减低资费7.1元		其他计费档次维持原标准
2、港澳台信函与印刷品		增加20克以上至50克计费档次：信函2.8元，印刷品1.5元		其他计费档次维持原标准

说明：1、本埠以市属区（不含市辖县和飞地）为范围，本县以县境为范围。

2、国内信函、印刷品和机要邮件计费方式由原递重等额累进计费改为区分首、续重分别计费。

3、亚太地区信函减低资费适用国家不变。

国家计委　信息产业部关于降低部分电信资费的通知

1999年9月30日　　　　计价格〔1999〕1461号

为扩大内需，促进信息产业及相关行业发展，进一步开拓电信消费市场，经国务院批准，决定降低部分电信资费标准，现将有关事项通知如下：

一、将中国电信出租给经营性互联网2兆带宽的国际半电路（国内端）租费由现行每月32万元降到22万元。

二、将中国电信出租的数字、数字数据、模拟电路资费标准，在3月1日调后价基础上平均再降低30%。其中，主要由互联网单位租用的省际800公里以上2兆数字数据电路月租费由现行10万元降低到5万元。调整后的具体标准见附表一。

三、将中国电信和吉通公司向互联网服务商收取的实行包月制的网络使用费，平均降低45%。其中，1～2兆速率数字专线网络使用费由现行15万元降低到8万元。调整后的具体标准见附表二。

四、将经营性单位租用中国电信的模拟中继线月租费标准，由现行600元统一降低到280元；用于互联网服务的数字中继线降低50%。非经营性单位租用中继线的月租费，维持现行标准不变。

五、为鼓励集约经营，对租用国际半电路、国内电路、上网数字专线和市内中继线较多的用户，中国电信应在价格上给予适当优惠。

六、为减轻上网用户不合理负担，实现公平计费，取消拨号上网用户上网费月累计使用时间尾数不足1小时按1小时计费的规定，改为尾数不足1小时部分以1分钟为计费单位按实际使用时间计费。每分钟资费按现行每小时资费标准4元除以60分钟计算,不足1分钟部分按四舍五入计算。

七、各地价格主管部门和电信主管部门要结合1999年下半年全国邮电资费专项检查工作,加强监督,切实落实上述各项降价措施。

以上一至五项,自1999年10月1日零时起执行;第六项自1999年11月1日零时起执行。

附表一

出租电路资费调整表

单位:元/月

市内用户中继线	模拟		月租费由600元降为每月280元									
	数字(2Mbps)		用于互联网服务的数字中继线月租费由每月9000元降为4500元,其他不变									
国内出租电路	种类		本地网营业区内		本地网营业区间		省内		省际800公里以内		省际800公里以上	
			现行标准	调后标准	现行标准	调后标准	现行标准	调后标准	现行标准	调后标准	现行标准	调后标准
	(话音)音频		200	200	1600	1600	2250	2250	2800	2800	3500	3150
	数字数据电路DDN	9.6kbps	1200	1200	1800	1800	2250	2250	2800	2800	3500	3150
		19.2kbps	1330	1330	2000	2000	2700	2700	3360	3360	4200	3780
		64kbps	1680	1680	2520	2520	4050	3640	5040	4530	6300	5350
		128kbps	2540	2540	3240	3240	6150	5350	7630	6480	9520	7610
		256kbps	3290	3290	4940	4940	8980	7630	12600	10710	15820	11860
		384kbps	4520	4520	6790	6430	11700	9940	17400	13920	21750	16310
		512kbps	5900	5900	8850	7820	14360	11480	22680	17010	28350	19840
		768kbps	8300	7900	12570	10060	19900	14920	32230	22560	40290	26190
		1Mbps	11120	9300	16670	12500	25100	17570	42700	26900	53400	34710
		2Mbps	15720	14360	27000	18900	46600	27960	81900	42590	100000	50000
	数字电路(2Mbps)		9000	5810	16000	10000	23000	14180	36200	25340	45300	31710

附表二

公用计算机互联网业务资费表

	开户费(一次性收取)	网络使用费	通信费	存储费
电话拨号入网	100元/户	第1小时～60小时部分,4.00元/小时 第60小时以后部分,8.00元/小时 月累计使用时间尾数不足1小时部分以1分钟为单位按实际使用时间计费,不足1分钟部分四舍五入	按电话网计费及优惠方式加收本地通话费	通过局方主机入网的用户,(1)免费存储1000千字符。(2)超过部分按每月每千字符0.20元收取
通过分组交换网入网	100元/户	包月制,50元/月	按分组交换网计费方式加收通信费	
通过数字专线入网	100元/户	计量和包月两种方式,用户任选其一: A、计量制 不分线路速率,根据通信流量按6元/MB计收 B、包月制 速率≤19.2Kbit/s 3300元/月 19.2Kbit/s<速率≤64Kbit/s 7700元/月 64Kbit/s<速率≤128Kbit/s 1.3万元/月 128Kbit/s<速率≤256Kbit/s 2.1万元/月 256Kbit/s<速率≤512Kbit/s 3.4万元/月 512Kbit/s<速率≤1Mbit/s 5.3万元/月 1Mbit/s<速率≤2Mbit/s 8万元/月	按DDN电路资费标准50%加收通信费	
电信营业窗口提供用户使用CHINANET服务		0.3元/分钟,不收取其他费用		

注:拨号上网用户的网络使用费,法定节假日、休息日0:00—24:00,非假日23:00—次日8:00减半计收。

收　费　部　分

国家计委　财政部
关于会计证收费问题的复函

1999 年 1 月 18 日　　　　财综字〔1999〕4 号

国务院机关事务管理局：

你局《关于中央国家机关会计证管理有关收费项目立项的函》(〔98〕国管财字第 234 号)收悉。经研究，现函复如下：

一、根据财政部《关于印发〈会计证管理办法〉的通知》(财会字〔1996〕18 号)规定，会计证实行培训、考试和年检制度。为了使你局做好对中央和国务院各部、委、局、总公司、各人民团体及其在京直属单位的会计人员会计证的颁发和管理工作，同意你局在组织会计证专业知识培训和统一考试时，向参加培训和考试的人员收取培训费、考试费；在颁发会计证时，向申请人员收取会计证工本费。

二、按照《国务院办公厅关于加强各部门及其所属单位办班管理的通知》(国办发〔1994〕84 号)的有关规定，会计证专业知识的培训工作应尽快调整由你局有关培训机构承担，收取培训费。你局按规定对会计证进行年检，属于正常行政公务活动，不宜收取年检费。

三、会计证培训费、考试费、工本费的收费标准，由国家计委、财政部另行制定。

四、收取会计证培训费、考试费、工本费，应按规定到国家计委申领收费许可证，使用财政部统一印制的行政事业性收费票据。

五、根据《国务院关于加强预算外资金管理的决定》(国发〔1996〕29 号)的有关规定，会计证培训费、考试费、工本费属于预算外资金，应纳入中央财政专户，实行财政收支两条线管理。培训费主要用于支付教室租金、教师酬金、资料费等开支；考试费主要用于支付考场租金、试卷印刷费、命题费、阅卷费等开支；工本费主要用于证书制作成本支出，不得挪作他用。你局应按规定加强会计证培训费、考试费、工本费的收支管理，并定期向财政部报送有关财务收支计划和决算。

国家计委关于调整艺术院校
学费标准有关问题的通知

1999 年 1 月 25 日　　　　计价格〔1999〕79 号

为解决艺术类院校办学经费不足的问题，促进艺术院校发展，经请示国务院同意，决定适当调整艺术院校的学费标准。现就有关问题通知如下：

一、艺术院校应通过改革办学体制，优化师资结构，降低办学成本，并通过增加财政拨款和适当提高学费标准等措施多渠道增加办学经费，改善办学条件，提高办学质量。

二、根据艺术院校生均培养成本，并考虑学生承受能力，将学费标准由目前每生每学年最高不超过 6000 元调整为最高不超过 1 万元。在规定幅度内，培养成本和就业后收入较高的表演、导演、摄影、指挥、美术等专业的学费标准可从高确定；需要国家重点扶植的专业和培养成本相对较低的理论、教育等专业的学费标准应从低确定。具体学费标准，由各省、自治区、直辖市高校主管部门根据各艺术院校不同专业的培养成本、生源情况及学生承受能力等提出意见，经同级价格主管部门会同财政部门核定，报省级人民政府批准后执行，同时报国家计委、教育部、财政部及业务主管部门备案。

新的学费标准自1999年新生入学时开始实行，1998年及以前招收的在校学生仍按原学费标准执行。新学费标准要通过新闻媒体、招生简章等形式向社会公布。

三、调整学费标准应同提高奖学金、助学金和特困生补助相结合，并逐步建立和完善贷学金制度。艺术院校在公布新的学费标准的同时，要将新的奖学金、助学金和特困生补助的发放条件、办法等一并公布。奖学金、助学金和特困生补助的发放金额不应低于学校当年收取学费金额的20%。对来自贫困地区等家庭经济困难的学生，学校应采取一定的措施减免其学费、住宿费，并给予特困生必要的生活补助，确保家境困难的学生完成好学业。

四、艺术类院校的学费标准调整后，要防止出现盲目扩大招生或擅自削减招生的问题，努力保证招生计划的完成。

五、调整艺术类院校的学费标准之后，学费收入应严格用于办学方面的支出，不得挤占和挪用。同时，要取消学校自行规定向学生收取的“赞助费”、“实习费”、“采风费”等费用。学校不得随意向毕业生收费。各级物价部门要加强对艺术院校收费的监督检查，对违反规定的乱收费行为要按有关规定进行查处。

国家计委价格司关于全国假肢与矫形器制作师执业资格考试费标准的函

1999年1月25日　　计司价格函〔1999〕7号

民政部社会福利和社会事务司：

你司《关于全国假肢与矫形器制作师执业资格考试下肢类考试收费的函》(民福事字〔1998〕22号)收悉。经研究，现就有关问题函复如下：

中国假肢协会根据人事部、民政部《关于印发假肢与矫形器制作师执业资格制度暂行规定的通知》(人发〔1997〕38号)的有关规定，组织假肢与矫形器制作师执业资格考试时可以收取考试费。理论考试，每人每科40元；实际操作考试，由你司按照“以收抵支”的原则从低核定收费标准，报国家计委价格司备案。

收费单位应到指定的价格主管部门申领收费许可证，严格执行规定的收费标准。

国家计委　文化部关于艺术院校学费改革试点问题的通知

1999年1月26日　　计价格〔1999〕84号

北京市、浙江省物价局、文化厅(局)：

为做好艺术院校学费改革工作，经报请国务院批准，决定选择文化部所属的中央美术学院、中国美术学院和北京舞蹈学院进行艺术院校学费改革的试点。现就有关问题通知如下：

一、上述3所试点院校的学费标准为最高每生每学年不超过1.5万元。具体学费标准，由试点院校在规定幅度内，根据不同专业的培养成本及生源情况提出方案，报所在地省级教育部门审核，经省级物价部门会同财政部门批准后执行，并报国家计委、文化部备案。

新学费标准自1999年新生入学时开始实行，1998年及以前招收的在校学生仍按原学费标准执行。新学费标准要通过新闻媒体、招生简章等形式向社会公布。

二、上述3所试点院校应建立和完善奖学金、助学金和特困生补助制度，奖学金、助学金和特困生补助不应低于当年学费收入的20%。同时，要进一步开拓学生勤工助学渠道，并努力创造条件，建立贷学金制度。一定要保证来自贫困地区等经济困难的学生完成好学业。

三、试点院校要取消学校自行规定的收费项目，不得以任何名义和理由接受学生及其家长的赞助费。物价部门应加强监督检查，对违反规定的乱收费行为要按有关规定进行查处。

四、学费改革试点院校要做好学费标准试点方案的制定、实施和总结工作，要加快深化教学和内部管理体制的改革，切实改善办学条件、提高办学质量。请试点院校所在省(市)物价部门于1999年底前将试点工作情况报国家计委。

国家计委办公厅关于内地与香港铁路快件联运代理服务费标准的批复

1999年2月8日　　计办价格〔1999〕85号

铁道部办公厅报来《关于申请核准内地与香港铁路联运快件代理服务费标准的函》(办函〔1998〕10号)收悉。经研究，现批复如下：

一、同意中铁快运有限公司及其所属机构在内地与香港直通联运快件运输业务中收取出境代理服务费和进境代理服务费。出境代理服务内容包括：代办境内铁路车站内的装卸、搬运，海关监管库暂时保管、理货，办理境内有关铁路运输手续，填制有关运输单证、标志，与九龙车站及收货人联系提货事宜，协助海关查验等服务。进境代理服务内容包括：代办境内铁路车站的装卸、搬运，海关监管库暂时保管、理货，与九龙车站及托运人联系发运事宜，协助海关查验等服务。

二、核定出境代理服务费标准为每千克5元，每批最低收费25元；进境代理服务费标准为每千克3.5元，每批最低收费18元。

三、上述标准，允许中铁快运有限公司根据运输市场变化情况适当下浮。具体下浮幅度由中铁快运有限公司确定，报国家计委备案后执行。

四、中铁快运有限公司开展进、出境代理服务，必须坚持货主自愿原则，不得强制服务，强行收费；收取进、出境代理服务费，必须实行明码标价，在各营业站点的醒目位置设置明码标价公告，接受社会监督。

上述规定，自1999年3月1日起执行。

国家计委　国家质量技术监督局关于印发《质量体系认证收费标准》的通知

1999年3月1日　　计价格〔1999〕212号

鉴于国家计委、原国家技术监督局1997年4月印发的《质量体系认证收费标准(试行)》(计价费〔1997〕689号)规定的试用期已满，最近，国家计委、国家质量技术监督局对《质量体系认证收费标准》重新进行了核定。现印发核定后的《质量体系认证收费标准》，请遵照执行。

附件

质量体系认证收费标准

序号	收费项目	收费标准	备　　注
1	申请费	1000元	
2	审核费	3000元×人日数	按规定的审核人日数执行
3	审定与注册费(含证书费)	2000元	如需加印证书,每证另收费50元
4	监督审核费	3000元×人日数	按规定的监督审核人日数执行
5	年金(含标志使用费)	2000元	每年交纳一次

注:1、人日数是审核所需的人员天数(即人数×天数),具体由中国质量体系认证机构国家认可委员会按国际惯例规定,报国家发展计划委员会价格司备案后执行。

2、深圳特区的审核费与监督审核费可在上述收费标准的基础上上浮30%。

国家计委　财政部关于植物新品种保护权申请费、审查费、年费标准有关问题的通知

1999年3月12日　　　　计价格〔1999〕290号

农业部、国家林业局:

根据《中华人民共和国植物新品种保护条例》和财政部、国家计委发布的《关于批准收取植物新品种保护权申请费、审查费、年费有关问题的通知》(财综字〔1998〕16号)规定,农业部、国家林业局在受理、审查和授予植物新品种保护权时,可向申请人分别收取植物新品种保护权申请费、审查费、年费。现就有关事项通知如下:

一、植物新品种保护权申请费,每个品种收取1800元。

二、植物新品种保护权审查费,每个品种收取4600元。另需经测试机构测试的,测试费用由审批机关按实际发生的费用向申请人收取。

三、植物新品种保护权年费,在保护期内,第1年至第3年每年1500元,以后每3年可在上3年收费标准的基础上按30%递增。

四、收费单位实施收费,应到指定的价格主管部门办理收费许可证,实行亮证收费,并在收费场所明显位置公布收费标准。

五、以上收费标准为试行标准,试行期为3年;试行期满后,报国家计委、财政部重新审批。

上述规定自1999年4月1日起执行。

财政部　国家计委关于批准收取《推销员证书(临时)》工本费有关问题的通知

1999年4月6日　　　　财综字〔1999〕19号

国内贸易局:

你局《关于申请收取＜推销员证书＞工本费的函》(〔1999〕内贸局函行业字第43号)已悉。为贯彻落实《国务院关于禁止传销企业经营活动的通知》(国发〔1998〕10号)精神,同意国内贸易局收取《推销员临时证书(临时)》工本费。现将有关事项通知

如下：

一、你局对符合国家规定的外商投资传销企业转型后雇佣的暂未取得正式的推销员《技术等级证书》的推销人员，在发放《推销员证书（临时）》时，可按规定标准一次性收取《推销员证书（临时）》工本费。

二、《推销员证书（临时）》工本费收费标准由国家计委、财政部另行核定。

三、《推销员证书（临时）》工本费由你局直属的中国商业职业技能鉴定指导中心负责收取，专项用于证书的印制、发放等有关方面的支出，并接受财政、物价、审计部门的监督检查。

四、执收单位在执收时应按规定到指定的物价部门办理收费许可证，并按规定使用财政部印制的行政事业性收费票据。

五、《推销员证书（临时）》工本费收取期限截止1999年12月31日。到期后即取消该项收费。

六、本通知自发布之日起执行。

国家计委办公厅关于石油公司换油票时收取费用问题的复函

1999年4月7日　　计办价检〔1999〕237号

青岛市物价局《关于对青岛市石油总公司在换油票时收取费用行为如何定性的请示》（青价函〔1999〕3号）收悉。经研究，现函复如下：

成品油属于政府指导价商品，《国家计委关于印发〈原油成品油价格改革方案〉的通知》（计电〔98〕52号）中明确规定："石油批发企业和零售单位要严格按照石油、石化两个集团公司制定的价格销售"。因此，任何单位和个人在中国石油天然气集团公司和中国石油化工集团公司依据国家规定的中准价及浮动幅度确定的零售价之外加收任何费用均属不执行政府指导价的价格违法行为。青岛市石油总公司在换油票时收取费用的行为属于价格违法行为，价格主管部门应当依据《价格法》第三十九条规定予以处罚。

国家计委　财政部关于调整职业资格证书工本费标准的批复

1999年4月19日　　计价格〔1999〕406号

劳动和社会保障部：

你部《关于调整职业资格证书价格的函》（劳社部函〔1998〕143号）收悉。经研究，现批复如下：

一、为适应职业技能鉴定事业发展的需要，规范和维护职业技术等级考核发证工本费的严肃性，同意将原《技术等级证书》、《技师合格证书》和《高级技师合格证书》统一为《职业资格证书》，同时将证书工本费标准调整为每本4元。其中，2元由你部用于证书的印制和发送到各省会城市的运输、邮寄及损耗等费用；其余2元用于地方运输证书、保管和发证方面的费用。各地劳动和社会保障部门在发放《职业资格证书》时，不得收取其它任何费用。

二、收费单位应到指定的物价部门申领收费许可证，并使用省级以上财政部门统一印制的行政事业性收费票据，严格执行规定的收费标准，并自觉接受物价、财政部门的监督检查。

以上规定自1999年4月20日起执行。

国家计委办公厅关于中国科协科技人才交流中心人才交流服务收费项目及标准的通知

1999年4月19日　　计办价格〔1999〕275号

中国科协科技人才交流中心：

你会《关于中国科协科技人才交流中心申请收费项目核定的请示》(科协发组字〔1998〕339号)收悉。经研究，现通知如下：

一、中国科协科技人才交流中心为独立核算、自收自支、自负盈亏、依法纳税的中介服务机构。开展人才交流服务工作，应根据自愿委托、有偿服务的原则，按照本文附表中所列收费项目及收费标准执行，未列入的接收毕业生咨询服务费、人才培训、智力开发、成果转让、人才测评和咨询、举办人才交流会、国际交流咨询服务等各项收费标准由双方协商议定。

二、你中心应建立健全内部财务管理制度，严格规范服务规程和收费行为，自觉接受政府价格主管部门的监督检查。

三、以上规定自通知发布之日起执行。

附件

中国科技协会科技人才交流中心人才交流服务收费项目及标准

序号	收费项目	收费标准	服务内容
1	个人求职登记与推荐服务费	20元/人	指导填写求职登记表并负责审核，输入计算机信息网络，在一年内向用人单位推荐介绍
2	推荐人才成功服务费	协商议定，最高不超过两个月工资	负责对登记的求职人员在一年内不断向用人单位推荐工作，直至成功
3	单位加入人才信息网络费	按网络章程规定收取	对入网单位提供数据库查询服务，在互联网上发布入网单位信息
4	为单位代办招工手续费	500元/人	负责为无招工指标的单位在劳动部门办理招工指标手续等代理工作
5	查询立户费	200元/户	在两个月内负责提供人才查询、人才推荐介绍、牵线搭桥
6	单位需求人才查询费	1元/分钟/人	负责为单位需求人才零散性查询，提供人才需求信息
7	打印资料服务费	5元/页	按查询人要求查询获得的资料打印
8	人事关系、档案管理费 (1)个人委托 (2)单位委托 (3)单位或个人单纯存档	 20元/月 30元/月 10元/月	负责办理调档、存档，办理转存及调出手续，出具各种证明材料，为辞职、辞退人员重新审定干部身份，办理接收大中专生及转正定级手续，按国家规定调整档案工资，为个人注册公司进行法人资格审批，代办养老、待业、医疗保险，合同签证，档案、人事管理
9	集体委托存档立户费	300元/户	对集体委托存档单位或人事代理单位建立存档户头，开展人事代理工作。
10	出国(境)政审费	180元/人	负责提供政策咨询、审查出国材料、提供出国登记表格并指导填写，出具有关政审、公证材料，办理有关审批手续
11	职称评定费 1、高级 2、中级 3、初级	 400元/人 200元/人 100元/人	组织专家审阅有关材料，组织相关的等级考试，对考试合格者进行评定。

国家计委　财政部　国家出入境检验检疫局关于降低加工贸易品质检验和外商投资财产鉴定收费标准的通知

1999 年 4 月 23 日　　计价格〔1999〕472 号

为减轻企业负担，支持外贸扩大出口，经研究，决定临时降低加工贸易品质检验和外商投资财产鉴定收费的标准。现将有关事宜通知如下：

一、加工贸易品质检验

（一）来料加工的出口货物品质检验费按现行国家规定标准的 70％计收，共同检验的按现行国家规定收费标准的 35％计收，认可检验的按现行国家规定收费标准的 17.5％计收。对来料加工的进口原料不实施品质检验。

（二）进料加工的出口货物品质检验费按现行国家规定收费标准的 70％计收，共同检验的按现行国家规定收费标准的 35％计收，认可检验的按现行国家规定收费标准的 17.5％计收。

二、外商投资财产鉴定

（一）鉴定范围

外商投资财产鉴定只限于外商投资企业及各种对外补偿贸易方式中，境外（包括港、澳、台地区）投资者以实物作价投资的，或外商投资企业委托国外投资者用投资资金从境外购买的财产。

（二）收费标准

1、500 万美元以下的从原来按货值的 4‰、3‰不等的标准一律降为按货值的 2.5‰计收；

2、500 万美元以上至 1000 万美元部分，按 2‰计收；

3、1000 万美元以上至 1 亿美元部分，按 1‰计收；

4、1 亿美元以上至 1.5 亿美元部分，按 0.5‰计收；

5、1.5 亿美元以上的，超过部分不计收。

（三）外商投资财产鉴定与品质检验一并办理的，不再计收品质检验费。

三、以上收费标准自 1999 年 5 月 1 日起执行。待新的出入境检验检疫收费标准颁布执行后，上述规定相应停止执行。

国家计委　财政部关于会计证收费标准的通知

1999 年 4 月 26 日　　计价格〔1999〕465 号

国务院机关事务管理局：

你局《关于中央国家机关会计证管理有关收费项目的函》（〔98〕国管财字第 234 号）收悉。

根据财政部、国家计委《关于会计证收费问题的复函》（财综字〔1999〕4 号）的有关规定，现就你局对中央和国务院各部、委、局、总公司、各人民团体及其在京直属单位的会计人员组织会计证专业知识培训、统一考试和颁发会计证时，收取的会计证培训费、考试费和工本费标准及有关问题通知如下：

一、会计证培训费为每人每课时 2 元（自习不计课时）；考试费为每科 20 元（共 4 科）；工本费为每证 10 元。

二、收取会计证培训费、考试费、工本费，应按规定到国家计委申领收费许可证，使用财政部统一印制的行政事业性收费票据。

三、请你局严格执行规定的收费标准，不得在会计证培训、考试和发证过程中收取其它任何费用，并自觉接受物价、财政部门的监督检查。

四、上述收费标准自通知发布之日起执行，有效期2年。有效期满后，请你局按规定程序重新报批。

国家计委 财政部关于调整护照、认证和签证、认证代办费标准及有关问题的通知

1999年4月27日 计价格〔1999〕466号

外交部《关于调整因公护照成本服务费和加急费的请示》(外领三函〔1998〕157号)和《关于调整认证收费标准的请示》(外领八函〔1999〕3号)、《关于调整签证、认证代办费及加急服务费的请示》(外领八函〔1999〕2号)均悉。为提高因公护照防伪、防变造性能，加强护照管理工作；提高领事认证工作的效率、质量，促进签证、认证代办事务与外交业务工作实现政事分开，经研究，同意调整护照费、认证费和外国(地区)驻华使(领)馆签证、认证代办费标准。现就有关事项通知如下：

一、护照费

因公护照费标准，由每本20元提高到每本50元。申请护照者要求加急办理的，在第1个工作日内或立等即取护照的，每本加收40元加急费；在第2个工作日内取护照的，每本加收25元加急费。此外，不得加收任何服务费、手续费。

在我国驻外使(领)馆换发、补发因公护照和因私护照的收费标准由外交部制定，并报国家计委、财政部备案。

二、领事认证费

(一)商业文件由每份15元调整到每份100元；

(二)民事类证书由每证15元调整到每证50元；

(三)上述(一)(二)项的文件或证书，当事人要求在第1个工作日内或立等即取认证证书的，每份(证)可另收50元加急费。

我国驻外使(领)馆办理认证的收费标准由外交部制定，并报国家计委、财政部备案。

三、签证、认证代办费

(一)外交部机关及驻外机构服务中心(以下简称服务中心)代办因公出国外国签证，代办费由每证每国25元调整到每证每国50元。

(二)服务中心代办外国领事认证，代办费由每证30元调整到每证60元。

(三)服务中心接受当事人委托，代办签证和领事认证，必须在受理后的2个工作日内，将代办文件送达有关外国(地区)驻华使(领)馆，并负责及时取回通知当事人领取。当事人要求当日或当时专程送取代办文件的，可另收加急费，签证代办加急费由每证每国10元调整到每证每国20元；领事认证代办加急费由每证15元调整到每证30元。

(四)服务中心代当事人填写外国签证申请表，代办费每份由5元调整到每份10元。

(五)当事人要求邮寄的，邮寄费按实际支出的费用收取。

(六)外交部授权自办外国签证的中央、国家机关和各大公司等，为本系统因公出国人员办理外国签证的，是否收费仍由各部门自行确定，确需收费的，按上述(一)、(三)、(四)、(五)项规定执行。

外交部授权代办领事认证的中国旅行社总社、中国国际贸易促进委员会、北京长虹桥对外经济合作咨询服务有限公司等从事领事认证代办业务的，均按上述(二)、(三)、(五)项规定的收费标准执行。

(七)经外交部授权自办签证的地方单位代办因公出国签证、认证的代办费标准，仍由省、自治区、直辖市价格、财政部门根据当地实际情况制定。

四、各收费单位应到指定的价格主管部门办理收费许可证，并使用省级以上财政部门统一印制的收费票据。收费单位要严格执行上述规定的收费标准，不得擅自提高或变相提高收费标准，不得以其他名目收取任何费用，并自觉接受价格、财政部门的监督检查。

本通知自1999年5月1日起执行。其他有关规定仍按原国家物价局、财政部《关于发布外交部行政事业性收费项目及标准的通知》(〔1992〕价费字198号)执行。

国家计委　财政部关于重新制定进口废物环境保护审查登记费标准的通知

1999 年 4 月 27 日　　　　计价格〔1999〕467 号

国家环境保护总局：

你局《关于申请继续收取进口废物环境保护审查登记费的函》(环发〔1998〕258 号)收悉。

根据财政部、国家计委《关于同意继续收取进口废物环境保护审查登记费的通知》(财综字〔1999〕9 号)的规定，你局化学品登记中心在进行进口废物环境保护审查登记时，可继续收取进口废物环境保护审查登记费。现将重新核定的收费标准及有关事项通知如下：

一、你局化学品登记中心对从事废物进口或进口并加工、利用废物的企业进行环境保护审查登记的收费标准为每年每类废物 800 元。

二、你局化学品登记中心收取进口废物环境保护审查登记费，应到指定的价格主管部门办理收费许可证，使用财政部统一印(监)制的收费票据，同时，自觉接受物价、财政部门的监督检查。

三、上述进口废物环境保护审查登记费标准的有效期暂定为 2 年，在有效期满前 2 个月，国家环境保护总局应按规定程序重新报国家计委、财政部审批。

四、本通知自 1999 年 5 月 1 日起执行。《国家计委、财政部关于进口废物环境保护审查登记费标准的通知》(计价费〔1997〕719 号)同时废止。

财政部　国家计委关于批准收取学位证书工本费的复函

1999 年 4 月 28 日　　　　财综字〔1999〕32 号

国务院学位委员会：

你委《关于收取学位证书工本费补行有关手续的请示》(学位〔1998〕68 号)收悉，经研究，现将有关问题函复如下：

一、根据《中华人民共和国学位条例暂行实施办法》(国发〔1981〕89 号)的规定，为保证学位证书的统一监督管理，同意国务院学位委员会在统一印制发行学位证书时收取学位证书工本费。

二、学位证书工本费的收费标准由国家计委、财政部另行制定。

三、你委收取学位证书工本费，应到指定物价部门领取收费许可证，使用财政部统一印制的行政事业性收费票据。

四、学位证书工本费收入，要实行财政收支两条线管理，即收费资金上缴中央财政专户，使用时由你委编制支出计划，财政部按规定的用途核拨。

学位证书工本费收支情况要自觉接受财政、价格、审计部门的监督检查。

国家计委办公厅关于移动电话检测收费问题的复函

1999年5月19日　　计办价格〔1999〕350号

上海市物价局《关于能否收取移动电话检测费的请示》(沪价检〔1999〕第033号)收悉。经商财政部,现就有关问题函复如下:

《国家计委、财政部、国家无线电管理委员会关于印发〈无线电管理收费规定〉的通知》(计价费〔1998〕218号)规定:研制、生产、销售、进口无线电发射设备,应按规定缴纳注册登记费和设备检测费。国家没有规定对用户的移动电话进行强制检测并收费。据此,上海市无线电管理委员会决定对用户的移动电话进行检测(先在模拟网中实施),每台检测费90元,3年检测一次的做法,不符合国家有关规定,扩大了收费范围,应予纠正,并由物价监督检查机构按有关规定进行查处。

国家计委关于民政部爱之桥服务社涉外收养服务收费标准的批复

1999年5月27日　　计价格〔1999〕585号

民政部《关于核准爱之桥服务社收费项目的函》(民事函〔1999〕74号)收悉。经研究,现批复如下:

一、爱之桥服务社为独立核算、自收自支、自负盈亏、依法纳税的市场中介服务组织,开展涉外收养服务,应按照自愿委托、有偿服务的原则,依照本批复规定收取费用。

二、涉外收养服务应符合涉外收养法律规定的要求,收费标准按附表规定执行。

三、收费标准及相关服务内容应在服务场所显著位置用中、英文两种文字标示,并以人民币为计价单位。

四、今后爱之桥服务社涉外收养服务收费标准的调整由民政部核定,并在执行前1个月送国家计委备案。

五、本批复自文到之日起执行。

附表

涉外收养服务收费标准

服务项目	服务内容	收费标准
文件译审费	翻译、规范收养文件。	每千字200元
代办手续综合服务费	涉外收养文件的转交、送审,审查过程中的联络,协助收养人来华办理收养手续。	每个收养人(家庭)一次性2000元
咨询服务费	对来访面谈者提供咨询服务	双方协商议定
接待服务费	接待来华领养人的通讯、交通、语言翻译及陪同人员的食、住、行。	双方协商议定

国家计委关于中国外汇交易中心北京分中心席位费标准的批复

1999年5月30日　　计价格〔1999〕610号

国家外汇管理局《关于中国外汇交易中心北京分中心申请收取交易席位费的报告》(汇发〔1999〕61号)收悉。经研究,现批复如下:

一、中国外汇交易中心北京分中心为北京地区参与外汇交易和人民币同业拆借的会员单位提供交易场所、办理资金清算及咨询业务等,可向会员单位收取席位费。席位费的标准为每个会员单位每年2.5万元。

二、席位费收入专项用于为会员单位提供席位,进行业务培训、召开会员代表会议等支出,不得挪作他用。

三、上述规定自文到之日起执行。

国家计委　财政部关于推销员证书(临时)工本费标准的批复

1999年6月1日　　计价格〔1999〕627号

国家国内贸易局《关于申请收取〈推销员证书〉工本费的函》(〔1999〕内贸局函行业字第43号)收悉。根据财政部、国家计委《关于批准收取〈推销员证书(临时)〉工本费有关问题的通知》(财综字〔1999〕19号)的有关规定,现批复如下:

一、对符合规定的外商投资传销企业转型后雇佣的未取得《技术等级证书》的推销人员,发放的《推销员证书(临时)》工本费标准为每证4元。

二、收费单位应按规定到国家计委申领收费许可证,使用财政部统一印制的行政事业性收费票据。并严格执行规定的收费标准,自觉接受物价、财政部门的监督检查。

三、《推销员证书(临时)》工本费标准的有效期截止到1999年12月31日。

本规定自文件发布之日起执行。

国家计委　财政部关于不得向医疗机构征收污水排污费问题的通知

1999年6月28日　　计价格〔1999〕746号

最近,一些地方反映,有些收费单位向医疗机构收取污水排污费和城市排水设施使用费,增加了医疗机构的负担。为减轻医疗机构的负担,规范污水排污费和城市排水设施使用费的征收行为,现就有关问题通知如下:

根据《中共中央、国务院关于卫生改革与发展的决定》中关于"公立卫生机构是非营利性公益事业单位,继续享受税、费优惠政策"的规定,以及《国家计委、财政部关于征收污水排污费的通知》(计物价〔1993〕1366号)和原国家物价局和财政部下发的

《关于征收城市排水设施使用费的通知》(〔1993〕价费字181号)中有关对公共福利事业单位暂不征收污水排污费和城市排水设施使用费的规定,特重申对公立医疗机构不得征收上述两项收费。已经向公立医疗机构征收上述两项收费的,要立即予以纠正;已征收的违法收入,由物价、财政等有关部门按照规定进行处理,能够退还的,一律退还给公立医疗机构,无法退还的,收缴财政。今后,继续向公立医疗机构收取上述两项收费的,要依法从严查处。

国家计委关于珠算证书工本费标准的批复

1999年7月12日　　计价格〔1999〕837号

财政部《关于珠算证书定价的函》(财办发字〔1999〕52号)收悉。经研究,现批复如下:

一、为保证珠算技术等级考试顺利进行,切实加强对等级证书的管理,同意中国珠算协会在对考试合格人员发放珠算技术等级证书、珠算式心算段位鉴定证书、珠算式心算等级鉴定证书时,收取证书工本费。

二、《珠算技术等级证书》、《珠算式心算段位鉴定证书》和《珠算式心算等级鉴定证书(1—5级)》工本费收费标准为每证8元;《珠算式心算等级鉴定证书(6—10级)》工本费标准为每证6元。上述工本费标准为向领证人员的最终收费标准,各发证单位不得再加收其它任何费用。中国珠算协会可从《珠算技术等级证书》等3种证书工本费中提取每证4元、从《珠算式心算等级鉴定证书(6—10级)》工本费中提取每证3元用于证书的统一印制和运输(包括损耗)。

三、收费单位应按规定到指定的价格主管部门办理收费许可证,使用省级以上财政部门统一印制的收费票据。

四、收费单位应严格按照上述规定收费,不得擅自提高收费标准、增加收费项目、扩大收费范围,并自觉接受价格主管部门的监督检查。

五、本规定自发布之日起执行。

国家计委办公厅　财政部办公厅关于在道路上待客停车等不应收取占道费的复函

1999年8月3日　　计办价格〔1999〕542号

黑龙江省物价局、财政厅联合报来《关于在道路上待客停车是否收取占道费问题的请示》(黑价联函〔1999〕21号)收悉。经商建设部同意,现就有关问题函复如下:

建设部、财政部、原国家物价局《关于印发〈城市道路占用挖掘收费管理办法〉的通知》(建城〔1993〕410号)第四条规定:“因特殊需要必须临时占用道路兴建各种建筑物、构筑物、基建施工、堆物堆料、停放车辆、搭建棚亭、摆设摊点、设置广告标志或其他临时占道的单位和个人,必须交纳占道费”。上述规定所称停放车辆,是指经有关部门批准,临时占用道路设置专门停车场实施的车辆停放,由停车场交纳占道费。对路上待客停放车辆及其他不稳定性停放车辆,不得收取占道费。对违章停放的车辆,应由公安交通管理部门按国家有关规定进行处罚。

国家计委关于同意北京市调整燃煤二氧化硫排污费标准的批复

1999年8月25日　　计价格〔1999〕1125号

北京市物价局：

你局《关于提高燃煤二氧化硫排污费征收标准的请示》(京价收字〔1998〕第149号)收悉。为促进清洁能源的推广使用,削减污染源,改善首都环境质量,经国务院批准,同意你市调整燃煤二氧化硫排污费标准。现就有关事项批复如下：

一、高硫煤二氧化硫排污费标准由每公斤二氧化硫0.2元提高到1.2元;低硫煤二氧化硫排污费标准由每公斤二氧化硫0.2元提高到0.5元。

二、燃煤二氧化硫排污费征收范围和对象可扩大到北京市行政区域内的所有排放二氧化硫的行政机关、企业、事业单位和部队,以及个体工商业者。

三、对已使用脱硫装置进行治理的,应根据其削减污染情况减征燃煤二氧化硫排污费。

四、燃煤二氧化硫排污费的征收方式由你市按照便于征收、方便征收对象、监管有效的原则确定。

五、你局要会同有关部门研究制定有关配套措施,努力减少连锁反映,并妥善处理好提高燃煤二氧化硫排污费标准后遇到的有关问题。同时,要加强宣传教育工作,取得社会各界的理解和支持。

六、此次调价方案由你市根据准备工作情况,在9月份选择适当时间出台。

国家计委　财政部关于调整对外经济贸易文件认证收费标准等有关问题的批复

1999年9月2日　　计价格〔1999〕1165号

中国国际贸易促进委员会：

你会《关于提高涉外经贸文件认证收费标准的申请》(〔98〕贸促法字第349号)收悉。经研究,现就有关问题批复如下：

一、将你会对申请对外经济贸易文件进行认证的收费标准,由每份40元调整为每份100元。申请人要求在第1个工作日内或立等即取认证证书的,每份认证证书可另收50元加急费。认证不另收翻译费。

二、商标注册认证和对外经济贸易单证认证的收费标准,仍按原国家物价局、财政部《关于发布中国国际贸易促进委员会行政事业性收费项目和标准的通知》(〔1992〕价费字236号)的有关规定执行。

三、你会应按规定的收费标准执行,并到国家计委办理收费许可证变更手续。

本规定自文件发布之日起执行。原国家物价局、财政部〔1992〕价费字236号文件第二条中的对外经济贸易文件认证收费规定同时废止。

国家计委　财政部关于教育部考试中心有关考试收费标准问题的通知

1999年9月3日　　计价格〔1999〕1199号

教育部《关于申报教育部考试中心有关收费项目和标准的函》(教财函〔1999〕56号)收悉。根据财政部、国家计委《关于教育部考试中心有关考试收费问题的复函》(财综字〔1999〕110号)的规定,现将教育部考试中心(以下简称考试中心)考试收费标准的有关问题通知如下:

一、考试中心在组织中英合作商务管理和金融管理专业自学考试、高校保送生综合能力考试、全国公共英语等级考试、剑桥少儿英语考试和全国计算机应用技术证书考试时,按下列收费标准向各省、自治区、直辖市教育部门的考试机构收费。

(一)中英合作商务管理和金融管理专业自学考试费,每生每科60元。

(二)高校保送生综合能力考试费,每生5元。

(三)全国公共英语等级考试费,一级B、一级、二级每生每级30元,三级、四级、五级每生每级50元(含口语考试费用,一级B、一级、二级每生每级10元,三级、四级、五级每生每级15元)。

(四)剑桥少儿英语考试费,每生每级65元。

(五)全国计算机应用技术证书考试费,每生每模块35元。

二、考试中心收取考试费,应到国家计委申领《收费许可证》,并到财政部收费票据监管中心购领财政部统一印制的行政事业性收费票据。

三、考试中心要严格执行上述规定的收费标准,不得擅自提高,也不得以其他名目收取费用,并自觉接受物价、财政部门的监督检查。

四、本通知自1999年9月1日起执行。

财政部　国家计委关于批复北京市涉及企业负担的行政事业性收费项目的函

1999年9月1日　　财综字〔1999〕133号

北京市人民政府《关于暂予保留"建筑行业管理费"和"城建综合开发项目管理费"的函》(京政函〔1998〕25号)和《关于上报协调解决13项涉企行政事业性收费项目的请示》收悉。根据《中共中央、国务院关于治理向企业乱收费、乱罚款和各种摊派等问题的决定》(中发〔1997〕14号)和《财政部、国家计委关于重新审批省级财政、物价部门批准涉及企业负担的行政事业性收费项目的通知》(财综字〔1998〕14号)的规定,经国务院减轻企业负担部际联席会议审核批准,现就北京市涉及企业负担的行政事业性收费项目批复如下:

一、北京市收取的建筑行业管理费和城建综合开发项目管理费,属于不合理收费项目,不宜由企业负担,要限期取消,收费期限执行到2000年底。上述两项收费取消后,开展有关工作所必需的费用,由北京市通过正常经费渠道妥善解决。

二、同意北京市意见,在北京市范围内取消烟草一般零售专卖许可证年检工本费、烟草特种零售专卖许可证年检工本费、批发烟草专卖许可证年检工本费、著作权合同登记费、锅炉压力容器无损检测二级资格证工本费、工人技术等级考试许可证工本费、长途客运证工本费、跨省市旅游准运证工本费、客运服务证工本费、道路运输证工本费、客运准驾证工本费、长途线路标志牌工本费、商户登记簿工本费等13项收费。

三、请北京市严格执行中发〔1997〕14号文件的有关规定，今后所有新增加向企业的行政事业性收费项目和标准，必须按隶属关系分别报财政部、国家计委或市人民政府审批，重要的报国务院审批。北京市人民政府审批涉及企业的行政事业性收费项目和标准，要分别征得财政部和国家计委同意。

四、本文自发布之日起执行。

财政部　国家计委关于批复贵州省涉及企业负担的行政事业性收费项目的函

1999年9月1日　　财综字〔1999〕134号

贵州省人民政府关于拟保留产权登记费和年度检验费的函（黔府函〔1998〕136号）收悉。根据《中共中央、国务院关于治理向企业乱收费、乱罚款和各种摊派等问题的决定》（中发〔1997〕14号）和《财政部、国家计委关于重新审批省级财政、物价部门批准涉及企业负担的行政事业性收费项目的通知》（财综字〔1998〕14号）的规定，经国务院减轻企业负担部际联席会议同意，现就贵州省涉及企业负担的行政事业性收费项目批复如下：

一、同意贵州省保留产权登记费、企业年度检验费，其中企业年度检验费，应严格按照原国家物价局、财政部《关于发布工商行政管理系统行政事业性收费项目及标准的通知》（价费字〔1992〕414号）的有关规定执行，不得增设收费项目或提高收费标准，上述收费项目，如遇国家有关政策调整，从其规定。

二、请贵州省严格执行中发〔1997〕14号文件的有关规定，今后所有新增加向企业的行政事业性收费项目和标准，必须按隶属关系分别报财政部、国家计委或省人民政府审批，重要的报国务院审批。省人民政府审批涉及企业的行政事业性收费项目和标准，要分别征得财政部和国家计委同意。

三、本文自发布之日起执行。

财政部　国家计委关于批复广西壮族自治区涉及企业负担的行政事业性收费项目的函

1999年9月1日　　财综字〔1999〕135号

广西壮族自治区人民政府：

你区《关于请求保留22项经自治区财政厅、物价局批准涉及企业负担行政事业性收费项目的请示》（桂政报〔1998〕118号）收悉。根据《中共中央、国务院关于治理向企业乱收费、乱罚款和各种摊派等问题的决定》（中发〔1997〕14号）和《财政部、国家计委关于重新审批省级财政、物价部门批准涉及企业负担的行政事业性收费项目的通知》（财综字〔1998〕14号）的规定，经国务院减轻企业负担部际联席会议审核批准，现就你区涉及企业负担的行政事业性收费项目批复如下：

一、同意你区保留电影发行许可证工本费、电影放映许可证工本费、防火材料及防火性能检测费（强制性）、消防技术培训费、税务登记公告费、著名商标认定费、房产权证工本费、岗位证工本费、房地产综合开发证工本费、变更权属调查地籍测绘费、租赁许可证工本费、出租证明书工本费、承租证明书工本费、抵押证明书工本费、统计登记证工本费、固定资产投资许可证工本费、产权登记证工本费。其中，工本费标准原则上不超过10元，具体标准由你区物价、财政部门重新严格核定。上述收费项目，如遇国家有关政策调整，从其规定。

二、你区收取的房屋拆迁资格证工本费、职工教育训练和行业技术进步费、临时用地管理费、全国全面质量管理基本知识统考费、社会福利企业证书工本费、国有资产产权登记验资费，属于不合理收费项目，不宜由企业负担，应停止执行；你区收取的火灾原因技术鉴定费、建筑施工招标投标管理费、建筑施工队伍管理费，也属于不合理收费，但考虑到你区实际情况，可实行限期取消，收费期限执行到2000年底。上述收费停止执行后，开展有关工作所必需的费用，由你区通过正常经费渠道妥善解决。

三、你区收取的建设用地规划许可证工本费和城市规划管理费，应按照《财政部、国家发展计划委员会关于公布取消第二批行政事业性收费项目的通知》(财综字〔1998〕112号)的规定予以取消。

四、你区收取的代码培训费，应作为经营性收费管理，并依法征税。

五、请你区严格执行中发〔1997〕14号文件的有关规定，今后所有新增加向企业的行政事业性收费项目和标准，必须按隶属关系分别报财政部、国家计委或自治区人民政府审批，重要的报国务院审批。自治区人民政府审批涉及企业的行政事业性收费项目和标准，要分别征得财政部和国家计委同意。

六、本文自发布之日起执行。

财政部　国家计委关于批复山东省涉及企业负担的行政事业性收费项目的函

1999年9月1日　　财综字〔1999〕136号

山东省人民政府：

你省关于申请保留部分涉及企业负担的行政事业性收费项目的函(鲁政字〔1998〕274号)收悉。根据《中共中央、国务院关于治理向企业乱收费、乱罚款和各种摊派等问题的决定》(中发〔1997〕14号)和《财政部、国家计委关于重新审批省级财政、物价部门批准涉及企业负担的行政事业性收费项目的通知》(财综字〔1998〕14号)的规定，经国务院减轻企业负担部际联席会议审核批准，现就你省涉及企业负担的行政事业性收费项目批复如下：

一、同意你省保留起重机械检测费、建筑构件质量监督费、锅炉压力容器制造安装修理许可证费、起重机械制造安装单位资格认证费、成品油经营准营证工本费、文化经营许可证工本费、公共安全技术防范产品准产证工本费、公共安全技术防范产品准销证工本费、技防工程施工许可证工本费、易燃易爆化学物品消防安全许可证工本费、易燃易爆化学物品准运证工本费。上述收费项目，如遇国家有关政策调整，从其规定。

二、你省收取的漏电保护器产品出厂性能检验费、三相异步电动机经济运行检测费，应作为经营服务性收费管理；你省收取的地方建筑材料管理费，其性质为服务性的交易手续费，也应作为经营服务性收费管理，并均应依法征税。

三、你省收取的税务管理专用卡工本费、社会福利企业证书工本费、山东省校办企业证书工本费、煤炭管理费、农村机械修配厂(点)等级审定费，属于不合理收费项目，不宜由企业负担，应停止执行；你省收取的省外企业进鲁施工注册登记费、省外建筑企业管理服务费，也属于不合理收费，但考虑到你省实际情况，可实行限期取消，收费期限执行到2000年底。上述收费取消或停止执行后，开展有关工作所必需的费用，由你省通过正常经费渠道妥善解决。

四、你省收取的口岸管理费，应按照《财政部、国家计委关于公布取消第二批行政事业性收费项目的通知》(财综字〔1998〕112号)的规定予以取消。

五、请你省严格执行中发〔1997〕14号文件的有关规定，今后所有新增加向企业的行政事业性收费项目和标准，必须按隶属关系分别报财政部、国家计委或省人民政府审批，重要的报国务院审批。省人民政府审批涉及企业的行政事业性收费项目和标准，要分别征得财政部和国家计委同意。

六、本文自发布之日起执行。

财政部　国家计委关于批复湖北省涉及企业负担的行政事业性收费项目的函

1999年9月1日　　财综字〔1999〕137号

湖北省人民政府：

你省关于保留有关收费项目的函（鄂政函〔1998〕176号）收悉。根据《中共中央、国务院关于治理向企业乱收费、乱罚款和各种摊派等问题的决定》（中发〔1997〕14号）和《财政部、国家计委关于重新审批省级财政、物价部门批准涉及企业负担的行政事业性收费项目的通知》（财综字〔1998〕14号）的规定，经国务院减轻企业负担部际联席会议审核批准，现就你省涉及企业负担的行政事业性收费项目批复如下：

一、你省收取的出省磷矿石审批手续费、新建工程抗震设防审查费、社会公共安全防范工程设计施工审验费，属于不合理收费项目，不宜由企业负担，应停止执行；你省收取的货物看守费（护路联防费）、建筑施工安全监督费，也属于不合理收费项目，但考虑到你省实际情况，可实行限期取消，收费期限执行到2000年底。上述收费取消或停止执行后，开展有关工作所必需的费用，由你省通过正常经费渠道妥善解决。

二、请你省严格执行中发〔1997〕14号文件的有关规定，今后所有新增加向企业的行政事业性收费项目和标准，必须按隶属关系分别报财政部、国家计委或省人民政府审批，重要的报国务院审批。省人民政府审批涉及企业的行政事业性收费项目和标准，要分别征得财政部和国家计委同意。

三、本文自发布之日起执行。

财政部　国家计委关于批复吉林省涉及企业负担的行政事业性收费项目的函

1999年9月1日　　财综字〔1999〕138号

吉林省人民政府：

你省关于报送清理检查涉企收费项目情况和意见的函（吉政明电〔1997〕61号）收悉。根据《中共中央、国务院关于治理向企业乱收费、乱罚款和各种摊派等问题的决定》（中发〔1997〕14号）和《财政部、国家计委关于重新审批省级财政、物价部门批准涉及企业负担的行政事业性收费项目的通知》（财综字〔1998〕14号）的规定，经国务院减轻企业负担部际联席会议审核批准，现就你省涉及企业负担的行政事业性收费项目批复如下：

一、同意你省保留多路微波分配系统覆盖网收费、国有资产产权登记费。上述收费项目，如遇国家有关政策调整，从其规定。

二、你省收取的东北木材市场管理费、有线电视检测费，属于不合理收费项目，不宜由企业负担，应停止执行。上述收费取消后，开展有关工作所必需的费用，由你省通过正常经费渠道妥善解决。

三、你省收取的查用馆藏档案资料收费，应作为经营性收费管理，并依法征税。

四、请你省严格执行中发〔1997〕14号文件的有关规定，今后所有新增加向企业的行政事业性收费项目和标准，必须按隶属关系分别报财政部、国家计委或省人民政府审批，重要的报国务院审批。省人民政府审批涉及企业的行政事业性收费项目和标准，要分别征得财政部和国家计委同意。

五、本文自发布之日起执行。

财政部 国家计委关于批复河南省涉及企业负担的行政事业性收费项目的函

1999年9月1日 财综字〔1999〕139号

河南省人民政府：

你省《关于请求保留我省涉及企业收费项目的函》及《关于补报保留涉及向企业收费项目的函》(豫政文〔1998〕13号)收悉。根据《中共中央、国务院关于治理向企业乱收费、乱罚款和各种摊派等问题的决定》(中发〔1997〕14号)和《财政部、国家计委关于重新审批省级财政、物价部门批准涉及企业负担的行政事业性收费项目的通知》(财综字〔1998〕14号)的规定，经国务院减轻企业负担部际联席会议审核批准，现就你省涉及企业负担的行政事业性收费项目批复如下：

一、同意你省保留企业国有资产占有产权登记费；你省收取的种畜禽生产许可证审批费改为种畜禽生产许可证工本费，收费标准由你省物价、财政部门重新严格核定。上述收费项目，如遇国家有关政策调整，从其规定。

二、你省收取的口岸维检费、书报刊经营管理费、驾校管理费，属于不合理收费项目，不宜由企业负担，应停止执行；你省收取的文化市场管理费、进出省建筑施工企业管理费，也属于不合理收费项目，但考虑到你省的实际情况，可实行限期取消，收费期限执行到2000年底。上述收费取消或停止执行后，开展有关工作所必需的费用，由你省通过正常经费渠道妥善解决。

三、你省收取的摊位费，应作为经营性收费管理，并依法征税。

四、请你省严格执行中发〔1997〕14号文件的有关规定，今后所有新增加向企业的行政事业性收费项目和标准，必须按隶属关系分别报财政部、国家计委或省人民政府审批，重要的报国务院审批。省人民政府审批涉及企业的行政事业性收费项目和标准，要分别征得财政部和国家计委同意。

五、本文自发布之日起执行。

财政部 国家计委关于批复河北省涉及企业负担的行政事业性收费项目的函

1999年9月1日 财综字〔1999〕140号

河北省财政厅、物价局：

你厅、局《关于申请保留省财政、物价部门出台涉及企业行政事业性收费项目的函》(冀财综字〔1998〕第83号)收悉。根据《中共中央、国务院关于治理向企业乱收费、乱罚款和各种摊派等问题的决定》(中发〔1997〕14号)和《财政部、国家计委关于重新审批省级财政、物价部门批准涉及企业负担的行政事业性收费项目的通知》(财综字〔1998〕14号)的规定，经国务院减轻企业负担部际联席会议审核批准，现就你省涉及企业负担的行政事业性收费项目批复如下：

一、同意你省保留企业伤病职工劳动能力鉴定费和国有资产产权登记费。上述收费项目，如遇国家有关政策调整，从其规定。

二、你省收取的劳动服务公司监管费，属于企业收费，应从行政事业性收费中划出，由价格主管部门按经营性收费的管理权限进行管理；有关财务会计核算，按照财政部发布的《企业会计准则》和《企业财务通则》的规定执行。

三、你省收取的省生产许可证收费，属于不合理收费项目,应停止执行,开展有关工作所必需的费用,由你省通过正常经费渠道妥善解决。

四、请你省严格执行中发〔1997〕14号文件的有关规定,今后所有新增加向企业的行政事业性收费项目和标准,必须按隶属关系分别报财政部、国家计委或省人民政府审批,重要的报国务院审批。省人民政府审批涉及企业的行政事业性收费项目和标准,要分别征得财政部和国家计委同意。

五、本文自发布之日起执行。

国家计委办公厅　财政部办公厅关于商检收费有关问题的复函

1999年9月2日　　计办价格〔1999〕692号

江苏省物价局《关于商检收费中有关问题的请示》(苏价费〔1999〕1号)收悉。经研究,现函复如下:

一、根据国家计委、财政部《进出口商品检验鉴定收费办法》(计价格〔1994〕794号)第八条规定,"商检机构应根据不同的检验方式向申请人收取检验费。属商检机构自验的,收取全额检验费;属商检机构会同有关单位共验的(包括组织检验),收取1/2的检验费;属商检机构审核换证(单)的,收取1/4的检验费"。其中,由企业检验员与商检机构一起检验的属共验,商检机构收取1/2检验费;由企业检验员独立完成检验结果,经商检机构审核认可换证(单)的,商检机构只能收取1/4的检验费。

二、关于收取"最低费额"检验费问题。当商检机构会同有关单位共验(包括组织检验)所收取的1/2检验费标准低于"最低费额"时,应按"最低费额"收费,且只能由商检机构收取一次,其它参检单位不得另行收费。

财政部　国家计委关于同意收取证券期货业从业人员资格报名考试费等收费的通知

1999年9月16日　　财综字〔1999〕143号

中国证券监督管理委员会:

你会《关于申请收取证券、期货业从业人员资格考试费用的函》(证监函〔1999〕76号)收悉,经研究,现就有关问题函复如下:

一、同意你会在组织证券、期货业从业人员资格考试时,向报名参加考试人员收取报名考试费;在向考试合格后,经审查获得证券、期货从业资格的人员颁发从业资格证书时,收取从业资格证书工本费。

二、上述各项收费的具体收费标准,由国家计委、财政部另行制定。

三、你会收取上述各项收费,应按规定到国家计委申领收费许可证,并到财政部收费票据监管中心领购财政部统一印制的行政事业性收费票据。

四、你会收取的上述各项收费,可用于组织报名和考生资格审查费用,支付专家命题酬金,试卷印制和运输费用,租用考试场地费用,支付监考、阅卷人员报酬,印制报名表、准考证、从业人员资格证书以及对从业人员资格审查费用等开支。

五、你会收取的上述各项收费,应按照《国务院关于加强预算外资金管理的决定》(国发〔1996〕29号)的有关规定,缴入中央预算外资金财政专户,实行"收支两条线"管理,即收入全额上缴中央预算外资金财政专户,支出由你会按照财政部批准的计划以及核拨的资金安排使用。

六、你会应严格按照规定的收费项目、范围和标准收费，加强财务会计核算，并按财政部规定编报年度预算外资金收支计划和决算，自觉接受财政、物价、审计部门的监督检查。

七、本通知自发布之日起执行。

国家计委　国家环保总局关于环境管理体系认证收费的通知

1999年10月8日　　计价格〔1999〕1556号

为规范环境管理体系认证收费行为，维护被认证企业的合法权益，促进环境管理体系认证工作的发展，现就环境管理体系认证收费的有关问题通知如下：

一、环境管理体系认证机构是实行独立核算、自收自支、自负盈亏、照章纳税的市场中介服务组织。凡经中国环境管理体系认证机构认可委员会认可的国内和境外环境管理体系认证机构，按照ISO14001标准，向自愿申请环境管理体系认证的企业提供认证服务的，可按本通知规定向被认证方收取认证费。

二、环境管理体系认证收费项目包括：申请费、审核费、审定与注册费（含证书费）、监督审核费和年金（含标志使用费）。具体收费标准按《环境管理体系认证收费标准》（见附件）规定执行。

三、环境管理体系认证收费主要用于与认证有关的人员经费，房屋、设备等固定资产折旧和维护费，办公费用，以及上交认可机构的年费和交纳国家规定的税金等。收费收入不得用于以营利为目的的投资。

四、环境管理体系认证机构应严格执行本通知规定的收费项目和收费标准，不得在规定的收费项目以外向被认证方收取任何其他费用，也不得将应由认证机构承担的费用转嫁给被认证方承担。

五、各级价格主管部门应加强对环境管理体系认证收费的监督检查，对违反规定的乱收费行为，应按《价格法》的规定进行查处。

六、环境管理体系咨询机构从事环境管理体系咨询业务，应根据执业人员不同的专业技术职级分别确定收费标准，最高收费标准不超过3000元/人日。具体收费标准由咨询双方协商确定。

七、上述规定自通知发布之日起执行。

附件

环境管理体系认证收费标准

序号	收费项目	收费标准	备注
1	申请费	1000元	
2	审核费	3000元×人日数	按规定的审核人日数执行
3	审定与注册费（含证书费）	2000元	如需加印证书，每证另收费50元
4	监督审核费	3000元×人日数	按规定的监督审核人日数执行
5	年金（含标志使用费）	2000元	每年交纳一次

注：1、人日数是环境管理体系认证所需的人员天数（即人数×天数），具体由中国环境管理体系认证机构认可委员会按照国际惯例并结合我国实际规定，报国家计委价格司备案后执行。

2、深圳特区的审核费和监督审核费可在上述收费标准的基础上上浮30%。

国家计委办公厅 财政部办公厅关于畜禽及畜禽产品防疫检疫收费有关问题的复函

1999年10月8日　　计办价格〔1999〕762号

江苏省物价局、财政厅联合报来的《关于畜禽及畜禽产品防疫收费有关问题的请示》(苏价费〔1999〕46号)收悉。经商农业部,现函复如下:

一、关于对饭店、餐饮等单位和个人消费的畜禽产品是否属于检疫范围并收费问题。依据《动物防疫法》和原国家物价局、财政部发布的《畜禽及畜禽产品防疫检疫收费管理办法》(〔1992〕价费字452号)的有关规定,对饭店、餐饮等单位和个人消费的畜禽产品,不属于畜牧兽医部门的检疫(检验监测)范围,因此,不得收取检疫(检验、监测)费。

二、关于畜牧兽医防疫监督机构与食品卫生监督机构的收费分工问题。对进入流通、消费环节的畜禽产品经过动物检疫合格作为食品的,其检疫(检验监测)收费必须依据《食品卫生法》和有关规定执行。

财政部 国家计委关于批复天津市涉及企业负担的行政事业性收费项目的函

1999年10月17日　　财综字〔1999〕153号

天津市人民政府:

你市《关于申请保留由天津市财政局、物价局发文的九项向企业行政事业性收费项目的函》(津政函〔1998〕4号)收悉。根据《中共中央、国务院关于治理向企业乱收费、乱罚款和各种摊派等问题的决定》(中发〔1997〕14号)和《财政部、国家计委关于重新审批省级财政、物价部门批准涉及企业负担的行政事业性收费项目的通知》(财综字〔1998〕14号)的规定,经国务院减轻企业负担部际联席会议审核批准,现就你市涉及企业负担的行政事业性收费项目批复如下:

一、同意你市保留劳动安全检测费(起重机械安全检测)、劳动能力鉴定费。上述收费项目,如遇国家有关政策调整,从其规定。

你市收取的机动车驾驶员IC卡管理费,改为机动车驾驶员IC卡工本费,予以保留,并由你市物价、财政部门重新核定收费标准。

二、你市收取的道路客货运运输建设费、旧机动车检验鉴证手续费、书报刊等制作发行管理费,属于不合理收费项目,不宜由企业负担,应停止执行;你市收取的建筑企业管理费、文化市场管理费,也属于不合理收费,但考虑到你市实际情况,可实行限期取消,收费期限执行到2000年底。上述收费停止执行后,开展有关工作所必需的费用,由你市通过正常经费渠道妥善解决。

三、你市收取的口岸管理费,应严格按照《财政部、国家发展计划委员会关于公布取消第二批行政事业性收费项目的通知》(财综字〔1998〕112号)的规定予以取消。

四、请你市严格执行中发〔1997〕14号文件的有关规定,今后所有新增加向企业的行政事业性收费项目和标准,必须按隶属关系分别报财政部、国家计委或直辖市人民政府审批,重要的报国务院审批。直辖市人民政府审批涉及企业的行政事业性收费项目和标准,要分别征得财政部和国家计委同意。

五、本文自发布之日起执行。

财政部 国家计委关于批复黑龙江省涉及企业负担的行政事业性收费项目的函

1999年10月17日　　财综字〔1999〕154号

黑龙江省人民政府：

你省《关于征求对我省保留的涉及企业负担的行政事业性收费项目意见的函》（黑政函〔1998〕53号）收悉。根据《中共中央、国务院关于治理向企业乱收费、乱罚款和各种摊派等问题的决定》（中发〔1997〕14号）和《财政部、国家计委关于重新审批省级财政、物价部门批准涉及企业负担的行政事业性收费项目的通知》（财综字〔1998〕14号）的规定，经国务院减轻企业负担部际联席会议审核批准，现就你省涉及企业负担的行政事业性收费项目批复如下：

一、同意你省保留机动车驾驶员IC卡工本费、木材经营加工许可证工本费、劳动鉴定收费、灌充施放氢气球许可证费、民用氢气球飞行器施放安全监察费、城市排水许可证工本费、广告牌匾准设牌照工本费、用水增容费。上述收费项目，如遇国家有关政策调整，从其规定。

你省收取的难以监测污染源排污费，不作为一项单独的收费项目，有关事宜请严格按照国务院发布的《征收排污费暂行办法》和《国家计委、财政部关于征收污水排污费的通知》（计物价〔1993〕1366号）等文件规定执行。

二、你省收取的涉外汽车运输单证使用费、水利工程前期勘测设计统筹费、社会福利企业证书工本费、发票领购簿工本费、城市客运管理费、水源建设费、农机维修技术条件审验费、支取现金许可证工本费，属于不合理收费项目，不宜由企业负担，应停止执行；你省收取的炉渣管理费、城市燃气管理服务费，也属于不合理收费，但考虑到你省实际情况，可实行限期取消，收费期限执行到2000年底。上述收费停止执行后，开展有关工作所必需的费用，由你省通过正常经费渠道妥善解决。

三、请你省严格执行中发〔1997〕14号文件的有关规定，今后所有新增加向企业的行政事业性收费项目和标准，必须按隶属关系分别报财政部、国家计委或省人民政府审批，重要的报国务院审批。省人民政府审批涉及企业的行政事业性收费项目和标准，要分别征得财政部和国家计委同意。

四、本文自发布之日起执行。

财政部 国家计委关于批复辽宁省涉及企业负担的行政事业性收费项目的函

1999年10月17日　　财综字〔1999〕155号

辽宁省人民政府：

你省《关于请求批准少数确需保留涉企行政事业性收费项目的函》（辽政〔1999〕153号）收悉。根据《中共中央、国务院关于治理向企业乱收费、乱罚款和各种摊派等问题的决定》（中发〔1997〕14号）和《财政部、国家计委关于重新审批省级财政、物价部门批准涉及企业负担的行政事业性收费项目的通知》（财综字〔1998〕14号）的规定，经国务院减轻企业负担部际联席会议审核批准，现就你省涉及企业负担的行政事业性收费项目批复如下：

一、同意你省保留占河（滩、堤）管理费、乡（镇）村企业建设用地占用费、房屋产权变更手续费、汤河水源二期工程建设费、劳动鉴定费、美国白蛾哨卡药物消毒处理收费、渔监系统渔业船员培训费、公路工程质量监督费、水利工程质量监督费、城市树木砍伐补偿费。上述收费项目，如遇国家有关政策调整，从其规定。

国内农药检验费按《国家物价局、财政部关于发布产品质量监督检验收费管理试行办法的通知》(〔1992〕价费字496号)的规定执行。

二、你省收取的新闻出版管理费、再生资源流失补偿费、绿地建设费，属于不合理收费项目，不宜由企业负担，应停止执行；你省收取的跨地区施工企业资审注册登记管理费、劳动力管理费、集体建安企业上级管理费，也属于不合理收费，但考虑到你省实际情况，可实行限期取消，收费期限执行到2000年底。上述收费停止执行后，开展有关工作所必需的费用，由你省通过正常经费渠道妥善解决。

三、请你省严格执行中发〔1997〕14号文件的有关规定，今后所有新增加向企业的行政事业性收费项目和标准，必须按隶属关系分别报财政部、国家计委或省人民政府审批，重要的报国务院审批。省人民政府审批涉及企业的行政事业性收费项目和标准，要分别征得财政部和国家计委同意。

四、本文自发布之日起执行。

财政部　国家计委关于批复内蒙古自治区涉及企业负担的行政事业性收费项目的函

1999年10月17日　　财综字〔1999〕156号

内蒙古自治区人民政府：

你区《关于保留部分涉及企业负担的行政事业性收费项目的批复》(内政字〔1998〕131号)收悉。根据《中共中央、国务院关于治理向企业乱收费、乱罚款和各种摊派等问题的决定》(中发〔1997〕14号)和《财政部、国家计委关于重新审批省级财政、物价部门批准涉及企业负担的行政事业性收费项目的通知》(财综字〔1998〕14号)的规定，经国务院减轻企业负担部际联席会议审核批准，现就你区涉及企业负担的行政事业性收费项目批复如下：

一、同意你区保留公共娱乐场所《安全合格证》工本费、消防安全管理证件工本费、《工商企业监管卡》(IC卡)工本费、《食盐专营零售许可证》工本费、避雷装置安全检测费、天然矿泉水鉴定及年度检测费、损坏占用公路路产赔偿(补偿)收费、《测绘许可证》工本费、房屋所有权登记费、《施工企业资质审查合格证》工本费、划拨用地管理费、临时用地管理费、乡镇村企业及居民个人使用集体土地开发管理费、宜农土地开发管理费、企业资产产权登记费、税务登记工本费、《统计登记证书》工本费、《会计证》工本费、劳动用工年检证册收费。上述收费项目，如遇国家有关政策调整，从其规定。

二、你区收取的旅客住宿登记簿工本费、废旧金属收购登记簿工本费、《旅客须知》工本费、旅店业治安管理费、广告审查费、发票领购簿工本费、税务登记审核验证手续费，属于不合理收费项目，不宜由企业负担，应停止执行；你区收取的文化市场管理费、外进施工企业承包工程管理费，也属于不合理收费，但考虑到你区实际情况，可实行限期取消，收费期限执行到2000年底。上述收费停止执行后，开展有关工作所必需的费用，由你区通过正常经费渠道妥善解决。

三、你区收取的烟花爆竹检测费、消防器材维修检测收费、能源检测收费、汽车综合性能检测费，应作为经营性收费管理，并依法征税。

四、你区收取的房地产市场管理费。应严格按照《财政部、国家发展计划委员会关于公布取消第二批行政事业性收费项目的通知》(财综字〔1998〕112号)的规定予以取消。

五、请你区严格执行中发〔1997〕14号文件的有关规定，今后所有新增加向企业的行政事业性收费项目和标准，必须按隶属关系分别报财政部、国家计委或自治区人民政府审批，重要的报国务院审批。自治区人民政府审批涉及企业的行政事业性收费项目和标准，要分别征得财政部和国家计委同意。

六、本文自发布之日起执行。

财政部 国家计委关于批复山西省涉及企业负担的行政事业性收费项目的函

1999年10月17日 财综字〔1999〕157号

山西省财政厅、物价局：

你省《关于保留我省财政、物价部门批准涉及企业负担的行政事业性收费项目的报告的函》（晋财综字〔1998〕134号）收悉。根据《中共中央、国务院关于治理向企业乱收费、乱罚款和各种摊派等问题的决定》（中发〔1997〕14号）和《财政部、国家计委关于重新审批省级财政、物价部门批准涉及企业负担的行政事业性收费项目的通知》（财综字〔1998〕14号）的规定，经国务院减轻企业负担部际联席会议审核批准，现就你省涉及企业负担的行政事业性收费项目批复如下：

一、同意你省保留煤粉尘超标排污费。该项收费项目，如遇国家有关政策调整，从其规定。

二、你省收取的汽车排汽污染费，属于不合理收费项目，不宜由企业负担，应停止执行，开展有关工作所必需的费用，由你省通过正常经费渠道妥善解决。

三、请你省严格执行中发〔1997〕14号文件的有关规定。今后，所有新增加向企业的行政事业性收费项目和标准，必须按隶属关系分别报财政部、国家计委或省人民政府审批，重要的报国务院审批。省人民政府审批涉及企业的行政事业性收费项目和标准，要分别征得财政部和国家计委同意。

四、本文自发布之日起执行。

财政部 国家计委关于批复陕西省涉及企业负担的行政事业性收费项目的函

1999年10月17日 财综字〔1999〕158号

陕西省人民政府：

你省减轻企业负担办公室报送国务院减轻企业负担办公室的《关于呈报我省拟保留收费项目的报告》收悉。根据《中共中央、国务院关于治理向企业乱收费、乱罚款和各种摊派等问题的决定》（中发〔1997〕14号）和《财政部、国家计委关于重新审批省级财政、物价部门批准涉及企业负担的行政事业性收费项目的通知》（财综字〔1998〕14号）的规定，经国务院减轻企业负担部际联席会议审核批准，现就你省财政厅、物价局批准的行政事业性收费项目批复如下：

一、同意你省保留机动车驾驶员IC卡工本费、有线电视收视维护费、公路损坏（占用）补偿费。上述收费项目，如遇国家有关政策调整，从其规定。

你省收取的安康市水资源费，按照《国务院办公厅关于征收水资源费有关问题的通知》（国办发〔1995〕27号）的有关规定执行。

二、你省收取的外贸铁路运输管理费、计划外出省煤焦碳铁路运输管理服务费、护林防火费、有线电视入网建设费，属于不合理收费项目，不宜由企业负担，应停止执行；你省收取的来陕建筑施工企业资审注册费、铁路护路联防费、文化市场管理费，也属于不合理收费，但考虑到你省实际情况，可实行限期取消，收费期限执行到2000年底。上述收费停止执行后，开展有关工作所必需的费用，由你省通过正常经费渠道妥善解决。

三、请你省严格执行中发〔1997〕14号文件的有关规定，今后所有新增加向企业的行政事业性收费项目和标准，必须按隶属关系分别报财政部、国家计委或省人民政府审批，重要的报国务院审批。省人民政府审批涉及企业的行政事业性收费项目和标准，要分别征得财政部和国家计委同意。

四、本文自发布之日起执行。

财政部 国家计委关于批复新疆维吾尔自治区涉及企业负担的行政事业性收费项目的函

1999年10月17日 财综字〔1999〕159号

新疆维吾尔自治区财政厅、物价局：

你区《关于我区确需保留的行政事业性收费项目的请示》（新财综字〔1998〕43号）收悉。根据《中共中央、国务院关于治理向企业乱收费、乱罚款和各种摊派等问题的决定》（中发〔1997〕14号）和财政部、国家计委《关于重新审批省级财政、物价部门批准涉及企业负担的行政事业性收费项目的通知》（财综字〔1998〕14号）的规定，经国务院减轻企业负担部际联席会议审核批准，现就你区涉及企业负担的行政事业性收费项目批复如下：

一、同意你区保留商品房购销合同工本费、房产证工本费。上述收费项目，如遇国家有关政策调整，从其规定。

二、你区收取的涉外汽车运输单证收费、公路运输经营许可证工本费、中巴车管理费、抗震加固工程管理费、建筑加固工程鉴定及加固方案费、房改评审手续费、驾校（班）办学许可证费、内（外）运许可证工本费、盐政管理费、水源建设费，属于不合理收费项目，不宜由企业负担，应停止执行；你区收取的建筑企业上级管理费、乌鲁木齐地区城市治安管理费，也属于不合理收费，但考虑到你区实际情况，可实行限期取消，收费期限执行到2000年底。上述收费停止执行后，开展有关工作所必需的费用，由你区通过正常经费渠道妥善解决。

三、请你区严格执行中发〔1997〕14号文件的有关规定，今后所有新增加向企业的行政事业性收费项目和标准，必须按隶属关系分别报财政部、国家计委或自治区人民政府审批，重要的报国务院审批。自治区人民政府审批涉及企业的行政事业性收费项目和标准，要分别征得财政部和国家计委同意。

四、本文自发布之日起执行。

财政部 国家计委关于批复青海省涉及企业负担的行政事业性收费项目的函

1999年10月17日 财综字〔1999〕160号

青海省人民政府：

你省《关于征求保留涉及企业负担的行政事业性收费项目意见的函》（青政函[1999]33号）收悉。根据《中共中央、国务院关于治理向企业乱收费、乱罚款和各种摊派等问题的决定》（中发[1997]14号）和《财政部、国家计委关于重新审批省级财政、物价部门批准涉及企业负担的行政事业性收费项目的通知》（财综字[1998]14号）的规定，经国务院减轻企业负担部际联席会议审核批准，现就你省涉及企业负担的行政事业性收费项目批复如下：

一、同意你省保留经营金融业务许可证费、固定资产投资许可证工本费、出版物印刷许可证费、印刷业及书报刊经营许可证费、录音及录像出版物许可证费、录像播映许可证费、产品质量监督检验合格证费、衡器专营专卖和衡器使用证证件费、锅炉使用证工本费、槽车使用证工本费、危险性较大设备安全使用许可证费、司炉（电焊、水化验）安全合格证费、工伤劳动鉴定费、特种作业人员培训考核收费、临时占用铁路用地管理费、国有资产产权交易登记费、国有资产评估资格证费、国有资产产权登记证费、治安管理许可证费、暂住人口管理费、警械配带证费、食盐专卖批发许可证工本费、食盐准运证工本费、木材经营加工许可证工本费。上述收费项目,如遇国家有关政策调整,从其规定。

二、你省收取的卫星地面接收设施安全检查费、公路运输经营许可证工本费、道路运输证工本费、养路费车辆注册登记证及审验合格证工本费、车船使用税标志工本费、企业产品执行标准登记证费、集体采矿登记费、个体户验照贴花工本费、营业执照证框塑封工本费、矿长安全资格证工本费、发票准购手册、计算机磁卡工本费、国有资产产权交易服务费、新增技术复核审查检验费、细中药材麻醉药品投料监督费、驾驶员适应性检测费,属于不合理收费项目,不宜由企业负担,应停止执行;你省收取的进青建设施工队伍管理费、建设工程招投标审查费,也属于不合理收费,但考虑到你省实际情况,可实行限期取消,收费期限执行到2000年底。上述收费停止执行后,开展有关工作所必需的费用,由你省通过正常经费渠道妥善解决。

三、请你省严格执行中发[1997]14号文件的有关规定,今后所有新增加向企业的行政事业性收费项目和标准,必须按隶属关系分别报财政部、国家计委或省人民政府审批,重要的报国务院审批。省人民政府审批涉及企业的行政事业性收费项目和标准,要分别征得财政部和国家计委同意。

四、本文自发布之日起执行。

财政部 国家计委关于批复甘肃省涉及企业负担的行政事业性收费项目的函

1999年10月17日 财综字〔1999〕161号

甘肃省人民政府:

你省《关于申报少数确需保留的涉企行政事业性收费和基金项目的函》(甘政发[1998]82号)收悉。根据《中共中央、国务院关于治理向企业乱收费、乱罚款和各种摊派等问题的决定》(中发[1997]14号)和《财政部、国家计委关于重新审批省级财政、物价部门批准涉及企业负担的行政事业性收费项目的通知》(财综字[1998]14号)的规定,经国务院减轻企业负担部际联席会议审核批准,现就你省财政厅、物价局审批涉及企业负担的行政事业性收费项目批复如下:

一、同意你省保留商品房预售许可证费、建筑工程施工合同示范文本工本费、建筑工程施工合同工本费、林木补偿费、森林植被恢复费、水土流失危害补偿费、城市市政公用设施配套费、城市公用设施增容建设费、施工排水费、机动车检测费、人防工程易地结建费、耕地造地费、土地开发复垦费、荒芜费。上述收费项目,如遇国家有关政策调整,从其规定。

二、你省收取的工程建设施工招投标管理费、建筑管理费、城镇治安联防费、看护费,属于不合理收费项目,但考虑到你省的实际情况,可实行限期取消,收费期限执行到2000年底。上述收费停止执行后,开展有关工作所必需的费用,由你省通过正常经费渠道妥善解决。

三、你省收取的建设项目设备招标服务费,应作为经营性收费管理,并依法征说。

四、请你省严格执行中发[1997]14号文件的有关规定,今后所有新增加向企业的行政事业性收费项目和标准,必须按隶属关系分别报财政部、国家计委或省人民政府审批,重要的报国务院审批。省人民政府审批涉及企业的行政事业性收费项目和标准,要分别征得财政部和国家计委同意。

五、本文自发布之日起执行。

财政部 国家计委关于批复宁夏回族自治区涉及企业负担的行政事业性收费项目的函

1999年10月17日 财综字〔1999〕162号

宁夏回族自治区人民政府：

你区《关于报请审核拟保留的涉企行政事业性收费、集资、基金(附加)项目的函》(宁政函〔1998〕195号)收悉。根据《中共中央、国务院关于治理向企业乱收费、乱罚款和各种摊派等问题的决定》(中发〔1997〕14号和《财政部、国家计委关于重新审批省级财政、物价部门批准涉及企业负担的行政事业性收费项目的通知》(财综字〔1998〕14号)的规定，经国务院减轻企业负担部际联席会议审核批准，现就你区财政厅、物价局批准涉及企业负担的行政事业性收费项目批复如下：

一、同意你区保留清真食品准销证工本费、清真标志牌工本费、文化经营许可证工本费、金融业务许可证工本费、统计登记证工本费、汽车检测线收费、技术贸易许可证工本费、使用林地许可证工本费、印刷经营许可证工本费、技工学校委培生学费。上述收费项目，如遇国家有关政策调整，从其规定。

二、你区收取的增值税专用发票领购簿工本费、产权交易收费、餐饮业价格等级服务证工本费、《未成年人禁止入内》牌匾工本费、公路运输票证工本费、公路养护费缴免标志牌工本费、汽车驾驶员安全教育费、社会福利企业登记证工本费、校办企业登记证工本费、汽车更新优惠证工本费、银川市公安局电话报警系统收费、区外来宁推销药品准销证工本费，属于不合理收费项目，不宜由企业负担，应停止执行；你区收取的粮油批发市场交易费、粮油批发市场代理费，也属于不合理收费，但考虑到你区实际情况，可实行限期取消，收费期限执行到2000年底。上述收费停止执行后，开展有关工作所必需的费用，由你区通过正常经费渠道妥善解决。

三、你区收取的城市卫生费、企业破产清算服务费、产权交易咨询服务费、经济信息服务费，应作为经营性收费管理，并依法征税。

四、请你区严格执行中发〔1997〕14号文件的有关规定，今后所有新增加向企业的行政事业性收费项目和标准，必须按隶属关系分别报财政部、国家计委或自治区人民政府审批，重要的报国务院审批。自治区人民政府审批涉及企业的行政事业性收费项目和标准，要分别征得财政部和国家计委同意。

五、本文自发布之日起执行。

财政部 国家计委关于对重庆市涉及企业负担的行政事业性收费项目的批复

1999年10月17日 财综字〔1999〕163号

重庆市财政局、物价局：

你市《关于报送重庆市涉及企业的行政事业性收费保留项目的报告》(渝财预外〔1998〕85号)收悉。根据《中共中央、国务院关于治理向企业乱收费、乱罚款和各种摊派等问题的决定》(中发〔1997〕14号)和《财政部、国家计委关于重新审批省级财政、物价部门批准涉及企业负担的行政事业性收费项目的通知》(财综字〔1998〕14号)的规定，经国务院减轻企业负担部际联席会议审核批准，现就你市涉及企业负担的行政事业性收费项目批复如下：

一、同意你市保留酒类专卖许可证费、水土保持设施补偿费、水土流失防治费、城市建设配套费、环境保护证照收费、机动车排气合格证工本费、出版物准印证费、音像放映许可证费、音像制品经营许可证费、文化市场治安管理证件工本费、工商企业监督管理卡工本费、工业企业及锅炉压力容器安全监察检测收费、锅炉制造及压力容器安装修理改造单位许可证收费、国有资产产权登记费、IC代码证工本费、道路挖掘及下水道接沟许可证费、绿化赔偿及园林绿化建设费、经营金融业务许可证费、经营金银饰品许可证费。上述收费项目，如遇国家有关政策调整，从其规定。

房屋所有权管理收费按《国家物价局、财政部关于发布中央管理的建设系统行政事业性收费项目及标准的通知》(〔1992〕价费字179号)中房屋所有权登记费的有关规定执行。

二、你市收取的城市规划管理费，应严格按照《财政部、国家发展计划委员会关于公布取消第二批行政事业性收费项目的通知》(财综字〔1998〕112号)的规定予以取消。

三、你市收取的机动车辆入籍费、IC卡代码证维护费、成渝高速公路线路调节费、客运线路牌及维修专用标志牌工本费、以工代赈修建公路维护费、消防设施配套费、交通管理设施费、城市建设管理收费、药政管理费、药品生产及经营单位制剂室认证费、出租汽车治安联防费及许可证工本费、经济民警管理训练费、消防管理收费、非机动车辆管理收费、矿长安全资格证书费、劳动就业服务管理收费、退休证费、《外商投资企业财政登记证》工本费、人防工程建设赔偿管理收费、旅游开发费、港口管理收费、工程预算标底审查费、城区临时摊区(摊点)费、排水设施使用许可证费、出租汽车共同站场管理费、涉外单位防范工程收费、发行股票债券登记注册费、通信线路护路联防费，属于不合理收费项目，不宜由企业负担，应停止执行；你市收取的文化市场管理收费、城镇治安联防费、铁路运输物资安全费，也属于不合理收费，但考虑到你市实际情况，可实行限期取消，收费期限执行到2000年底。上述收费停止执行后，开展有关工作所必需的费用，由你市通过正常经费渠道妥善解决。

四、你市收取的房屋交易手续费、货物港务费、城管清洁费、超计划加价水费，应作为经营性收费管理，并依法征税。

五、请你市严格执行中发〔1997〕14号文件的有关规定，今后所有新增加向企业的行政事业性收费项目和标准，必须按隶属关系分别报财政部、国家计委或直辖市人民政府审批，重要的报国务院审批。直辖市人民政府审批涉及企业的行政事业性收费项目和标准，要分别征得财政部和国家计委同意。

六、本文自发布之日起执行。

财政部　国家计委关于批复四川省涉及企业负担的行政事业性收费项目的函

1999年10月17日　　财综字〔1999〕164号

四川省人民政府：

你省减负工作协调组《关于报送保留收费项目的报告》(川减负协〔1999〕第15号)收悉。根据《中共中央、国务院关于治理向企业乱收费、乱罚款和各种摊派等问题的决定》(中发〔1997〕14号)和《财政部、国家计委关于重新审批省级财政、物价部门批准涉及企业负担的行政事业性收费项目的通知》(财综字〔1998〕14号)的规定，经国务院减轻企业负担部际联席会议审核批准，现就你省财政厅、物价局批准涉及企业负担的行政事业性收费项目批复如下：

一、同意你省保留矿泉水审批鉴定费、劳动就业服务企业证书工本费、劳动安全卫生检测检验收费、石油成品油经营消防安全许可证费、石油成品油经营从业人员消防安全培训合格证费、《四川省可供制毒特殊化学物品许可证》工本费、化学危险物品采购证工本费。上述收费项目，如遇国家有关政策调整，从其规定。

二、你省收取的部门单位劳动就业管理费和证书费、劳动保护用品定点生产资格审查费、劳动安全卫生资格审查费、农机维修点管理费、检验签证总费、鞋类饮料准产证收费、红维实物标准收费、推荐产品服务收费、乡镇船舶安全活动经费、《四川省图书报刊印刷许可证》验证审定费、药品生产经营企业及医疗单位制剂审认证费、工业经济评价费、发行地方企业债券登记手续费、引进技术(物资、资金)收费,属于不合理收费项目,不宜由企业负担,应停止执行,开展有关工作所必需的费用,由你省通过正常经费渠道妥善解决。

三、你省收取的桑蚕检验检疫费、企业法人代表培训收费、工商经济信息网络服务收费,应作为经营性收费管理,并依法征税。

四、请你省严格执行中发〔1997〕14号文件的有关规定,今后所有新增加向企业的行政事业性收费项目和标准,必须按隶属关系分别报财政部、国家计委或省人民政府审批,重要的报国务院审批。省人民政府审批涉及企业的行政事业性收费项目和标准,要分别征得财政部和国家计委同意。

五、本文自发布之日起执行。

财政部 国家计委关于批复云南省涉及企业负担的行政事业性收费项目的函

1999年10月17日　　财综字〔1999〕165号

云南省人民政府:

你省《关于重新审批保留过去已经省财政、物价部门审批的涉及企业的行政事业性收费项目征求意见的函》(云政函〔1998〕34号)收悉。根据《中共中央、国务院关于治理向企业乱收费、乱罚款和各种摊派等问题的决定》(中发〔1997〕14号)和《财政部、国家计委关于重新审批省级财政、物价部门批准涉及企业负担的行政事业性收费项目的通知》(财综字〔1998〕14号)的规定,经国务院减轻企业负担部际联席会议审核批准,现就你省涉及企业负担的行政事业性收费项目批复如下:

一、同意你省保留计划生育技术服务(新技术推广应用)许可证工本费、文化经营许可证工本费、电影发行许可证工本费、电影放映许可证工本费、文物监管品经营许可证工本费、图书报刊批发经营许可证工本费、图书报刊零售经营许可证工本费、资料刊物准印证工本费、有线电视播放许可证工本费、录音制品经营许可证工本费、录像制品经营许可证工本费、录像放映许可证工本费、卫星地面接收设施接收外国电视节目许可证工本费、音像资料片翻录证工本费、录像片播映证工本费、国有资产产权登记证工本费、采矿采石安全许可证工本费、爆破作业人员证照工本费、云南省社会保安服务许可证工本费、云南省保安器械(器材)生产许可证工本费、云南省保安器械(器材)销售许可证工本费、云南省内部保安服务许可证工本费、企事业专职消防队等级战斗员证工本费、消防产品特许证工本费、灭火器材维修许可证工本费、专职消防队合格证工本费、消防工程安装许可证工本费、易燃易爆化学物品准运证工本费、易燃易爆化学物品生产储存消防安全许可证费、易燃易爆化学物品购买储存消防安全许可证费、税务磁卡工本费、房屋契证工本费、木材购销合同工本费、森林更新补偿费(云南松、云岭松)、木材经营许可证工本费、起重机械使用许可证收费、电梯使用许可证收费、《云南省劳动合同书》工本费、劳动鉴定(工伤)费、劳动管理岗位专业知识培训证书工本费、维修技术合格证工本费、维修级别标志牌工本费、房屋权属证书工本费、关键岗位持证上岗考务费、混凝土产品生产企业资质等级证书发证收费、送贮(处)放射性废物废放射源收费,发展新型墙体材料专项用费、临时境字号牌费、特种车使用证费、入城通行证工本费、摩托车准行证费、超限运输许可证费、机动车检测费、卫星地面接收设备改造费、盐业批发许可证工本费、食用盐零售许可证工本费、酒类生产许可证工本费、酒类批发许可证工本费、酒类零售许可证工本费、统计人员岗位资格证工本费、统计人员岗位资格证考务费。上述收费项目,如遇国家有关政策调整,从其规定。

你省收取的货运动植物检疫及其产品检疫费、转口贸易动植物检疫费,不作为新的收费项目,按照《国家计委、财政部关于发布进出境动植物检疫收费管理办法及收费标准的通知》(计价格〔1994〕795号)的有关规定执行;农作物新品种审定费,按照《财政部、国家计委关于批准收取植物新品种保护权申请费、审查费、年费有关问题的通知》(财综字〔1998〕160号)和《国家计委、财政部关于植物新品种保护权申请费、审查费、年费标准有关问题的通知》(计价格〔1999〕290号)的有关规定执行。

你省收取的起重机械制造安全认可证审查发证收费、起重机械安装及维修安全认可证审查发证收费,分别改为起重机械制造安全认可证工本费、起重机械安装维修安全认可证工本费,并由你省物价、财政部门重新严格核定收费标准。

二、你省收取的市场登记工本费、市场登记公告费、云南省录音内部资料复录许可证工本费、云南省录像内部资料复录许可证工本费、云南省录像内部资料准录证工本费、有线电视工程验收费、保安服装管理费、消防安全合格证鉴定费、消防产品生产监制费、蜂场管理费、农村专项审计和委托审计收费、常规审计费、违规审计费、医院等级评审费、起重机械检验资格审查收费、电梯检验资格审查收费、厂内机动车辆检验资格审查收费、避雷设备检验资格审查收费、特种作业人员培训资格审查收费、劳动条件分级检测资格审查发证费、《企业工资总额提取发放管理手册》工本费、劳动执法年审合格证工本费、工人实际操作技能鉴定(考核)收费、工人技术业务理论鉴定(考核)费、企业(单位)招用工服务费、机动车转籍变更手续费、机动车新车登记费、肇事机动车技术检验鉴定费、道路交通事故伤残评定费、车辆喷字(号牌放大、单位名称、载质量)成本费、道路运输证工本费、营运证工本费、临时营运证工本费、公路客运线路标志牌工本费、夜行班车线路标牌工本费、汽车维修合同工本费、临时客运标志牌工本费、营运性驾驶员上岗证工本费、缴讫证证照费、免费证证照费、养路费减免申请书工本费、公路养路费缴费册工本费、关键岗位合格证书费、环保管理部门监督管理费、药品零售企业绿十字灯箱制作工本费、有色金属矿产品办理出省运输许可证工本费、散装水泥保证金、批准设置停车场许可证费、机动车改装(改色、改型)及报废检验费、联办机动车检测线管理费、机动车新产品鉴定申报费、卫星地面接收设施技术安全检测费、在滇单位安装技术安全防范设备安装维修费、在滇单位委托进行场所技术安全检查安检费,属于不合理收费项目,不宜由企业负担,应停止执行;你省收取的文化市场管理费,也属于不合理收费,但考虑到你省实际情况,可实行限期取消,收费期限执行到2000年底。上述收费停止执行后,开展有关工作所必需的费用,由你省通过正常经费渠道妥善解决。

三、你省收取的城市规划管理费,应严格按照《财政部、国家发展计划委员会关于公布取消第二批行政事业性收费项目的通知》(财综字〔1998〕112号)的有关规定予以取消。

四、你省收取的人防工程使用费、利用人防通信收费、卫星地面接收设施及有线电视系统技术测试费、有线电视工程测试费、农作物种子参试费及品种参试费、农业环境监测专业服务收费、安全技术培训收费、房屋评估费、房屋纠纷调解费、房屋产籍资料查档费、建筑工程招投标手续费、价格成本服务收费、引进项目前期工作服务费和咨询代理服务费,应作为经营性收费管理,并依法征税。

五、请你省严格执行中发〔1997〕14号文件的有关规定,今后所有新增加向企业的行政事业性收费项目和标准,必须按隶属关系分别报财政部、国家计委或省人民政府审批,重要的报国务院审批。省人民政府审批涉及企业的行政事业性收费项目和标准,要分别征得财政部和国家计委同意。

六、本文自发布之日起执行。

财政部 国家计委关于批复湖南省涉及企业负担的行政事业性收费项目的函

1999年10月17日　　财综字〔1999〕166号

湖南省人民政府:

你省《关于请保留有关涉及企业行政事业性收

费项目的函》(湘政函〔1998〕157号)收悉。根据《中共中央、国务院关于治理向企业乱收费、乱罚款和各种摊派等问题的决定》(中发〔1997〕14号)和《财政部、国家计委关于重新审批省级财政、物价部门批准涉及企业负担的行政事业性收费项目的通知》(财综字〔1998〕14号)的规定,经国务院减轻企业负担部际联席会议审核批准,现就你省涉及企业负担的行政事业性收费项目批复如下:

一、同意你省保留税务登记证费、计量监督员考核证书费、图书报刊印刷许可证费、旅行社业务经营许可证费、食盐零售许可证工本费、国有资产产权登记费、职业安全监测费、兽医卫生合格证工本费、专利技术许可证合同鉴证费、专利纠纷调处费、计算机软件人员任职资格水平考试报名考务费、统计登记证工本费、土地荒芜费、竹木经营许可证费。上述收费项目,如遇国家有关政策调整,从其规定。

专利登记费按《国家计委、财政部关于调整专利收费标准的通知》(计价格〔1994〕971号)规定执行。

二、你省收取的新建及改建药品生产企业技术审定费、新建及改建医院制剂室技术审定费、客运线路标志牌费、电视共用天线设计安装许可证费、中小水电管理费、民爆器材安全管理费,属于不合理收费项目,不应由企业负担,应停止执行;你省收取的棉花生产技术改进费、建筑企业上级管理费、文化市场经营管理费,也属于不合理收费,但考虑到你省实际情况,可实行限期取消,收费期限执行到2000年底。上述收费停止执行后,开展有关工作所必需的费用,由你省通过正常经费渠道妥善解决。

三、你省收取的城市国家建设规划费,在性质上与《财政部、国家发展计划委员会关于公布取消第二批行政事业性收费项目的通知》(财综字〔1998〕112号)中明令取消的城市规划管理费相似,应当停止执行。

四、你省收取的城建档案利用收费、统计咨询费、城市环卫有偿服务费、湖南广播电视信息台收费应转为经营性收费管理,并依法征税。

五、请你省严格执行中发〔1997〕14号文件的有关规定,今后所有新增加向企业的行政事业性收费项目和标准,必须按隶属关系分别报财政部、国家计委或省人民政府审批,重要的报国务院审批。省人民政府审批涉及企业的行政事业性收费项目和标准,要分别征得财政部和国家计委同意。

六、本文自发布之日起执行。

财政部 国家计委关于批复江西省涉及企业负担的行政事业性收费项目的函

1999年10月17日　　财综字〔1999〕167号

江西省人民政府:

你省《关于上报我省第一批需保留的省级批准涉及企业负担的行政事业性收费项目的函》(赣府文〔1998〕68号)收悉。根据《中共中央、国务院关于治理向企业乱收费、乱罚款和各种摊派等问题的决定》(中发〔1997〕14号)和《财政部、国家计委关于重新审批省级财政、物价部门批准涉及企业负担的行政事业性收费项目的通知》(财综字〔1998〕14号)的规定,经国务院减轻企业负担部际联席会议审核批准,现就你省涉及企业负担的行政事业性收费项目批复如下:

一、同意你省保留进网作业电工培训及考核费、商品交易市场注册登记工本费、证照遗失公告费、化学危险物品经营许可证照费、食盐零售许可证工本费、公路路产损失赔偿费、临时占用公路收费、高等级公路路产损失赔偿费、人防工程维护建设费、防空地下室易地建设费、国内外标准检索费、房地产开发企业证书工本费、市政公用设施配套费、工程标底编制费、产权登记费。上述收费项目,如遇国家有关政策调整,从其规定。

农药试验费按《国家物价局、财政部关于发布农业系统行政事业性收费项目和标准的通知》(〔1992〕价费字452号)中有关农药试验费的规定执行。

你省收取的基本建设中小学校舍修建费应更名为地方教育附加。

你省收取的服务行业排污费，不作为一项单独的收费项目，有关事宜请严格按照国务院发布的《征收排污费暂行办法》和国家计委、财政部《关于征收污水排污费的通知》（计物价〔1993〕1366 号）等文件规定执行。

二、你省收取的校办企业资格认证费及年检费、电能表电费保证金、小水电及农电管理费、抢险救灾费、集体企业管理费、室内装饰资质等级评审收费、港口规费、航标代供代设代管收费、改渡建桥费（不含夜渡费）、公路规费缴（免）讫专用牌证工本费、客车铝合金线路牌工本费、防范工程防范设备及其施工安装费、城市供水增容费、住房公积金表格工本费、进口废物环境风险评价费、护林防火费、《江西省有线电视开办许可证》工本费、《江西省有线电视工程设计、安装许可证》工本费、有线电视系统工程质量测试验收费、专控商品附加费，属于不合理收费项目，不宜由企业负担，应停止执行；你省收取的文化市场管理费、建设工程招标投标管理费、森林病虫害防治费，也属于不合理收费，但考虑到你省实际情况，可实行限期取消，收费期限执行到 2000 年底。上述收费停止执行后，开展有关工作所必需的费用，由你省通过正常经费渠道妥善解决。

三、你省收取计算机清除病毒软件盘收费、车辆技术档案收费、废物交换处置技术咨询和中介服务费、国有资产评估收费，应作为经营性收费管理，并依法征税。

四、请你省严格执行中发〔1997〕14 号文件的有关规定，今后所有新增加向企业的行政事业性收费项目和标准，必须按隶属关系分别报财政部、国家计委或省人民政府审批，重要的报国务院审批。省人民政府审批涉及企业的行政事业性收费项目和标准，要分别征得财政部和国家计委同意。

五、本文自发布之日起执行。

财政部　国家计委关于批复安徽省涉及企业负担的行政事业性收费项目的函

1999 年 10 月 17 日　　　　财综字〔1999〕168 号

安徽省人民政府：

你省《关于恳请批准安徽省需保留的涉企收费项目的请示》（皖政秘〔1998〕203 号）收悉。根据《中共中央、国务院关于治理向企业乱收费、乱罚款和各种摊派等问题的决定》（中发〔1997〕14 号）和《财政部、国家计委关于重新审批省级财政、物价部门批准涉及企业负担的行政事业性收费项目的通知》（财综字〔1998〕14 号）的规定，经国务院减轻企业负担部际联席会议审核批准，现就你省涉及企业负担的行政事业性收费项目批复如下：

一、同意你省保留铁路用地服务管理费、线路牌有偿使用费、化学危险物品经营许可证工本费、生猪屠宰许可证工本费、烟叶收购证书费、烟叶准运证书费。上述收费项目，如遇国家有关政策调整，从其规定。

二、你省收取的营运船舶《营运证》年度审验费、水路运输许可证费、船舶营业运输证费、车船使用税标志工本费、汽车营运证年审费、企业产品执行标准证书工本费、卫星电视接收设备安全检测费、外商投资企业核准费，属于不合理收费项目，不宜由企业负担，应停止执行；你省收取的铁路运输货物治安管理费、铁路公共场所和商业网点治安联防费，也属于不合理收费项目，但考虑到你省实际情况，可实行限期取消，收费执行到 2000 年底。上述收费停止执行后，开展有关工作所必需的费用，由你省通过正常经费渠道妥善解决。

三、请你省严格执行中发〔1997〕14 号文件的有关规定，今后所有新增加向企业的行政事业性收费项目和标准，必须按隶属关系分别报财政部、国家计委或省人民政府审批，重要的报国务院审批。省人民政府审批涉及企业的行政事业性收费项目和标准，要分别征得财政部和国家计委同意。

四、本文自发布之日起执行。

财政部　国家计委关于批复江苏省涉及企业负担的行政事业性收费项目的函

1999年10月17日　　财综字〔1999〕169号

江苏省人民政府：

你省《关于报送行政事业性收费项目的函》(苏政函〔1999〕71号)收悉。根据《中共中央、国务院关于治理向企业乱收费、乱罚款和各种摊派等问题的决定》(中发〔1997〕14号)和《财政部、国家计委关于重新审批省级财政、物价部门批准涉及企业负担的行政事业性收费项目的通知》(财综字〔1998〕14号)的规定,经国务院减轻企业负担部际联席会议审核批准,现就你省涉及企业负担的行政事业性收费项目批复如下:

一、同意你省保留市场登记注册费、工人技术登记考核评定费、煤炭经营资格审查工本费、国有资产产权登记费、领取换领《国有资产授权占用证书》工本费、药品科技成果鉴定费、制剂产品定点审核费。上述收费项目,如遇国家有关政策调整,从其规定。

二、你省收取的盐业生产企业管理费、施工房地产经营财务备案登记证工本费、施工房地产开发企业建立内部财务管理办法合格证工本费、驾驶员培训行业管理费,属于不合理收费项目,不宜由企业负担,应停止执行。开展有关工作所必需的费用,由你省通过正常经费渠道妥善解决。

三、你省收取的开展推荐商品活动经费,应转为经营性收费管理,并依法征税。

四、请你省严格执行中发〔1997〕14号文件的有关规定,今后所有新增加向企业的行政事业性收费项目和标准,必须按隶属关系分别报财政部、国家计委或省人民政府审批,重要的报国务院审批。省人民政府审批涉及企业的行政事业性收费项目和标准,要分别征得财政部和国家计委同意。

五、本文自发布之日起执行。

财政部　国家计委关于批复上海市涉及企业负担的行政事业性收费项目的函

1999年10月17日　　财综字〔1999〕170号

上海市人民政府：

你市《关于请求审定保留部分行政事业性收费项目的函》(沪府函〔1998〕36号)收悉。根据《中共中央、国务院关于治理向企业乱收费、乱罚款和各种摊派等问题的决定》(中发〔1997〕14号)和财政部、国家计委《关于重新审批省级财政、物价部门批准涉及企业负担的行政事业性收费项目的通知》(财综字〔1998〕14号)的规定,经国务院减轻企业负担部际联席会议审核批准,现就你市涉及企业负担的行政事业性收费项目批复如下:

一、同意你市保留农机推广鉴定审定费、房地产勘丈费、避雷装置安全检测费。上述收费项目,如遇国家有关政策调整,从其规定。

二、你市收取的节能复测收费,农机维修点初审及复审费,高新技术企业(产品)认定工本费、联运管理费、证券发行手续费、外运废旧金属签证费、拨地钉桩费及桩界成本、有线电视工程设计审核费、有线电视工程质量验收费、水利工程承包管理费,属于不合理收费项目,应停止执行;你市收取的建筑施工企业管理费(含外地),也属于不合理收费,但考虑到你市实际情况,可实行限期取消,收费期限执行到2000年底。上述收费停止执行后,开展有关工作所必需的费用,由你市通过正常经费渠道妥善解决。

三、你市收取的口岸管理费，应按照《财政部、国家发展计划委员会关于公布取消第二批行政事业性收费项目的通知》(财综字〔1998〕112号)的规定予以取消。

四、你市收取的废污水监测化验费，应作为经营性收费管理，并依法征税。

五、请你市严格执行中发〔1997〕14号文件的有关规定，今后所有新增加向企业的行政事业性收费项目和标准，必须按隶属关系分别报财政部、国家计委或直辖市人民政府审批，重要的报国务院审批。直辖市人民政府审批涉及企业的行政事业性收费项目和标准，要分别征得财政部和国家计委同意。

六、本文自发布之日起执行。

财政部 国家计委关于批复浙江省涉及企业负担的行政事业性收费项目的函

1999年10月17日 财综字〔1999〕171号

浙江省人民政府：

你省《关于要求保留涉企行政事业性收费项目的函》(浙政发〔1998〕28号)收悉。根据《中共中央、国务院关于治理向企业乱收费、乱罚款和各种摊派等问题的决定》(中发〔1997〕14号)和《财政部、国家计委关于重新审批省级财政、物价部门批准涉及企业负担的行政事业性收费项目的通知》(财综字〔1998〕14号)的规定，经国务院减轻企业负担部际联席会议审核批准，现就你省涉及企业负担的行政事业性收费项目批复如下：

一、同意你省保留计量检定人员考核发证费、车辆检验费。上述收费项目，如遇国家有关政策调整，从其规定。

二、你省收取的建筑工程特种消防装备费、沿海航政费(沿海航道养护费)、汽车交易验证费、企业标准化评价发证费、农村劳动力使用调节费、爆破工程审核费，属于不合理收费项目，不宜由企业负担，应停止执行；你省收取的治安联防费、经济民警管理训练费、城乡集体建筑企业管理费，也属于不合理收费，但考虑到你省的实际情况，可实行限期取消，收费期限执行到2000年底。上述收费停止执行后，开展有关工作所必需的费用，由你省通过正常经费渠道妥善解决。

三、请你省严格执行中发〔1997〕14号文件的有关规定，今后所有新增加向企业的行政事业性收费项目和标准，必须按隶属关系分别报财政部、国家计委或省人民政府审批，重要的报国务院审批。省人民政府审批涉及企业的行政事业性收费项目和标准，要分别征得财政部和国家计委同意。

四、本文自发布之日起执行。

财政部 国家计委关于批复福建省涉及企业负担的行政事业性收费项目的函

1999年10月17日 财综字〔1999〕172号

福建省人民政府：

你省《关于要求保留省级财政和物价部门出台的涉企行政事业性收费项目的函》(闽政〔1998〕函60号)收悉。根据《中共中央、国务院关于治理向企业乱收费、乱罚款和各种摊派等问题的决定》(中发〔1997〕14号)和《财政部、国家计委关于重新审批省级财政、物价部门批准涉及企业负担的行政事业性收费项目的通知》(财综字〔1998〕14号)的规定，经国务院减轻企业负担部际联席会议审核批准，现就你省涉及企业负担的行政事业性收费项目批复如下：

一、同意你省保留借用铁路用地管理费、劳动伤残鉴定费、房屋租赁监证费、固体废物交换处置收费、卫生检疫机构体检检验收费、海域使用费。上述收费项目，如遇国家有关政策调整，从其规定。

二、你省收取的音像管理费、接收卫星电视节目管理费、药品生产（经营）企业合格证费、船舶电台代管费、机动车增容费、机动车建勤费、房屋交易增值调节费（房屋交易规费），属于不合理收费项目，不宜由企业负担，应停止执行。开展有关工作所必需的费用，由你省通过正常经费渠道妥善解决。

三、你省收取的会计师事务所收费、进出省鳗鲡苗种检验费，应作为经营性收费管理，并依法征税。

四、请你省严格执行中发〔1997〕14 号文件的有关规定，今后所有新增加向企业的行政事业性收费项目和标准，必须按隶属关系分别报财政部、国家计委或省人民政府审批，重要的报国务院审批。省人民政府审批涉及企业的行政事业性收费项目和标准，要分别征得财政部和国家计委同意。

五、本文自发布之日起执行。

国家计委　财政部　国家经贸委　审计署　监察部　国务院纠风办　国家金卡工程协调领导小组关于清理整顿集成电路卡（IC 卡）收费等有关问题的通知

1999 年 11 月 11 日　　计价格〔1999〕1980 号

近年来，集成电路卡（以下简称 IC 卡）以储存信息量大、安全保密性好、读卡简单快速等优点，在公安、工商、税务、金融、商贸、交通、石化、电信、卫生、劳动与社会保障以及城市公共事业管理等领域得到广泛的应用，取得了一定的社会效益和经济效益。但是，在 IC 卡的推广应用中也出现了一些问题，主要是：一些部门和行业凭借行政权力和垄断地位，强制推行和销售 IC 卡并收费；有的公用事业单位通过推行 IC 卡变相提高价格；有的行政机关一边发放有关证照，一边推行等效的 IC 卡，进行重复收费；各自为政、自行其事、盲目发卡现象比较普遍，增加了企业和群众的负担。为促进 IC 卡推广使用的有序进行，规范收费行为，减轻社会各方面负担，维护企业和广大群众的合法权益，决定对 IC 卡的推广使用和收费进行全面清理整顿。现就有关事项通知如下：

一、认真贯彻《国务院办公厅关于加强集成电路卡管理有关问题的通知》（国办发〔1997〕22 号）精神，行业性 IC 卡的应用必须统一由国务院有关主管部门制定规划，统一发行并管理；各部门、各地区 IC 卡的应用计划要纳入和服从国家金卡工程协调领导小组的统一规划和协调。要充分发挥 IC 卡“多功能集于一卡”的优势，方便用户，避免各自为政、重复发卡和资源浪费。

二、国家行政机关及其所属事业单位推广使用 IC 卡并收费，未经省、自治区、直辖市人民政府及省级以上价格、财政主管部门联合批准的，一律立即停止收费，应停不停的，将视为乱收费，由价格、财政主管部门依法查处。省级政府及其价格、财政主管部门批准收费的也要清理。对于行政机关高于空白卡和发行工本费收费的，要进行纠正；对在发放证照同时推行等效 IC 卡重复收费的，要予以取消。

经清理后需要保留的收费，属省、自治区、直辖市人民政府批准的收费，应报国家计委、财政部备案；属省、自治区、直辖市人民政府价格、财政主管部门批准的收费，应报省、自治区、直辖市人民政府重新审批，并征得国家计委、财政部同意。经批准保留的国家行政机关及其事业单位 IC 卡收费，要严格按照空白卡工本加发行费核定收费标准；其他各项投资（包括建设和管理费用等）不得通过收费解决。

三、公交、铁路、供水、供电、公路交通、电信等公用事业单位推广使用的公交票卡、火车票卡、自来水卡、民用电卡、燃气卡、过路过桥卡、公用电话卡等开支，均应通过该行业对用户的服务价格补偿，不得以推广使用IC卡为由向用户另行收取IC卡费。凡另行收费的应立即停止收费，否则视为乱收费查处。

四、银行等其它企业单位推广使用IC卡的，原则上也不另行收费，所需开支计入经营成本。有关收费政策由国家计委会同中国人民银行、国家金卡工程协调领导小组等有关部门另行研究下达。

五、各有关部门、单位要按照上述规定立即进行自查，并于1999年12月底以前将自查情况，按附表要求填写，报送所在省、自治区、直辖市价格、财政主管部门，并抄送省级经贸、审计、监察、纠风办和金卡办等部门。

六、各级价格、财政主管部门要会同经贸、审计、监察、纠风办、金卡办等部门，在各有关部门、单位自查的基础上，组织专门力量对IC卡收费情况进行重点检查，对发现的乱收费问题要按有关规定严肃处理。清理情况要逐级汇总上报。各地IC卡推广使用和收费清理整顿的情况和意见，由省级价格、财政主管部门商有关部门汇总，于2000年1月底以前报国家计委、财政部，并抄送国家经贸委、审计署、监察部、国务院纠风办和国家金卡工程协调领导小组。

附：集成电路卡(IC卡)推广使用及收费情况调查表(略)

国家计委办公厅　财政部办公厅关于机动车驾驶员体检收费等有关问题的复函

1999年11月4日　　　计办价格〔1999〕840号

黑龙江省物价局、财政厅《关于机动车驾驶员体检收费问题的请示》(黑价行函字〔1999〕2号)收悉。经商公安部、卫生部，现就有关问题函复如下：

一、根据国家有关规定，申请驾驶证的人员必须体检合格。体检项目包括：身高、听力、视力、辨色力和四肢、躯干、颈部的运动能力。其它有关部门要求增加的体检项目，不得收费。

二、凡具有开展上述体检项目的仪器设备，熟悉并掌握有关机动车驾驶员健康体检技术规范和标准，依法取得医疗卫生执业资格的县及县以上医院均可以开展机动车驾驶员体检工作。开展机动车驾驶员体检工作的医院，要制定完善的职业体检管理制度，对体检合格者应出具体检合格证明。任何部门和单位不得指定其它单位进行体检。

三、体检收费要严格按照省级以上物价、财政部门批准的医疗卫生机构收费标准执行。

医疗卫生机构自行扩大对申请机动车驾驶证的人员的体检范围、增加收费项目或只收费不检查的乱收费行为，由物价、财政部门依法查处。

上述规定执行中，如遇国家政策调整，从其规定。

国家计委办公厅　财政部办公厅关于组织机构代码证书IC卡收费问题的复函

1999年11月5日　　　计办价格〔1999〕876号

浙江省物价局《关于组织机构代码证集成电路IC卡副本收费标准问题的请示》(浙价费〔1999〕240号)收悉。经商国家质量技术监督局同意，现就有关问题函复如下：

根据《国家计委、财政部关于代码证书收费标准的通知》(计价格〔1994〕287号)和《国家计委、财政部关于第一批降低22项收费标准的通知》(计价费〔1997〕2500号)的规定,质量技术监督部门在发放代码证书的正本和副本时,已经分别收取了相关费用,因此,将代码证书的副本由纸质改为集成电路IC卡,不得再重新收费,未经批准,也不得以高于现行规定的代码证书收费标准进行收费。今后,如果需要以IC卡副本取代纸质代码证书副本,并调整收费标准,应按行政事业性收费标准审批权限重新报国家计委、财政部审批。

国家计委 财政部关于保险业务监管费收费标准等有关问题的通知

1999年11月25日 计价格〔1999〕2119号

中国保险监督管理委员会:

你会《关于收取保险监管费的请示》(保监发〔1999〕14号)收悉。根据财政部、国家计委《关于批准收取保险业务监管费的通知》(财综字〔1999〕123号)的规定,你会在开展保险市场监督管理时,可以向各类商业保险公司和专门从事保险中介业务的机构收取保险业务监管费。现就保险业务监管费的具体收费标准及有关事项通知如下:

一、你会对保险公司经营的财产险、人身意外险、短期健康险业务,按保险公司年度自留保费收入的2‰收取保险业务监管费;对保险公司经营的长期人寿险、长期健康险业务,按保险公司年度自留保费收入的1.2‰收取保险业务监管费;对专门从事保险中介业务的机构,按代办保险业务营业收入的2‰收取保险业务监管费。

二、你会实施收费应按规定到国家计委申领《收费许可证》,并到财政部收费票据监管中心购领财政部统一印制的行政事业性收费票据。你会要严格执行规定的收费标准,自觉接受物价、财政部门的监督检查。

三、本通知自1999年1月1日起执行,有效期3年。有效期满后,由你会按规定的程序重新报国家计委、财政部审批。

国家计委 财政部关于核定民办非企业单位登记收费标准有关问题的通知

1999年11月30日 计价格〔1999〕2115号

根据财政部、国家计委《关于民办非企业单位登记收费有关问题的复函》(财综字〔1999〕119号)的规定,现就民办非企业单位登记费和变更登记费的收费标准通知如下:

一、民政部门在办理民办非企业单位登记过程中,向申请单位收取的登记费标准为:

(一)登记费每件100元(含证书费);

(二)变更登记费每件40元。

二、收取民办非企业单位登记费、变更登记费,应按国家有关规定到指定的价格主管部门办理收费许可证,并使用省级以上财政部门统一印制的行政事业性收费票据。

三、各级民政部门应严格按照上述规定收取登记费、变更登记费,不得擅自增加收费项目、扩大收费范围、提高收费标准,并自觉接受价格、财政部门的监督检查。

四、本《通知》自发布之日起执行。

国家计委办公厅关于商业网点建设费有关问题的复函

1999年12月6日　　计办价格〔1999〕920号

国务院办公厅将黑龙江省人民政府《关于确认停止征收商业网点建设费所指范围的请示》(黑政发〔1999〕89号)批转国家计委商有关部门研究办理。经商财政部,现函复如下:

关于国务院国发〔1998〕34号文件规定的"停止征收商业网点建设费"的范围问题,在财政部、国家计委等六部委联合下发的《关于公布第三批取消的各种基金(资金附加收费)项目的通知》(财综字〔1999〕180号)(以下简称《通知》)中已作了进一步的明确,既全面取消"商业网点建设费",并规定凡与公布取消的基金项目相类似的,一律参照《通知》规定予以取消。根据上述文件规定,今后所有住房建设项目一律不得再征收商业网点建设费,也不得以其它名目征收性质类似的费用。

国家计委　财政部关于农业部人力资源开发中心收费标准等有关问题的批复

1999年12月10日　　计价格〔1999〕2197号

农业部《关于申请核准农业部人力资源开发中心行政事业性收费的函》(农财函〔1999〕21号)收悉。根据财政部、国家计委《关于批准农业部人力资源开发中心收费的复函》(财综字〔1999〕127号)的规定,现就农业部人力资源开发中心(以下简称"中心")收费标准等有关问题批复如下:

一、"中心"开展人力资源开发服务按下列规定收费:

(一)人力和劳动市场服务费、人事档案保管费暂按原国家物价局、财政部《关于发布中央管理的人事系统行政事业性收费项目及标准的通知》(〔1992〕价费字253号)中《人事部全国人才流动中心人才流动服务收费项目及标准》执行;

(二)人事档案使用费暂按原国家物价局、财政部发布的《利用档案收费规定》(〔1992〕价费字130号)执行;

(三)专门技术资格考试费为每人每科30元,中高级专业技术外语考试费为每人30元;

(四)工人技术等级考核或职业技能鉴定费,初级工每人40元、中级工每人50元、高级工每人70元、工人技师每人90元;

(五)培训费由"中心"根据市场的需要和培训条件自行制定,报国家计委(价格司)、财政部(综合司)备案。

二、执收单位应按规定到国家计委申领《收费许可证》,并到财政部收费票据监管中心购领财政部统一印制的收费票据。

三、执收单位要严格执行规定的收费标准,并在明显的位置公布,自觉接受物价、财政部门和社会各方面的监督。

四、上述规定自1999年12月1日起执行。

财政部 国家计委关于批准收取事业单位登记费的通知

1999 年 12 月 16 日 财综字〔1999〕192 号

中央机构编制委员会办公室《关于事业单位登记管理收费立项和收费标准的请示》(中编办函〔1999〕92 号)收悉。经研究,现就有关事宜通知如下:

一、为切实加强事业单位登记管理工作,根据《事业单位登记管理暂行条例》(国务院令第 252 号)的有关规定,同意中央机构编制委员会办公室和地方各级机构编制委员会办公室(以下简称"各级编办")在对事业单位实施登记时,向申请登记的事业单位收取登记费(包括初始登记费和变更登记费)。

对国家规定贫困县的中小学、社会福利单位免收登记费。

二、事业单位登记费的收费标准由国家计委、财政部另行规定。

三、各级编办收取事业单位登记费,应按国家有关规定到指定的价格主管部门办理收费许可证,并按财务隶属关系分别使用财政部和省、自治区、直辖市财政部门统一印制的行政事业性收费票据。

四、事业单位登记费属于行政事业性收费,其收费收入应按规定全额纳入同级财政预算,实行收支两条线管理。即收入上缴同级国库,支出由同级财政部门按批准的预算核拨。办理事业单位登记过程中发生的制作证书、印制表格、配备资料、撤消登记公告、进行年度注册等方面的开支,列入各级编办经费报同级财政部门核定。

五、各级编办应严格按照上述规定收取事业单位登记费,不得擅自增加收费项目、扩大收费范围,并自觉接受财政、物价部门的监督检查。

六、本通知自发布之日起执行。

国家计委关于调整乌溪江等水电站库区维护基金标准有关问题的复函

1999 年 12 月 16 日 计价格〔1999〕2224 号

国务院办公厅将浙江省《关于提高乌溪江等水电站库区维护基金标准的请示》(浙政发〔1999〕164 号)批转国家计委商有关部门研究办理。经研究并商水利部,现将有关事项函复如下:

一、为妥善解决乌溪江等水电站库区移民遗留问题,有利于浙江省内库区移民扶持政策的统一和衔接,同意将乌溪江、紧水滩、石塘等水电站的库区维护基金标准由每千瓦时 1 厘钱提高到 1 分钱,增提部分列入各电站的发电成本,相应提高电站的上网电价和电网的销售电价。上网电价和销售电价的调整纳入浙江省统一销售电价方案一并考虑,另文下达。

二、提高后的库区维护基金标准从 2000 年 1 月 1 日起执行。资金的提取、使用、管理办法仍按财政部、电力部《关于从水电站发电成本中提取库区维护基金的通知》(电财字〔1981〕56 号)的有关规定执行。

国家计委 财政部关于医师资格考试和执业医师注册收费标准及有关事项的通知

1999年12月21日　　计价格〔1999〕2267号

根据《中华人民共和国执业医师法》和财政部、国家计委《关于批准医师资格考试和执业医师注册收费的函》(财综字〔1999〕176号)的规定,现就医师资格考试和执业医师注册收费标准及其有关事项通知如下:

一、国家医学考试中心组织医师资格考试按下列收费标准向各省、自治区、直辖市考区的考试机构收取考试费。

(一)医师资格考试费,每考生40元;

(二)助理医师资格考试费,每考生30元。

各省、自治区、直辖市考区的考试机构向考生收取的医师资格报名考试费标准和医师实践技能考试、传统医学师承及确有专长人员医师资格考核考试费标准,由各省、自治区、直辖市物价部门会同财政部门制定,并报国家计委、财政部备案。

二、卫生行政主管部门向已取得医师、助理医师专业技术职称和通过国家医师资格考试取得医师资格的医师,颁发医师资格证书,收取医师资格证书工本费每证5元。

三、卫生行政主管部门根据《中华人民共和国执业医师法》的规定,对申请执业注册的医师进行注册,收取执业医师注册费(含执业医师证书工本费)每人25元。

四、各收费单位应按规定到指定的价格主管部门申领收费许可证,使用省级以上财政部门统一印制的行政事业性收费票据。要严格执行规定的收费标准,自觉接受物价、财政部门的监督检查。

五、本通知自发布之日起执行。

国家计委 国家税务总局关于规范税务代理收费有关问题的通知

1999年12月30日　　计价格〔1999〕2370号

为加强税务代理收费管理,规范收费行为,促进税务代理事业健康发展,现就规范税务代理收费的有关事项通知如下:

一、税务代理收费属于中介服务收费。税务代理机构提供服务并实施收费应遵循公开、公正、诚实信用的原则和公平竞争、自愿有偿、委托人付费的原则,严格按照业务规程提供质量合格的服务。

二、纳税人或扣缴义务人对有关涉税事宜可自行办理,也可委托税务代理机构办理。税务机关不得将税务行政管理职能转交税务代理机构办理并收费,不得利用行政权力强制纳税人和扣缴义务人接受代理服务和到指定的代理机构接受服务。对纳税人和扣缴义务人自行办理涉税事宜的,各级税务机关不得以任何借口故意刁难或拒绝办理。

三、税务代理机构接受纳税人、扣缴义务人委托,可以从事下列代理服务:

(一)代办税务登记、变更、注销手续;

(二)代办除增值税专用发票外的发票领购手续;

(三)代纳税人办理纳税申报或扣缴义务人办理扣缴税款报告;

(四)代办缴纳税款和申请退税;

(五)制作涉税文书;

(六)代纳税人进行纳税审核;

(七)建帐建制,办理帐务;

(八)代理申请行政复议;

(九)开展税务咨询和受聘担任税务顾问；

(十)国家计委、国家税务总局规定的其他业务。

四、税务代理收费实行政府指导价，收费标准由各省、自治区、直辖市价格主管部门商同级税务主管部门制定中准价和浮动幅度，指导税务代理服务机构制定具体收费标准。制定收费标准应以税务代理服务人员的平均工时成本费用为基础，加法定税金和合理利润，并考虑市场供求状况制定。

税务代理计费方式原则上实行定额计费或按人员工时计费。对确实不宜按定额或人员工时计费的，可以按代理标的额的一定比率计费，但应规定最高限额。

五、税务代理机构接受委托办理有关涉税事宜时，应与委托人签订委托协议书。因税务代理机构的过错或其无正当理由要求终止委托关系的，或因委托人过错或其无正当理由要求终止委托关系的，有关费用的退补和赔偿依据《合同法》办理。

六、税务代理机构应在收费场所的显著位置公布服务程序或业务规程、服务项目和收费标准，实行明码标价，自觉接受委托人及社会各方面的监督。

七、税务代理机构应当严格执行国家有关收费管理的法规和政策，建立健全内部收费管理制度，自觉接受价格主管部门的监督检查。

八、税务代理机构有下列行为之一的，由价格主管部门依据《价格法》和《价格违法行为行政处罚规定》予以查处。

(一)超出指导价浮动幅度制定收费标准的；

(二)提前或推迟执行政府指导价的；

(三)自立收费项目和收费标准收费的；

(四)采取分解收费项目、重复收费、扩大收费范围等方式变相提高收费标准的；

(五)违反规定以保证金、抵押金等形式变相收费的；

(六)强制或变相强制服务并收费的；

(七)不按规定提供服务而收取费用的；

(八)未按规定进行明码标价的；

(九)对委托人实行价格歧视的；

(十)其他违反本通知规定的收费行为。

十、各省、自治区、直辖市价格主管部门会同同级税务主管部门可根据本通知制定本地区税务代理收费的具体管理办法。

旅游价格部分

国家计委关于调整甘肃麦积山石窟门票价格的批复

1999年1月6日　　计价格〔1999〕18号

甘肃省物价局《关于调整麦积山石窟门票价格的报告》(甘价费〔1998〕271号)收悉。经研究，现批复如下：

一、麦积山石窟新开发中区参观路线及新开放洞窟与原参观路线及洞窟一票出售，门票价格调整为每张30元。

二、门票价格对学生、现役军人实行优惠，优惠票价为每张15元。

三、门票外不得加收或代收任何费用。

四、请认真做好新票价的实施工作，门票价格应在售票处显著位置用中、英文进行明码标价。

五、新票价自1999年2月1日起执行。

国家计委关于调整
石林风景区门票价格的批复

1999 年 1 月 6 日　　计价格〔1999〕19 号

云南省物价局《关于提高石林风景游览参观点门票价格的报告》(云价经发〔1998〕289 号)收悉。经研究,现批复如下:

一、石林风景区门票价格调整为每张 55 元。

二、门票价格对学生、现役军人实行优惠,优惠票价为每张 30 元。

三、门票外不得加收或代收任何费用。

四、请认真做好新票价的实施工作,门票价格应在售票处显著位置用中、英文进行明码标价。

五、新票价自 1999 年 2 月 1 日起执行。

国家计委关于山西云岗石窟门票价格的批复

1999 年 3 月 4 日　　计价格〔1999〕211 号

山西省物价局《关于申请调整山西大同云岗石窟门票价格的报告》(晋价费字〔1998〕432 号)收悉。经研究,现批复如下:

一、云岗石窟门票价格调整为每张 35 元。

二、门票价格对学生、现役军人等实行优惠,优惠票价为每张 15 元。

三、门票外不得加收或代收任何费用。

四、请认真做好新票价的实施工作,门票价格应在售票处显著位置用中、英文进行明码标价。

五、新门票价格自 1999 年 5 月 1 日起执行。

国家计委办公厅关于千年庆典期间
泰山进山门票执行旺季票价的批复

1999 年 12 月 29 日　　计办价格〔1999〕984 号

山东省物价局《关于千年庆典活动期间泰山进山门票执行旺季价格的请示》(鲁价费发〔1999〕348 号)收悉。经研究,现批复如下:

为调节千年庆典登山活动期间登山客流量,保证活动的顺利进行,同意泰山风景区于 1999 年 12 月 31 日至 2000 年 1 月 2 日期间临时执行旺季门票价格。泰山风景区应加强门票价格管理,并向游客做好宣传解释工作,确保临时门票价格的顺利执行。

价格监督检查部分

国家计委　国家税务总局关于税务部门收费检查有关政策界限的通知

1999年2月2日　　计价检〔1999〕112号

为使税务部门收费检查结案处理工作做到有章可循、有法可依，现就有关问题通知如下：

一、关于纳税保证金、发票保证金检查处理的政策依据

《中华人民共和国税收征收管理法实施细则》（中华人民共和国国务院令第123号）规定："对未领营业执照从事工程承包或者提供劳务的单位和个人，税务机关可以令其提交纳税保证金"；财政部发布的《中华人民共和国发票管理办法》规定："税务机关对外省、自治区、直辖市来本辖区从事临时经营活动的单位和个人申请领购发票的，可以要求其提供保证人或者根据领购发票的票面限额及数量交纳不超过一万元的保证金。"各级税务机关必须按照上述规定及标准，收取纳税保证金和发票保证金。凡超出上述范围、标准以及省级人民政府有关规定多收的保证金或押金，各级价格主管部门要依据《中共中央办公厅、国务院办公厅关于转发财政部〈关于治理乱收费的规定〉的通知》（中办发〔1993〕18号）、《中共中央、国务院关于治理向企业乱收费、乱罚款和各种摊派等问题的决定》（中发〔1997〕14号）及省级人民政府的有关规定，按乱收费查处。多收的保证金、押金以及利息要限期退还纳税人，超过规定期限未退或无法退还等尚未处理的余额，由各省价格主管部门负责上报国家计委价格监督检查司，待统一研究处理。

二、关于税务代理收费检查处理的政策依据

税务代理收费的项目和标准，要按照价格主管部门的有关规定执行，税务代理机构必须与纳税人签订代理协议并提供相应的服务内容。对于税务机关将办理税务登记证、一般纳税人认定、年审、代开增值税发票等行政职能转交中介机构办理并收费，变无偿服务为有偿服务或强制纳税人接受指定服务并收费的；税务代理机构提高收费标准及自立收费项目的，税务代理机构未与纳税人签订协议，强行服务的，均属乱收费行为，要根据《国家计委印发〈关于治理乱收费减轻企业负担有关政策的意见〉的通知》（计价费〔1997〕1511号）规定，进行查处。

三、关于取消收费项目检查处理的政策依据

凡继续执行国务院及财政部、国家计委（包括原国家物价局）和省级人民政府及其价格主管部门、财政部门已公布取消的收费项目的，或对已降低的收费标准继续按原标准收费的，按乱收费从严查处。继续收取发票管理费的，在处理时可适当考虑扣减未计入发票价格的制作成本、运输、仓储等劳务费用及损耗等因素。由税务机关代开发票的，可按省级或国家价格主管部门核定的价格收取单份工本费。

四、关于税务机关收费项目和标准检查处理的政策依据

税务机关收取的证照、表、册工本费标准，须由国家和省两级人民政府及其价格主管部门和财政部门制定。对自立收费项目、执行越权制定的收费标准以及未申领《收费许可证》、不使用收费专用票据向企业收费的，均按乱收费查处。

五、关于IC卡价格检查处理的政策依据

《国家计委关于核定金税工程所用产品试销价格的通知》（计价管〔1996〕1796号），对金税工程所用产品已制定了供应价格和零售价格，各地要严格按照执行。对于其他用途的IC卡价格，必须经省级或国家价格主管部门批准后执行；未经批准的，一律按价格违法行为依法查处。

国家计委 交通部关于开展全国交通收费检查的通知

1999年3月11日　　计价检〔1999〕247号

改革开放以来，国家制定和实施了一系列加快交通建设的政策和措施，鼓励多渠道筹集建设资金，增加投入，在一定程度上缓解了建设资金不足造成的交通瓶颈状况，公路、水路等基础设施建设有了很大发展，促进了整个国民经济的繁荣。但是，一些地方违反国家政策规定乱收费现象仍然存在，有的还相当严重，社会反映强烈。为贯彻落实党中央、国务院有关减轻企业和农民负担的决定，坚决治理各种乱收费，确保国家"交通和车辆税费改革"政策的顺利实施，决定在全国开展对交通收费执行情况的专项检查，现将有关事项通知如下：

一、检查的范围和内容

检查的范围是1997年1月1日以来，交通系统及其它涉及交通收费的相关部门（公安部门另行安排，下同）和企业所发生的收费行为。主要内容包括交通行政事业性收费、路桥通行费、港航行政事业性收费及与交通有关的其它部门收费等。

二、检查的时间和步骤

此次检查由国家计委会同交通部统一部署，具体工作由国家计委价格监督检查司负责组织实施。各省、自治区、直辖市价格主管部门会同交通部门组织安排，具体工作由价格主管部门落实。整个检查工作分为两个阶段。

（一）1999年3月16日至5月15日为检查实施阶段。各级价格主管部门要按照《通知》要求对收费部门和单位实施直接检查。检查方法以下查一级为主，本级检查为辅，下查一级可由上级价格主管部门直接检查或组织联合办案，也可组织交叉检查。国家计委将重点确定一些地区进行直接检查或组织联合检查，并会同交通部组成工作组到部分地区督促指导工作。

（二）1999年5月16日至5月31日为整改总结阶段。省级价格主管部门对本辖区的检查情况进行总结验收，并对检查中发现的问题提出整改意见。

三、检查处理依据

交通收费检查的主要政策文件依据是：《价格法》、《公路法》、《中共中央、国务院关于坚决制止乱收费、乱罚款和各种摊派的决定》（中发〔1990〕16号）、《中共中央、国务院关于治理向企业乱收费、乱罚款和各种摊派等问题的决定》（中发〔1997〕14号）、《国务院关于禁止在公路上乱设卡乱罚款乱收费的通知》（国发〔1994〕41号）和交通部、国家计委、财政部《关于发布〈关于在公路上设置通行费收费站（点）的规定〉的通知》（交公路发〔1994〕686号）、《国家物价局、财政部关于发布中央管理的交通系统部分行政事业性收费目录的通知》（〔1993〕价费字17号）、国家计委《印发〈关于商品和服务实行明码标价的规定〉的通知》（计市场〔1994〕220号），以及国家计委（包括原国家物价局）、财政部和省级人民政府及其价格、财政主管部门等有关文件规定。

根据上述文件规定，下列行为属乱收费行为，各级价格主管部门应予以严肃查处。

（一）自立收费项目、扩大收费范围、提高收费标准、超越收费时限、增加收费频次或分解收费项目、重复收费的；

（二）继续执行国家明令取消的收费项目或越权批准收费的；

（三）不执行国家规定的收费减免政策收费的；

（四）将行政职责范围内的正常公务交由下属单位进行有偿服务或以保证金、抵押金、赞助等形式巧立名目乱收费的；

（五）利用行政权利强迫管理对象接受指定服务、购买产品或将应由管理对象自愿接受的咨询、信息、检测和商业保险等服务变为强制性服务，强行收费的；

（六）违反法律、法规规定，要求管理对象参加培训、学术研讨、技术考核、检查评比、学会、协会、公告，并收取费用的；

（七）不符合国家规定的收费条件设站收取车辆通行费，或政府还贷性收费公路未按国家规定将收取的路桥通行费用于偿还贷款和其它正常开支，而坐支挪用的；

（八）国内外经济组织在依法取得收费还贷公路（桥梁、隧道）收费权后，未按规定到省级价格主管部门重新办理审批手续收费的；

（九）越权审批收费项目、制定收费标准的；

（十）不按价格主管部门规定实行明码标价或收取未予标明费用，以及不执行收费许可证制度的；

（十一）其它违反国家收费政策规定的。

四、检查要达到的目标

治理交通乱收费是社会普遍关注的热点问题，其效果关系到党中央、国务院减轻企业和农民负担政策的贯彻落实，关系到交通和车辆税费改革工作的顺利实施，关系到规范政府及交通等部门的收费行为。通过检查要达到的目标是：国家交通收费法律、法规、规章和政策得到广泛宣传；部分地方政府和交通等部门的乱收费行为依法受到查处；企业和人民群众的不合理负担切实得到减轻；交通等部门的收费行为得到规范；交通收费管理和政策得到加强和完善。

五、检查工作要求

（一）各级价格和交通等主管部门要高度重视此项工作，加强对检查工作的领导，抓好安排部署和组织实施工作，加强配合，扎实工作，抓出成效。

（二）各级价格主管部门要严格依法行政，坚持原则，敢于碰硬。对抗拒检查和屡查屡犯的单位和个人要从重处罚。对检查出的问题要按照有关法律、法规进行处理。

（三）各级交通等部门和单位要按照《通知》要求，积极配合价格主管部门开展检查工作。如实反映情况，提供资料，并对检查出的问题，认真整改，加强管理。

（四）各级价格主管部门在检查期间，要注意发挥社会和舆论监督的作用。向社会公布举报投诉电话，指定专人受理投诉。要通过电视、广播和报刊等新闻媒介，大力宣传交通收费检查的意义，对一些情节严重、性质恶劣的单位和个人及典型案例要公开曝光。

（五）各级价格检查人员要严格执行国家有关廉正建设的规定，遵纪守法，廉洁自律，自觉维护价格执法人员的形象。

（六）各省、自治区、直辖市价格和交通主管部门要认真做好交通收费检查总结工作，并于1999年6月10日前分别向国家计委和交通部报送交通收费专项检查总结报告和统计报表（见附件，略）。

国家计委　民航总局关于开展民航国内航线客票价格检查的通知

1999年3月18日　　计价检〔1999〕287号

为贯彻落实《国家计委、民航总局关于加强民航国内航线票价管理，制止低价竞销行为的通知》（计价格〔1999〕74号），加强国内航线票价监管工作，规范票价销售行为，整顿市场价格秩序，国家计委、民航总局决定在全国范围内开展民航国内航线客票价格专项检查。现将有关事项通知如下：

一、检查的范围、时限

检查范围：国内所有从事民航机票销售的单位，包括民航各航空公司、联合航空公司和从事民航机票销售的代理企业。

检查时限：1999年2月1日以来客票价格的执行情况。

二、检查的内容、重点

（一）检查的内容：各单位执行《国家计委、民航总局关于加强民航国内航线票价管理，制止低价竞销行为的通知》（计价格〔1999〕74号）和《国内航段旅客票价、逾重行李运费表》有关规定的情况。

（二）检查重点

1、销售机票的票价是否执行国家规定价格，有无擅自提高或降低票价行为；

2、销售机票时是否存在以改变售票日期、免费提供住宿等手段，变相降低票价的行为；

3、销售优惠机票的票价是否按规定执行。有无越权销售优惠机票的行为；有无超范围、超标准销售优惠机票的行为以及以“团队免票”、“奖励免票”、“散客充团”、“假师生折扣”、“少收多开”或者以现金、实物、优惠卡等形式为名变相降低票价的行为；

4、销售代理手续费是否按规定标准执行，有无超标准结算代理手续费或者采用“净价结算”、“促销奖励”、“有价免票”等形式变相提高代理手续费标准的行为；

5、各航空公司支付的国内航线客票销售代理手续费开支是否与国际航线客票销售代理手续费开支分别记帐，单独列支；

6、已经使用中性客票进行销售的代理人有无继续混用中性客票和航空公司客票销售的行为；

7、其它价格法律、法规明令禁止的行为。

三、检查的时间、方法及组织领导

（一）检查时间：1999 年 4 月 1 日至 5 月 10 日。

（二）检查方法：以属地检查为主。具体检查方法由各省级价格主管部门商民航地区管理局及省民航管理局确定。检查组人员中应尽量安排民航管理部门的同志参加协助检查。国家计委、民航总局在必要时，将组织力量进行跨省交叉检查。

（三）组织领导：此次全国民航国内航线客票价格专项检查由国家计委、民航总局共同组织、统一部署。各省级价格主管部门会同民航地区管理局及省民航管理局具体实施。届时，国家计委、民航总局将组成联合督导组，对各地检查工作进行督察指导。

四、对检查工作的要求

（一）各地价格、民航部门要积极协调、互相配合，精心组织，周密安排，切实抓紧抓好。遇有重大问题要加强沟通，并及时上报。

（二）各级价格监督检查人员要加强对国家民航价格管理政策法规和业务知识的学习，提高办案水平，要秉公执法，廉洁自律。

（三）各被查单位要认真进行自查并积极配合检查工作，主动提供有关资料，不得刁难、抗拒检查。同时要加强自我约束及监督举报。

（四）对检查中发现的价格违法问题由价格主管部门依照有关法规予以处罚，运输业务及其它问题由民航主管部门依照《民用航空法》及有关规定予以处罚。对违法情节严重的单位除予以罚款外，应责令其停业整顿或提请民航、工商行政管理部门吊销有关证照；对性质恶劣的典型案件，要通过新闻媒介予以曝光。

（五）各省、自治区、直辖市价格主管部门在检查工作结束后要认真进行总结，并将总结报告于 1999 年 5 月底以前上报国家计委（价格监督检查司）。各地区及省级民航主管部门也要认真总结，并将当地检查情况及时上报民航总局。

国家计委 国家经贸委关于加强联运代理服务市场管理规范收费行为有关问题的通知

1999 年 5 月 11 日　　计价格〔1999〕516 号

为加强联运代理服务市场管理，规范联运代理服务经营者价格行为，促进联运代理服务业的健康发展，现就有关事项通知如下：

一、联运代理服务是指受托运人、收货人或旅客的委托，联运代理经营者（以下简称联运代理人）为委托人实现两种以上运输方式（含两种，下同）的衔接，以及代办相关服务的运输代理行为。联运代理人是指由工商管理部门注册、登记，核发营业执照，从事联运代理服务的独立法人企业或个体工商户。

二、联运代理服务包括货物联运代理和旅客联运代理两部分：

（一）货物联运代理服务包括全程代理、中转换装代理。全程代理是指由联运代理人全面负责货物接取、送达、中转换装和相应辅助服务的代理行为；中转换装代理是指由联运代理人负责在两种运输方式之间代办运输衔接业务及提供相关辅助服务的代理行为。

（二）旅客联运代理服务，是指联运代理人受旅客委托，代购旅客客票，或受运输企业委托，按有关运输主管部门规定开展两种以上(含两种)运输方式的客票代售、联售代理行为。

三、加强联运代理服务市场管理,规范联运代理经营行为。

(一)联运代理人实行属地管理原则。申请联运代理服务须经当地省级经贸委(经委、计经委、交委、交办,以下简称经贸委)或其授权机构审查经营资格和业务范围后,方可办理工商登记注册或经营范围变更。

(二)联运代理人应是独立核算、自负盈亏,能独立承担民事责任的独立经济实体。凡未在工商管理部门注册登记,或虽经工商管理部门注册登记,但不具备联运代理服务条件的,一律不得从事联运代理服务。

(三)联运代理服务必须坚持自愿原则。联运代理人不得利用货源和装卸条件垄断经营,强制代理。各种运输方式承运人依法开展联运代理服务业务,必须与运输主业分离;不得占用车站、机场、港口的场地和设备开展联运代理服务业务;不得以运输或装卸为条件强行开办联运代理服务,垄断经营。

(四)联运代理人要按照经批准的经营范围开展业务,依法纳税,统一使用经国家税务总局批准的《全国联运行业货运统一发票》或《服务业统一发票》。

(五)联运代理人在本地或异地开展代理业务时,要自觉接受当地有关部门的监督管理。

四、规范联运代理服务价格行为。

(一)联运代理人从事与铁路运输延伸服务内容相同业务的,其收费项目和标准可按《国家计委关于核定铁路货物运输延伸服务综合服务项目收费标准的通知》(计价管〔1998〕587号)的有关规定执行。

(二)从事其他联运货物代理业务的,由省级价格主管部门商同级经贸委根据联运代理服务内容和范围提出收费项目,报国家计委审批;其收费标准暂由省级价格主管部门按弥补联运代理服务社会平均成本、缴纳税金和取得合理利润的原则确定,并报国家计委备案。

(三)联运代理服务经营民航客票销售代理业务的,收取手续费标准按民航总局有关规定执行。

(四)办理铁路旅客车票代理服务的,仍按国家计委计电(95)126号文件的规定执行,只许按规定标准收取送票费。

五、加强监督检查。各级经贸委要会同有关部门切实加强对联运代理服务市场的管理,规范联运代理服务经营行为。各级价格主管部门和经贸委要按《通知》要求,会同当地有关交通运输管理部门对本地联运代理人进行一次全面的清理整顿。对非法经营联运代理服务的,要坚决取缔;对达不到服务条件或经营不规范的要限期整改。联运代理人要严格执行明码标价制度,要将收费项目和标准在经营场所的醒目位置公布,主动接受用户和社会监督。各级价格主管部门对联运代理人的收费行为要加强监督检查。对强制服务、强行收费,或以联运代理服务为名,巧立名目乱加价、乱收费,只收费不服务等价格违法行为,要依法查处。各省级价格主管部门可根据本《通知》精神,制定本省(区、市)《联运代理服务收费管理办法》,报国家计委备案后执行。

本《通知》在执行过程中如遇国家政策调整需调整内容时,由国家计委商国家经贸委另行通知。请将执行中出现的问题及时报告国家计委和国家经贸委。

国家计委 教育部关于制止向普通高校毕业生乱收费的通知

1999年6月28日 计价检〔1999〕738号

为做好普通高校毕业生就业工作,国务院及有关部门先后下发了《国务院关于做好1998年普通高等学校毕业生就业工作的通知》(国发〔1998〕16号)及《国家计委、教育部关于对普通高校毕业生收费有关政策问题的通知》(计价费〔1998〕1349号),对高校毕业生收费等有关政策作了明确规定。但一些地区、部门和单位仍然存在违反政策规定巧立名目乱收费的问题。这些乱收费行为违反了国务院的有关规定和国家价格政策，加重了学生和家长的经济负担，对此，社会各界反映强烈。鉴于1999年普通高校毕业生就业工作已经开始，为贯彻落实国务院有关文件精神，坚决制止针对毕业生就业的各种乱收费，确保1999年高校毕业生就业工作的顺利进行，根据国务院领导批示，现就制止向毕业生乱收费的有关问题通知如下：

一、各有关部门和高等院校要站在讲政治和保持社会稳定的高度，充分认识禁止向毕业生乱收费对于安排毕业生就业的重要意义。要严格按照国务院国发〔1998〕16号及国家计委、教育部计价费〔1998〕1349号文件的规定执行，不得以任何理由收取国家已明令取消的收费项目或巧立名目、扩大范围、提高标准乱收费。

二、各地价格和教育行政主管部门要统一思想，顾全大局，采取有效措施，切实减轻学生和家长的不合理经济负担，对本地区及有关部门以前所发文件进行认真清理。凡其收费规定与国务院国发〔1998〕16号文件及国家计委、教育部计价费〔1998〕1349号文件相抵触的，应予以废止，并向社会公布，同时做好事后的相关工作。

三、各地价格主管部门要按照国务院的要求，加强对高校毕业生乱收费的监督检查，把此项工作作为1999年治理教育乱收费的一项重要内容。各级教育行政主管部门要积极配合，做好工作。对国家计委、教育部计价费〔1998〕1349号文件下发后，仍以各种名目乱收费的地区、部门和学校，价格主管部门要依据《价格法》的有关规定，从严查处。乱收的费用要退还学生，不能退还的由价格主管部门予以没收，上缴国库。

四、各级价格、教育行政主管部门要充分发挥社会监督，特别是新闻媒体的舆论监督作用，宣传报道高校毕业生收费的有关政策，对认真执行国家收费政策的典型要宣传表扬；对情节严重、性质恶劣的乱收费案件要予以公开曝光。

本通知由国家计委负责解释。

国家计委价格监督检查司关于微机售票网点收取送票费问题的答复

1999年7月20日　　计司价检〔1999〕25号

山东省物价检查所《关于微机售票网点收取送票费问题的请示》(〔1999〕鲁检字第8号)收悉。经研究，现答复如下：

铁路运输企业设立微机售票或其他形式车票代售点出售火车票，一律不得加收任何费用。其成本支出，应通过铁路运输收入补偿。社会(除铁路运输企业外)设立微机售票网点、人工售票网点等方式出售的火车票，应参照《国家计委、铁道部关于调整铁路客运价格的通知》〔计电(95)126号〕执行，经省级价格主管部门批准后，每张客票可收取不超过5元的送票费，并使用经税务部门核发的全国"服务业统一发票"。超过上述标准收费的，属乱收费行为，各级价格主管部门要依法查处。

国家计委贯彻实施《价格违法行为行政处罚规定》的通知

1999年9月29日　　计价检〔1999〕1450号

《价格违法行为行政处罚规定》(以下简称《处罚规定》)经国务院批准，已于1999年8月1日由国家计委发布施行。《处罚规定》是与《价格法》配套的重要行政法规，它的发布施行，是我国价格法制建设的一件大事。各级价格主管部门要对《处罚规定》的贯彻实施给予高度重视，认真做好有关工作。现将有关事项通知如下：

一、各地价格主管部门要结合本地实际，充分利用报刊、广播、电视等舆论工具，采取开展咨询活动，发放宣传材料，举办知识竞赛等多种形式，大力宣传《处罚规定》的基本精神和重要内容；宣传《处罚规定》的发布实施对于整顿市场价格秩序，保护消费者和经营者的合法权益，促进社会主义市场经济健康发展的重要作用，以及贯彻实施《处罚规定》对于创造良好的投资环境和消费环境，增强消费者对市场的信心，扩大内需，拉动经济增长的重大意义。通过广泛宣传，增强全社会的价格法制意识。

二、各地价格主管部门要采取辅导、讲座、座谈等多种形式，认真组织对《处罚规定》等价格法律、法规的学习、研讨和培训工作，做到正确掌握价格法律、法规、规章和政策，以便在工作中熟练运用，依法行政。要把学习《处罚规定》同学习《行政处罚法》、《行政复议法》、《行政诉讼法》和《价格法》结合起来。各级领导干部要带头学好。国家计委将统一编发关于《处罚规定》的学习用书，并将分期分批组织各地价格监督检查干部进行法律、法规的研讨和培训，具体事宜另行通知。

三、《处罚规定》的适用范围与《价格法》相一致。关于国家行政机关收费问题，按照《国务院法制办公室对〈国家计委关于请明确国家行政机关收费管理执法主体问题的函〉的复函》（国法发〔1999〕27号）执行。

四、在新的价格监督检查管辖规定出台之前，各地价格监督检查工作仍按照原国家物价局《关于各级物价检查机构价格监督检查分工管辖的若干规定（试行）》（〔1989〕价检字179号）执行。

五、价格执法人员在进行监督检查时，应当出示国家计委统一制发的价格监督检查证。在执法过程中，要文明执法，严格遵守《物价检查人员廉洁自律的若干规定》。

六、依法进行检查时，对拒绝提供价格监督检查所需资料或者提供虚假资料的，依照《处罚规定》第十二条处罚。处罚后，仍可以对被检查者进行监督检查。

七、根据《处罚规定》的要求，经营者对政府价格主管部门作出的处罚决定不服的，应当先依法申请行政复议；对行政复议决定不服的，可以提起行政诉讼。在处罚决定书中只表述当事人可以向上一级价格主管部门或者本级人民政府申请复议。

八、各级价格主管部门要按照国家计委计价检〔1998〕598号文件的要求，在地方机构改革中保持价格监督检查工作的完整性、稳定性、连续性。要为物价检查所开展工作创造各项必要的条件，切实加强价格行政执法工作。

九、要以贯彻实施《处罚规定》为契机，加大执法力度，规范执法行为，提高办案质量。严格执行《价格法》、《行政处罚法》、《处罚规定》以及《价格行政处罚程序规定》等法律、法规和规章，坚持“事实清楚、证据确凿、定性准确、处理恰当、手续完备、程序合法”的方针，既重实体，又重程序，使处理的案件经得起行政复议和行政诉讼的检验。

各地接到本通知后，要认真贯彻执行，并将遇到的问题以及建议和意见及时报告国家计委。

国家计委 信息产业部关于开展全国电信资费检查的通知

1999年11月10日　　计价检〔1999〕1976号

为推动电信资费改革的顺利实施，保证国家电信资费政策的贯彻执行，规范电信企业的价格行为，切实减轻用户负担，促进电信消费，创造电信业健康发展的环境，国家计委、信息产业部决定在全国开展电信资费执行情况的专项检查。现将有关事项通知如下：

一、检查的范围和重点

检查的范围是电信运营企业（包括所有专兼营

电信业务的单位)1998年1月1日以来所发生的资费行为。

检查重点是:经营固定电话、移动电话、无线寻呼、公用电话及代办点、互联网、出租电路等业务的单位和个人执行国家电信资费政策的情况。重点检查是否存在以下价格违法行为:

(一)擅自提高国家规定的电信资费标准;

(二)擅自设立项目、标准收费;

(三)继续收取明令取消的收费项目,不执行规定的减免优惠政策;

(四)采取改变电信业务规程等形式,变相提高收费标准;

(五)以保证金、抵押金等形式强行集资和收费;

(六)擅自改变计费方式,直接或变相降低国家规定的资费标准;

(七)地方政府、部门越权规定资费项目、标准、加价集资或降低国家规定的资费标准;

(八)其它违反国家规定的资费政策的行为。

二、检查时间和步骤

检查时间为1999年12月1日至2000年2月10日,分为3个阶段实施:

(一)1999年12月1日至12月10日为企业自查阶段。各地电信运营企业要按照本通知要求的检查范围和重点进行严格自查,主动查找经营中存在的各种违价问题,并在12月10日前将自查情况报当地价格主管部门。

(二)1999年12月11日至2000年1月20日为检查实施阶段。各地价格主管部门要按照本通知的要求,对本地的检查工作作出具体安排,组织本地检查人员对重点部门和企业进行检查,并安排人员对本地检查工作进行协调、督导和指导。对法律、法规和政策明确,违法事实清楚的案件,要依法进行处理。

(三)2000年1月21日至2月10日为总结整改阶段。各省价格主管部门、电信管理部门要对此次检查进行总结验收,督促有关电信企业建立健全收费管理制度,并于2月10日前将检查总结分别上报国家计委价格监督检查司、信息产业部电信管理局。

三、检查方式和依据

检查工作由国家计委会同信息产业部部署,具体工作由国家计委价格监督检查司和信息产业部电信管理局负责组织实施。各地检查工作由各省、自治区、直辖市价格主管部门会同电信管理部门负责组织安排,具体工作由价格监督检查机构负责落实。检查采取下查一级为主和本级检查相结合的方法进行,下查一级可由省级价格主管部门的价格监督检查机构直接检查、组织联合办案、组织交叉检查,也可部署地市价格主管部门安排检查。为加大检查力度,国家计委将重点确定10个省(自治区、直辖市)进行直接检查或组织联合检查,并会同信息产业部组成工作组到部分地区督导工作。

电信资费检查的主要政策文件依据是:《中华人民共和国价格法》、《价格违法行为行政处罚规定》、国务院有关文件,国家计委、信息产业部制定的有关电信资费文件,各省、自治区、直辖市人民政府及其价格主管部门、电信管理部门按照规定权限制定的地方性规章及电信资费政策文件。对检查中查出的问题要按照上述法律、法规的规定进行处理。

四、检查工作的要求

(一)明确认识,加强领导。这次在全国开展电信资费专项检查,是为了贯彻党中央、国务院关于减轻企业和农民负担的精神,拉动消费需求,促进经济增长。同时也是为了规范电信运营企业的价格行为,创造公平竞争的市场环境,促进我国电信企业的发展。各地价格主管部门和电信管理部门要高度重视此项工作,按照本通知的要求,统筹安排,协调一致,密切配合,迅速开展工作。各地价格主管部门要做好检查所需法规、文件准备工作,对参加检查的人员进行电信资费政策的培训,做到了解政策、熟悉情况、明确任务。

(二)做好宣传工作。各地价格主管部门要发挥社会和舆论监督的作用。要通过电视、广播和报刊等新闻媒介宣传电信资费专项检查的重要意义和有关政策规定,向社会公布投诉举报电话,指定专人受理投诉,鼓励群众主动举报。要针对发现的一些具体情况和实际问题深入细致地做好政策宣传,把检查不断引向深入。要选择一些情节严重、性质恶劣的企业和单位的典型案例予以公开曝光。

(三)抓好重点检查工作。在检查阶段,各地价格主管部门要精心组织,周密安排。结合平时所掌握的有关情况,确定检查重点。做到检查既要全面,不遗漏项目,不留死角,又要有所侧重,突出重点;严格掌握政策。坚持以事实为根据,以法律为准绳。对严格执行国家政策的要表扬;对按要求认真自查并如实上报违价问题的单位,要按有关规定从宽处理。遇到政策界限不清，文件依据不足等问题，要及时上报反映。各级价格监督检查人员在检查中要严格执行国家有关廉政建设的规定，遵纪守法，廉洁自律。

(四)做好检查的配合工作。电信运营企业要按本通知规定的检查范围、内容、时间、要求，认真自查，并将自查情况如实上报当地价格主管部门。各地电信管理部门要支持配合此项检查工作，要求所属企业和单位如实、全面提供检查所需资料，保证检查工作达到预期效果。凡自查不认真，走过场，不上报自查报告的；凡在检查中不如实提供情况，不予配合，刁难拖延的；凡采取欺骗手段，涂改帐目，逃避检查的，要依法从严处理。问题严重的要移送监察部门追究有关领导人和责任人的行政领导责任。

(五)做好整章建制和总结工作。各地价格主管部门和电信管理部门，要针对检查中发现的一些带有普遍性、倾向性的电信资费政策执行中的问题，提出整改的意见，促进电信企业堵塞漏洞、汲取教训、健全制度，加强管理。各地价格主管部门要认真做好这次检查的总结工作，既要总结这次检查取得的成效和行之有效的工作方法，又要总结执行资费政策方面存在的问题，认真分析研究问题发生存在的原因，并提出改进工作、加强管理的意见，为今后开展专项检查提供经验。

附：全国电信资费检查统计报表(略)

国家计委　国务院纠风办关于禁止对政府投资建设和偿还完贷款的公路、桥梁、隧道收取车辆通行费的通知

1999年11月29日　　计价检〔1999〕2109号

1999年上半年，国家计委和交通部组织开展了全国交通收费专项检查。在检查中发现，一些地方政府和有关部门以缩短还贷期限或便于车辆分流的名义，对由政府投资建设或者偿还完贷款的公路、桥梁、隧道收取通行费，有的还对改革开放前甚至解放前建成的收取车辆通行费，加重了企业和群众的负担，社会反映十分强烈。为坚决制止乱收费，整顿收费秩序，现将有关事项通知如下：

一、严格执行国家规定，坚决做到令行禁止。对于贷款、集资建设的公路、桥梁、隧道，收取车辆通行费要严格按照《公路法》、《国务院关于禁止在公路上乱设站卡乱罚款乱收费的通知》(国发〔1994〕41号)及《交通部、国家计委、财政部关于发布〈关于在公路上设置通行费收费站(点)的规定〉的通知》(交公路发〔1994〕686号)的有关规定执行。在市区内建设的桥梁、隧道收取车辆通行费必须严格按照《城市道路管理条例》规定的条件执行。严禁对政府投资建设的公路、桥梁、隧道收取车辆通行费，也不得以捆绑的方式变相收费，即不得将贷款、集资建设的公路、桥梁、隧道收费平摊到政府投资建设的公路、桥梁和隧道；严禁对已偿还完贷款的公路、桥梁和隧道收取车辆通行费；收费还贷期满的公路、桥梁、隧道应及时拆除收费站，停止收取车辆通行费；严禁在还贷期满转让经营权(收费权)继续收费；严禁对收费还贷的公路、桥梁、隧道收取预算外调控资金等。对符合收取车辆通行费条件，经批准收费的，要实行明码标价，公开收费标准、收费时限，接受群众和社会的监督。要坚持量力而行和勤俭办事的原则，用好"贷款修路，收费还贷"政策。

二、限期改正，加强公路、桥梁、隧道收费的监督检查。各地应立即组织力量，对公路、桥梁、隧道收费中存在的问题进行认真清理检查，已对政府投资建设的公路、桥梁、隧道收取车辆通行费的，违反规定擅自设站收费的，已偿还完贷款仍继续收费以及未将收费用于还贷而挪作他用的行为，要在1999年12月底之前纠正，并区别情况给予经济处罚。同时，将纠正处理情况报国家计委、国务院纠风办。届时，国家计委、国务院纠风办将对各地清理整顿情况进行检查验收，对有令不行、有禁不止的地区和单位，将直接予以查处，除没收违法收入外，还要处以罚款，并通过新闻媒体公开曝光；对于性质恶劣，情节严重的，要追究有关领导和直接责任人员的行

政责任。

国家计委　财政部关于行政事业单位违法所得处理有关问题的复函

1999年12月30日　　　　计价检〔1999〕2340号

广东省物价局《关于价格违法所得收缴若干问题的请示》(粤价〔1998〕311号)收悉。经研究,现函复如下:

一、行政事业单位收取的行政事业性收费和罚没收入应按规定实行“收支两条线”管理。财政、计划(物价)等有关部门在检查中如果发现有违反规定将违法所得缴入预算外资金财政专户的,要按有关规定处理。该清退的要及时予以清退;应作为罚没收入上缴国库的,要按财政部门或价格主管部门的处罚决定由财政部门从财政专户中直接划入国库。

二、对“罚没收入”的收缴,要依照财政部《关于发布〈罚没财物和追回赃款赃物管理办法〉的通知》(86财预字第228号)和《关于印发〈罚款代收代缴管理办法〉的通知》(财预字[1998]201号)的有关规定执行。

Ⅲ　各地物价

北　京　市

1999年,北京市全年市场价格总水平高于全国平均水平,呈低位小幅波动态势。居民消费价格指数为100.6%,商品零售价格指数为98.8%,均居36个大中城市由高到低排位的前列。

一、积极推进价格改革,促进首都经济和各项改革事业协调发展

全年共进行十多项价格改革,提价总金额20亿元。调整民用蜂窝煤、煤气等民用燃料价格,平均调价幅度25～50%;调整民用自来水价格,由每吨1元调至每吨1.3元,居民污水处理费由每吨0.1元调至0.3元,地表水、地下水资源费也做了适当调整;调整了部分公交、地铁票价,调价金额7.3亿元;提高机场高速路收费标准,综合上调幅度49.94%;上调陶然亭等13家公园门票价格;制定出台了学校住宿费管理办法、高职学费标准,调整了普通高校学费标准;有升有降地调整了住院床位费等726种医疗收费标准,平均提价幅度28%。

为积极配合首都大气环境整治工作,改善首都大气环境,提高了二氧化硫排污费征收标准;制定出台了北京市城市生活垃圾处理费征收标准、非居民用水的污水处理费标准和委托垃圾清运费、垃圾消纳场管理费新标准;机动车尾气治理产品价格及安装、修理的有关收费标准。核定8家20余种尾气治理产品的价格,降低汽油车、柴油车尾气维修治理的收费标准,分别由120元和150元降为75元和130元。

二、充分发挥价格杠杆作用,开拓市场扩大内需,促进产业结构优化

为扩大内需,促进消费,适当降低了部分商品和服务价格,降价金额13亿元。降低电话初装费,由每部3600和2600元降至1000元;根据中央精神,适当降低粮食定购价和保护价水平,小麦定购价由每500克0.76元降到0.63元,保护价由每500克0.69元降到0.63元;取消袋装消毒奶、鸡蛋、猪、牛、羊肉等26个品种规格在治理高通涨时期采取的提价申报和备案制度管理,实行市场调节价格,撤消对糕点、面包、熟肉制品的批零差率管理;放开化肥零售价格。

与有关部门共同审批经济适用住房10处;加强对房地产价格评估机构的管理,完成77家房地产价格评估机构的资质审定工作;与市统计局共同按季度编制房地产价格变动指数。

适时下放区属园林景点门票价格的管理权限,实行区物价局审核,报区政府批准的管理办法。

三、继续做好清费、治乱、减负工作,减轻企业和社会负担

在上年取消、降低149项市级物价、财政部门制定的收费标准,减轻企业负担8000多万元的基础上,进一步取消涉及15个单位的36项行政事业性收费项目,减轻企业负担14.2亿元。在全市范围内开展农村电价、电费检查,查出违法金额2100万元。12月份又开展了全面清理市级设立的52项行政事业性收费、集资、基金项目工作。

着力整顿药品价格,降低虚高药价,分两批降低366个规格品种药品价格,降价金额1亿多元;整顿公布了4000多种医院自制剂价格,对北京市场中本市及外埠的3127种药品价格进行了备案登记;同时规范了特需医疗的各项收费。

按照中央部署,开展收费许可证换发工作。在《北京日报》上刊登行政事业性收费目录,增加收费透明度,加强社会监督,保护企业依法拒付不合理不合法收费,减轻企业负担。

四、加大监督检查力度,坚持依法治价,维护消费者的合法权益

一年来,全市各级检查机构和职工义务检查组织共检查各类企、事业单位和个体工商户62600户,查处价格违法案件5861件,违法所得4887万元,经济制裁总金额4550.24万元,其中,退还用户及消费者1513.11万元,有力地保障了消费者和企业的合法利益。另外,查出重复收取农电附加费一案的违法所得2100万元,正在处理之中。

先后组织开展药品、饮食娱乐业价格、小区物

业管理收费、汽车尾气治理、医疗、教育收费及国家机关收费的行业和专项商品检查，查处国家行政机关乱收费1538万元；查处教育违法案件124件，经济制裁金额436.81万元；医疗违法案件101件，经济制裁金额65.16万元；药品违法案件110件，经济制裁金额44.84万元；按照国家计委要求，对312个民航营业部和机票代售点进行了民航机票价格检查，对全市67个单位进行了交通收费检查。

加强价格法制建设，以市政府令形式公布了《北京市涉案财产价格鉴定管理办法》。认真落实国务院依法行政和北京市依法治市工作会议精神，提出市物价局依法行政实施意见；认真做好价格管理规范性文件的清理工作；组织开展价格法制培训。

对汽车维修行业收费实行"一表、一册、两单"的明码标价管理；与市工商局联合下发加强集贸市场明码标价管理的规定；海淀区物价局在全区18个有收费职能的行政机关中实行国家行政机关收费公示制度，将收费机关各自的收费项目、收费标准、收费依据以及物价部门的监督电话，按照物价部门统一印制的式样上墙公示，增加了收费的透明度。全年全市物价系统共办理群众来信、来电、来访5000余件，切实维护群众利益，收到了较好的社会效果。

五、加强信息监测、调研和价格服务工作，引导结构调整和需求增长

1999年北京市的监测点已达250个，监测品种885个。利用《中华人民共和国物价公报＊北京版》和《北京物价》，及时向社会提供物价政策和信息，为政府及企业决策服务。全年市物价系统共向上级部门报送市场价格检测数据60多万条，信息180余期。完成"九五"社科规划重点研究项目《北京市价格监测、调控与管理》的专题研究工作；完成《北京市1999～2010年水价规划研究》；切实做好农本调查工作，完成北京市农产品成本常规调查和直报调查任务，上报了《北京市1998年度农产品生产成本及收益情况》的调查报告和《农副产品成本变动原因、趋势及农民收益变化情况》的调查分析报告，为政府制定农业政策提供了依据。全年召开6次听证会，对园林门票、教育收费、自来水及污水处理费、部分医疗收费、公交地铁票价调整等分别进行了听证会讨论。

进一步加大价格宣传力度。利用新闻媒体进行各类价格报道，适时发布价格改革、价格政策法规及市场价格信息。

继续做好价格评估、价格认证及价格咨询工作，全年共评估各类案件15336件，标的额3亿元，评估案件较上年增加32.3%。同期还进行拍卖底价估价442件(批)，标的额8178.55万元。

(赵鹤冲　柯　似)

天　津　市

一、运用价格杠杆，促进结构调整，努力为经济发展做贡献

配合天津市公路建设和企业改革，对19条公路的通行收费由事业性收费改为按经营性收费管理，促使公路建设企业成为自主经营、自负盈亏、滚动发展的经济组织。配合有关部门争取国家建设投资和落实配套资金，对包括公路建设、饮用水源保护工程以及利用垃圾发电等建设项目，给予收费及价格政策方面的批文质押，有力地支持了项目审批和投资评估等建设项目前期工作。

为刺激有效需求，培育新的经济增长点，做了以下工作：一是制定《天津市经济适用住房价格管理暂行办法》，从严审核并降低了安居工程住宅和中低标准普通商品住宅销售价格。二是制定加强土地使用权转让价格管理措施。三是重新审批184个商品住宅小区物业管理收费标准，降低了房产买卖登记费、房产买方交易鉴证手续费、公有住宅房屋置换手续费。四是放开公有住宅转租价格以及以租代售的商品住宅租赁价格。五是重新制定公建及新建住宅小区基础设施建设费、城市基础设施大配套工程费、热电联产企业供热配套工程收费标准。此外，为促进医药工业更快发展，研究制定了部分普

通药品实行优质优价的价格政策，放开了109种中成药价格，由企业根据市场供求状况和生产成本自主定价。

在价格改革方面，一是调整铁路货运价格、市场成品油价格及邮政电信资费结构，整顿邮政、电信建设附加费。二是根据粮食事权划分，下放部分粮食销售及价格管理权。为保证农民合理收益，减轻财政压力，在将粮食定购价、保护价并轨的基础上，适时降低了收购价格水平，并适当扩大了粮食品种的等级差价。三是改革农膜、化肥出厂价格管理办法，放开了化肥批发、零售价格；民用煤和液化气价格由政府定价改为市场调节价，由企业自主经营。四是调整管道燃气、水利工程供水及自来水价格，同步改革了污水收费办法，开征污水处理费，理顺了排污收费体制。五是适当调整取暖费负担比例。六是提高艺术类高校、成人高等教育学费标准，对按照新的管理模式和运行机制创办的民办学校和高等职业技术教育学校，合理制定了收费标准。

二、加强法制建设，开展清费治乱，努力为企业和社会创造良好环境

结合深化“三五”普法活动的要求，面向社会开展多种形式的《价格法》宣传，加强以《价格法》为核心的法律、法规政策体系建设。在已经较大范围缩减监审品种的基础上，提出重新修订和规范政府定价目录的具体意见。研究制定了《天津市道路交通事故车定损、修理、管理暂行规定》、《天津市游览参观点门票价格管理办法》、《天津市物品价格评估技术操作规程》等规范性文件。

深入开展清费、治乱、减负工作。一是取消电价外加价和集资收费项目，清理电价外乱加价、乱收费行为，为企业、居民和农民减轻负担4.6亿元。二是先后取消不合理收费42项，降低收费标准400余项，合计减轻企业和社会各方面负担近4亿元。三是印制涉及外商投资企业的收费管理目录，在全市范围内推行“企业交费登记卡”和“收费员证”制度，首批发放“登记卡”的重点保护企业已达2100多家。四是制定优化企业价格环境的六项措施和服务企业的八项措施，加大了为企业服务的工作力度。

三、整顿价格秩序，规范价格行为，完善价格形成机制

为规范电信行业不同经营主体的价格行为，维护公平竞争，统一规定了电话初装费和移动电话通话费标准。针对天津市普通高校扩大招生中出现的问题，印发了《普通高等学校扩大招生有关收费问题的通知》，制止了高校收费“双轨制”问题。规范普教系统收费、市容、环卫有偿服务收费、出租汽车管理收费、楼群包月存车收费，以及旅游参观景点门票价格。为规范收费行为，在全市范围内换发了全国统一制式的《收费许可证》。

落实国家计委降低部分中央管理药品价格规定中涉及天津市生产的13个品种药品价格；降低了180个品种药品价格，降价总金额约5500万元。对外埠1324家企业的3872个品种药品价格办理了登记手续，对其中103家企业生产的232个品种进行了规范性降价，降价金额约1500多万元。

按照国家统一部署，重点开展了民航客票价格、交通收费、涉外收费、粮食收购价格、教育收费、出租汽车收费、商品明码标价等专项检查。加强了对居民生活消费领域收费的监督检查。开展涉农收费和农村电价、商品房价格和物业管理收费、零售超市、彩色电视机及石油、成品油低价倾销的检查。各级物价机构还调整充实了价格举报中心或加强了信访举报工作力量，保证了投诉举报渠道全面畅通。全年全市共出动检查人员近5.82万人次，检查近6.6万户次，查处各类价格违法案件2913件，经济制裁总金额6985.49万元，其中，退还用户4611.44万元，上缴财政2374.05万元。

四、发挥职能优势，深入调查研究，价格服务工作水平有新提高

全市物价系统的价格监测品种目录共4大类291个品种，涵盖了生产和生活领域的各个重要方面。全年采集处理价格数据近70万价次，编发《市场价格监测》专刊27期，向各级政府上报调查报告500多份。

农产品成本调查工作，除按国家要求完成了对农户的常规调查、直报调查外，还开展了农民负担、购买农资、存粮售粮、粮食流通费用、肉蛋成本价格比较、农村低压配电成本以及省际间燃气经营成本比较等9项专项调查。在价格基础性调研方面开展了以下工作：20年价格改革成就和基本经验的总结；今后两年物价工作基本任务的研究；价格垄断、价格欺诈行为的专题调研；政府行为中的价格违法现象及对策调研。为配合价格改革和规范管理，开展了燃气成本，还本付息电价，河道、水库分级管理，地下水资源费改革效果，政府定价药品实际购销价格，中药材、饮片、计划生育药具作价办法调查。同时，还开展了企业负担及乱收费情况、公交汽

车票制改革，实施总量排污收费、教育成本、医疗成本等方面的调查。

价格信息工作按照市场和企业的要求，利用《物价公报》、《天津价格信息》、《天津药品价格》等刊物，提供了大量快捷、准确的价格政策和国内外价格信息。全年发行各种资料40万份。配合中国价格信息网的组建，精选了22个企业通过因特网，将企业形象、产品及其价格信息推向国际市场。受理各级法院和银行信贷物品评估，以及其他涉案委托评估共98件，评估总值3000多万元；评估定损事故车2万辆，定损总值1.8亿元；受理价格认证1480件，涉及1240多家企业4300多个品种规格。为规范价格评估工作，还制定了《天津市价格评估技术操作规程》。

五、加强系统建设，端正行业作风，物价队伍的整体素质有新提高

全市物价系统认真贯彻落实党的十五大和十五届三中、四中全会精神，认真学习江泽民总书记“讲学习、讲政治、讲正气”的论述以及一系列重要讲话。在北约野蛮轰炸我驻南使馆事件中，广大干部职工焕发出了高昂的爱国热情，更加坚定了坚持改革开放，建设社会主义强国的信心。通过揭批“法轮功”事件，使广大干部职工进一步认清了其危害党和国家前途命运的邪恶本质，更加坚定了做好本职工作，建设有中国特色社会主义的理想信念。通过“三讲”教育和学习，各级领导班子和处级以上领导干部，认真反思了在党性党风方面存在的问题，分析了原因，制定了边整边改的措施，精神面貌发生了深刻的变化，增强了带领全系统团结奋进，开拓创新的凝聚力。（郭永峰）

河　北　省

一、价格宏观调控取得积极效果

1999年，河北省全年平均商品零售物价指数为97.8%，居民消费价格指数为98.1%。全省各级物价部门认真贯彻党中央、国务院和省委、省政府关于综合运用各种经济政策刺激有效需求的重大决策，充分发挥价格杠杆的调节作用，积极出台了一些促进价格总水平合理适度回升的政策措施。

1、进一步清理、取消通货膨胀期间采取的一些价格管理办法。

2、把制定促进消费、促进投资、刺激出口和结构调整的价格政策作为价格调控的着力点，通过促进社会总供给与总需求关系的改变影响价格总水平的变动。制定了6个方面24条发挥价格杠杆作用、扩大内需、促进经济增长的措施。

3、认真贯彻落实国家计委《关于制止低价倾销行为的规定》，对企业降价（优惠）销售商品活动实行价格认证制度，加强对民航机票价格折扣的管理，在全省范围内开展了对低价倾销食糖和工业品行为的专项检查。12月份与最低的5月份相比，商品零售价格和居民消费价格指数分别回升了1.1和1.2个百分点。

二、价格改革继续迈出较大步伐

认真组织实施国家统一部署的铁路货运、成品油、邮政电信等价格改革项目。在总结前两年粮价改革经验的基础上，根据生产成本和市场供求变化情况，合理确定本省粮食收购保护价格，定购价按保护价执行，适当拉开等级差价，对优质品种实行优价，为引导农民调整种植结构发挥了积极作用。放开棉花收购价格，初步建立了在政府宏观调控下主要由市场形成棉花价格的机制。改革化肥价格管理办法，出厂价由政府定价改为政府指导价，同时放开了零售价格。从促进水利事业发展和强化人们的节水意识出发，提高部分水利工程供排水价格和部分城市污水处理费标准，对县以下水资源费实行区别对待的收费政策，提高了乡镇企业及地表水的收费标准。合理调整电力价格，全省平均每千瓦时上调2.5分，同时大力整顿电价秩序，坚决制止乱加价，全年共取消各级加价13.57亿元，两项相抵，年减少用户支出3亿多元。积极推进农村电力管理体制改革，省政府令颁布了《河北省农村电价管理办法》，对50个按新体制运行的县重新核定农村电价标准，年可减轻农民负担2亿多元。从促进信息产业发展，扩大电信消费市场出发，大幅度降低电话初装费、移动通信工具入网费等电信资费标准，全省年降低电信业务收费12亿元。围绕促进基础设施建设，核定了5条公路和4个城市路桥通行费标准，年收费额3亿元；完成2个城市路桥通行费及设站的立项审批，可吸引投资额9.3亿元；调整了3个公路收费站通行费标准，调价金额3.5亿元。为促进教育事业发展，调整了非义务教育阶段收费标准，调价金额1.4亿元，三年后可达4亿多元。积极推进药品价格改革，制定《关于进一步加强药品价格管理，整顿药品价格秩序的实施办法》，从严核定省管药品出厂价格，分两批降低95种(类)220个规格省管药品的零售价格，对由省内企业定价和外省进入本省市场的药品实行价格认证和公布制度，通过整顿，全省共降低药品价格2.55亿元。全年全省累计实现调价金额48.1亿元，其中，提价13.69亿元，为扩大内需、促进经济发展做出了积极贡献。

三、治理乱收费继续向纵深发展

一是认真抓了“一证一书一卡”制度以及国家和省公布取消收费项目的落实，继续在全省范围内开展收费许可证审验工作。二是进一步加大减轻农民负担工作力度，全省共清理涉农收费项目474项，减轻农民负担近3亿元。三是积极推进住房制度改革，取消或降低涉及住房建设和销售的一批收费，重新核定了房地产交易服务收费标准，调整了公有住房租金标准，在全省范围内开展了经济适用住房价格优惠政策执行情况的监督检查；进一步加大《河北省城市住宅区物业管理服务收费暂行办法》的落实力度，召开物业管理收费现场会，加快了收费标准的核批进度，年底审定收费的小区增加到191个，收费服务面积增加到3681万平方米，服务对象增加到52万户。四是根据国家计委《旅游参观点票价管理办法》，重新划分旅游景点价格管理权限，从促进旅游消费出发，调整了旅游景点门票价格。五是下大力整顿中介服务收费，清理和重新审定会计师事务所、工商事务代理等中介服务收费标准，年可减轻企业负担1200万元。六是统一制定全省铁路自备车维修、汽车维修、公证服务、铁矿产品交易服务等收费和“本地通”移动电话、无线市话等电信资费标准，规范了职业技能鉴定收费，核定了40多个工种的收费标准。

四、价格监督检查继续取得明显成效

全年全省共查处各类价格违法案件4.8万多件，查处违法金额4.85亿元，经济制裁金额3.32亿元，其中，退还用户2.02亿元，为维护公平竞争的市场环境、促进社会稳定做出了重要贡献。一是日常检查常抓不懈。查处了一大批价格欺诈、价格暴利、低价倾销等不正当价格行为。二是专项检查重点突出。围绕减轻企业和群众负担，促进社会稳定，先后在全省范围内组织开展了粮食、药品、电力、邮电、卫生、交通、教育、外资企业收费、机动车后雾灯和民航国内航线价格等专项检查。特别是卫生、交通和教育收费检查，全省统一组织，统一调度，收到了很好的社会效果。三项检查共退还群众1.11亿多元。三是按照《价格法》的要求，进一步完善价格投诉举报制度。成立了河北省价格举报中心，各市县物价部门也成立了相应的价格举报机构。全年全省共查处举报案件4875起，做到了有举必查，有查必复，件件有着落，案案有回音。

五、价格服务职能进一步完善

一是认真贯彻落实国家计委《价格监测规定》，高质量完成了省每周50种、每月162种商品价格的日常监测和国家计委安排的价格监测任务，进一步完善了主要商品价格与国内、国际市场价格比较分析制度。二是以“河北物价信息网”为主体的系统信息化建设取得较大进展，在省直和市级80多个网站评比中名列第二，被省政府信息化领导小组评为“河北省互联网最佳站点”。进一步完善价格信息发布制度，为企业提供了大量较为准确的市场价格信息，对企业按市场需要组织生产和经营发挥了较好的指导和引导作用。省物价局被国家计委评为“全国信息系统先进单位”，被省委、省政府“两办”评为“全省信息系统优胜单位”，在省政府系统130多个厅局评比中名列第三。三是价格事务服务取得突破性进展。制定了《河北省价格事务所工作规则(试行)》、《河北省价格评估鉴证报告内部审核制度》。实行价格鉴证机构授权证书制度和价格评估机构资格年审制度，开展价格鉴证、价格评估专项检查，对无证单位、违法违纪单位进行了查处。全省各级价格事务所共完成价格鉴证、评估业务3万多起，涉及金额88.2亿元。省物价局被国家计委评为“价格鉴证评估暨价格事务工作先进单位”。四是深入扎实地开展专题调查和价格理论研究，完成粮食价格并轨、深化药品价格改革、医疗收费标准调整、物业管理服务收费、制止价格垄断等12个方面的调研课题，为各级党委、政府宏观决策发挥了很好的参谋作用。五是成本调查继续坚持“为各级领导宏观决策服务，为河北经济发展服务”的指导思想，制定了

《河北省农产品成本调查管理办法实施细则》,在搞好常规调查的同时,开展了农户存粮、种植意向、农民负担、调整农业结构增加农民收入等多项专题调查。有关调查材料多次被省委、省政府和国家计委采用,并受到表扬。六是价格培训工作取得较好成绩。全省共举办各种类型的培训班38期,参加人员1826人次。七是价格宣传工作取得较好成效。与河北电视台联合举办"法明价公百业兴"纪念《价格法》实施一周年文艺晚会,收到了很好的社会效果。与《河北经济日报》联办的物价专版稿件质量明显提高,并在《河北日报》、《燕赵都市报》等新闻媒体,就群众关注的一些价格热点问题做了重点宣传,扩大了物价工作的社会影响。

六、物价队伍建设得到进一步加强

一是按照省委统一部署,省物价局领导班子、领导干部和处级干部分别集中两个多月时间,用整风的精神开展了以"讲学习、讲政治、讲正气"为主要内容的党性党风教育。通过"三讲"教育,每一位领导干部都受到了一次深刻的马克思主义再教育,思想上有了明显提高,政治上有了明显进步,作风上有了明显转变,纪律上有了明显增强,振奋了精神,鼓舞了干劲,增强了团结和凝聚力。二是结合贯彻党的基层组织工作条例,进一步加强机关党建工作。围绕活跃机关生活、陶冶职工情操、加强党性党风和爱国主义教育,组织开展了一系列行之有效的党建活动,举办《坚定信念,爱岗敬业,迎接新世纪》文化作品展,进一步激发了广大物价干部为人民管好价、执好法、服好务的敬业精神和政治责任感。三是积极推行价格政务公开,不断增强价格、收费监管的透明度和科学性。省物价局制定的《关于在全省物价系统推行政务公开的实施意见》,省政务公开办公室作为样板文件印发省直有关部门和各区市政府。通过实施政务公开,进一步促进全省物价系统的廉政勤政建设,树立了物价队伍公正、廉洁的社会形象。四是增强群众观点,强化宗旨意识,把带着感情做好物价工作作为队伍建设的重要内容。制定了《带着感情做好物价工作实施方案》,提出了明确的指导思想和七项具体措施,得到省有关部门的充分肯定。五是勇于接受机构改革的考验,做到思想不散,秩序不乱,一如既往地尽职尽责、扎实工作,省物价检查所被省政府评为省级先进单位,邯郸市物价局局长扬兰菊被评为省级劳模。

(李胜群)

山　西　省

一、围绕扩大内需,促进经济增长,不断加大价格改革和价格结构性调整力度

一是为缓解铁路货运价格偏低的矛盾,国家进一步提高了铁路货运价格和电气化铁路货运电力附加费。二是根据国际原油市场价格的变化,适当提高了成品油销售价格,提价金额约6600万元。三是从1999年起,省内电煤价格在1998年基础上每吨提高5元。四是制定1999年小麦、玉米、甜菜、桑蚕茧收购价格,放开棉花收购价格,共计降价金额约4亿元。五是对邮电资费、有线电视收费、部分道桥通行费、中小学学杂费、托幼园管理费、部分游览参观点门票价格、部分城市煤气、自来水、公有住房租金、机收作业费、公共交通价格等作了适当调整。不完全统计,降价额3.2亿元,提价额为6840万元。六是经国家计委协调批复,解决了1996～1998年全省电价调整后独立核算电厂(机组)上网电价不到位的问题,包括小火电在内,涉及金额6.4亿元。同时,在深入调查研究、精心测算、广泛征求各方面意见的基础上,制定了山西省1999年电网电价调整方案和三年内实行农村用电"城乡同价"方案,并针对农村电价管理中存在的问题进一步予以整顿规范。初步测算,全年电网提价金额2.3亿元。七是改革化肥流通体制,建立政府指导下的市场价格形成机制,化肥价格由政府定价改为政府指导价。

二、围绕为企业减负、为国企改革创造良好的经营环境,不断加大清费治乱力度

全省通过缩小收费范围,降低收费标准,取消收费项目,改进收费办法,禁止乱收费行为等取得

了明显成效。一是根据国家计委等六部委《关于对企业实施改革改组改造过程中的有关收费实行减免的通知》精神，结合本省实际，制定实施了对本省“三改”企业和下岗职工在收费上实行减免的政策。二是会同有关部门，对省级及省级以下分级管理的行政事业性收费、基金项目进行了认真清理整顿，共废止826个收费项目，减轻企业和社会负担2.8亿元。同时对电力、铁路、公安等部门的收费进行专项治理，全省减轻企业和社会负担8.1亿元。三是遵照财政部等六部门《关于公布第二批取消的各种基金（资金、附加、收费）》的要求，明确停止执行公布的72项基金收费项目，尤其是煤炭生产发展专项基金、协作煤资金、专控商品附加费、商业网点建设费、煤炭城市建设资金等。四是认真贯彻落实国家计委、财政部《关于第二批降低收费标准的通知》，对特种行业许可证费等降低标准。五是认真贯彻省物价局、省财政厅联合下发的《关于进一步清理建设项目收费的通知》，取消了20多项不合理的收费。

三、围绕整顿市场价格秩序，大力规范价格行为

一是初步建立了房屋重置价格定期公布制度和社会营业用房租赁等级价格评审制度，加强了商品房和小区物业服务收费管理，使房地产价格行为初步得到规范，为房地产业的健康发展创造了较好的环境。二是针对无线寻呼业务市场竞相压价、低价倾销问题比较严重的情况，统一规定了无线寻呼业务服务收费项目和指导性服务费标准，为保障市场有序竞争创造了条件。三是重新修订、完善了《山西省卫生防疫收费标准》和《山西省医疗服务收费项目和收费标准》，在全省医疗单位全面推行住院患者逐日费用清单制度，对规范医疗、卫生防疫行业收费，遏制乱收费起到了重要作用。四是认真贯彻落实国家计委《关于完善药品价格政策改进药品价格管理的通知》精神，采取一系列政策措施，大力整顿药品价格秩序，对进入本省市场的药品实行价格登记制度，共登记中成药企业130多家近600个品种、生化药品91种、生物药品4种、医药器械4种。同时，先后公布降低了77个品种、98个规格的省管药品价格，降价金额约2.5亿元，使药品价格中普遍存在的虚高定价问题和药品价格混乱的状况有所改变。五是针对降价竞销、过度价格竞争比较严重的问题，各级物价部门以《价格法》为武器，及时查处和制止，一些地方还实行了企业降价优惠价格认证制度，对遏制企业降价竞销起到积极的作用。六是对1992年以来国家和省颁布的有关房地产价、费、税及有关行业管理的法律法规、政策文件进行了整理，为进一步规范房地产价费行为奠定了良好的基础。

四、围绕群众反映强烈的热点问题，不断加大价格执法力度

全省各级物价部门相继成立了价格举报中心。各级价格监督检查机构进一步加大了价格监督检查力度，对市场物价进行不间断的检查，1～2月份，保持了节日期间市场物价稳定；4～5月份，对全省33个从事民航机票销售的单位进行检查，加强了国内航线票价监管工作，规范了机票销售行为，制止了恶性低价竞销，维护了航空运输市场秩序；4～6月份，围绕交通乱收费这个社会热点，组织全省专项检查，得到了社会各界的广泛关注和好评；3月份以来，各地从当地实际出发，抓住农村医疗、农村教育等群众关心的热点问题，开展了涉农收费专项检查，使国家减轻农民负担的各项政策措施进一步得到落实；8～11月，组织开展了教育收费、房地产和物业管理收费、向外商投资企业乱收费、废止项目收费等四项专项检查。据统计，全年全省共查出各类价格违法案件15821件，查处非法所得金额23581万元，实施经济制裁总金额11575万元，上缴财政5713万元。在煤炭稽查方面，据不完全统计，全省共查出漏缴水资源费等1.398亿元，其中，追缴2000多万元。价格监督检查工作和煤炭稽查工作有力地促进了各项价格政策措施的贯彻落实，对维护正常的市场秩序起到重要的作用。

五、围绕建立完善的价格宏观调控体系，不断加强价格法制建设

制定颁发了《价格违法行为行政处罚规定》、《低价倾销工业品的成本认定办法》、《价格监测规定》、《农产品成本调查管理办法》、《价格认证管理办法》、《关于建立价格鉴证师执业资格制度的暂行规定》、《山西省经济适用住房价格管理暂行办法》、《山西省〈收费许可证〉管理办法实施细则》、《山西省中成药价格登记管理办法》、《山西省药品价格登记管理办法》、《山西省药品价格申报审批办法》、《游览点参观点门票价格管理办法》、《山西省物价局关于进一步改革化肥价格管理办法的通知》、《山西省室内装饰价格管理暂行办法》等一系列规范性文件，价格法制建设有了明显起色。《价格法》实施一周年前后，全省组织开展了广泛深入的宣传活

动,并通过新闻媒体播出系列节目,开设专版,广泛宣传《价格法》的重要作用和意义,使社会各界对物价部门和物价工作的重要性有了进一步认识。

六、围绕物价工作中的难点,积极开展调查研究,不断强化价格服务工作

为促进全省物价系统转变职能,更好地为经济建设服务,针对煤炭销售十分困难的问题,由省物价局牵头,全省各级物价部门组织专门力量,重点围绕买方市场条件下煤炭产运销过程中突出的价费矛盾、产销企业收费负担过重和煤炭价格的宏观调控政策、专项基金等问题进行了两个多月的专题调研,开展了汾河水利管理局及农村小型水利工程水价管理情况、铁路延伸服务收费、生猪产销及成本收益情况等专题调研。通过调研,形成了一系列政策建议和改革方案。同时,不断拓展物价工作新领域,全省价格事务、价格信息和成本调查工作取得长足进步。价格鉴证、价格认证、物品估价等工作起点高、成效大;价格信息、价格监测、《物价公报》、计算机网络建设、价格研究和物价培训等工作再上台阶;农产品成本调查和直报工作圆满完成任务。全省各级物价部门服务于经济建设,主动投身于经济改革大潮的自觉性显著增强。 (霍喜福)

内蒙古自治区

1999年,内蒙古自治区经济保持较快增长,全年国内生产总值1270.94亿元,比上年增长7.8%。财政收入143.75亿元,比上年增长9.5%。城镇居民人均可支配收入4770.5元,比上年增加417.51元,增长9.6%;农牧民人均纯收入2003元,受自然灾害,农业减产影响增收幅度减小,按同口径计算,比上年增加66元,增长3.4%。市场物价开始回升。全年居民消费价格总水平由上年下降0.7%,回升为下降0.2%,自9月份上涨3.5%后,结束了1998年以来17个月负增长的局面;商品零售价格总水平比上年下降2.3%,降幅有所缩小。

一、加大价格调控力度,促进价格总水平合理回升,全区价格总水平保持基本稳定

自1998年4月份开始,商品零售价格指数连续21个月出现负增长,1998年5月份开始,居民消费价格指数连续17个月负增长。物价长期走低,对经济发展产生了负面影响:一是农产品价格持续下滑,农民收入受到影响,从而直接影响了农村的购买力,加大了启动农村市场的难度;二是企业销售收入增长率下降,利润减少,企业经济效益下滑,职工收入水平受到影响;三是抑制了投资需求,使投资者的预期收益下降,投资意愿减弱;四是抑制消费需求增加,企业效益状况不良,制约了职工收入的增长,收入预期信心不足,使消费需求受到影响;五是损害了正常的市场秩序,在市场价格低迷的情况下,一些企业为了自身生存,低价倾销和恶性竞争现象增多,反过来又进一步造成价格总水平的持续下滑。

面对新的经济形势,自治区从实际出发,积极采取各种措施,加大价格调控力度,适时出台一系列价格政策,充分发挥价格的宏观调控作用,推动价格总水平的适度上升。全区自9月份开始,居民消费价格转为正增长,与上年同月比上升3.5%,全年居民消费价格指数为99.8%。商品零售价格指数也有适度回升,全年为97.7%。在全国各省区市中属于几个回升较快的省区之一,市场物价持续下滑趋势得到抑制。

二、围绕扩大内需,开展物价工作

启动农村牧区市场,促进牧区经济发展。一是认真贯彻落实国务院关于粮食购销体制改革、完善粮食价格形成机制的各项政策,本着有利于促进粮食生产结构调整,有利于农民获得合理收益和有利于国有粮食购销企业合理顺价销售的原则,制定自治区的夏粮、秋粮定购价、保护价、地区差价和季节差价,保障了农民的合理收益。二是进一步整顿农村电价,继续清理附加在电价上的各种费用。三是继续清理、取消对农民的各种不合理收费,为切实减轻农民负担进行了专项检查。

发挥价格杠杆的调节作用,促进需求增长。一是从3月1日起在全区范围内进一步降低固定电话初装费、移动电话入网费、互联网收费和国际及港澳台电话资费，同时适度提高部分邮政资费，对促进全区的电信、邮政事业发展起到了推进作用。二是大力发展教育事业，积极调整教育收费政策。在调查研究和广泛征求有关方面意见的基础上，经自治区人民政府同意，从1999年新学年起，对全区普通中学高中阶段的学费标准进行了调整；同时为适应国家新增高等职业教育招生计划的需要，按照新的运行机制，制定了全区新增高等职业教育收费标准；并对全区普通高等学校招生并轨收费标准作了适当提高。三是就全区县级以上城市开征污水处理费问题进行调研，制定了方案。此外，制定了垃圾处理收费办法。四是继续清理整顿药品价格，规范药品价格行为，结合自治区实际降低部分药品价格。

进行价格结构性调整，促进基础设施建设和公用事业发展。重点对电价、水价、成品油价格、铁路运输等基础设施和公用事业价格进行了调整。一是继续贯彻落实国家计委等六部委关于清理整顿电价秩序，制止乱加价、乱收费的精神，进一步规范电价管理，上报了内蒙古西部电网统一销售电价方案，出台了农网建设改造贷款还本付息加价措施。二是适时疏导部分城市公用事业价格矛盾。调整了部分盟市所在地城市供水价格和煤气价格。三是制定全区成品油市场分价区价格改革方案。四是为解决兰新复线还本付息问题，从2月起适当提高了铁路货运价格。

三、保护公平竞争，制止低价倾销，进一步规范市场行为

为了保证电信事业的健康发展，自治区价格主管部门积极协调中国电信和中国联通内蒙古公司在移动通讯业务中的价格矛盾，制定了全区关于加强移动通讯市场价格管理，制止低价竞销行为的规定。

针对民航客票销售中不规范的折扣行为，及时转发国家计委、民航总局关于加强民航国内航线票价管理，制止低价竞销行为的通知。

落实国家计委"关于制止低价倾销行为的规定"，针对自治区实际，制定了制止彩色显像管、电视机、电线、电缆等工业品低价倾销行为的有关规定。

制定全区优质化肥指导价格和地产化肥的中准价及浮动幅度，稳定了化肥价格，扼制了农资价格继续下滑的趋势。

继续整顿路桥收费，取消部分不合理收费。在调查研究的基础上，向自治区人民政府上报了关于调整自治区贷款修建部分公路车辆通行费收费标准的报告，对部分路段的收费标准作了适当提高，增强了收费公路的还贷能力。

针对游览参观点门票价格混乱的情况，制定了全区旅游景点门票价格管理办法实施细则，同时确定了一批由自治区价格部门管理的旅游景点目录。

巩固"清费、治乱、减负"成果，继续抓紧减轻企业负担工作，为国有企业解困创造良好的环境。全区各级物价部门进一步统一思想认识，做到减负力度不减，减负政策不变，在巩固上年已有成绩的基础上，继续抓了以下几件事：一是深入贯彻落实自治区党委、政府关于加快全区个体私营企业发展的决定精神，向自治区人民政府提出《关于进一步明确个体私营企业开业的收费项目和标准的报告》，对制止向个体私营企业在开业期间的乱收费行为起到了重要作用。二是进一步清理各级政府擅自出台的各种城市基础设施配套费，统一了收费标准，取消了地方出台的性质类似的其它配套费。三是继续落实有关政策，经自治区人民政府同意，取消了呼和浩特出台的城市外来人口服务设施管理费、城市增容费、胜利桥车辆集资收费以及供热新增用户建设资金四项收费。四是突出抓了《企业交费登记证》的使用落实工作，进一步增强了企业自我保护意识。五是规范IC卡收费行为。六是加强《收费许可证》的发放年检工作，狠抓取消收费项目的落实，自治区、盟市两级共核销《收费许可证》702个，变更收费项目或标准480个。七是继续清理不合理收费项目，在12月底向社会公布第四批取消项目，共计取消自治区制定的涉及八个部门15项和盟市制定的16项收费项目，预计每年将减轻企业和社会负担5000万元。据统计，全区行政事业性收费总额比上年又下降3.27%，收费总规模已连续第二年保持了缩小的趋势，"清费、治乱、减负"工作已经见到成效。

四、加大价格监督检查工作力度

全年全区各级价格检查机构共查处各类价格违法案件9769件，查处违法所得金额3827.53万元，经济制裁总金额2935.81万元，退还用户1477.15万元，上缴财政1458.66万元，使价格监督检查在维护经营者和消费者合法权益方面起到了重要的作用。进一步开展了涉农收费检查，对农村医疗、教育、婚姻登记、计划生育、建房用地等收费加大了检查力度，坚决制止乱收费行为；开展住房

价格和物业管理收费检查，特别是严肃查处征地、拆迁环节上的乱收费，降低住房建设成本，促进居民购房；在对物业管理收费检查中，坚决查处只收费不服务，多收费少服务行为，切实减轻了住户负担；开展交通收费专项大检查，彻底清理公路“三乱”现象；开展电信资费专项检查，重点对借机搭车涨价、擅自增设收费项目、提高收费标准、扩大收费范围和不执行明码标价的，依法予以严肃查处；开展对低价倾销等不正当价格行为的检查和向外商投资企业乱收费行为的检查。通过各项大检查，各级价格主管部门履行价格监督检查职责，维护了市场价格秩序的健康发展，减轻了企业负担，保证了市场物价的稳定，对促进价格改革和全区经济发展，起到了重要的作用。

五、加强价格法制建设

自治区进一步加强法制建设工作，完成了对价格管理和规范服务两部法规和规章的起草工作，一是《内蒙古自治区实施〈中华人民共和国价格法〉办法》；二是《内蒙古自治区价格鉴证管理办法》。前者已通过自治区人大常委会颁布实施，后者也得到自治区法制局的审查通过，经政府常务会议审定后将予出台。这两部法规和规章的出台，对全区依法治价、规范服务价格，将起到重要作用。

六、进一步加强价格监测、成本调查、价格信息、价格培训和事务工作，提高价格服务水平

价格监测报告制度得到进一步落实，价格监测水平有了很大提高。为国家和全区各级政府及有关部门提供了大量真实、可靠的价格监测信息，为全国、全区价格宏观调控和管理做了大量工作。据统计，全年全区各监测单位共向自治区各级政府和各有关部门提供价格监测数据188096条、价格监测报表1800份，汇总上报国家和自治区有关部门50次。

开展多种形式的价格信息服务，价格信息网络建设有了突破性进展。全年全区在《物价公报》地方栏目上公布物价文件128份，发行12期，征订工作进一步完善。各地区《物价简报》或《价格监测信息》和自治区物价局发布的《绒毛价格动态》等信息对政府和企业决策发挥了重要作用。内蒙古价格信息网络的建成，标志着全区价格信息网络建设进入全国先进行列。价格理论研究进一步开展，对全区交流各地物价工作经验，创造了良好条件，对价格实践工作起到了有力的指导作用。

价格鉴证工作有了长足的进步，各项制度进一步健全，业务领域进一步拓宽，业务总量与上年相比也有了不同程度的增长，全年共进行涉案物品估价28687件，估价金额20264万元。价格认证8015次，促进了企业生产经营活动的正常进行，取得了较好的社会效益；出具调定价收费项目可行性论证报告12份，为价格管理的决策提供了重要依据。

成本调查在继续开展常规调查、直报调查的同时，还完成了各项专题调查和临时下达的调研任务，为政府决策提供了准确的依据。加强了培训工作，全区共举办各类培训班36期，培训学员4026名，提高了物价工作人员和企业物价员、收费员的素质，对加强物价队伍建设，提高物价工作水平发挥了积极作用。（刘建敏）

辽　宁　省

一、适时转变调控方向，积极遏制价格总水平下滑

1999年，针对价格持续下跌的情况，各级物价部门及时把价格调控工作的重点转移到促进价格总水平合理回升上来。针对生猪价格一度出现过度下跌的问题，各地及时采取了运用价格调节基金扶持重点大户、制定销售最低保护价、增加商业储备、扩大省外销售等措施，有效地保护了生猪生产，促使生猪价格止跌回升。同时，为了及时掌握重要商品下滑趋势，进一步提高价格监测分析和预测水平，在完善主要消费品和服务价格监测的基础上，对化肥、农药等农用生产资料和钢材、水泥等工业生产资料价格走势实行了定期监测，并完善了《辽宁省价格监测报告制度》，把全省价格监测范围扩大到6类126种，实现了省与14个市9个指数县的计算机联网，初步建立起覆盖全省的价格监测网络。通过及时转变调控方向，完善各项调控措施，全省价格总水平持续下滑的局面得到了一定的遏制，居民消费价格总水平比上年下降1.4%，实现了保持全国平均水平的预期目标。

二、充分发挥职能作用，为扩大内需，促进经济发展服务

一是运用价格杠杆促进经济结构调整。根据国家统一部署，相继调整了铁路货运价格、邮政资费、公有住房租金、城市供水、公园门票、公交车票价格，合理确定了粮食收购价格，年调价金额达12亿元。二是实施积极的价格政策，刺激有效需求增长。配合高等学校扩招，提高了非义务教育收费；按照优质优价的原则，适当拉开了不同等级医疗机构的服务价格水平；降低了沈抚、沈桃高速公路通行费标准；为国家重点工程沈秦铁路客运专线建设制定了优惠收费政策；降低了部分电信资费；对重点旅游景点实行一票制和淡旺季节差价；对计划外液化气实行浮动价格；降低了涉及住宅建设和销售的部分收费标准。三是配合国有企业改革，支持国有企业脱困。对61户重点国有企业开展了调整价格、清费治乱、价格咨询服务"三到位"工作。四是深化粮食流通体制改革，加强农产品成本调查工作，初步建立农产品成本、价格信息咨询服务网络。五是不断拓展价格事务工作领域。认真开展价格鉴定、价格认证、价格评估、价格咨询等工作，全年评估额达21.9亿元。

三、大力整顿价格和收费秩序，为促进经济发展创造良好的价格环境

一年来，相继开展了对个体业者和私营企业税外收费的清理整顿工作，共取缔不合法收费116项，全年可减少个体私营业者负担4亿元。同时，配合省"减负办"继续开展涉企收费的清理整顿工作，又取消6项不合理收费，并根据收费体制改革的要求，将15项行政事业性收费转为经营性收费管理。还开展了涉农收费、卫生防疫收费的清理整顿，共清理出130项不合理收费。对电价问题进行了专项治理，共清理取消13项在电价外加收的基金和附加费，减轻用户负担2.3亿元；通过整顿农村照明用电中的乱加价、乱收费，使全省农村居民照明电价每千瓦时平均降低3.7分钱，减轻全省农民负担1亿元。按照国家的统一部署，全面推进药品价格整改工作，完善药品价格管理办法，开展药品价格登记备案工作，加大了整顿药品虚高定价的力度，使省管药品价格降价额达1.5亿元。

四、深入宣传贯彻《价格法》，推进依法治价进程

在《价格法》实施一周年之际，开展大规模学习、宣传、贯彻活动，通过各种新闻媒体报道、举办普法培训班、开展知识竞赛和价格法制建设征文活动等，进一步普及了价格法律知识，促进了全社会法律意识的提高，为依法管价、依法治价创造了良好的社会氛围。为了加快价格法规建设，抓紧与《价格法》配套的价格立法工作。省物价局出台了《价格调控管理办法》、《对指定商品价格管理办法》以及《价格监测报告制度》等一批规范性文件。各地根据当地实际情况制定了一批强化管理的制度。

全省加大了价格监督检查力度。配合清费治乱减负工作，深入开展了对交通、公安、建设、林业、教育系统以及物业收费、房地产收费的专项检查；以整顿价格秩序为中心，集中力量开展了对城乡电价、电信资费价格执行情况的检查。在全省建立了农民负担监测制度，对涉农收费进行了重点检查。为了强化全社会对价格违法案件的监督，各级物价部门相继成立了价格举报中心，开通了价格违法案件"16051"专线电话。一年来全省共受理各类举报投诉电话16193件(次)，举报案件结案率达到90%以上，有效地维护了广大群众的切身利益。全省共查处各类价格违法案件14352件，经济制裁金额5896万元，上缴财政4963万元，返还用户933万元。

各级物价部门认真开展"三讲"教育，使广大物价干部经受了一次生动而深刻的党内政治生活锻炼，比较好地解决了一些群众反映突出的热点、难点和关系物价工作全局的大问题，不仅增强了广大干部做好新时期物价工作的信心和决心，而且也为开创新时期物价工作新局面奠定了坚实的思想基础。

(陈宝德)

大　连　市

一、市场价格走势及特点

1999年，大连市价格总水平继续呈下降态势。居民消费价格总水平同比下降0.5%，商品零售价格总水平同比下降4.7%，分别比1998年下降0.8和2.3个百分点。居民消费价格总水平是1978年以来首次出现下降态势。1999年市场价格变动的主要特点：(1)吃、穿、用商品价格全面下降，与上年相比，食品类价格下降4%；衣着类下降7.2%；家庭设备及用品、交通和通讯工具、娱乐教育文化用品三类价格分别下降3.1%、6.2%和6.5%。(2)居住和服务项目价格涨幅仍然偏高，分别比上年上涨5.9%和18.5%。(3)从价格总水平走势看，降价幅度呈"W"型两次探底回缩态势。上半年，价格总水平整体上呈逐月走低态势，5月份商品零售价格同比下降6.4%，为多年来的最大降幅。6、7月份受主要副食品价格上涨影响，商品零售价格总水平出现反弹。8、9月份受工业消费品价格下降影响，市场物价总水平再次走低。4季度，受主要商品价格平稳回升影响，降幅呈逐月回缩的运行态势。

二、发挥价格杠杆作用，促进需求增长和经济发展

大连市物价局针对市场价格低迷，有效需求不足的问题，把工作的着力点放在运用价格杠杆启动市场，扩大内需，促进经济发展上。一是经过调研论证，制定《关于运用价格杠杆，启动市场，促进经济发展》的14条政策措施，市政府以大政办发[1999]130号文件转发全市贯彻执行。二是制定粮食价格政策，积极推进粮食流通体制改革。按照国家和省关于1999年粮食收购价格安排原则，从全市的实际出发，合理确定了水稻购销价格，取消了小麦的保护价格，放开了玉米的收购价格。还通过超额补贴的办法和坚持以质论价尽量减少损失的原则，促进了粮食顺价销售和陈化粮压库促销工作。全年顺价销售粮食22.7万吨，超额69%，实现销售收入2.7亿元。三是积极疏导价格矛盾，促进基础产业和公用事业发展。先后调整了成品油价格、医疗收费、公有住房租金、公园门票价格和托幼园所收费标准，年调价额2.6亿元。四是为启动市场，促进消费，下调了部分品种价格。针对医药购销中存在的虚高定价和高额折扣问题，在充分调查论证的基础上，下调了4900个品种规格的药品价格；为促进电力消费，实行了居民用电增量减价的优惠政策，每户居民月用电超过150千瓦时，超过部分每千瓦时优惠0.04元；还下调了"东北路、振兴路、五一路"通行收费、集贸市场摊位费等收费标准。五是及时采取措施，制止部分工业品低价倾销。根据国家计委关于制止低价倾销行为的有关规定，先后对大连市生产的啤酒、化肥、水泥、平板玻璃、彩电、彩管等商品进行调查分析，依据生产经营成本，测算其价格水平，制定了最低指导价，较好地制止了市场上竞相降价、无序竞争、低价倾销行为，并使水泥、化肥、平板玻璃等工业品价格逐渐回升，企业效益有了一定好转。

三、整顿收费秩序，加强收费管理

在抓好前几年国家和省、市已取消或降低的收费项目跟踪落实的同时，继续加大清理涉企税外收费力度，取消商业网点建设费等5项收费项目，降低临时占道费等6项收费标准，年减负额约4650万元；积极协调和争取有关部门的支持，将市内四区和经济技术开发区的供电贴费标准下降了50%，全年可为用户减轻负担4000余万元；各区、市、县物价局通过进一步清理整顿各项收费，年可减轻社会负担5823万元。

为加强收费管理，规范收费行为，市物价局会同有关部门制定了《大连市房屋租赁市场价格评估办法》、《大连市民办中小学退费管理办法》和《大连市交通事故受损物评估暂行规定》等6个规范性文件。在更大范围内推行了"两证一簿"(收费许可证、收费员证、收费登记簿)收费管理制度，仅市物价局全年就发放《收费许可证》1265个，《收费员证》3000个，《收费登记簿》2.7万本。

四、加大价格监督检查力度，改善市场

价格环境

各级物价部门继续围绕清费、治乱、减负这个中心,加大了执法力度,为建立和维护公平竞争的市场价格秩序,扩大内需,促进经济增长做出了积极贡献。一是坚持市场价格监督检查,始终把“米袋子”、“菜篮子”等与人民生活密切相关的市场价格作为重点,特别是加大了重大节日和旅游旺季的检查力度和频率,保证了重大节日和旅游旺季市场价格的基本稳定,较好地维护了群众的利益。二是有重点地开展行业检查和专项检查。先后开展了农业生产资料和涉农收费、医疗卫生、交通和公用事业、房地产和物业管理收费、教育收费和金融行业收费等检查。对自立项目和超标准、超范围收费等违法行为进行了严肃处理。三是重视对群众信访举报案件的查处,仅市物价检查所就接待来信来访和热线电话1435次,接转到各区、市、县物价部门和市直有关部门45件,市物价检查所立案查处1390件。全年全市共查处各类价格违法案件3919件,实现经济制裁总金额985.93万元,其中,没收违法所得708.92万元,罚款224.40万元,退还用户52.61万元。

五、出台明码标价新举措

大连市围绕“扩大明码标价范围,推行明码标价规范标示”,出台了一些新的举措。一是从减轻学生负担,规范学校收费行为出发,市物价局会同市教委,根据省物价局和省教委关于规范和完善教育收费明码标价的要求,印发了30万份《中小学教育收费通知单》,让学生家长交费交得明白、交得清楚,并在中等专业学校实行“教育收费”公示制度;二是针对让利、优惠、打折商品价格标示中存在的不正当价格行为,下发了《关于取消“特价商品”价签,增设“处理商品”价签的通知》,进一步规范了让利、优惠、打折商品和处理商品的价格标示,中央电视台还专题作了报道;三是从方便经营者标价和消费者观看出发,不断改进商品标价签,如针对生熟肉食品、水产品、果品、蔬菜和酒水等的不同特点,分别设计制作了美观耐用的商品标价签,受到社会各方面的好评。

六、价格服务职能进一步强化和拓宽,服务水平有所提高

价格信息服务功能不断加强。与大连市的大化集团有限责任公司、大连钢铁集团有限责任公司、大连制药厂等6家有代表性的大中型企业建立了产品价格信息网,而且与中国价格信息网实现了网络互联;还与大连市的“粮食、猪肉、蔬菜、水产、果品”五大批发市场实现了微机联网,及时发布价格信息,引导市场供求与消费;继续发挥价格信息刊物在宣传物价政策,为领导决策和企业发展生产方面的服务作用,全年出刊《大连价格信息》52期,《物价管理信息》23期,《医药专刊》28期。

价格事务工作进一步拓宽。价格评估和价格认证业务由过去的脏物、罚没物拓展到交通事故受损物评估,出国人员家庭财产评估,法人、公民因经济纠纷的资产价格认证,以及产品销售方面的价格认证等。全年全市评估案件5013件,评估标的额6.1亿元。

农产品成本调查工作,除及时按要求向国家和省上报农产品价格、成本及收益情况外,还将粮食、水果、生猪等6个品种5年来的成本收益情况汇编成册,发放到农民手中,引导农民合理调整种植、养殖结构。

七、加强对价格法律、法规的学习、宣传和培训,提高全社会的价格法制意识和价格执法人员的执法水平

在全市物价系统组织召开了《价格法》实施一周年座谈会,邀请市五大班子领导和部分人大代表、政协委员及社会有关方面代表参加,广泛听取和征求对物价部门贯彻实施《价格法》的意见;10月1日《行政复议法》正式颁布施行后,开展了大张旗鼓的街头宣传活动,制作宣传板5块,发放宣传材料1000余份,还设立投诉咨询台,受理群众的投诉和解答群众的提问;按照"三五"普法要求,开展了送法下乡活动,为定点乡镇送去公民普法书籍100余本,并在乡村集贸市场设立法制宣传点和价格咨询投诉台,发放普法宣传单1000余份,受到乡镇政府和农民的欢迎;为市物价局全体干部举办了4次法制讲座,聘请专家教授对《行政处罚法》和《国家赔偿法》等进行辅导讲课,使物价干部的依法行政意识不断加强。举办了一期以学习《行政复议法》为主的基层物价人员法律培训班,各区、市、县物价局负责价格检查的局长、检查所长和价格检查人员共70余人参加了培训。

(王培智)

吉　林　省

一、制定和完善价格政策，积极参与、支持重大改革

1999年，吉林省充分运用价格杠杆，促进粮食种植结构调整和粮食流通体制改革。根据国务院关于粮食流通体制改革"三项政策、一项改革"和进一步完善粮食流通体制改革政策措施的通知精神，针对全省粮食生产结构不合理、粮食经营压力大、财政负担重的实际困难，就运用价格杠杆，促进全省农业结构调整问题，认真进行了调查研究，提出玉米、水稻定购价按保护价执行，保护价适当下调，鼓励优质粮食品种的生产与开发，实行优质优价，调整季节差价等粮食收购价格政策的意见。这些价格政策的实施，不仅缓解了全省粮食生产和经营中存在的突出矛盾，对促进农业结构调整和粮食流通体制改革具有十分重要的导向作用，增强了广大农民对调整种植结构的强烈愿望，而且对东北经济区今后的粮食品种结构调整都将产生深远的影响。

完善化肥价格管理办法，提高农民生产投入积极性。按照国家深化化肥流通体制及价格形成机制改革的要求，对全省化肥厂、销价格管理办法进行了改革。对省产化肥主要品种的出厂价和批发价继续实行政府指导价，规定了一定的浮动幅度；放开零售价格，委托市、州必要时制定最高零售限价。这些措施运行一年来，市场化肥供应充足，价格略有下降，促进了全省农资系统和化肥生产企业加强内部管理，减少环节，降低成本。全省农资系统全年实现减亏8198万元，化肥生产企业结束了长达两年的严重亏损局面。

落实科教兴省战略，积极支持教育改革。会同有关部门在调查研究基础上，提出进一步规范各类学校收费项目、调整收费标准的方案，规范了收费行为，取缔了不合理乱收费，并于9月份出台。新的收费标准实施后，全省各类学校增收3.24亿元，有力地支持了教育事业的发展。

完善医药价格政策，保证医药卫生事业健康发展。为更好地执行国家计委关于药品价格改革的政策，经省政府同意，对药品生产企业采取了适当放宽利润率、销售费用和企业销售折扣逐步达到国家要求的办法；对药品零售环节，适当扩大批零差率，承认部分折扣让利并计入价格，以减少利益损失。建立了全省药品价格登记备案制度，逐步实现药品价格规范化管理。省管药品价格降价总额达1亿元以上，进一步解决了药品虚高价格问题。同时，为支持医药行业发展，积极采取措施为企业服务，有效地支持了全省药品的生产和流通。1999年共为药品生产企业出具各种形式的价格证明600多份，为企业在省外销售创造条件。

二、运用价格杠杆刺激需求，拉动经济增长

严格控制农村居民照明电价水平。规定农村居民照明用电每千瓦时不得超过1.00元，消灭了1.00元以上的台区；对超过0.8元的台区由省物价局会同省农电局审核批准。目前，全省每千瓦时0.8元以上的台区由上年的12033个减少到1259个，减幅达90%。经过整顿和规范，全省农村电价水平每千瓦时平均下降2分多钱，减轻农民负担3300多万元，促进了农民消费和农村经济的增长。

千方百计减少用电企业负担。对还贷到期的集资机组坚决停止还本付息电价。对还贷尚未到期的集资机组，还本付息电价标准由原每千瓦时9.47分降到8.61分，减轻用电企业负担3000多万元。严格核定新机上网价格，规定新投产电力上网价格原则上每千瓦时不超过0.4元。

严格规范土地价格。针对现行土地价格管理严重混乱，基准地价脱离实际，不适应改革和发展需要的问题，会同省土地局在深入调查和各市、县评估的基础上，提出了调整全省基准地价的意见，经有关专家、学者及有关部门的评审后已由省政府批准执行。全省基准地价的统一调整在全国率先迈出了第一步，受到国家有关部门的关注。

大力支持基础设施建设。调整了城建、公共交通、邮电、电信、车辆通行费以及股票、证券交易的

市内用户中继线月租费等收费标准，适当提高了部分供热价格，提价总额约1.44亿元。

根据国家计委、建设部《城市供水价格管理办法》等规定以及省政府有关精神，会同有关部门制定了部分城市征收污水处理费的实施方案。将财政负担的社会公益项目改由政府协助筹集资金，全社会共同承担，为政府加强基础设施建设探索了一条新路。

三、加大监督检查力度，规范各种收费行为

不断加大清费治乱减负力度。认真落实中央和省关于清理整顿乱收费的有关政策，严格控制出台新的收费项目和提高收费标准，通过收费许可证年审，从源头上规范收费行为，取缔不合理收费。对不适合经济发展软环境的价格法规进行了清理，区别不同情况提出修改或废止意见，规范事权项目和对省委、省政府1996年以来出台改革措施落实情况的检查，得到省政府整顿经济发展软环境办公室的充分肯定。全省各地累计清理收费项目1.7万多个(含重复计算)，会同有关部门暂停、降低标准、取消收费444项，减轻企业和居民负担2.3亿元。收费许可证年审率达97.8%，全省共发放企业交费登记卡7万余份，取得了较好的效果。

不断加大监督检查力度。全省有针对性地开展了对交通收费、涉农收费、教育收费、电信资费、向外商投资企业收费和下岗职工再就业收费以及对低价倾销行为的监督检查，严厉打击了各种价格违法行为。省物价局共受理群众举报电话和来信来访390件。全省共查处价格违法案件6715件，查处违法所得金额24989.36万元；经济制裁总金额达7550.21万元；其中，没收违法所得3788.61万元，退还用户3447.52万元，上缴财政4102.69万元。

四、强化调研、立法工作，推动基础性工作开展

法制建设工作得到加强。通过深入22个市县调研，对《价格法》实施一年来取得的成果、存在的问题以及如何实现依法治价提出了建设性意见。组织参加了全国《价格法》征文评选和知识竞赛，有2篇荣获全国优秀论文奖。对《行政复议法》及《价格违法行为行政处罚规定》等与《价格法》相配套的规章及时组织学习和宣传。各地物价局也结合实际，开展了《价格法》、《消费者权益保护法》、《行政诉讼法》等法律的学习、宣传活动。

依法规范各种价格行为。为加快住房开发建设，代省政府起草了《吉林省人民政府贯彻〈国务院批转国家计委关于加强房地产价格调控加快住房建设意见〉的通知》，制定了《吉林省经济适用住房价格管理实施细则》，会同省建设厅下达了主要城市经济适用房最高限价。根据国家和省有关规定，制定了《吉林省无线寻呼价格管理暂行规定》和《吉林省无线寻呼服务收费项目和收费标准》，起草了《吉林省机动车辆价格鉴定规范》，制定了《吉林省副食品价格调节基金使用管理暂行办法》(讨论稿)，已向有关部门及基层物价局征求意见，力争尽早发布实施。

价格调节基金征收管理水平进一步提高。在价格调节基金征收过程中，各地注意协调与税务、财政等部门的业务联系，主动加强与电力、邮电、铁路部门和汽车厂等有关单位的联系与沟通，积极开展对宾馆、金融等部门的自征工作，保证了征收工作的顺利进行。

价格服务工作领域进一步拓宽。价格评估工作由原来的赃物估价、国有资产和房地产评估，拓展到了银行贷款抵押物和交通事故车损价格评估。全年省价格事务所共出具105份价格鉴定书，鉴定金额3577万元；组织拍卖14次，拍卖总额1180万元；资产评估29件，评估金额7617万元，全年上报发布各种价格信息4.9万多条。

物价宣传工作得到加强。全年共编发《吉林物价简报》70期，上报省委、省政府物价政务信息120条，《吉林日报》刊发物价稿件22件，答复法规件90余件，人大代表意见和建议、政协委员提案10件，完成省委、省政府督察室督办件4件。

五、以抓政务公开为突破口，进一步增强依法行政、依法治价意识

实行公开办事制度。进一步落实价格听证制度，受到表扬。为进一步创造良好的经济发展环境，省物价局下发了《关于开展整治经济发展软环境工作的通知》，要求各级物价干部特别是领导干部从自身做起，坚持全心全意为人民服务这一根本宗旨，增强公仆意识，提高办事效率。通过实行公开办事制度、公布举报电话，办理《收费许可证》和年审以及价格行政执法等，使面向社会的窗口单位形象有了极大的改观，基本上杜绝了“门难进，脸难看，事难办”现象。

坚持依法行政。各级物价部门作为行政执法部门，坚持按照有关行政和价格法律办事，认真落实

《价格法》、《行政处罚法》、《行政诉讼法》、《价格违法行为行政处罚规定》、《价格行政处罚程序规定》等法律法规，严格办事程序，坚持了违法案件集体审理制度。通过开展有关法律、法规的培训，物价干部的执法素质得到了明显提高，通过组织开展全省价格监督检查案卷考核评比活动，促进了全省价格执法水平和检查办案质量的提高。全省物价检查系统内部执法执纪督查工作收到了较好的效果，省局组织的普法执法自查受到省直党工委的充分肯定。

（胡长玉）

黑龙江省

一、物价走势及特点

1999年，黑龙江省价格总水平继续走低，全省商品零售价格和居民消费价格总水平分别比上年下降3.9%和3.2%。截止12月份，商品零售物价总水平已连续23个月、居民消费价格总水平已连续15个月低于上年同期水平，是改革开放以来价格水平变动幅度最低的年份。其价格走势呈以下特点：

1、降价范围广。在社会零售商品14个大类中，除书报杂志外，其它13个大类商品价格水平均比上年同期下降，幅度在0.2～8.8%之间，其中，家用电器类降价幅度最大。在居民消费价格8个大类中，除医疗保健、居住和服务项目等3类价格水平高于上年同期外，其它5类价格指数均比上年同期下降，降幅在4～5.7%之间。

2、食品类价格的升降对总水平影响较大。食品类零售价格指数比上年同期下降5.6%，约影响零售物价总水平下降2.3个百分点，其中，粮食价格下降6.3%，肉禽蛋价格下降13.7%，水产品价格下降14.9%，分别影响总水平下降0.4、1.35和0.1个百分点。鲜菜、鲜果零售价格指数分别比上年同期上升2.3%和0.6%，合计约影响总水平上升0.15个百分点，对物价总水平的持续下降起到了一定的遏制作用。

3、季节性因素和政策性调价因素在价格水平变动中起重要作用。一是鲜菜价格指数在下半年以来，受季节性涨价或降价影响，有的月份涨价幅度高达34.8%，有的月份降价幅度达6%，月与月之间涨落差别很大，对价格总水平的走向产生了较大影响。二是6月份以来，国家和省下调了药品价格，药品价格指数由升转降，呈逐月小幅扩大趋势，12月份药品同比价格下降1.5%。三是国家和省相继调整了电力、成品油、电信、房租、自来水等价格，使居住、服务价格指数一直处于升势，工业品出厂价格指数由降转升。

4、上游产品价格指数继续呈现疲态。据统计，原材料、燃料、动力购进价格与上年同期相比下降1.8%，农业生产资料价格指数下降3.5%。

5、农村市场物价指数普遍低于城市。以上年同期为100，城市零售物价指数和居民消费价格指数分别为96.4和97，农村分别为95.3和96.3，城市分别高于农村1.1和0.7个百分点。

二、积极推进价格改革，促进经济结构调整和两个根本转变

各级物价部门紧紧围绕经济工作的中心任务，继续深化价格改革，完善价格形成机制。全省相继调整了电力、电信、房租、药品、交通、自来水、成品油等一大批价格，累计调价金额8.4亿元。这些调价措施，对优化产业产品结构，刺激消费增长起到了积极作用。进一步推进粮食流通体制改革，调整粮食价格结构，扩大烤烟品质差价，起到了引导农业种植结构、发展质量效益农业的作用。加强对地方名优药品的价格扶持，积极为出省药品提供服务，推动了医药行业名牌带动战略的实施。在电力和成品油价格改革中，积极争取国家政策支持，为地方企业增加收入、减轻负担3.4亿元。改革化肥管理体制，推动公交票价改革，促进了新的价格形成机制的建立和完善。为了进一步落实企业自主权，对1979年以来出台的政策文件进行全面清理，增强了企业根据市场变化和竞争合理制定价格的能力。

三、充分发挥价格杠杆作用，刺激投资和消费增长，扩大国内需求

对市场需求不足和价格总水平持续走低的严

峻形势，各级物价部门采取积极措施，着力扩大国内需求。省及各地相继出台了运用价格杠杆扩大内需、优化结构、促进经济发展的政策措施。围绕加强基础设施建设，对15条新建公路实行了收费承诺政策，支持地方筹集建设贷款80亿元。规范农网改造中的有关政策和收费标准，保证了农电“两改一同价”的顺利进行。为鼓励城乡企业用电，降低了省指导性电量价差，使全省用电企业减轻负担2亿元。适时调低因特网资费、电话初装费、长途电话附加费等收费标准，有力地刺激了电信消费。把加快发展教育事业作为启动内需的重要措施，进一步制定和完善高等教育收费政策，为扩大教育消费创造了条件。

四、大力清费治乱减负，进一步改善经济发展的外部环境

经过一年来的清理整顿，全省又相继取消231个收费、基金和附加项目，降低标准480项，涉及金额8.7亿元。严格控制收费审批，实行清费治乱与收费年度审验相结合，全省共审验收费许可证41648个，对已取消和降低标准的收费项目及时办理注销、变更手续。向全省3万户企业发放企业负担登记卡，保护了企业的合法权益。哈尔滨、大庆、双鸭山、东宁等一些地方还把已取消收费项目汇集成册，发放到企业手中。在全面清理的基础上，加强对外资企业收费、口岸收费、旅游收费、公路客运收费的管理，进一步改善了经济发展环境。整顿药品价格秩序，先后降低500多个规格药品价格，降价总金额5亿元。重点开展交通、民航、农业生产资料、电力、房地产、旅游、药品、医疗、教育等价格和收费及已取消收费、涉农收费的专项检查，减轻了企业负担。全年全省共查处各类价格违法案件15115件，实施经济制裁总金额5854.5，退还用户1738.3万元。结合实施“价格民心工程”，全省已建立价格和收费明白榜9800多块，发放各种价格和收费明白卡16万多张、明白信和宣传单80多万张，提高了价格透明度，促进了社会监督。加大推进明码标价的力度，许多地方建立了明码标价示范街，肇东、海伦、庆安等地还试点推行新的“三色价签”，进一步净化了市场价格环境。

五、加强房地产价格调控，促进新的经济增长点的培育和发展

省物价局制定并通过政府下发了《加强房地产价格调控加快住房建设的实施意见》。同时制定下发了《商品房交易价格行为规则》、《非物业小区房屋物业服务收费管理办法》、《地价管理办法》、《经济适用住房价格管理办法》等配套文件，有力地促进了房地产业健康发展。针对住房建设费多、费乱的实际情况，在全省开展了房地产收费的专项清理整顿。适当提高公有住房租金，加强住房价格管理，规范物业管理收费，有力地促进了住房销售。哈尔滨、齐齐哈尔、牡丹江、伊春、鹤岗等许多地方也都制定了加强房地产价格调控的具体办法，提出了降低住房建设收费的具体措施。哈尔滨市已取消、合并、降低收费26项、齐齐哈尔提出合并取消44项、牡丹江合并取消17项、伊春合并取消10项、鹤岗合并取消12项。通过清理整顿，哈尔滨市新建住宅造价每平方米可降低100～150元，双鸭山市降低200元，鹤岗市降低420元。清理建设项目收费，为降低住宅造价创造了条件。双鸭山、鹤岗市在整顿规范房地产收费、降低住房价格上行动快、力度大，取得突破性进展，带来了大拆迁、大建设、大发展的新局面。

六、深入开展为经济建设服务、树行业新风活动，强化价格服务职能，推动物价队伍建设

省物价部门紧密围绕“二次创业、富民强省”的跨世纪发展目标，增强服务意识，发挥服务功能，尽心竭力地为地方经济发展服务。为进一步实施粮食优质优价政策，引导农民优化粮食种植结构，增加收入，下发了黑价联字[1999]22号文件，对凡具有优质品牌注册商标和已获得绿色食品证书，以及地市技术推广部门认定的优质品种粮食，实行产销直接见面，价格由产销双方按市场需求协商议定。积极参与陈化粮拍卖，探索陈化粮转化办法。围绕服务于经济建设，根据全省实际，克服困难，征收价格调节基金8000多万元，发挥了价格调节基金的作用。价格事务工作不断开拓新领域，已拓展到房地产、保险理赔、机动车交易、企业改制资产评估等领域。成本调查工作积极发挥参谋作用，为调整农业生产结构，帮助农民致富，促进农业生产发展提供了科学依据。价格宣传、价格咨询等项工作也在发布信息、提供服务、支持企业发展等方面发挥了积极作用。

省物价局提出服务大局、依法办事、创新务实、协调有力、纪律严明、勤政廉洁等行业建设的基本要求，各地采取有效措施，大力加强机关精神文明建设。以“三讲”教育为契机，进一步加强党风廉政

建设，提高物价干部素质，推动了物价系统队伍建设。许多地市还推出了内强素质、外塑形象的"形象工程"和"争先创优竞赛"活动，激励广大干部千方百计为企业排忧解难，全心全意为群众办实事，在社会上树立了物价部门的良好形象。

（宋秀梅）

上 海 市

1999年，上海市价格总水平呈现出"前低后高、稳步回升"的态势，居民消费价格总水平同比平均上涨1.5%，商品零售价格总水平同比平均下降2.7%。1～12月居民消费价格指数分别为97、97.1、97.8、97.7、98.5、101.2、103.6、101.8、106.5、105.8、105.3和105.5；商品零售价格指数分别为95.7、95.6、95.7、95.8、96.7、98.5、99.9、98.8、98.3、97.8、97.3和97.2。全年市场价格总水平变动呈现以下几个特点：(1)食品类价格下降是商品零售价格总水平持续负增长的重要因素。全年食品类价格同比平均下降3.9%，其中，以粮食、猪肉、食油、鲜蛋、食糖、鲜果等价格下降幅度为大。(2)工业消费品价格止跌回升。纺织品类、化妆品类、书报杂志类以及中西药品类价格同比分别上涨3.6%、3.7%、17.4%和0.4%。(3)居住类和服务项目类价格同比分别上升5.8%和21.9%，直接推动居民消费价格总水平上升。

针对近年来买方市场逐渐形成，市场价格总水平持续走低的经济形势，物价部门及时转变调控方向，把工作重点转到积极运用价格杠杆促进内需增长、结构优化和经济发展方向上来。(1)加强政府调控，促进价格总水平合理回升。适时出台了有利于推动消费、促进产业结构调整、改善生态环境的价格结构性调整项目。经测算，在全年居民消费价格指数中，属于政府调价因素拉动2.7个百分点。为了更全面地掌握居民的消费情况和承受能力，会同市统计局，选择与人民群众生活密切相关的41类67种商品和服务价格，试行编制居民基本消费价格指数，供市领导决策时参考。加大市场价格监督检查力度，大力整顿市场价格秩序，积极制止低价倾销、价格欺诈等不正当价格竞争，保持市场价格的基本稳定。(2)价格结构性调整与扩大内需、企业转换经营机制、保持社会稳定相结合。抓住市场总体价格水平比较低的机遇，先后调整公交、地铁票价、车辆过江费、逸仙路高架收费、浦东机场道路及停车收费、高中学费、普通公园门票、民政福利、城市排水等收费，以及重油、黄金饰品价格等，进一步理顺价格关系，推动了消费的增长。(3)以规范市场主体价格行为为重点，进一步整顿市场价格秩序。继续开展治理"三乱"工作，对124项涉及企业的收费区分情况，予以保留、归并或取消。进一步完善收费许可证、收费员证和企业交费登记卡制度，给5000户企业发放了企业交费登记卡，有利于加强对各种收费的监督。在全市商业零售企业推行三色标价签制度，提高商品价格的透明度。在建材、装潢市场建立价格监测和信息引导制度，采用计算机报价，经汇总分析后确认市场平均价格，定期向社会公布。针对药品价格虚高的情况，加大了药品价格整治力度，分两批降低在沪销售的201种药品价格，加上贯彻国家计委管理的药品降价通知，降价总金额达6亿元。为了规范医院收费行为，在各等级医院推行计算机收费，向病人提供包括药品的名称、数量、单价和金额的收费明细账单。认真开展市场价格监督检查，先后组织了农副产品收购价格、医药价格、民航客票、电信资费、教育收费、物业管理收费、家用电器维修收费等专项检查，以及元旦、春节、国庆等重大节日的市场价格检查。全年共查处各类价格违法案件1.64万件，对违法者实行经济制裁总额3759.74万元。其中，没收非法所得2336.54万元，退还消费者1254.69万元，罚款168.51万元。(4)加强工农产品成本和收费支出情况调查。在继续搞好市郊稻、棉、生猪等农副产品生产成本和经济效益调查的基础上，重点加强对医疗、教育、环保等行业收支情况的调查，为合理确定收费水平提供参考依据。与此同时，积极开展涉案物品价格评估、交通事故物损评估、旧车交易价格评估和价格鉴证工作，为企业和人民群众提供价格信息服务。

（李振新）

江　苏　省

一、价格总水平运行的主要特点

1999年，全省经济保持良好的增长势头，价格总水平仍在低位运行。其运行的主要特点是：价格总水平全面下跌。全省商品零售价格指数和居民消费价格指数分别为96.9和98.7，与上年同期相比分别下降3.1%和1.3%，其中，城市下降1.4%，农村下降1.2%；农资价格平均下降4.5%，农产品收购价格总水平下降14.7%，工业品出厂价格下降3.9%，原材料、燃料、动力购进价格下降5.6%。

从时间上看，1～5月跌幅逐步扩大，6月份后，跌幅逐步缩小。7月份后，部分地区有些月份的居民消费价格指数已回升到100以上。

工业品价格低迷。商品零售价格中，书报杂志类价格上涨6.1%，中西药品类上涨0.8%，化妆品价格略涨0.4%；燃料价格水平持平；服装鞋帽、饮料烟酒、纺织品、文化体育用品、日用品、家用电器、首饰、建筑装潢材料、机电产品等大类工业消费品价格均有不同程度的下跌。工业品出厂价格中，生产资料价格下降3.8%，生活资料价格下降4%，农业生产资料价格下降4.5%。

主副食品价格波动较大，价格水平下跌较多。一是猪肉价格大幅下跌。1～5月猪肉价格呈持续下降趋势，其跌幅为本省历史所罕见。6月后价格恢复性回升，10月份集市价比最低的5月份上涨了31.7%，但与上年同期比，价格仍是下跌态势，6～12月份比上年同期下降8.8%，全年平均下降14.4%。二是粮食价格降势依旧。自1998年秋粮上市以来，粮食价格下降势头加快，11月比10月下降4.4%，12月又比11月下降4.5%。三是副食品价格跌幅较深。全年平均水产品价格下降10%，鲜菜价格下降0.7%，蛋价下降10%。

公益事业价格涨幅较大。继上年调整了医疗收费和房租，提高了中小学学杂费，3月1日又调整了邮政资费标准和部分医疗收费，使公益事业等服务价格出现较大幅度上涨。如房租价格上涨13.3%；服务类价格上涨10.4%，其中，邮费类上涨34.4%，学杂费上涨19.9%，医疗保健服务类上涨12.2%。

二、运用价格杠杆，促进消费需求增长

1、支持房地产业发展。降低土地和房地产抵押贷款管理费等11项收费标准，取消建设工程档案保证金、商业网点费等8项收费，对经济适用住房及普通居民住宅用地价格，按土地出让价格扣除土地开发成本及应纳税费后的40%收取。研究制定《江苏省物业管理服务收费办法》和《江苏省物业管理服务收费分等定级办法》。据测算，商品房每平方米价格可降低80元，住宅房平均每平方米成本可降低150元左右，两项合计，一年可减轻用户负担5亿元。

2、推进医疗教育事业发展。印发了《关于完善药品价格政策改进药品价格管理的通知》，规范药品销售折扣行为，制止“虚高”定价。采取差别销售利润率政策，支持省重点医药企业、高新技术生化产业的发展。先后两次降低82个品种、170个规格的药品价格，年降价金额1.2亿元。为解决普通病房收费偏低的问题，制定了《江苏省医院病房床位费管理暂行办法》，对普通病床收费实行分级管理，分等定价。支持科教兴省战略，鼓励社会力量办学，核定高校增招2.5万名大学生收费标准，调整普通高校和民办高校收费标准，拉开不同专业、学校收费差价，制定社会办大学生公寓收费管理办法。

3、大幅度降低邮电资费。先后两次较大幅度地降低电信资费标准，降低固定电话初装费、移动电话入网费、互联网资费、出租电路资费和部分通信建设费标准，缩小了通信建设费征收范围。适当提高了公用电话通话费和邮政资费标准。加强无线寻呼收费管理，取消、合并、降低了部分服务收费标准，累计可减轻电信用户负担50多亿元。

4、改善旅游价格环境。制定《江苏省游览参观点门票价格管理办法》，规范了旅游价格管理。取消游客反映强烈的园中园门票，对游览参观点举办临

时展览实行优惠政策,鼓励各地发展特色旅游。

三、深化价格改革,促进经济结构调整

1、进一步完善粮食价格形成机制。按照中央深化粮食流通体制改革的统一要求和部署,积极研究适应粮食供求变化的粮食收购价格和优质优价政策,调整保护价收购范围,实行收购价格与保护价格的并轨,拉开了粮食的质量差价、等级差价和地区差价。研究制定江苏省完善粮食价格形成机制实施意见,将粮价改革推向深入,以促进粮食种植结构调整与优化。

2、建立棉花和化肥市场形成价格的新机制。按照国家统一部署,放开棉花收购价格,初步建立了在政府宏观调控下主要由市场形成价格的机制。放开化肥零售价格,出厂价格由政府定价改为政府指导价。根据化肥价格改革的要求,及时研究制定了实施意见,完善江苏省农资价格政策,推动产品结构的优化升级。

3、推进电价体制改革。全省共完成1998年度农网改造投资28亿元,整改行政村8758个。并与有关部门配合,争取到国家45亿元改造资金,重点用于36个县的农网改造。根据电力产业政策的要求,实施全省统一销售电价,调整电价结构,减轻企业负担。配合农网改造,逐步推行农村统一销售分类电价,下达常州、徐州等10个市农村统一销售分类电价水平,农村居民照明电价降到每度0.65元以下,其他行业用电价格水平也有所降低,年减轻用户负担10亿元左右。为推进电价体制改革,对部分集资电厂试行竞价上网,同时选择冶金等六大行业试行峰谷分时电价。降低集资电厂的上网价格,重新核定小火电厂和调峰电厂的上网价格。

4、深化公用事业价格改革。适当调整自来水价格和污水处理费,同时取消了排污费、冲污费、污水处理厂建设费和排水设施有偿使用费,促进了公用事业发展。制定《江苏省水增容管理办法》,改革水增容费计价办法,年减轻用户负担1.5亿元。

四、严格收费监管,促进市场环境改善

1、大力清费治乱减负。为减轻企业和群众负担,扩大国内需求,下调了房地产及中介服务收费,企业、群众反映强烈的热点问题得到专项治理。据测算,通过清理整顿,年减轻企业和群众负担近70亿元。

2、严格涉企、涉农收费监管,扩大监督范围。全面推行交费登记卡制度,继续贯彻落实农民负担一定三年不变的政策,推行公平负担措施,完善农民负担规范化管理。

3、探索收费管理新举措。针对目前收费部门多、标准高、收费乱的现状,实行扎口收费,加强对专业市场、经济技术开发区、工业园区等规模型经济的收费监管力度。建立收费监测制度,维护正常收费秩序。推行收费公示制度,公开收费项目与标准,做到年内收费年初公布,加强社会监督,维护农民合法权益。

五、推进依法治价,促进价格秩序规范

1、大力宣传贯彻《价格法》。为纪念《价格法》颁布实施一周年,召开了专家座谈会和新闻发布会,陈必亭副省长发表了电视讲话。通过江苏教育电视台"3·15"热线,就价格决策听证、药价管理、房地产收费等政策问题进行现场直播,收视观众超过百万人。通过宣传贯彻,全社会价格法制意识明显增强。

2、严格依法行政。下发加强价格法制建设的意见,对依法行政提出重点要求。完善价格决策听证制度,在确定高校增招大学生收费标准前,组织多方代表认真进行听证。制定物价检查办案程序、案件集体审议制度以及全省物价检查系统价格执法监督制度等一系列规定,规范了执法行为,提高了办案水平。强化执法监督,建立物价系统内部执法监督制度,颁发执法监督办法,完善行政复议制度,开展价格行政执法检查。

3、夯实依法治价基础。完成《江苏省服务价格管理规定》的修改论证,并经省政府常务会议审议通过施行;制定并出台了《江苏省游览参观点门票价格管理规定》等10多个规范性文件。

4、强化价格监督检查。结合治乱减负,开展农资价格和涉农收费、交通系统收费、外企收费等专项检查,进行了农村电价、药品价格和医疗收费、民航客票、成品油、电信等市场价格的突击检查。建立价格举报中心,拓宽价格监督渠道,提高办理群众投诉与举报的效率。全年全省共受理价格举报和咨询17807件,立案查处举报案件9041起,办结8651起,直接退还3370万元,维护了举报者和消费者的合法权益。全省共查处价格违法行为和案件19356起,查处价格违法所得38090万元,实施经济制裁22628万元,其中,退还用户5493万元,上缴财政17135万元。

六、强化基础建设,促进价格服务功能完善

1、价格信息服务工作取得新的进展。为开辟价格信息服务新阵地,通过因特网开通了江苏价格信

息网网站，开发建立了药品价格数据库。价格事务服务保持良好的发展势头。评估人员素质普遍提高，权威性增强。评估范围进一步拓宽，业务量明显增加。全年全省各级价格事务所共完成业务量5万余件，金额40多亿元。

2、基础建设得到加强。价格监测分析工作进一步改进。扩大了价格监测网络覆盖范围，提高了监测分析水平，监测报告质量明显提高，得到国家计委领导的肯定。农本调查基础工作有所加强。对全省农本调查户进行全面摸底，建立了农调户档案。开展对夏粮、秋粮收购情况的预测调查，为价格水平的合理制定提供了依据。

3、理论研究与干部培训工作得到重视。编纂出版了《江苏价格改革二十年》，总结了江苏省改革开放以来价格工作的经验，展示了价格工作取得的巨大成就。重视提高物价干部的自身素质，加强队伍的培训工作，先后举办价格监督检查人员资格考核、初任局长、药品价格和农本调查等多期培训，促进了物价干部素质的全面提高。

4、队伍建设上了新台阶。加强思想政治工作。按照省委部署，开展以"讲学习、讲政治、讲正气"为主要内容的党性党风教育，通过三讲，提高了思想政治觉悟，制定了整改措施，完善了管理制度。组织创建规范化检查所活动和全国价格监督检查先进事迹报告会，强化了精神文明建设。改进工作作风。为了贯彻中央12号和省委25号文件，省局党组5名成员分别带领相关人员，先后赴5市12县开展了调查，形成关于促进个体私营经济发展的政策建议等4篇调查报告，研究制定了关于运用价格杠杆，扩大消费需求，促进经济发展的16条政策措施，并被省政府2号参阅文件刊出，印发全省，受到省政府领导同志的表扬。 （章 吟）

浙 江 省

一、积极调整价格结构，深化价格改革

1999年，浙江省与全国一样，价格总水平持续下跌，通货紧缩迹象进一步显现。面对这一形势，运用价格杠杆促进内需增长和结构优化，各级物价部门都进行了积极、有益的探索，并在大量调查研究的基础上，9月份省局印发了《关于运用价格杠杆扩大内需改善投资环境促进经济发展的若干意见》，提出了15条主要措施，对促进有效需求的增长及经济结构的优化起到了积极的作用。

同时，价格改革力度进一步加大。一是继续深化农产品价格改革。认真贯彻执行中央关于粮食、棉花等农产品价格政策，适当调整粮食定购价和保护价水平，放开棉花价格，合理安排蚕茧价格。改革化肥价格管理办法，放开零售价格，建立化肥价格风险基金制度。二是加大对价格改革难点的攻关力度。如修改完善了浙江省统一销售电价改革方案，规范水价构成，大幅度降低部分药品价格等等。三是运用价格杠杆促进第三产业的发展。根据国家部署，调整了固定电话初装费和移动电话入网费、月租费等，统一规范了邮政特需服务收费项目和标准。对教育收费提出整体改革思路，并下放了高中阶段收费定价权，对高校后勤服务收费改革进行试点。四是为培育新的经济增长点服务。如规范住宅价格构成及价格行为，规范物业管理服务收费行为，继续整顿建设项目收费，取消房地产交易管理费，降低房地产交易手续费，制定进一步深化房改和鼓励房改房上市的有关价格政策，规范了建设工程招投标管理费等，取得了较好的效果。

二、清费减负工作取得显著成绩

全省物价部门与有关部门密切配合，切实加大清费减负工作的力度，通过过去两年多的努力，合计减轻企业和群众负担83亿元。

1、全面开展行政事业性收费清理工作。积极贯彻落实国家取消的收费项目和降低的收费标准。全面清理省出台的收费项目，对市县越权出台的收费项目进行认真清理，取消了不合理的收费项目，降低了过高的收费标准，及时注销或变更收费许可证。全年全省共清理取消了各级政府及有关部门越权出台的涉企行政事业性收费1000多项，可减轻企业和群众负担20亿元。

2、对垄断行业及建设项目收费进行专项治理。降低电话初装费和取消部分邮电附加费,可减轻企业和群众负担20亿元。对电价进行全面整顿,取消各地在电价上加收的各种补贴、附加费等;取消部分市县政府擅自在铁路货运上加收的附加费和铁路经营服务收费。两项整顿可减轻企业和群众负担43亿元。同时,对城市基础设施配套收费标准进行了规范。

3、清理面向改制企业、外商投资企业、个体私营企业的收费以及中介服务收费、社团收费、对涉及外资企业的122项收费实行减半征收;取消抵押登记收费;清理个私企业收费;取消私营企业管理费;将乡镇企业管理费从原来的0.3～0.4%降为0.1%。对改制企业,职能部门委托中介机构的审计、评估、验资等收费按原定标准的40%收取,出台会计审计收费管理办法;对学会、协会、职工技协的会费及有偿服务收费进行整顿,出台全省学会、协会、职工技协有偿服务收费管理办法,进一步规范其收费行为。

4、对落实省政府[1998]107号文件的情况进行专项检查。重点开展了全省交通收费、建筑取费、对外商投资企业收费、电信资费等专项检查。交通收费检查查出各类价格违法案件327件,违法金额约9亿元;建筑取费检查共查出价格违法案件368件,违法金额64757万元。两项专项检查涉案金额超过百万元的达130件。同时,结合贯彻落实中央和省有关"收支两条线"的规定,再次对行政事业性收费进行清理,对清理中发现的问题,已与省政府纠风办联合发出整改通知书,限期纠正。

5、进一步加强收费验审,落实清费成果。全年对全省行政事业性收费进行验审,总额达288.3亿元,审出违纪金额3811万元。

三、加强价格法制建设,规范价格行为

1、抓住《价格法》实施一周年的有利时机,全省上下联动,形式多样,开展了有一定声势和影响的宣传活动,扩大《价格法》的社会影响,进一步提高了全社会的价格法律意识,宣传了物价部门的职能和工作。

2、加快价格立法步伐。起草了《浙江省实施〈中华人民共和国价格法〉办法》报送省政府审核。同时制定了一系列专项价格管理监督的规范性文件,主要有《浙江省商品住宅价格构成及价格行为规范》、《浙江省物业管理服务收费暂行办法》、《浙江省学会、协会、技协有偿收费管理暂行办法》、《浙江省价格监测报告制度》、《浙江省药品价格登记公布暂行办法》等。

3、贯彻落实《行政复议法》,认真清理各类规范性文件,依法调整复议体制和制定相关制度,保障行政复议法顺利实施。

4、认真组织实施行政执法责任制,努力做到依法行政,依法治价。

四、强化价格监督检查,净化经济环境

一年来,价格监督检查工作以减轻农民负担,促进农村消费市场的开拓为目标,开展了农村电价、涉农收费和粮食价格检查;以减轻企业负担,改善投资环境,促进国企改革为目标,开展了交通收费、建设项目收费、电信资费和对外资企业收费检查;以整顿价格秩序,维护公平竞争,促进经济增长为目标,开展药品价格、商品住宅价格、物业收费、明码标价和制止不正当价格行为等规范价格行为的检查。加强价格举报中心力量,做好群众的投诉举报工作。积极参加省政府纠风办等部门联合组织的群众投诉"三乱"活动,接待群众的投诉和举报。全省各级物价部门已设价格举报中心56个,全年接受群众的举报和投诉7768起。全省开展明码标价"示范店、示范街"活动,规范重点行业的明码标价,提高了明码标价的普及率和准确率。全省价格监督检查工作思路有所拓宽,特别是围绕清费治乱减负,以下查一级的形式,开展对政府明令取消项目的检查,价格检查和处罚力度进一步加大。全省全年共查处价格违法案件9294件,经济制裁总金额达17030.89万元,其中,退还用户6641.83万元,没收违法所得10097.43万元,罚款总金额291.63万元。

五、转变职能,加强价格服务工作

1、把价格事务工作作为一项重要工作来抓,工作的领域不断拓展,业务量日益增加,发展势头较好,受到了国家计委的表彰。省局《关于加强发展价格事务工作的意见》印发后,各地根据"立足改革求发展、加强管理上台阶"的总体要求,进一步促进了发展的好势头,全年全省各级事务所服务标的总额达到90亿元左右。

2、进一步加强对价格的监测工作,完善监测报告制度,为掌握市场价格动态提供了可靠数据。

3、进一步搞好农本调查工作,开展农本专题调查,为农产品价格决策服务。

4、普遍推行政务公开制度,向社会承诺办事时限和服务质量。有的市(地)推行窗口办文制度,改进了物价部门的形象。

5、加强调查研究工作，开展优秀价格调研成果评选活动。

6、政务信息、培训等工作进一步加强，政务信息质量有了较大的提高，培训工作更具针对性，促进了工作水平的提高。 （王鑫勇）

宁 波 市

一、物价运行情况

1999年，宁波市社会商品零售价格指数为97.3，居民消费价格指数为100.1。在全国36个大中城市中，零售价格涨幅和居民消费价格涨幅均居第11位。全年价格运行呈三个特点：一是商品零售价格同比始终处于负增长态势，食品类价格持续走低是导致零售价格下降的首要因素。据统计，10类食品中只有水产品和鲜果价格全年平均比上年分别上升4.7%和2.2%，其余8类食品价格比上年下降2.3～12.6%不等，其中，“肉禽蛋”、“粮食”和“其他类食品”价格下降对总指数的影响尤为明显，占总指数降幅的38%。二是居民消费价格指数在“服务类”和“住房类”价格的拉动作用下，与上年基本持平。这主要归因于政府职能部门的价格调控和价格管理。三是全年物价走势先抑后扬。与上年先扬后抑刚好相反。主要是中央和地方各级政府为扩大内需所采取的宏观调控政策和措施的效果逐渐体现所致。

二、物价工作

1、积极运用价格杠杆，促进经济结构调整和优化。

(1)认真贯彻全国粮食流通体制改革工作会议精神，对春粮、油菜籽和早、中、晚稻的生产成本和市场供求进行深入调查和测算，及时向市政府提出了收购价、保护价的合理化建议。粮食部门和广大农民对此都较为满意。

(2)适时调整自来水、电、石油液化气及成品油价格，提高了供电、供水、供气、供油的质量。

(3)整顿和重新核定一批市级医疗单位自制药品和市管药品价格，使这些药品价格有所下降，减轻了病人的负担。

(4)为启动房地产市场，制定了《宁波市基准地价管理办法》和《宁波市房屋拆迁安置补偿标准》等规范性文件，调整了市区房改房出售价格水平和公房租金。同时针对物业管理费的混乱状况，制定下发了《宁波市物业管理收费办法》和《宁波市普通住宅小区物业管理收费办法》，进一步规范了物业管理收费秩序。

(5)按照国家计委的安排，调整了邮电资费，并出台了规范宁波市移动通信价格行为的有关措施，及时制止了移动通讯不正常的低价竞争行为。

(6)适时降低了“夏利”出租车的起步价，实施与桑塔纳出租车同价，加快了出租车的更新换代步伐，使市区2000余辆“夏利”出租车不到两个月全部更新为崭新的“桑塔纳”。

(7)针对当前宾馆、饭店行业价格无序竞争的状况，制定下发了《宁波市宾馆、招待所服务价格等级管理办法》，规范了宾馆行业的价格竞争行为。

(8)出台了《宁波市商品交易市场服务收费管理暂行办法》，将过去单一的国家定价形式，改变为对蔬菜、水果、水产批发市场交易服务费和农贸市场摊位费实行政府指导价管理，对其他各类专业市场摊位费实行市场调节管理。

(9)为鼓励集装箱运输，改变了集装箱通行收费计费方式，由原按车吨位计费改为按箱体尺寸计费，不仅减轻了货主的负担，而且杜绝了多装超载现象，提高了安全运输系数。

2、清费治乱减负，改善投资环境。经市政府审批同意，先后公布取消收费项目54项，降低收费标准14项，年减轻企业负担5000多万元。同时，会同市监察局对涉及外商投资企业减半收费的6个系统、14个部门、124项行政事业性收费项目进行跟踪检查。在3000多家外商投资企业中全面推行《企业交费登记卡》制度，并设立企业收费负担监测点56个。为支持下岗职工再就业，明确规定对下岗、失业职工自谋职业的，减免有关行政事业性收费。

为进一步加强对收费和基金的管理，促进个体私营经济的健康发展，制定下发了《关于贯彻实施市委、市政府加快个体私营经济发展的实施意见》，在全市19.8万个体工商户和2.1万户私营企业中全面推行交费登记卡制度，对涉及个私企业的收费实行“半年备案，全年审核”制度。

为巩固清费成果，改变收费单位无具体责任人、追查乱收费行为相互推诿的情况，制定下发了《宁波市收费管理员制度实施办法》，在全市收费执收单位全面推行收费管理员上岗证制度；对幼儿园收费体制进行改革，制定下发了《宁波市幼儿园收费等级考核办法》，调整了幼儿园收费标准，并规定从1999年9月1日起幼儿园一律不得再收取各种赞助费，受到群众欢迎；对普通中学的高中段收费进行改革，实行“优质优价”，并调整了高中段收费标准，逐步向按成本收费靠拢；制定了《宁波市社会力量办学收退费规定》，使社会力量办学收费和退费有章可循；为防止医疗单位乱收费，会同市卫生局，在九家市级医院全面实行收费透明结帐制度，并在县级医院推广试行，受到病人的拥护和好评。把清费治乱与收费验审工作结合起来，会同市财政局审验市本级收费执收单位1002家，使违规收费行为得到及时发现和制止。

3、加大价格检查力度，规范市场价格行为。

(1)大张旗鼓地开展《中华人民共和国价格法》实施一周年宣传活动。成立了《价格法》宣传领导小组，市局专门下发了《关于进一步开展学习宣传〈价格法〉的通知》，确定4月25日至5月5日为全市《价格法》宣传旬。在市区主要街道、商场、天桥、广场悬挂宣传标语，在报纸、电台、电视台及市区大型电子屏幕上宣传《价格法》的有关内容。期间组织召开了《价格法》实施一周年座谈会、研讨会、新闻发布会，对一批违反《价格法》的典型案例进行曝光，对自觉遵守物价政策法规的一批先进单位进行通报表彰。在市区和城镇设立《价格法》咨询服务点，向广大群众散发《价格法》宣传资料，接受消费者投诉。在市“普法办”的支持下，把《价格法》列入全市“三五”普法的重要内容，使《价格法》更加深入人心，家喻户晓。

(2)深入开展价格监督检查，惩治价格违法行为。对与群众生活关系密切的农贸市场“菜篮子”价格，做到上下(市、区)配合，分工明确，天天有人查，场场有人到；对垄断和重点行业的价格检查，做到先行试点，解剖“麻雀”，然后集中力量，全面开展，一查到底，对群众举报或投诉，做到24小时值班，热情接待，及时查处。此外，还重点开展了对外资企业收费、交通收费、电信收费、建设项目收费、物业收费、电力价格、民航客票价格、商品房价格以及医药购销中的不正之风等专项检查，执法查处力度是市物价局成立以来最大的一年。全市共查处各类价格违法案件1000多宗，查处违法所得金额2300多万元，没收违法所得1560多万元，罚款55万元，退还用户700多万元，使乱涨价、乱收费行为及时受到惩处。

(3)积极开展职工物价计量监督检查活动。《价格法》颁布后，虽然对职工物价检查处罚权限有待明确，但是全市职工物价计量监督员，在物价部门的委托和指导下，始终坚持“组织不散，队伍不垮，检查不松”，紧紧围绕与职工群众生活密切相关的“菜篮子”、“米袋子”、“火炉子”，深入开展经常性的物价计量监督检查。据不完全统计，全市共出动检查人员17380人次，检查店、摊128858家，查处价格计量违法案件1556宗，其中，移交有关部门处理的重大案件177宗，接待群众来信来访547件(次)，为维护市场价格秩序和广大职工群众的合法权益发挥了积极作用。

(4)开展明码标价宣传月活动，提高明码标价普及率。把宣传推广明码标价工作作为一项重要的基础工作来抓，在上年创“明码标价示范街”和规范零售商店、“窗口”行业明码标价的基础上，重点抓了批发市场、专业市场和特殊行业明码标价的普及与规范工作。5月15日至6月15日在全市范围内开展了“明码标价宣传月”活动，下发了《进一步加强明码标价的通知》，印发了明码标价宣传资料，在当地发行量最大的《宁波广播电视报》上刊登规范明码标价的宣传广告；组织二次大规模的明码标价大检查，并且做到边检查、边宣传、边指导，使零售环节的明码标价得到进一步巩固，批发环节和专业市场的明码标价有了新的突破，在全省明码标价工作经验交流会上作了典型经验介绍。

4、强化服务职能，不断拓展价格服务领域。

(1)加强价格监测和价格形势分析工作，为价格决策服务。在明确任务，责任到人的基础上，坚持逐月考核制度，使监测工作质量稳步提高，上报率、时效性、准确性等方面在全国36个大中城市中均名列前茅，多次受到国家计委的通报表扬。报送省物价局的价格监测资料的考核分，亦列全省前茅。价格形势分析的质量在全省保持领先地位，“价格形势分析报告”多次被中国价格信息网录用。向上报送的价格政务信息，有2条被省领导批示，有3条被中央办公厅、国务院办公厅采用。

(2)价格信息工作上了一个新台阶。市价格信息网在上年开通局域网的基础上，重点抓了信息网络的完善和扩充，收集增加了历年物价指数、近几年的价格政策法规、收费管理目录、报刊电子版、价格举报箱等。在浙江省投资贸易洽淡会开幕前夕，市价格信息网正式在国际互联网上向社会公众开放，成为宁波市信息网络的一个骨干网站，在浙江省物价系统属首家。市价格信息中心与市价格协会联办的《宁波价格信息》报，积极宣传价格政策法规，及时传递国内外市场行情，为促进各项物价工作任务的完成发挥了积极作用。

(3)价格事务工作有新的发展，评估领域不断拓宽，业务总量大幅上升，服务质量进一步提高。事故车辆定损延伸到交警部门各停车场，旧机动车交易评估延伸到交易市场，交易市场评估的车辆由汽车扩大到摩托车，在全省率先开展高速公路事故车的评估，财产评估在涉案财产评估的基础上又扩展到抵押贷款的评估。据统计，全市共受理价格鉴证、价格评估以及拍卖等业务18267宗，标的总金额为23.5亿元，收到了良好的社会效益和经济效益。

5、改革审批制度，提高办事效率。根据市政府关于审批制度改革的实施意见和要求，认真开展了审批制度改革。在提高认识的基础上，对内，过细地清理本单位的审批、核准事项；对外，主动征求上下级物价局和有关部门(单位)的意见，通过“三上三下”逐项反复研究和论证，最后根据单列市物价局的职能和权限，报经市政府审批确定，审批和核准事项由63项减至36项，减幅为42.9%。其中，审批事项由2项减至1项，减幅为50%；核准事项由61项减至35项，减幅为42.6%。达到了市府提出的两个“40%”的改革目标。通过审批制度改革，进一步转变了机关职能，规范了行政行为，增强了机关工作人员为“中心”服务的意识和纪律观念，提高了工作效率和服务质量，也促进了物价队伍的廉政建设。

(王庆华)

安 徽 省

一、市场物价持续低位运行

1999年与上年相比，安徽省商品零售价格总指数下降3.4%，居民消费价格总指数下降2.2%。其中，商品零售价格自1997年5月份以来连续32个月、居民消费价格自1998年9月份以来连续16个月低于上年水平。从分类价格指数看，在构成商品零售价格指数的14类商品中，除中西药品、书报杂志、文化体育类价格略有上升外，其它各类商品价格都有不同程度下跌。尤其是食品、饮料烟酒和家用电器类价格下跌明显，分别下跌4.9%、6.0%和6.7%。其中，由于食品类价格的下跌，影响商品零售价格总水平下跌近2个百分点，占价格总水平跌幅的58.8%。居住、服务项目价格指数改变了前几年大幅度上涨的局面，上涨幅度明显回落，分别为1.9%、7.9%。受市场供求影响，工业品市场价格继续疲软。全省原材料、燃料、动力购进价格指数和工业品出厂价格指数又有所下降。9大类原材料购进价格全部下跌，15大类工业品除电力、石油、建筑材料价格略有上升外，其它12类工业品价格都有不同程度下跌。

二、发挥价格杠杆作用促进需求扩大和结构调整

1、用价格政策促进农业结构调整。调低了粮食定购价，并与保护价实行二价合一；对粮食实行优质优价，拉开了品种差价、质量差价，有效地促进了农业种植结构的调整。全省秋种，油菜籽播种面积扩大近200万亩，红小麦减少100万亩，沿淮白小麦比重有所上升。会同有关部门，在全国率先出台了陈化粮价格政策，及时审核陈化粮价格，加快了陈化粮销售步伐，全省处理陈化粮14亿多公斤，居全国首位，为减轻国有收储企业仓容压力、扩大收购创造了条件。

2、加大价格调整力度，理顺价格关系。先后调整了铁路、道路交通、邮政、电信等基础产业价格和

收费标准；提高公房租金和旅游等价格；提高非义务教育阶段收费标准。各地还根据当地经济发展的需要，提高了公交票价、自来水、煤气等价格。全年调价(收费)金额20多亿元。同时，进一步清理了不利于扩大消费的价格政策和措施，芜湖、安庆、淮南等市还出台了运用价格政策促进经济发展的意见，对扩大内需发挥了积极作用。例如电信资费降低后，全省新增电话用户比上年同期增长了77%，一年可增加电信消费1亿多元；通过规范和提高路桥等收费标准，每年可筹集10多亿元建设资金，促进了交通等基础设施的建设。

3、利用价格手段和价格信息促进支柱产业和优势产品的发展。淮南、淮北等市对地方优势产品制定支持性价格政策，实行价格倾斜。砀山县通过召开水果生产、销售、价格信息发布会，制定水果销售指导价，引导农民生产和销售。金寨县运用价格调节基金大力扶持优质蚕茧的生产，使地方这一支柱产业在国际市场不景气的环境下，仍然保持了平稳发展。

三、清费治乱减轻社会各方面负担

按照"取消一批、转性一批、降低一批、规范一批"的原则，狠抓对涉企收费和部分重点部门、行业收费的清理。对煤炭企业、外商投资企业、国有企业下岗职工再就业的有关收费实行减免；重新审定并颁布工商系统行政事业性收费项目和标准，审定卫生防疫收费项目和标准，清理公安系统收费，取消公安部门收取的治安等收费，重新审定文化市场收费，取消娱乐行业文化市场管理费。仅取消的公安和文化系统5项收费，每年可减轻企业和群众负担1亿多元。对具有服务性质的24项行政事业性收费转为经营性收费，纳入价格管理范围。在深化行政事业性收费年审工作，巩固和完善涉企收费"四项制度"的基础上，强化制度建设和收费管理措施，严把涉企收费"审批关"、"登记关"、"检查关"。实行收费登记卡以来，企业抵制各种乱收费项目270多项，金额近7000万元。同时，加大个私缴费明白卡发放力度，试行涉农收费公示制度。

按照省政府《关于进一步规范经济适用住房价格管理促进住房建设和流通的通知》要求，全省进一步取消或降低了部分涉及经济适用住房的收费，并建立了经济适用住房收费明白卡、建设项目收费登记卡、历年国家和省取消涉房收费明白卡"三卡"制度。经省政府批准，省物价局下发了关于进一步加强经济适用住房价格管理的补充通知，对年度综合限价控制目标、管理费、利润控制幅度、优质工程加价、房地产交易手续费和房屋产权登记收费等政策，作了进一步明确和规定。通过清费治乱，建立健全成本约束机制，使经济适用住房平均每平方米负费降低约200元。

四、加大整顿力度规范价格行为

按照突出重点、规范行为的原则，着重对农村电价、药品价格和市场价格行为进行整顿和规范。在整顿农村电价方面，取消省及省以下在农村电价上的加价项目，省定价格执行率进一步提高。宿州等市还签定农村电价整顿目标责任状，对每千瓦时超过1元的生活照明用电采取"一票否决"的措施。为巩固成果、规范提高，在全国率先开展"农村电价信得过乡镇电力管理站"评比活动；制定了农村电网建设与改造的造价、收费标准和具体操作办法；出台了《安徽省城乡用电同网同价实施方案》，研究公布了新的农村电价最高限价水平。在整顿药品价格方面，全省实行了药品价格登记制度，对省内外1800多种药品价格进行审核登记，推行药品顺加作价办法，制止虚高定价，年降价金额1亿多元。在整顿市场价格行为方面，合肥、蚌埠、芜湖、巢湖等地通过开展明码标价示范街、示范单位等活动，强化监督检查，对明码标价进行规范；阜阳市成立行业价格协会，定期分析情况，研究解决问题，对规范竞争和市场价格行为起到了积极的作用。

五、加强价格监督检查改善价格环境

以治理经济环境为中心，以规范价格行为为重点，以创建规范化文明物价检查所、提高案件审理工作水平为重要环节，加大价格监督检查力度。全省统一开展了农电价格、民航国内航线客票价格、交通收费、教育收费、涉及外商投资企业的收费、药品价格和粮改执法等多项检查。全年共查处各类价格违法行为和案件6874件，查出非法所得19542万元，实行经济制裁12764万元，其中，上缴财政8702万元。为强化社会监督，全省各级物价部门进一步完善价格举报制度，建立了局长接待日制度。通过完善网络，健全制度，建立举报热线，实行承诺，疏通了与群众联系的渠道。全年共接受群众举报和咨询3182件，其中，立案2738件，办结2331件，实行经济制裁1044万元。

为规范价格行政执法行为，保障和监督价格行政执法机关正确行使价格监督检查职权，防止和纠正违法或不正当的行政行为，全省物价部门普遍推行行政执法责任制，建立健全价格行政执法错案追究、价格执法监督等制度。在全省范围内继续开展创建规范化文明物价检查所活动。第三批51个市县的物价检查所被省物价局授予“全省规范化文明物价检查所”称号。7个县级物价检查所被国家计委评为全国首批规范化基层物价检查所。

六、加强价格法制建设促进依法治价

以《价格法》实施一周年和《安徽省涉案物品估价管理条例》颁布实施为契机，全省统一行动，组织开展了大规模的宣传、贯彻、纪念活动，进一步提高全社会的价格法制意识。按照《价格法》的规定，对原有的价格文件、规定等继续进行清理、修订，在全省普遍推行了价格决策听证制度，在制定和调整关系群众切身利益的公用事业价格、公益性服务价格、自然垄断经营的商品价格等政府指导价、政府定价时，广泛征求消费者、经营者和有关方面的意见，论证其必要性、可行性。各地按照《条例》的要求，健全价格事务服务机构，调整、充实从业人员，积极申报涉案物品估价机构资质。经审核，91个价格事务所获得了相应资质；430人获得国家计委颁发的个人资质。经省政府第38次常务会议审议通过，颁布了《安徽省经营性服务收费管理办法》。价格法律法规体系的建立和完善，使价格管理工作逐步走向规范化、法制化的轨道。

七、不断拓宽领域强化价格服务职能

配合粮食、棉花流通体制改革，各级物价部门及时掌握粮棉成本和收益情况，开展了农户种植意向、农户售粮、农户存粮、粮食流通费用情况、农资购买情况、生猪产销、价格情况等多项专题调查，为制定和完善农村经济政策提供了第一手资料。阜阳市围绕热点、抓住难点开展成本调查工作，写出了不少有价值的调查报告，得到市委、市政府主要领导的批示和肯定。继续对411种重要商品和服务价格进行常规监测，加强了对粮、棉、蚕和药品价格的专项监测，加大了价格分析和预测的力度。17个市、6个县、21个大中型企业与省价格信息网实现了网络互联。进一步完善了物价政策法规定期公告制度，并对部分重要商品价格建立了信息发布制度。合肥市在8大集贸市场、2大农产品批发市场建立价格电子显示屏，每天发布主要农产品的成交价、参考价，受到市民的欢迎。各地大力开展涉案物品估价、价格鉴证、价格咨询等工作，积极拓展车损评估、贷款抵押物评估等新的领域，使价格事务工作得到较快发展。省物价局和淮北市价格鉴证评估与事务工作获得全国先进。《江淮价格》、《物价公报(安徽版)》编辑发行工作取得了一些新的进展。

（程双林）

福　建　省

1999年，福建省价格总水平在平稳运行中继续下降。全省居民消费价格总水平比上年下降0.9%，商品零售价格总水平下降3.5%。

一、价格杠杆作用得到有效发挥

1、调整部分电价政策，使电价水平继续有所降低，有效刺激了需求增长。1～12月份，全省城乡居民生活用电量62.8亿千瓦时，同比增长12.11%，其中，乡村生活用电量同比增幅达6.78%。

2、对邮电资费进行结构性调整，促进了电信资源的充分利用和电信产业的发展。据初步统计，全年固定电话装机数增长26.4%，移动电话发展量增长67%，互联网发展量增长200.37%。

3、为满足城市公用事业发展需要，适当提高了部分城市的自来水价格、公交票价、旅游景点门票，开征了部分城市污水处理费等。全年全省在公用(益)事业方面调定价费266项，按全年计算，提价金额2.11亿元，降价金额17.85亿元，提降价相抵金额为降价15.74亿元。

4、认真贯彻落实《福建省人民政府贯彻国务院批转国家计委关于加强房地产价格调控加快住房建设意见的通知》，及时审核了经济适用住房基准价格，规范商品住宅价格和物业收费行为，推行商品房售房标价书制度，有效解决了商品房销售中的价格欺诈行为，促进了房地产市场的健康发展和住宅消费的增长。

5、教育收费改革迈出较大步伐。出台了《福建省公寓收费管理办法》，在全省推行高中缴费上学制度，实行师范类学校收费标准与普通大中专学校收费并轨，调整了高校收费标准。据匡算，各项改革措施当年可为全省教育事业多筹经费近1.5亿元。

二、价格管理办法进一步完善

根据国家计委统一部署，制定了福建省统一销售电价方案，并上报国家计委；制定了《福建省城乡用电同价实施办法》上报省政府审批。会同省粮食厅制定下发了粮食优质优价的有关政策。深入贯彻落实国务院《关于深化化肥流通体制改革的通知》精神，提出在化肥价格方面的贯彻意见。根据国家有关政策，修订完善了《福建省旅游参观点门票价格管理办法》、《福建省水利工程供水价格管理办法》、《福建省公用电话管理办法》、《福建省行政事业性收费许可证管理办法》等。同时，各地继续推行审价听证制度，福州、龙岩、漳州、三明、南平、宁德等地市对公用（益）事业的调定价广泛实行审价听证制度，促进了定价工作科学化、公开化和民主化。

三、价格秩序得到有力整顿

1、继续整顿农村电价并取得明显成效。农村电价整顿工作继续列入省委、省政府为民办实事项目之一，并由省物委牵头负责落实。经过各级政府及有关部门的共同努力，省政府确定的1999年农村电价在1998年农村到户电价的基础上平均每千瓦时再降5～8分、农村到户电价全部降至1元/千瓦时以内的目标基本实现。据统计，农村到户电价每千瓦时比上年降低了7.2分，减轻农民用电负担超过3亿元。

2、药品价格整顿工作取得阶段性成果。省物委会同有关部门制定了《关于进一步加强药品和医疗服务价格整改工作的意见》，确定了省医药整改工作的基本框架，先后三批共降低321种药品价格，平均降幅约20%；向国家计委上报了37种中管药品的降价方案。此外，还调整了17类2400多种医疗服务价格。在全省医院逐步推行明码标价工作，福州、厦门、泉州、莆田、宁德等地都取得了明显成效。

3、深入开展清费、治乱、减负工作。努力搞好涉企、涉农的行政事业性收费清理工作。全省共取消涉企收费项目1206项，总金额24.3亿元，省物委拒批涉企涉农收费项目15项，大大减轻了企业和农民负担。根据《福建省房地产价格评估管理办法》的规定，会同有关部门对全省164家房地产价格评估机构资质进行重新确认，初步解决了多头评估、重复收费的问题。

四、价格监督检查力度切实加大

各级物价部门充分发挥价格监督检查的职能作用，先后组织开展了农村电价、交通收费、教育收费等专项价格检查，并对群众举报较多和社会反映强烈的医疗收费、药品价格、物业管理服务收费等开展了重点检查。全年全省共查处各类价格违法案件5542件，查处非法所得8436.88万元，实行经济制裁9578.12万元，其中，退还用户4744.41万元，上缴国库4833.71万元。省物价部门还深入贯彻落实明码标价规定，在全省实行统一格式的商品标价签和削价商品标价签。并对娱乐场所、邮政、电信等行业在全省实行统一规范的明码标价，进一步提高了明码标价的普及率和规范化水平。

五、价格法制建设继续加强

在《价格法》和《福建省价格管理条例》实施一周年前后，各级物价部门开展了形式多样、丰富多彩的纪念宣传活动，再掀宣传价格"一法一例"的新高潮。同时，继续加强价格法制建设，《福建省教育收费管理办法》列入1999年度政府规章调研项目，并在省内外开展了立法调研活动。省物委还先后制定出台了《福建省经济适用住房价格管理办法》、《福建省商品房交易价格行为规则（试行）》、《福建省物业管理服务收费管理规定》等规范性文件。厦门市物价局也起草或修订了多项规章或规范性文件送审稿，报请市法制局列入立法计划。

六、价格信息事务工作取得突破性进展

在价格信息工作方面，服务面进一步拓宽，《中华人民共和国物价公报》（福建版）发行量较上年增长50%，超额完成了国家下达的征订任务。《市场嘹望》杂志影响不断扩大，在全国百家阅览室活动中被评为最受读者喜爱的十五佳期刊之一。电子信息服务取得重大进展，实现了省物委局域网与中国公众多媒体通信网（169）互联。全省价格监测点已全部采取微机报价，价格监测品种增加了100多种；以价格信息服务为重点的"中国·东南价格信息网"于10月1日开通，正式通过互联网面向社会公众服务。在价格事务方面，首次召开了全省价格鉴证评估暨事务工作会议，成立了省价格鉴证中心，并按照《福建省价格管理条例》的规定，对全省62家符合从事价格鉴证条件的机构进行资格确认，规范了价格鉴证行为；积极开展涉案物品价格鉴证工作，为贯彻中共中央11号文件，解决"执行难"问题，做出了积极的贡献。全年全省价格鉴证业务超过1.5万件，其中，省价格鉴证中心完成重大涉案估价鉴证

业务240件,标的额近5亿元。

七、物价系统建设迈上新台阶

1、在全省物价系统推行物价工作社会公开承诺制度。承诺制已在省物委和九地市物价部门先期进行,首批推行社会公开承诺制的各级物价部门已达59个。

2、在全省物价系统开展创建规范化物检所活动。通过开展创建活动,尤其是全省物价系统统一配备了价格监督检查车,价格监督检查人员统一着装,改善了价格监督检查的办案条件,加大了行政执法的力度,较好地树立了物价部门的良好社会形象。

3、在全省物价系统深入开展争先创优活动,涌现了一批先进典型。其中,厦门市物价局张火旺同志被省政府授予"人民满意公务员"称号,宁德地区物价检查所所长许余丁同志入选参加了全国价格监督检查先进事迹报告团。

4、加强干部培训工作,队伍素质进一步提高。省物委先后举办了基层物价领导干部转任培训、电脑操作技术及应用软件培训、物检干部行政执法资格培训等多期培训班。通过培训,全省物价干部素质水平进一步提高,全省物价系统当年有1100多人通过省政府法制局组织的行政执法资格考试,另有200多名物价检查干部通过国家计委组织的第二次全国价格检查干部执法资格考试。

5、大兴调查研究之风,价格理论研究取得新成果。经过努力,省价格学会和《福建物价》期刊都经有关部门予以重新登记保留。本年度12个重点研究课题全面完成,形成了一批质量较高的研究论文或专题调研报告。

6、《福建省志·物价志》经过全体编纂同志的艰辛努力,作为省物委向国庆50周年献礼项目,参加了全国地方志书展,并获得省人事厅、省地方志委授予的修志先进集体称号。 (丁国喜)

厦　门　市

一、配合有关部门,基本完成两个为民办实事项目

1、农村电价整改工作。厦门市委、市政府将改造农村电网,率先实现城乡用电同网同价作为1999年为民办实事项目之一。作为协办单位,物价部门在整顿农村电价,开展"两改一同价"工作中提出了贯彻实施意见,坚决取消各种不合理电价附加,取消了同安区的区级电建基金,使同安区各镇的农村综合电价水平由原来的0.67元/千瓦时下降为0.60元/千瓦时。按照省里有关停止征收农网改造资金的规定,自5月1日抄见电量起,直供区农村电价水平进一步降低,平均降低0.03~0.04元/千瓦时。至9月份农村到户电价已全部降至1元/千瓦时以下,平均每度电价在上半年基础上又下降6分钱,有力地促进了农村经济的发展。全年农村用电量和趸售电量增长26.7%,累计减轻农民电费负担约1000万元。

2、促进医院收费实行明码标价,进一步整顿药价及社会医疗机构价格行为。市物价局与卫生局联合发出《关于确认厦门市私立门诊部、诊所医疗收费标准的通知》,对全市449家社会医疗机构的价格实施管理,首次确定厦门市社会医疗机构的收费标准,对收费行为进行规范,结束了其收费无章可循的历史和"收费乱、乱收费"的状况;继续贯彻国家计委、省物委调降部分药价的通知,督促医药单位及时降低有关药价,就药品实际进价及加价差率执行情况展开调研,并于9月份开展药品价格检查,采取了对典型案例予以曝光的措施;物价局作为"厦门市医疗机构药品采购统一招标委员会"成员单位,与有关部门共同贯彻市政府有关规定,促成了首期药品采购统一招标的具体实施,5家药品生产企业参与15个品种25种规格药品的投标,中标率达88%,与规定批发价相比,平均降幅达34.8%,其中,某注射液降幅高达78.1%,有效地降低了药品价格,并为其后的药品采购统一招标打下了基础。

二、继续治理三乱,深入开展清费减负工作

1、贯彻《厦门市企业税外负担登记制度暂行办

法》。从4月份开始在全市范围发放《厦门市企业税外负担登记卡》，无偿赠送有关收费项目和标准的汇编本，全年发放“登记卡”2000余份，对减轻企业负担起到有效作用。

2、开展亮证收费及企业、农村减负专项检查。

3、开展向外商投资企业收费专项检查。根据国家计委、外经贸部计价检［1999］999号文件《关于检查向外商投资企业乱收费的通知》精神，结合厦门的实际情况，对18个主要涉外收费的行政事业性收费单位进行检查，共查出违法金额63.78万元，退还外商投资企业42.22万元，没收违法所得21.56万元，深受外商的称道。

三、运用价格政策，促进扩大内需和经济发展

1、积极主动地贯彻市委、市政府简政放权的意见。根据国家计委、省政府、省物委关于促进扩大内需的精神，以及市委、市政府发出的清理整顿审批制度的通知，向市政府提交了“物价管理简政放权促进扩大内需促进经济发展的实施意见”，建议进一步放开近十种商品和服务价格，实行市场调节；废止通货膨胀时期出台的临时性措施，以及个别不适应当前经济形势的政府规章附件或规范性文件。经市政府同意，分别发出《厦门市人民政府关于停止执行通胀时期出台的个别限制性、临时性的价格规范性文件的通知》和《厦门市人民政府办公厅转发市物价局关于进一步简政放权扩大内需促进经济发展实施意见的通知》等两个文件。

2、顺应形势发展，停止执行或调整部分商品与服务价格。一是停止话机代维业务。从1999年3月1日起，停止用户话机代维业务，停收代维服务费。二是停止执行管道煤制气基数外加价，统一按每立方米1元的售价执行。三是下达新的分类电价水平。自1月1日用电量起，对分类电价做出调整，工商企业用户每千瓦时电价分别降低0.058～0.317元不等；居民生活电价仍保持0.367元/千瓦时不变，但取消了分档加价办法和每月0.10元的抄表费。新的分类电价水平执行后，全年可为企业和市民减轻负担3亿多元。四是顺利实施自来水价格调整方案。五是作为全国第一批电子商务试点城市，物价局会同电信部门，对符合要求的宾馆、写字楼等的电信计费设备经电信部门检测合格后，由物价局批准收取市话费及信息费、代办服务费等，推动了这些行业尽快开通电子商务上网服务，当年验收合格批准收费的宾馆饭店已有10余家。六是为提高旅游景点的管理服务水平，取消收费公园的公厕收费。

3、开展价格调研，以改革的办法解决现实中存在的问题。一是通过对物业服务收费和商品房售价中存在的不规范行为引起的价格纠纷和投诉案件的调研，结合经营性收费年审，建立了物业管理收费年审制度；根据《厦门市住宅区物业管理条例》，针对物业管理中缺乏维修养护基金的实际情况，实施“微量积累方式，按月按面积收集房屋维护金”制度；针对公用水费、电费分摊收费秩序混乱现象，提出基本分摊办法；进一步在工程咨询、监理、房地产中介等行业推行收费许可证制度，加强对这些影响房地产价格的收费监控；参与基准地价以及公房租金的制定；与统计局联合编制房地产价格指数。二是根据国务院《关于进一步完善粮食流通体制改革政策措施的意见》中抓紧处理陈化粮食的精神，会同市粮食局、财政局、农发行，在厦门市粮食批发市场联合组织拍卖1994～1996年度入库的不宜存或已陈化的地方储备粮14539.8吨，成交率达81.2%。与往年的处理方法比较，通过市场拍卖方式处理陈化粮，增收了139万元。三是继续开展价格服务工作，继续每日在电台和日报上向全市发布主要农副产品参考价；向国家、省两级政府提供厦门市场重要生产资料和生活消费品价格行情，同时密切注视市场价格动态，及时向市政府预报预警。1999年14号台风过后，市价格监测中心密切注视物价动态，物价局及时提出灾后控价意见，与有关部门一起迅速平抑市场物价。还开展了农户种植意向和生产成本调查，通过公共信息网络、新闻媒体、《厦门价格信息》刊物提供服务。

4、价格中介事务服务取得新的进展。市价格事务所全年开展涉案物品价值评估894起，评估总值202.3亿元；公物拍卖保留价评估41宗，评估值1760多万元；有形资产评估16宗，评估值915.7万元；对放开的商品价格进行认证，出具了13份认证书；为执法、司法机关提供价格政策、信息咨询，出具咨询报告27份；担任10家企业、事业单位的常年价格顾问；经工商局登记注册成立的“厦门市车辆价格评估所”，当年开展事故车损价值鉴定5起，旧车交易价格鉴定5起。

四、深入开展价格法制建设

一是举办《价格法》实施一周年系列活动。全市物价系统与市计委团组织共同开展价格法知识问卷竞赛，与价格学会共同举办“价格法制建设征文”

活动;邀请市人大、市政协、市法制部门的有关领导、专家学者和法律、经济界人士及价格工作者参加“价格法制建设座谈会”;在全市8个地点同时举办《价格法》、《福建省价格管理条例》宣传活动;在《厦门商报》刊发了价格法宣传专版,在《厦门物价通讯》编发了“价格法学习与价格法制建设”专刊。

五、抓住群众反映热点,围绕改善投资经营环境开展价格监督检查

继续以“清费、治乱、减负”为中心,加大执法力度,圆满完成涉企收费、涉农收费等八项专项检查任务,取得了较好的成绩。全年全市共查处大小价格违法案件84631件,其中,价格违法案件431件、一般价格违法行为84200件;查处价格违法所得金额1225.07万元,实现经济制裁总金额1294.63万元,其中,退还用户金额530.19万元,没收违法所得711.8万元,罚款52.64万元,上缴各级财政764.44万元。重点开展了物业管理收费检查、民航国内航线客票价格检查、交通收费检查、药品价格检查、教育收费检查。成立了“价格举报投诉中心”,重点做好群众投诉举报案件的管理和查处工作。

六、进一步加强队伍建设

一是认真抓好创建规范化检查所活动。根据国家计委、省物委创建规范化检查所活动的要求,市物价局成立了创建规范化检查所活动领导小组,进一步完善了各项规章制度,经省物委的检查验收和考评,市物检所、杏林区物检所被省物委授予全省第一批规范化物检所;二是根据全省物价系统实行社会公开承诺制的要求,研究制定物价工作社会公开承诺制度实施意见及各项细则,开展向身边的模范张火旺同志学习活动,做好来年全面推行社会公开承诺制度各项准备工作。(陈国光)

江 西 省

1999年江西省价格总水平持续低走。与上年相比,商品零售价格总水平下降3.2%,居民消费价格总水平下降1.4%;分月价格总水平与上年同期相比,商品零售和居民消费价格总水平均月月下降;与上月比,全年12个月中商品零售价格上升的有2个月,居民消费价格上升的有3个月,其余均下降。

一、转变价格调控方向,促进价格总水平回升,刺激需求增长

年初,省物价局对前一段市场价格持续低走的现象进行了全面分析,认为未来市场价格还将继续低走,同时,围绕价格持续低走对国民经济持续、健康发展的负面影响进行了深入研究,在统一思想的基础上,把促进价格总水平合理回升作为全省物价工作的重点。提出了发挥价格杠杆作用,扩大内需,促进经济增长的7点意见,主要包括运用价格杠杆促进产业结构调整,降低垄断性行业产品价格,进一步清费治乱以减轻企业和农民负担,整顿农村电价以扩大农村市场,结合住房、医疗、教育等方面改革完善相应的价格管理等措施。这些措施对刺激消费和促进江西经济增长发挥了作用。

二、深化农产品价格改革,完善粮棉价格形成机制

在保留粮食定购制度和价格管理形式不变的情况下,实行粮食定购价格和保护价格并轨,并根据本省粮食市场的供求情况,考虑衔接邻省价格水平,确定了1999年全省粮食收购价格。进一步拉开粮食等级差价,允许8个早籼稻优质品种和12个晚籼稻优质品种收购价格,在普通稻谷收购价格基础上适当上浮,同时较大幅度降低劣质品种的收购价格;恢复了粮食地区差价,规定与邻省毗邻的县市可以在省定价格基础上,自行上下浮动3%。放开棉花收购价格,由收购企业自行制定。

三、大力清费治乱,整顿价格秩序,为扩大消费、发展经济创造良好的价格环境

进一步完善了《收费许可证》和企业交费登记卡制度。鹰潭、上饶等地还建立了《收费员证》制度,对行政事业单位及部分垄断行业的收费人员统一培训,核发收费员证书,收费人员持证收费,仅上饶地区就培训了近6000名收费人员。全省物价部门开始进入房地产交易市场,对新建商品房进行价格鉴

证，清理整顿房地产交易收费，规范了收费项目。开展教育、交通、医疗、药品、粮食、电力、商品房和物业管理等项目的价格和收费检查，全省全年共查处价格违法案件7790件，查处违法所得金额6335万元，实行经济制裁5243万元。对水泥、啤酒等商品生产、销售环节出现的低价倾销行为进行了有效制止。

四、加强价格法制建设，提高依法治价水平

在《价格法》实施一周年之际，各地物价部门采取多种方式举办纪念宣传活动。同时，系统内加强了对《价格法》及相关的法律、法规的学习，提高价格执法队伍素质，并认真落实《价格法》。全省物价系统普遍推行价格听证会制度，建立并坚持案审等一系列价格工作制度；积极贯彻落实《价格违法行为行政处罚规定》、《关于制止低价倾销行为的规定》、《农产品成本调查管理办法》和《价格认证管理办法》等价格法规。鹰潭市和九江市修改了价格调节基金管理办法。全省价格法制建设进一步完善。

五、农产品成本调查、价格调查研究等方面工作取得新的进展

成本调查方面，除完成规定的调查外，还围绕价格工作重点，对粮食、棉花、生猪等农产品产销过程中的情况和问题进行了有针对性的调查，提出了建设性的意见。调查研究方面，完成了《江西市场价格总水平持续下降的原因及对策》、《南昌至景德镇汽垫船票价格制定的可行性研究报告》等研究课题。培训方面，仅省培训中心就举办了9期价格业务培训，培训人员1384人，社会效益和经济效益之高前所未有。价格事务方面，省价格事务所全年受理资产评估62件，总金额6亿元，涉案物品的价格鉴证78件，总值近1亿元，收入40余万元，拍卖成交总额近300万元。（何国强）

山　东　省

1999年，山东省市场价格总水平继续在低位运行。与上年相比，商品零售价格总水平下降2.9%，其中，城市、农村等幅下降；居民消费价格总水平下降0.7%，其中，城市与上年持平，农村下降1.4%。价格运行的基本特点是各主要分类价格指数均出现负增长，其中，农业生产资料零售价格总水平同比下降4.9%；农产品收购价格总水平同比下降13%；工业品出厂价格总水平同比下降2.8%；原材料、燃料、动力购进价格总水平同比下降6.6%；固定资产投资价格总水平同比下降0.4%。

一、积极调整和完善价格政策，加强价格宏观调控

1、研究出台一系列促进经济增长的价格政策。经省政府同意，省物价局制定了《关于运用价格杠杆扩大内需促进经济增长的若干政策》，从运用价格杠杆开拓农村市场、引导和扩大投资与出口、完善公用公益事业价格机制以促进消费、整顿价格秩序以支持企业改革和发展、降低房地产价格和收费以推动住宅消费等五个方面，制定了26条价格政策措施。各地也结合当地实际，制定出台了一系列配套措施。

2、加强对经济和物价形势的跟踪分析，扩大了价格监测的品种范围，提高了价格监测分析报告的密度。各地着重跟踪市场价格变化动态，分析价格升降结构，相应研究采取政策措施。

3、进一步完善价格形成机制。放开棉花购销价格，对中药材经营环节的费用和近500种中药饮片的加工费用、损耗率逐一研究平衡，修订完善了中药饮片作价办法；改善药品价格管理办法和作价政策，实行对列入政府定价目录的药品只公布零售价格、批发价格和出厂价格，在国家规定的差率内由经营单位和生产企业操作；建立药品价格登记和公告制度。由于这些措施的贯彻实施，全省月环比价格逐月回升，12月份全省居民消费价格和商品零售价格总水平分别比7月份上升2%和1.6%。

4、紧密围绕经济工作及时搞好调查和理论研究。召开全省“运用价格杠杆、扩大内需、促进经济增长理论研讨会”，对山东引黄供水工程水价和地

方工程供水价格的改革等进行了调研。

二、自觉利用价格杠杆，促进经济结构调整

1、适时安排重要农产品的购销价格。根据粮食市场供大于求、价格持续走低的形势，为有利于国有粮食购销企业实现顺价销售，并有利于引导农民合理调整种植结构，在综合考虑农民利益、财政承受能力和协调邻省价格水平的基本上，适时调整了粮食的保护价格，确定小麦、玉米的定购价格按调整后的保护价格执行。根据国际国内市场桑蚕茧、烤烟的产销形势和生产成本情况，先后两次下调桑蚕茧收购价格，适时上调了烤烟收购价格，取消烤烟产销中的价外补贴措施。全年全省主要农产品调价金额约9.98亿元。

2、积极理顺部分基础产业和工业品价格。一是结合农村电网改造，降低农村电价水平，为推行城乡用电同价工作打下了基础。二是为促进电量销售，对电锅炉用电、城市光亮用电以及铝厂等高耗能企业实行超计划用电低价政策。三是在不增加用户负担的情况下，对新机组所发电量电价实行按全网平均上网电价结算的政策。四是改革化肥生产用电价格政策，实行计划内外用电价格并轨。五是适度提高引黄灌区水利工程和引库水利工程向农业供水价格。六是对省以上政府管价药品的销售价格进行重新核定，降低125种省管药品的销售价格和30多种省内生产的中管药品非代表品价格。对进入山东市场销售的4500多个品种规格的药品价格进行了登记和公告。七是按照国家计委部署，改进成品油价格管理。全年全省基础产业和工业品调价额达35.86亿元。

3、适当疏导收费政策中的一些价格矛盾。在价格听证的基础上，调整普通高中学杂费、高职班以及大专院校部分专业学费标准；配合邮政、电信体制改革，提高部分邮政资费标准，调整电话初装费、入网费、长途电话附加费以及国际和港澳台资费标准，取消本地网营业区间电话附加费，降低因特网资费以及国内出租电路资费；为切实维护农民利益，调整地面附着物、浅海滩涂占用补偿收费标准；调整和核定地震安全性能评价、部分短期培训班、有关证照、资料工本费收费标准；拟定能源利用检测收费、公路赔偿收费、锅炉安全检测收费、医疗卫生收费、卫生防疫收费、污水处理费的制定和调整方案；对《现行收费项目一览表》进行补充修订，新修订目录涉及76个系统的506项收费。

三、狠抓清费治乱减负工作，净化经济发展环境

1、为减轻企业和群众负担，做了以下工作：对河道工程维护管理费、人防费、移动电话资费、IC卡收费进行整顿和规范；对建设收费项目进行全面清理整顿，取消房地产交易管理费；整顿和规范铁路系统多种经营企业自有设备设施的收费、汽车客运站分等级站务费、民航客票销售代理收费；取消用电附加费、电力增容费等收费项目；加强对外商投资企业的收费管理、检查及咨询服务。

2、按国家和省有关清费治乱政策，对各类行政事业收费进行全面审核。通过核发《收费许可证》，该取消的收费项目予以取消，该降低收费标准的降低了收费标准。先后派出五个检查组，选择部分市地对减轻农民和企业负担、落实预算外资金收支两条线、纠正医药购销不正之风等工作，进行了专项检查。全省全年取消收费项目1388项，减轻企业和群众负担约28.9亿元。

3、进一步完善收费许可证制度。继续在全省推行企业交费登记卡制度和进企业收费通知书制度，向省直属700余家企业发放了企业监督卡，加强了对收费行为的行政监督和社会监督。

四、大力开展价格监督检查，整顿价格和收费秩序

1、深入开展对税务系统收费、交通收费、向外商投资企业收费、电信资费、医疗机构收费、药品价格、餐饮业价格和农村电价等专项检查。

2、与有关部门配合协同，对教委系统、建委系统及重点中学收费、药具市场价格和预算外资金使用情况进行了检查；

3、加强对群众举报案件的查处工作。仅省物价检查所就直接受理群众举报案件254件，立案194件。

4、继续开展明码标价宣传月活动，对个体摊点、理发点、歌舞厅、各类维修中心、服装市场、建材市场、农贸市场等场所的明码标价进行重点检查。深入开展全省第六届执行物价计量政策法规“最佳单位”评选活动，规范了企业价格行为。

5、深入贯彻反不正当竞争、制止低价竞销的政策法规，对联通、移通公司低价竞争手机用户的行为进行协调。全年全省共查处价格违法案件1.29万件，查处价格违法金额3.7亿元，实行经济制裁总金

额1.62亿元，其中，退还用户0.61亿元，上缴财政1.01亿元，有效震慑了价格违法行为。

五、加强价格法制建设，提高依法行政水平

以《价格法》颁布实施一周年为契机，大张旗鼓地开展《价格法》宣传月、宣传咨询日活动，利用新闻媒体、采取多种形式加强了对物价干部、企业管理人员和消费者的价格法律法规教育和培训；配合省人大的部署，开展《价格法》执法大检查，增强了物价干部以及社会各界的价格法律观念。在深入贯彻国家计委《价格违法行为行政处罚规定》、《关于制止低价倾销行为的规定》等法规规章的同时，完善价格听证办法，拟定了《山东省实施〈中华人民共和国价格法〉办法》、《山东省房地产价格管理条例》等法规性文件，编制了《山东省2000年价格计划（草案）》和《山东省"十五"价格规划（草案）》。根据《价格法》的要求，省及各地普遍建立了价格听证制度，对教育、邮电收费、城市燃料、自来水、城市公交等价格与收费标准的调整，实行价格听证，广泛吸收社会各界代表参与价格决策，提高了政府价格决策行为的科学性和透明度；进一步完善价格违法案件案审工作制度和工作程序，坚持集体办案制度、事先告知制度和必要的听证制度，受到社会各界的普遍欢迎。针对市场中价格垄断、价格欺诈、低价倾销等现象日益增多，在全省范围内开展专题调查研究，为价格立法奠定了基础。

六、夯实物价基础工作，大力开展价格服务

各级物价部门进一步加强价格服务基础建设，稳定队伍，改善设备，健全网络，完善制度，进一步夯实了物价基础工作。全年继续坚持价格形势监测分析制度、工农产品成本调查制度和信息发布制度，初步形成了成本调查监测、市场流通领域价格监测和企业价格信息服务三大网络；加强了计算机联网信息的开发利用，建立起部委信息、专业信息、供求信息等47个数据库；通过网络以及《物价简报》、《山东价格信息》等形式，及时报送和发布重要工作信息、政策信息、市场与价格信息和政策建议，为政府制定和调整经济政策、经营者调整产品、产业结构提供了可靠依据。

全省价格事务工作发展较好，工作领域进一步拓宽。涉案资产价值认定工作已在全省普遍展开，全年全省受理认定业务达10万起，认定总额达到80亿元，分别比上年增长1.5倍和2.08倍。工作领域已从涉案资产价值认定扩展到社会经济活动中的价格鉴证，并实行了"一书、一章、两证、一审制度"，由省统管价格鉴证工作，并进一步纳入制度化、规范化管理的轨道。 （匡　敏）

青　岛　市

一、全年价格水平变化情况

1999年，青岛市市场物价运行平稳，并向着有利于经济发展的方向转变。全年市区商品零售价格总水平比上年下降3.4%，跌幅比上年减少1.7个百分点；居民消费价格指数止跌回升，比上年上升0.2%，在36个大中城市中按涨幅从高到低排列居第6位。

从各月价格变动情况看，居民消费价格总水平呈现"前低后高"的走势。前5个月的降幅在5.9～6.3%之间，6月份同比上升0.9%，改变了从1997年6月开始的持续下降状况，下半年各月涨幅在0.4～5.8%之间。商品零售价格总水平呈现"中间高、两头低"的格局，除7月份同比涨幅为1.4%以外，其他月份均低于1998年同期，但降幅有了明显的缩小。

从价格指数构成上看，食品类价格仍是影响市场价格总水平变动的主导因素。在商品零售价格指数中，食品类价格比上年下降2.9%，影响价格总水平下降1.5%，除中西药品和书报杂志两类商品价格略有上升外，其他11大类商品价格均低于上年，降幅在1～10.1%之间。在居民消费价格指数中，食品类价格影响价格总水平下降1.55%，受政策性调价等因素的影响，居住类价格同比上升11.1%，服务项目价格同比上升15.6%。居住和服务项目价格

共拉动价格总水平上升2.96%，是居民消费价格总水平止跌回升的主要原因。

二、积极运用价格杠杆扩大内需促进经济发展

认真贯彻落实粮食流通体制改革精神，适应市场价格变化，适当降低了粮食定购价和收购保护价，缩小了定购价与保护价的差价，扩大了品质差价和等级差价。放开了棉花收购价格、化肥零售价格和民用石油液化气销售价格。在认真贯彻中央和省出台的各项价格调整措施的同时，结合青岛市实际，提高了轮渡客货运价、公有住房租金、自来水价格、崂山风景区游览票价、中小学学杂费标准、社会力量办学收费标准以及诊查费、注射费、手术费、治疗费等医疗服务价格，调整了物业管理公共性服务收费浮动幅度，下调了部分客运出租车运价和足金饰品销售价格。同时，清理整顿用电、住房等方面抑制消费的政策，停止征收用电附加费，降低了企业和居民电价；降低农网改造后的农村电价，减轻了农民负担；整顿药品价格，降低药品“虚高”价格；降低房产交易收费标准，并对经济适用住房建设涉及的20项收费实行减半征收政策。这些价格改革措施的出台有力地支持和促进了经济结构的调整，对促进基础产业和教育、医疗卫生等事业的发展起到了积极作用。

三、加大清费治乱减负力度

坚持开展收费年审工作。成立了由物价、财政等部门组成的收费年审办公室，集中时间和人力，对行政事业性收费进行全面审验。把收费年审与清理整顿收费项目和监督检查结合起来，全年共审验收费单位6376个，审验收费项目460项，审出违规违纪行为256起，取消收费项目57项，变更收费项目110项，对违规违纪行为进行了严肃查处。黄岛区向“低费区”发展，结合收费年审，取消收费项目46项，降低收费标准2项，变更收费项目70项，并设立了网页，在国际互联网上公布，提高了收费管理透明度。整顿集贸市场乱收费，规范了“管办脱钩”市场收费行为。

建立收费约束机制。向企业发放了近7万份《企业交费登记卡》，企业在交费时，对收费单位不填写《企业交费登记卡》的，有权拒交，并可向物价等有关部门举报。同时，向外商投资企业发放了《青岛市外商投资企业收费标准汇编》，从制度上增强了企业抵制乱收费的能力。

四、进一步宣传贯彻《价格法》

在《价格法》实施一周年之际，通过报纸、电视台、广播电台对《价格法》进行了广泛的宣传。市物价局和市内四区物价局联合举行纪念《价格法》实施一周年宣传咨询活动，向群众发放专门印制的《物价政策宣传材料》和《价格法》宣传材料1万多份，设立价格咨询台，受理群众价格举报、投诉。并组织召开《价格法》实施一周年座谈会，邀请市人大、市政协等部门和有关专家、学者研讨价格法制工作。黄岛区还成功地举办了一台专题文艺晚会，通过文艺表演形式宣传《价格法》，寓教于乐，收到了很好的效果。

制定和完善价格行为规范性措施。按照深化城镇住房制度改革的要求，发布实施《青岛市经济适用住房价格管理暂行办法》。根据《青岛市制止牟取暴利暂行规定》，修订了《制止餐饮业牟取暴利实施细则》；建立和完善了服装、餐饮等行业的市场平均差价率、毛利率测定和公告制度；取消了高通货膨胀时期出台的价格监管措施和企业降价销售的约束性规定，修订了蔬菜、猪肉价格监控办法。针对市区大中型商场存在的虚假打折等不正当价格行为，出台了制止虚假打折价格行为的规定，维护了市场价格秩序。

五、实施价格决策听证制度

根据《青岛市价格决策听证暂行规定》，对关系国计民生的重大价格调整及时组织价格调整听证会。全年对崂山风景区游览票价、轮渡客货运价、自来水价格(污水处理费)、公交票价、中小学学杂费标准等价格调整实施了听证。

每次价格调整听证都邀请市人大常委会、市政协、市政府有关部门和专家学者、新闻单位、企业和消费者等社会各界代表参加，并将调价方案及时通过报纸等新闻媒体向社会公布，广泛听取群众的意见和建议，增强了政府价格决策的科学性和民主性。对听证的情况，及时形成会议纪要，按价格管理权限和程序上报市政府和省物价局。政府对代表们提出的意见和建议非常重视，在公交票价和自来水价格调整听证中，市政府采纳代表们提出的意见和建议，决定暂缓调整公交票价，适当降低自来水调价幅度，并对困难家庭和下岗职工给予适当补贴，保证了各项调价措施的顺利实施。

六、加强价格监督检查，搞好价格服务

根据不同时期的物价工作重点和热点问题，坚持专项检查与重点检查相结合，日常检查与节日检

查相结合，积极开展了粮食价格、农村电价、民航国内航线客票价格、药品价格、交通收费、向外商投资企业收费、电信资费等价格专项检查，以及对企业改制改组改造过程中和下岗职工再就业的有关收费减免政策的落实情况进行重点检查，坚持对居民基本生活必需品和服务价格的经常性监督检查。同时，强化明码标价管理，实行中英文标示的商品标价签，继续开展“明码标价宣传检查月”、“物价计量信得过”等活动。全年共受理价格咨询1537件，受理价格举报案件209件，处结率为100%；共查处价格违法案件1144件，退还用户416.83万元，没收违法所得323.86万元，罚款39.84万元，经济制裁总金额780.53万元，维护了公平竞争的市场价格秩序。

建立青岛市价格信息网，在市政府政务公众信息网上设立网页，实施了价格信息网络化运行。编印《青岛物价》52期，《青岛供求快讯》150期。开展农产品成本调查和农民种植意向、存粮等方面的调查，为领导决策和指导农民调整生产结构提供了依据。价格事务工作以涉案物品价值认定为主导，积极开展交通肇事车辆损失价格认证、旧机动车交易价格认证等工作，为保护当事人的合法权益提供了依据。

七、加强纠风和行风评议工作

根据市委的部署和要求，在下半年开展了为期三个月的“三讲”教育。通过“三讲”教育，党员干部普遍受到了一次深刻的思想政治教育。以“三讲”为动力，加强了党风廉政建设和物价系统行风评议工作，成立了由市、区两级物价局长和有关处室组成的行评领导小组，制定了行评实施方案。在自查自纠的基础上，针对薄弱环节，修订和完善了各项规章制度，改进议事程序，对窗口部门、重点部位和重点环节强化了责任制，实行政务公开。配合有关部门组织市人大代表、政协委员、廉政询问员、特邀监察员组成8个暗访小组深入基层进行明查暗访，组织召开行风座谈会，并采取登门走访、发征求意见函、问卷表等形式，强化监督，对违反有关规定的进行严肃处理。

（李德爱）

河　南　省

一、市场物价情况

1999年，河南省市场物价继续呈下降趋势。全年平均，全省居民消费价格总水平比上年下降3.1%，商品零售价格总水平比上年下降3.8%。截至12月，全省居民消费价格和商品零售价格总水平已分别连续下降25个月和30个月。市场物价这么长时间大范围的下降，已对经济增长和人民生活产生了一定的负面影响，引起了社会各界的普遍关注。

市场物价变动的特点是：

1、物价总水平下降程度更为严重。从同比看，全省居民消费价格和商品零售价格总水平分别下降3.1%和3.8%，分别比上年的降幅扩大0.6和0.4个百分点，比同期全国降幅大1.5和0.8个百分点。在一年的12个月中，居民消费价格降幅有7个月在3%以上，商品零售价格则每个月的降幅都在3.5%以上。从月环比看，价格除在1、2、8、9月因受季节性影响有小幅上涨外，其它各月均呈下降趋势。

2、食品类价格普遍下降，并成为带动价格总水平下降的主要原因。全省食品类价格比上年下降5.4%，仅此一项就影响价格总水平下降2.2个百分点，占总降幅的70%多。其中，粮食类价格比上年下降1.2%，粮食类价格上半年是上升的，升幅达6.4%，这主要是国家推行粮食“顺价销售”政策的结果。但由于1999年夏粮上市国家降低了订购价，取消了保护价，粮价自7月份开始出现明显下降，且降幅逐月加大，到12月，全省市场粮食价格比上年同期降幅扩大到14.8%，这是近几年降幅最大的。肉禽及制品类价格虽在7月份开始有所波动，但只是环比有所上升，同比则仍然下降，全年平均降幅仍达10.5%。鲜菜价格大部分月份下降，全年平均比上年下降3.7%。蛋类和油脂类价格分别比上年下降10.3%和7.4%。

3、工业消费品价格普遍下降。一是月环比基本上是下降的,即整体表现为逐月下降的趋势;二是由于逐月下降导致同比降幅比上年更大。

4、服务项目价格上升明显。全省服务项目价格比上年同期上升6.7%。其中,城市服务项目价格上升8.3%,农村服务项目价格上升5.6%。这主要是为支持第三产业和城市基础设施发展,物价部门利用价格总水平走低的有利时机,积极疏导价格矛盾,不同程度地提高了部分报纸、城市供水、公交车票等价格和教育收费标准及国内邮政资费和医疗等收费标准。

5、农村市场价格降幅小于城市。全省居民消费价格城市降幅为3.4%,而农村降幅为2.9%,农村小于城市0.5个百分点。这一情况说明城市价格受到的压力更大。这主要是与城市工业不景气,下岗工人增加,以及社会保障体系的不完善有关。

二、物价工作情况

1、加强和改善价格宏观调控工作。一是继续实行并完善价格控制目标责任制。根据省政府的安排,向各市地下达了物价控制目标,即居民消费价格升幅控制在4%以内,商品零售价格升幅控制在2%以内。同时对全省物价升幅情况进行了监测分析和调控,出台了一些促使价格总水平合理回升的价格政策。二是充分发挥价格杠杆扩大需求、刺激消费的调节作用。根据国家提出的把扩大需求作为促进经济增长的基本点的要求和省政府的安排,利用价格升幅低的有利时机,对充分利用价格杠杆的调节作用,扩大需求,刺激消费工作进行了认真研究,经省政府同意制定下发了《关于利用价格杠杆,开拓市场扩大消费需求的通知》,分别从加强房地产价格调控,降低住房价格;采取价格优惠政策,扩大电力销售;利用价格杠杆,促进地产工业品销售和加强收费管理,减轻企业和群众负担四个方面,规定了30条促进需求增长的价格政策。同时,彻底清理和取消了高通胀时期采取的一些限制销售的价格政策。三是整顿市场价格秩序,规范市场价格行为。根据国家的要求,对低价倾销行为进行了检查和整顿。同时下发了《河南省物价局关于指定销售商品和提供服务价格管理的暂行规定》,在全省范围内开展了对指定销售和提供服务价格的规范和整顿。四是进一步规范和完善价格调节基金制度。近几年来,价格调节基金在调控市场物价方面发挥了积极的作用,但由于全省没有出台一个规范性文件,个别地方存在着征收范围过大,征收标准过高和使用不规范的现象,给企业和群众造成了不必要的负担。为此,年内下发了《关于进一步做好价格调节基金工作的通知》,对其进行了规范。

2、适时调整不合理的价格结构。根据国家计委和省政府的安排,紧紧围绕宏观经济调控的重点,从有利于经济结构调整出发,对基础设施价格和公用事业性收费标准进行了调整。调整的品种主要有:铁路货物运价、成品油价格、化肥用电价格、部分电信资费价格、高速公路收费标准和部分城市的自来水价格。并配合教育改革,出台了高等学校高职教育、五年制实验班的收费标准。

3、进一步完善价格形成机制。一是完善粮食价格形成机制。按照粮食流通体制改革"三项政策、一项改革"的要求,在保留粮食定购制度和定购价格形式的前提下,对粮食定购价和保护价实行统一价格,执行保护价格。二是改革化肥价格形成机制。化肥出厂价格由政府定价改为政府指导价,同时放开了化肥零售价。三是在全省推行价格决策听证制度。年初下发了《河南省价格决策听证办法》,并在调整与人民生活关系密切的自来水、天然气、煤气价格和城市公共汽车等公用事业服务价格、电信价格时实行了价格决策听证制度,增加了定调价的透明度。四是改革医疗服务价格管理体制。五是完善房地产价格形成机制。出台了《河南省经济适用住房价格管理办法》,规范了经济适用住房价格,控制了商品房成本过高现象。

4、深入开展清费、治乱、减负工作。一是对行政事业性收费进行清理整顿。重点对企业和群众反映比较强烈的人口落户、汽车落籍、婚姻登记、学生上学、病人就医等方面的乱收费进行了清理整顿。经省政府批准,分两批共取消收费项目33项,降低城乡集贸市场管理费和个体工商户管理费等9个部门的13项收费标准,减轻了企业和群众的负担。二是继续治理涉农收费。重点对县(区)以下教育、医疗、农机监理、宅基地等项目的收费执行情况进行检查。三是整顿农村电价。降低了过高的农村民用电价格。降价后的农村到户电价最高每千瓦时0.80元左右,最低为0.65元,农民用电负担明显下降。同时对农村用电价格实行"一县两价"。四是进一步完善药品价格管理。制定了《河南省药品价格申报办法》、《河南省物价局关于医疗单位药房作价办法的通知》,并降低了一批不合理的药品价格。经省政府批准,先后分两批降低260种药品价格,平均降价幅度为23%,降价额为2.6亿元,减轻了患者的负担。

5、加大价格监督检查力度。配合价格工作的重点，对行政事业收费、涉农收费、涉企收费，以及低价倾销行为和夏粮收购期间的收购价格进行了监督检查。据统计，全省全年共查处各种价格违法案件4.07万起，实行经济制裁2.2亿元。其中，收缴入库1.4亿元，退还用户0.8亿元。

6、以《价格法》实施一周年为契机，加大了价格法宣传力度。与河南电视台合作，举办了由18个市地参加的《价格法》电视知识竞赛；与《河南日报》合作，在全省范围内，举办了“我与《价格法》”有奖征文活动；与河南人民广播电台合作，开办了“河南物价工作巡礼”栏目，均取得了较好的效果。这次宣传活动对于提高全省物价工作者的业务素质和物价政策在社会上的透明度，起到了积极的作用，受到社会各界的广泛好评。（郭宏文）

湖　北　省

一、市场物价概况

1999年，湖北省居民消费价格指数和零售价格指数分别为97.8和95.9，与上年相比，居民消费价格涨幅为－0.6%，商品零售价格涨幅为－1.2%。在居民消费价格指数中，各大类商品价格指数分别为：食品类96.2，衣着类93.4，家庭设备及用品类97.1，医疗保健类97.8，交通和通讯工具类90.7，娱乐教育文体用品类95.1，居住类100.4。在零售价格指数中，各大类商品价格指数分别为：食品类95.9，饮料、烟酒类97.8，服装、鞋帽类91.3，纺织品类97.8，中西药品类98.3，化妆品类98.7，书报、杂志类105.9，文化体育用品类99.2，日用品类98，家用电器类92，首饰类94.9，燃料类97.1，建筑装璜类96.7，机电产品类91.1。除居住类和书报、杂志类分别较上年上涨0.4个和5.9个百分点外，其他均有下降，是继1998年之后价格运行的第二个负增长年。

二、促进农村经济发展，服务农民增收节支

1、运用价格杠杆，推动农业结构调整。结合贯彻国家粮、棉流通体制改革精神，在认真开展农产品成本和价格调查、监测的基础上，适当降低粮食收购价，进一步拉开粮食品质差价，实行优质优价；加强对放开价格后的棉花购销市场动态监测，适时发布棉花购销价格信息；适当降低了烟叶、桑蚕茧收购价格，限制烟叶和桑蚕的盲目生产。及时通过价格信号引导全省农业种植结构调整向减粮、压棉、扩油、增绿（绿色食品）的方向发展，从单一粗放经营型向多元综合优质高效型转变。全年全省粮食种植面积减幅为12%，棉花种植面积减幅为28%，油料种植面积增幅为13.9%，蔬菜种植面积、产量也有较大幅度的增加。

2、加强农村物价管理，降低农业生产成本。年内10个县（市）实现了城乡生活用电同网同价，3个县（市）实现了城乡各类用电完全同网同价，全省农村电价在消化目录电价上涨因素后继续下降；调查了解农民实际水费负担情况，全面清理整顿不合理的加价加费；在放开化肥零售价格、合理调整省管化肥出厂价格的同时，落实化肥生产企业成本、价格报告制度和化肥市场价格监测制度，使农业生产资料价格保持基本稳定。

3、加大涉农收费治理力度，减轻农民负担。贯彻落实国办发[1999]65号文件精神，禁止在结婚登记、中小学生就学、农民建房和办理计划生育指标等过程中向农民搭车收费。对农机收费和渔业资源增殖保护费进行了全面清理整顿。

4、制定市场参考价格，促进农产品顺利销售。英山、罗田、蕲春等县市物价部门还根据农民要求，创造性地对已经放开价格的茶叶、柑桔、板栗、中药材等地方名优品种制定了市场购销参考价格，指导农民调整生产结构，顺利实现农产品销售。

三、促进工业解困增效，服务企业扭亏增盈

1、整顿电价秩序，降低电费支出。认真贯彻落实国家出台的省电网目录电价调整方案，重新调整各集资电厂上网电价，缓解了积累已久的电价矛

盾;规范电力行业报装、设备和表计校检收费行为,减轻用户负担;继续实施高耗电企业电价优惠政策,享受优惠电价企业由上年的76家扩大到113家,全年降低用电支出3亿元,对提高发供用电量,增加工业效益发挥了重要作用。

2、加强铁路运价和延伸服务收费管理,降低运费支出。进一步完善落实铁路运价和收费的"一票制"政策;整顿和规范铁路联运代理服务收费行为;全面清理"地方铁路货车使用费"、"电子轨道衡收费"等收费和加价项目,降低用户运输成本。

3、进一步清理规范涉企收费,减轻企业负担。全省共取消23个部门的117个收费项目,合并21个收费项目,降低20个收费项目的收费标准,一年可减轻企业和社会负担2.1亿元。

4、规范医药行业价格行为,降低药品虚高价格。在完善药品价格政策、规范药品价格行为的基础上,先后两批降低了270种、466个规格的药品价格,平均降价幅度达到23%,年降价金额达2.5亿元,对减轻企业和病患者的医药费用负担发挥了重要作用。

5、制止恶性价格竞争,维护企业整体利益。认真贯彻国家计委《关于制止低价倾销行为的规定》,以大中城市为突破口,在制止低价倾销和价格欺诈方面进行了有益探索,初步遏制了恶性降价竞争的蔓延。

6、适应国际市场变化,适当调整成品油价格。

7、发展中国价格信息网员单位,大力开展价格培训、价格信息、价格评估等多项服务。武汉、荆门、襄樊等市在全省带头落实物价联络员制度,并取得了实际成效。鄂州等市将《价格信息》和《物价快讯》等价格刊物加入政府信息网,及时在网上发布价格政策信息资料,深受企业欢迎。

四、努力营造良好的价格环境,刺激消费扩大投资

1、继续整顿价格秩序,努力营造良好的消费环境。全省统一组织开展对明码标价的集中整顿,查处明码标价案件3791件,明码标价普及率达92.5%,比整顿前提高了14个百分点。荆门、襄樊等市借鉴外省作法,推行新的"标价签"制度,使广大消费者对市场标价增强了信任度和认同感,进一步增强了消费信心。继续清理取消和降低一大批涉及居民负担的各类收费,大力开展电力、税务、教育、公路和车辆收费以及粮食、药品、电信资费、农村电价等价格监督检查,全年全省查处价格违法案件7418件,查处价格违法金额31267万元,实现经济制裁10656.27万元,其中,没收6437.15万元,退还用户3992.74万元,罚款226.38万元,分别比上年增长0.98%、34.36%、36.18%、23.3%、63.97%和33.72%。

2、调低电信资费,刺激电信消费。根据国家统一部署,较大幅度地降低了电信资费价格和国际互联网收费标准。(1)将中国电信拨号上网用户基本费(即网络使用费)调整为按每月使用时间分两档计费:1至60小时(含60小时)部分,每小时4元;超过60小时部分,每小时8元。本地上网用户折通话费调整为三档计费:1至15小时(含15小时)部分按每3分钟0.22元(不含城市公用事业附加,下同)标准计收;超过15小时至80小时(含80小时)部分,按3分钟0.11元标准计收;超过80小时部分,仍按每3分钟0.22元标准计收。电信企业营业窗口提供上网服务的收费,由每分钟0.8元降低到每分钟0.3元。(2)降低通过专线上网用户的收费标准。通过专线上网的资费分为计量制和包月制两种收费方式,由用户自行选择。计量制不分线路速率,其收费标准为6元/兆字节;包月制按照线路速率分为7档,其收费标准按1999年2月26日省邮电管理局、省物价局鄂邮局发[1999]6号文件执行。(3)互联单位(指教育网、科研网及吉通公司等)租用用于因特网互联的国际半电路(只限2MBPS)租费由每月43.16万元降低为32万元。其它国际电路的租费仍按现行标准执行。(4)通过分组交换上网用户的包月制资费由每月600元降至50元。立足本省实际,制定了手机租号和"本地通"业务收费标准,调低了公用电话收费标准,规范了宾馆、饭店、招待所代办电信业务收费行为。据电信部门测算,仅电信资费下调一项,全年可减少用户经济负担近10亿元,全省移动电话用户月增长30%以上。

3、努力降低住房价格,刺激住宅消费。认真贯彻落实国务院和省政府关于加强房地产价格调控、促进住房建设和消费的通知精神,提出了具体的实施意见,整顿房地产市场综合服务、城建档案整理、建设项目和物业管理服务等收费行为,为规范房地产价格行为打下了坚实基础;适时调整了部分城市公有住房租金,在一定程度上缓解了租售比价矛盾,促进了住房消费。积极参与房改,进行调查测算,为住房分配货币化、标准价房向完全产权房过渡、公房上市交易等改革作好准备;会同土地管理部门对全省71个B级土地估价机构进行审理检

验，为启动房地产市场提供了服务。

4、清理整顿旅游价格，刺激旅游消费。完成省内公园(景点)门票价格并轨工作，取消了不合理收费，加强旅游行业明码标价工作，促进了旅游市场的回升。

5、适当调整非义务教育收费，并按实际教育成本，在群众可承受的范围内调整了部分城市幼儿园收费标准。教育收费调整后，极大地调动了教育单位办学的积极性，各类普通高校普遍扩大招生，全省应届高中毕业生升学率比上年提高15.7个百分点，既满足了部分有经济承受能力的家庭培养教育子女的需要，刺激了教育消费，同时也促进了教育事业更快地发展。

6、积极研究运用价格杠杆，扶持民营经济发展。

五、积极疏导价格矛盾，促进公益服务事业发展

1、适当提高公用事业价格。先后稳妥地调整了部分城市民用燃气、自来水、污水处理和公共交通等公用事业价格，促进了公用事业发展。

2、调整公益性服务价格。调升了国内邮政资费和部分医疗服务价格，制定经营性停车场、特种行业、合同鉴证、质量检验、卫生防疫、专利委托等服务价格政策，促进了公益事业发展。

3、规范中介服务价格秩序。制定了产权交易、旧机动车交易、消防检测、会计师审计师事务所收费管理办法，促进了中介服务业的健康发展。

六、积极改进物价工作方法，努力维护社会稳定

1、加强价格法制建设，努力维护价费秩序。大力宣传《价格法》，认真贯彻国家计委出台的1、2号令和价格监测、农产品成本调查、价格认证等几个价格法规，制定颁布湖北省明码标价、价格举报、“两证两卡一书制度”、电力设施报装价格规定等几个价格管理办法，进一步发挥价格法律法规的规范作用，促进经营者自觉遵纪守法，尽力避免因价格问题引发社会矛盾。

2、努力开展成本调查、价格信息、价格评估、价格培训和价格研究工作，积极提供价格服务。全省成本调查、价格信息、价格事务系统和价格培训、价格研究单位，调查审核成本数据几十万个，提供有价值价格数据信息15万多条，评估案件总额超过10亿元，完成研究课题几十个，举办全省性各类培训班7期，培训干部357人次，价格信息监测分析工作跃居全国前三名。各项服务工作都有了大的发展，为各级党政领导作出经济决策提供了重要的参考依据，为广大经营者开展经营活动提供了大量的价格服务。

3、实行依法治价，积极推行价格政务公开和听证会制度。据不完全统计，各地先后就自来水、电力、出租车客运、公园门票、有线电视、环卫收费、公房租金等11个项目进行了48次调定价听证会，有力地促进了价格决策的民主化、科学化、法制化建设。

4、大力加强物价宣传工作，掌握价格舆论主动权。省物价局在武汉市物价局以及其他有关部门的协助下，及时整顿规范了江汉一桥、江汉二桥、长桥二桥的收费行为、联通武汉分公司“130江城卡”价格优惠促销、高校扩招中的乱收费行为。部分市县对出租车等价格收费行为也进行了整顿规范。各级物价部门多次召开新闻发布或通气会，回答记者提问，既消除了社会上的一些误解，使价格舆论统一到法规政策上来，又宣传了物价工作和有关法律知识。服务了改革发展，维护了社会稳定。

(曾青松)

湖 南 省

一、深化价格改革

1999年，湖南省进一步深化粮食、棉花、烤烟、铁路运输、城市供水、成品油等价格改革，促进经济结构的不断调整和优化。适当降低粮食收购价格总水平，并实行定购价和保护价两价合一，拉大了品质和等级差价，促进了粮食生产结构调整。坚持顺

价销售粮食，减少粮食经营亏损，维持市场粮价的相对稳定。放开棉花收购价格，引导农民根据市场供求变化调减植棉面积。全年全省棉花收购价格每50公斤平均为380元左右，与全国的价格水平相衔接。取消烤烟价外补贴，同时适当调高烟叶收购价格，进一步拉开了质量等级差价，促进了烟叶生产质量的提高。适当调整铁路货运价格，规范铁路客运送票服务费，取消了客运订票费。一些地方按照补偿成本、公平负担等原则，对水价进行了结构性调整，促进了供水事业的发展。根据国际市场油价变化，适当调高汽、柴油零售中准价格，促进了石油价格与国际市场接轨。

二、刺激消费需求

重点选择潜力较大的产品和行业，出台了一系列鼓励消费的措施和办法。一是加大农村电价整顿力度，每千瓦时平均降低0.1～0.15元，60%左右的乡镇农电到户价格降到规定的限价以内，为"两改一同"打下了基础。整顿降低物业小区电价水平，按实际用电量计算，全年可减轻用户负担约1.2亿元。二是较大幅度地降低电话初装费、邮电附加费和工料费标准，减轻了电话用户的负担。改革联通公司长、株、潭电话网收费标准，每分钟通话费由原来的1.1元左右统一降为0.40元，推动了电讯市场的进一步拓展。三是加强房地产价格调控和物业收费管理，取消了4项涉及住房建设的收费项目，每年可减少住宅建设收费4000多万元，促进了房地产流通和销售。四是在严格义务教育收费管理的同时，适当调整普通高中和高校新生收费标准，放开农村学前教育、劳动技校和职业高中教育收费管理权限，促进了教育事业和教育消费的发展。五是在调整个别偏低的旅游景点票价的同时，拉开淡旺季节差价和质量差价，加强省内主要旅游区价格和收费的规范管理，刺激了旅游和休闲消费。

三、狠抓清费减负

各级物价部门把清费减负作为服务党和政府工作的中心来抓。一方面，加大清理整顿乱收费的力度。按照国家的统一部署，取消新车交通建设费等8项收费(基金)，降低400多项收费标准。重新清理近些年出台的收费文件，报请省政府分两批取消了城市增容费等33个收费项目，降低了1项收费标准，规范了4项收费行为。开展公、检、法、工商和涉及个体私营经济收费的专项治理，已经报请省政府拟将取消一批收费项目，降低一批收费标准。各地还重点清理整顿了乡镇农机、农经、农技、国土、教育、医疗等方面的乱收费，进一步减轻了农民负担。另一方面，切实规范收费管理行为。各地物价部门在认真调查研究的基础上，加大自查自纠的工作力度。全省共撤消250多个收费文件，取消1120多个收费项目，大大减轻了各方面的负担。认真贯彻执行省政府的要求，严格把住收费审批关，停止出台新的行政事业性收费项目。加强对清费治乱的宣传，并组织力量对1993年以来国家和省宣布取消和降低标准的800多个收费(基金、集资)项目汇总编印2万多册，免费发放给各地和各有关单位，增强了收费政策的透明度，完善了收费的社会监督机制。

四、规范价格行为

各级物价部门以《价格法》颁布实施一周年为契机，认真组织对主要法律和专业性法规的普及、宣传和培训工作。一是深入开展价格法律法规的宣传学习。组织《价格法》、《价格违法行为处罚规定》、《行政复议条例》、《国家赔偿法》的培训，增强了物价系统干部职工依法决策、依法治价、依法执法的观念。组织大规模、多形式的《价格法》宣传活动，增强了价格法规的社会影响力。二是加强价格法制建设。主要是按照《价格法》的要求，建立和完善了价格听证和价格公告等制度，出台了涉案物品估价管理办法和操作规程，颁布了全省经营服务性收费管理目录，制定了税务、工商、专利代理等中介服务收费管理办法，进一步丰富和完善了价格法规体系。三是加大价格整治力度。重点开展了电力、教育、交通、粮食、药品、金融等价格和收费的专项检查。全年共查处各类违法案件17396起，查处违法金额43678万元，实施经济制裁28571.04万元，分别比上年增长47.2%、130%和120%，遏制了乱涨价、乱收费行为。按照省委和省政府的要求，重新核定省内77种以公费订阅为主的报刊价格，并实行收费许可证管理制度，大大降低了各方面公费订阅报刊的费用。分四批降低了738个品种和规格的药品价格，累计降价金额约4.5亿元，促进了药品价格秩序的好转。

五、加强价格服务

主要是按照促进企业搞活、服务经济发展的原则，切实转变工作职能，广泛开展了价格信息、价格评估事务服务和成本调查等工作。在价格信息方面，加强了对主要农产品、农资产品和大宗工业品的市场价格监测，初步建立了建筑、医药、家电、化工等十大专门信息板块和价格互联网在线网络平台，有针对性地开展了价格咨询和市场调查等工作，较好地服务于企业和消费者。在价格事务方面，加大了房地产、车损、银行抵押物等评估工作力度，全年共受理各类评估事务1.8万余宗，涉及标的价值29亿多元，为维护司法公正、调解价格纠纷、支持企业改革、维护用户合法权益作出了努力。在成本调查方面，开展粮食流通成本费用、农民负担情况、污水处理成本等专项调查，加强对自来水等政府定价商品和服务项目的成本审核，狠抓成本调查工作质量，为政府价格决策提供了可靠的依据。

（李后祥）

广　东　省

一、物价形势及其特点

1999年，广东省物价继续负增长，全年走势呈轻微的“V”字形，上半年降幅有逐月加大的态势，自7月份后，降幅趋缓。商品零售价格总水平和居民消费价格总水平分别比上年同期下降3.3%和1.8%，降幅大于全国平均水平。全年市场物价运行的主要特点是：

1、食品类价格继续回落。1999年广东省农业生产继续保持良好势头，市场供应充裕，品种丰富，全年食品类价格比上年同期下降5.3%，在10个小类中各品种价格均有不同程度的下降。粮食零售价格下降3.4%，肉禽蛋下降8.5%，鲜猪肉和瘦肉零售价格在下半年虽有所回升，但在毛猪价格持续下滑的影响下，与1998年同期比仍有一定幅度的下降。上半年市场鲜菜品种多、质量好，供应过剩，菜价走低，8、9月后由于受台风、寒冷等气候的影响，菜价大幅度上升，成为下半年物价降幅趋缓的重要因素之一，但累计鲜菜价格仍比上年同期下降了4.9%。

2、工业消费品价格升少降多。价格上升或止跌的仅有中西药品和书报杂志两大类，中西药品升幅为0%；书报杂志价格比上年同期上升3%。

3、服务项目价格小幅上升。居住类和服务项目价格分别上涨了2.6%和6.4%，其中房租上升7.7%；受3月份邮电项目调价的影响，邮费价格上升46.2%，成为价格涨幅最大的服务项目；电讯费、交通费及医疗保健服务费分别上升4.0%、3.1%和20.2%。

4、生产资料价格继续下滑。7大类生产资料中，金属、建材、化工、机电、木材、农资等6类价格比上年同期有不同程度的下降；仅燃料类价格比上年同期上升2.9%。燃料价格上升的主要原因是走私货品减少和国际市场价格上升的影响。

二、主要物价工作

1、转变价格调控方向，采取积极的价格政策，促进需求增长和结构调整。针对价格总水平持续负增长的新情况，各级物价部门及时转变价格调控方向，由过去的以控制价格总水平上涨为主转变到以促进价格总水平合理回升为主上来。

按照中央有关精神，制定了一系列刺激消费、激活投资、扩大出口和有利于结构调整的价格政策。调整邮政资费结构，降低电话初装费、手机入网费、互联网资费、国际电话资费等，全年电信资费调整可减轻用户负担40亿元左右，促进了电信消费。1999年全省手机用户达684.82万户，比上年新增290.71万户。对经济适用住房采取价格扶持政策，降低土地使用费，清理对住房建设的不合理收费，规范住房交易价格行为和物业管理收费，促进了住宅消费。整顿交通收费，减轻汽车购买、落籍、使用过程中的各项收费，仅佛山市通过整顿交通收费每年可减负1.4亿元以上。对涉及旅游行业的收费实行优惠政策，加强对旅游景点门票价格的管理，对宾馆、饭店、饮食业等分等定级，按质论价，促进了旅游消费。在加强义务教育阶段收费管理的同时，制定收费政策支持教育产业发展，鼓励各地普及高中教育，适当调高各类高校的学费标准，全国教育工作会议前后主动调整非义务教育学费标准，使全省教育系统年增加收入约2.1亿元，对缓解教育经费紧张，促进教育消费发挥了积极作用。狠抓电价“清费并价”工作，仅清理附加在电价上的三项收费，每年可减轻工商企业用电负担66亿元，对促进电力消费也发挥了重要作用。结合口岸“三检合一”的机构改革，整顿和规范外贸进出口环节的收费，对外商投资企业和出口企业反映强烈的收费进行专项治理，促进了出口增长和外资引进。

制定加快发展个体私营和外商投资企业的价格与收费政策。适时调整供水、医疗、环保、交通运输等基础产业和公用、公益事业价格，如深圳市、阳江市、河源市区、汕尾市区以及梅州市城区自来水价格调高后，全年调价金额共计12191.79万元。

2、深入治理农村电价，努力实现省委、省政府提出将农村住宅电价降至1元以下的目标。全省各级物价部门努力做好清费减负和“两改一同价”工作，认真制定清费减负、“两改一同价”和农网改造还本付息方案，参与农网改造和农电体制改革，多次组织检查、督促，贯彻落实。至12月15日，全省102个县级农电单位已将农村住宅到户电价降到每千瓦时1元以下，提前实现了省委、省政府的目标；全省农村平均住宅电价由上年底的每千瓦时1.32元降到每千瓦时0.89元(低于国家计委批复广东省每千瓦时0.98元的要求)，每年可减轻农村用户负担35亿元。

3、深化粮食价格改革，清理整顿生猪屠宰税费，促进农民减负增收。根据《国务院关于进一步完善粮食流通体制改革政策措施的通知》精神，省物价局测算好早籼三级稻谷和优质谷的收购价方案，报省政府制定广东省1999年早籼三级稻谷收购目标指导价为每50公斤60元，与上年收购价持平，比保护价高出5元，升幅达9.1%，此项增加农民收入1.7亿元。通过粮食品种拉开品质、季节和地区差价，引导和促进了粮食种植结构调整。全省一级以上优质稻种植面积同比增加9%，此项可增加农民收入2.1亿元。至年底，优质谷种植面积已占4成多，珠江三角地区已近8成。

经调查研究，向省政府提出全省生猪购销税费实行统一征收项目和控制计征标准的报告。经省政府采纳发文规定，全省统一生猪购销税费共为9项，每头生猪收取的总税费额最高不得超过70元。经在全省范围内清理生猪购销环节税费，全省平均每头生猪约降低40元税费，每年可减轻养猪户负担10.08亿元。通过价费合并，改革和调高烟叶价格，为全省烟农增收7200万元。

4、强化价格监督检查，整顿价格、收费秩序，为扩大内需和经济发展创造良好的价格环境。各级物价部门继续清理涉及企业和群众的各项收费，进一步完善“两证一票一卡”制度，大力制止乱收费。按国家计委、财政部的规定，取消部分基金和收费项目；降低468项收费标准，每年可减轻企业和群众负担5.89亿元；取消19项省定行政事业性收费，每年可减负6131万元以上。落实《广东省个体工商户和私营企业权益保护条例》，监制《个体工商户和私营企业缴费卡》，汇集和公布涉及个体工商户和私营企业的行政事业性收费项目、标准，方便监督和抵制乱收费。降低药品虚高价格，减轻病患者医药费负担，仅对降价中可统计的15个品种匡算，零售价降价金额达2.8亿元。全省积极开展价格监督检查，整顿价格、收费秩序。全年全省共查出价格违法案件8617宗，已定性处理价格违法所得金额4.96亿元，实施经济制裁1.67亿元，其中，上缴财政1.26亿元，退还用户0.41亿元。

5、加强价格法制建设，积极推进依法治价进程。深入学习、宣传、贯彻《价格法》，采取多种形式开展纪念《价格法》实施一周年和宣传《广东省实施〈中华人民共和国价格法〉办法》活动。通过这些活动，进一步提高了广大干部、群众的价格法制意识，为依法行政打下良好基础。加强以《价格法》为核心的价格法规体系建设，《广东省实施〈中华人民共和国价格法〉办法》的颁布，标志着广东依法治价工作进入了一个新的阶段；《广东省城镇经济适用住房和廉租住房价格管理办法》、《广东省城镇住宅小区物业管理服务收费明码标价规定》、《广东省中药材和中药饮片作价办法》和《广东省医疗单位自制(配)药物制剂作价管理暂行办法》等多项规章、规范性文件的制定，使广东省价格法规体系进一步完善。积极推行价格决策听证制度，成功召开了征收城市污水处理费和调整有线电视收视费、自来水价格听证会，提高了政府定调价费的科学性和透明度。

6、积极开展价格服务工作，干部队伍素质进一步提高。价格事务在机构稳定、人员素质、制度建设、工作水平以及价格事务领域的开拓等方面取得新的进展。省价格事务所、广州价格事务所、顺德价格事务所以及惠东县价格事务所等因成绩突出受到国家计委表彰。围绕经济工作中心和价格热点问题，深入调查研究，提交了一批有质量的调研报告，其中省局关于加快发展个体私营和外商投资企业有关价格与收费政策的报告，受到国家和省的高度重视，国家计委以简报形式予以刊登，省政府对报告也作了重要批示。省物价检查所《加强价格监督法制建设，提高行政执法水平》的调研报告，获第五届全国价格监督检查理论研讨论文一等奖。成本调查工作在做好专项农产品常规调查工作的基础上，积极开展了农户存粮、农民种植意向、农民全年售粮等多项调查，为各级政府和有关部门提供了决策依据。 （庄振锡 何 丞）

深 圳 市

一、改善价格调控，促使市场物价水平合理回升

1、对改革后的肉菜市场价格加强监测分析。各分局从辖区各选取一个市场，对其蔬菜主要品种、瘦肉、鲩鱼和鲫鱼的实际中准成交价，指定专人每日跟踪调查，登记造册，同时选择1～3个肉菜市场和一家肉菜超市，采集价格行情，由分局汇总整理后，在所辖各市场公布，并按时上报市局，从而在工商所、分局、市局三个环节上建立了有效防止农副产品价格剧烈变动的监测网络和调控手段。

2、在重大价格调整时，注重做好价格调整对价格总水平影响的评价，把缓解价格矛盾，理顺价格关系，与促进市场物价的合理回升结合进行。通过价格的结构性调整，直接促进价格总水平合理回升。

二、深化价格改革，完善市场化价格形成机制

1、改革“菜篮子”价格管理。从4月1日起，正式取消了从1988年开始实施的肉菜市场价格差率管理办法。实施改革以来，全市肉菜价格走势平稳，市场反应平静，转轨工作顺利完成。

2、改革肉菜市场店档租金管理。对村委和企业兴办的市场的租金不再管制，在市场竞争中形成；对政府投资兴办的市场的租金实行先调后放、三步到位的策略，逐步与市场化租金水平接轨。

3、改革液化石油气价格管理。自7月1日起正式实施基本价格与校正系数相结合的作价办法，建立起新的适应市场变化的液化石油气价格形成机制。

4、从深圳市饮食业竞争比较充分的实际出发，根据省有关规定，取消了饮食业酒水、香烟作价差率管理，改为以制止牟取暴利的管理方式来规范饮食经营者的价格行为，为经营者创造更为宽松的竞争环境。

三、运用价格杠杆，刺激消费和促进经济结构调整

1、认真开展清理电价外收费工作，降低了农电价格，实现清费和降价金额近6亿元。经市政府批准，出台了城乡用电同网同价和整个销售电价的调整方案，对电价的结构性调整，缓解了电价矛盾，为推行同网价、竞价上网改革创造了条件。

2、着重解决电话营业区划分不合理、邮政包装盒价格和传呼机价格偏高的问题。根据国家和省新的电信资费政策，调整了深圳市的市内电话、移动电话初装费和其他资费标准；出台了选号费收费管理办法；规范了互联网络信息服务收费；调整了邮政代办服务收费标准；降低邮政包裹封装盒价格，总水平降低超过20%。

3、改善城市公交价格和停车场收费管理。对公共交通行业的经营状况和现行票价结构、各种票价的比价、票价管理机制和模式进行探讨，掌握了大量的数据。制定了1999年春运汽车、轮船客运票价，对30条市内中小巴和6条公共大巴的票价进行审核，制定了21条开往市外的豪华直通巴士的票价，调整了深圳机场候机楼行李寄存服务收费标准，对“公交一卡通IC卡”工本费收费标准进行严格核定。进一步完善停车场收费管理，对混合型停车场收费制定实施了新的管理办法。

4、积极推动医疗收费明码标价工作，安装电脑触摸屏工作已全面完成，对住院病人每日出具收费清单工作正在落实；严格审核药品生产成本，降低虚高定价；按照“总量控制、结构调整”的原则，制定了医疗项目收费标准方案，召开了听证会，并上报市政府和省物价局审批。

5、根据国务院《水利产业政策》及《广东省水利工程水费核订、计收和管理办法》的规定，经市政府批准，于6月1日调整地方水利工程供水价格，于6月15日调整了特区内的自来水价格。做好宝安、龙

岗西区各镇自来水价格的综合平衡工作，理顺蛇口工业区自来水价格的管理关系，制定了蛇口地区自来水价格。进一步理顺了水价关系，促进水利产业发展和保障城市供水。

6、加强旅游价格管理。调整了青青世界、欢乐干线、中英街历史博物馆、大梅沙海滨公园、海洋世界、地王观光、银湖相思林公园、华侨城景点门票、世界之窗及中国民俗文化村飘流项目等旅游景点门票价格；整顿了园中园收费；规范了全市旅游景点衣物保管箱收费行为。

7、针对深圳市目前93%的幼儿园为社会力量办园的实际情况，制定实施了《深圳市社会力量办幼儿园收费管理暂行办法》；研究核定了百士达小学、罗湖中英文小学、福田中英文小学等十几所民办学校的收费标准。

此外，对洲石公路、机荷西高速公路、观公公路等新建公路收费标准，养老服务收费标准，余泥渣土排放收费标准，消防设施配套费标准，房屋租赁管理收费标准，生猪检疫检验费标准，人才市场收费标准，房地产测验收费标准等，按管理权限进行核定或进行协调。

据测算，一年来，在对价格进行结构性调整中，涉及的调价总额约为9.3亿元，其中，上调2.9亿元，下调6.4亿元，净调降3.5亿元。这些价格政策和管理措施的出台实施，对调整产业结构和产品结构、促进基础产业和第三产业发展，促进交通和电信消费，培育和发展教育、旅游等新的经济增长点发挥了积极作用，有力地促进了深圳市消费需求扩大和经济结构调整。

四、拓展工作领域，创新管理手段

1、房地产价格管理取得成效。一是对房地产价格提出了加强调控、整顿收费、规范行为、完善管理四方面的具体措施，以深府[1999]140号文在转发国务院相关文件时一并贯彻。二是降低了房地产交易收费。对龙岗、宝安房地产交易中心的交易手续收费标准进行重新核定，收费标准降低一半，调降金额2200万元。三是规范了房地产中介服务收费，制定了房地产中介机构从事咨询、评估、代理的收费标准，并实行了收费许可证管理。四是向市政府提出加强土地价格管理的建议，市政府已决定在市土地拍卖委员会里增加物价部门的委员名额，为以后从法律上进一步明确物价部门在地价管理中的职能和权限创造了条件。五是在参与福利房、微利房价格管理方面取得了突破。

2、价格管理计算机应用已经起步，形成了较为完整的价格管理电算化程序的需求资料，组织了专家论证，并成立专门班子，首先在行政事业性收费管理方向上进行突破，目前正组织编写收费项目分类目录代码，在原始资料录入程序投入使用、完成资料录入工作后即可进行实质性的操作。

五、规范价格行为，创造良好的价格环境

1、继续抓好行政事业性收费年审工作。变对收费部门逐个进点审查为选择部门重点审查，变直接向收费单位收年审费为由市财政统一核发。全市共组织106人，分15个年审组，出动2994人次开展重点审查，实审市、区两级行政事业性收费部门和驻深收费部门146个、收费单位517个、收费项目1863项、收费金额19.5亿元；查出自定收费项目12项，擅自提高收费标准3项。进一步规制了深圳市行政事业性收费秩序。

2、开展经营服务性收费许可证管理和年审试点工作。重点是继续抓好许可证发放，同时对邮电通讯和公交运输行业组织年审试点工作，将年审与成本审核相结合，通过年审掌握各垄断经营企业的成本变化情况，掌握真实的成本资料，解决虚高成本问题，为科学地调定价打下基础，为2000年经营服务性收费许可证年审工作的全面推开积累了经验。

3、重点抓住社会关注的热点问题进行专项治理。及时转发国家和省有关“三改”企业收费实行减免和优惠的条件，及时转发贯彻国家和省公布取消的收费项目、降低收费标准的文件，一年来共取消各种收费项目99项，废止42项，降低收费标准46项，涉及收费金额1.1亿元。

六、狠抓价格调研，提高工作水平

围绕如何发挥价格杠杆作用，为促进消费需求和培育新的经济增长点服务，如何深化公用公益事业价格改革，进一步巩固和完善深圳市市场化价格机制，如何有效加强行业管理，规范价格行为，实现价格自律这三方面来开展物价调研工作，确定了10项重点调研课题，涉及收费体制改革、垄断性产业价格形成机制、中介服务收费、房地产价格管理等方面。目前已形成了房地产价格、电价、液化石油气价格、城市供水价格、城市公共交通价格、旅游价格、肉菜市场价格、电信收费、医疗服务收费、国家机关收费十大调研报告，在价格及收费管理的重要和主要领域提出了一系列政策性意见和对策措施。

七、解决价格热点难点问题,办好实事

1、起草上报了《深圳市物价局关于运用价格杠杆促进我市经济发展的若干意见》,形成当前价格和收费政策的25条具体意见。

2、编辑印发10万册《深圳市民缴费指南》和5万册《深圳企业缴费指南》。《指南》以为企业和居民办事为纲,公布各项收费项目和标准,为民办实事,受到社会的关注和欢迎,提高了物价部门的社会影响。

3、对群众反映较大的梧桐山收费问题,提出了不停车电脑自动计费、月票优惠收费等具体措施,每年可减轻社会负担500万元以上。

4、对社会关注的猪肉价格问题,组织了专门的调研,摸清情况,向市人大、市政府作了专题汇报,并通过新闻界进行宣传,澄清了事实,消除了误解。

八、加强指导协调,提高价格管理整体效能

1、进一步下放管理权限,理顺与分局工作关系。继下放物业管理收费、饮食业评等定级、行政事业性收费许可证管理、经营服务性收费许可证管理之后,1999年又将市直属单位在各区设立的机构的行政事业性收费年审工作下放到区年审办进行,特别是根据《深圳市社会力量办幼儿园收费管理暂行办法》,社会办园收费标准由所在地物价分局根据全市的指导标准具体审批确定,使基层价格管理工作内容得到更进一步的充实,系统内逐步形成了市局着眼宏观调研协调、基层负责实施具体管理的工作格局,价格管理的整体效能大大提高。

2、加强对基层的指导协调。根据管理实践新的要求,研究形成物业收费管理13条具体意见,指导基层解决实际问题。分局的物业收费管理工作在质和量上有了新的提高,各分局共发出定价文件160份,核定了180个物业单位的收费标准。自物业收费管理权限下放分局以来,各分局在开展物业收费管理工作中,共发出调定价文件513份,对582个物业单位的收费标准进行了核定。对停车场、宾馆旅店业、电信代办点的许可证核发管理专门发出了通知,经营服务性收费许可证管理工作成效显著,全系统共核发经营服务性收费许可证2200多份,1998年、1999年核发总数合计近4500份,为2000年的年审工作打好了基础。开展了全面换发行政事业性收费许可证工作,全系统共换发行政事业性收费许可证1222份,核发收费员证4200多份。

九、大力开展清费治乱减负,切实减轻企业群众负担

1、开展对外商投资企业的收费调查,了解企业反映强烈的"热点、难点"问题,配合省物价局开展"关于运用价格杠杆促进我省个体私营经济、外商投资企业发展"调研活动,召开多次企业座谈会,并针对企业反映的问题,逐一进行调查处理。凡属政策界线不清的,通过上级机关予以明确;属政策界线清楚的乱收费问题,坚决进行查处和纠正。

2、根据《1999年深圳市清费治乱减负工作方案》,针对存在问题,加大治理力度,全面检查国家、省、市公布取消的收费项目的落实情况,巩固"切一刀"成果。并将1992年以来国家、省、市公布取消的收费项目汇编成册免费发放给企业、群众,便于企业和群众抵制乱收费行为。10月上旬,联合开展了秋季教育收费专项检查,共出动548人次,检查了116所中、小学,进一步规范了学校的收费行为。

3、开展对外商投资企业乱收费的专项检查。重点检查区以下特别是镇村、街道办事处等基层单位以及口岸各单位对外商投资企业及出口商品有收费行为的行政事业单位及各类中介组织。围绕企业反映外贸出口环节收费过多,费用过重的问题,对外贸出口环节收费进行清理整顿,把不合理负担降下来。

十、积极组织开展价格专项检查,规范价格行为

1、针对深圳市外地打工者人数众多,春节期间机票、车票、船票都较紧张的实际情况,在春运期间,共组织25个检查组深入到黄田机场、火车站、蛇口客运码头、银湖汽车站、东湖汽车站及104家客票代售点进行检查,对少数客票代办点存在乱收手续费的行为进行了查处。

2、春节前后出动470人次对全市187家大型综合性商场、购物中心、超级市场、肉菜市场的明码标价情况进行了全面检查。高交会期间又对全市大、中型商场、部分宾馆、酒店、旅游景点的明码标价进行了检查,规范了经营者的标价行为,增强了经营者的价格管理意识,提高了明码标价的规范化水平,收到了较好的效果。

3、联合市公安交管局、地税局组织开展整顿停车场收费的专项行动,共检查停车场95家,对不按规定标准收费、不按规定明码标价的51家停车场作出了处罚。

4、根据国家计委、民航总局的要求，对深圳市各民航公司营业部、客票代售点的民航票价进行检查，共组织27个检查组，出动363人次，检查了2家航空公司、17个营业部，200个代理经营点。

5、根据国家计委、省物价局的部署，共出动781人次，对市人民医院等19家医院进行了检查。检查出医疗多收费170多万元，药品违价金额700多万元。目前对医疗单位的价格违法案件已基本处理完毕，共没收违法所得562.16万元。

6、根据国家计委、交通部的统一部署，开展了交通收费专项检查，先后检查了市运输局、公路局、市交通规费征稽办、市交通培训中心、市交通工程质量监督站、市公路客运服务中心等单位。

7、根据国家计委、信息产业部决定，对电信部门的资费执行情况进行全面检查，共查出各类违价金额78182.8万元。

8、为营造高交会良好环境，先后组织开展了对旅游票价、旅店业收费、餐饮价格和大型商场明码标价等检查，严厉打击各种宰客现象。共检查星级宾馆77家、甲一级以上酒楼96家、主要旅游景点5个。

此外，各分局还结合各辖区的实际情况，开展了一系列富有成效的工作：蛇口分局开展了物业收费“你、我、他”主题活动，主要是进行物业收费方面的调查摸底和专项检查，与各物业管理单位、业主委员会进行联络，物色物业单位的住户和用户代表作监督员，与新闻单位进行沟通。南山分局针对辖区内旅游景点相对集中的特点，下大力气抓好旅游门票价格的检查和景点内各项服务收费及商业街的明码标价工作，组织各旅游景点物价员进行培训。罗湖分局充分发挥基层工商所的力量，以物价检查所为主，对全区的停车场收费进行了全面检查。盐田区分局针对中英街经营金银首饰的商店以“钱”为计量单位，并另收手工费和佣金，容易引起内地旅客误解的实际情况，重新设计了黄金首饰商品标价签。宝安分局组织开展了对农业生产资料价格，重点是化肥、农药销售价格的检查，出动30多人次，检查了沙井供销社等7个门市部。通过检查宣传了国家关于农业生产资料的价格政策，对保持农资价格稳定，减轻农民负担起到了积极作用。福田、龙岗分局加大了对大案、要案的查处力度。福田区检查所敢于碰硬，在查处行政事业性乱收费方面在全市起到了表率作用；龙岗检查所一年来也查处了1宗百万元以上的案件。

十一、搞好价格服务，提高经济效益

涉案物品价格鉴证业务大幅上升，共评估2000多宗，案值5300多万元，新开辟的车损评估业务也取得良好开端，受理评估事故车辆3700多台，评估总值2100多万元，占全市事故车辆总额的30%。在搞好价格事务服务的同时，起草上报了《深圳经济特区涉案物品价格鉴证条例》，为依法开展价格事务服务打下了良好的基础。　（黄启鹏）

广西壮族自治区

一、市场价格走势

1999年，广西市场物价走势一直呈负增长态势。与上年比较，商品零售价格总水平下降2.8%，居民消费价格总水平下降2.3%，是继1997年以来第3个负增长年份。

分类商品价格变动情况是：(1)食品类整体价格继续下降。与上年同期比，居民消费价格中与人民生活密切相关的粮食、肉禽制品、蛋类、水产品、油脂价格回落较大，分别为1.7%、7%、6%、4.3%和5.4%。(2)工业消费品价格仍维持降多升少的格局。在统计商品零售价格的13类工业品中，价格上升的只有中、西药品、化妆品、书报杂志、文化用品和燃料5大类，涨幅分别为0.3%、0.1%、4.2%、0.3%和3.9%，其余8类继续下降，其中，机电产品类降幅达10%。(3)服务项目价格由于受到邮费、交通费、医疗保健服务和学杂保育费政府调价的影响，比上年上升2.9%。(4)居住类由于各地调高房租和水、电价格以及燃料涨价，价格上升0.8%。(5)农业生产资料价格进一步下降，比上年下降3.6%。

二、主要物价工作

1、完善价格形成机制，促进需求增长和经济结构调整。

（1）推行上网电价“两部制”，实行统一销售电价改革。自治区物价局下达《关于制定城乡电网用电同价方案的通知》，规范了农村电价的构成，明确了农村电网改造的任务，制定了城乡用电同价的措施，先后审批了50多个县市城乡同价方案。各地、市、县在整顿农村电价、规范农村售电的价格行为方面也取得了可喜的进展。自治区人民政府取消了原征收的龙滩电站建设基金（每年影响用户电费约3亿元）。自治区物价局取消和核减了自治区电网部分二级加价，取消了柳州市城市电网改造附加费（柳州市110KV用户0.018元/千瓦时，25KV以下用户0.03元/千瓦时），降低了南宁、柳州两市燃气轮机电价平摊标准，每千瓦时分别由0.08元和0.04元降为0.04元和0.02元。全区大部分城市的电价也有明显下降；北海市每千瓦时降0.02元，防城港市每千瓦时降0.015元，桂林市每千瓦时降0.025元，每年可减轻用户电费负担1.6亿元。取消了各种违法加价、基金、强制保险等共1.9亿元。全区全年平均每千瓦时电量降价0.0353元。

（2）调整农产品价格政策，促进农业生产结构优化。一是继续贯彻落实国家粮食流通体制改革政策，完善粮食顺价销售作价办法，建立市场粮价监测制度，做好陈化粮价格审核，促进粮食顺价销售改革的推进和粮食生产的稳定发展。二是根据国内外农产品市场价格走势，及时调整粮食、糖料蔗、烤烟、桑蚕茧等价格政策。其中，早籼稻定购价从每50公斤（下同）60元降至53元，保护价从55元降为51元；晚籼稻定购价从70元降至58元，保护价从60元降为56元；玉米定购价从60元降至53元，保护价从55元降为51元。1999/2000年榨季的糖料蔗收购中准价格从180元/吨降为160元/吨。同时按优质优价的原则，降低了淘汰品种的价格，提高了优质品种的品质差价。优质稻的加价幅度，从原来的15～30%扩大为10～50%。

（3）改革公用事业价格形成机制。根据国家有关水价改革的要求，调整了玉林等15个城市的自来水分类价格，合理安排分类水价，单位平均调价0.06元/吨，调价总额约540万元。自治区物价局下达了《关于加强城市供水价格管理问题的通知》，将现行企业代收的排水设施有偿使用费并入水价，统一实行分类水价，要求按国家规定装表到户，抄表到户，计量收费。强调水价调整要实行价格听证制度，改进了城市供水价格管理。制定了柳州市污水处理费标准，为加快城市基础设施建设提供了资金。提高了南宁等5个城市的公共交通票价，解决了企业困难。

（4）加大公有住房租金的调整力度。调整贵港、忻城等市、县的公有住房租金，缩小租售比价，加快了公有住房由租赁向全产权出售的进程。全区调整后公有住房平均租金达到1.6元/平方米，占双职工平均工资的9%左右。

（5）改善饮食业、旅店业价格管理，促进餐饮、旅游消费。放开全区餐饮价格，取消对菜肴、酒水实行最高综合毛利率限制的规定，由经营者自主定价，并加强对明码标价的监督管理。餐饮企业等级评定由规定评定改为自愿委托评定。

（6）改善和完善行政事业性收费管理。根据《价格法》的规定，将人才市场交流服务收费等中介机构服务收费及殡葬服务收费等公益性收费从事业性收费中分离出来，重新制定了收费管理办法；制定和调整了新高等职业教育收费和成人教育收费标准，促进了非义务教育的发展。建立了收费许可证、收费员证、企业交费登记卡、个体工商户交费登记卡管理制度。规范了防雷设施安全性能检测等一大批收费。

（7）理顺部分邮电资费和地方铁路收费。根据国家规定和广西实际，调低市话初装费、移动电话入网费、互联网收费、出租电路收费和国际电话通话费；降低农话初装费、通话费；取消市内电话附加费收费；提高部分国内邮政资费。降低地方铁路综合服务费和沿海港口铁路专用线收费，规范了地铁轨道收费。

2、大力整顿价格秩序，为经济发展创造良好的价格环境。加大清费减负力度，切实减轻企业和群众负担。全区共清理行政事业性收费文件20043份，调查收费单位26820个、企业1782个。分期分批依法取消和降低了非法或不合理的收费项目及标准。其中，自治区分五批公布取消涉及企业的不合理行政事业收费517项，降低收费标准3项，年减轻企业税外交费负担9.1亿元；各地、市、县公布取消越权审批的行政事业收费项目2825项，金额6.46亿元，降低430个项目512个收费标准，金额6820万元，大幅度减轻了企业和群众的负担。

清理农产品流通收费，搞活农产品流通。自治区取消对油桐籽、玉桂、八角等经济林产品征收育林基金的规定，对毛竹的综合购销差率也不再作统一规定,由经营者自主定价。据测算,仅取消毛竹综合费率一项,全区竹农及毛竹经营者每年即可增收2628万元。

治理药品虚高定价,使一批药品的价格有所下降。根据国家计委的要求,重新审核制药企业的成本费用,降低了自治区管理的四环素、胃仙U等一批药品价格,降价幅度最低的为5%、最高的为30%;对部分虚列成本和折扣过大的区外药品,也进行了相应处理。据不完全统计,全区药品总降价金额在6000万元左右。

规范旅游价格秩序,促进旅游业健康发展。在查处和纠正价格违法行为的基础上,自治区物价局明确规定:全区旅游景点门票价格实行政府指导价,分级管理,上下浮动的幅度不准超过10%。适时调整了漓江旅游票价,使漓江补水工程和资源保护工作得以顺利开展。

整顿商品住宅开发和销售收费,激活房地产市场。自治区物价局对商品住宅开发环节中的不合法收费项目,如排污增容费、建筑卫生审查费、折迁押金等,坚决予以取缔;降低住房开发建设及房地产交易过程中的收费标准,降低交易成本,一定程度上激活了房地产市场。

3、加强价格法制建设,积极促进形成依法治价的社会氛围。自治区物价局负责起草了《广西实施〈价格法〉办法》及《广西反价格欺诈和牟取暴利规定》两个地方性法规和规章草案,制定了《广西城市环境卫生有偿服务收费管理办法》、《广西行政事业性收费员培训、发证管理暂行办法》、《广西人才交流服务收费管理暂行办法》、《关于规范道路交通事故车物损失估价鉴定工作的通知》、《广西水土保持设施补偿费和水土流失防治费管理办法》、《停车场收费管理办法》、《广西自然资源保护管理费收费管理办法》和《广西税务代理业务收费管理办法》等规范性文件,使价格管理有章可循。

各级价格监督检查机构,先后开展了对食糖、农业生产资料、药品、中小学收费、民航票价、交通收费、对外资企业收费、电信资费等检查,查处各类案件7189起,非法所得金额2444.51万元,经济制裁总额1463.48万元(其中,退还用户433.65万元,没收非法所得944.78万元,罚款85.05万元),上缴财政1029.83万元。受理群众投诉1819件,处理回复1638件。全年无价格行政诉讼案件发生。

4、加强干部培训,努力提高服务水平。自治区物价局先后举办干部培训班55期(另外组织参加区外举办的培训班一期),培训内容涉及电脑操作、商品价格监测、农产品成本调查、物价法律、法规知识、行政事业收费管理,车物损失估价等,培训人员6949人次,使物价系统干部素质有了很大提高。

加强成本调查工作与业务部门的联系,使成本调查成果得到较好地运用,为全区农业、工业和流通企业加强成本核算、改善经营管理、提高经济效益提供了重要依据。

价格信息工作有新的起色,建立了广西价格信息网站,现在全区已有14个地市16个县接入了广西价格信息网。

价格服务工作顺利拓展,全区共有价格事务所99个,从业人员600多人。开拓了保险和车损估价新领域,全区已有320人参加了车损估价培训。全年全区资产评估、价格评估、涉案物品估价总额达30多亿元,取得了较好的社会效益和经济效益。

(陈书贵)

海　南　省

一、物价走势及其特征

1999年,海南省价格持续走低,全省社会商品零售价格指数和居民消费价格指数分别比上年下降3.4%和1.7%,社会商品零售价格总水平明显低于年初制定的全年涨幅控制在3%以内的控调目标,物价跌幅居全国各省(市、自治区)第13位。商品价格持续28个月在低位绯徊。价格变动的主要特征是:

1、大部分商品供过于求,各类商品价格及服务收费降多于升。8大类居民消费价格中,除医疗保健用品、居住、服务收费等价格水平分别比上年同期上升4.1%、3.5%、8.4%外，食品、衣着、家庭设备及用品、交通和通讯工具、娱乐教育文化用品价格均呈下降之势，降幅在12.2～1.1%之间，其中，降幅最大的是交通和通讯工具类，降幅为12.2%。14类商品零售价格中，除书报杂志、中西药品、纺织品、燃料类价格分别比上年上升10.7%、4.3%、0.7%、5.7%外，其余10类商品价格均呈下降之势，降幅在14.4～1.9%之间，其中，首饰、家用电器分别下降14.4%和12.8%。

2、食品价格持续下降，成为拉动价格总水平下降的主要因素。食品价格比上年同期下降3.2%，影响全年居民消费品价格指数下降1.81个百分点。17类常用食品中有14类价格下降，仅2类持平，其中，干豆及豆制品、糖类价格降幅最大，分别为8.7%和14.7%，肉禽及其制品、蛋、粮食、油脂、干鲜瓜果类降幅分别为6.5%、7.2%、3.8%、3.5%和5%。

3、以家用电器、交通和通讯工具为主的日用消费品价格下降幅度较大。与上年同期比较，家用电器价格下降12.8%，影响零售价格指数下降0.75个百分点，交通和通讯工具下降12.2%，影响居民消费价格指数下降0.78个百分点。

4、医疗保健用品和服务项目价格持续走高，燃料和水电价格波动较大。与上年同期比较，医疗保健用品上涨4.1%，服务价格上涨8.4%，其中，邮费、学杂保育费分别上涨29.2%和25.6%；燃料价格上涨57%。8月对水电价格进行调整，调高幅度分别为5.5%和10.9%，分别影响居民消费价格指数上升0.123和0.093个百分点。

5、农业生产资料价格比上年同期下降2.9%。除农用机油价格稳步上扬，涨幅为7.8%外，其他农资价格继续下跌，其中，化肥价格下降幅度较大，降幅为5.8%，小农具、农药、半机械化农具、机械化农具价格也有不同程度的下降，降幅分别为2.9%、6.5%、2.4%和2.5%。

二、主要工作

1、适时转变调控方向，取得较好成效。全省物价部门紧密围绕扩大内需、促进国民经济增长创造良好的价格环境而开展工作，及时将价格调控目标转变为以促进价格总水平合理回升为主。以《价格法》为依据，会同有关部门对旅游业、客运业竞相杀价进行了整治，疏导一批公用事业价格矛盾，较好地实现了年初省政府下达的价格调控目标。

2、运用价格杠杆，为扩大内需和促进经济发展服务。(1)根据国务院《当前推进粮食流通体制改革意见的通知》精神，及时制定了海南国家专储陈化粮处理价格，协助粮食部门作好陈化粮的处理工作，促进了粮食流通体制改革向纵深发展。(2)在深入调查和精心测算的基础上，制定出《海南省城乡用电同网同价实施方案》，并在三亚、文昌、琼海、陵水等市县试点的基础上，在全省逐步开展。从10月1日起，全省农村电价每度已降到0.80元，促进了农村用电体制改革和城乡用电同网同价工作的深入开展。(3)对上网电价进行结构性调整，进一步理顺电价内部的比价关系，促进了电力生产的发展。(4)根据国家计委《关于发挥价格杠杆作用，扩大内需，促进经济增长若干意见的通知》精神，及时调整城市用电电价和部分市县自来水价格，在三亚、东方开征了污水处理费。(5)大幅度提高非义务教育收费标准。(6)积极疏导防疫、环保等公益事业收费矛盾。(7)减免和降低经济适用房部分收费。从8月30日起，海南免收16项涉及经济适用房的行政事业性收费，减收12项涉及经济适用房的行政事业性收费，减幅50%，为减轻房地产企业负担，盘活房地产市场创造了良好的外部环境。(8)对农业用水征收办法、征收方式和征收标准进行修改和调整，解决了农业灌溉水费一次征收农民负担过重的问题，受到广大农民的好评。(9)对部分邮电、邮政资费进行调整。(10)调整旅游价格结构。先后调整了东山湖野生动物园、天涯海角风景区、五公祠门票，制定四大节日宾馆、酒店床位允许适当上浮的政策，对促进消费，提高旅游经济效益发挥了积极作用。(11)针对下半年煤气价格上涨过快的情况，对煤气实行了限价，受到社会的好评。全年全省调价金额3.1亿元，较好地疏导了部分商品和收费的价格矛盾，促进了经济发展。

3、狠抓清费治乱减负，为经济增长创造良好的价格环境。(1)开展收费年审工作。全省共年审行政事业单位4468个，查处乱收费单位112个。(2)继续实施《海南省减轻企业负担实施方案》，促进海南减轻企业负担工作深入开展。(3)开展对小区收费的整顿和专项检查。对不按规定收费的，实行"告示牌"和"三公开"制度，对乱收物业管理费和水电费的物业小区进行了查处。同时，制定《海南省物业管理小区共用水电分摊办法》等规定，较好地规范了物业小区收费行为。(4)成立省价格举报中心，并向社会公布了价格举报电话，加强了价格信访工作和举报案件的查处。全年全省检查群众投诉、举报案件41宗，有效地遏制了向企业乱收费的行为。(5)开展行政事业性收费已取消项目和降低标准执行情况的专项检查。检查了建设、公安、交警、教育等行业441个单位，查处价格违法案件22件，查出违纪金额395.5万元，依法没收违法所得108.4万元。(6)开展交通收费检查，查处一批擅自设立收费项目、提高标准和扩大收费范围等乱收费案件，进一步遏制了交通行业乱收费行为。(7)开展教育收费检查。全省检查中小学校350所，大中专院校5所，查出有乱收费行为的80所，乱收费金额591万元。不少市县通过开展教育收费检查，进一步抑制了学校乱收费行为，减轻了学生的负担。(8)降低海南国内长途电话附加费、电话月租费、因特网资费、出租线路费、国际和港澳台电话资费标准。仅此一项，每年可减轻用户负担2.8亿元。(9)大幅度降低供用电工程贴费，平均降幅70%，预计每年可减少社会负担3900万元。(10)整顿药品市场，降低127个品种规格的药品价格，预计每年可减轻社会负担8000多万元。(11)配合城乡用电同网同价方案的实施，对农村电价进行了整顿，查处价格违法案件5起，查出价格违法金额380多万元，纠正了电力行业的各种价格违法行为。在对农电体制改革和农网进行改造的基础上，从10月1日起，降低农村用电价格，农村居民生活用电每度降到0.8元，在用电量不变的情况下，每年可减轻农民负担1.2亿元。(12)开展向外商企业乱收费的检查。全省共查处乱收费案件25起，乱收费金额76.21万元，有效地维护了外商企业的合法权益。全年全省共取消不合理收费项目26项，降低收费标准20个，预计每年可减轻企业和居民负担5.52亿元；共查处价格违法案件401起，查处价格违法所得582.8万元，实行经济制裁439.3万元。

4、认真宣传贯彻《价格法》，坚持依法治价。按照国家计委的统一安排，开展了《价格法》的宣传活动。同时，还认真贯彻落实国务院《关于进一步加强治乱减负宣传工作的通知》，充分利用电视、广播、报刊等宣传媒体大张旗鼓地宣传治乱减负工作。在深入学习《价格法》的基础上，对现有的法规、规章和规范性文件进行清理，修订了不符合《价格法》的政策规定。为规范行业价格行为，制定了《海南省卫生防疫收费管理实施暂行办法》、《海南省物业管理服务收费规定》、《海南省旅游购物场所商品明码标价管理办法》、《物业管理小区共用水电费分摊办法》等规范性文件，起草并上报了《海南省电价管理办法》、《海南省药品价格管理办法》等法规。

5、强化价格服务职能，积极为经济建设服务。(1)开展市场热点价格监测工作。根据国家计委发布的《价格监测规定》的要求，对琼州海峡轮渡、民航票价、液化气价格、医疗个体诊所收费等群众反应强烈的价格热点问题进行跟踪监测，编发《海南市场物价监测报告》10期，《市场新情况》(内参)6期，为政府业务主管部门解决上述问题提供了市场价格情况。(2)及时向社会传播价格信息。出版海南版《物价公报》12期，发行5100份。通过《物价公报》发布国家和本省文件561个，并将这些文件输入中国价格政策数据库。(3)认真抓好成本调查工作。对18个市县35个农产品品种进行成本调查，完成成本调查资料的审核、汇总和上报工作；开展"农户种植意向情况"等专项调查研究工作，写出的调研报告分别被《海南信息》、《海南日报》、《海南内参》等报刊采用。(4)深入开展价格理论研究工作。完成《运用价格杠杆扩大海南内需》、《加强收费管理，促进物业管理发展》等多项课题的研究，编辑出版了《建省十年海南物价》一书。(5)积极开展价格评估和企业价格咨询服务工作，为企业提供价格政策、价格信息咨询近千人次，受理价格评估案件549件，评估金额15.1亿元。(6)开展房地产收费调查研究。通过对海口、三亚房地产收费情况进行深入调研，初步掌握在建设项目中存在36项收费，其中，行政事业性收费28项，经营性收费8项，并在此基础上，向省政府提出处置积压房地产减免收费的意见，为努力减轻房地产企业负担，盘活海南房地产市场创造良好的外部环境。(7)推行收费告示牌和企业税外负担登记卡制度。全年全省共制作各类收费告示牌1567个，其中，制止乱收费、乱罚款和各种摊派告示牌67个，中小学校收费告示牌1228个，物业管理服务收费告示牌212个，旅游景点收费告示牌60个，进一步提高了收费透明度。海口市加大推行企业税外登记工作力度，发放企业税外登记卡1070份，为企业抵制乱收费、乱罚款和各种摊派行为提供了护身符。

6、加强干部队伍自身建设，整体素质有新的提高。(1)组织干部认真学习邓小平理论和江泽民主席关于"三讲"教育的论述，进一步解放思想，更新观念，为做好新时期的物价工作奠定了思想基础。(2)实行政务公开，规范办事程序，进一步强化了物价部门的自我约束和社会监督机制。(3)学习贯彻《价格法》，规范执法行为，提高依法行政水平。(4)

深入开展优质服务年活动，促进了物价队伍整体素质的提高。（邓新生）

重 庆 市

一、价格总水平持续下降

1999年，重庆市价格总水平仍然继续走低，全市商品零售价格总水平比上年同期下降3.5%，居民消费价格总水平比上年同期下降0.7%。截至12月份，商品零售价格总水平已连续27个月、居民消费价格总水平已有23个月呈现负增长。从分月来看，1～12月份，商品零售同比价格水平的下降幅度在2.5～5%之间徘徊；居民消费价格水平涨幅在－1.6～1%之间波动。从各月环比价格总水平的变动情况看，价格总水平呈现时涨时落的态势，商品零售价格和居民消费价格水平1、2、5、8月份呈上升趋势，其它各月下降。主要情况是：(1)食品类价格总体上明显低于上年同期水平，是拉动价格总水平下降的主要因素。食品零售价格下降4%。食品中各小类商品价格涨落不一，变动差异较大：粮食和油脂零售价格分别比上年同期下降5.7%和5.2%。从各月价格变动情况看，粮食价格下降幅度在0～13.4%的区间波动，特别是12月份的下降幅度达13.4%，为跌幅最大的月份；油脂价格下降幅度在1.5～11.8%的区间波动，降幅最大的仍是12月份，下降11.8%。肉禽蛋和水产品价格分别下降6.4%和6.9%。淡水产品和海水产品价格全面下跌。鲜菜价格略有回升。全年鲜菜价格上升1.3%，其价格波动比较明显。上半年价格上升了6.5%，主要是2季度上升较多，达11.9%。但在3季度以后下跌，7～10月份的下降幅度达到10.8%。11、12月份又出现较大幅度上涨，其涨幅分别为8.4%和11.7%。(2)多数日用工业消费品货源充裕，市场竞争更加激烈，零售价格继续走低。工业消费品继续呈现买方市场的格局，由于商品品种十分丰富，不少商家还利用节日让利促销，使大多数工业品价格继续保持低迷的状态。与上年同期相比，工业品零售价格下降3.1%，影响零售价格总水平下降约2个百分点。列入商品零售价格统计的13类工业品中，有12类是下降的，降幅最大的是家用电器类，为6.5%。(3)受政策性调价和自发涨价因素的影响，书报杂志、居住、服务项目价格出现上涨。书报杂志类价格上升8.5%，成为列入商品零售价格统计的14类商品价格中唯一涨价的商品大类。居住类价格比上年同期上涨10.8%，主要受房租及自来水价格上升的影响，房租上涨了42.1%，自来水价格上涨了15.8%。服务项目价格呈持续较大幅度的上涨，升幅为4.9%。主要是调整邮政资费、电信价格、中小学学杂费、幼儿保育费等的影响。3月1日国家调升邮政资费的幅度为46.3%；1998年重庆市调升电信价格的滞后影响为26%；1999年重庆市调升学杂费和保育费，幅度分别为28.7%和70.9%；同时，春运期间客运票价上浮带动了交通费上涨。另外，受节日期间消费需求增加的影响，一度出现美容、修理费上涨。(4)工业生产资料价格继续保持低位运行态势。据对64个主要品种价格的调查，有59个是降低的，如重轨、工字钢价格下降8.5%，圆钢下降12.5%，线材下降7.8%，铝材下降20%，高压聚乙烯下降3.4%，水泥下降7.5%。

二、积极发挥价格杠杆作用，促进经济发展

1、深化价格改革。一是继续深化农副产品价格改革。研究粮食收购价格和优质优价政策，降低部分粮食定购价和保护价水平，拉开粮食质量差价、等级差价和地区差价，制定陈化粮价格处理政策；调整蚕茧、烟叶收购价格；改革化肥、农膜原料等农业生产资料价格管理办法，放开化肥零售价格。二是继续运用价格杠杆促进基础产业和第三产业的发展。配合农村电网改造，加强农村电价管理和整顿，进一步降低农村电价，促进了农电价格形成机制的转换；上调部分市管报纸价格；配合高校“扩招”，对高等教育收费进行较大幅度的调整，对高校新建或租赁学生公寓在收费政策上给予积极支持；对成品油价格，在全市范围内分两个价区对具体价格作了安排；对铁路延伸服务费、铁路专用线代维

护管理费进行整顿；在进行可行性论证的基础上，审批20条新建收费公路的收费标准；降低海关、商检等部门的收费；调整公有住房出售价格，对经济适用住房制定指导价格；清理、取消、降低涉及住宅建设和销售的一些收费，降低空置商品房价格；加强对房屋拆迁价格的管理，保护拆迁人和被拆迁人的合法利益；规范房屋销售价格行为，建立房屋销售的明码标价制度；加强对物业收费的管理，出台《重庆市城市物业管理服务收费实施办法》；制定鼓励企业和居民用电的价格政策，对高耗电企业和用电量较多的居民实行优惠电价。此外，还提高了自来水价格、旅游景点和公园门票、部分邮政资费、有线电视收视维护费、医疗收费标准，降低部分电信收费。

2、加强价格法制建设。一方面继续组织开展大规模学习、宣传、贯彻《价格法》的活动。另一方面，价格立法工作有了新的进展。市人大常委会颁发了《关于加强行政事业性收费管理的决定》，弥补了重庆市在《价格法》出台后，对行政事业性收费管理和监督检查方面存在的法律空档，强化对行政事业性收费的管理工作。制定《重庆市制止低价倾销工业品不正当价格行为的暂行规定》、《重庆市收费许可证管理办法》、《重庆市物业管理收费实施办法》等规范性文件。继续推行价格决策听证制度，对有线电视收费、医疗收费、城市公交IC卡月票收费等进行价格听证。

3、加大清理整顿乱收费的力度。集中力量对行政事业性收费进行彻底清理，清理后决定保留380项收费项目，并逐步向社会公布。将8项不再体现政府行为的收费项目改为经营性收费；取消"消防设施配套费"、"城市人口机械增长增容费"等31项行政事业性收费项目。对取消的收费项目，市物价局会同市财政局已正式下文于10月1日起执行；继续开展收费审验工作，改进和完善审验办法，将收费年审和收费检查工作结合起来，进一步规范收费管理。

4、大力整顿价格秩序。继续整顿电价秩序，清理取消在电价上的各种加价，并对电力行业的经营性收费进行规范；出台城市污水处理费，取消城市排水费和污水排污费；整顿药品价格秩序，规范药品销售折扣行为，降低329个规格虚高定价的药品价格；加大对农村电价和教育、医疗、婚姻登记、计划生育等其它涉农收费的检查力度，使农民负担有所减轻；开展交通、电信、教育、民航机票、药品价格和环境保护收费、涉及外资企业的收费等专项检查；对粮食、房地产、物业管理等价格开展常规性检查；推进市场明码标价，主城区和远郊各区县（自治县、市）主要城镇的明码标价覆盖率达到90%以上，准确率达到90%；成立价格举报中心，完善价格投诉举报制度。全年受理举报831件，结案745件，结案率达到90%；1999年，全市共查出价格违法案件3307件，违法金额10169万元，处理2196万元，退还用户979万元。

5、加强和改善价格调控基础工作。加强农产品成本的调查研究，对多项农产品价格进行专项调查。及时掌握粮食等农产品成本和收益情况；对重要商品和服务价格进行监测和分析预测；开展1998年度三峡工程库区移民补偿投资价格指数编制；加快全市价格系统的计算机网络建设，建立重庆市价格信息电信网站，实现了全市价格信息与英特网互联；利用《中国物价公报（重庆版）》、《重庆价格信息》等刊物，及时向社会发布价格法规、政策信息；开展价格鉴定、价格认证、价格评估、价格咨询等价格事务工作。（杨治凡）

四　川　省

1999年，四川省价格总水平持续走低，全省全年居民消费价格和商品零售价格总水平比上年下降1.5%和2.7%。

一、积极开展价格结构性调整工作

针对买方市场逐步形成，市场价格总水平持续走低的经济形势，在认真总结近几年价格调控工作经验的基础上，紧紧围绕贯彻中央12号文件精神和经济发展战略，及时转变价格调控方向和工作重点，以市场供求关系和市场价格为依据，充分发挥价格杠杆和政府宏观导向、信息集散的作用，相继出台了一批重大价格调整和改革措施：一是贯彻党中央、国务院综合运用各种经济政策刺激有效需求的方针，省政府办公厅印发了省物价局《关于运用价格杠杆鼓励消费扩大内需的21条意见》，明确了新形势下价格改革的重点和方向。二是调整价格结构，疏导价格矛盾。按照国家的统一部署，结合本省实际，进一步降低农村电价、固定电话初装费、移动电话入网费、互联网收费和国际及港澳台电话资费。加强经济适用住房价格的管理，清理取消、降低涉及住宅建设和销售的一批收费。调整黄金和金饰品价格。提高铁路货运价格、含铅汽油价格和国内邮政资费标准。配合高等学校扩招，提高了非义务教育收费和部分报纸价格。

二、深化价格形成机制改革

一是在继续清理、取消通货膨胀时期采取的一些价格法规和管理办法的同时，及时出台了一系列促进产业结构调整的价格政策。二是完善重点行业的价格形成机制。根据国务院深化粮食流通体制改革的统一部署，降低部分粮食定购价和保护价水平，进一步拉开粮食品种差价、等级差价、季节差价和地区差价。放开棉花收购价格，制定收购指导价格，下调了食糖指导价格和蚕茧收购价格，调整了烟叶收购价格政策。改革化肥、农膜原料、农药、种子价格管理办法，放开化肥零售价格。在继续整顿电价的基础上，推行厂网分开和竞价上网的试点工作，按社会平均成本和合理收益率测算经营期上网电价。三是规范企业价格行为，维护市场价格秩序，为企业生产经营和增强发展后劲奠定了基础。四是对与人民群众关系密切的公用性、公益性、垄断性商品和服务价格的调整，逐步实行价格听证会制度。

三、加大清费治乱减负力度

一是继续加大清理涉及企业的各项收费的力度，进一步完善《收费许可证》和企业交费登记卡制度，企业负担受到控制。二是开展对道路交通、电信、教育、民航机票、房地产、外资企业、物业管理等收费项目的专项检查，并对部分低价倾销严重的行业和品种制定了具体的成本认定办法。三是大力整顿农村电价和涉农收费，使农民负担有所减轻。四是整顿药品价格秩序，规范药品销售折扣行为，降低部分药品价格，切实解决药品虚高定价问题。全省年降价金额约2亿元左右。五是认真开展行政事业性收费年审工作。全省共年审《收费许可证》75265个，年审率达99.1%。通过年审，取消不合理收费累计达300项，取消部分自立收费项目100项，已查出违纪行为800件，查处金额2400万元，减轻社会负担2000万元。六是加强对放开商品价格和收费的管理，对餐饮娱乐、美容美发、汽车维修等行业进行等级评定和价格审核，规范了收费行为。

四、加强价格监督检查工作

以清费治乱减负为中心，整顿价格秩序为重点，继续加大监督检查力度，查处各种价格违纪行为。先后对药品、邮电资费、教育收费、公路和车辆收费等实施了专项检查，进一步规范了市场价格行为和收费行为，确保了国家价格政策的落实。据统计，全年全省共查处各类价格违法行为和案件9518件，实行经济制裁金额7019万元，上交财政金额4179万元，退还用户和消费者2839万元。同时，加强了价格社会监督体系的建设，注意发挥社会监督、新闻监督和企业内部监督的作用，开展"双信"活动，巩固明码标价成果，进一步扩大检查的覆盖面，不断规范市场主体的价格行为。

五、加快价格法制建设步伐

一是广泛学习宣传《价格法》。在《价格法》颁布一周年之际，全省上下继续开展大规模学习、宣传、贯彻《价格法》的活动，进一步提高全社会的价格法律意识。二是围绕建立完善价格宏观调控体系，价格立法取得可喜进展。10月14日，省九届人大常委会第11次会议审议通过了《四川省涉案物品价格鉴定管理条例》，这是近几年四川省价格法制建设的重要成果。同时还制定颁布实施了《四川省经营性收费公路管理暂行办法》等一批价格管理的行政规章。三是大力推行价格执法责任制。全面清理和完善与《价格法》、《行政处罚法》等不相符的价格法规、规章和规范性文件。制定了《四川省物价局价格法制管理办法》、《四川省物价局错案追究制度》、《四川省物价局行政执法监督检查规定》等价格执法规章。四是进一步改进和完善了以《物价公报》为主要内容的价格法规政策公布制度，为提高全社会的普法、学法、执法、守法水平提供了有力的工具。

六、做好价格服务工作

各级物价部门积极转变工作职能，不断拓宽新的价格工作领域，服务市场，服务政府，服务社会，努力为促进经济发展多做工作。一是加强价格监测、分析和预测。在继续坚持对粮油、蔬菜、副食品、服务价格旬报制度的基础上，开展了季度国内外主要商品价格的监测工作，为各级政府实施价格宏观决策提供了大量基础性数据，受到国家计委的通报表扬。二是进一步加强价格事务服务工作。在以涉案物品价值认定为主导的同时，积极开展交通肇事车辆损失认证、旧机动车交易价格认证、国有资产评估认证等工作。全年全省共受理价格认定和价格认证案件3740起，涉及案值15亿元，为有关部门准确、快速处理案件，保护当事人的合法权益提供了依据，受到国家计委的通报表扬。三是物价宣传和价格信息工作稳步发展。加强了信息资源的开发和数据库建设，努力提高信息服务水平和服务手段，为宣传物价政策、传递价格信息、交流物价工作发挥了积极作用。四是加强成本调查工作。在继续做好日常农本调查、成本调查工作的同时，针对主要农产品和工业消费品价格出现的突出问题，及时开展了专项价格调查研究工作。五是健全企业内部价格管理和监督机制。在全省继续推广实施企业价格管理合格证制度和行业价格行为自律规范工作。

七、进一步加强物价队伍建设

为切实发挥物价部门在扩大需求，促进经济增长工作中的作用，进一步加强了干部队伍建设，内强素质，外树形象，提高物价部门的地位和作用，保证各项工作任务的圆满完成。一是针对市场环境和市场主体的重要变化，加强干部职工的政治思想教育和业务知识培训，深入开展以讲学习、讲政治、讲正气为主要内容的“三讲”教育，使物价队伍的政治素质、思想素质和业务素质有所提高。二是加强物价干部的培训教育工作。围绕价格管理中心工作任务，加强了价格法律法规和价格政策培训，开展了价格监督检查干部资格培训考核和涉案物品价格鉴证人员资格培训考核。三是深入开展调查研究，切实转变工作作风。将调查研究作为一项十分重要的基础工作来抓，纳入工作目标，实行年度考核。深入市场、农村、厂矿，围绕题目，针对问题，开展了深入细致的调查研究，形成了一批有份量的调研报告，为掌握物价工作的主动权，为实施正确决策提供了有效参考，受到国家计委领导的充分肯定。四是加强行风建设工作。在狠抓制度建设，完善落实各项规章制度，以制度管人，按制度办事，提高内部管理水平的同时，完善了党风廉政建设干部责任制，提高了干部防腐拒贿、自觉抵制不正之风的能力。五是完善物价目标管理工作，形成省、地、县三级目标网络体系。

（简旭东）

贵　州　省

一、价格形势及特点

1999年，贵州省市场价格总水平继续平稳下降，全年居民消费价格和商品零售价格分别比上年下降0.8%和2.1%，是改革开放以来最低水平。物价运行的基本特点：一是价格下降持续时间长。居民消费价格从2月短暂回升后，持续10个月下降，商品零售价格自上年4月起，持续21个月下降，价格持续下降时间之长，是历年来未有的；二是价格下降覆盖地域扩大。全省9个中心城市中，居民消费价格下降范围由上年的1个扩大为5个，商品零售价格下降的范围由上年的7个扩大到全部；三是价格下降商品品类增多。居民消费价格指数中所涉及的8类商品，下降范围由上年的4类增加到5类，商品零售价格指数中的14大类，下降范围由上年的9类增加到10类。各类价格与上年相比，食品类下降3.1%，衣着类下降2.8%，家庭设备及用品类下降2.1%，交通和通讯工具类下降6.1%，娱乐教育文化用品类下降2.8%，农业生产资料价格比上年下降5.1%；四是非消费品价格呈刚性上涨。居住和服务项目价格分别比上年上涨5.8%、6.8%。

二、发挥价格杠杆作用促进经济发展

根据《国家计委印发关于发挥价格杠杆作用扩大内需促进经济增长若干意见的通知》精神，结合贵州实际，提出《关于发挥价格杠杆作用扩大内需促进经济增长的意见》，经省人民政府批转各地贯彻执行。为促进省内经济增长开展了以下工作：

1、调整粮食等农产品价格。认真贯彻国务院有关粮食流通体制改革精神，调整粮食收购价，中等

中籼稻谷定购价每50公斤由72元调为61元，保护价由60.5元调为58元。核定贵阳市、六盘水市等部分陈化粮的拍卖底价。降低蚕茧收购价格，调整烤烟收购价。

2、进一步改革化肥价格管理办法。根据《国家计委进一步改革化肥价格管理办法的通知》，出厂价由政府定价改为政府指导价，零售价放开。

3、调整部分邮政电信资费标准。根据国家计委有关精神，3月调整了全省邮电、电信资费标准，对电信资费进行结构性、让利性调整，为社会减轻负担1.8亿元；11月，再次降低了互联网国际电路月租费和上网拨号费。

4、调整贵州电网电力销售价格，制定安顺电厂、凯里电厂电力的上网电价。根据国家改革成品油价格形成机制的要求，成品油由全省统一价改为分区定价。根据《国家计委关于电解铝行业用电免征电力建设基金的通知》的统一部署，落实了国有重点电解铝行业暂免每千瓦时0.02元的电力建设基金；根据国家计委、财政部《关于降低电解铝等有色金属企业电费及免征有关政府性基金的通知》，降低贵州铝厂电解铝生产用电价格，免征城市公用事业附加费。

5、按照省委、省政府关于加快公路等基础设施建设的要求，调整了高等级公路通行费征收标准：一级公路由0.18元/吨公里调为0.25元/吨公里，二级公路由0.15元/吨公里调为0.20元/吨公里。

6、按照《国务院关于进一步深化住房制度改革加快住房建设的通知》和《国务院批转国家计委关于加强房地产价格调控加快住房建设意见的通知》精神，清理有关经济适用住房的收费项目、标准，进一步推进经济适用住房建设的发展。制定《贵州省物业管理收费暂行规定》，进一步规范全省物业管理服务收费。

三、调整医疗服务价格

为解决医疗服务价格不合理的问题，经省政府批准，自6月1日起执行由省物价局、省卫生厅制定的《贵州省医疗服务项目价格标准》，增设了诊察费；提高了普通病房床位费、门诊挂号费、手术费、护理费、处置治疗费等标准；降低了CT、核磁共振、彩色B超等大型治疗项目收费标准。对不同等级医疗机构的部分服务价格实行分等定价；将专家门诊挂号费、救护车费、干部病房床位费、门诊观察床位费、家属陪住费、病房取暖费、煎中药费、尸体料理费、尸体停放费的定价权下放到各地、州、市物价部门管理。对保健、美容、高标准治疗环境等特需医疗服务项目价格，按管理权限申报批准后执行。明确新的价格标准为收费的最高限价，严禁各医疗单位自立项目、自定标准、分解收费、重复收费。

四、积极推进教育收费制度改革

1、调整义务教育杂费标准。经省人民政府批准，实施《关于规范我省义务教育阶段学校收费行为的意见》，对义务教育杂费标准适当调整。每生每学期杂费标准调为：地、州、市政府（行署）所在地的小学40～60元、初中50～75元。县级政府所在地的小学25～40元、初中40～60元。农村的小学10～25元、初中20～30元。要求学校认真执行国家和省有关杂费减免的规定。

2、提高高中教育收费标准。全省普通高中学费的收费标准提到每生每学期180～650元，包括（生、理、化）实验、电教、讲义资料及试卷、水、电（不含住宿生的水、电）、教室（屋）、课桌椅及教具维修、微机使用、社会实践活动（不含军训）、学校图书的增添等开支。不同地区标准为：县、市（含乡镇高中）：每生每学期180～380元；地、州、市所在地和贵阳市三郊区：每生每学期380～500元。贵阳市两城区（含小河区）：每生每学期500～650元。对普通高中贫困学生和优秀学生的收费实施减、免、助、奖等配套措施。

3、规范、调整普通高等学校收费。为配合高校扩招，省物价局、省教委、省财政厅联合下发了《关于普通高等学校分专业收费标准的批复》，对普通高等学校的收费项目和收费标准进行了规范和调整。继续执行奖、贷、勤、减、免、补的政策，专项用于贫困学生及品学兼优学生的资助和奖励。

五、实行药品价格登记公布制度

根据国家计委《关于完善药品价格政策改进药品价格管理的通知》精神，加强对全省药品价格的管理。自4月1日起，对在贵州省生产及在贵州省内各医药企业、医疗卫生单位、零售点、诊所销售的药品一律实行药品价格登记公布制度。经省物价局登记审验后的药品价格定期在《中华人民共和国物价公报》（贵州版）上公布，有效期为两年。公布的内容：药品品名、规格、剂型、计量单位、生产厂家、含税价格。当登记价格与公布价格不一致时，按公布价格执行。全年完成868个规格药品价格的登记公布。对登记中查出的变相涨价、虚高定价、伪造省市药检部门药检报告等违法违纪行为作了纠正，使药价水平平均降低26%，降幅最大的达67%，最小的为7.7%。同时,正式降低了15种列入省管公费医疗药品目录的药品销售价格,降价总金额2789万元。实行药价登记公布制度规范了药品价格行为,一定程度上减轻了财政和群众用药的经济负担,支持了省制药产业的健康发展。

六、清费治乱减轻农民及企业负担

各级物价部门把整顿、降低农村电价,清理不合理的涉农、涉企收费,减轻农民、企业负担,作为一项重要工作来抓。审批了全省86个县(市、区、特区)的农村分类综合到户电价,每千瓦时均降到了0.8元以下。经省人民政府批准,取消了省以下各级政府、各部门在电价中乱设基金、乱收费、乱摊派等违规收费73项,减轻农民负担约3.5亿元。为减轻企业负担,全省继续清理涉及企业负担的各项收费,从严审批涉企收费。已取消收费项目74大项,涉及金额5.72亿元。铜仁地区在清费换证过程中取消收费项目125个,降低收费标准36个;六盘水市共取消收费项目66项,减轻企业和群众负担80多万元。制定了《贵州省〈收费许可证〉管理办法》,全省各地共核发《收费许可证》近万个。实行收费登记制度、聘任收费监督员制度的企业增加583户。进一步完善企业交费登记卡制度,严格制止乱收费、乱罚款、乱摊派,使加重企业负担的势头得到了有效遏制。全省物价部门在减负工作中发挥了主力军作用。

七、价格监督检查情况

围绕党和政府的中心工作,开展了交通、电信、教育、民航机票、涉及外资企业收费等专项价格检查和粮食、药品、房地产、物业管理等价格的经常性检查,特别是为减轻农民负担,及时组织力量开展对农村的电价、教育、医疗、婚姻登记、计划生育等涉农收费以及粮食收购价格执行情况的检查,严肃查处对农民的乱收费、乱集资等价格违法违纪行为。全年全省共查处价格违法案件2447件,查处违法所得金额2313.99万元,退还用户金额512.87万元,没收违法所得金额1145.12万元,罚款43.29万元,实现经济制裁总金额1701.28万元,上缴财政1188.41万元。通过价格检查,规范了价格秩序,减轻了群众不合理负担,促进了企业价格管理,广泛宣传了国家的价格法律、法规和政策,保障了各项价格改革措施的贯彻落实,为促进经济增长创造了良好的价格环境。

八、规范全省价格评估工作

根据省人民政府办公厅《关于加强全省旧机动车交易管理的通知》,省物价局制定颁发了《贵州省旧机动车交易价格评估办法》,规定全省九个地、州、市进入当地旧机动车交易市场进行交易的旧机动车的范围、交易价格评估主管部门、评估机构、评估原则和评估方法等,规范了旧机动车交易行为和制止非法交易,加强了对全省旧机动车流通的监督管理。实施《贵州省涉案物品价格鉴证管理办法》,进一步规范了涉案物品价格评估行为。全省完成价格评估案件在500件以上的地区有遵义市、六盘水市、铜仁地区、黔东南州、黔西南州、贵阳市。

(张利英　杨桂琴　唐俊碧　许雪静　张玉玺)

云　南　省

一、物价形势概况

1999年,云南省物价总指数虽然是改革开放以来的最低点,但横向比较则位居全国各省(市、区)前列,属于全国价格总水平较高的省份之一。全省居民消费价格总指数为99.7%,比全国平均水平高1.1个百分点,居全国第六位;商品零售价格总指数为98.3%,比全国平均水平高1.3个百分点,居全国第4位。

从全省居民消费价格来看:食品、衣着、家庭设备及用品、交通及通讯、娱乐及文化用品价格水平分别下降1.7%、0.8%、1.8%、2.3%和2.8%;而医疗保健、居住和服务项目的价格水平分别上涨了2.4%、1.9%和8.4%。在居民各项消费中,服务项目价格上升较为突出,其中价格涨幅最高的是邮费为36.7%,其次是学杂保育费上涨11.6%。

从调查的14个大类商品零售价格来看,有9类商品价格低于上年水平，有5类商品价格水平有所上涨。其中，食品类价格比上年下降1.4%，在食品中粮食价格下降2.5%，油脂类价格下降3.9%，肉禽蛋价格下降3.4%，鲜菜价格上涨5.6%。

饮料烟酒、纺织品、化妆品、日用品、家用电器、首饰、建筑装潢材料及机电产品类价格水平分别下降3.9%、2.7%、4.7%、1.1%、8.5%、3.4%、3.2%和3.8%。

服装鞋帽、中西药品、书报杂志、文化体育用品和燃料类价格分别上涨0.3%、2.4%、9.3%、0.2%和1.7%。扩大需求和增加投资的政策对工业品价格水平产生了积极作用，全省工业品出厂价格已经由上年下降2.8%变为下降1.8%。从主要商品价格变化特点看，食品、家电、农资等商品在低价位上缓慢下滑，服务收费有一定上升，燃油价格上涨较为突出。其中，粮食价格在上年粮价整改的基础上基本稳定。下半年，尤其是新粮上市后粮食价格出现逐月下滑情况。年底全省平均价为：粳米2.31元/公斤，比上年同期降7.8%；籼米2.01元/公斤，降11.8%；玉米1.19元/公斤，降16.2%。其中，全省粮食价位较低的是曲靖，粳米、籼米、玉米的价格分别为每公斤1.75元、1.55元和0.85元。

肉、蛋、鱼等价格在1999年持续缓慢下滑，年底全省平均价为：猪肉12元/公斤，比上年同期降10.5%；牛肉13.31元/公斤，降10.5%；鲤鱼10.78元/公斤，降7.3%；鸡蛋7.25元/公斤，降14%。

蔬菜全年平均价格水平比上年有所上涨。年底全省白菜0.93元/公斤，上升4.5%；青菜1.09元/公斤，上升11.2%；萝卜0.95元/公斤，上升15.9%；西红柿2.19元/公斤，上升25.9%。

作为云南省重要产业的食糖，价格下降幅度是近几年来最大的。年底全省平均零售价为3.31元/公斤，比上年同期下降24%。

农业生产资料价格经过上年的大幅度下滑后，下滑速度相对变缓，但总体水平仍是下降。年底全省平均价为：尿素1.51元/公斤，比上年同期下降3.2%；普通过磷酸钙0.48元/公斤，下降7.7%；硝酸铵1.31元/公斤，下降0.8%；碳酸氢铵0.51元/公斤，下降8.9%；敌百虫17.65元/公斤，下降5.1%。

燃油价格上涨是1999年市场价格变动中的一个突出点。受国际石油价格和国内市场油价上涨的影响，云南省燃油价格从9月份开始逐月上升。年底全省平均价为：汽油3556元/吨，比上年同期上升19.9%；柴油3052元/吨，上升7.2%。

二、价格调控工作进一步深化

保持价格总水平基本稳定，搞好价格调控，努力使市场价格保持在适度的水平，是云南省物价工作坚持的一个主要指导思想。针对上年来价格总水平不断走低的形势，以及举办99昆明世界园艺博览会的实际情况，云南省确定了1999年既防止价格总水平进一步下滑，又防止世博会期间市场价格发生突发性上涨的工作思路。全省物价工作继续坚持并完善了价格调控目标责任制，把促进价格总水平合理回升作为价格调控的重要任务。各级政府认真贯彻落实全省物价工作会议精神，在总结上一年工作并表彰了价格调控工作先进单位的基础上，层层制定价格调控目标责任制。各地认真按照与省政府签订的价格调控目标责任制要求，积极贯彻有关调控措施，落实各项工作任务和目标责任。通过深入贯彻《中华人民共和国价格法》，各级物价部门不断提高依法行政的自觉性，切实加强对市场物价的调控监管，整顿价格秩序，规范价格行为，清费治乱减负，不断完善价格形成机制，积极稳妥地推进价格改革，解决价格矛盾，理顺价格关系，开展价格监督检查，紧紧围绕党委、政府的中心任务，牢牢把握运用价格杠杆促进经济增长的工作大局，为世博会在昆明的成功举办创造了良好的价格环境，为促进云南省经济、社会稳定发展做出了积极贡献。

三、为维护世博会期间市场价格秩序做了大量卓有成效的工作

加强世博会期间市场价格管理，并保持其基本稳定，是1999年云南省物价工作的一项重要任务。为此，全省各级物价部门做了大量而有效的工作：首先是针对世博会期间大量中外游客来云南省参加世博会和旅游观光的实际，确立了以管理和规范涉及“吃、住、行、游”重点行业价格行为和收费行为的工作目标，做到早布置、早安排。1998年，省物价局就报经省政府批准下发了《云南省物价局关于保持99昆明世界园艺博览会期间市场物价基本稳定的工作意见》，对世博会期间的物价工作进行了研究和部署。各地州市特别是旅游价格管理工作任务较重的昆明、大理、丽江、德宏、迪庆等地方，积极进行了贯彻落实，为加强世博会期间的物价管理进行了充分的准备。

其次，多次专题研究布置全省服务价格管理工作和明码标价清理整顿工作，先后印发了《云南省服务价格管理暂行办法》、《关于重申世博会期间公

路客运、饭店客房、游览参观景点等接待团队价格政策规定》、《关于开展旅游包车价格专项检查的通知》等文件，并及时建立了对主要旅游城市“吃、住、行、游”价格的监测报告制度。全省各地还针对服务行业执行价格政策中出现的新情况、新问题，及时研究采取措施，进一步加强了监督检查。通过全省各地的共同努力，保持了世博会期间市场价格的基本稳定，赢得了国内外游客的赞誉，受到省政府的表彰。

四、发挥价格杠杆作用，为结构调整和经济发展服务

在认真贯彻落实党中央、国务院关于进一步完善粮食流通体制改革的政策措施的同时，按照有利于保护农民生产积极性，有利于粮食企业顺价销售，有利于优化种植结构的原则，精心安排粮食价格调整方案，并实行定购价与保护价并轨的措施，进一步拉开了品种差价和等级差价，体现了优质优价政策。云南省还顺利实施了国家烤烟收购价税联动政策，适时调整了甘蔗收购价格，继续推行和完善糖蔗价格联动办法。

为促进工交和服务行业健康发展，及时调整邮政电信资费，并进一步降低了电话初装费和入网费；及时制定和调整部分公路收费标准和运价，促进了公路建设和交通事业的发展；根据国务院和省政府关于深化化肥流通体制改革的政策规定，结合化肥产销形势变化的实际情况，对化肥等农资价格进行了改革，出厂价实行政府指导价，零售价实行市场调节价；在物价部门的指导下，电力企业对部分高耗电企业实行电价优惠让利，对促进全省基础产业和优势产业发展产生了积极作用。经批准，昆明市、曲靖市、丽江县顺利调整或制定了自来水价格（含污水处理价格）。1998年和1999年年初，一些地方发生了不同程度的地震灾害、冷冻灾害，当地物价部门积极主动地发挥职能作用，对救灾物资和群众基本生活必需品采取了限价、监控、监审等措施，为抗震救灾、经济建设和稳定人民群众的生活，作出了积极的努力和贡献。

五、继续深入开展清费治乱减负工作，为促进经济和社会发展营造良好的环境

深入贯彻中发[1997]14号文件精神，认真落实国家第二批降低收费标准的部署；抓紧落实对国有企业实施改革、改组、改造过程中有关收费实行减免的政策规定；组织开展了对省政府明令取消涉企的三批收费项目的贯彻落实情况的专项检查、减轻企业负担工作的检查，开展了对有关花卉出口的收费问题以及部分地方国有大中型工业企业收费负担情况的调查。

在清理整顿涉农收费中，坚持不出台新的涉农收费项目，同时根据省人大执法组反映的情况，整顿了农机收费，取消7项收费项目，降低4项收费标准。一年来各地加强了对农村电价整改的力度，积极搞好“两改一同价”改革。经过整改，多数地方农村电价水平有明显降低。已有15个地州市报批了农村电价整改方案，全省农村生活用电平均到户电价基本控制在每度0.8元左右，基本实现了省政府提出的农村到户电价第一步整改目标，取得了阶段性成果。

《云南省经营服务性收费许可证管理办法》得到认真贯彻落实，对邮政、电信、交通、旅游、房地产等，实行了收费许可证制度。顺利完成行政事业性收费年审工作。按照《云南省行政事业性收费管理条例》的要求，全年全省共审验收费许可证29837个，共查出违纪金额98.67万元，并对其中违反《条例》规定的执收单位，实施吊销179个、暂扣26个收费许可证的处罚。通过年审，进一步规范了收费行为，抑制了乱收费，进一步减轻了企业、农民和人民群众的负担。

六、进一步加强教育收费管理，为扩大高校招生和教育事业的健康发展提供保证

重新规范了普通高校、中等职业学校、普通高中学费、住宿费以及义务教育杂费收费标准。根据高校后勤服务社会化改革的需要，以云大、昆明医学院部分学生宿舍为试点，制定了学生宿舍公寓化管理收费标准。按照国务院《社会力量办学条例》的有关规定，制定和规范了一批社会力量办学学费收费标准。全省严格实行统一的教育收费办法和收费标准，没有出现教育收费“双轨制”，对促进云南省教育事业健康发展，保证高等教育扩大招生规模工作的顺利实施，拉动内需发挥了积极的作用。

七、进一步完善并规范房地产价格管理办法

以控制和稳定经济适用住房价格为重点开展房地产价格管理工作。颁布了《云南省经济适用住房价格管理暂行办法》、《云南省城市住宅小区物业管理服务收费管理办法》，并规定新建商品住宅销售必须实行明码标价，建立了“房地产开发企业交

费负担登记卡"制度，对部分重点小区的经济适用住房开展了价格监测和审批工作。

八、价格监督检查工作质量进一步提高

为进一步提高云南省价格监督检查行政执法水平，开展了价格案件审理培训，为进一步提高价格监督检查工作质量打下了良好基础。

全省各级物价部门和全体物价监督检查人员，围绕涉农、涉企收费和价格，以及旅游市场价格，在坚持搞好日常监督检查工作的基础上，开展了对旅游价格的重点检查、粮食价格的行业检查和交通、电信价格、民航票价、农村电价等专项检查。全年共查处价格违法案件34297件，实施经济制裁总额3087.9万元，其中，退还用户1495.6万元，没收违法所得1359.7万元，罚款232.6万元；上缴财政1592.3万元。

九、各项基础工作和价格服务工作进一步发展

价格信息和价格事务服务工作不断发展，服务质量进一步提高。其中，价格监测网络建设和监测质量均有所发展和提高；价格鉴证、价格评估、价格咨询工作不断开拓发展，得到社会的重视和承认。各地认真贯彻落实国家计委关于《农产品成本调查管理办法》，促进成本调查工作逐步做到制度化、规范化。在完成国家布置的各项调查任务的同时，围绕云南省工农业生产重点开展了粮食、烤烟、农业灌溉、水利工程供水以及城市污水处理等成本、价格的调查和比价分析，为实行农产品优质优价政策和进一步搞好价格改革提供了科学依据。

（杜凤鸣）

西藏自治区

1999年，西藏自治区商品零售价格和居民消费价格总指数分别为98.8%和100%，与上年同期相比，零售价格总水平持平；居民消费价格总水平下降0.7%。

一、市场价格总水平运行特点

截止年底，居民消费价格和商品零售价格水平持续20多个月的负增长。全年零售商品价格中，除书报杂志、燃料、建筑装潢材料、文化体育用品、服装鞋帽5大类价格上涨或持平外，其他8大类商品价格水平比上年同期下降0.3～8.5%。在居民消费价格中，除医疗保健、娱乐教育文化用品、衣着、居住、服务项目5类价格水平高于上年同期外，其他均下降0.6～6.4%。全年农业生产资料价格仍低于上年同期水平，下降幅度为5.9%。从总体上看，食品、工业消费品以及工农业生产资料整体价格水平的变动仍以持续走低为主要特征。

1、食品类价格下降是牵动市场价格总水平下降的主要因素。与上年同期比，商品零售价格下降1.2%，其中，食品价格下降1.1%，是降幅较大的。分品种看，肉禽蛋、水产品、鲜果等价格分别下降2.0%、0.3%和5.5%。粮食价格稳中有升，与上年同期相比上升5%。

2、工业消费品市场供过于求，价格普遍下降。据统计，除书报杂志、文化体育用品、燃料及建筑装潢材料类价格分别比上年同期上涨4.5%、2%、3%和1.4%外，其它商品价格都有不同程度的下降，其中，下降幅度较大的有：家庭设备及用品、交通和通讯工具、家用电器价格，分别下降了0.6%、6.4%和5.5%。

3、居住和服务项目价格继续呈现上涨趋势，但涨势逐步趋缓。主要受全国大气候的影响，全区居住类价格比上年同期上涨4.5%；服务项目类在受全国及区内邮费、学杂费和医疗服务费价格提高的带动下，全年比上年同期上涨7.4%。其中，电讯资费上涨0.2%；邮政资费上涨22.5%；学杂保育费上涨4.8%；医疗保健服务价格上涨7.7%。

二、主要物价工作

1、认真贯彻全区计划会议制定的宏观调控措施，统筹兼顾，合理制定、安排价格改革方案，积极发挥价格杠杆的调节作用，激活了市场，刺激了有效需求的增长，保持了物价总水平的基本稳定。

2、继续加强价格统计、价格信息通报和调查研

究工作,及时反映物价工作及物价情况。各级物价部门加强物价检查统计报表工作、收费统计工作和价格信息监测工作;实行粮食价格快报、农贸市场价格快报等。收集调查与人民生活密切相关的“米袋子”、“菜篮子”价格,在有关新闻媒体发布。拉萨市、那曲、昌都等地区物价局都上报了农贸市场主要产品价格行情报表和价格动态,这些工作的开展得到社会的认同,同时为政府决策提供了大量依据。一年来,区物价局多次组成专题工作组下乡调查研究,了解物价等情况,并积极参加自治区人民政府组织的下乡工作组深入基层调查研究、检查工作,取得了突出的成绩 。各地市根据物价工作的需要和自治区物价局的安排,也开展了多项专题调查研究。

3、加强价格监管,规范价格行为。进一步调整并完善粮食价格体制,继续对粮食实行保护价敞开收购,春小麦退出保护价收购范围,价格由市场决定,粮食收储企业实行顺价销售;规范拉萨市居民低压用户装设电表和临街商业用户用电管理价格;规范石油成品油、液化气市场秩序;规范食盐价格政策;核定部分区内生产的药品价格,药品价格整改、医疗收费标准改革、调整拉萨供水价格和石油成品油等价格改革措施也已到位;农村电价调整和部分地区的公用事业价格等基础调研工作正在进行。

4、成本调查工作逐步加强。自治区物价局核定了农畜产品成本调查评比办法,布置落实了区 1999 年度成本调查工作。自治区成本调查队还对石油成品油、城市供水、医疗卫生收费标准和部分行政事业单位的行政事业性收费等价格改革进行了成本核算,参与了粮食流通体制改革的最终意见,为业务部门和领导决策提供了依据。成本调查工作领域逐步拓宽。

5、加强法制建设。自治区出台了《西藏自治区收费许可证管理办法》。草拟《西藏自治区〈中华人民共和国价格法〉实施办法》的工作已基本完成。各级物价部门组织广大干部职工认真学习《价格法》、《行政诉讼法》、《行政复议法》和《赔偿法》等相关法律法规,认真清理不适应《价格法》的规范性文件、规章。通过 3.15 消费者权益日宣传咨询活动,《价格法》颁布一周年宣传咨询活动及多种形式的物价方针政策的宣传,进一步提高了消费者的监督意识、自我保护意识和经营者的守法意识。

6、加强勤政、廉政建设和业务学习,提高物价队伍的素质。结合“讲学习、讲政治、讲正气”的三讲教育,各级物价部门在提高广大干部职工政治思想和理论修养的同时,进一步加强了勤政、廉政建设,深入开展反腐败斗争,坚持“两手抓、两手都要硬”的方针,完善了内部监督机制,实行廉政建设责任制,极大地提高了广大物价干部职工文明行政、文明执法、不徇私情、秉公办事的意识。在行政、执法工作中,树立了物价队伍的良好形象。为适应新形势下物价工作的需要,各级物价部门采取多种形式学习业务知识和办公自动化应用技能,进一步提高了干部职工的业务水平和工作能力。

7、综合工作得到进一步加强。自治区物价局先后完成了《辉煌的二十世纪新中国大纪录 * 西藏卷》物价统计篇目物价节和《展望与回顾》物价篇目的编写。编纂了《西藏自治区志 * 物价志》的篇目,并报地方志办公室审定通过。

三、继续规范服务行业收费和行政事业性收费

全区开展了 1998 年度收费许可证年审工作,共审验收费单位 285 个,行政事业性收费总额 14686.51 万元,其中,行政性收费总额 6000.39 万元,事业性收费 8686.12 万元。根据国家计委、财政部“关于第二批降低收费标准的通知”精神,降低 5 个部门 7 大类收费标准;对本区企业在实施改革、改组、改造过程中有关收费实行减免;先后两次降低电信资费,对固定电话初装费标准进行了结构性调整,取消邮政附加费,调整了邮政资费;调整了普通高等院校和中等职业学校的学费,道路清障车清障收费,民航行李托运打包费,机关、事业单位炊事员技术等级岗位考试收费,公证员资格考试收费;理顺了车辆管理收费;制定了气象防雷设施检测收费,“121”电话气象信息咨询服务收费,程控电话主叫显示服务费,乘机临时身份证费,对机场经营性车辆收取停车费,拉萨市租赁房屋治安安全合格证费,拉萨市旧车交易市场收费,农科院实验室检验收费,仲裁案件受理费,会计事务管理收费,建筑材料委托检测收费,有型建筑市场招投标管理费,水利规划勘测设计费,企业登记档案资料查询费等;规范了电脑培训费,部分宾馆、招待所客房收费,博物馆门票收费,社会力量办学性质的幼儿园收费。为了加强对行政事业性收费管理,巩固清理成果,制定了《西藏自治区收费许可证管理办法》。

四、加大价格监督检查力度,规范价格

行为

全区各级物价部门先后开展了节日市场物价检查、明码标价执行情况检查、药品价格及医疗收费检查、整顿成品油市场和石油成品油价格检查、汽车和摩托车修理行业检查、电信、邮政资费检查、交通收费检查和中小学收费检查及各类群众举报投诉案件的检查工作。检查所涉及的单位部门有公安、工商、交通、城建、电信、邮政、林业、教育、医疗卫生、居民委员会、加油站、汽车(摩托车)维修厂个体商户等。全年共查处各类价格违法案件497起,查处价格违法金额268.47万元,经济制裁总额53.03万元,其中,没收非法所得18.44万元,罚款6.60万元,退还用户27.99万元。

五、强化服务,价格信息、价格事务工作有新发展

进一步明确价格事务所改革和发展的思路,在继续做好价格评估、价格认证、价格咨询等日常工作的同时,努力开拓价格事务工作领域,扩大价格事务工作的影响。价格信息监测工作进一步加强。创办了《价格快报》,并编辑出版100余期,搜集了200余条信息,得到自治区政府的好评。一年来,共发行《中华人民共和国物价公报》(西藏版)300余套。价格事务工作逐步趋于规范。把加强价格事务所的机构管理、提高价格评估人员的素质作为价格事务工作的重点,通过上岗资格培训,评估人员大都取得了上岗资格证书。价格事务工作本着坚持"一个中心",搞好"二个服务"的指导精神,为社会服务、为价格管理服务。涉案物品价格鉴定和资产评估业务在上年的基础上进一步巩固,并有较大拓展,业务量有所上升,特别是涉案物品评估业务比上年有较大幅度增长。据不完全统计,全区价格事务所全年共完成价格鉴定、评估业务314件,签证、评估标的总价值达1145.27万元。 (李菊兰)

陕 西 省

一、价格运行情况

1999年,陕西省物价总水平仍在低位运行。全省居民消费价格和商品零售价格指数较上年分别下降2.2和2.5个百分点。按月环比价格指数推算,大致已降至1994年的价格水平。全年物价总体态势是:大势平稳,降幅缩小,低位运行。由于肉、禽、蛋及鲜菜价格恢复性和季节性上涨,国家提高城镇居民收入等刺激消费需求措施逐步出台,以及加大对部分基础设施价、费的调整力度,下半年价格降幅有所缩小。鲜菜价格大体呈现前降后涨的格局,上半年鲜菜价格平均下降5.5%;下半年由于受生产淡季和气候干旱的严重影响,蔬菜产量下降,居民"素食"消费增加,促使鲜菜价格上扬22.5%。但季节性涨价等促使价格总水平回升的诸多因素还没有形成止跌趋升的主流,而推动市场价格总水平下降的因素仍在起主导作用。从降价范围来看,在8类居民消费价格中,除居住和服务项目价格水平分别高于上年3.7%、3.6%外,其余6类价格指数均为负增长。在社会零售商品14类价格中,除化妆品、书报杂志、燃料、建筑装潢材料4类价格略有上升外,其余10类商品价格均呈下降之势,降幅在1.3~13.4%。农业生产资料供给力增强,价格仍在低位徘徊,化肥价格下降7.1%。

二、价格工作情况

1、运用价格杠杆,促进经济增长和结构调整。一是认真贯彻中央12号文件和国家计委有关文件精神,制定了《发挥价格杠杆作用,扩大消费,开拓市场,促进经济增长的若干意见》,并相应制定了一系列抑制通货紧缩的价格措施,初步形成了价格工作服务于结构调整和经济发展的政策措施框架。二是深化农产品价格改革,合理安排粮食收购价格。根据中央深化粮食流通体制改革的统一部署,结合全省粮食市场供求状况,适当扩大了粮食品种差价和质量差价。根据国家有关文件精神,发布了棉花收购指导性价格,调整了烟叶收购价格政策,调低了桑蚕茧收购价格。三是运用价格杠杆促进基础产业和第三产业的发展。全省有升有降地调整了邮政电信资费、幼托、高校、路桥收费及电力、药品、旅游

景点等一批商品价格和服务收费标准。按全年计算的调价总金额约15.7亿元，其中，提价金额9.3亿元，降价金额6.4亿元。四是增强服务意识，沟通产销联系。各级价格部门积极协调价格矛盾，提供价格支持，为扩大省产药品的市场占有率做了大量协调工作。

2、整顿规范价格秩序，为改革和发展创造良好的价格环境。全省开展了行政事业性收费许可证审验换证工作，共审验核发新证33564个，其中，省级1462个。通过审验换证，注销收费项目323项，吊销收费许可证964个，一年减少收费金额约4.3亿元。配合有关部门继续加大清理涉及企业的各项收费，进一步公布取消不合理收费。对涉及农民负担的收费，从源头抓起，逐部门、逐项目进行检查清理，取消了13项收费。为促进旅游业健康发展，对重点旅游景区的价格秩序进行了整顿。进一步加大药品价格整改力度，规范药品价格折扣，对药品虚高定价采取降价措施，实行药品价格登记公布制度，促使药品价格水平有了明显回落。继续加强价格监督检查，重点开展交通收费、涉农收费、医药价格、粮食价格等项检查。全年全省共查处价格违法案件20360件，经济制裁总金额4599.06万元，上缴财政2752.27万元，没收非法所得2322.54万元，罚款429.73万元，退还用户1846.79万元。

3、深入宣传贯彻《价格法》，加强价格法制建设。一是组织《价格法》学习、宣传、贯彻情况的专题调研。省局派员先后赴西安、汉中、宝鸡、咸阳、渭南等地市、县调查了解各地贯彻落实《价格法》的具体作法和存在问题，并据此安排部署了全系统开展《价格法》实施一周年纪念、宣传活动。二是全省统一组织开展咨询服务日活动。省局召开纪念《价格法》实施一周年座谈会，省电视台、省广播电台、《陕西日报》播发座谈会专题新闻报道，并刊载省局和省政府领导署名的专题文章，使《价格法》的宣传、纪念活动做到"电视有图像、广播有声音、报刊有文章"。同时组织广大物价干部走上街头，宣传解释价格法律法规和政策规定，开展价格咨询服务，现场受理价格投诉，使这项活动贴近群众日常生活，收到了较好的社会效果。三是完成全省、全国"价格法制建设"征文评选活动的评选、初评工作。组织有关人员评选出10多篇全省纪念《价格法》实施一周年优秀论文，并推荐上报三篇论文参加全国"价格法制建设"征文评选活动。四是加强价格法制工作。结合价格工作业务，制定了《低价倾销商品的成本认定办法》、《关于规范商品房销售价格行为的若干规定》、《游览参观点门票价格管理实施办法》、《居民生活垃圾费管理办法》、《县级自来水价格管理办法》等规范性文件，使价格工作规范化管理有了新的进展。对一些政府调价项目组织召开听证会，广泛听取各方面的意见，完善调价方案，提高了政府价格决策的民主性和科学性。

4、加强和改善基础工作，提高价格服务水平。全省加强对粮食市场价格的监测分析和成本调查工作，为合理安排粮价水平和领导决策提供了依据。针对农村经济生活的热点，开展了农民种植意向、农户存粮情况、农民负担情况等多项专题调查，有的情况反映和调查报告，受到省政府主要领导的重视。进一步完善价格监测、价格信息网络，建立了中国价格信息网陕西网站，目前已有8个地市建立了涉及15个大类300多种商品价格和服务收费的监测网络。新建西安大型批发市场主要商品价格信息网络，对4大类126个品种的批发价定期向社会公布。根据省委、省政府的要求，加强对季度、半年、全年市场物价形势的重点分析，较为准确地预测了市场物价低位运行的趋势。（熊经肇）

甘　肃　省

1999年，甘肃省各级物价部门紧紧围绕党和政府的中心工作，积极发挥价格杠杆的调节作用，为扩大内需，开拓市场，促进经济增长做了大量富有成效的工作，取得了一定的成绩。

一、继续深化价格改革，完善价格形成机制，促进经济结构调整

进一步清理通货膨胀时期制定的价格法规和管理办法，停止实行价格监审制度。根据市场供求形势的变化，降低粮食收购价格，扩大粮食质量差价、等级差价、季节差价和地区差价。放开棉花收购价格，制定收购指导性价格，初步建立了政府宏观调控下主要由市场形成棉花价格的机制。下调了甜菜、食糖指导价，降低了蚕茧收购价格。将化肥、农膜原料出厂价由政府定价改为政府指导价，放开了化肥零售价格。继续整顿农村电价，取消附加在农电价格上的各种不合理的基金和加价，会同有关部门开展农村电网改造试点工作，使全省农村电价每千瓦时平均下降3.9分，年可减轻农民电费负担1亿多元；完成农户存粮、农资购买等情况调查和农产品成本收益调查任务。

二、运用价格杠杆，促进需求增长和基础产业、公用事业的发展

积极贯彻中央和省委、省政府综合运用各种经济政策刺激有效需求的方针，制定了《省物价局关于运用价格杠杆，促进消费和经济增长的意见》。为帮助高耗能企业解困增效，在深入调查的基础上，制定了一系列电价优惠政策，为企业减免电费负担2.4亿元。为帮助医药企业开拓市场，减轻社会医药负担，大力开展了药品价格整顿工作，对埠外药品实行登记制度，在国家统一组织和省纠风办的指导下，降低了280种药品零售价格，平均降价幅度在20%左右。为缓解铁路客运高峰期的压力和对铁路建设进行合理补偿，对铁路运输淡旺季实行浮动票价，坚持对社会优抚对象实行优惠票价政策。落实国家对兰新复线新路加价实行全路均摊的政策。适当降低电信资费标准，提高邮政资费标准，取消了电信服务中的一些不合理收费，减轻消费者负担2亿多元。为了培育旅游市场，制定旅游景点门票价格管理办法，进一步明确了全省各游览参观景点门票价格管理权限，适当调整了部分门票收费标准。对房地产市场收费进行系统调查，加强物业收费管理，促进了房地产业健康发展。继续开展对涉企收费的清理整顿工作，完成收费年审换证任务，推行企业收费“两证两卡一书”制度。

三、大力整顿价格秩序，为经济增长创造良好的价格环境

为了确保春节期间市场价格稳定，集中开展了“米袋子”、“菜篮子”和节日生活用品价格检查及春运期间公路客运价格、出租车收费、物业收费、公用电话收费检查；开展了对虚假标价、价格欺诈等行为的检查。根据国家的部署，先后开展了粮食价格专项检查、民航系统价格专项检查、交通收费、农村综合电价、物业管理服务收费和涉农收费的专项检查。全年全省共查处各类价格违法案件2862件、违法所得2816万元，实现经济制裁总金额2373万元，其中，上交财政1658万元，退还用户715万元。

四、强化价格法制宣传，大力推行价格行政执法责任制，提高依法治价水平

按照实施依法治省的战略要求和国家计委的安排，4月30日大张旗鼓地开展了价格法规宣传咨询日活动。散发宣传材料2万多份，召开新闻单位座谈会，在省电台举办价格法律知识讲座，在省电视台举办专题节目，在《甘肃经济日报》创办了价格法制宣传专版，并连载100道价格法规知识问答。制定现行适用的价格法律法规目录，实行价格行政执法责任制和百分考核制度。修改完善与《价格法》相配套的5个价格工作制度。成立省局价格行政执法责任制领导小组和价格案件审理委员会。目前正全力研究制定价格听证制度和价格行政过错及错案追究制度。

五、结合“三讲”教育，加强队伍自身建设

年初，按照省委、省政府抗旱减灾、保粮增收的要求，全局干部积极行动献爱心、送温暖，并派两名干部赴静宁县开展扶贫工作。年底，根据中央和省委、省政府的安排，集中精力和时间，圆满完成了局领导班子和领导干部以讲学习、讲政治、讲正气为主要内容的党性党风再教育任务。经过民主评议，局领导班子的满意率达98.2%，领导干部的满意率也在95%以上。此外，全年还积极开展了物价干部培训教育工作，狠抓了勤政廉政建设，全局干部的工作水平有所提高。

六、市场价格总水平持续低走

1999年甘肃省居民消费价格指数为98%；商品零售价格指数为97%。其中，粮食消费价格指数为95.8%，降幅比上年回升3.7个百分点；鲜菜消费价格指数为99.8%，降幅比上年回升2.7个百分点；医疗保健和服务项目价格指数分别为100.6%和104.9%，同比上涨0.6和4.9个百分点；主要原材料、动力购进价格指数为98.3%；工业品出厂价格指数为98.1%，降幅比上年回升2.9个百分点。

（高鹏程）

青　海　省

1999年,青海省商品零售价格总水平和居民消费价格总水平分别比上年下降1.5%和0.5%。

一、继续深化价格改革,促进需求增长和结构调整

1、继续深化农副产品价格改革。进一步完善粮食收购价格政策,降低部分粮食定购价和保护价水平,小麦定购价与保护价执行统一价;实行地区差价,扩大春小麦的等级差价率,拉开普通品种与优质品种的品质差价,实行优质优价政策。根据国务院关于深化化肥流通体制改革的精神,放开优质大化肥和地产小化肥的批发及零售价格,促进企业参与市场竞争。继续发挥价格调节基金的积极作用,为培育良种仔猪提供资金支持。同时,积极扶持海东地区、西宁、格尔木市三点一线的反季节蔬菜生产,丰富了城镇居民的菜篮子。

2、适时适度地进行价格结构性调整,促进基础设施建设和公用事业发展。认真贯彻国发(1999)12号文件精神,按国家计委的统一部署及时调整铁路货运价格和成品油零售价格。适当提高邮政资费标准,有升有降地调整了电信资费标准,进一步降低了固定电话的初装费和移动电话入网费,取消了附加在本地网营业区内和营业区间通话费上的附加费;对农村电话资费标准进行了清理整顿,实行城乡一价的价格政策;将青海电网多年来的价外加价并入目录电价,疏导了电价矛盾,同时结合青海省实际,认真贯彻落实有关电价优惠政策,降低了符合国家产业政策的高耗能企业用电价格,年可减轻企业电费负担5240万元;下调农业扬程提灌用电电价,年可减轻农民负担300万元;积极参与农村电网“两改一同价”工作,及时研究制定农村电网改造资金的还本付息实施方案,为实现城乡用电同价奠定了基础。为促进城市公用事业发展,拟定污水处理费标准,提高自来水价格,改革城市公交客运票价制度,对西宁市主要交通线路实行一票制和两票制,适当调整月票价格,缓解了企业经营困难,促进了公交客运发展。此外,继续开展整顿药品价格秩序的工作,降低部分药品价格,对药品购销环节中的不正之风进行了专项检查,使“高定价”、“大回扣”等现象得到了一定遏制,维护了消费者的利益。

3、加强价格收费管理,促进和扩大需求增长。积极推进“贷款修路,收费还贷,以业养业”的价格政策,支持公路建设。通过收费还款政策为全省公路建设吸引投资3.11亿元。为促进教育事业发展,调整了普通大中专院校收费标准,小学杂费标准,增设了小学计算机上机学习费。以上措施的出台,为全省教育事业发展年增加投入965万元。配合药品价格改革,提出制定和调整医疗收费和特需服务价格的意见。规范了旅游业价格管理,制定了《青海省游览参观景点门票价格管理办法》。根据国家计委要求,在全省范围内核发了全国统一印制的收费许可证,开展了行政事业性收费年审工作。进一步规范房地产价格,开展以建立健全标定地价和各类房屋重置价格为主要内容的西宁市、格尔木市两个城市土地等级、基准地价的调查审核、审批工作;提高了西宁市公有住房租金标准。加强对房地产开发前期费用的管理,取消了某些抬高拆迁费用的有关规定;进一步整顿建设项目收费,重点清理了一些垄断经营行业的不合理收费,规范了房地产市场交易过程中的价格秩序,实行商品房销售明码标价制度;加强对物业收费的管理,有效地维护了购房者和住宅小区居民的合法权益。

二、整顿价格秩序,规范价格行为

积极开展对粮食、电力、药品、房地产、民航、旅游服务、交通价格、物业管理、教育和劳动就业收费的专项检查,加大了对价格违法行为的处罚力度,全年查处各类价格违法案件244起,查处价格违法金额898.2万元。此外,按照省政府的统一部署,由省物价局牵头,会同省监察厅、省审计厅、省纠风办等部门,在全省范围内集中开展整治“三乱”工作,对西宁、海东、海西等重点地区和卫生、工商、交通、公安、环保、教育等重点部门进行全面检查。通过检查,全省共取消乱收费项目172项,降低收费标准44项,并对20余起重点案件进行了曝光,起到了惩戒教育作用,深受人民群众的欢迎。

三、加强价格法制建设，提高依法治价水平

组织全省物价系统的干部职工参加《价格法》学习竞赛，开展了不同类型的价格法律法规讲座，对价格执法人员进行学习培训，积极参加全省第五次普法考试，进一步增强了广大干部的法制观念和法律意识，同时提高了依法行政的自觉性。价格立法工作得到加强。省物价局在拟定行政执法责任制、公示制、监督制、错案和过错责任追究制等四项制度的同时，出台了《青海省收费许可证管理办法》、《青海省房屋重置价格、房屋拆迁安置补偿标准及价格评估规则》、《青海省公用基础设施房屋拆迁安置补偿标准及价格评估规则》、《青海省涉案价格鉴证管理实施办法》、《青海省交通事故车辆及物品损失评估暂行规定和实施意见》。此外，还草拟上报了《青海省中介服务机构收费管理办法》、《青海省商品房作价原则及作价办法》等与《价格法》相配套的法规和规范性文件，有力地推进了依法治价进程。

四、积极开展价格服务工作，拓宽价格工作领域

全省各地加强价格信息和价格监测工作，全面完成了国家和省安排的各项监测任务。价格事务工作得到加强，价格鉴证评估工作全面展开。全省全年开展价格鉴证1300多起，鉴定价值达4000多万元，为维护司法公正创造了条件。成本调查工作进一步拓宽领域，增加调查点，扩大调查覆盖面，农产品成本调查户比上年增加了78户；在全面完成1998年度小麦、油菜籽、畜产品农本调查资料汇总分析上报的同时，完成了1999年农户存粮、农户农资购买情况的调查，1998～1999年粮食流通费用、农户售粮情况等专项调查工作；开展了1999年全省农牧民家庭现金收支及消费意向的调查，为调整农业结构提供了必要的依据。价格理论研究工作继续深入开展。《价格学会通讯》、《价格与市场》、《物价公报》、《价格信息》刊物的发行工作进展顺利，为扩大宣传，服务企业和社会，推动物价工作发挥了积极作用。

五、精神文明建设和党建工作得到加强，取得积极成效

一年来，在认真贯彻中央经济工作会议精神，继续深化价格改革的同时，狠抓了物价系统精神文明建设和党建工作。一是继续开展“创先争优”、“三优一满意”活动，加强理论学习，用邓小平理论指导各项工作。二是按中央和省委的部署，认真开展省物价局党组班子和领导干部以及处级干部的“三讲”教育，使处以上党员干部在党性、党风方面受到一次深刻的教育，振作了精神，转变了作风，为更好地肩负起新时期物价工作的重任，为西部大开发、青海经济的快速发展奠定了良好的思想基础。

（史先礼）

宁夏回族自治区

一、市场物价运行情况

1999年，宁夏市场物价总水平呈低位运行态势，前7个月是降势，进入8月以后有所回升。全年居民消费价格指数和社会商品零售价格指数分别为98.7%和97.9%。市场物价运行的基本特点是：(1)农村物价降幅高于城市。农村居民消费价格比上年下降1.9%，高于城市降幅1个百分点。(2)食品价格适度回升，成为市场价格总水平降势减缓的主要影响因素。全年食品价格呈先降后升之势，粮食、肉禽蛋、水产品价格继续下降，鲜菜、奶制品价格回升。(3)日用工业品价格降多升少。12类日用工业品中，价格呈降势的有10类，降幅最大的是家用电器、机电类。(4)服务项目价格涨势突出，近两年调整邮电资费、医疗保健服务费、学杂保育费等，同比上涨6.7%。(5)农资价格仍呈降势，同比下降6.6%。

二、主要工作

1、加强价格调控，积极进行价格结构性调整，支持了基础产业和区域经济的发展。清理取消在通胀期间制定的一些限制消费的价格措施，停止对部

分产品、商品的监审工作。暂停给各指数市县每年分解的价格调控(指数)目标。加强市场价格监测,居民生活必需品价格监测调整为36个品种,微机联网8市县监测400个商品和服务价格。拟定了26项拉动内需、促进经济发展的措施,有的被区党委、政府采纳。对政府直接调控的农产品、区内名牌、民牌及基础性资源价格,进行合理制定与有升有降的结构性调整。在农产品价格方面,调整降低了粮食、甜菜收购价格,提高了桑蚕茧收购价格、农作物种子价格,引导农民扩大优质品种的种植和调整种植结构。适时解决了一批电厂电价矛盾,对一些高耗能企业实行优惠电价政策,提出了农网改造在价格方面的具体意见,制定了热电、天然气工程和部分水资源价格与收费标准,提高了液化气等价格。对外埠药品价格实行登记制度,对355家外省市药厂的850个药物品种进行规范管理,降低了部分本区产药品和178种外埠产药品价格。

2、加强收费管理,努力减轻企业和群众负担。在行政事业性收费方面,从整章建制入手,编制新的收费管理目录,颁发收费许可证管理办法,完成全国性收费许可证换发工作;各地物价部门开展了年审工作,仅在区级320个参审单位中,查出违纪金额183.4万元。在进一步规范收费标准的基础上,适时调整了成人招生报名考务费、各类大中专院校学费、住宿费、幼儿园、学前班等收费标准,调整总金额达1700余万元;配合有关部门取消了第三批涉企收费43项,减轻企业负担1.37亿元。在经营性收费管理方面,调整了邮电资费,制定了宁夏地区“联动”移动电话价格;加强了房地产价格、物业管理收费和旅游业价格管理;向政府提出整顿房地产建筑市场价格和收费的具体建议,拟采取各方面措施控制银川市商品房价格上涨;通过召开听证会,制定住宅小区物业管理办法。

3、加强市场价格行为规范和物价监督检查工作。顺利完成食糖、交通、民航、外商投资、高校扩招等价格和收费的专项检查;继续做好经常性的价格监督检查工作,开展了对房地产、物业管理、教育收费、药品价格、医疗收费等群众关注的“热点”问题的检查,对已取消的收费项目和降低收费标准项目开展了检查结案工作。全区共查出各类价格违法案件1342起,查处违法所得1455.62万元,实行经济制裁923.76万元。结合本区实际,开展了制止钢材、平板玻璃、水泥等低价倾销行为。推行规范化物价检查所活动,积极开展受理价格举报案件的查处工作。

4、拓展价格服务领域,提高价格服务水平。对国家部署的800多个品种的价格监测任务,逐旬逐月上报,全年完成各类监测报告879期/次,上报监测分析84期;中国价格信息网在本区指定的7户大型企业入网工作已实现了联通,创办《医疗、医药价格信息》专刊,《物价公报》征订创历史最好水平,达2858份。积极组织实施《宁夏回族自治区涉案物品价格鉴证管理办法》,加强价格鉴定、认证、评估、咨询等价格事务工作,全区完成价格评估案件1460起,估价金额3.2亿元。农产品成本调查工作明显加强,编写了宁夏1998年农本情况汇总教材,对全区农本工作人员进行短期培训;除完成各项常规调查外,还完成了农民种植意向、农资购买、农民存粮售粮等情况的专题调查。价格理论研究工作不断加强,除继续办好《宁夏价格管理与研究》外,还与陕、甘、青、新四省(区)物价局联办《价格与市场》月刊,上稿率45.5%;价格学会还开展了全区价格学科优秀论文评奖活动,评出优秀论文29篇,并评选出10个团体会员单位为年度价格调研先进单位。

5、加强价格法制建设,促进依法治价氛围的形成。继续深入开展学习、宣传、贯彻《价格法》的活动,组织全区物价干部参加《价格法》有奖知识竞赛和第二次法律知识考试,举办行政执法人员上岗资格法律培训班,系统学习“三法一条例”,区局45名同志考试全部合格,由区法制局颁发了《行政执法证》。制定出台了《宁夏回族自治区涉案物品价格鉴证管理办法》、《宁夏回族自治区物业管理服务收费暂行办法》、《宁夏回族自治区游览参观点门票价格管理实施办法》等一批规章和规范性文件,完成了人大、政协提案的调查处理。自治区物价局被评为1999年度全区依法行政先进集体。

三、认真开展“三讲”教育

自1999年9月6日起,在自治区物价局机关处级以上领导干部中开展了为时4个多月的“三讲”教育。局党组书记认真履行第一责任人的职责,33名局、处级干部以高度的政治责任感、充沛的精力自觉投身于“三讲”教育,党组班子共征求到各种意见、建议449条,针对查出的主要问题,制定63条整改措施,修订和完善了《党风廉政建设制度》、《选拔、任用干部实施办法》、《加强调查研究工作若干意见》等8项规章制度。通过“三讲”教育,机关制度建设进一步健全,思想作风建设有新的提高,党组一班人“讲学习、讲政治、讲正气”的自觉性得到进一步提高，领导干部贯彻民主集中制原则、密切联系群众观念有所增强，干部思想作风和机关作风有了明显转变，有力地推动了价格业务工作的开展。

（朱正凡）

新疆维吾尔自治区

一、市场物价走势及运行特点

1999年，新疆物价总水平继续走低，全年全区居民消费价格总指数和商品零售价格总指数分别比上年下降2.6%和3.8%，物价降幅比上年分别扩大了3.5和2.8个百分点。其价格水平变动幅度为改革开放以来的最低年份。市场物价运行的主要特点是：

1、全年各月物价持续负增长，第4季度降幅最大。居民消费价格总指数同比下降2.6%，其中，城市下降2.3%，农村下降3.2%，居民消费价格是自1980年以来的首次负增长，全年各月物价总指数在－4.8～－0.7%之间运行，第4季度物价总水平为全年各季最低，同比下降5.4%。在居民消费价格总指数的8大类中，呈现出"三升五降"的格局。在价格下降的5大类中，降幅最大的是食品类为6.8%，其中，粮食下降5.5%，油脂下降3.6%，肉禽及其制品下降10%，蛋类下降13.9%，水产品下降13.4%，鲜菜下降10%；交通和通讯工具类下降4.3%；衣着类下降1.3%；家庭设备及用品类下降1%；娱乐教育文化用品类下降0.5%。在价格上涨的3大类中，涨幅最大的是服务项目为10.1%，主要是因邮政资费政策性调整和学费上涨所致。

2、工业消费品零售价格跌多涨少。受全国物价总水平负增长及新疆上游轻工业品出厂价格下降7.7%的影响，工业品零售市场呈现出商品供过于求、价格持续下降的局面，在13类工业消费品价格中，零售价格同比下降的有9类，比上年增加了3类，价格持平与上涨的各有2类。零售价格下降幅度最大的是机电产品类下降4.3%，其次是首饰类下降4%；家用电器类下降3.4%，主要是受彩电等价格大幅下降的影响；纺织品类下降3.1%；饮料烟酒类、建筑材料类、服装鞋帽类、文体用品类、日用品类下降幅度在1.9～0.2%之间；中西药品与燃料类价格持平；书报杂志类、化妆品类零售价格分别下降4.6～0.6%。

3、农业生产资料价格持续低迷。同比下降3%，降幅比上年扩大了3.8个百分点，全年农业生产资料价格指数基本上呈现出逐月走低的态势。在10类农业生产资料价格指数中，除了农药及农药械同比上涨3.5%以外，其余9类均有不同程度的下降，其中，半机械化农具、其他类及小农具分别下降4.9%、4.7%及4.1%；化学肥料、农用机油及饲料类下降幅度在3.8～0.6%之间。

4、农副产品收购价格大幅下跌。收购价格指数比上年下降19.3%，这是自1951年以来农副产品收购价格指数降幅最大的一年。在10大类农副产品收购价格指数中，除了竹木材类同比上涨21.5%、蚕茧蚕丝类微涨1.3%以外，其余8类均有较大幅度的下降，主要大宗农副产品收购价格全面下降。其中，经济作物类降幅最大达35.1%，棉花收购价格下降38.5%，糖料下降0.7%；药材类下降28.6%；粮食类下降14.4%；禽畜产品类下降9.2%；干鲜瓜果类下降16%；鲜菜下降9.3%；水产品下降14.3%。

二、物价工作

1、继续深化价格改革，完善价格形成机制。(1)按照国家深化粮棉流通体制改革的总体要求和部署，结合本区实际，探索农产品价格改革路子。对粮食实行定购价和保护价并轨政策，拉开了粮食质量、品种、等级和地区差价。棉花收购价格由政府定价改为指导价并提高等级差价率，有效地促进了粮食顺价销售和棉花收购政策的落实。在充分考虑市场供求和保护农民利益的基础上，下调了甜菜收购指导价格。为了完善粮棉价格形成机制，有重点地开展了农业产业结构调整、增加农民收入等专题调研，为领导科学决策提供了依据。(2)根据农膜及其原料供求状况的变化，放开了农膜及原料价格，同时规范经营者价格行为，使农民能真正从放开的农膜价格中得到实惠。(3)根据本区制盐企业产量大幅下降,成本上升,亏损严重,资金负债率过高等实际情况,及时调整食盐零售价格,为企业摆脱困境,增强活力创造了条件。(4)根据《国务院关于深化化肥流通体制改革的通知》精神,提出化肥价格改革方案,并降低农用化肥销售价格,支持了农业生产。(5)利用清理整顿电价秩序腾出的调价空间,减轻电力企业还本付息的压力,相继提高了乌鲁木齐等地的电力价格,使电力价格趋向合理。(6)在全区范围内降低市区和农村电话初装费,为实现城乡同网同价迈出了重要一步。降低了移动电话入网费标准,取消了传呼入网费。(7)规范经济适用住房价格,降低住宅价格,同时拓宽了物业收费的管理范围,规范了价格行为。(8)提高中小学收费标准,缓解了财政投入的不足。(9)对殡葬收费进行调整,实行分等定价,将殡葬收费划分为基本殡葬收费和特需殡葬收费。(10)按照满足运行成本和获得合理利润的原则,制定污水处理费收费标准。(11)提高乌鲁木齐地区的自来水价格和公共汽车票价,确保了企业的正常生产和运行,促进了城市环保产业和公共事业的发展。(12)调整部分游览参观点门票价格,促进了旅游业的发展。

2、整顿价格秩序,推进清费治乱减负工作,为经济发展创造良好的价格环境。开展交通、教育、医疗、药品、民航、商品房、物业管理、口岸等行业的价格和收费专项检查,加大了明码标价的规范和检查力度,对平板玻璃、钢材、食糖、水泥等商品的低价倾销行为进行规范。全年全区共查处价格违法案件7408件,查处违法所得3958.22万元,实现经济制裁2505.54万元,其中,没收违法所得1166.62万元,退还用户1202.75万元。为充分发挥社会监督和群众监督作用,各级物价部门重视价格监督举报工作,各地已普遍建立举报工作机构,形成了全区性的举报网络。全年全区受理价格举报案件2695件,查处违法所得3110.5万元,退还用户2360.6万元。

继续推进清费治乱减负工作。(1)全区进一步加大了对收费许可证的管理和年审工作。一年来,全区审验收费许可证达2.03万个,通过年审国家和自治区宣布取消的收费项目745项,降低收费标准986项,预计减轻企业和群众负担9100万元。此外,还查出违纪金额259.43万元。(2)为支持非公有制经济的发展,根据自治区党委、人民政府《关于加快发展非公有制经济的决定》,会同自治区个协,对涉及全区个体、私营经济的收费进行全面清理,先后两批取缔收费31项,切实减轻了个体经营者的经济负担。(3)对中小学收费行为进行规范。通过对全区十几所中小学收费的典型调查,采取控制收费项目,限制招生定额,收费与招生脱离等措施,限制了乱收费行为。(4)认真贯彻落实国务院六部委《关于整顿电价秩序制止乱加价、乱收费行为的通知》,进一步清理整顿电价秩序,相继取消了违反规定的各种价外附加费和基金等若干项,清理工作初见成效。(5)开展药品价格调研工作,整顿药品价格秩序,并通过开展对外埠药品价格的登记,规范了药品价格秩序,对降低药品价格起到了积极作用。

3、完善价格法制工作,推进依法治价。进一步学习、宣传、贯彻《价格法》。在5月1日《价格法》实施一周年之际,各地精心组织,周密安排,采用多种形式,举办庆祝会、座谈会、知识竞赛,并运用各种宣传形式走上街头,深入工矿区乡镇,大力宣传价格法律法规,深受群众欢迎。积极参与全区的普法教育、依法治理成果展,以贯彻落实《价格法》为主线,整理了大量的图片和文字资料,用大量生动的事例展现全区物价系统广大干部职工的精神风貌和依法治价所取得的丰硕成果,取得了良好的效果。

4、加强和改善价格监测和价格信息服务工作。(1)为配合自治区农产品产业结构的调整,加强对粮、棉及特色农业的烟、甜菜等成本调查,及时准确地掌握成本和收益情况,为党政部门的价格决策提供依据。(2)成本调查、价格监测的信息网络建设取得重大进展。全区已建立9个成本调查网络、16个价格信息监测网络,并与中国价格信息网实现了网络互联,信息传递的质量和效率明显提高。(3)继续大力开展价格鉴证、价格评估、价格认证等价格事务工作。全年全区涉案物品价值认定达4.7万余件,较上年增长40%;认定金额约30亿元,较上年增长50%;其它价格评估及价格咨询5000余件。此外,《自治区涉案物品估价管理条例》的颁布实施,为更好地开展涉案物品的价格认定工作提供了法律保证,为政府价格公正发挥了积极作用。各级价格评估机构和队伍建设进一步加强,有500人已取得涉案物品估价人员资格证,有93个涉案物品估价单位取得自治区颁发的资格证。 (刘迪生)

Ⅳ 香港、澳门特区及台湾地区物价

香港特别行政区

【1999年香港经济发展概况】 1999年，第1季度香港整体经济活动处于疲软状态，生产总值比上年同期出现3.2%的负增长。但小于上年第3季度7.1%的跌幅和第4季度5.7%的跌幅。第2季度，生产总值增长出现了由负变正的可喜局面，与上年同期比较，增长值为0.5%。到了第3季度，经济继续好转，生产总值增长达到4.5%，第4季度更达到8.7%。全年生产总值增长率为1.8%。表明经济已走出谷底，开始复苏。

经济呈"V"型强力反弹，主要表现在以下几个方面：

1、出口贸易明显改善。香港属外向型经济，其经济发展主要依赖出口带动。随着亚洲地区经济渐趋稳定和进口需求复苏，从第2季度开始出口贸易得到改善，对日本、新加坡、韩国以及印尼的出口强劲回升，对台湾、泰国和马来西亚的出口也有所改善。另外，对美国的出口出现止跌迹象，对欧洲各国的出口也有不同程度的改善。总的看，出口的跌幅有所缩小。到下半年出口贸易明显好转，7月份增长3%，9月份香港产品与转口合计的出口货值为1210亿港元，较1998年同期增长5.9%，其中，转口货值为1063亿港元，较1998年同期增长8.3%。进入第3季度以后，外贸的增长动力不断增强，出口货物总值与1998年同期比较增长4.3%。特别是10月份，整体出口总值增幅上升到6.2%，转口增幅达到8.8%。第4季度持续增长。香港出口贸易的增长得益于内地整体出口的显著上升、美国持续强劲的消费以及欧盟经济的改善。

2、私人消费以及零售业有所好转。1999年私人消费开支以第1季最差，出现4.4%的跌幅，其后第2季度和第3季度止跌回升，分别增长1.3%和3%。汽车向来是经济发展的寒暑表，每当经济衰退时，汽车销售会率先下降，而当经济复苏时，汽车销售就会带头好转。据香港政府公布的数字显示，第3季度香港经济已经好转，同样汽车销售也是如此。而第4季度走势明显转强。总体而言，1999年香港汽车销售量比上年增长了一成，个别车型更有两成的增幅。

饮食业方面，自第3季度起渐有起色。据政府统计署数字显示，第3季度的食肆总收益估计为145亿港元，较上年同期增长2%，这是自1998年第1季度以来首次出现的正增长。扣除价格变动后的收益数量，增幅为4%。

零售业则从第2季度开始出现了好转的趋势。6月份零售业销售价值为149亿港元，较上年同期下跌6%，但是扣除价格变动的影响后，6月份的零售业销售价值大致与上年同期持平，而4月及5月的相对数字则分别下跌3%和1%。1999年前3季的销售总额为1337.94亿港元，虽然较上年同期减少9.7%，但是其中的第3季度零售业总销货量增长3%，比7月和8月的增幅1.8%和2%为高。

从第3季度开始，香港消费市场初露曙光，主要由以下几方面的因素促成：首先是经济已走出谷底，尽管经济数据所显示的回升数字都是与最恶劣环境时较低的基数作比较，因而显得回升幅度较大，但毕竟较前有所好转。其次是各行各业的经营手法灵活善变。饮食业为求生存，想尽办法增加菜式品种，中式酒楼供应西式菜，一般酒楼减价招徕顾客；百货业也有同样的灵活做法，不少大型百货公司搞特卖场，租给小经营者摆卖一般衣物、家庭用品、食品以及摆设等，超级市场也扩大营业范围，增加销售品种，以吸引顾客。再次是游客增加。1999年10月到港游客比1998年同月增长17.1%。前11个月总计也增长11.8%。游客是香港消费市场的重要对象，游客增加对消费市场复苏起到了重要的促进作用。

3、访港旅客不断增加，带动了酒店业复苏。旅游业是香港经济的重要支柱。由于香港旅游业界采取了多项推动旅游业发展而且行之有效的措施，使得访港旅客的人数从1998年下半年开始稳步回升，连续16个月增长。1999年1～10月访港旅客累计总数达到872万人次，较上年同期增长11.8%；全年访港旅客人数突破了1000万人次大关，达到1070万人次，比1998年增长11.5%，这是自1996年后再次突破千万人次记录。不过，据香港旅游协会人士表示，1999年访港旅客人数虽然增多，但旅游收益为529.8亿港元，比1998年下跌了4.1%。这种情况，一方面反映了游客在港消费持谨慎态度，另一方面在很大程度上说明香港的物价相当便宜，这也是刺激1999年访港旅客人数增长的原因之一。

香港旅游业的持续发展，带动了与之相关的零售消费市场，以及服务业的复苏和发展，其中，酒店业的复苏尤为显著。据有关资料显示，1999年1～10月的酒店入住率平均为79%，较1998年同期增长4%，1999年底香港的酒店数目为97家，比1998年多出9家，另有两家正进行扩建，新增了4600个房间。虽然入住率比1998年高，但是酒店业的实际收益并不高，原因在于旅客增长以亚洲短途客为主，其中，占最大增长率的是来自内地的游客，他们的行程主要以购物观光为主，对住宿要求不高，因此酒店的收益没有明显增加。另外，1999年酒店入住率虽然较上年有所增加，但是当中有大部分酒店是以减租来吸引旅客入住的，所以酒店的盈利就不可能与入住率同步增长。

4、股市交投活跃。反映香港经济晴雨表的香港股市，1999年11月累计升幅超过3000点，12月3日收市时恒生指数为15840点，已反弹至金融风暴前的水平，反映了投资气氛转旺，外资看好香港经济前景而重来投资，大量热钱涌入，单在11月30日就有28亿港元流入香港。港股市值重新跻身“全球十大”行列。

5、香港住宅物业市场呈现复苏，市民买楼意欲增强。香港住宅物业市场在较早前就已重现购买意欲，1999年第2季度得到持续。主要原因是整体经济情况得到改善，银行面对按揭竞争激烈而提供优惠的按揭贷款条件吸引顾客。另外，卖地成绩理想也产生了支持作用。楼宇价格在较早前明显反弹后，第2季度仅有温和的升幅。随着亚洲金融风暴以及香港经济泡沫破灭后，香港房地产业价格大幅下泻，除了住宅楼宇在1999年上半年的价格指数有所回升之外，其他如写字楼、铺位以及分层工厂大厦的价格仍然处于下跌的走势。1999年第3季度开始，住宅物业市场转趋淡静，交投量有所减少，楼宇价格普遍回软，主要原因是劳工市场普遍呆滞，加上陆续有新的住宅单位推出，供应充足，以及利率可能上调，于是买家倾向采取观望态度。根据调查显示，1999年私人住宅落成数量达到35000座，较1998年激增59%。另外，私人住宅楼宇的空置率也同时攀升，由1998年底的4.5%上升至1999年底的5.9%，增幅1.4%，刷新了过去12年来的新高。主要原因是1996～1997年楼市向好，私人发展商加速投资发展住宅项目，使得1999年大量物业落成。空置率增大，楼价就受压，买家入市信心不强，加上供应量大，楼市处于胶着状态，楼价就有下调的压力，一手楼楼花销售显著放缓，引致二手楼市场的交投量也大幅减少，楼宇价格在1、2季回升后，第3季度趋于回软，但是在10月后期又趋转好。

6、失业率有下降的趋势。在劳工供应持续快速增长，而劳动需求仍然疲弱的情况下，1999年第1季度的失业率上升至6.2%，而就业不足率则维持在3%；第2季度劳工市场趋于回稳，失业率和就业不足率分别微跌至6.1%和2.9%。与上季度的数字比较表明，就业总人数的增长实际上比劳工供应的增长要快。第3季度的失业率仍维持在6.1%的水平，而就业不足率升至3.1%。到了第4季度，失业率和就业不足率均略有下降，分别为6%和2.8%。尽管1999年香港失业率和就业不足率仍然保持在一个较高的水平，但是较之1998年底有了较大的改善。

上述几方面的情况表明了香港经济正在复苏。但是在复苏过程中，会否改变“V”型的运行状态，出现反复，就要看今后的实际情况。因为外围经济变数大，正如香港特区政府财政司司长曾荫权所指出的，第3季度经济增长4.5%，不代表金融风暴的影响已完全消散，外围因素带来的阴影仍在。另外，从第3季度开始，香港经济的复苏，不能视为实质的增长，因为1998年第3季度经济增长下跌了6.9%，一年后回升4.5%，仍未恢复到1998年6月之前的水平，所以只可以说是在基数很低的情况下的复苏。同时，由于1998年第4季度至1999年第2季度的经济增长分别为－5.6%、－3.2%和0.7%，因此，估计2000年上半年香港经济仍会呈“V”型发展。

【1999年香港物价情况】 随着继续进行成本和价格的调整，1999年香港消费物价进一步下跌。政府统计处公布的数字显示，1999年反映香港通货膨胀情况的综合消费物价指数一直处于下跌态势，而前8个月的跌幅呈逐月扩大的局面，后4个月的跌幅才有所收缩。1999年每月消费物价指数

都呈负增长，自1998年10月以来连续14个月出现负增长，其中，第3季度的情况最为严重，平均跌幅高达5.9%，比第1季度的1.8%、第2季度的4%和第4季度的4.1%都大。以全年计算，1999年综合消费物价指数下跌了4%，而甲类、乙类和丙类(注：从1999年7月份起，恒生消费物价指数改称为丙类消费物价指数)消费物价指数的相应跌幅分别为3.3%、4.7%和3.7%。从每月数据看，消费物价指数在1999年底的跌幅趋于缓和，综合消费物价指数在10、11、12月份的变动率分别为−0.3%、−0.1%和−0.2%。

总的来看，1999年香港消费物价指数持续下跌，主要受以下因素影响：一是消费力下降，需求萎缩。亚洲金融风暴以来，香港市民的消费力大幅减弱，再加上经济前景不明朗，也抑制了市场的消费力。需求下降无可避免地导致供求失衡，引起消费物价下跌。二是供应价格下降。1999年进口香港的商品价格仍然保持放缓趋势，原因是主要供应来源地的通胀率持续处于偏低甚至负数水平。不过随着部分主要商品在国际市场的价格止跌回升，以及美元汇价趋于疲弱，整体进口货物价格由第3季度起跌幅已较小，前9个月的跌幅为−3%，而第3季度较前一年下跌约2%。供应香港的货价下跌，自然就会影响消费物价指数的下跌。另外，由于消费市场萎缩，商人为了继续经营，只好放弃厚利，将多类商品价格调低，以微利刺激消费市场，其中，饮食业和百货业微利经营更为突出。供应价格的下跌，直接影响到消费物价指数的下降。三是经营成本下降。随着亚洲金融风暴以及香港经济泡沫破灭以后，香港房地产价格大幅回落，反映1999年香港物业价格及租金的指数显示，除了住宅楼宇在上半年的价格指数有所回升之外，其他如写字楼、铺位和分层工业大厦的价格以及租金指数仍然处于下跌趋势，这就有利于消减经营成本。经营成本的下降导致了消费物价指数的下跌。

总的来说，1999年香港的通货紧缩进一步加剧。从宏观来看，既是亚洲金融风暴以及经济泡沫破灭的后遗症，又是企业把握经济衰退机会加速对经济结构以及成本进行调整的结果。而这一年的通缩，确实使得消费需求下降，实际利率高企，企业盈利大倒退，经济萎缩。但是，通缩对经济也有其积极意义，因为通缩即是物价下跌，在就业情况稳定时，通缩有助于市民缓解生活方面的压力。

(卢石尤)

附表1　　1999年1～12月香港各类消费物价指数

(1994年10月～1995年9月＝100)

月份	甲类消费物价指数	与上年同期比较±%	乙类消费物价指数	与上年同期比较±%	丙类消费物价指数	与上年同期比较±%	综合消费物价指数	与上年同期比较±%
1	115.6	−0.9	115.5	−1.6	117.3	−0.5	116.0	−1.1
2	115.6	−1.5	115.1	−2.3	116.4	−1.1	115.6	−1.7
3	114.8	−2.3	114.3	−3.3	116.0	−1.9	114.9	−2.6
4	114.0	−3.3	113.8	−4.5	116.0	−3.3	114.5	−3.8
5	114.0	−3.5	113.6	−4.6	116.3	−3.6	114.4	−4.0
6	113.8	−3.7	113.1	−4.8	115.9	−3.6	114.1	−4.1
7	112.2	−5.0	111.5	−6.3	114.0	−5.1	112.4	−5.5
8	111.5	−5.2	110.5	−6.9	112.5	−6.1	111.4	−6.1
9	112.2	−4.9	110.5	−6.9	112.5	−6.1	111.6	−6.0
10	112.2	−3.1	110.9	−5.1	113.2	−4.1	112.0	−4.2
11	111.5	−2.9	110.3	−4.9	112.5	−4.5	111.3	−4.2
12	111.3	−2.9	109.7	−4.9	111.4	−4.1	110.7	−4.0
平均	113.2	−3.3	112.4	−4.7	114.5	−3.7	113.2	−4.0

注：由1999年7月起，恒生消费物价指数改称为丙类消费物价指数。

附表 2　　1999 年 1～12 月香港综合消费物价指数

(1994 年 10 月～1995 年 9 月＝100)

月份	总指数	与上年同期比较±%	食品	与上年同期比较±%	住屋	与上年同期比较±%	燃料及电力	与上年同期比较±%	烟酒	与上年同期比较±%	衣履	与上年同期比较±%	耐用消费品	与上年同期比较±%	杂项物品	与上年同期比较±%	交通	与上年同期比较±%	服务	与上年同期比较±%
1	116.0	－1.1	110.3	－0.5	129.1	－0.1	114.1	0.2	123.2	7.8	98.6	－15.5	102.9	－1.2	112.9	2.2	117.3	1.4	114.8	－1.2
2	115.6	－1.7	111.0	－1.2	128.3	－1.3	113.5	0.2	124.1	4.2	93.3	－18.5	101.5	－2.5	122.4	1.3	117.4	1.6	115.1	0.5
3	114.9	－2.6	110.1	－1.9	127.5	－2.4	113.5	－1.3	123.8	3.2	92.5	－19.7	100.8	－3.9	111.7	0.8	117.2	1.0	114.9	0.4
4	114.5	－3.8	111.1	－1.6	126.4	－3.5	109.5	－4.7	124.5	2.9	97.8	－24.2	100.3	－5.6	110.2	－1.7	117.0	1.0	114.1	－1.1
5	114.4	－4.0	110.1	－1.5	125.5	－4.4	109.5	－4.9	124.1	2.7	98.9	－22.9	100.6	－5.8	110.8	－1.3	117.0	1.2	113.5	－1.5
6	114.1	－4.1	109.6	－2.3	124.6	－5.3	114.2	－0.8	122.9	2.1	97.6	－20.9	100.8	－4.8	112.1	0.3	116.9	0.2	113.4	－1.5
7	112.4	－5.5	109.3	－2.4	120.7	－8.4	114.5	－0.2	122.8	0.9	91.4	－24.1	98.0	－7.4	111.2	－0.2	117.6	0.2	114.2	－1.7
8	111.4	－6.1	108.7	－2.2	119.3	－9.5	115.1	0.3	121.7	－0.4	88.2	－25.6	96.0	－8.8	109.7	－1.6	117.3	－0.3	113.9	－1.9
9	111.6	－6.0	110.2	－1.4	118.2	－10.2	115.9	1.2	119.4	－2.4	90.5	－23.1	95.5	－8.9	109.6	－2.7	117.1	－0.3	114.6	－1.8
10	112.0	－4.2	108.3	－2.4	119.8	－4.4	116.4	1.4	120.3	－1.5	94.1	－21.4	96.4	－8.3	111.7	－1.4	117.1	－0.1	114.2	－1.8
11	111.3	－4.2	107.5	－2.2	118.3	－5.2	116.4	1.4	120.1	－2.1	95.1	－17.1	96.3	－9.0	111.0	－2.1	117.0	－0.1	113.9	－1.8
12	110.7	－4.0	107.9	－2.4	116.9	－5.8	116.7	1.9	120.3	－2.0	90.7	－12.8	95.3	－9.0	110.8	－2.0	117.6	0.4	113.9	－2.0
平均	113.2	－4.0	109.5	－1.8	122.9	－5.0	114.1	－0.4	122.3	1.3	94.1	－20.5	98.7	－6.3	112.0	－0.7	117.2	0.5	114.2	－1.3

附表 3　　1999 年 1～12 月香港甲类消费物价指数

(1994 年 10 月～1995 年 9 月＝100)

月份	总指数	与上年同期比较±%	食品	与上年同期比较±%	住屋	与上年同期比较±%	燃料及电力	与上年同期比较±%	烟酒	与上年同期比较±%	衣履	与上年同期比较±%	耐用消费品	与上年同期比较±%	杂项物品	与上年同期比较±%	交通	与上年同期比较±%	服务	与上年同期比较±%
1	115.6	－0.9	110.5	－0.8	126.0	－0.5	113.6	0.1	123.0	7.4	104.1	－13.1	103.6	－1.3	116.4	2.5	117.8	0.9	118.1	－0.8
2	115.6	－1.7	111.0	－1.2	128.3	－1.3	113.5	0.2	124.1	4.2	93.3	－18.5	101.5	－2.5	122.4	1.3	117.4	1.6	115.1	0.5
3	114.8	－2.3	109.9	－2.3	124.5	－2.4	112.9	－1.4	123.5	2.8	98.8	－18.1	101.9	－3.4	114.7	1.8	117.8	0.7	113.3	0.9
4	114.0	－3.3	109.7	－1.9	123.6	－3.4	107.7	－5.9	124.2	2.7	102.5	－22.0	101.4	－4.8	112.7	－1.5	117.5	0.6	117.8	－1.0
5	114.0	－3.5	109.9	－2.0	122.7	－4.4	107.8	－6.0	123.7	2.2	101.6	－20.7	101.8	－4.4	113.4	－1.0	117.4	0.7	117.3	－1.2
6	113.8	－3.7	109.3	－2.9	121.7	－5.1	113.7	－0.8	122.7	1.7	100.6	－19.3	102.0	－3.7	115.8	1.3	117.5	0	117.2	－1.2
7	112.2	－5.0	108.9	－3.1	117.2	－8.7	114.0	－0.3	122.5	0.6	95.1	－22.5	99.6	－5.9	115.5	1.0	118.2	0.4	117.6	－1.5
8	111.5	－5.2	108.4	－2.5	116.4	－9.4	114.5	0.2	121.6	－0.3	92.2	－24.1	97.5	－7.5	114.1	－0.3	118.0	0.3	117.4	－1.5
9	112.2	－4.9	110.4	－1.4	115.5	－10.0	115.3	1.1	119.7	－2.1	93.0	－23.5	97.0	－7.4	113.7	－1.9	117.8	0	120.0	－0.5
10	112.2	－3.1	108.1	－2.7	118.1	－2.0	115.8	1.3	120.3	－1.4	95.2	－23.4	97.6	－6.8	115.2	－1.2	117.8	0.1	119.7	－0.2
11	111.5	－2.9	107.0	－2.4	117.2	－2.5	115.8	1.3	120.3	－1.7	95.3	－18.6	97.6	－7.5	114.5	－1.7	117.8	0.1	119.3	－0.3
12	111.3	－2.9	107.6	－2.6	116.2	－2.6	116.1	1.8	120.5	－1.7	92.3	－16.2	97.0	－7.5	114.6	－1.6	118.0	0.2	118.8	－0.9
平均	113.2	－3.3	109.2	－2.2	120.6	－4.4	113.4	－0.7	122.2	1.2	97.0	－20.0	99.9	－5.2	115.3	－0.1	117.8	0.5	117.6	－0.6

澳门特别行政区

【经济回顾与展望】 经过长期发展，澳门经济总量和经济发展水平有了很大提高。据统计，1982～1999年间澳门本地生产总值年均增长率达6%，由79.77亿元（澳门元，下同）增至492.1亿元，人均产值则由33238元增至113000元（折合14482美元），其中1995年人均GDP为144837元，即18181美元，居亚洲"四小龙"的中位水平，被世界银行列为全球43个高人均收入的国家和地区之一。

澳门经济之所以持续增长，主要有以下几方面的原因：(1)澳门作为一个独立关税地区参加国际经济贸易组织，在70年代先后获得欧共体国家和美国给予的普遍优惠关税待遇；以落后地区资格，享受发达国家的进口配额和关税优惠，从而刺激了澳门的出口加工业和对外贸易的发展，澳门现有的纺织业、制衣业和玩具业就是在这种背景下建立并发展起来的。(2)受益于中国内地的改革开放政策和经济高速增长，以及来自内地及香港投资的推动，中资现已是澳门最大的外来投资者，也是稳定澳门经济的重要力量。(3)人口增长满足了经济增长的需要，1981年澳门人口只有24.2万人，而1991年已剧增到41.5万人，净增70%。这些增加的人口，一方面扩大了澳门的内部需求，另一方面为澳门经济增长提供了大量廉价劳动力，保证了以劳动密集型为主的加工工业和服务业的发展。(4)博彩业发展迅速，政府的博彩税收入由1978年的4100万元，增加到1993年的42.33亿元，增加了103倍，平均每年增长36.2%，最多的1995年更增至52.5亿元。巨额的博彩收入不仅直接支撑了本地生产总值的增长，而且为澳门各行业的发展创造了一个低税的经营环境。但是，自1993年以来，受内外因素影响，尤其是亚洲金融风暴和周边地区竞争的冲击，澳门经济增长明显放缓；各主要行业面临严峻考验；尤其是房地产业萧条，出口加工业萎缩，经济发展进入调整期。1996～1999年，澳门本地生产总值连续4年出现了负增长，分别为－3.5%、－0.1%、－4%和－2.9%。由于经济疲软，失业率也大幅攀升，由1993年底的2.1%上升到2000年1月的6.5%。澳门经济发展正面临前所未有的困难局面。

【经济主要表现】

1、内部需求持续疲弱，失业与通缩情况加剧，年内澳门商业气氛持续淡静。私人消费表现仍然不佳，私人消费支出在上年下降1.5%的基础上，继续下跌0.7%，仅为205.39亿元。新设立公司数量虽与上一年基本持平，但规模却日趋小型，而且倒闭公司的数量和资本额较去年同期都有增加。据澳门政府公布的统计资料，由于政府财政收入下降，1999年政府公共支出较上年有较大缩减，由155亿元减至96亿元，降幅达38%；政府固定资产投资也大幅下降近20%。另一方面，失业和通缩情况持续转坏，其中，失业率由年初的5.7%持续攀升到年底的6.6%；以综合消费物价指数显示的通缩率，则在上年底－2.95%的基础上进一步下跌，全年通缩率与上年相比为－3.2%，说明通缩情况还在继续恶化。

2、主要支柱行业表现参差，总体情况依然欠佳。具体说，旅游博彩业作为澳门经济的一个重要支柱，其走势一直是影响澳门经济发展的一个重要因素。据澳门旅游局统计，1999年入境旅客总人数为744.39万人次，比上一年的695万人次增加7.13%，其中，第4季度与上年同期相比上升12.86%，呈加速上升趋势。中国内地到澳旅客人数刷新历史纪录，达164万人次，比上年增加100%，成为澳门第二大客源市场。1999年是澳门的"回归年"，治安状况有所好转是澳门旅游市场在沉寂了两年后开始回升的主要因素。亚洲金融风暴以来一直处于困境的旅游零售服务业的经营状况也得到了一定改善，但"旺丁不旺财"；与旅游相关的一些行业经营仍然困难较大，酒店入住率只有53.40%，略高于上年51.28%的水平；旅客逗留时间及人均消费则依然在低水平徘徊，分别为1.4日和1373元，与上一年的1.3日及1392元基本持平；旅游博彩收益在上一年下跌近20%的基础上，又出现了较大跌幅。这种情况表明，旅游博彩业的真正复苏还有待时日，需要依靠更加积极有效的配套措施的支持，特别是有待社会治安形势的彻底好转，消除其对旅游博彩业经营形成的隐患。

出口加工业方面，全年外贸出口总值为175.80亿元，比上年增长2.9%（上半年比上年同期大增8%）。在总出口中，澳门本地产品出口货值150.44亿元，增长0.9%；转口货值23.36亿元，大增16.3%；贸易逆差12.80元，比上一年减少了13.9%。年内澳门对外贸易增长主要得益于周边地区经济回升，以及主要贸易伙伴进口需求强劲。根据出口货物类别分析，占总出口货值比重83.8%的“纺织品及成衣”类别出口比上一年上升2.0%，“非纺织品”类别的出口货值虽占总出口比重不大，但升幅为7.9%，其中主要得益于“水泥”、“鞋类”出口货值的大幅增加。按出口目的地统计，澳门出口货值的77.1%集中在美国和欧盟两大市场，其中，美国占46.9%，欧盟占30.2%。对这两个市场的出口分别比上年增长了1.3%和1.8%。中国内地和香港共占澳门总出口货值的16.0%，其中，内地占9.2%，香港占6.8%。年内对内地出口大增39.7%，而对香港却减少了8.1%。此外，由于厂商担心美国对澳门的贸易政策会有变化，因此加快生产提前销货，也是年内澳门外贸出口增长尤其是上半年增长较快的原因之一。7月底美国单方面宣布禁止澳门77家工厂的纺织品进口，对澳门纺织业构成极大压力。虽然经过磋商，最终对部分厂家解除了禁令，但给澳门出口加工业的发展前景留下了阴影。

房地产市场供求不平衡的状况在年内有所改善。据统计，1999年澳门新开工的私人楼宇单位数目和建筑面积分别比上年减少了5.75%和2.86%；建成的私人楼宇单位数目和建筑面积分别比上年减少了3.52%和3.09%。只是由于在此之前楼宇空置数量众多，仅住宅楼宇就空置了5万多个单位，即使在银行以优惠价格激烈争夺买楼分期业务的情况下，物业市道仍然缺乏生气，多数楼盘滞销依旧，全年楼宇单位买卖数量比上年减少13.3%，表明房地产市场的消化调整及走出低谷仍需时日。

金融业方面，银行业绩下降，风险加大。1999年12月底，全澳门银行存款为1026.7亿元，同比上升2.93%；总放款额512.9亿元，跌6.08%；贷存比例由上一年的54.75%下降至49.96%。从上半年银行季报统计看，全澳门22家商业银行合计税前盈利4638.14万元，较上年同期大幅下挫93.9%。其中，除了1家离岸银行和2家开业不久的商业银行以外，其余均表现为盈利下降或出现亏损，亏损行由上年底的5家增至9家。造成银行业普遍经营艰难、盈利大幅下降的原因，主要是不良资产大幅上升、逾期拨备大量增加所至。与此同时，银行业竞争进一步加剧，面对投资需求疲弱，资金出路狭窄，银行纷纷采取措施争夺本地中小商户业务，导致息差收窄、成本增大，从而给银行业发展造成一些新的困难。

除了上述这些外在的、直观的经济表现外，澳门经济中还存在一些深层次的、值得探讨和研究的新特点：

1、经济自我调整乏力，“随波逐流”的经济发展模式面临巨大挑战。澳门经济长期以来缺乏清晰的定位和明确的中长期规划，只是被动地适应周边环境的变化并作出局部的调整，进而形成一种“随波逐流”的发展模式。这一模式在近年复杂多变的经济环境中，已对澳门发展构成阻力。尽管受到金融风暴影响的亚洲国家和地区都已相继复苏，但澳门仍然陷于长达数年的经济衰退而无法自拔，这种情况更进一步显示了澳门经济自我调整的乏力和调整经济发展模式的迫切性，同时也对特区政府今后在经济发展中扮演的引导角色提出了客观的要求。

2、主要支柱行业面临调整的压力加大。四大支柱行业在澳门经济发展中占有举足轻重的地位。其发展状况更是直接关系到澳门经济的前途与未来。面对经济的持续不景气，四大支柱行业改革和调整的压力不断加大。博彩业经营相对保守，外部竞争压力加大；出口加工业面临转型和提升产品档次，单纯依靠配额优惠和贸易优惠的经营模式即将成为历史；房地产业供需矛盾失衡这个顽疾，必须下猛药、重药才有可能医治；金融市场发育不健全、业务品种单一，已不能适应日益发展的经济的需要。上述这些矛盾如何化解，这种不适应经济发展的机制与体制如何变革，不仅是当前迫切需要解决的问题，更影响到澳门经济的复苏与长远发展。

3、中资企业债务问题正待解决。中资企业作为澳门经济的重要组成部分，在澳门整体经济结构中占有很大比重，并对澳门经济的发展作出过重要贡献。时至今日，中资企业仍然是澳门经济稳定发展的一支举足轻重的力量。但是，受到内外多种因素的影响，澳门中资企业的发展目前陷入了前所未有的困境，并对整体经济复苏产生负面影响。中资企业的问题亟待解决。如果中资企业在这一轮调整中还找不到摆脱困境的根本办法，不仅自身经营将面临更大的挑战，也将为银行业及其他相关行业摆脱困境带来压力。

4、治安问题对经济及社会的影响日渐显现。澳门的社会治安问题始终是其经济发展的一大隐患，近年来治安状况的恶化和示威游行的增多使得这种情况更趋严重，对澳门吸引外资和改善旅游环境极为不利。

总之，上述这些问题的存在对澳门经济的长远发展无疑是十分不利的，好在澳门平稳回归，政权交接顺利，澳门特区政府成立以来，推出一系列改善经济、促进发展的措施，社会各界对经济发展中的各种问题积极探索，并提出许多有价值的意见和建议，使人们看到了澳门经济复苏的希望。

【特区政府促进经济复苏发展的措施】

1、提高行政效率，改善投资环境。2000年1月，行政长官何厚铧先生表示，特区政府将把改善投资环境，增加就业机会，促进经济发展作为施政的首要目标。随后特区政府成立了一个以贸易投资促进局为首，土地工务运输局、经济局等十多个部门组成的投资委员会，实行"一条龙"服务，简化行政手续，加快投资项目审批，此举受到工商界的广泛欢迎。

2、固本培元，审慎理财。何厚铧先生强调，特区政府头两年施政方针的基本精神在于"固本培元"，不会推行所谓"大项目"，如果有长远性的发展计划，特区政府会逐步研究。特区政府奉行收支平衡、合理配置资源、积极促进经济发展的财政政策，并将逐步完善预算制度、税收制度。

3、特区政府谨慎处理赌权开放一事。澳门的赌权专营合约将于2001年底到期，届时特区政府如何处理此事，会对今后澳门博彩业的发展产生巨大影响。日前曾有香港媒体报道，称澳门旅游娱乐有限公司已与特区政府达成默契，日后澳门赌权将一分为三，分为澳门半岛、凼仔和路环三个赌牌，前者只继续经营澳门半岛上的赌业，其余两个则分给其他投资者。特区政府对此作出回应，称赌业是澳门的经济命脉，将审慎处理赌权开放之事。

4、加快工业转型，鼓励技术创新。澳门特区政府鼓励采用先进技术，支持技术创新，以推动工业转型和升级，提高工业产品的对外竞争力。此外还将严格按照国际标准，致力于维护知识产权。

5、强化与香港的金融合作关系，有效防范和化解金融风险。澳门元与港元挂钩，实行固定汇率。澳门特区政府金融监管部门将把保持澳门金融稳定作为首要任务。澳门回归不久，香港金融管理局对澳门提出关于加强两地金融监管合作，以及邀请香港协助澳门银行监管及外汇管理人员进行技术培训给予了积极回应，双方还就两地金融市场的最新情况进行了广泛的讨论，内容涉及外汇储备的管理、银行监管措施、银行同业即时支付系统运作、金融投资公司的管理以及参与国际金融机构活动等。为加强两机构间的业务联系，双方同意建立有关部门负责人联络的特别沟通渠道。

6、充分考虑澳门社会的承受能力和长远发展，适当调整移民政策。为了解决澳门人口规模过小，不足以应付经济长远发展需要的矛盾，近年来澳门各界已提出了许多建议，如放宽因"家庭团聚"需要而到澳门定居的限额；允许内地专业人才移居澳门；积极研究驻澳中资机构、内地劳工及其他熟悉澳门情况的人士转为澳门永久居民的可行性等等。特区政府表示，政府的人口政策和移民政策将会充分考虑澳门的社会承受能力和今后的长远发展。

7、积极研究、筹备兴建港澳大桥。继澳门、珠海分别提出兴建港澳大桥计划后，近来又有机构提出新港澳大桥方案，受到澳门舆论的广泛关注。新大桥方案的三个落脚点分别为香港的大屿山、澳门的黑沙环近水塘角和珠海的九州岛，分两层桥面，供不同车辆行驶。全桥长度为32公里，造价约190亿元(人民币)。不久前，何厚铧先生在接受港澳记者采访时表示，相信港澳大桥总有一天会水到渠成。此外，澳门还正就兴建大型基础设施、基建项目以及其他相关事宜，与香港特区、内地尤其是珠海等地建立协调机制一事与内地有关部门进行沟通，业已得到有关方面的赞许和支持。

8、全力以赴，减少失业。针对失业率近几年一直居高不下的状况，何厚铧先生在他第一份施政报告中提出，在努力维持劳资和谐关系的前提下，政府将致力改善就业状况，2000年内至少为本地工人增加4000个就业职位。澳门舆论认为，澳门失业率高企的原因之一是，雇主贪图外来劳工价格便宜，因而在雇佣本地工人方面态度不够积极。目前澳门有外劳(主要来自内地，在澳门大多从事建筑业和服务业)2万多人。因此施政报告提出，政府将切实加强本地工人的职业培训，同时对雇佣外埠劳工进行一定限制，具体办法是只有雇佣了一定比例的本地工人后，才允许雇主提出雇佣外劳的申请；除了一些技术性强的工种外，凡本地工人可以胜任的、工资不是很高的职位，都要优先聘用本地工人。何厚铧表示，降低失业率是2000年特区政府全力以赴要达到的目标。

【把握机遇，再创繁荣】 综合分析澳门当前面对的内外环境变化，不难看出，澳门今后经济进一步转坏的可能性并不大，但要说从此可以走上复苏之路，为时尚早。四大支柱产业中预计只有旅游业可能随着周边地区情况好转而继续维持向好发展的势头，出口加工业如果在外部需求不减的情况下还会保持增长，而博彩、房地产和金融业预计还将处于调整阶段。因此，整体经济究竟何时能够出现复苏，要取决于外部经济环境的进一步向好和内部经济结构调整步伐的加快。应该说，当前澳门经济发展所面临的不仅是一般意义上的周期性衰退，而是内部结构失衡、经济提升乏力和缺乏新的增长动力的结果。但困境之中又有机遇：在外部，世界经济继续保持稳定增长；亚洲各国（地区）经济相继复苏；中国内地经济可望维持8%左右的增长，而香港更有可能出现近十年罕见的双位数字增长；内部因素而言，回归这一历史性机遇赋予澳门新的增长动力，"澳人治澳"使得澳门人第一次可以按照自己的意愿选择澳门长远的发展方向。内地从中央到地方都全力支持澳门，粤澳、沪澳、闽澳、珠澳之间，正在按照优势互补的原则，认真磋商落实有关加强合作的具体项目和措施。

因此，当前澳门的发展可以说是机遇与挑战并存，其中机遇主要是建立在澳门经济所具有的国际竞争优势的基础之上，而这些优势主要体现在：一方面，澳门的博彩业历史悠久，不仅澳门作为"东方蒙地卡罗"的独特形象早已深入人心，而且旅游博彩业对整体经济的带动作用，对政府税收、市民就业等各方面的贡献都不容低估。加之澳门悠久的历史与人文方面的旅游资源尚未得到充分开发，旅游博彩业仍然具有很大的发展潜力。因此，澳门旅游博彩业在区域合作与分工中占有较大的竞争优势。另一方面，澳门是中国除香港以外的另一个自由港和独立关税区，实行简单及低税率的税制，经营成本低于香港，基础设施不断改善，它不仅是联系欧盟和拉丁语系国家的桥梁和门户，而且还是台商进入中国内地唯一的间接直航中转站，澳门的这种中介地位可以说是它所具有的最重要、最独特的战略性优势。

结合以上优势，澳门经济在今后一段时间里将面临一些新的、更重要的机遇。

1、澳门回归后与内地及香港的联系与沟通得到进一步加强。澳门作为一个微型经济体系，不可避免地与周边地区特别是内地和香港存在着密切的联系。但是，近年来，由于珠江三角洲经济的不断发展，粤澳两地产业发展的互补性下降，加之两地同时面临着产业结构调整和升级的问题，结果导致区域间竞争不断增强。澳港合作方面，到目前为止基本上还只停留在自发的、低层次的、民间的层面，以市场为主导，缺乏高层协调。近年港商到澳门投资有所减少，香港游客访澳人数也出现大幅下降。回归后，这种情况已有所改观。在"一国两制"的整体架构下，澳门与香港一样都是中华人民共和国的特别行政区，具有同等地位，不仅澳门同内地的经济合作范围会进一步扩大，澳门同香港间的合作领域也将进一步拓宽，三地经济的协调互补性无疑将会得到加强。澳门与香港的合作，一方面澳门可以充分利用香港的优势成为其功能的延伸和辅助，另一方面澳门还可以发挥其对香港功能的分流和补充作用，形成良性互动，共同繁荣。

2、澳门作为联系欧盟和台湾的中介作用将会得到加强。回归后，澳门作为欧盟与亚洲地区尤其是中国的桥梁的战略角色日益突显，甚至日本与台湾也在积极探讨如何利用澳门发展对欧盟经贸关系的途径。因此，澳门仍应积极加强与欧盟与拉丁语系国家的联系，尤其是欧盟目前已在澳门设有一些战略性的机构，澳门应该积极、充分地发挥这些机构的作用，将澳门发展成为欧盟与亚洲特别是中国经贸联系的中转站，并争取将澳门建成欧盟与中国的科技交流中心和文化交流中心。另外，澳台通航已为两地经贸发展提供了新的契机，将来澳门作为连接海峡两岸经贸关系的中介作用也一定会得到加强。

3、中国加入世贸组织将为澳门投资者在内地拓展业务提供更多机会。中国加入世贸后，由于进口关税的下降和关税限额的放宽，对于澳门增加对中国内地的出口贸易和转口贸易将提供更多机会，而受惠于中国进一步改善投资环境和逐步开放金融、服务业市场的有利时机，澳门有关行业的投资者将有更多机会进入中国内地拓展业务。以服务业在澳门经济结构和两地贸易结构中所占的比重，可以预计澳门从内地开放市场的过程中，不仅可以增加赢利的机会，而且还可以扩大服务业发展的市场范围。当然，内地服务业市场的开放同时也意味着竞争的加剧，澳门投资者最终的受惠程度还将取决于自身的竞争能力。

4、内地国企改革进程的加快，将为澳门中资企业问题的解决提供契机。同时，政府鼓励外商参与国企改革和改造，特别是允许外商收购兼并中小企业，在一定程度上也为澳门投资者提供了参与内地国企改革的机会。

总之，形势的发展为澳门经济走出困境提供了机会，澳门回归祖国又为它赋予了新的发展动力。当然，如何将以上机遇真正转变为显示刺激经济发展的新的增长点，还需要各方面采取切实可行的发展策略。比如，充分发挥政府对于宏观经济发展的指导作用和协调作用，确定一段时期内的经济发展方向；推行行政管理体制改革，以循序渐进的方式建立一个高效、廉洁、公正的政府和公务员体制；改善治安，营造良好的旅游和投资环境；加强宣传推介澳门总体优势，重整澳门的对外形象；推动和引导企业改善经营理念，提高管理水平；注重吸引高素质专业人才，提高全社会文化教育程度；以及制定切实可行的经济发展策略，积极推动各支柱产业结构的调整，促使经济早日走向复苏。相信在特区政府和广大澳门同胞的共同努力下，澳门必将迎来更加美好的明天。 （陈 多）

表1　1997～1999年澳门综合消费物价指数(屋租除外)

(1995年7月～1996年6月＝100)

商品/服务	权　数	平　均　指　数		
		1997年	1998年	1999年
总指数(屋租除外)	75.52	102.82	103.00	99.71
粮食及不含酒精饮品类	31.31	103.69	104.32	99.73
衣履类	5.74	100.42	101.43	99.22
维修及住屋开支类	5.78	107.80	109.21	107.04
烟酒类	1.42	101.96	105.49	105.28
家居用品类	4.09	99.87	98.95	96.28
药物及医疗类	1.84	107.49	109.24	106.47
交通及通讯类	10.12	103.05	99.96	97.91
教育文化及消闲类	9.22	102.35	104.66	101.92
其他物品及服务类	6.01	97.64	94.49	91.59

表2

1999年澳门水、电及各类燃料价格指数

(1995年7月～1996年6月＝100)

项　目	单　位	1999年			
		1季度	2季度	3季度	4季度
水	立方米	110.83	110.83	110.83	110.83
电力	千瓦小时	105.85	105.85	105.85	105.85
汽油	公升	108.70	108.01	110.42	116.59
柴油	〃	107.60	107.60	111.18	118.34
润滑油	〃	114.66	114.66	114.66	115.65
石油气	公斤	108.11	106.38	106.38	106.38

表 3

1999 年澳门水费、电费及各类燃料平均零售价格

单位:澳门元

项目	单位	1999 年			
		1 季度	2 季度	3 季度	4 季度
水	立方米	4.53	4.53	4.53	4.53
电力	千瓦小时	1.04	1.04	1.04	1.04
汽油	公升	5.87	5.83	5.97	6.30
柴油	〃	4.01	4.01	4.14	4.41
润滑油	〃	72.50	72.50	72.50	73.13
石油气	公斤	8.77	8.63	8.63	8.63

表 4

1995～1999 年澳门部分食品年平均零售价格

单位:澳门元

食品	单位	1995	1996	1997	1998	1999
泰国米(包装)	公斤	6.40	6.75	8.43	10.73	9.40
中国米(散装)	公斤	4.87	5.14	5.83	5.57	5.43
瘦猪肉	公斤	35.62	35.42	38.98	43.29	41.68
猪排骨	公斤	40.55	42.14	45.75	42.96	42.74
牛肉	公斤	36.50	37.55	37.39	37.62	36.91
牛腿肉	公斤				36.17	35.17
活鸡	公斤	26.68	28.51	28.04	29.09	28.39
活鸭	公斤	22.42	23.29	23.35	22.70	22.04
红衫鱼	公斤	33.26	35.57	34.38	30.54	31.84
鲍鱼	公斤	61.28	68.29	69.04	87.61	77.96
挞沙鱼	公斤	75.54	88.24	74.42	106.83	112.24
大鱼头	公斤				38.45	37.06
鲩鱼	公斤	20.31	21.60	20.02	20.20	19.76
鲮鱼	公斤	19.52	28.09	26.83	24.27	20.96
菜心	公斤	11.86	10.67	11.97	9.79	8.91
白菜	公斤	8.35	8.25	8.78	7.74	7.30
橙	每个	2.59	2.63	2.74	2.85	2.82
苹果	每个	2.57	2.50	2.55	2.58	2.37
香蕉	公斤	7.29	7.85	7.75	7.94	7.67
鸡蛋	每只	0.71	0.78	0.78	0.76	0.75

表 5

1998～1999 年澳门各类商品及服务综合消费物价指数(屋租除外)

(1995 年 7 月～1996 年 6 月＝100)

商品/服务	平均指数		商品/服务	平均指数	
	1998	1999		1998	1999
总指数(屋租除外)	103.00	99.71	童装(3～12 岁)	94.33	88.92
第一类:粮食及不含酒精饮品	104.32	99.73	婴儿服装(3 岁以下)	71.58	81.74
粮食	104.43	99.83	其他衣物	97.95	101.67
谷类及谷类制品	112.81	106.67	衣料、洋杂及车衣用品	94.41	91.55
鱼类、甲壳类及其他海产	93.99	89.24	鞋类	104.34	95.02
肉类及杂碎	103.12	99.65	男装鞋	108.40	105.79
蔬菜	100.81	86.91	女装鞋	102.35	84.46
生果	93.87	89.93	童装鞋	96.80	97.99
奶类制品	111.19	104.71	补鞋	107.14	104.14
蛋类	96.84	95.00	第三类:维修及住屋开支类	109.21	107.04
食油	99.68	97.51	楼宇保养	110.69	107.56
咖啡、可可及茶	106.52	104.33	住屋开支	108.78	106.89
糖、蜜糖及糖果类	105.06	101.74	水费	110.21	110.83
其他食品	102.38	102.84	电费	106.87	105.85
外出膳食	107.38	103.12	石油气	111.56	106.81
不含酒精饮料	97.39	93.54	第四类:烟酒类	105.49	105.28
汽水及矿泉水	92.31	86.48	含酒精饮料	104.63	101.05
果汁	103.15	102.37	酒	107.72	114.34
其他饮料	103.12	101.16	啤酒	106.08	100.15
第二类:衣履类	101.43	99.22	烈酒	99.73	93.86
衣服	100.61	100.40	烟草	105.78	106.75
男装衣服	102.65	106.20	香烟	105.78	106.75
女装衣服	101.73	99.98	第五类:家居用品类	98.95	96.28

表5续表

商　品/服　务	平均指数 1998	平均指数 1999	商　品/服　务	平均指数 1998	平均指数 1999
耐用品	93.96	89.55	汽车保养及维修	105.05	104.39
家具	87.24	83.60	其他汽车开支	112.67	114.34
家庭电器	92.06	85.58	公共交通服务	117.09	119.47
非用电器具	97.88	94.10	通讯	88.73	82.53
玻璃、陶瓷器皿、餐具及厨具	101.15	98.90	邮政服务	100.00	100.00
家用纺织品	97.81	99.91	电话、传呼机及流动电话	88.61	82.35
其他	101.66	96.53	**第八类:教育、文化及消闲类**	104.66	101.92
日用品	100.37	97.26	教育	114.27	114.99
肥皂及去污剂	100.37	97.26	教育服务	114.50	114.98
家庭用品之清洁及维修	109.15	110.25	教育费用	112.62	115.02
维修及保养	81.78	97.73	文化及消遣	93.18	86.29
清洁服务	101.89	97.89	电视及音响器材	84.46	73.52
家庭服务	110.15	111.49	照相机、摄录机及乐器	93.89	89.55
第六类:药物及医疗类	109.24	106.47	玩具、消闲及娱乐	98.11	93.02
药物	105.53	105.11	报章及定期刊物	105.78	106.71
西药	104.94	108.45	其他用品	99.77	92.17
中药	106.15	101.53	**第九类:其他物品及服务类**	94.49	91.59
医疗器具	121.78	110.38	个人护理	101.76	99.04
光学用品	121.78	110.38	护理/化妆用品	95.08	90.82
医疗服务	109.63	106.30	其他耐用品	95.27	92.59
诊治服务	109.54	105.51	服务	116.88	117.55
住院服务	112.50	130.00	其他物品	83.50	78.22
其他医疗费用	111.61	116.12	首饰	78.35	73.05
药箱用品	102.25	103.50	钟表	91.75	91.04
化验、X光、扫描及心电图	114.12	119.51	其他个人用品	89.06	82.24
第七类:交通及通讯类	99.96	97.91	海外旅游	86.28	82.96
交通	104.46	104.06	杂项服务	108.67	109.67
购买车辆	73.26	66.06			

台 湾 地 区

【总体经济情况】 1999年,台湾经济尽管受到"7.29"大停电、"9.21"大地震与上半年民间投资衰退影响,但由于外部环境大幅好转,出口增长势头良好,经济复苏强劲,工业生产增长大幅上升。

总体经济再现良好。基本表现特征是"高增长、低通胀、高失业"的"两高一低"模式。全年台湾国民生产总值达到2908亿美元,经济增长达5.7%,高于上年的4.6%。物价仅上涨0.2%,继续保持低增长水平。失业仍处于较高水平,达2.9%,创下数十年来新高。另外,人均GNP达到13248美元;到年底外汇储备达到1062亿美元,仅次于日本与祖国大陆,居世界第三位。

对外贸易复苏加快。全年贸易总额达到2323亿美元,较上年增长8%。其中,出口1216亿美元,进口1107亿美元,分别较上年增长10%与5.8%。全年外贸顺差达109亿美元。

外资投资增长迅速,对外投资萎缩。在总体经济形势好转的带动下,外资对台投资再度增加,全年投资项目1068个,金额41.9亿美元,分别较上年增长16.34%与27.03%。投资居前五位的行业分别为电子电器制造业、金融保险业、服务业、批发零售业与国际贸易业。然而,受1998年下半年以来岛内企业财务危机影响,对外投资出现滑坡,全年对外投资774项,金额32.7亿美元,分别较上年下降13.71%与0.83%。对外投资居前五位的分别为金融保险业、电子电器制造业、运输业、国际贸易业与批发零售业。

工业生产增长强劲。生产产值较上年增长7.7%,远高于上年的2.6%。其中,制造业增长7.9%(机电工业增长9.2%),水电燃气业增长3.8%,房屋建筑业增长7.1%,矿业增长1%。按轻重工业分类,重工业增长10.7%,轻工业增长0.5%,显示重工业增长迅速,以传统工业为主的轻工业增长缓慢。

产业结构继续向第三产业倾斜。三个产业占GDP的比重分别为:农业产值占2.6%,工业产值占33.1%(其中制造业占26.4%),第三产业升至64.3%。

【总体物价情况】 物价走势平稳,消费者物价仅上升0.18%(扣除新鲜蔬菜水果、鱼类及能源等之后的核心物价上涨1.16%),是1986年以来涨幅最小的1年。其主要原因是气候平顺,蔬菜水果丰收,价格低廉;内消市场商品竞争激烈,降价销售流行;服务类价格涨幅不大。批发物价虽因国际原油及工业原料等价格上扬,但因原先跌幅过大,全年仍较上年下跌4.54%。其中,自产内销品价格下跌1.68%,进口物品价格下跌4.06%,出口物品价格下跌8.53%。

(一)消费者物价指数

1999年,消费者物价指数为103.10(1996年=100,下同),较上年上升0.18%。就各月物价与上月比较观察,受节庆、气候等因素影响大。其中,2月与8月分别因节庆因素及生产区暴雨造成蔬菜水果供应减少,指数涨幅超过1%;3月则因春节过后服务费用回落,下跌1%。其余各月变动幅度较小。如将各月指数与上年同月比较,除2月受春节期间各档货品需求活络和部分服务费用循例加价影响及指数涨幅超过2%外,其余各月变动率介于-0.9%至1.1%之间。就全年变动观察,医疗保健类因"保健局"8月调高门诊药品及部分负担额,其指数涨幅达3.47%,涨幅最高;教育娱乐类因教科书及学杂费调价,上升1.96%,涨幅居次;杂项类因丧葬费及考试报名费调升,涨0.54%,涨幅居第三。另外,居住类因房租调涨上升0.1%;衣着类则因需求减缓,降价促销,下跌1.37%;交通类因电话费及呼叫器月租费调降,下跌0.77%;食物类因蔬菜水果丰收,下跌0.5%。依商品性质观察,1999年,商品类价格下跌0.99%,服务类价格上涨1.65%。

(二)批发物价指数

1999年,批发物价指数为95.59,较上年下跌4.54%。各月与上月比较一个明显的变动规律是,各月价格指数下跌幅度逐渐缩小,从1月的下跌10.11%持续缩小到10月的负0.48%,后两个月出现正增长,主要是由于下半年国际原油与原料价格上涨所致。其中,自产内销、进口及出口三种物价指数变动情况如下:

自产内销物价总指数为95.23，较上年下跌1.68%。就基本分类观察，农林渔牧产品类受毛猪、仔猪因市场销售旺盛价格弹升与蔬菜水果价格下跌相互影响，上涨8.25%；矿产品类因砂石等价扬，上涨11.51%；制造业产品类价格指数受多种因素的影响下跌3.26%，其中，20类中有17类下跌，2类上涨，1类持平，以电力及电子机械器材类资料存储处理设备削价促销下跌8.20%为最大；基本金属类下跌6.52%次之；水电燃气类下跌1.03%。

进口物价指数为95.29，较上年下跌4.06%，若扣除新台币对美元升值3.7%这一因素，以美元计算下跌0.5%。基本分类的10大类中，以美元计算有6大类进口物价指数下跌，4大类上扬。其中，电机及其设备类跌幅7.52%最大，主要是自动资料处理机、积体电路价格下跌所致；基本金属及其制品类价格下跌6.76%，居次，主要是钢坯、铜、铝等基本金属价位走低所致。另外，矿产品因原油、燃料等国际行情上扬，价格上涨17.12%。

出口物价指数为98.55，较上年下跌8.53%，若扣除汇率变动因素，以美元计算则下跌5.16%。基本分类以美元计算，5大类出口物价指数下跌，4大类上扬，其中以电机及其设备类跌幅12.55%最大，主要是自动资料处理机及其附属品与零配件、积体电路、电阻器等价格下跌所致；基本金属及其制品类跌5.83%居次，主要是镀面钢板、冷热轧钢卷等供过于求，报价持续下跌所致。

【市场物价变动情况】

1、重要民生物资与服务费用价格调整。(1)调高健康保险费，自3月起健康保险单位的自付上限额由每次19000元新台币调高至20000元，全年自付额上限由31000元调高至34000元。“中央健保局”自12月起将健康保险最高投保薪资上调一级，每人每月至少多负担31元保费。另外，自12月起调降1万种药品价格，平均降幅达9%。(2)自7月份起工业用糖每公斤降5角。(3)为配合未来烟酒税制实施后的市场变化，台湾公卖局自8月10日起调整6项烟酒产品价格，其中白兰地和瓮底酒分别降价二至三成，半公斤罐装啤酒和罐装长寿烟的零售价略有调涨。(4)9月10日起，台北市调整6年未动的殡葬规费，平均调幅超过50%。

2、部分市场重要物价变动情况。(1)1月初，预拌混凝土价格在各厂商削价竞争下，每立方米跌至50～100元新台币，创下10年来新低价格。(2)农产品价格波动。4月初，因鸡蛋产地价下跌，致使批发价最低跌至每台斤20元台币以下，到6月底产地价格因供过于求跌至每台斤12元左右；鲜乳因收购价格提高，市场销售价上涨，其中，1公升鲜乳由45元新台币调高为55元；“家庭号”鲜乳由90元调整为108～110元；3月初白米价格较年前上涨10%；猪肉价格连续上涨，到7月下旬涨至每公斤7300元，接近历年最高价。(3)电脑及相关价格下降。宏碁、伦飞与国众三大电脑厂商同时于5月5日宣布调降3款电脑机型售价1～2成。6月，英特尔公司大幅降低处理器售价，降幅最多达21%，以提高低价位个人电脑市场占有率；同时英特尔奔腾Ⅲ500处理器电脑降幅达10%。另外，受台湾大停电与地震影响，CD－R价格上涨5～10%，主板一度上涨10～15%。(4)纸张价格数度调涨。(5)石化与化纤产品普遍上涨。4月石化中间原料价格全面上涨；5月尼龙丝每公斤报价较年初上涨64%；6月化纤产品价格全面上扬，聚酯丝每公斤大幅调涨5～6元，加工丝上涨6～8元，尤其是自3月至此聚酯加工丝上涨了80%。

3、学杂费调整情况。6月25日，台湾“教育部”公布1999学年度大学学杂费收费标准，各大学调幅最高不超过5%。其中6所公立大学与14所私立大学不调涨学杂费，一所不收学杂费(南华管理学院)，所有私立医学院当年全部不调涨。

台湾于该学年度起实施大学院校学杂费弹性方案，由各学校自行确定调整幅度。原各界担心开放自行调整后学杂费会大涨的情况并没有出现。主要原因是经济景气不佳及各学校担心学杂费大幅上涨不利吸引优秀学生。加上“教育部”协调，如原公立大学计划调涨8%，在“教育部”协调下接受不超过5%的调涨原则，也控制了学杂费的上涨。

公立大学学杂费以成功大学医学系30790元新台币最高，最低为“国防管理学院”文、法学院的18870元新台币；私立学校中，最高收费学校为“中国医学院”、台北医学院与中山医学院，为63920元；最低是长庚大学商学院的35053元。

另外，“教育部”还特别对原住民与抚恤的军公教后代制订了学杂费减免标准。

1999年，台湾省(不包括台北市与高雄市)高中高职学杂费也调涨。具体调整情况如下：

公立高中学费调为4970元新台币，增加650元；杂费按年级组别分别调为1700元、1930元与1630元，增加80～90元。调整后，高中学杂费合计为6600～6900元。

私立高中学费调为11240～19730元，增加580元；杂费按年级组别分别调为4330元、4590元与4230元，增加200～220元。调整后，私立高中学杂费合计为15470～24320元。

公立高职学费调为4260元，增加800元；杂费依不同类别调整为1250～1400元，增加60～70元，加上实习与实验费等，调整后学杂费合计6040～7440元。

私立高职学费调为12580～23320元，增加970元；杂费调为3010元与3150元，增加140～150元，加上实习与实验费，调整后学杂费合计为16450～29250元。

1999学年度部分公、私立大学学杂费收费标准

单位：新台币元

与上学年度比较		学校	各学院系每学期学杂费最低差别	
公立大学	调涨5%	台湾大学、清华、中山、成功、政治、交通、中央海洋、台湾师大、高雄师大、彰化师大、中正、东华、台湾艺术学院、国立艺术学院	医学系 牙医学系 医学院* 工学院 理农学院	22590—30790 27060—28150 23220—24160 22070—23170 21890—22980
	调涨4—4.97%	中兴4.97%、暨南4.95%、国立体院4%	商学院	19160—20110
	调涨3%以下	阳明2%、台北市立师院3%		
	不调涨	新竹师院、台南艺术学院、台湾体院、国防医学院、中正理工学院、国防管理学院	文法学院	18870—19800
私立大学	调涨5%	元智大学	医学系	54054—63920
	调涨4—4.8%	中原4%、逢甲4%、义守4.8%	牙医系	53210—58490
	调涨3.5%以下	东吴、东海、华梵3.5%；静辅仁、大同工学院3%，铭传与世新平均3.5%	医学院* 理农学院	42470—51340 46440—49570
	不调涨	淡江、文化、长庚、大叶、中华、实践、高雄医学院、淡水学院、长荣管理学院、慈济医学院、台北医学院	工学院 商学院 文法学院	40372—49990 35053—43380 40050—42650

注：各学院金额以学院为大分类，部分学校同一学院不同系有不同收费。

*不包括医学系与牙医学系。

4、航空票价普遍调高。11月26日，台湾“交通部”民航局公告岛内航线票价案，新票价平均调幅上涨14%，但企业可依全额票价有不低于五折的优惠，高峰时间部分航线的售价比现行票价低，于12月16日起实施。新的航空票价管制方式，由各航空公司依航线在“交通部”核定的上下限范围内自订票价，再报民航局核备通过。其中5家经营岛内航线的航空公司，除瑞联航公司报价低，可在核备后实施“全额票价”；远东、立荣、华信与复兴等四家航空公司在票价调后三个月，先实施折扣后的全额票价，约为全额票价的八五折。不过，国际航线价格有所调高。其中，自9月1日起，台湾与欧洲航线调高10%，台湾与美国航线也于9月中旬第二次调涨，涨幅达10%。

岛内主要航线新旧票价比较表

单位:新台币元

航线别	航空公司	全额票价	折扣后票价	现行票价	航线别	航空公司	全额票价	折扣后票价	现行票价
台北—高雄	复兴	1900	1670	1409	高雄—金门	复兴	1800	1620	1461
	远东	1990	1700			远东	1820	1638	
	立荣	1990	1690			立荣	1820	1635	
	联瑞	1550				瑞联	1596		
	华信	1920	1680						
台北—台南	复兴	1730	1470	1325	高雄—花莲	复兴	1550		1511
	远东	1780	1510			远东	1600		
	立荣	1755	1490			华信	1600	1600	
台北—花莲	复兴	1350	1280	1111	台北—马公	复兴	1650	1485	1252
	远东	1430	1359			远东	1700	1530	
	立荣	1430	1265			立荣	1720	1460	
台北—台东	复兴	1650	1485	1407	台北—嘉义	复兴	1650	1400	1272
	远东	1780	1602			远东	1700	1445	
	立荣	1780	1575			立荣	1720	1460	
台北—金门	复兴	1910	1710	1629	高雄—马公	复兴	1350	1170	909
	远东	1920	1728			远东	1420	1178	
	立荣	1920	1725			立荣	1420	1180	
	瑞联	1773				华信	1350	1150	

资料来源:台湾“交通部民航局”。转引自台湾《联合报》,1999 年 11 月 27 日。

5、多次调整油品价格。其中 1 次调降,6 次调升。调整情况如下:1 月 6 日,平均下调 2.98%;4 月 7 日,平均调高 2.69%;5 月 12 日,调高 2.80%;7 月 14 日,调高 2.99%;8 月 11 日,调高 2.97%;11 月 10 日,调高 2.91%;12 月 8 日,调高 2.99%。后六次累计调幅达 17.35%,全年累计调高 14.37%。调整后的油品价格,与 1997 年的价格基本相同或略高。

另外,天然气价格也进行了相应调整。到年底,天然气税后价格分别为:自产与进口混合工业用天然气每立方米为 7.80 元,进口工业用天然气 8.68 元,自产与进口混合家庭用天然气 7.04 元,进口家庭用天然气 7.83 元。

1999 年主要油品价格调整情况(税后价格)

品名	单位	1999 年底	1998 年底	1997 年底
液化石油气—批发家用	元/公斤		9.57	11.33
液化石油气—零售车用	元/公升		9.90	10.90
高级汽油	同上	18.40	16.60	18.40
98 无铅汽油	同上	19.20	16.60	18.40
95 无铅汽油	同上	18.20	16.40	18.20
92 无铅汽油	同上	17.20	15.40	17.20
二行程无铅汽油	同上	17.20	15.40	17.20
低铅航空汽油	同上	16.70	14.90	16.70
煤油	同上	14.30	12.50	14.20
高级柴油	同上	13.40	11.80	13.20
普通柴油	同上	12.20	10.60	12.00
气涡轮机燃油	元/千公升	12200	10500	
甲种渔船油	同上	7249	5725	
乙种渔船油	同上	4641	3631	

6、调整部分邮政资费价格。7月6日，台湾“交通部”邮政总局宣布，自7月15日起调高岛内及国际函件挂号费6元，岛内函件由现行每件14元调高为20元，国际挂号资费由24元调整为30元；另外调低寄往加拿大、澳大利亚等64个国家的国际航空包裹邮资费。

7、调整电信价格。1月29日，台湾“交通部”完成公营企业中华电信公司第三次电信资费调整审核，对8项重要资费结构进行了大幅调整，包括国际与岛内长途、移动电话、出租电路费率等大幅调降，并提供优惠方案；另外，市内公用电话及查号费调涨。新资费于2月1日起实施。

挂号邮件基本邮资调整情况

单位：新台币元

种　　类	原费率	新费率
信函类：普通挂号	19	25
限时挂号	26	32
普通双挂号	28	34
限时双挂号	35	41
印刷类：普通挂号	17.5	23.5
限时挂号	24.5	30.5
普通双挂号	26.5	32.5
限时双挂号	33.5	39.5
国际挂号信函	24十国际邮资	30十国际邮资
挂号邮件遗失最高补偿费	450	580

公营中华电信公司2月1日起实施的电信新费率

项目	资　　费(新台币)
市内电话	不调整。维持每分钟1.7元，月租费住宅50元，非住宅390元。
长途电话	将原三级费率改为一级收费，并以秒计算，一般时段每秒0.045元，减价时段每秒0.025元。
移动电话	改采用以秒计算，租用满1年以上月租费七或八折优惠，一次申办三具以上月租费六到八折，并实行基本型与经济型两种。 基本型月租费600元，每秒0.1元。 经济型月租费200元，每秒0.15元。
呼叫器	语音信箱、线上通信全部免费，月租费年缴五折优惠；半年七五折优惠。
公用电话	拨叫市话者由每2分钟1元调为1分钟1元，拨叫长途者调整为一级收费，一般时段每20秒1元，减价时段35秒1元。
出租电路	平均调降46.8%。
查号服务	利用市话或公共电话查号者，每通由2元调涨为3元；利用移动电话查号者，每通由5.6元调涨为6元。
整体服务数位网路	基本速率接取月租费由950元降为500元，接线费由5000元降为3000元，住宅用户月租费380元。

(1)国际长途电话费率

国际长途电话费率全面调降，整体营收加权平均降幅为8.62%。中东、非洲降幅最大。另外，对大量使用国际长途电话的客户(每月国际电话费满5000元以上)，给予五折至八五折优惠(具体降幅见下表)。

国际电话新旧通话费率比较表

单位:新台币元/秒

洲别	国家或地区	原费率		新费率	
		一般时段	减价时段	一般时段	减价时段
亚洲	香港、新加坡、日本与韩国	2.8	2.5	2.6	2.3
	大陆	2.9	2.6	2.8	2.4
大洋洲	新西兰与澳大利亚	2.8	2.5	2.7	2.4
	其他	3.5	3.0	3.2	2.7
欧洲	英、法、德、西、荷、比、卢、瑞典、瑞士、挪威、丹麦与爱尔兰	3.6	3.0	3.0	2.7
	葡萄牙、摩纳哥、安道尔、梵蒂冈、圣马利诺	3.6	3.0	3.1	2.8
	其他	4.5	3.5	3.1	2.8
美洲	美国	1.8	1.6	1.7	1.5
	加拿大	2.4	2.0	1.7	1.5
	墨西哥	3.3	2.3	3.2	2.2
	其他	6.0	5.0	4.5	3.5
中东		5.5	4.5	4.0	3.0
非洲		6.0	5.0	4.5	3.5

注:一般时段为周一至周五8时至23时,周六、日8时至12时;减价时段为周一至周五23时至8时,周六12时至周一8时,固定假日全日。

(2)岛内长途电话费率调整

中华电信公司将原三级费率改一级收费,取消傍晚时段,并采用"以秒计算"。调整后,一般时段每秒0.045元新台币,减价时段每秒0.025元新台币,调降幅度达17%。

岛内长途电话新旧费率比较

通话种类	时段	原费率 元/分	新费率 元/秒	
STD一级 0—40公里	一般	2.5	一般时段	0.045
	傍晚	1.4		
	深夜	0.8		
STD二级 40—140公里	一般	4.0		
	傍晚	2.4		
	深夜	1.3		
STD三级 141公里以上	一般	5.0	减价时段	0.025
	傍晚	3.0		
	深夜	1.7		

(3)移动电话费率调整

为配合接续费成本降低,中华电信公司将过去按"分"计算改为按"秒"计算,并分为"基本型"与"经济型",2月1日起实施。基本型月租费600元,通话费每秒0.1元;"经济型"月租费200元,每秒0.15元。老客户与大客户享受月租费六至八折不等的折扣,即租用满一年以上月租费七折或八折优惠;一次申办三具以上月租费六折或八折。在此影响下,其他民营企业也相继调整费率,推出"经济型"费率与其他降价优惠措施。

另外,3月份起,多家大哥大企业全面推出新费率。如东信电讯公司月租费与通话费平均降幅达10%,智慧全区及以秒计全区合并,全部改为以秒计算。将原一般时段每秒0.09元与减价时段每秒0.06元,分别降为0.075元与0.05元。东荣电信公司调整为通话费一般时段每秒0.16元,减价时段0.08元。远东传播公司推出四级费率,羽量级99元,一般与减价时段通话每秒0.165元;轻量级一般时段每秒0.165元;减价时段每秒0.06元。

2月1日后各家移动电话新费率

企业	类型	月租费	通话费—元/秒		
		元	一般时段	减价时段	网内互打
中华电信	基本型	600	0.10	0.05	0.05
	经济型	200	0.15	0.08	0.05
和信、东信、东荣	经济型	200	0.15	0.08	0.05
远传	经济型	200	0.22		
	易付卡	0	0.22		
台湾大哥大	商用实务型	600	0.11		
	超值经济型	600	0.20(可抵通话费)		
	OK卡	0	0.22		

另外,公用电话拨叫市话由每2分钟1元调为1分钟1元;拨叫长途者调整为统一的一级收费,一般时段每20秒1元,减价时段每35秒1元;出租电路平均调降46.8%;查号服务,利用市话或公共电话查号者,每通由2元调为3元,利用移动电话查号者,每通由5.6元调整为6元。

8、调整土地现值。7月1日起,台湾省公告土地现值调整情况,各县市平均调涨2.38%(不包括台北市与高雄市),为近16年来最低。其中,桃园县涨幅最大,为8.39%;宜兰县次之,为5.28%,其余县市均在4%以下。澎湖县未调整,台南市下调0.97%,是40多年来首度再现负增长。地价最高地段为台中市中正路,每平方米38万元新台币;最低区段位于云林县四湖乡离岛工业段与花莲县卓溪乡山地,每平方米10元台币。

1999年全省公告土地现值情况

(单位:%)

县市别	1998年调幅	1997年调幅	1999年调幅	县市别	1998年调幅	1997年调幅	1999年调幅
台北县	3.60	7.49	2.07	高雄县	2.08	4.85	0.62
宜兰县	2.28	3.74	5.28	屏东县	4.97	4.58	0.96
桃园县	9.00	7.31	8.39	台东县	4.00	12.89	1.22
新竹县	4.58	4.83	2.16	花莲县	8.44	8.65	3.56
苗栗县	9.46	8.77	4.26	澎湖县	7.97	8.56	0
台中县	6.37	7.58	2.53	基隆市	5.16	5.41	1.31
彰化县	7.91	3.20	2.46	新竹市	5.41	6.72	1.58
南投县	4.52	5.43	1.85	台中市	3.38	2.29	0.25
云林县	4.41	10.50	2.01	嘉义市	4.17	4.05	2.44
嘉义县	4.77	6.20	1.83	台南市	0.05	5.13	−0.97
台南县	6.00	6.07	0.86	平均	5.17	6.33	2.38

表 1　　1999 年台湾地区四大类物价总指数变动情况

（1996 年为 100）　　单位：%

类别 年（月）份	批发物价总指数		消费者物价总指数		进口物价总指数		出口物价总指数	
	定基指数	年增长率	定基指数	年增长率	定基指数	年增长率	定基指数	年增长率
1971	37.94	0.03	22.79	2.75				
1972	39.63	4.45	23.47	2.98				
1973	48.69	22.86	25.39	8.18				
1974	68.45	40.58	37.45	47.50				
1975	64.98	−5.07	39.41	5.23				
1976	66.78	2.77	40.39	2.49	80.09		76.42	
1977	68.62	2.76	43.23	7.03	82.74	3.30	78.41	2.61
1978	71.05	3.54	45.73	5.78	83.85	1.35	83.70	6.74
1979	80.87	13.82	50.19	9.75	97.55	16.33	93.70	11.95
1980	98.29	21.54	59.74	19.03	119.24	22.23	101.43	8.25
1981	105.79	7.63	69.48	16.30	128.55	7.81	107.11	5.60
1982	105.59	−0.19	71.54	2.96	127.12	−1.11	108.22	1.04
1983	104.35	−1.17	72.52	1.37	123.95	−2.49	107.25	−0.90
1984	104.84	0.47	72.49	−0.04	122.88	−0.87	107.47	0.21
1985	102.13	−2.58	72.38	−0.15	121.05	−1.49	107.31	−0.15
1986	98.71	−3.35	72.88	0.69	105.29	−13.02	102.78	−4.22
1987	95.50	−3.25	73.26	0.52	97.55	−7.35	95.21	−7.37
1988	94.01	−1.56	74.20	1.28	96.58	−0.99	92.68	−2.66
1989	93.66	−0.37	77.48	4.42	91.40	−5.37	89.23	−3.72
1990	93.09	−0.61	80.67	4.12	93.56	2.36	91.43	2.46
1991	93.24	0.16	83.60	3.63	90.93	−2.81	91.93	0.54
1992	89.82	−3.67	87.33	4.46	84.63	−6.93	86.98	−5.38
1993	92.08	2.52	89.90	2.94	88.57	4.66	91.49	5.19
1994	94.07	2.16	93.58	4.09	93.10	5.11	92.01	0.56
1995	101.01	7.38	97.02	3.68	102.55	10.15	98.35	6.89
1996	100.00	−1.00	100.00	3.07	100.00	−2.49	100.00	1.68
1997	99.54	−0.46	100.90	0.90	98.60	−1.40	102.05	2.05
1998	100.14	0.60	102.60	1.68	99.32	0.73	107.74	5.58
1999	95.59	−4.54	102.78	0.18	95.29	−4.06	98.55	−8.53
1	94.78	−10.11	102.26	0.40	92.89	−14.22	99.36	−14.46
2	94.92	−7.85	103.34	2.08	92.83	−10.64	99.57	−11.02
3	95.27	−6.01	101.38	−0.46	94.13	−6.05	100.27	−8.12
4	94.91	−6.10	102.10	−0.10	93.77	−6.11	99.20	−9.47
5	94.88	−5.63	102.38	0.50	93.08	−6.45	98.36	−9.71
6	94.91	−6.51	102.48	−0.83	92.68	−7.51	97.94	−11.17
7	94.96	−5.57	101.83	−0.82	93.47	−5.76	97.49	−10.35
8	95.58	−4.63	103.33	1.14	94.40	−4.73	97.60	−9.52
9	96.31	−3.82	103.40	0.59	98.61	−0.81	97.61	−9.06
10	96.62	−0.48	104.04	0.42	98.52	2.94	98.51	−4.01
11	96.98	1.14	103.73	−0.90	99.33	5.99	98.57	−2.02
12	97.00	2.32	103.10	0.14	99.80	7.53	98.11	−1.58

表 2　　1999 年台湾地区各月消费者物价变动情况

月　份	与上年同月比较(%)	与上月比较	
		变动率(%)	变动主要原因
1月	0.40	−0.68	冬季蔬菜盛产价跌，及成衣服饰折扣促销。
2月	2.08	1.06	春节期间各档货品需求活络及部分服务费用循例加价，与冬季服饰持续折扣促销交互影响。
3月	−0.46	−1.90	年节过后部分服务费用回跌。
4月	−0.10	0.71	春夏成衣服饰新装上市、蔬菜值产季交替，价格齐告上扬，与夏季水果量增价跌交互影响。
5月	0.50	0.27	蔬菜产区气候不稳，量缩价扬，与母亲节推出成衣促销活动，价格下跌交互影响。
6月	−0.83	0.10	实施夏季用电费率及保姆费端节加发礼金，与夏季蔬果值盛产期，量增价跌交互影响。
7月	−0.82	−0.63	部分水果盛产价跌，及成衣服饰折扣促销，与蔬菜受雨害影响，价位攀升涨跌互见。
8月	1.14	1.47	新鲜蔬果受中南部产区连日豪雨影响，售价攀升，以及健保调高门诊部分负担额。
9月	0.59	0.07	各级学校调升学杂费、保姆费馈赠秋节礼金及部分水果逢产季交替，致价位攀升，与蔬菜顺利复耕、禽畜肉类量增价跌交互影响。
10月	0.42	0.62	秋冬新装上市及部分蔬果值产季交替，价位调高，与夏季用电费率结束、保姆费节后回跌交互影响。
11月	−0.90	−0.30	蔬菜值盛产期，与冬季服饰新装上市交互影响。
12月	0.14	−0.61	蔬果值盛产期，冬季鲜乳例行性降价，及百货公司周年庆折扣促销。

表 3　　1999 年台湾地区各月批发物价变动情况

月　份	与上年同月比较(%)	与上月比较	
		变动率(%)	变动主要原因
1月	−10.11	−0.02	钢铁、热轧钢品、铝、钢等基本金属买气冷淡，价格下跌。
2月	−7.85	0.15	届逢农历年节，各类水果、鱼货及肉类需求热络，价格扬升。
3月	−6.01	0.37	新台币兑美元贬值 1.78%；进口原油价格上扬；槟榔量少价扬；合板、木浆、纸、纸板等制造业产品价格翻升。
4月	−6.10	−0.38	国际原油、石化和人织等原料价格反弹力道增强。唯出口品因竞争仍剧及新台币兑美元较上月升值 0.7%，下跌 0.8%，致 WPI 仍呈下跌。
5月	−5.63	−0.03	国际原油、石化、塑化、人织、纸浆及钢铁等原料价格持续上涨；农畜产品价扬；新台币兑美元、日圆升值 0.46%、2.29%，进、出口品分告下跌。
6月	−6.51	0.03	实施夏季用电费率；端节带动肉品、鱼市买气，价格上扬；纸浆、废纸及石化原料等国际行情上扬。
7月	−5.57	0.05	国际油价持续攀高，使进口原油、石化原料、岛内油品等售价上扬；毛猪、仔猪量少价扬。
8月	−4.63	0.65	进口原油、石化原料、岛内油品等售价持续上扬；中元节普渡祭祀，带动蔬果、鱼价买气，价格走俏。
9月	−3.82	0.76	新台币兑美元较上月升值 0.66%；原油、石化原料等国际行情上扬；塑胶制品价涨。
10月	−0.48	0.32	蔬果、石化原料与塑胶制品价涨；夏季用电费率结束，猪只量丰价跌。
11月	1.14	0.37	原油、燃料油及石化原料等国际行情上扬；油品、石化原料与塑胶制品价涨。
12月	2.32	0.02	原油及燃料油等国际行情上扬；油品及金属制品价涨。

表4　　1999年台湾地区批发物价分类指数变动情况

(1996年为100)

类别		1998年	1999年	涨跌率%	对总指数影响程度%
总指数		100.14	95.58	−4.54	−4.54
基本分类	一、农林渔牧业产品	96.83	102.69	6.05	0.32
	1.农产品	103.71	95.61	−7.81	−0.21
	2.林产品	96.51	109.33	13.28	0.01
	3.禽畜产品	78.39	98.70	25.91	0.38
	4.水产品	96.89	108.79	12.28	0.14
	二、矿产品	104.97	120.32	14.62	0.42
	三、制造业产品	100.44	94.50	−5.91	−5.25
	1.食品及饮料	93.17	91.33	−1.97	−0.10
	2.烟类	103.34	103.34	0	0
	3.纺织品	106.35	99.20	−6.72	−0.34
	4.成衣及服饰类	117.41	113.87	−3.02	−0.05
	5.皮革及其制品	123.19	116.26	−5.63	−0.06
	6.木竹制品	106.34	107.93	1.50	0.01
	7.家具与装设品	113.81	109.58	−3.72	−0.05
	8.纸浆、纸及纸制品	97.13	96.94	−0.20	−0.01
	9.化学材料	90.50	85.83	−5.16	−0.31
	10.化学制品	108.18	108.04	−0.13	0
	11.石油及煤制品	100.74	100.18	−0.56	−0.02
	12.橡胶及塑胶制品	105.97	102.80	−2.99	−0.15
	13.非金属矿物制品	103.09	97.18	−5.73	−0.12
	14.基本金属	101.36	92.42	−8.82	−0.65
	15.金属制品	105.47	100.00	−5.19	−0.19
	16.机械设备	107.75	106.65	−1.02	−0.07
	17.电力及电子器材	92.19	80.71	−12.45	−2.96
	18.运输工具及零件	103.40	103.45	0.05	0
	19.精密仪器	110.36	104.79	−5.05	−0.10
	20.杂项工业制品	113.43	107.78	−4.98	−0.10
	四、水电燃气	101.62	100.57	−1.03	−0.03
按加工阶段分类	1.原材料	100.68	111.74	10.99	0.68
	2.中间产品	96.27	91.42	−5.04	−2.03
	3.最终产品	97.83	95.89	−1.98	−0.42
	资本用品	100.34	97.48	−2.85	−0.19
	消费用品	97.37	95.81	−1.60	−0.23

表5　　1999年台湾地区消费者物价分类指数

(1996年为100)

类别		1998年	1999年	涨跌率(%)	对总指数影响程度(%)
总指数		102.60	102.78	0.18	0.18
基本分类	1.食物类	103.49	102.97	-0.50	-0.14
	2.衣着类	95.59	94.28	-1.37	-0.07
	3.居住类	102.44	102.54	0.10	0.03
	4.交通类	100.10	99.33	-0.77	-0.08
	5.医疗保健类	103.32	106.91	3.47	0.13
	6.教育娱乐类	106.51	108.60	1.96	0.27
	7.杂项类	103.92	104.48	0.54	0.04
按商品性质分类	(一)商品类(含食物)	101.34	100.34	-0.99	-0.55
	(不含食物)	99.62	98.16	-1.47	-0.41
	1.非耐久性消费品(含食物)	103.29	102.55	-0.72	-0.30
	(不含食物)	103.23	102.03	-1.16	-0.15
	2.半耐久性消费品	96.63	95.46	-1.21	-0.09
	3.耐久性消费品	96.51	94.38	-2.21	-0.18
	(二)服务类	104.44	106.16	1.65	0.73
	1.居住服务	102.74	103.23	0.48	0.11
	2.交通服务	100.58	101.23	0.65	0.03
	3.医疗保健服务	104.29	110.49	5.94	0.14
	4.教育娱乐服务	109.41	113.72	3.94	0.38
	5.杂项服务	106.98	109.15	2.03	0.07
其他	不包括新鲜水果、蔬菜总指数	102.29	103.34	1.03	0.95

表 6 **台湾地区房屋租金价格指数**

(1996 年为 100)

年(月)份	总指数	省辖市类	营业用房屋	居住用房屋	非省辖市类	营业用房屋	居住用房屋	营业用房屋	居住用房屋
定 基 指 数									
1989	69.56	67.76	60.34	70.85	70.53	62.07	73.69	61.22	72.77
1990	75.85	74.48	69.98	76.31	76.61	69.37	79.35	69.36	78.37
1991	81.79	83.58	80.19	84.90	80.95	75.23	83.17	76.82	83.73
1992	85.60	88.40	85.34	89.57	84.27	80.22	85.85	81.87	87.06
1993	89.76	92.49	90.38	93.31	88.47	85.78	89.50	87.26	90.73
1994	93.73	95.49	94.07	96.04	92.90	90.97	93.65	91.96	94.42
1995	97.02	97.77	97.02	98.05	96.67	95.31	97.20	95.86	97.47
1996	100.00	100.00	100.00	100.00	100.00	100.00	100.00	100.00	100.00
1997	101.55	101.28	102.11	100.94	101.69	102.39	101.42	102.30	101.27
1998	102.65	101.93	102.91	101.56	103.02	104.88	102.44	104.15	102.15
1999	102.98	102.18	102.86	101.90	103.38	106.04	102.66	104.77	102.41
1月	102.98	102.30	102.72	102.09	103.32	105.53	102.67	104.43	102.48
2月	102.93	102.31	102.74	102.09	103.25	105.55	102.59	104.46	102.42
3月	103.02	102.26	102.69	102.04	103.40	105.51	102.78	104.41	102.54
4月	103.02	102.22	102.60	102.01	103.42	105.65	102.77	104.45	102.53
5月	103.00	102.09	102.71	101.82	103.46	105.88	102.78	104.63	102.47
6月	102.96	102.11	102.60	101.88	103.40	106.10	102.66	104.71	102.41
7月	103.04	102.13	102.55	101.91	103.51	106.18	102.78	104.74	102.50
8月	102.96	102.08	102.58	101.84	103.42	106.22	102.67	104.77	102.40
9月	103.03	102.21	103.18	101.85	103.45	106.42	102.67	105.15	102.40
10月	102.95	102.18	103.06	101.84	103.35	106.44	102.55	105.11	102.32
11月	102.90	102.13	103.08	101.78	103.29	106.48	102.47	105.14	102.25
12月	102.91	102.12	103.34	101.69	103.31	106.54	102.48	105.28	102.22
年 增 长 率									
1989	5.63	6.07	11.76	4.11	5.44	8.80	4.50	9.87	4.37
1990	9.04	9.92	15.98	7.71	8.62	11.76	7.68	13.30	7.70
1991	7.83	12.22	14.59	11.26	5.67	8.45	4.81	10.76	6.84
1992	4.66	5.77	6.42	5.50	4.10	6.63	3.22	6.57	3.98
1993	4.86	4.63	5.91	4.18	4.98	6.93	4.25	6.58	4.22
1994	4.42	3.24	4.08	2.93	5.01	6.05	4.64	5.39	4.07
1995	3.51	2.39	3.14	2.09	4.06	4.77	3.79	4.24	3.23
1996	3.07	2.28	3.07	1.99	3.44	4.92	2.88	4.32	2.60
1997	1.55	1.28	2.11	0.94	1.69	2.39	1.42	2.30	1.27
1998	1.08	0.64	0.78	0.61	1.31	2.43	1.01	1.81	0.87
1999	0.32	0.25	−0.05	0.33	0.35	1.11	0.21	0.60	0.25
1月	0.59	0.46	0.19	0.53	0.65	1.60	0.48	1.00	0.50
2月	0.47	0.42	0.25	0.45	0.50	1.40	0.35	0.92	0.37
3月	0.52	0.38	0.15	0.44	0.58	1.11	0.51	0.70	0.49
4月	0.43	0.25	−0.38	0.41	0.52	1.12	0.42	0.48	0.42
5月	0.35	0.11	−0.33	0.23	0.47	0.92	0.39	0.39	0.34
6月	0.30	0.17	−0.40	0.32	0.38	1.11	0.24	0.47	0.27
7月	0.38	0.17	−0.41	0.31	0.49	1.05	0.39	0.44	0.37
8月	0.27	0.13	−0.50	0.30	0.36	1.01	0.23	0.36	0.25
9月	0.22	0.24	−0.01	0.30	0.22	0.93	0.10	0.55	0.16
10月	0.13	0.20	−0.13	0.28	0.11	0.97	−0.05	0.52	0.06
11月	0	0.17	−0.10	0.25	−0.09	1.02	−0.29	0.55	−0.12
12月	0.11	0.28	0.60	0.20	0.01	1.05	−0.19	0.86	−0.06

(王建民供稿)

V　价格统计

各种价格指数

5—1 1999年全国商品零售价格分类指数

(上年=100)

项 目	全 国	城 市	农 村	项 目	全 国	城 市	农 村
商品零售价格指数	97.0	97.0	97.1	鞋	98.3	98.8	97.7
食品	95.8	95.7	96.0	其他衣着	99.9	100.5	99.1
粮食	96.4	96.2	96.6	**纺织品**	98.0	98.3	97.7
细粮	97.3	97.3	97.4	棉布	98.5	99.4	97.8
粗粮	88.2	85.4	90.6	棉花化纤混纺布	97.7	98.3	97.2
油脂	94.4	94.7	94.0	化纤布	97.5	97.1	97.9
肉禽蛋	91.1	90.6	91.8	呢绒	98.0	97.9	98.0
水产品	93.6	94.2	92.2	绸缎	98.4	98.5	98.2
鲜菜	100.4	99.8	101.5	其他纺织品	98.1	98.7	97.3
干菜	99.1	99.3	99.0	**中西药品**	101.0	101.3	100.6
鲜果	99.4	98.8	100.4	中药	105.6	106.3	104.4
干果	91.5	90.8	92.3	西药	97.9	97.9	97.9
其他食品	97.8	98.6	96.7	医疗用品	100.1	100.0	100.4
调味品	99.9	99.1	100.7	**化妆品**	99.6	99.9	99.2
食糖	84.8	85.5	84.3	**报纸杂志**	104.9	105.5	104.1
糖果	98.1	98.7	97.1	**文化体育用品**	99.5	99.6	99.3
糕点	100.7	101.3	99.6	文化用品	99.5	99.8	99.0
奶及奶制品	99.1	99.5	98.0	体育用品	99.4	99.2	99.8
罐头	99.5	99.7	99.2	**日用品**	97.9	97.8	98.0
饮食业	99.6	99.3	100.2	一般日用品	97.8	97.8	97.7
主食	100.3	100.3	100.3	家具	97.6	97.5	98.0
炒菜	98.9	98.4	100.0	日用杂品	98.6	98.4	99.0
地方小吃	100.9	101.1	100.4	**家用电器**	94.0	94.0	94.0
饮料烟酒	97.3	96.9	97.9	**首饰**	94.5	94.6	94.2
饮料	98.4	98.2	98.8	**燃料**	100.4	101.0	99.6
烟酒	97.0	96.4	97.6	**建筑装璜材料**	98.3	98.7	97.8
服装鞋帽	97.3	97.3	97.3	**机电产品**	95.1	95.4	94.0
服装	96.3	96.1	96.7				

5—2 1999年全国居民消费价格分类指数

(上年=100)

项 目	全 国	城 市	农 村	项 目	全 国	城 市	农 村
居民消费价格指数	98.6	98.7	98.5	鞋袜帽及其他衣着	98.6	99.2	98.1
食品	95.8	95.6	96.0	鞋	98.5	99.0	97.8
粮食	96.9	96.7	97.1	袜子	99.4	100.1	98.8
细粮	97.0	96.8	97.3	帽子	98.3	100.2	97.2
粗粮	94.2	93.1	94.8	其他衣着	99.6	100.4	99.1
淀粉及薯类	96.7	96.1	97.5	**家庭设备及用品**	97.7	97.6	97.8
干豆类及豆制品	91.3	91.5	91.1	耐用消费品	97.0	97.0	97.1
油脂	94.5	95.1	93.8	家具	97.5	97.3	97.8
肉禽及其制品	90.7	90.4	91.2	家庭设备	96.8	96.8	96.7
蛋	91.6	91.0	92.4	室内装饰品	98.0	97.8	98.2
水产品	93.3	93.8	92.4	床上用品	98.2	98.8	97.8
菜	101.0	100.1	102.5	家庭日用杂品	98.1	97.7	98.5
鲜菜	100.7	99.9	102.0	其他日用品	98.6	98.6	98.5
干菜	105.6	103.8	106.8	**医疗保健用品**	100.9	101.0	100.8
菜制品	100.8	101.4	100.2	医疗器具及保健用品	100.7	100.7	100.7
调味品	100.6	100.0	101.0	中药材及中成药	105.2	105.7	104.6
糖	91.5	93.8	89.8	西药	97.9	97.8	98.1
食糖	84.9	85.6	84.6	**交通和通讯工具**	94.5	94.6	94.5
糖果	98.0	98.7	97.1	交通工具	95.8	96.4	95.3
烟草	96.3	95.7	96.9	通讯工具	91.9	91.9	91.9
酒和饮料	98.0	97.6	98.5	**娱乐教育文化用品**	96.8	96.8	96.8
干鲜瓜果	97.8	97.2	99.1	文娱用耐用消费品	92.0	91.8	92.4
鲜果	99.4	98.5	101.0	教材及参考书	103.3	103.6	103.1
干果	91.3	90.8	92.0	文化娱乐用品	102.3	102.9	101.4
糕点	100.3	100.9	99.3	文娱用品	100.3	100.7	99.7
奶及奶制品	99.3	99.7	98.2	报纸杂志	104.9	105.7	103.8
其他食品	99.5	99.5	99.5	**居住**	101.7	103.4	99.9
饮食业	99.9	99.7	100.4	住房	101.2	104.0	99.0
主食	100.6	100.7	100.5	建筑材料	96.9	96.2	97.3
炒菜	99.2	98.8	100.3	房租	110.7	112.0	107.7
地方小吃	100.8	100.9	100.6	水电燃料	102.3	103.1	101.1
衣着	97.3	97.3	97.3	**服务项目**	110.6	110.2	111.1
服装	96.6	96.5	96.8	电讯费	99.0	99.4	97.8
衣着材料	97.6	97.4	97.6	邮费	135.7	134.5	136.5
棉布	98.2	99.4	97.8	交通费	104.1	105.1	102.6
棉花化纤混纺布	97.2	97.9	97.0	洗理美容费	103.4	103.3	103.4
化纤布	97.6	96.9	97.9	文娱费	108.0	110.3	101.8
呢绒	97.6	97.0	98.1	学杂保育费	119.2	119.2	119.1
绸缎	97.8	97.9	97.7	修理及其他服务费	102.2	102.6	101.6
毛线	97.2	97.4	97.0	医疗保健服务费	111.7	110.9	112.2

5—3 1999年各地区居民消费价格和商品零售价格指数

（上年＝100）

地区	居民消费价格指数			商品零售价格指数		
	全省(区、市)	城市	农村	全省(区、市)	城市	农村
1994	124.1	125.0	123.4	121.7	120.9	122.9
1995	117.1	116.8	117.5	114.8	113.5	116.4
1996	108.3	108.8	107.9	106.1	105.8	106.4
1997	102.8	103.1	102.5	100.8	100.8	100.7
1998	99.2	99.4	99.0	97.4	97.4	97.6
1999	98.6	98.7	98.5	97.0	97.0	97.1
北京	100.6			98.8		
天津	98.9			97.5		
河北	98.1	98.7	97.6	97.8	98.0	97.7
山西	99.6	100.4	98.5	96.8	97.2	96.1
内蒙古	99.8	100.3	99.1	97.7	97.9	97.4
辽宁	98.6	98.7	98.3	96.1	95.9	97.2
吉林	98.0	97.9	98.6	96.7	96.4	97.6
黑龙江	96.8	97.0	96.3	96.1	96.4	95.3
上海	101.5			97.3		
江苏	98.7	98.6	98.8	96.9	96.7	97.3
浙江	98.8	99.5	98.5	97.7	97.7	97.7
安徽	97.8	97.6	98.0	96.6	96.6	96.6
福建	99.1	98.7	99.2	96.5	96.2	96.9
江西	98.6	99.1	98.1	96.8	97.3	96.3
山东	99.3	100.0	98.6	97.1	97.1	97.1
河南	96.9	96.6	97.1	96.2	95.7	96.6
湖北	97.8	97.2	98.3	95.9	95.2	96.7
湖南	100.5	99.6	101.4	97.6	97.8	97.5
广东	98.2	98.4	97.7	96.7	96.7	96.6
广西	97.7	97.2	98.2	97.2	96.8	97.6
海南	98.3	99.1	97.3	96.6	98.0	95.2
重庆	99.3			96.5		
四川	98.5	98.1	99.0	97.3	96.9	97.6
贵州	99.2	98.9	99.7	97.9	97.7	97.9
云南	99.7	98.8	100.7	98.3	97.4	99.3
西藏	100.0	99.4	100.5	98.8	98.5	99.0
陕西	97.8	97.2	98.4	97.5	97.4	97.7
甘肃	97.6	97.2	98.2	97.2	97.3	97.2
青海	99.5	99.5	99.6	98.5	98.4	98.8
宁夏	98.7	99.1	98.1	97.9	98.4	97.0
新疆	97.4	97.7	96.8	96.2	96.6	95.6

5—4 1999年各地区居民消费价格分类指数

(上年=100)

地 区	总指数	食 品	粮 食	油 脂	肉禽及其制品	蛋	水产品	菜	酒和饮料
1994	124.1	131.8	150.7	161.3	141.6	115.0	120.3	133.3	114.1
1995	117.1	122.9	136.8	116.0	126.4	114.6	114.4	127.3	112.3
1996	108.3	107.6	106.5	92.1	104.5	116.5	106.0	119.1	106.1
1997	102.8	99.9	91.1	101.5	105.5	79.3	100.2	100.0	102.3
1998	99.2	96.8	96.9	100.0	90.9	100.9	93.9	99.6	98.9
1999	98.6	95.8	96.9	94.5	90.7	91.6	93.3	101.0	98.0
北 京	100.6	97.7	97.9	99.4	92.3	90.7	95.5	106.4	95.6
天 津	98.9	95.8	96.5	97.9	87.5	88.8	100.5	104.0	98.0
河 北	98.1	96.4	96.0	92.4	88.0	90.5	88.4	110.5	98.6
山 西	99.6	95.4	96.2	93.2	87.1	88.8	86.4	106.8	97.9
内蒙古	99.8	96.5	95.9	93.8	91.6	91.3	83.7	104.8	98.7
辽 宁	98.6	95.1	95.6	91.4	86.4	91.8	93.5	103.8	98.6
吉 林	98.0	95.3	93.8	91.1	86.9	93.8	87.3	104.4	99.0
黑龙江	96.8	94.3	93.9	91.8	85.5	91.7	85.1	102.2	98.6
上 海	101.5	97.6	96.2	94.4	91.8	88.9	98.7	98.4	98.3
江 苏	98.7	95.0	95.1	95.3	91.1	90.0	90.0	99.4	98.3
浙 江	98.8	96.5	98.6	99.1	91.4	94.0	94.0	100.7	97.8
安 徽	97.8	94.4	98.0	94.5	92.0	90.8	90.0	95.8	95.4
福 建	99.1	95.0	94.5	93.4	89.6	99.0	96.8	96.0	98.9
江 西	98.6	96.2	99.9	96.1	92.8	92.3	96.4	97.4	99.0
山 东	99.3	96.2	97.3	90.8	88.6	89.8	92.2	106.4	98.1
河 南	96.9	94.6	98.8	92.6	89.5	89.7	85.9	97.2	96.8
湖 北	97.8	96.2	101.8	97.0	90.6	94.1	88.5	98.6	99.2
湖 南	100.5	97.9	99.3	100.2	96.1	96.5	90.2	100.2	97.8
广 东	98.2	95.2	97.6	93.1	91.9	93.7	95.6	96.1	98.6
广 西	97.7	95.9	98.3	94.6	93.0	94.0	95.7	98.3	99.1
海 南	98.3	96.8	96.2	96.5	93.5	92.8	103.0	94.6	99.5
重 庆	99.3	96.5	94.4	95.0	94.4	93.9	93.6	102.3	96.7
四 川	98.5	95.7	94.4	96.2	91.3	90.8	91.5	103.0	98.1
贵 州	99.2	96.9	96.8	95.9	91.9	96.6	94.9	106.2	97.8
云 南	99.7	98.3	97.4	96.3	94.2	95.2	92.5	105.7	99.6
西 藏	100.0	98.2	99.6	100.2	97.7	99.8	100.9	98.4	100.8
陕 西	97.8	97.2	98.1	94.3	87.9	87.9	90.4	109.1	97.7
甘 肃	97.6	95.6	95.8	96.3	89.4	90.3	91.4	99.9	95.5
青 海	99.5	97.8	98.2	96.2	96.6	88.8	91.9	102.0	97.5
宁 夏	98.7	97.2	99.3	96.1	92.9	88.5	83.3	104.4	98.5
新 疆	97.4	93.2	94.5	96.4	89.8	86.1	86.6	90.4	98.2

（上年＝100） 5－4续表

地　区	干鲜瓜果	饮食业	衣　着	家用设备及用品	医疗保健用品	交通和通讯工具	娱乐教育文化用品	居　住	服务项目
1994	120.6	129.8	117.1	112.0	111.7	107.8	112.5	121.3	125.7
1995	121.2	124.6	114.5	107.0	111.3	99.9	106.4	110.6	120.2
1996	104.5	109.4	107.4	103.8	109.3	98.8	110.4	111.4	116.0
1997	94.4	104.7	103.0	100.7	104.7	97.4	100.9	108.3	116.5
1998	96.2	101.1	99.2	98.4	102.8	95.8	96.6	101.7	110.1
1999	97.8	99.9	97.3	97.7	100.9	94.5	96.8	101.7	110.6
北　京	99.6	99.6	99.4	96.5	115.8	98.3	98.8	101.0	107.9
天　津	93.9	100.7	100.5	94.3	102.2	91.8	89.2	101.4	115.0
河　北	101.1	99.5	97.6	98.4	100.4	96.0	96.9	100.9	105.7
山　西	94.6	98.0	97.8	97.4	103.3	95.6	94.9	101.5	135.0
内蒙古	97.4	99.8	98.1	97.8	101.6	93.8	98.4	100.4	116.0
辽　宁	99.0	98.1	96.3	97.0	100.9	94.7	96.1	103.9	114.1
吉　林	99.9	100.4	98.5	97.5	99.6	91.7	97.1	102.0	109.0
黑龙江	99.8	99.6	95.6	96.0	100.2	94.5	95.8	101.6	106.9
上　海	94.1	104.5	98.2	97.6	101.0	81.4	95.7	105.8	121.9
江　苏	96.1	99.5	98.9	98.3	101.4	95.6	97.6	102.1	110.4
浙　江	99.6	99.7	99.3	98.2	102.8	95.0	97.0	101.0	107.0
安　徽	97.4	98.6	98.2	98.5	101.4	93.7	97.4	101.9	107.9
福　建	96.1	100.4	96.8	98.4	101.9	94.3	94.1	104.1	123.4
江　西	97.5	99.8	95.5	97.1	101.9	94.0	96.9	102.2	114.0
山　东	102.7	99.3	96.4	97.5	99.7	95.0	97.8	101.8	118.3
河　南	96.1	99.4	96.7	97.2	97.1	95.5	95.4	97.8	106.7
湖　北	96.2	99.5	93.4	97.1	97.8	90.7	95.1	100.4	108.5
湖　南	99.2	99.9	96.1	98.6	99.9	96.0	96.2	99.1	116.5
广　东	93.8	98.2	97.9	97.6	99.8	95.4	97.6	102.6	106.4
广　西	96.9	100.3	98.8	98.4	100.3	89.6	97.9	100.8	102.9
海　南	95.0	103.2	99.0	97.7	104.1	87.8	92.3	103.5	108.4
重　庆	92.3	105.1	90.9	96.0	98.8	90.5	96.1	110.9	115.0
四　川	100.0	101.1	98.6	98.1	100.7	94.5	97.5	102.0	107.5
贵　州	97.6	103.9	97.2	97.9	101.3	93.9	98.2	105.8	106.8
云　南	96.4	106.1	99.2	98.2	102.4	97.7	97.2	101.9	108.4
西　藏	95.6	103.0	100.4	99.4	100.5	93.6	101.5	103.9	105.6
陕　西	107.5	100.5	96.0	96.3	100.4	92.7	95.0	100.5	102.3
甘　肃	97.5	100.3	95.8	98.4	100.6	95.1	96.1	98.9	104.9
青　海	98.5	100.9	98.5	98.4	102.3	95.6	98.9	103.8	110.3
宁　夏	96.7	102.1	95.8	97.4	104.8	92.1	96.3	99.9	106.7
新　疆	91.8	101.3	98.7	99.0	100.7	95.7	99.5	101.7	110.1

5—5　1999年各地区商品零售价格分类指数

（上年＝100）

地　区	总指数	食　品	粮　食	油　脂	肉禽蛋	水产品	鲜　菜	鲜　果	干　果
1994	121.7	135.2	148.7	161.4	137.2	120.7	138.2	119.4	125.5
1995	114.8	124.7	134.4	116.3	124.2	114.2	129.3	120.4	124.4
1996	106.1	107.7	107.5	92.1	106.4	105.6	118.4	102.8	110.3
1997	100.8	99.8	92.1	101.6	101.3	101.2	99.5	92.1	106.6
1998	97.4	96.8	96.9	100.7	92.6	94.2	100.3	95.7	94.8
1999	97.0	95.8	96.4	94.4	91.1	93.6	100.4	99.4	91.5
北　京	98.8	97.7	98.2	99.4	92.1	95.5	106.0	101.4	93.8
天　津	97.5	95.5	92.8	98.0	88.2	95.3	103.5	95.4	88.8
河　北	97.8	97.1	95.8	92.0	88.8	87.2	110.8	100.5	93.4
山　西	96.8	95.6	95.9	92.0	88.4	87.4	105.3	95.9	92.2
内蒙古	97.7	96.3	95.4	93.8	92.1	85.3	104.9	99.0	92.1
辽　宁	96.1	95.2	95.4	92.0	87.9	92.3	102.1	99.7	91.2
吉　林	96.7	95.0	93.7	89.8	89.0	87.9	103.5	100.3	88.7
黑龙江	96.1	94.4	93.7	91.7	86.3	85.0	102.3	100.6	94.3
上　海	97.3	96.1	93.9	94.4	89.3	97.6	97.6	94.6	88.9
江　苏	96.9	94.7	94.5	95.4	91.1	90.3	99.0	97.2	93.7
浙　江	97.7	96.4	98.4	98.2	91.7	94.3	100.0	102.3	91.9
安　徽	96.6	95.1	97.7	94.8	92.1	88.7	94.8	98.5	92.8
福　建	96.5	94.7	95.0	94.0	90.7	96.3	95.6	96.0	89.4
江　西	96.8	96.1	99.2	96.3	92.8	96.6	94.8	99.2	91.2
山　东	97.1	96.4	96.9	90.0	89.5	92.2	104.7	104.4	91.0
河　南	96.2	95.1	98.6	92.7	89.9	86.9	96.0	97.1	93.1
湖　北	95.9	95.8	100.8	96.9	91.0	88.2	96.9	98.5	90.8
湖　南	97.6	97.7	98.6	101.2	96.5	89.9	97.6	99.3	95.3
广　东	96.7	94.7	96.6	91.9	91.5	95.8	95.1	94.2	90.0
广　西	97.2	95.7	96.6	94.8	93.4	95.7	97.5	98.5	89.5
海　南	96.6	95.8	97.3	96.2	93.8	101.1	92.3	93.5	84.5
重　庆	96.5	96.3	94.3	94.8	93.5	93.2	101.4	92.8	88.0
四　川	97.3	95.9	93.6	96.1	91.1	91.8	102.5	101.7	92.4
贵　州	97.9	97.1	96.9	96.1	92.3	95.3	103.5	101.7	91.7
云　南	98.3	98.6	97.5	96.1	94.6	92.9	105.6	98.0	92.7
西　藏	98.8	98.9	99.2	100.1	98.0	99.7	100.3	94.5	98.8
陕　西	97.5	98.1	95.5	94.0	87.9	90.6	107.0	110.4	94.9
甘　肃	97.2	96.0	95.7	96.9	90.5	91.2	99.2	99.6	89.1
青　海	98.5	97.7	98.2	96.0	95.5	91.7	100.8	99.9	93.1
宁　夏	97.9	97.8	98.8	96.1	93.1	83.1	104.1	97.6	91.6
新　疆	96.2	92.6	94.4	95.8	88.9	85.2	89.4	91.9	92.6

(上年＝100)　　5－5续表1

地　区	饮食业	饮料烟酒	服装鞋帽	纺织品	中西药品	化妆品	书报杂志
1994	128.2	111.3	119.6	114.7	111.8	116.4	133.5
1995	123.5	107.8	116.8	115.4	111.5	109.9	115.2
1996	108.6	105.1	108.5	106.4	108.8	105.0	136.9
1997	104.7	101.2	103.5	101.9	104.4	102.3	112.8
1998	101.1	98.8	99.3	99.1	102.8	100.5	105.1
1999	99.6	97.3	97.3	98.0	101.0	99.6	104.9
北　京	98.7	96.4	99.8	100.1	115.6	98.1	105.5
天　津	100.6	96.4	100.9	92.8	104.8	101.8	104.9
河　北	99.5	98.2	98.3	98.1	100.4	99.8	103.3
山　西	98.6	97.2	97.8	97.0	102.9	98.8	103.3
内蒙古	99.6	98.5	98.6	97.4	100.9	99.9	104.3
辽　宁	97.7	96.9	95.9	95.7	100.6	101.2	104.5
吉　林	99.4	98.4	99.5	97.8	100.1	98.3	103.7
黑龙江	99.5	98.3	96.0	96.6	99.8	99.8	108.4
上　海	104.5	99.4	96.9	103.6	100.4	103.7	117.4
江　苏	99.4	96.1	99.1	98.7	100.6	100.4	106.1
浙　江	99.7	97.1	99.3	99.4	102.7	100.7	103.8
安　徽	99.6	94.0	99.0	97.5	101.3	99.7	104.4
福　建	100.0	99.7	95.2	99.3	101.2	101.0	101.9
江　西	99.9	96.7	96.3	96.2	101.5	96.2	103.9
山　东	98.2	98.3	96.7	96.7	100.0	99.8	104.1
河　南	99.4	96.9	96.8	97.4	96.1	97.9	102.7
湖　北	99.2	97.8	91.3	97.9	98.3	98.7	105.9
湖　南	100.1	97.4	96.1	98.0	99.1	99.1	103.1
广　东	97.4	98.5	98.4	98.0	100.0	99.4	103.0
广　西	100.2	98.6	99.0	98.6	100.3	100.1	104.2
海　南	103.4	97.2	98.9	100.7	104.3	98.0	110.7
重　庆	105.1	95.0	93.5	98.6	98.7	98.3	108.5
四　川	101.5	94.8	98.6	99.3	100.8	99.7	104.2
贵　州	104.4	95.2	96.6	98.2	101.3	103.2	109.0
云　南	106.3	96.1	100.3	97.3	102.4	95.3	109.3
西　藏	104.1	99.2	100.6	97.9	99.7	94.1	104.5
陕　西	100.5	96.8	96.8	95.8	99.9	99.0	104.6
甘　肃	100.1	96.5	95.8	94.6	99.8	99.2	108.4
青　海	101.4	97.3	98.1	99.4	101.9	101.2	103.4
宁　夏	102.8	95.6	97.3	95.5	104.9	97.2	106.2
新　疆	101.4	98.1	98.5	96.9	100.0	100.6	104.6

（上年＝100） 5—5 续表 2

地区	文化体育用品	日用品	家用电器	首饰	燃料	建筑装璜材料	机电产品
1994	109.8	113.9	106.7	110.1	115.1	112.9	100.4
1995	108.9	109.7	100.7	99.4	107.4	105.7	96.6
1996	106.7	105.3	98.7	99.4	105.0	101.2	95.8
1997	101.7	102.3	95.6	97.8	107.3	99.0	95.5
1998	99.0	99.0	93.9	90.9	96.1	97.1	92.3
1999	99.5	97.9	94.0	94.5	100.4	98.3	95.1
北京	108.2	96.0	94.8	92.2	114.5	102.2	93.8
天津	99.4	98.5	93.4	93.9	99.9	101.2	96.6
河北	100.3	98.6	94.8	93.5	98.1	98.8	96.4
山西	100.7	98.2	93.0	93.9	96.6	98.2	94.6
内蒙古	100.0	98.5	95.3	94.2	97.9	99.9	94.1
辽宁	96.1	96.5	93.0	91.0	101.0	97.8	95.7
吉林	99.4	98.2	93.0	94.5	100.3	100.4	91.7
黑龙江	98.8	97.1	91.2	92.5	99.8	99.3	95.9
上海	99.8	98.1	91.0	98.5	99.8	97.9	95.5
江苏	98.1	98.3	95.1	94.9	100.0	97.4	96.2
浙江	99.9	97.7	95.4	94.1	103.2	99.4	96.3
安徽	100.1	98.6	93.3	95.6	98.1	96.3	95.2
福建	99.0	98.9	94.0	95.9	101.1	98.0	95.7
江西	98.6	97.4	93.7	93.7	99.1	97.7	95.2
山东	98.6	97.1	95.2	93.0	97.8	98.6	95.2
河南	99.1	97.2	93.6	94.7	97.3	97.2	95.3
湖北	99.2	98.0	92.0	94.9	97.1	96.7	91.1
湖南	98.8	98.3	94.8	97.4	99.3	98.5	96.5
广东	98.6	97.5	95.2	96.3	102.9	97.1	95.4
广西	100.3	98.7	94.8	95.2	103.9	96.0	90.0
海南	97.8	98.1	87.2	85.6	105.7	96.2	90.4
重庆	98.6	96.2	93.5	96.1	98.1	98.2	95.4
四川	100.1	98.4	94.7	95.6	98.8	100.2	95.7
贵州	99.0	100.0	95.4	91.4	98.6	99.8	94.3
云南	100.2	98.9	91.5	96.6	101.7	96.8	96.2
西藏	102.0	98.7	94.5	96.2	103.0	101.4	91.5
陕西	96.5	97.8	89.2	97.7	98.8	101.1	96.4
甘肃	98.6	99.2	94.3	95.3	97.9	102.3	96.4
青海	101.0	98.5	94.8	96.3	100.1	99.7	96.0
宁夏	96.2	98.3	93.1	97.3	99.4	99.9	92.9
新疆	99.7	99.8	96.6	96.0	100.0	99.0	95.7

5—6 1999年各地区服务项目价格分类指数

(上年=100)

地　区	总指数	电讯费	邮　费	交通费	洗理美容费	文娱费	学杂保育费	修理及其他服务费	医疗保健服务费
1994	125.7	114.5	102.7	112.2	130.1	136.1	135.2	117.6	120.2
1995	120.2	106.0	101.5	111.9	122.3	125.5	129.6	117.2	111.1
1996	116.0	103.5	109.6	117.0	115.6	122.8	120.0	109.7	112.4
1997	116.5	118.8	203.5	106.5	110.6	113.8	119.0	108.1	122.9
1998	110.1	100.8	100.8	102.9	106.5	110.5	116.4	103.8	117.2
1999	110.6	99.0	135.7	104.1	103.4	108.0	119.2	102.2	111.7
北　京	107.9	100.0	143.8	96.8	103.6	140.3	100.5	109.8	110.1
天　津	115.0	99.8	124.2	100.1	100.0	117.8	133.3	100.0	100.0
河　北	105.7	94.2	127.2	103.2	102.8	107.4	110.0	102.6	104.1
山　西	135.0	98.8	132.8	103.6	100.3	102.5	179.9	100.4	112.6
内蒙古	116.0	93.0	132.1	101.1	111.0	102.3	138.4	99.8	107.7
辽　宁	114.1	98.9	128.3	101.8	101.4	104.3	128.0	101.9	117.7
吉　林	109.0	100.9	126.1	110.5	100.8	101.6	116.2	101.6	101.1
黑龙江	106.9	100.6	131.3	102.7	100.9	107.8	102.4	100.8	135.0
上　海	121.9	100.0	133.9	141.7	111.1	107.6	139.3	103.4	106.2
江　苏	110.4	100.6	134.4	101.6	103.6	106.5	119.9	101.9	112.0
浙　江	107.0	98.0	130.6	102.7	104.7	110.5	113.0	103.9	101.1
安　徽	107.9	94.9	130.6	103.8	99.9	102.3	115.4	100.6	103.0
福　建	123.4	95.5	135.1	106.3	104.4	101.6	160.0	101.8	109.1
江　西	114.0	99.5	141.1	100.4	105.6	105.0	119.7	102.7	144.8
山　东	118.3	92.6	130.5	101.6	105.8	108.4	138.5	101.2	111.9
河　南	106.7	99.5	152.1	102.5	103.5	103.5	111.5	99.7	103.5
湖　北	108.5	84.8	139.6	105.0	107.2	109.8	115.8	100.9	107.6
湖　南	116.5	99.5	137.6	101.6	105.2	100.1	130.9	101.0	100.2
广　东	106.4	104.0	146.2	103.1	100.3	103.1	106.5	102.7	120.2
广　西	102.9	100.7	137.2	103.8	103.4	102.4	103.5	99.0	102.4
海　南	108.4	94.4	129.2	99.8	101.7	97.3	125.6	97.9	101.3
重　庆	115.0	123.0	143.5	104.9	98.7	126.8	125.7	100.6	101.9
四　川	107.5	100.6	143.7	104.0	104.6	105.0	107.1	101.4	119.1
贵　州	106.8	98.4	134.5	99.5	102.8	100.8	115.1	105.2	134.3
云　南	108.4	100.3	136.7	103.9	111.8	116.1	111.6	105.0	102.6
西　藏	105.6	101.1	125.3	99.9	110.5	107.8	103.3	106.2	103.7
陕　西	102.3	96.7	131.9	99.3	102.2	102.4	104.5	100.6	103.4
甘　肃	104.9	96.6	137.9	100.4	100.4	104.7	103.2	101.3	118.0
青　海	110.3	100.2	146.3	101.7	100.9	111.2	121.6	100.5	101.0
宁　夏	106.7	97.5	139.2	100.0	98.9	100.3	102.8	97.1	147.8
新　疆	110.1	97.1	132.3	100.9	102.9	104.0	123.6	103.9	104.3

5—7 1999年各地区农业生产资料价格分类指数

(上年=100)

地　区	总指数	小农具	饲　料	幼禽家畜	半机械化农　具	机械化农　具	化学肥料	农药及农药械	农机用油
1994	121.6	124.4	127.0	138.7	117.8	115.9	124.9	105.9	119.8
1995	127.4	120.0	150.3	130.4	111.0	116.4	135.4	117.4	103.0
1996	108.4	113.2	109.6	102.7	105.5	103.6	110.8	109.5	103.9
1997	99.5	106.9	94.8	132.9	101.4	99.0	92.2	98.6	109.0
1998	94.5	100.1	102.6	86.4	99.6	97.6	91.4	96.4	94.9
1999	95.8	98.8	97.0	82.9	98.3	96.4	94.9	95.3	103.9
北　京									
天　津									
河　北	97.5	99.3	101.7	82.6	99.9	96.6	96.6	98.1	101.8
山　西	94.1	98.2	99.4	65.1	99.3	95.1	95.8	92.4	100.8
内蒙古	96.3	101.2	99.1	81.0	99.5	96.0	95.6	97.1	97.3
辽　宁	94.4	99.5	99.8	62.4	99.5	95.4	94.5	96.0	99.9
吉　林	97.6	97.8	96.9	84.0	97.0	97.8	97.0	98.9	103.3
黑龙江	96.5	101.0	99.9	77.0	98.8	94.3	96.8	97.8	98.9
上　海									
江　苏	95.5	99.8	95.9	75.9	96.8	95.1	97.4	95.5	106.2
浙　江	95.8	97.0	96.1	86.3	97.3	100.4	95.4	94.6	106.6
安　徽	95.3	97.4	97.7	83.3	97.6	96.2	92.6	93.5	106.0
福　建	96.1	106.1	104.5	89.5	99.1	99.9	92.2	95.1	102.6
江　西	93.8	96.3	95.5	75.6	97.3	98.8	91.2	95.8	103.9
山　东	95.1	98.9	93.9	88.3	98.4	94.9	94.0	93.8	102.5
河　南	95.7	100.8	91.5	86.7	97.3	94.6	94.3	95.7	107.2
湖　北	93.9	98.6	102.3	59.1	93.4	98.3	92.6	95.9	104.5
湖　南	95.3	91.7	96.7	84.3	99.7	96.3	96.7	93.8	109.7
广　东	95.5	95.8	94.2	88.8	99.0	99.0	93.1	95.3	105.7
广　西	96.4	95.4	96.6	93.1	97.8	98.1	94.4	93.5	108.0
海　南	97.1	97.1	98.8	97.7	97.6	97.5	94.2	93.5	107.8
重　庆									
四　川	95.2	97.4	93.6	77.6	97.1	95.6	95.4	93.9	104.7
贵　州	94.9	97.9	109.5	82.6	99.8	93.7	90.8	95.2	101.1
云　南	98.7	100.6	100.8	98.1	101.1	97.4	97.2	99.0	107.0
西　藏									
陕　西	93.9	103.0	97.2	68.6	97.5	97.9	92.9	98.3	103.6
甘　肃	95.8	101.5	103.2	79.7	99.6	97.7	94.1	101.6	97.0
青　海	95.6	97.1	100.2	77.8	98.4	92.0	91.6	108.5	97.5
宁　夏	93.4	99.4	94.3	71.4	95.3	90.7	95.8	96.1	99.3
新　疆	97.0	95.9	99.4	90.6	97.9	95.1	97.4	103.5	98.9

5—8 全国农产品收购价格分类指数

(上年=100)

年份	总指数	粮食	小麦	稻谷	玉米	高粱	黄豆	经济作物	食用植物油及油料	棉花
1978	103.9	100.7	100.0	100.0	100.0	100.0	124.7	107.4	104.3	112.0
1979	122.1	130.5	131.1	130.2	130.0	127.9	124.0	123.4	132.7	125.3
1980	107.1	107.9	107.8	107.8	107.8	107.8	110.5	110.9	105.5	116.2
1981	105.9	109.7	105.2	105.2	105.2	105.2	157.8	106.9	104.9	104.8
1982	102.2	103.8	103.8	100.8	103.8	103.8	103.9	101.6	101.5	101.5
1983	104.4	110.3	110.2	110.2	110.2	110.2	110.2	100.3	100.6	100.2
1984	104.0	112.0	100.6	100.0	100.0	100.0	100.0	101.3	101.2	101.1
1985	108.6	101.8	100.1	102.0	101.9	104.8	102.8	101.5	104.3	97.7
1986	106.4	109.9	104.3	106.3	115.5	128.6	120.2	103.6	104.6	99.5
1987	112.0	108.0	103.4	113.2	104.1	123.4	103.4	103.3	106.0	104.7
1988	123.0	114.6	115.2	119.8	104.7	100.4	109.1	111.3	119.7	108.6
1989	115.0	126.9	121.9	130.7	131.8	120.7	122.8	116.7	119.8	122.7
1990	97.4	93.2	92.0	92.6	97.6	97.6	98.4	111.9	101.1	129.1
1991	98.0	93.8	94.2	95.9	88.2	94.1	99.8	101.6	97.9	102.1
1992	103.4	105.3	110.1	97.4	108.2	106.9	119.5	96.5	95.8	95.0
1993	113.4	116.7	105.4	124.6	119.2	119.1	122.7	112.6	120.7	111.5
1994	139.9	146.6	152.2	154.0	151.3	133.8	114.6	144.4	157.6	160.4
1995	119.9	129.0	133.1	120.8	140.9	143.2	113.1	122.5	103.1	131.5
1996	104.2	105.8	109.2	104.2	95.4	104.9	128.2	105.7	96.6	103.2
1997	95.5	90.2	89.0	88.2	94.2	79.0	100.1	98.0	104.8	99.8
1998	92.0	96.7	95.8	96.7	101.9	108.2	85.2	91.2	97.7	88.8
1999	87.8	87.1	88.9	87.7	86.3	87.2	81.8	83.7	84.8	69.8

(上年=100) 5—8续表1

年份	麻	烟叶	糖料	茶叶	竹木材	工业用油漆	禽畜产品	肉畜	肥猪	禽蛋
1978	104.4	102.6	102.4	104.6	101.0	110.1	100.5	100.3	100.3	101.7
1979	112.3	107.4	130.8	118.3	115.0	105.6	122.6	124.2	124.4	120.3
1980	112.1	109.9	108.0	105.4	115.8	112.1	103.4	102.7	102.4	100.4
1981	104.5	122.5	109.1	106.6	127.0	99.6	101.1	100.3	100.2	106.7
1982	101.0	101.3	102.6	101.9	105.9	100.7	100.3	100.3	100.1	101.6
1983	98.4	100.5	100.2	99.7	100.2	100.1	100.5	99.9	99.7	107.3
1984	103.5	100.2	103.6	100.1	103.3	101.0	104.1	103.0	102.1	103.7
1985	109.5	102.4	102.1	113.5	155.5	101.6	124.1	122.6	121.1	115.1
1986	117.8	100.2	104.8	114.3	114.9	99.8	103.0	104.5	104.4	112.1
1987	74.1	105.9	110.3	112.6	120.3	103.9	117.9	119.0	118.6	123.7
1988	77.3	107.1	116.1	130.7	136.7	126.9	140.2	149.1	150.6	118.7
1989	115.1	95.5	135.1	92.6	105.2	107.0	110.2	109.6	110.5	115.6
1990	100.2	114.9	107.2	96.1	84.5	91.1	92.3	93.1	92.9	99.9
1991	101.7	100.7	104.5	112.7	102.4	109.5	97.4	97.4	96.6	93.6
1992	110.5	101.6	90.8	111.2	107.3	112.6	106.3	107.3	106.3	100.1
1993	101.9	109.8	100.0	117.3	111.1	83.9	114.2	114.7	114.5	113.3
1994	133.8	113.8	124.6	97.5	111.8	110.5	144.6	152.4	154.6	125.4
1995	131.6	144.3	142.6	120.4	105.1	109.0	115.8	116.2	116.0	113.5
1996	105.5	120.5	118.6	102.2	104.4	103.7	103.3	102.0	102.2	113.2
1997	86.4	89.3	97.6	90.9	98.9	107.0	101.8	107.7	110.1	86.3
1998	54.1	93.9	89.5	100.0	101.1	80.9	86.9	84.9	82.9	94.2
1999	106.0	107.4	80.4	97.0	101.4	99.0	88.5	87.2	85.2	91.7

（上年＝100） 5—8 续表 2

年份	鸡蛋	皮张	鬃毛	蚕茧蚕丝	干鲜果	干鲜菜及调味品	鲜菜	药材	土副产品	水产品
1978	100.8	101.5	102.0	100.1	110.4	103.0	100.3	102.7	105.4	102.5
1979	123.2	111.7	108.5	122.0	102.8	109.8	112.2	102.1	103.9	118.2
1980	101.0	112.7	104.7	101.8	106.5	108.5	107.3	102.7	105.2	101.8
1981	106.9	104.5	102.7	100.0	101.7	104.8	107.2	101.2	101.0	100.6
1982	100.5	99.6	99.8	100.6	102.7	100.0	99.3	102.1	101.3	101.0
1983	99.8	97.1	97.6	101.2	108.9	106.8	103.6	106.6	103.2	103.2
1984	101.6	108.0	116.4	100.0	121.0	99.9	98.7	106.3	101.7	109.8
1985	115.8	139.4	169.0	105.5	124.7	122.2	150.4	122.7	108.1	151.3
1986	110.7	117.0	82.1	107.4	108.0	104.8	101.2	77.9	112.9	110.4
1987	126.6	112.6	113.4	124.0	109.2	119.5	126.2	111.8	115.5	122.8
1988	116.5	122.5	134.6	187.8	139.6	122.2	130.9	162.1	119.1	134.3
1989	112.4	101.9	109.9	106.7	90.2	101.3	117.3	70.7	142.5	99.8
1990	102.9	80.9	74.9	96.7	97.5	94.1	96.3	95.5	92.4	98.8
1991	94.2	108.7	97.4	99.7	106.8	112.4	107.8	115.9	105.5	104.7
1992	98.8	117.6	102.8	95.7	92.8	117.3	111.4	114.8	109.9	108.1
1993	110.4	119.1	112.0	104.7	100.5	113.7	122.9	96.8	112.1	122.1
1994	116.6	133.1	132.1	155.5	119.9	124.6	135.1	99.6	120.0	122.0
1995	112.1	114.3	111.6	80.4	113.2	117.8	122.7	118.7	121.6	112.4
1996	114.5	96.5	92.7	86.5	99.5	103.6	102.0	111.6	102.2	103.4
1997	77.6	90.0	94.7	129.1	88.6	92.8	91.6	99.9	101.0	91.7
1998	99.9	87.6	81.5	94.9	94.5	92.5	91.7	106.0	88.4	93.9
1999	86.9	82.1	94.8	88.0	88.1	94.3	94.9	96.1	101.1	92.5

5—9 全国农产品收购价格分类指数

（1978 年＝100）

年份	总指数	粮食	小麦	稻谷	玉米	高粱	黄豆	经济作物	食用植物油及油料	棉花
1978	100.0	100.0	100.0	100.0	100.0	100.0	100.0	100.0	100.0	100.0
1979	122.1	130.5	131.1	130.2	130.0	127.9	124.0	123.4	132.7	125.3
1980	130.8	140.8	141.3	140.4	140.1	137.9	137.0	136.9	140.0	145.6
1981	138.5	154.5	148.7	147.7	147.4	145.0	216.2	146.3	146.9	152.6
1982	141.5	160.3	154.3	148.8	153.0	150.6	224.7	148.6	149.1	154.9
1983	147.7	176.9	170.1	164.0	168.6	165.9	247.6	149.1	150.0	155.2
1984	153.6	198.1	171.1	164.0	168.6	165.9	247.6	151.0	151.8	156.9
1985	166.8	201.6	171.3	167.3	171.8	173.9	254.5	153.3	158.3	153.3
1986	177.5	221.6	178.6	177.8	198.5	223.6	305.9	158.8	165.6	152.5
1987	198.8	239.3	184.7	201.3	206.6	275.9	316.3	164.0	175.5	159.7
1988	244.5	274.3	212.8	241.2	216.3	277.0	345.1	182.6	210.1	173.4
1989	281.2	348.1	259.4	315.2	285.1	334.4	423.8	213.1	251.7	212.8
1990	273.9	324.4	238.6	291.9	278.3	326.4	417.0	238.4	254.4	274.7
1991	268.4	304.3	224.8	279.9	245.4	307.1	416.2	242.2	249.1	280.5
1992	277.5	320.4	247.5	272.6	265.6	328.3	497.3	233.8	238.6	266.5
1993	314.7	373.9	260.8	339.7	316.6	391.0	610.2	263.2	288.0	297.1
1994	440.3	548.1	396.9	523.1	479.0	523.2	699.3	380.1	453.9	476.5
1995	527.9	707.0	528.3	631.9	674.9	749.2	790.9	465.6	468.0	626.6
1996	550.1	748.0	576.9	658.4	643.9	786.2	1013.9	492.1	452.1	646.7
1997	525.3	674.7	513.4	580.7	606.6	621.1	1014.9	482.3	473.8	645.4
1998	483.3	652.4	491.8	561.5	618.1	672.0	864.7	439.9	462.9	573.1
1999	424.3	568.2	437.2	492.4	533.4	586.0	707.3	368.2	392.5	400.0

(1978 年＝100)　　5—9 续表 1

年　份	麻	烟　叶	糖　料	茶　叶	竹木材	工业用油　漆	禽畜产品	肉　畜	肥　猪	禽　蛋
1978	100.0	100.0	100.0	100.0	100.0	100.0	100.0	100.0	100.0	100.0
1979	112.3	107.4	130.8	118.3	115.0	105.6	122.6	124.2	124.4	120.3
1980	125.9	118.0	141.3	124.7	133.2	118.4	126.8	127.6	127.4	120.8
1981	131.6	144.6	154.1	132.9	169.1	117.9	128.2	127.9	127.6	128.9
1982	132.9	146.5	158.1	135.4	179.1	118.7	128.5	128.3	127.8	130.9
1983	130.7	147.2	158.4	135.0	179.5	118.8	129.2	128.2	127.4	140.5
1984	135.3	147.5	164.1	135.2	185.2	120.0	134.5	132.0	130.1	145.7
1985	148.2	151.0	167.6	153.4	288.0	122.0	166.9	161.9	157.5	167.7
1986	174.5	151.3	175.6	175.4	330.9	121.7	171.9	169.2	164.4	188.0
1987	129.3	160.3	193.7	197.5	398.1	126.5	202.7	201.3	195.0	232.5
1988	100.0	171.6	224.9	258.1	544.2	160.5	284.2	300.1	293.7	276.0
1989	115.1	163.9	303.9	239.0	572.5	171.7	313.1	329.0	324.5	319.1
1990	115.3	188.3	325.7	229.7	483.7	156.4	289.0	306.3	301.5	318.8
1991	117.3	189.7	340.4	258.8	495.3	171.3	281.5	298.3	291.2	298.4
1992	129.6	192.7	309.1	287.8	531.5	192.9	299.2	320.1	309.6	298.7
1993	132.0	211.6	309.1	337.6	590.5	161.8	341.7	367.1	354.5	338.4
1994	176.6	240.8	385.1	329.2	660.2	178.8	494.1	559.5	548.1	424.4
1995	232.4	347.5	549.2	396.4	693.9	194.9	572.2	650.1	635.8	481.7
1996	245.2	418.7	651.4	405.1	724.4	202.1	591.1	663.1	649.8	545.3
1997	211.9	373.9	635.8	368.2	716.4	216.2	601.7	714.2	715.4	470.6
1998	114.6	351.1	569.0	368.2	724.3	174.9	522.9	606.4	593.1	443.3
1999	121.5	377.1	457.5	357.2	734.4	173.2	462.8	528.8	505.3	406.5

(1978 年＝100)　　5—9 续表 2

年　份	鸡　蛋	皮　张	鬃　毛	蚕茧蚕丝	干鲜果	干鲜菜及调味品	鲜　菜	药　材	土　副产　品	水产品
1978	100.0	100.0	100.0	100.0	100.0	100.0	100.0	100.0	100.0	100.0
1979	123.2	111.7	108.5	122.0	102.8	109.8	112.2	102.1	103.9	118.2
1980	124.4	125.9	113.6	124.2	109.5	119.1	120.4	104.9	109.3	120.3
1981	133.0	131.6	116.7	124.2	111.3	124.9	129.1	106.1	110.4	121.0
1982	133.7	131.0	116.4	124.9	114.3	124.9	128.2	108.3	111.8	122.3
1983	133.4	127.2	113.6	126.4	124.5	133.3	132.8	115.5	115.4	126.2
1984	135.6	137.4	132.3	126.4	150.7	133.2	131.0	122.8	117.4	138.5
1985	157.0	191.5	223.5	133.4	187.9	162.8	197.1	150.6	126.9	209.6
1986	173.8	224.1	183.5	143.3	202.9	170.6	199.5	117.3	143.2	231.4
1987	220.0	252.3	208.1	177.6	221.6	203.9	251.7	131.2	165.4	284.2
1988	256.3	309.1	280.1	333.6	309.3	249.1	329.5	212.7	197.0	381.6
1989	288.1	315.0	307.9	356.0	279.0	252.4	386.5	150.4	280.8	380.9
1990	296.4	254.8	230.6	344.2	272.1	237.5	372.2	143.6	259.5	376.3
1991	279.2	277.0	224.6	343.2	290.6	266.9	401.2	166.4	273.7	394.0
1992	275.9	325.7	230.9	328.4	269.6	313.1	447.0	191.1	300.8	425.9
1993	304.6	388.0	258.6	343.9	271.0	356.0	549.3	184.9	337.2	520.0
1994	355.2	516.4	341.6	534.8	324.9	443.6	742.1	184.2	404.6	635.4
1995	398.2	590.2	381.2	430.0	367.8	522.6	910.6	218.6	492.0	714.2
1996	455.9	569.5	353.4	372.0	366.0	541.4	928.8	244.0	502.8	738.5
1997	353.8	512.6	334.7	480.3	324.3	502.4	850.8	243.8	507.8	677.2
1998	353.4	449.0	272.8	455.8	306.5	464.7	780.2	258.4	448.9	635.9
1999	307.1	368.6	258.6	401.1	270.0	438.2	740.4	248.3	453.8	587.3

5—10 1999年各地区固定资产投资价格指数

（上年=100）

地区	1998				1999			
	固定资产投资	建筑安装工程	设备工、器具	其他费用	固定资产投资	建筑安装工程	设备工、器具	其他费用
全国	99.8	100.5	97.5	100.4	99.6	100.3	97.5	99.9
北京	100.8	101.4	100.5	99.5	99.9	100.4	98.8	99.0
天津	98.9	100.2	95.3	100.3	99.2	100.2	96.5	99.8
河北	97.8	99.4	94.4	98.5	99.4	100.0	96.4	104.3
山西	98.8	98.4	100.0	99.1	99.7	100.1	99.3	98.4
内蒙古	101.7	102.1	97.8	107.2	101.9	102.8	98.0	102.1
辽宁	99.8	100.2	100.4	97.2	100.0	100.9	97.9	99.3
吉林	100.8	101.2	100.1	99.9	102.2	106.1	100.1	98.6
黑龙江	100.8	101.6	98.9	100.9	99.7	99.7	99.8	99.4
上海	98.4	98.9	96.1	99.6	98.1	97.8	96.9	99.8
江苏	98.4	99.1	95.0	102.6	98.3	99.3	95.5	100.5
浙江	97.6	97.0	95.9	101.6	98.2	98.8	96.8	97.8
安徽	100.0	100.3	99.3	99.7	99.3	100.8	96.1	100.1
福建	98.0	98.9	94.7	98.6	98.5	99.3	94.8	101.2
江西	102.1	104.0	98.0	100.9	98.6	99.5	96.6	98.2
山东	99.2	100.2	96.0	102.0	99.6	101.3	96.2	98.3
河南	98.7	98.1	100.0	98.5	98.0	98.1	97.5	98.9
湖北	100.5	100.5	100.8	100.1	99.5	99.2	99.0	101.0
湖南	102.7	104.2	97.1	105.5	100.5	100.6	98.6	103.1
广东								
广西	99.9	101.4	95.2	100.4	96.1	96.6	94.5	95.9
海南								
重庆	98.7	100.0	94.9	99.5	100.5	100.7	97.7	104.4
四川	97.5	97.7	95.8	99.5	100.5	101.8	96.5	101.9
贵州	100.0	102.5	95.9	99.3	99.4	100.2	97.5	100.3
云南	101.8	103.5	97.2	102.5	100.7	102.0	96.5	101.4
西藏								
陕西	101.8	104.8	95.2	97.1	101.2	102.4	97.2	99.6
甘肃	100.3	100.9	98.1	101.9	101.0	101.4	100.0	101.5
青海	98.5	99.0	95.9	98.7	100.1	101.0	96.2	100.0
宁夏	102.1	102.9	96.6	108.1	99.7	101.0	97.0	98.4
新疆	102.0	103.0	96.7	102.7	99.0	99.9	97.6	96.6

5—11 分行业工业品出厂价格指数

（上年＝100）

年份	总指数	冶金工业	电力工业	煤炭工业	石油工业	化学工业	机械工业	建筑材料工业
1980	100.5	106.2	98.4	106.4	102.1	98.2	97.5	102.5
1981	100.2	101.8	101.6	102.6	99.3	97.2	98.6	101.6
1982	99.8	101.0	98.9	101.9	100.5	99.6	99.3	102.2
1983	99.9	101.3	105.6	101.5	106.3	101.0	99.3	102.7
1984	101.4	103.8	102.1	102.6	112.0	102.4	101.1	102.0
1985	108.7	114.3	103.4	117.6	107.2	102.9	111.8	115.4
1986	103.8	107.4	102.4	96.8	104.6	102.9	102.8	113.7
1987	107.9	107.0	103.1	102.8	104.0	112.2	104.9	105.6
1988	115.0	115.4	101.7	110.6	106.8	120.4	111.8	113.4
1989	118.6	121.0	105.9	112.2	108.4	119.4	121.2	123.6
1990	104.1	110.3	107.4	106.2	107.1	101.6	102.8	99.6
1991	106.2	114.2	116.9	113.1	118.8	102.4	102.8	106.1
1992	106.8	114.2	108.8	116.1	115.3	102.7	106.6	111.1
1993	124.0	157.7	135.9	139.7	171.3	108.3	119.7	142.8
1994	119.5	106.8	139.5	122.2	148.7	115.4	109.5	107.6
1995	114.9	105.5	109.5	111.3	121.2	126.2	106.3	106.4
1996	102.9	97.7	113.1	113.7	104.6	103.4	101.6	104.3
1997	99.7	97.3	114.0	108.0	107.4	95.5	98.1	99.6
1998	95.9	93.1	105.5	96.6	93.0	92.9	97.0	96.6
1999	97.6	95.8	100.9	94.8	109.6	96.5	97.0	97.7

（上年＝100） 5—11续表

年份	森林工业	食品工业	纺织工业	缝纫工业	皮革工业	造纸工业	文教艺术用品工业
1980	104.5	101.2	101.6	100.8	102.4	100.5	101.6
1981	111.3	102.3	99.1	99.9	101.7	100.6	99.0
1982	105.8	103.1	96.5	96.1	99.5	100.3	100.0
1983	100.3	100.8	94.8	95.7	100.9	101.1	99.9
1984	103.2	101.7	96.6	100.4	100.6	99.7	100.4
1985	114.9	105.5	104.3	105.1	112.1	113.7	103.2
1986	107.1	102.5	102.6	100.0	101.7	105.7	99.6
1987	144.9	109.4	108.3	109.6	102.9	112.1	120.0
1988	119.6	116.3	122.3	116.2	114.4	120.7	112.1
1989	115.7	114.3	122.4	118.9	118.3	123.0	111.0
1990	94.6	101.0	107.2	109.1	106.3	102.3	107.3
1991	100.4	103.3	104.1	109.0	109.0	102.9	105.8
1992	105.9	106.2	99.3	100.8	112.8	102.7	102.3
1993	131.8	113.5	103.8	117.9	111.8	108.9	110.6
1994	106.9	123.4	136.8	116.1	121.9	106.6	109.1
1995	99.5	123.4	117.3	116.5	121.7	144.5	111.4
1996	98.2	104.2	96.0	108.2	111.3	116.1	101.5
1997	99.3	99.6	98.0	103.9	98.3	94.5	100.0
1998	95.4	98.6	94.1	97.7	98.3	94.1	94.4
1999	100.1	96.7	96.0	98.0	96.8	95.9	93.6

5—12 工业品出厂价格分类指数

(上年=100)

类别	1992	1993	1994	1995	1996	1997	1998	1999
全部工业品	106.8	124.0	119.5	114.9	102.9	99.7	95.9	97.6
生产资料	109.3	133.7	116.7	113.6	103.5	99.7	95.4	98.3
采掘工业	112.6	146.5	133.1	119.7	108.9	105.5	98.4	104.5
原材料工业	110.2	140.4	117.9	113.6	101.7	100.0	93.4	98.2
加工工业	107.4	122.7	111.1	112.0	104.1	98.1	96.8	97.1
生活资料	103.2	109.6	123.8	116.9	102.1	99.6	96.9	96.4
食品类	106.4	113.9	123.4	123.2	104.7	100.8	98.9	97.4
衣着类	100.8	106.2	136.4	115.6	100.5	101.1	96.2	96.1
一般日用品	102.8	108.9	112.3	115.1	102.9	98.3	96.7	96.0
耐用消费品	101.7	108.8	108.4	105.4	97.7	94.9	94.0	95.6

(5—1至5—12各表,摘自《中国统计年鉴》2000)

5—13 1999年原材料购进价格指数

(上年=100)

	1月	2月	3月	4月	5月	6月	7月	8月	9月	10月	11月	12月	全年
全部原材料	92.7	93.2	93.5	93.7	95.1	95.1	93.9	96.7	98.2	98.8	98.3	100.8	96.7
1、燃料、动力类	95.4	94.3	95.3	96.1	98.3	99.4	100.3	103.1	103.1	107.1	104.6	110.3	100.9
2、黑色金属材料类	93.3	94.2	91.9	93.9	94.0	93.5	94.5	95.5	95.3	95.3	95.1	96.1	94.7
其中:钢 材	93.1	93.8	91.0	94.6	92.2	93.6	95.0	96.1	95.5	95.5	95.2	96.7	94.9
3、有色金属材料类	89.1	87.6	88.6	87.9	91.4	94.0	95.8	97.5	101.2	104.0	104.0	108.7	98.9
4、化工原料类	91.9	92.1	92.2	93.6	95.3	99.1	96.3	97.7	100.3	102.6	103.7	103.4	97.6
5、木材及纸浆类	103.4	97.3	100.7	98.4	106.2	104.5	102.7	101.0	96.9	97.9	98.9	98.5	100.4
6、建筑材料	91.3	93.0	97.2	96.0	99.3	94.9	99.2	99.9	98.3	96.6	103.1	99.9	98.8
7、非金属及半成品	91.4	92.4	93.4	95.6	94.5	96.2	95.1	95.8	97.6	96.5	99.7	102.5	97.5
8、农副产品类	89.8	91.1	89.1	89.0	88.1	87.9	90.0	90.6	91.8	88.2	87.5	92.0	89.8
9、纺织原料类	90.7	93.6	94.6	93.3	94.7	92.3	98.4	93.7	98.1	98.9	96.6	97.0	96.8

5—14 1999年工业品出厂价格总指数

(上年=100)

	1月	2月	3月	4月	5月	6月	7月	8月	9月	10月	11月	12月	全年
全部工业品	95.1	95.1	95.4	96.1	96.6	96.4	97.5	97.7	97.9	99.3	99.0	99.2	97.6
生产资料	94.8	94.7	95.3	96.3	96.7	97.0	98.0	98.6	99.0	100.5	100.7	101.0	98.3
1、采掘工业	96.4	94.7	94.7	95.7	99.9	100.0	102.0	106.1	107.1	112.6	112.4	116.7	104.5
2、原材料工业	92.8	93.5	94.4	95.5	95.8	96.6	97.8	97.9	99.0	101.5	101.6	101.3	98.2
3、加工工业	96.5	95.9	96.4	97.3	97.0	96.8	97.4	97.7	97.3	97.0	97.2	97.4	97.1
生活资料	95.6	95.9	95.5	95.9	96.3	95.3	96.6	96.1	95.9	96.9	95.9	95.9	96.4
1、食品类	98.7	99.8	100.0	98.9	98.8	97.3	96.5	96.5	95.8	97.2	94.6	93.0	97.4
2、衣着类	92.8	93.0	92.4	93.2	93.9	93.4	97.0	96.7	96.3	97.3	97.3	98.2	96.1
3、一般日用品	96.0	95.8	95.0	96.2	97.0	95.8	96.2	96.1	96.1	96.4	96.5	96.9	96.0
4、耐用消费品	94.7	93.8	93.5	95.2	95.0	94.4	96.2	93.4	94.6	96.5	94.2	94.8	95.6
按工业部门分													
1、冶金工业	92.2	92.8	92.6	92.2	92.5	93.6	94.9	94.9	96.3	99.0	98.5	99.1	95.8
2、电力工业	101.3	102.0	101.4	103.0	101.0	102.3	101.2	100.1	99.8	100.3	101.2	100.6	100.9
3、煤炭工业	94.9	94.2	92.5	95.1	96.1	92.5	94.1	94.8	93.8	95.3	95.0	94.9	94.8
4、石油工业	95.4	97.7	99.4	101.3	106.1	105.1	105.0	109.8	112.1	120.8	120.9	123.4	109.6
5、化学工业	93.3	92.8	93.9	94.5	95.0	95.9	97.0	97.7	97.7	98.5	98.7	98.1	96.5
6、机械工业	96.3	96.0	96.1	96.7	96.8	96.1	97.1	96.9	97.0	97.2	96.7	97.2	97.0
7、建材工业	97.1	96.6	97.5	98.8	98.9	97.9	99.1	98.2	98.2	96.4	98.6	96.8	97.7
8、森林工业	95.7	95.7	97.8	98.1	97.6	100.2	103.9	101.3	105.9	101.2	97.0	103.2	100.1
9、食品工业	97.8	98.9	99.4	98.3	98.1	96.5	95.8	95.7	95.2	96.6	93.8	92.3	96.7
10、纺织工业	89.5	90.6	90.4	91.9	94.0	94.0	97.4	97.8	97.6	97.9	97.9	99.3	96.0
11、缝纫工业	100.1	96.0	95.5	97.0	96.6	93.8	96.8	96.5	97.4	101.5	99.4	98.3	98.0
12、皮革工业	91.3	90.4	90.2	91.1	87.9	92.7	96.7	96.4	91.4	94.4	100.6	99.7	96.8
13、造纸工业	93.2	88.1	90.8	93.6	93.4	93.8	98.0	94.7	93.7	97.0	95.9	98.9	95.9
14、文教艺术用品工业	91.3	91.7	88.0	95.1	89.0	92.6	91.8	92.4	93.4	96.2	97.4	98.5	93.6
15、其他工业	103.4	104.1	100.9	100.5	99.2	100.6	99.4	99.7	99.6	98.4	97.9	97.7	99.9

(5—13及5—14表,由国家统计局城调总队提供)

5—15 1999年全国工业品生产资料分月销售价格指数

（上年＝100）

	1 月	2 月	3 月	4 月	5 月	6 月
总指数	92.71	92.50	93.14	92.57	94.16	94.28
一、黑色金属	89.83	89.84	90.30	89.63	90.94	91.25
钢 材	89.37	89.38	89.86	89.20	90.66	90.93
小 型	90.67	90.05	90.48	90.21	91.89	91.69
线 材	89.08	89.19	90.03	89.04	90.63	90.91
带 钢	85.07	85.57	86.63	86.37	85.92	87.23
中 板	90.64	90.40	90.78	89.51	91.07	90.34
薄 板	84.51	85.84	85.74	86.14	91.55	94.45
硅钢片	81.63	81.87	81.53	80.72	71.21	66.61
无缝钢管	92.47	91.70	92.03	91.23	89.71	89.73
焊接钢管	94.56	95.37	95.82	94.79	93.21	91.70
优质钢材	91.93	91.29	92.00	89.85	88.32	87.90
废 钢	98.75	99.25	99.67	99.58	97.12	100.87
铸造生铁	96.32	96.09	95.94	94.78	94.35	93.84
二、有色金属	86.77	87.90	89.25	88.78	93.66	94.91
铜 1#	76.15	77.91	79.80	79.65	87.36	88.76
铝 A00	97.86	98.52	99.66	98.83	100.43	101.12
铅 1#	80.06	81.27	79.89	79.40	86.19	87.84
锌 1#	80.03	82.30	84.36	84.03	92.22	94.21
锡 1#	95.95	96.26	96.23	95.51	96.30	97.23
镍 1#	71.22	70.59	71.66	72.63	80.70	84.99
镁 1#	82.34	79.41	81.68	81.24	86.93	86.12
三、化工产品	86.73	86.99	88.75	87.55	90.20	92.63
天然橡胶	91.00	97.41	103.81	103.99	109.33	111.82
合成橡胶	83.18	85.49	87.02	85.84	91.32	91.08
轮 胎	91.67	92.26	93.93	93.18	92.24	91.70
聚乙烯	90.66	91.03	93.65	90.32	92.77	93.99

5—15 续表 1

	7 月	8 月	9 月	10 月	11 月	12 月	全 年
总指数	94.94	95.91	96.28	97.15	97.55	97.73	94.91
一、黑色金属	92.12	92.92	92.89	92.32	92.43	93.48	91.58
钢 材	91.86	92.73	92.58	92.10	92.28	93.49	91.28
小 型	91.97	92.57	92.38	91.82	92.06	93.16	91.76
线 材	92.34	93.81	93.96	93.31	93.23	93.05	91.60
带 钢	87.54	87.42	87.21	84.94	84.46	90.43	86.63
中 板	91.45	93.03	91.99	91.80	91.98	92.52	91.38
薄 板	96.64	97.83	99.18	99.28	99.98	102.72	93.60
硅钢片	59.68	58.45	60.39	60.84	62.46	65.98	69.38
无缝钢管	91.23	89.04	87.68	87.18	86.62	88.73	89.89
焊接钢管	92.03	92.77	91.50	91.12	91.19	91.77	92.91
优质钢材	88.57	89.50	88.18	88.02	88.50	88.32	89.43
废 钢	100.26	100.00	104.23	100.59	99.74	97.87	100.04
铸造生铁	94.09	93.80	94.62	93.32	92.24	91.02	94.33
二、有色金属	96.82	98.98	103.64	109.09	111.72	113.04	97.65
铜 1#	92.38	96.03	99.49	106.54	110.02	112.58	91.75
铝 A00	102.08	103.74	108.04	115.64	117.08	115.09	104.81
铅 1#	90.18	90.70	92.64	93.03	93.05	97.85	87.84
锌 1#	95.53	97.43	99.61	105.31	110.49	113.71	94.75
锡 1#	97.21	97.01	97.62	98.37	98.11	99.37	97.11
镍 1#	90.79	95.20	102.85	123.94	131.06	144.67	93.12
镁 1#	86.81	87.25	149.24	85.63	85.14	91.07	90.32
三、化工产品	94.78	95.93	96.84	100.69	101.91	100.00	93.36
天然橡胶	117.79	116.92	115.11	113.06	112.44	111.51	108.52
合成橡胶	93.34	93.34	93.35	101.23	107.70	108.20	93.52
轮 胎	94.26	94.48	93.91	94.18	94.18	93.57	93.31
聚乙烯	98.37	102.01	105.95	119.78	119.87	104.97	99.85

5—15 续表 2

	1 月	2 月	3 月	4 月	5 月	6 月
聚氯乙烯	79.09	77.86	79.66	80.47	90.73	93.05
聚丙烯	77.51	79.80	83.25	82.39	91.92	97.42
聚苯乙烯	85.19	86.00	88.84	89.86	93.65	99.35
ABS 树脂	97.29	98.17	98.04	97.21	94.96	95.60
聚酯切片	86.68	85.70	87.02	87.63	94.45	99.09
已内酰胺	81.00	82.39	83.66	85.65	84.80	89.35
甲　醇	73.69	73.93	73.24	72.05	75.83	79.42
正丁醇	83.37	80.62	79.91	75.77	76.02	78.88
丙　酮	80.89	80.71	77.82	76.08	79.73	80.48
冰醋酸	77.83	76.74	76.62	76.07	76.82	76.60
二丁酯	82.42	81.09	80.51	76.54	77.28	78.54
二辛酯	81.34	80.76	82.52	79.87	82.12	82.39
纯苯石油苯	84.71	83.56	84.94	78.63	80.89	84.93
甲苯石油苯	78.25	78.72	81.94	76.02	86.08	89.10
二甲苯石油苯	78.39	77.74	80.67	75.00	83.72	87.51
苯　酚	82.55	83.52	84.16	80.32	81.44	85.29
苯　酐	79.16	79.09	77.43	74.35	81.53	85.38
苯乙烯	98.23	99.61	101.07	94.76	92.96	94.07
精　萘	80.55	79.53	79.51	78.63	76.56	76.29
石腊 56—58°半精炼	93.44	96.64	99.34	102.22	105.81	103.94
硫　酸	80.84	81.96	83.63	82.75	84.35	100.16
盐　酸	90.61	89.27	91.26	89.00	94.10	99.71
硝　酸	89.00	86.39	89.79	88.06	93.92	95.78
纯　碱	88.47	84.08	88.27	83.94	83.25	84.12
烧碱≥97%固碱	88.89	88.76	89.99	90.65	92.92	92.54
氰化钠	98.00	103.65	103.48	99.53	90.09	89.49
钛白粉	126.06	126.84	128.29	127.78	126.20	123.48

5—15 续表 3

	7 月	8 月	9 月	10 月	11 月	12 月	全 年
聚氯乙烯	97.46	100.62	106.86	121.78	126.05	122.40	97.01
聚丙烯	99.56	99.69	102.96	126.21	134.10	123.62	99.18
聚苯乙烯	100.14	100.72	107.19	130.86	141.50	137.92	104.11
ABS树脂	99.84	100.87	99.80	110.79	118.92	119.99	102.68
聚酯切片	102.43	106.65	109.58	110.68	112.01	111.51	98.90
已内酰胺	85.48	87.50	90.03	99.92	110.02	112.60	90.50
甲　醇	85.73	86.11	90.44	97.63	97.09	95.34	82.54
正丁醇	82.52	87.11	91.87	95.51	102.20	108.51	86.35
丙　酮	83.20	83.51	90.93	105.72	123.18	127.52	90.20
冰醋酸	80.59	81.91	81.44	85.40	88.49	89.69	80.52
二丁酯	81.86	83.08	86.82	100.37	105.63	105.56	85.99
二辛酯	84.54	84.60	86.42	97.51	103.18	103.58	87.09
纯苯石油苯	85.96	89.74	91.85	98.69	102.01	99.07	88.68
甲苯石油苯	92.37	98.49	103.09	111.14	117.93	110.79	93.37
二甲苯石油苯	89.65	95.07	102.46	110.97	118.94	114.90	92.38
苯　酚	84.67	85.01	88.90	93.42	101.83	105.03	87.64
苯　酐	89.17	93.33	101.23	137.81	148.15	141.59	97.24
苯乙烯	96.37	100.05	99.09	116.85	123.27	119.90	103.04
精　萘	81.72	81.43	80.98	80.69	82.96	84.70	80.04
石腊 56—58°半精炼	106.59	104.69	103.40	104.95	104.15	102.78	102.35
硫　酸	100.34	103.06	104.83	101.03	98.62	98.63	92.44
盐　酸	96.14	93.82	89.87	89.88	89.18	90.91	92.01
硝　酸	92.43	91.66	91.80	85.67	89.35	93.40	91.18
纯　碱	84.14	83.70	81.90	81.00	82.91	81.42	84.07
烧碱≥97％固碱	92.91	93.27	91.13	91.33	90.68	89.59	91.37
氰化钠	92.19	92.25	91.29	91.27	90.15	91.21	93.79
钛白粉	104.59	103.96	102.61	101.54	101.49	102.41	113.43

5—15 续表 4

	1 月	2 月	3 月	4 月	5 月	6 月
工业尿素	82.91	83.86	84.00	82.00	85.87	88.05
四、原煤	96.95	92.17	92.26	91.46	91.39	88.28
烟煤(优混)	98.87	95.57	95.94	95.20	93.33	88.36
无烟煤(优混)	90.78	81.21	80.40	79.40	85.12	88.03
五、石油	94.52	97.66	97.84	98.10	107.42	104.60
柴 油	97.30	101.62	100.23	101.04	116.69	112.32
汽 油	90.41	92.73	93.33	93.09	97.82	96.15
燃料油	95.57	96.79	101.25	100.85	100.41	99.91
六、木材	95.53	95.61	97.58	98.55	96.49	96.94
原 木	97.48	97.55	99.74	100.21	98.79	99.58
锯 材	90.75	91.27	93.46	97.55	93.48	92.32
胶合板	89.02	87.80	86.59	82.93	80.25	82.28
七、建材类	98.63	97.03	98.98	98.13	98.46	99.58
水 泥	101.54	100.90	102.22	100.90	99.51	99.35
玻 璃	93.33	90.00	93.10	93.10	96.55	100.00
八、机电类	93.97	93.98	94.03	93.70	94.15	94.04
机 床	98.16	98.25	98.31	98.07	98.20	98.11
交流电机	92.18	92.93	93.15	91.96	92.25	92.01
电焊条	92.20	93.44	93.61	92.29	93.13	92.92
压缩气体钢瓶	98.16	96.37	96.72	96.90	98.53	98.90
3 吨叉车	96.92	95.78	95.14	95.46	99.30	98.68
东方红 70 型推土机	95.26	92.86	92.61	92.61	95.65	95.97
5 吨装载机	100.50	99.44	99.59	99.48	99.94	99.62
布电线	102.71	104.59	107.53	109.65	99.56	99.00
九、汽车	97.21	97.42	97.80	97.39	98.52	98.60
载重汽车	97.14	97.43	97.45	96.36	97.84	98.05
小轿车	95.02	96.06	96.84	96.61	97.60	97.61
其 他	100.12	99.14	99.51	99.79	100.64	100.61

5—15 续表 5

	7 月	8 月	9 月	10 月	11 月	12 月	全 年
工业尿素	89.89	89.79	90.35	89.91	87.46	87.56	87.03
四、原煤	87.81	91.11	90.86	91.43	91.45	91.33	91.32
烟煤(优混)	86.86	89.89	89.55	89.82	89.85	90.77	92.05
无烟煤(优混)	90.88	95.06	95.06	96.60	96.62	93.12	89.00
五、石油	101.66	104.35	111.19	120.85	121.92	120.86	106.84
柴 油	106.15	105.92	111.15	115.75	117.10	117.76	109.09
汽 油	95.82	100.81	103.73	117.49	123.38	126.05	102.10
燃料油	101.28	108.07	130.36	146.73	134.60	118.19	111.29
六、木材	98.76	99.30	99.60	99.59	98.82	99.14	97.91
原 木	100.70	100.81	100.98	100.45	99.98	100.46	99.68
锯 材	97.14	99.43	100.31	101.43	99.46	98.60	96.01
胶合板	82.05	81.82	81.58	83.78	83.56	85.92	84.17
七、建材类	101.74	101.90	101.48	100.21	102.64	104.26	100.15
水 泥	100.74	100.99	100.33	100.32	100.16	100.49	100.55
玻 璃	103.57	103.57	103.57	100.00	107.14	111.11	99.42
八、机电类	94.35	94.84	95.06	95.05	94.93	94.78	94.43
机 床	98.49	99.30	99.67	99.59	99.67	99.77	98.79
交流电机	92.01	91.83	92.04	91.23	89.71	88.66	91.79
电焊条	93.42	94.14	93.66	95.00	94.76	92.76	93.56
压缩气体钢瓶	99.44	99.44	99.63	99.63	100.00	98.87	98.57
3 吨叉车	98.84	98.59	96.42	98.09	97.97	97.52	97.60
东方红 70 型推土机	95.76	92.76	93.49	94.21	93.78	93.78	94.24
5 吨装载机	99.46	98.98	100.13	100.20	98.04	97.30	99.38
布电线	98.41	98.69	98.33	98.60	98.34	98.31	100.49
九、汽车	98.86	98.97	98.23	98.29	98.32	98.27	98.21
载重汽车	98.38	98.30	98.44	98.64	98.52	98.29	97.94
小轿车	97.98	98.22	96.87	97.14	97.61	98.12	97.23
其 他	100.65	100.83	99.68	99.28	98.95	98.44	99.84

(国内贸易局中国物资信息中心)

5—16　1999 年房地产综合价格指数

（以上年同季价格为 100）

表 1　房屋销售价格指数（%）

项　目	第 1 季度	第 2 季度	第 3 季度	第 4 季度
总　计	99.7	99.6	99.9	100.7
商品房	100.2	100.1	100.3	100.4
住　宅	100.4	100.1	100.4	100.6
安居工程	101.8	102.7	101.9	101.7
普通住宅	100.2	99.7	100.3	100.6
单层住宅	100.7	95.0	105.0	104.0
多层住宅	100.5	100.1	100.6	101.2
高层住宅	99.3	99.0	99.8	99.3
豪华住宅	98.7	98.0	98.8	100.0
公　寓	97.4	98.8	99.8	100.9
高档住宅	98.9	97.8	98.6	99.0
非住宅	99.6	100.2	100.1	99.6
写字楼	98.3	99.7	96.0	96.5
商业用房	100.2	100.6	101.5	101.5
其　他	100.0	101.5	99.7	101.0
旧房交易	98.0	95.5	99.8	102.2
商业用房	92.7	87.5	96.3	103.3
住　宅	101.4	99.5	102.0	101.5
公有住房	99.3	101.3	98.5	100.3
成本价房	102.4	101.9	101.6	100.0
转售价房	87.1	99.0	90.0	101.3

表 2　房屋租赁价格指数（%）

项　目	第 1 季度	第 2 季度	第 3 季度	第 4 季度
总　计	95.6	98.9	100.4	99.0
住　宅	96.6	109.5	101.2	102.4
公有住房	98.3	112.6	102.2	104.6
直管住房	111.6	107.2	107.2	112.8
自管住房	97.9	128.8	101.0	101.5
私　房	91.7	98.9	97.4	94.7
办公用房	96.0	96.8	93.2	94.8
高标准写字楼	91.2	91.9	84.7	88.9
普通办公用房	99.2	99.9	99.1	99.1
商业用房	98.7	92.0	100.9	104.4
厂房仓库	100.2	98.1	98.8	99.0
工业厂房	100.0	96.1	95.4	96.9
仓　库	100.4	100.9	103.2	101.6
旅馆饭店客房	92.6	96.2	101.2	95.4
旅游饭店	88.1	95.4	95.6	93.0
星级饭店	87.9	95.4	95.2	93.0
非星级饭店	99.5	95.5	99.2	90.2
其他饭店	98.1	97.4	108.6	98.4

表 3　土地交易价格指数（%）

项　目	第 1 季度	第 2 季度	第 3 季度	第 4 季度
总　计	102.5	99.5	98.5	99.5
居民住宅用地	104.5	97.8	97.3	99.9
豪华住宅用地	100.5	100.1	100.0	99.6
普通住宅用地	104.7	96.8	96.7	100.0
工业用地	101.7	100.8	99.3	98.2
商业旅游娱乐用地	99.3	100.3	101.3	99.1
综合用地	102.4	100.7	97.3	100.4

5—17　1999年35个大中城市房地产价格指数

（以上年同季价格为100）

	房屋销售价格指数				土地交易价格指数				房屋租赁价格指数			
	第1季度	第2季度	第3季度	第4季度	第1季度	第2季度	第3季度	第4季度	第1季度	第2季度	第3季度	第4季度
全　　国	99.7	99.6	99.9	100.7	102.5	99.5	98.5	99.5	95.6	98.9	100.4	99.0
北　　京	99.9	100.5	100.2	99.7	100.4	100.4	100.0	100.0	98.9	99.4	97.7	97.9
天　　津	100.5	99.6	99.8	99.9	103.1	100.1	101.0	100.9	100.1	98.9	99.0	97.9
石 家 庄	103.9	103.9	103.8	103.3	107.0	108.7	100.0	100.0	108.0	108.2	109.5	108.6
太　　原	97.4	97.6	98.7	97.6	100.0	100.0	100.0	100.0	99.2	98.7	100.0	100.0
呼和浩特	100.7	95.3	98.3	98.6	104.7			103.8	99.8	98.3	98.3	99.5
沈　　阳	101.8	101.8	100.7	102.7	98.5	100.4	100.0	97.0	99.1	103.5	105.3	102.4
大　　连	102.6	101.7	101.0		100.0	100.0	100.0		94.4	93.3	97.6	
长　　春	101.6	103.8	101.1	111.8	100.0	100.1	100.0	100.0	115.2	103.5	104.3	101.9
哈 尔 滨	99.0	99.4	101.8		100.0	100.0	101.		97.6	98.6	102.7	
上　　海	96.3	93.9	95.8	98.6	104.6	96.4	89.7	82.6	92.2	85.8	94.0	87.4
南　　京	101.5	100.6	102.4	101.9	102.2	104.1	101.8	105.8	105.3	99.8	98.8	101.2
杭　　州	104.3	102.0	103.3	102.3	100.0	100.0	100.0	100.0	90.3	87.5	99.0	105.2
宁　　波	99.6	97.5	102.4	102.9	100.0	100.0	100.0	100.0	95.6	95.4	96.3	99.1
合　　肥	98.8	99.6	99.1	99.9	100.8	101.2	100.4	100.4	109.6	110.3	98.6	98.6
福　　州	101.5	101.4	99.3	97.3	100.6	100.5	98.6	102.6	102.8	101.2	102.5	104.8
厦　　门	99.7	99.6	100.8	101.9	100.0	100.0	100.0	100.0	98.0	94.3	98.9	103.1
南　　昌	103.9	99.3	102.3	100.9	95.5	109.4	101.1	102.0	105.9	111.8	112.0	115.1
济　　南	101.6	101.0	102.0	101.3	101.9	102.3	102.0	101.0	101.4	99.7	99.9	102.2
青　　岛	101.7	103.1	102.8	107.1	100.0	100.0	100.0	100.0	100.2	101.5	109.1	106.4
郑　　州	99.6	101.2	100.9	102.7	109.0	100.4	101.5	104.6	96.8	98.4	100.2	99.4
武　　汉	95.0	99.1	99.4	101.0	99.9		99.4	100.4	95.4	91.9	99.0	96.7
长　　沙	97.4	99.2	99.4	97.9	103.1	100.5	104.2	101.6	92.3	95.3	94.5	96.9
广　　州	94.4	91.6	98.7	95.8	100.0	100.0	99.4	99.4	92.7	92.9	98.3	95.6
深　　圳	98.2	98.0	96.5	98.5	100.5	100.4	99.3	98.9	94.2	88.2	90.7	92.0
南　　宁	89.4	101.2	98.7	102.4		100.0	99.3		102.2	94.1	99.5	99.5
海　　口	96.2	98.6	96.2	92.5	90.0	88.8		92.9	87.9	88.5	99.2	83.4
重　　庆	103.7	103.7	102.9	102.7	100.0	104.4	100.0	100.0	107.3	107.8	105.2	105.3
成　　都	105.6	105.8	106.0	95.9	104.5	100.3	105.5	105.0	98.4	98.7	101.5	101.2
贵　　阳	103.0	103.6	103.9	102.5	98.1	99.7	99.7	100.1	98.3	98.3	100.2	99.2
昆　　明	102.2	105.2	101.3	100.6	100.4	100.0	100.0	100.0	112.5	118.5	112.2	101.2
西　　安	99.4	99.8	100.9	101.3	100.1	100.0	100.0	100.9	103.3	98.3	100.8	100.1
兰　　州	103.8	101.2	99.8	101.2	100.0	100.0	100.0	100.0	98.2	97.6	97.0	100.5
西　　宁	100.2	101.6	102.1	100.0	94.9	86.5	97.7	98.5	99.2	99.1	103.8	100.0
银　　川	109.8	109.4	100.9	104.3	114.2	112.3	105.1	100.2	119.2	114.4	116.1	120.9
乌鲁木齐	103.3	101.1	100.1	101.2	102.4	102.5	100.5	99.7	97.4	98.6	97.0	98.5

（5—16及5—17表，由国家统计局城调总队提供）

5—18 1999年中房指数(CREI)

(1994年第4季度=1000)

	第1季度	第2季度	第3季度	第4季度
北京市				
普通住宅(含公寓)价格指数	874	872	869	869
办公用房价格指数	1477	1466	1457	1448
商业用房价格指数	2169	2168	2168	2168
城市指数	1101	1099	1096	1095
上海市				
普通住宅(含公寓)价格指数	653	646	643	641
办公用房价格指数	1007	978	938	918
城市指数	713	703	696	692
天津市				
普通住宅(含公寓)价格指数	433	431	428	430
商业用房价格指数	787	791	796	793
城市指数	578	576	573	575
武汉市				
普通住宅(含公寓)价格指数	290	293	291	295
办公用房价格指数	1111	1109	1109	1103
商业用房价格指数	891	891	890	887
城市指数	571	574	572	575
西安市				
普通住宅(含公寓)价格指数	429	433	435	432
办公用房价格指数	845	841	835	839
商业用房价格指数	907	905	902	898
城市指数	502	505	506	503
深圳市				
普通住宅(含公寓)价格指数	877	874	868	861
办公用房价格指数	1797	1769	1758	1739
商业用房价格指数	3557	3530	3533	3517
城市指数	1220	1211	1204	1195
重庆市				
普通住宅(含公寓)价格指数	277	277	273	275
办公用房价格指数	779	779	782	777
商业用房价格指数	974	974	970	967
城市指数	471	471	467	468

5—18 续表

	第1季度	第2季度	第3季度	第4季度
柳州市				
普通住宅(含公寓)价格指数	193	289	286	284
办公用房价格指数	430	427	422	417
商业用房价格指数	551	550	544	540
城市指数	304	300	296	293
常州市				
普通住宅(含公寓)价格指数	272	270	268	270
办公用房价格指数	767	766	767	767
商业用房价格指数	1032	1028	1024	1019
城市指数	392	389	387	389
成都市				
普通住宅(含公寓)价格指数	235	239	235	237
办公用房价格指数	858	852	845	838
商业用房价格指数	445	439	434	429
城市指数	331	334	329	330
郑州市				
普通住宅(含公寓)价格指数	242	244	242	240
办公用房价格指数	672	670	665	660
商业用房价格指数	827	824	821	817
城市指数	324	326	323	320
石家庄				
普通住宅(含公寓)价格指数	219	217	214	218
无锡市				
普通住宅(含公寓)价格指数	244	242	242	238
合肥市				
普通住宅(含公寓)价格指数	260	260	261	262
办公用房价格指数	663	659	653	647
商业用房价格指数	683	680	677	674
城市指数	386	385	384	383
香　港				
住宅价格指数	6591	6772	7004	7155
办公用房价格指数	5958	6253	6372	6372
商业用房价格指数	13807	14423	14848	15280
城市指数	5664	5890	6212	6381
厦　门				
住宅价格指数	511	508	507	505
办公用房价格指数	789	795	798	791
商业用房价格指数	927	932	937	931
城市指数	585	585	585	582

(中房指数系统办公室)

主要商品价格和服务收费

5—19　1999年36个大中城市居民基本生活必需品和服务项目价格监测汇总表

品种名称	规格、等级	价格单位	全　年	1　月	2　月	3　月	4　月	5　月	6　月
一、食　品									
面　粉	标准粉	元/千克	2.19	2.26	2.24	2.19	2.21	2.21	2.18
	特一粉	元/千克	2.68	2.73	2.73	2.71	2.70	2.69	2.68
籼　米	标一早籼	元/千克	2.28	2.35	2.35	2.31	2.31	2.31	2.30
	特一中籼	元/千克	2.32	2.38	2.40	2.38	2.38	2.36	2.34
	标一晚籼	元/千克	2.41	2.47	2.46	2.44	2.47	2.42	2.44
粳　米	标一	元/千克	2.56	2.66	2.63	2.62	2.60	2.55	2.56
食用植物油									
豆油	一级	元/千克	8.18	8.66	8.55	8.39	8.26	8.12	8.05
花生油	二级	元/千克	10.54	10.94	10.85	10.87	10.58	10.43	10.33
菜籽油	二级	元/千克	8.24	8.61	8.55	8.55	8.38	8.22	8.15
胡麻油	二级	元/千克	10.00	9.50	9.67	9.67	9.73	9.53	9.53
鲜　菜	应季大路菜								
西红柿		元/千克	2.35	2.85	2.68	2.66	2.71	2.47	1.79
青　椒		元/千克	2.70	2.82	3.30	3.15	2.88	2.73	2.23
土　豆		元/千克	2.69	1.53	3.65	3.96	3.90	4.63	3.08
大白菜		元/千克	1.41	1.05	1.10	1.06	3.42	1.22	1.18
黄　瓜		元/千克	2.30	2.85	2.68	2.66	2.71	2.47	1.79
豆　腐	水豆腐	元/千克	1.69	1.71	1.69	1.70	1.67	1.68	1.68
猪　肉	新鲜去骨后腿肉	元/千克	11.86	13.20	12.80	12.53	11.49	10.58	10.15
鸡　蛋	新鲜完整	元/千克	5.68	6.37	6.68	6.33	5.83	5.44	5.41
食　盐	一级	元/千克	1.42	1.37	1.37	1.37	1.41	1.44	1.45
白　糖									
绵白糖	一级	元/千克	5.06	5.30	5.27	5.25	5.21	5.08	5.07
白砂糖	一级	元/千克	4.33	4.64	4.59	4.48	4.50	4.43	4.39
鲜　奶	普通袋装	元/千克	3.66	3.65	3.65	3.65	3.65	3.64	3.64
二、日用消费品									
金饰品	24K黄金	元/克	112.51	115.50	114.89	114.75	114.36	114.22	114.24
三、居　住									
居民住房房租	混合租价	元/平方米	1.50	1.40	1.41	1.42	1.45	1.47	1.48
自来水	生活用水	元/吨	1.00	0.92	0.93	0.95	0.96	0.99	0.99
电	民用220V	元/度	0.43	0.43	0.43	0.43	0.43	0.43	0.43
蜂窝煤	民用一级	元/百千克	24.69	24.63	24.69	24.79	24.77	24.75	24.77
液化石油气	民用平价	元/千克	2.44	2.40	2.40	2.41	2.41	2.39	2.40
	民用议价	元/千克	2.89	2.93	2.90	2.91	2.82	2.74	2.71
管道煤气	民用	元/立方米	1.41	1.27	1.27	1.28	1.28	1.28	1.28
四、服务项目									
学杂费	初中学生	元/学期	68.70	66.81	66.81	66.83	67.47	67.33	67.47
托幼费	中班日托	元/月	77.45	70.42	71.39	73.33	77.06	77.19	77.06
挂号费	西医复诊	元/次	0.99	0.97	0.97	0.97	0.99	1.00	1.00
公共汽车月票	通用	元/张	30.26	29.42	29.42	29.42	30.05	30.05	30.05

5—19 续表

品种名称	规格、等级	价格单位	7 月	8 月	9 月	10 月	11 月	12 月
一、食 品								
面 粉	标准粉	元/千克	2.16	2.16	2.18	2.17	2.17	2.15
	特一粉	元/千克	2.68	2.67	2.67	2.65	2.63	2.63
籼 米	标一早籼	元/千克	2.29	2.26	2.23	2.24	2.18	2.18
	特一中籼	元/千克	2.32	2.30	2.32	2.27	2.22	2.18
	标一晚籼	元/千克	2.42	2.39	2.35	2.40	2.36	2.33
粳 米	标一	元/千克	2.56	2.57	2.54	2.51	2.43	2.43
食用植物油								
豆 油	一级	元/千克	8.13	8.08	8.12	8.00	7.96	7.84
花生油	二级	元/千克	10.30	10.42	10.41	10.51	10.54	10.30
菜籽油	二级	元/千克	8.11	8.01	8.04	8.08	8.22	7.99
胡麻油	二级	元/千克	9.65	9.70	9.67	9.60	11.95	11.85
鲜 菜	应季大路菜							
西红柿		元/千克	1.65	1.56	1.73	2.72	2.64	2.68
青 椒		元/千克	1.82	1.87	2.06	2.69	3.12	3.69
土 豆		元/千克	2.58	2.19	2.22	1.51	1.53	1.55
大白菜		元/千克	1.19	1.28	1.41	1.54	1.31	1.21
黄 瓜		元/千克	1.65	1.56	1.73	2.33	2.48	2.66
豆 腐	水豆腐	元/千克	1.67	1.69	1.70	1.71	1.69	1.68
猪 肉	新鲜去骨后腿肉	元/千克	10.49	11.35	12.67	12.61	12.46	12.00
鸡 蛋	新鲜完整	元/千克	5.43	5.34	5.78	5.38	5.18	5.00
食 盐	一级	元/千克	1.45	1.44	1.45	1.41	1.43	1.43
白 糖								
绵白糖	一级	元/千克	5.07	5.04	4.93	4.73	4.73	4.98
白砂糖	一级	元/千克	4.26	4.25	4.13	4.07	4.07	4.11
鲜 奶	普通袋装	元/千克	3.64	3.63	3.67	3.71	3.70	3.73
二、日用消费品								
金饰品	24K 黄金	元/克	112.78	108.41	106.30	109.03	113.06	112.57
三、居 住								
居民住房房租	混合租价	元/平方米	1.50	1.52	1.57	1.58	1.59	1.60
自来水	生活用水	元/吨	1.02	1.03	1.05	1.05	1.07	1.09
电	民用 220V	元/度	0.43	0.43	0.43	0.43	0.44	0.44
蜂窝煤	民用一级	元/百千克	24.79	24.76	24.75	24.65	24.50	24.42
液化石油气	民用平价	元/千克	2.40	2.43	2.51	2.51	2.52	2.52
	民用议价	元/千克	2.76	2.88	2.95	2.99	3.01	3.08
管道煤气	民用	元/立方米	1.28	1.28	1.62	1.68	1.69	1.74
四、服务项目								
学杂费	初中学生	元/学期	67.47	67.47	69.94	71.75	72.50	72.50
托幼费	中班日托	元/月	77.33	78.56	78.22	82.39	83.22	83.22
挂号费	西医复诊	元/次	0.99	0.98	0.98	0.99	0.99	0.99
公共汽车月票	通用	元/张	30.05	30.67	30.67	30.98	30.98	31.30

（国家计委经济政策协调司价格调控处）

5—20　1999年主要农产品国家定购价、保护价比较表

定购价　　　　单位：元/50公斤

品　名	规格、等级	全　年	1　月	2　月	3　月	4　月	5　月	6　月
红小麦	中等(三等)	64.98	68.96	68.96	68.96	68.96	68.86	65.08
白小麦	中等(三等)	68.13	73.22	73.28	73.27	73.28	73.28	69.62
混合麦(原花麦)	中等(三等)	67.10	71.33	71.33	71.33	71.33	71.33	68.20
早籼稻	中等(三等)	56.36	58.74	58.75	58.79	58.79	58.96	58.86
晚籼稻	中等(三等)	64.60	66.76	66.90	66.80	66.85	66.94	66.90
粳稻	中等(三等)	71.59	73.17	73.05	73.12	73.25	73.25	73.28
玉米	黄马齿型,中等(二等)	54.90	56.68	56.68	56.68	56.68	56.68	56.69
大豆	中等(三等)	104.06	106.00	106.00	106.00	106.00	106.00	106.00

品　名	规格、等级	7　月	8　月	9　月	10　月	11　月	12　月
红小麦	中等(三等)	63.36	62.78	61.14	59.88	59.54	59.82
白小麦	中等(三等)	63.52	63.55	63.25	63.13	62.86	62.98
混合麦(原花麦)	中等(三等)	63.95	63.90	62.78	62.70	62.69	62.64
早籼稻	中等(三等)	57.88	53.47	53.06	52.68	52.47	52.36
晚籼稻	中等(三等)	65.96	65.05	64.25	62.72	58.37	56.49
粳稻	中等(三等)	73.29	73.29	73.24	71.33	65.74	60.86
玉米	黄马齿型,中等(二等)	56.84	56.11	54.92	53.57	48.17	45.83
大豆	中等(三等)	106.00	106.00	106.00	106.00	96.00	86.00

实际收购价

品　名	规格、等级	全　年	1　月	2　月	3　月	4　月	5　月	6　月
红小麦	中等(三等)	59.70	62.17	61.95	61.76	62.03	62.00	59.70
白小麦	中等(三等)	64.73	66.87	66.61	66.69	66.59	66.66	66.86
混合麦(原花麦)	中等(三等)	63.13	64.64	64.62	64.72	64.87	64.86	64.02
早籼稻	中等(三等)	54.23	54.83	54.91	55.90	55.99	56.27	56.02
晚籼稻	中等(三等)	61.88	63.02	63.34	63.78	63.51	63.60	63.26
粳稻	中等(三等)	67.41	68.70	68.10	67.75	68.82	68.83	69.18
玉米	黄马齿型,中等(二等)	50.20	51.20	51.33	51.53	51.69	51.92	51.89
大豆	中等(三等)	85.64	86.33	86.33	84.14	82.50	82.50	82.50

5—20续表1

品　名	规格、等级	7 月	8 月	9 月	10 月	11 月	12 月
红小麦	中等(三等)	58.59	58.24	57.41	57.07	56.95	57.21
白小麦	中等(三等)	61.43	63.17	62.75	62.58	62.21	60.42
混合麦(原花麦)	中等(三等)	62.05	62.49	61.40	61.45	61.25	61.20
早籼稻	中等(三等)	54.53	52.45	52.68	52.23	52.23	51.98
晚籼稻	中等(三等)	62.89	62.69	62.21	60.15	57.50	55.07
粳稻	中等(三等)	69.06	69.04	68.43	66.68	62.39	60.85
玉米	黄马齿型,中等(二等)	52.36	51.12	50.04	48.59	45.17	44.00
大豆	中等(三等)	82.50	85.00	87.50	95.00	95.00	95.00

保护价

品　名	规格、等级	全 年	1 月	2 月	3 月	4 月	5 月	6 月
红小麦	中等(三等)	59.49	61.19	61.19	61.19	61.19	61.09	59.40
白小麦	中等(三等)	63.49	63.73	63.73	63.73	63.73	63.73	63.54
混合麦(原花麦)	中等(三等)	63.53	64.33	64.33	64.33	64.33	64.36	63.94
早籼稻	中等(三等)	52.78	53.23	53.32	53.38	53.41	53.61	53.63
晚籼稻	中等(三等)	59.80	60.45	60.50	60.54	60.55	60.56	60.53
粳稻	中等(三等)	66.40	66.85	66.83	66.99	67.28	67.39	67.39
玉米	黄马齿型,中等(二等)	50.15	50.81	50.81	50.87	50.91	51.05	51.29
大豆	中等(三等)	80.00						

品　名	规格、等级	7 月	8 月	9 月	10 月	11 月	12 月
红小麦	中等(三等)	58.55	58.27	57.52	57.59	57.66	57.70
白小麦	中等(三等)	63.52	63.55	63.25	63.13	62.96	62.98
混合麦(原花麦)	中等(三等)	62.86	62.93	62.64	62.67	62.65	62.60
早籼稻	中等(三等)	53.01	51.78	51.84	51.87	51.90	51.92
晚籼稻	中等(三等)	60.46	60.38	60.21	59.12	57.26	56.01
粳稻	中等(三等)	67.47	67.54	67.43	66.20	63.52	60.54
玉米	黄马齿型,中等(二等)	51.70	51.28	50.59	49.61	46.46	44.66
大豆	中等(三等)		80.00				

集市价

5—20续表2

品　名	规格、等级	全　年	1　月	2　月	3　月	4　月	5　月	6　月
红小麦	中等(三等)	59.34	62.43	62.18	62.73	63.20	62.51	61.22
白小麦	中等(三等)	62.63	68.07	68.15	69.03	69.16	67.25	67.27
混合麦(原花麦)	中等(三等)	61.37	65.82	66.64	66.87	66.88	65.54	63.34
早籼稻	中等(三等)	59.42	60.97	61.38	63.18	63.53	63.42	62.41
晚籼稻	中等(三等)	67.49	69.40	69.12	71.03	71.51	71.23	70.22
粳稻	中等(三等)	68.98	71.90	71.06	70.26	71.07	71.69	71.27
玉米	黄马齿型,中等(二等)	50.08	52.36	52.43	53.26	53.59	53.62	53.09
大豆	中等(三等)	92.93	86.20	85.00	85.00	91.00	92.50	92.50

品　名	规格、等级	7　月	8　月	9　月	10　月	11　月	12　月
红小麦	中等(三等)	59.42	56.69	56.03	55.13	53.81	52.20
白小麦	中等(三等)	59.45	58.52	56.10	55.21	51.70	54.11
混合麦(原花麦)	中等(三等)	60.57	58.65	55.22	54.97	54.68	54.49
早籼稻	中等(三等)	60.12	57.78	56.28	54.69	54.39	53.18
晚籼稻	中等(三等)	68.32	66.29	65.09	63.03	60.76	58.56
粳稻	中等(三等)	70.88	70.58	64.15	67.37	64.38	61.18
玉米	黄马齿型,中等(二等)	52.30	50.24	48.02	44.77	42.77	41.62
大豆	中等(三等)	92.50	94.17	97.50	97.50	97.50	97.50

原粮销售价

品　名	规格、等级	全　年	1　月	2　月	3　月	4　月	5　月	6　月
红小麦	中等(三等)	68.37	73.34	73.10	72.71	72.09	71.04	68.79
白小麦	中等(三等)	73.18	78.14	77.98	78.17	76.76	76.16	76.63
混合麦(原花麦)	中等(三等)	71.40	75.20	74.79	74.67	74.20	73.82	73.81
早籼稻	中等(三等)	64.22	68.88	68.64	68.38	67.80	67.73	66.43
晚籼稻	中等(三等)	70.75	75.02	74.56	74.35	73.68	73.13	72.29
粳稻	中等(三等)	74.59	77.80	77.60	77.01	76.88	76.76	77.03
玉米	黄马齿型,中等(二等)	56.74	60.01	59.60	59.50	58.63	58.23	57.84
大豆	中等(三等)	114.26	119.41	119.41	118.78	117.60	117.60	117.60

品　名	规格、等级	7　月	8　月	9　月	10　月	11　月	12　月
红小麦	中等(三等)	66.86	65.93	63.63	63.31	61.66	61.31
白小麦	中等(三等)	69.98	69.18	67.74	64.59	63.60	63.47
混合麦(原花麦)	中等(三等)	71.67	72.26	68.66	66.90	64.18	62.93
早籼稻	中等(三等)	63.59	61.66	60.48	57.86	58.66	58.16
晚籼稻	中等(三等)	70.64	69.58	68.84	65.53	64.95	62.57
粳稻	中等(三等)	75.13	74.53	73.58	71.75	69.39	66.14
玉米	黄马齿型,中等(二等)	57.62	56.48	53.36	53.48	51.93	49.37
大豆	中等(三等)	112.85	112.60	110.76	109.00	109.00	107.71

5—21 1999年36个大中城市主要农副产品零售平均价格

单位:元/500克

品名 地区	黄豆 标准品 (三等)	红小豆 一级	绿豆 一级	早籼米 标一	晚籼米 标一	粳米 标一	面粉 特一粉	面粉 标准粉
北　京	1.64	1.88	2.39		1.13	1.34	1.24	1.02
天　津	1.63	1.88	1.98			1.22	1.18	0.84
石家庄	1.42	1.51	1.65	1.20	1.00	1.30	1.19	0.81
太　原	1.46	1.32	2.00	1.30		1.28	1.23	1.08
呼和浩特	1.55	1.47	2.06	1.25	1.25	1.39	0.94	0.84
沈　阳	1.51	1.37	2.00			1.15	1.48	1.23
大　连	1.69	1.46	2.38			1.17	1.09	0.95
长　春	1.46	1.45	2.39			1.06	1.24	
哈尔滨	1.29	1.48	2.15			1.09	1.16	1.04
上　海	2.04	2.31	2.51			1.24	1.30	1.13
南　京	1.77	2.16	2.45	0.83	1.01	1.19	1.30	1.19
杭　州	2.00	2.41	2.74	0.98	1.02	1.10	1.32	1.01
宁　波	2.02	2.00	2.50	0.97	1.04	1.07	1.50	0.96
合　肥	1.71	1.50	2.25	0.87	0.93	1.09	1.10	0.92
福　州	1.66	1.71	2.56	1.11	1.16	1.40	1.62	1.50
厦　门	1.77	1.90	2.35	1.11	1.30	1.25	1.40	1.20
南　昌	1.87	1.85	2.09	1.03	1.13	1.23	1.30	1.11
济　南	1.48	1.92	2.40	1.13	1.20	1.15	1.05	1.00
青　岛	1.10	1.23	1.84	0.94		1.16	1.10	0.81
郑　州	1.46	1.44	1.85	1.15	1.14	1.25	1.15	0.95
武　汉	1.83	1.58	2.17	1.07	1.21	1.27	1.42	1.20
长　沙	2.00	2.00	2.23	1.04	1.15	1.40	1.58	
广　州	2.40	2.78	2.67	1.31	1.64		2.21	
深　圳	2.40	3.06	3.52	1.40	1.74	1.47	2.12	
南　宁	1.84	1.67	1.86	1.03	1.16		1.50	1.50
海　口	2.07	2.46	2.59	1.30	1.34	1.22	2.00	0.99
成　都	1.74	1.50	2.19		1.30	1.44	1.39	1.17
重　庆	2.03		2.36		1.07	1.39	1.30	1.30
贵　阳	2.00		3.50	1.23		1.39	1.40	1.10
昆　明	1.88	1.99	2.18	0.99	1.01	1.24	1.47	1.23
拉　萨	2.50	2.30	2.38	1.26	1.35	1.80	1.59	1.40
西　安	1.49	1.44	1.73	1.08	1.28	1.32	1.17	0.88
兰　州	1.67	1.76	2.33	1.14		1.30	1.12	0.99
西　宁	1.63	1.64	2.47			1.34	1.38	
银　川	1.52	1.38	2.29			1.05	1.27	0.86
乌鲁木齐	1.69	1.82	2.27	1.20	1.20	1.38	1.29	1.06

5—21续表 1

品名 地区	玉米粉 精制	菜籽油 一级散装	大豆油 一级散装	花生油 一级散装	色拉油 一级散装	鲜猪肉 去骨 后腿肉	鲜猪肉 精瘦肉 （非里脊肉）	鲜牛肉 去骨 后腿肉
北 京	1.04	3.99	4.00	5.55	4.16	5.73	7.06	6.98
天 津	1.08	4.08	3.80	4.31		6.37	6.80	6.12
石家庄	0.94	3.40	3.95	5.06	4.36	6.01	7.34	6.01
太 原	1.02	3.89	3.89	4.55	4.40	4.84	6.16	6.77
呼和浩特	1.12	4.28	4.38		4.37	5.63	7.00	6.88
沈 阳	1.00		3.75		4.16	5.28	6.25	6.85
大 连	1.00		4.11		4.41	6.23	6.69	8.26
长 春	1.00		3.85		4.25	5.36	6.28	7.08
哈尔滨	0.99		3.78		4.33	5.12	6.18	6.20
上 海	3.66	3.54	4.14	4.93	3.83	7.39	7.87	7.46
南 京	1.28	3.67	4.18	3.77	4.06	5.74	7.04	6.97
杭 州	2.00	3.76	4.40	4.60	4.11	7.20	8.12	8.68
宁 波	1.10	3.86	4.05	4.62	4.16	6.24	6.87	8.00
合 肥	1.20	3.73			4.12	5.50	6.97	5.97
福 州	1.62	4.92	5.16	5.18	4.01	6.86	6.94	8.77
厦 门	2.00	4.62	4.82	4.92	4.40	5.89	7.20	8.89
南 昌	2.08	3.82	4.90	5.73	4.37	7.66	7.66	7.34
济 南	0.81		3.90	4.60	3.90	5.20	5.99	5.71
青 岛	1.01	3.90	3.79	5.11	4.60	5.45	6.15	5.93
郑 州	1.01	3.85	3.86	4.14	4.11	5.24	6.32	6.90
武 汉	1.81	3.86	3.91	5.00	4.08	5.99	7.52	6.40
长 沙	2.20	4.31	4.62	5.50	4.66	5.76	7.15	6.25
广 州				6.31		6.89	8.86	8.97
深 圳	2.56	5.21		7.31		6.60	9.97	9.28
南 宁	1.33			5.30		6.14	7.57	7.26
海 口	2.00			6.49		5.24	8.63	5.70
成 都	1.42	4.37			4.50	5.14	6.26	6.99
重 庆		4.06			4.50	5.35	6.64	7.81
贵 阳		4.20		7.50	4.50	6.82	8.18	7.00
昆 明	1.84	4.10	6.00	8.05	4.95	7.36	8.47	6.19
拉 萨	3.00	4.60		4.50	9.40	7.95	8.53	9.81
西 安	1.09	3.89	4.42	5.68	4.25	5.66	7.09	7.11
兰 州	1.02	3.91	4.10	6.50	4.71	5.44	7.07	6.89
西 宁	1.18	3.98				5.55	9.17	6.83
银 川	1.02	4.60	4.05	5.50	4.32	4.88	6.44	7.55
乌鲁木齐	1.13	4.05	4.00	5.00	4.58	5.92	8.01	6.39

5—21 续表 2

品名 地区	鲜羊肉 去骨 后腿肉	鲜羊肉 新鲜 带骨	鸡 活肉鸡 1—1.5 公斤	鸡 白条鸡 开膛上等	鸡蛋 新鲜完整	鸭 中等毛鸭	鸭蛋 新鲜完整	仔猪 15 公斤左右
北　京	8.49	6.56	5.17	3.96	2.56	5.18	5.10	3.11
天　津	9.26		4.24	4.11	2.43			2.59
石家庄	7.76	6.31	5.00	3.87	2.36	3.30	4.85	2.51
太　原	7.14	6.40	5.24	4.07	2.38	5.89	2.94	
呼和浩特	7.99	6.13	4.26	4.92	2.59			
沈　阳	7.47	5.50	6.57	3.89	2.35	6.00	3.74	3.31
大　连	9.76	7.43	5.03	4.50	2.43		4.71	2.72
长　春	8.36	7.56	4.80	4.21	2.72			6.00
哈尔滨	7.20	6.44	3.65	4.15	2.27	4.32	3.77	3.92
上　海	7.35	5.94	7.60	5.39	2.69	6.49	3.53	
南　京	8.25	7.26	4.57	4.33	2.56	5.12	4.32	3.29
杭　州		8.41	7.78	4.70	2.83	6.92	3.24	2.76
宁　波	10.31	9.26	5.57	5.59	2.87	6.78	3.13	3.00
合　肥		6.49	3.63	3.74	2.57	4.59	4.38	2.58
福　州	13.14	13.14	7.07	5.55	3.03	7.13	3.37	3.81
厦　门	16.71	11.63	7.41	9.12	2.90	6.50	3.43	5.02
南　昌		7.26	7.90	5.00	2.74	5.71	3.40	
济　南	7.46	7.05	4.04	3.75	2.36	2.90	4.53	1.81
青　岛	7.28	6.58	5.72	3.78	2.37	2.99	3.46	2.32
郑　州	7.28	6.24	4.17	4.16	2.49	4.06	3.24	2.53
武　汉		5.99	5.34	5.27	2.79	5.14	3.42	4.22
长　沙	8.65	7.91	6.53	4.71	2.84	6.48	3.49	2.72
广　州		10.30	8.78	7.90	2.94	5.11	3.61	
深　圳	15.00	13.00	10.75	6.23	3.45	5.47	3.80	
南　宁	7.17	7.27	6.59	5.32	2.78	4.13	3.33	3.03
海　口	11.00	11.10	8.78	5.91	3.94	5.00	3.91	
成　都	6.63	5.79		9.75	2.72	9.03	4.31	
重　庆		6.38	5.12	4.89	2.88	7.18	4.32	
贵　阳	7.00		7.20	6.83	4.03			
昆　明	6.50	5.58	9.71	6.22	3.17	5.24	4.57	4.45
拉　萨	9.96	9.57	9.36	11.14	4.63	8.77	9.61	4.20
西　安	7.85	6.87	4.08	4.04	2.47	4.05	3.51	
兰　州	6.46	6.07	6.07	5.08	2.64			4.73
西　宁		6.48	5.34	5.71	2.69	5.00		
银　川	7.08	6.61	4.70	4.45	2.76	3.83	3.50	
乌鲁木齐	7.98	7.46	3.97	4.37	2.79	6.26	5.59	4.50

5—21续表3

品名 地区	带鱼 冻国产 250克左右	带鱼鲜 国产 250克左右	草鱼 活750克 左右一条	鲢鱼 活750克 左右一条	鲫鱼 活250克 左右一条	鲤鱼 活500克 以上一条	菠菜 新鲜一级	芹菜 新鲜一级
北京	5.42		4.50	2.55	5.84	3.80	1.05	0.73
天津	6.38		4.70	2.21	6.52	4.43	0.87	0.68
石家庄	4.99		4.67	2.92	4.86	3.82	0.82	0.70
太原	4.87	15.81	5.29	2.64	7.17	3.71	0.65	0.62
呼和浩特	4.99		5.28	2.46	6.01	4.05	1.09	0.69
沈阳	5.77		5.00	2.00	6.18	4.35	1.25	0.76
大连	7.30	7.26				5.25	1.48	0.98
长春	4.97		6.00	4.60	6.60	4.32	1.71	1.11
哈尔滨	5.07		3.58	2.60	6.80	4.17	1.19	0.72
上海	6.93	9.43	3.62	2.28	6.89		1.56	1.46
南京	4.62	9.34	3.79	2.24	5.74	3.07	1.22	0.87
杭州	4.71	7.78	4.03	2.55	7.26	3.94	1.95	1.31
宁波	5.53	7.44	4.23	2.66	6.78	4.58	1.93	1.34
合肥	4.00		4.00	2.29	6.56	5.09	1.12	0.83
福州	6.21	8.46	5.29	5.05	3.71		1.23	1.83
厦门	7.80	9.64	4.77	3.42	3.90	4.00	1.03	1.55
南昌	4.25	10.97	4.20	2.73	4.61	3.46	0.95	1.07
济南	4.29	4.95	3.67	3.29	6.28	3.83	0.85	0.42
青岛	5.61	7.65	5.32	3.24	6.83	5.23	1.59	0.80
郑州	4.16		4.38	2.30	5.36	3.35	0.65	0.62
武汉	5.14		3.56	1.78	5.29	3.62	1.36	1.00
长沙	6.00		3.82	2.12	4.85	4.09	1.09	0.90
广州	6.75		4.22		5.19	3.00	2.31	1.78
深圳	9.95	9.81	4.68	3.46	5.46	4.56	2.23	2.41
南宁	4.34	5.38	4.99	2.78	4.22	4.08	0.86	1.42
海口	7.00	8.13	4.24	3.65		4.10	1.81	1.34
成都	5.24		4.11	3.13	4.91	3.89	0.68	1.00
重庆	4.93		5.07	4.84	5.95	4.94	0.95	1.18
贵阳	5.24		4.73	7.72	7.91	4.77	0.76	1.07
昆明	4.12	14.00	4.86	4.61	6.79	5.22	1.08	0.88
拉萨	5.86		9.64	14.53	13.17	7.48	1.10	1.69
西安	4.86		4.95	2.47	6.69	4.82	0.93	0.69
兰州	4.73	4.00	5.84	2.98	7.44	4.20	0.94	1.08
西宁	5.07		5.32	2.65	9.22	4.11	0.89	0.91
银川	4.73		4.57	2.17	6.96	3.94	0.91	0.79
乌鲁木齐	4.85	5.81	6.83	2.67	6.54	4.26	1.29	0.85

5—21 续表 4

地区＼品名	大白菜 新鲜一级	油菜 新鲜一级	黄瓜 新鲜一级	冬瓜 新鲜一级	萝卜 新鲜一级	茄子 新鲜一级	西红柿 新鲜一级	土豆 新鲜一级
北　京	0.66	0.84	1.12	0.72	0.85	1.33	1.20	0.68
天　津	0.65	0.93	1.09	0.70	0.61	1.51	1.09	0.60
石家庄	0.58	0.59	1.12	0.62	0.59	1.18	1.06	0.67
太　原	0.57	0.61	1.16	0.70	0.48	1.22	1.11	0.56
呼和浩特	0.67	0.81	1.19	1.11	0.52	1.53	1.19	0.54
沈　阳	0.72	1.28	1.33	1.01	0.61	1.30	1.30	0.71
大　连	0.84	1.37	1.42	1.33	0.65	1.58	1.26	0.84
长　春	1.03	1.66	1.61	1.31	0.82	2.23	1.71	0.94
哈尔滨	0.66	1.15	1.34	1.25	0.58	1.75	1.46	0.68
上　海	1.08	0.99	1.39	0.87	1.00	1.56	1.59	1.03
南　京	0.60	0.70	1.16	0.74	0.69	1.46	1.26	0.85
杭　州	0.78	0.81	1.59	0.86	0.93	1.90	1.73	1.18
宁　波	0.89	0.71	1.73	0.95	0.88	1.90	1.72	0.93
合　肥	0.58	0.60	1.09	0.76	0.55	1.27	1.14	0.81
福　州	0.90	0.88	1.28	0.71	0.91	1.53	1.40	1.11
厦　门	1.00	0.90	1.03	0.61	0.64	1.19	1.18	0.79
南　昌	0.91	0.85	1.04	0.76	0.83	1.44	1.34	0.89
济　南	0.47	0.50	0.87	0.53	0.50	0.93	0.91	0.58
青　岛	0.65	1.03	1.09	1.02	0.83	1.31	1.10	0.79
郑　州	0.60	0.65	0.99	0.70	0.44	1.01	0.91	0.68
武　汉	0.78	0.68	1.10	0.72	0.74	1.30	1.18	0.74
长　沙	0.85	0.72	1.15	0.62	0.71	1.24	1.12	0.88
广　州	1.21		1.22	0.66	0.94	1.60	1.49	1.19
深　圳	1.43	2.57	1.41	0.83	1.11	1.55	1.40	1.27
南　宁	0.70	1.13	0.68	0.35	0.47	0.61	0.76	0.61
海　口	1.18	0.95	1.00	0.63	0.86	1.02	1.50	0.99
成　都	0.53	0.76	1.13	0.69	0.52	1.28	1.36	0.77
重　庆	0.67	0.85	1.26	0.71	0.80	1.40	1.50	0.73
贵　阳	0.62	0.80	1.08	0.57	0.73	1.68	1.38	0.75
昆　明	0.61	1.00	1.00	0.80	0.49	0.94	1.03	0.66
拉　萨	0.75	0.96	1.71	1.63	0.80	2.42	2.14	0.97
西　安	0.50	0.52	1.36	0.82	0.58	1.36	1.36	0.70
兰　州	0.64	0.72	1.17	0.88	0.56	1.90	1.38	0.57
西　宁	0.56	0.73	1.33	1.20	0.68	1.90	1.43	0.61
银　川	0.99	0.72	1.20	0.95	0.64	1.60	1.29	0.72
乌鲁木齐	0.63	0.86	1.22	1.04	0.74	2.29	1.49	0.81

5—21 续表 5

品名 地区	胡萝卜 新鲜一级	青椒 新鲜一级	尖椒 新鲜一级	圆白菜 新鲜一级	莴笋 新鲜一级	豆角 新鲜一级	蒜苔 新鲜一级	菜花 新鲜一级
北　京	0.76	1.61	1.58	0.70	1.14	1.73	1.66	1.16
天　津	0.67	1.59	1.20	0.88	1.19	1.88	2.10	1.20
石家庄	0.62	1.83	1.46	0.55	0.77	1.67	1.46	1.02
太　原	0.50	1.53	1.66	0.64	0.82	1.58	1.52	0.91
呼和浩特	0.54	1.98	1.95	0.42	0.89	2.41	1.87	1.18
沈　阳	0.92	1.78	1.77	0.68	1.03	1.84	2.15	1.18
大　连	1.04	2.04	2.03	1.02		2.05	2.33	1.56
长　春	1.08	2.40	2.26	0.95	2.50	2.39	2.26	1.64
哈尔滨	0.60	1.99	1.91	0.68	1.81	1.93	2.29	1.31
上　海	1.14	1.75	1.88	0.79	1.34	2.56	1.73	1.82
南　京	0.82	1.56	1.58	0.58	0.94	2.08	1.66	1.26
杭　州	1.27	2.05	2.53	0.67	1.20	2.25	2.14	1.63
宁　波	1.13	2.39	2.27	0.72	1.31	2.38	1.89	1.59
合　肥	0.95	1.30	1.30	0.40	1.02	2.08	1.29	1.00
福　州	1.00	2.47	1.89	0.84	1.08	1.87	2.51	1.81
厦　门	0.88	1.62	1.47	0.84	1.05	1.44	1.20	1.82
南　昌	0.99	1.33	1.44	0.61	0.81	1.75	1.79	1.36
济　南	0.59	1.43	1.40	0.58	0.76	1.83	1.33	0.78
青　岛	0.96	1.87	1.91	0.72	1.23	1.88	1.94	1.11
郑　州	0.55	1.30	1.31	0.50	0.76	1.33	1.53	0.84
武　汉	0.87	1.36	1.28	0.51	1.03	1.60	1.75	1.18
长　沙	0.84	1.31	1.47	0.59	0.81	1.56	1.78	1.43
广　州	1.28	2.04	1.98		7.20	2.21	2.38	1.53
深　圳	1.62	2.02	2.37	1.37	1.51	1.96	2.61	2.07
南　宁	0.73	1.14	1.13	0.51	0.82	0.95	2.22	1.25
海　口	1.29	1.54	1.45	0.89	1.58	1.62	2.17	2.09
成　都	0.75	1.26	1.72	0.43	0.73	1.24	2.59	0.95
重　庆	0.74	1.57		0.56	1.15	1.43	2.59	1.41
贵　阳	0.59	1.39	1.00	0.59	0.90	1.08	1.80	1.13
昆　明	1.03	2.03	1.85	0.60	0.80	1.68	2.80	1.31
拉　萨	1.21	2.22	3.96	0.99	1.43	2.19	2.79	1.70
西　安	0.63	1.76	1.72	0.55	0.79	1.83	1.99	1.12
兰　州	0.67	2.16	1.81	0.63	0.94	1.79	1.97	1.10
西　宁	0.87	1.77	2.12	0.96	1.11	1.80	2.13	1.18
银　川	0.76	1.48	1.92	0.82	1.03	2.06	1.95	1.37
乌鲁木齐	0.74	1.84	1.93	0.65	0.99	2.41	2.05	1.49

5—21续表6

品名 地区	大葱 新鲜一级	大蒜 新鲜一级	韭菜 新鲜一级	空心菜 新鲜一级	生菜 新鲜一级	丝瓜 新鲜一级	莲藕 新鲜一级	绿豆芽 新鲜一级	豇豆 新鲜一级
北京	0.80	1.36	1.03	0.80	1.67	1.63	1.33	0.62	1.81
天津	0.73	1.38	0.93		1.57		1.37	0.75	
石家庄	0.65	1.09	0.99	0.70	0.90	1.23	1.35	0.61	1.32
太原	0.67	1.41	0.91	0.99	1.21	1.38	1.37	0.61	1.06
呼和浩特	0.56	1.50	1.13	1.25	1.41	2.49	2.11	0.51	1.50
沈阳	0.74	1.36	1.08	1.44	1.59	3.24	3.24	0.51	1.50
大连	1.11	1.99	1.35		1.99			1.00	
长春	1.18	2.10	1.55	1.75	1.98	2.00	2.33	0.78	1.50
哈尔滨	0.70	1.61	1.26	2.35	2.13	2.89	2.79	0.55	1.59
上海	1.54	1.69	1.54	1.42	1.49	2.30	1.85	0.90	2.57
南京	0.99	1.09	1.12	1.60	0.80	1.69	1.30	0.79	2.39
杭州	1.03	1.14	1.15	1.15	1.56	2.51	2.23	0.82	2.21
宁波	1.74	1.49	1.31	1.25	2.61	2.61	2.05	0.79	2.63
合肥	1.29	0.90	0.95	1.73	1.05	2.04	1.08	0.69	2.45
福州	2.17	1.76	1.18	1.32	4.26	1.63	1.70	0.62	1.40
厦门	1.07	1.45	1.11	1.01	0.81	1.54	2.23	0.86	1.16
南昌	1.68	1.25	1.31	1.29	1.20	1.72	1.63	0.80	1.66
济南	0.62	0.91	0.71	0.98	1.45	1.17	1.49	0.52	
青岛	0.74	1.48	0.88	0.83	1.78	1.54	1.53	0.70	0.90
郑州	0.86	1.23	0.74	2.11	0.84	1.83	1.21	0.69	1.69
武汉	1.13	1.05	1.19	1.44	1.15	1.89	1.32	0.85	2.09
长沙	1.36	1.42	1.18	1.58	0.84	2.00	2.12	0.51	1.95
广州		3.36	1.23	1.30	1.32	2.12	2.03	0.78	2.25
深圳	2.10	2.47	1.50	1.46	1.54	2.43	2.52	1.14	2.26
南宁	1.15	1.63	0.80	0.83	0.80	1.05	1.46	0.41	1.15
海口	1.83	1.95	1.01	1.15	1.01	1.36	2.20	0.95	1.46
成都	1.05	2.00	0.82	0.80		1.13	1.97	0.66	1.95
重庆	1.21	1.94	1.29	0.92	1.47	1.84	1.63	0.80	2.60
贵阳	1.53	1.95	1.60	1.04	1.00	1.41	2.10	0.76	1.63
昆明	0.99	1.76	1.01	1.27	1.05	2.01	1.82	0.79	1.55
拉萨	1.57	2.91	1.78	1.72	1.49	4.55	3.17	1.00	2.71
西安	0.80	1.53	0.91	0.86	1.67	0.99	1.93	0.72	1.74
兰州	0.84	2.32	1.02	1.88	1.44	1.80	1.78	0.78	2.87
西宁	0.87	2.04	1.11	1.36	1.19	2.00	1.90	0.81	1.90
银川	0.91	1.94	1.05	1.33	1.41	1.68	2.61	0.74	2.24
乌鲁木齐	0.95	1.50	1.23	2.32	1.36	1.83	2.62	0.71	2.39

5—21续表 7

品名 地区	芦柑 新鲜一级	广柑 新鲜一级	蜜桔 新鲜一级	苹果 国光一级	苹果 红富士 一级	梨 鸭梨 一级	桃 水蜜桃 一级	香蕉 国产 一级	西瓜 地产主销 一级
北　京	2.48		2.12	1.74	2.94	1.88	4.47	2.58	1.72
天　津			1.82		2.62			2.21	1.46
石家庄	1.48	1.28	1.20	1.17	1.37	0.82	0.75	1.99	1.27
太　原	1.93		1.32	1.04	1.90	1.61	1.38	2.38	1.24
呼和浩特	3.14	1.91	1.32	1.60	2.97	1.49	2.71	2.99	2.19
沈　阳	2.49	2.57	2.00	1.84	3.15	2.23	2.45	2.92	2.04
大　连	2.14	2.45	1.59	1.37	2.20	2.38	1.44	2.82	2.76
长　春	2.56	2.67	1.73	2.50	3.20	2.61	5.25	3.26	2.38
哈尔滨	2.31	1.98	1.97	1.52	3.04	1.54	2.26	2.81	2.24
上　海	3.00		0.63	1.80	3.13	1.81	2.13	2.13	2.01
南　京	1.82	1.94	0.97	1.54	2.22	1.58	1.86	1.47	1.53
杭　州	4.63		1.72	1.88	3.02	2.08	1.99	1.63	1.53
宁　波	1.90	3.32	1.60	1.67	2.69	1.97	2.31	1.42	2.10
合　肥	2.08		1.41		2.01	1.44	1.07	1.50	0.99
福　州	2.16	2.13	1.31	1.59	2.79	2.06	3.69	1.48	1.83
厦　门	2.30	1.81	2.19	1.91	2.71	2.02	3.28	1.18	1.23
南　昌	3.60	2.75	2.44	2.55	2.42	1.58	1.94	1.40	1.18
济　南	1.53	1.52	1.40	1.39	1.76	1.30	1.18	2.20	1.34
青　岛	1.58	1.58	1.55	0.82	2.13	1.51	1.63	1.94	1.52
郑　州	1.82	1.65	1.37	1.43	1.94	1.50	2.06	1.83	1.37
武　汉	1.96	1.88	1.22	1.73	2.53	1.91	1.77	2.23	1.63
长　沙	2.10	1.94	1.34	2.64	3.68	2.18	2.57	1.54	1.67
广　州		2.08	2.00	3.74	3.62	3.01	3.91	1.81	0.93
深　圳	2.00	3.04	3.08	4.00	4.87	2.87	4.66	2.75	1.76
南　宁	1.60	1.73	1.57		2.65	1.72	2.83	0.86	0.51
海　口	1.90	1.90	3.18	2.88	3.74	2.49	4.70	0.99	1.01
成　都		1.75	0.98		3.18	1.84	2.24	1.58	0.91
重　庆	1.50	1.41	0.85		2.96	2.38	3.72	1.84	1.18
贵　阳		1.59	1.00	2.06	1.78	2.51	3.16	1.37	1.05
昆　明	2.67	1.70	1.81	2.21	3.65	2.17	4.21	1.28	1.22
拉　萨	2.35	2.83	2.50	2.79	2.95	2.50	3.41	4.55	1.63
西　安	1.81	1.00	0.99	0.79	1.99	1.46	2.05	2.07	1.02
兰　州	2.03	1.76	1.53	1.23	2.26	1.95	1.78	2.76	0.88
西　宁	2.00	2.10	1.44		2.35	1.77	2.66	2.51	0.95
银　川	2.38	2.81	1.47	1.32	2.51	1.83	2.01	2.75	1.86
乌鲁木齐	2.41	2.14	2.04	2.58	2.74	3.23	3.72	3.02	0.98

5—22 1999年36个大中城市主要农副产品分月零售平均价格

单位:元/500克

品名	规格	全年	1月	2月	3月	4月	5月	6月
黄豆	标准品(三等)	1.75	1.84	1.81	1.82	1.79	1.78	1.76
红小豆	一级	1.81	1.85	1.83	1.80	1.82	1.86	1.83
绿豆	一级	2.31	2.66	2.57	2.49	2.47	2.37	2.27
早籼米	标一	1.11	1.13	1.14	1.13	1.13	1.13	1.12
晚籼米	标一	1.20	1.19	1.19	1.19	1.19	1.19	1.19
粳米	标一	1.26	1.33	1.32	1.30	1.28	1.26	1.26
面粉	特一粉	1.35	1.35	1.37	1.37	1.38	1.37	1.37
面粉	标准粉	1.07	1.07	1.06	1.06	1.08	1.10	1.09
玉米粉	精制玉米粉	1.44	1.37	1.36	1.45	1.52	1.46	1.48
菜籽油	一级散装	4.12	4.38	4.38	4.31	4.19	4.13	4.05
大豆油	一级散装	4.23	4.45	4.41	4.36	4.28	4.19	4.19
花生油	一级散装	5.50	5.68	5.70	5.74	5.58	5.47	5.47
色拉油	一级散装	4.47	4.70	4.59	4.55	4.58	4.51	4.44
鲜猪肉	去骨后腿肉	6.00	6.59	6.39	6.12	5.57	5.23	5.16
鲜猪肉	精瘦肉(非里脊肉)	7.24	8.04	7.85	7.48	6.83	6.49	6.32
鲜牛肉	去骨后腿肉	7.16	7.10	7.39	7.31	7.18	7.22	7.10
鲜羊肉	去骨后腿肉	8.72	8.67	8.92	8.60	8.50	8.82	8.95
鲜羊肉	新鲜带骨	7.58	7.33	7.65	7.84	7.74	7.65	7.77
鸡	活肉鸡1—1.5公斤	6.13	6.69	7.08	6.60	6.13	6.09	6.02
鸡	白条鸡、开膛 上等	5.17	5.53	5.68	5.42	5.09	4.90	4.99
鸡蛋	新鲜完整	2.80	3.24	3.34	3.01	2.81	2.74	2.73
鸭	中等毛鸭	5.68	5.55	5.98	6.04	6.11	5.99	5.92
鸭蛋	新鲜完整	4.07	4.15	4.18	4.10	4.06	4.05	4.03
仔猪	15公斤左右	3.23	3.68	3.60	3.50	3.21	2.95	2.67
带鱼	冻 国产 250克左右	5.42	5.51	5.67	5.53	5.30	5.33	5.29
带鱼	鲜 国产 250克左右	8.64	8.05	9.18	9.07	8.51	8.52	8.70
草鱼	活750克左右一条	4.66	4.67	4.70	4.69	4.62	4.75	4.77
鲢鱼	活750克左右一条	3.22	3.10	3.44	3.44	3.03	2.94	3.03
鲫鱼	活250克左右一条	6.29	6.64	6.57	6.30	6.06	6.13	6.20
鲤鱼	活500克以上一条	4.31	4.64	4.66	4.47	4.34	4.34	4.24
菠菜	新鲜一级	1.21	1.16	1.16	0.93	0.89	0.94	1.06
芹菜	新鲜一级	1.06	0.88	0.90	0.85	0.84	1.04	1.01

5—22续表1

品　　名	规　　格	7　月	8　月	9　月	10　月	11　月	12　月
黄豆	标准品(三等)	1.76	1.69	1.72	1.70	1.70	1.69
红小豆	一级	1.81	1.80	1.80	1.77	1.77	1.76
绿豆	一级	2.20	2.10	2.12	2.08	2.14	2.24
早籼米	标一	1.11	1.10	1.10	1.08	1.05	1.04
晚籼米	标一	1.18	1.18	1.18	1.21	1.24	1.19
粳米	标一	1.26	1.26	1.25	1.24	1.22	1.19
面粉	特一粉	1.37	1.36	1.35	1.33	1.32	1.29
面粉	标准粉	1.08	1.07	1.06	1.06	1.07	1.07
玉米粉	精制玉米粉	1.48	1.46	1.45	1.40	1.41	1.41
菜籽油	一级散装	4.02	4.02	4.02	4.01	4.01	3.95
大豆油	一级散装	4.19	4.20	4.18	4.15	4.11	4.08
花生油	一级散装	5.46	5.37	5.40	5.39	5.44	5.38
色拉油	一级散装	4.42	4.43	4.40	4.36	4.34	4.30
鲜猪肉	去骨后腿肉	5.41	6.06	6.52	6.43	6.25	6.13
鲜猪肉	精瘦肉(非里脊肉)	6.40	7.30	7.68	7.64	7.48	7.25
鲜牛肉	去骨后腿肉	7.12	7.17	7.25	7.11	7.02	6.91
鲜羊肉	去骨后腿肉	9.14	9.04	8.81	8.63	8.33	8.33
鲜羊肉	新鲜带骨	7.70	7.68	7.71	7.45	7.33	7.28
鸡	活肉鸡1—1.5公斤	6.00	5.88	5.98	5.79	5.64	5.49
鸡	白条鸡、开膛 上等	4.98	5.10	5.25	5.18	5.04	4.90
鸡蛋	新鲜完整	2.64	2.63	2.82	2.64	2.52	2.40
鸭	中等毛鸭	5.94	5.66	5.42	5.38	5.13	5.05
鸭蛋	新鲜完整	4.02	4.11	4.10	4.06	4.02	4.02
仔猪	15公斤左右	2.78	3.01	3.21	3.29	3.34	3.48
带鱼	冻 国产 250克左右	5.35	5.27	5.50	5.46	5.44	5.34
带鱼	鲜 国产 250克左右	8.64	8.41	8.91	8.69	8.31	8.59
草鱼	活750克左右一条	4.75	4.77	4.67	4.52	4.48	4.46
鲢鱼	活750克左右一条	3.17	3.38	3.44	3.26	3.25	3.07
鲫鱼	活250克左右一条	6.47	6.57	6.50	6.23	5.94	5.82
鲤鱼	活500克以上一条	4.36	4.36	4.30	4.11	3.92	3.93
菠菜	新鲜一级	1.31	1.68	1.96	1.59	1.17	1.10
芹菜	新鲜一级	1.27	1.20	1.33	1.25	1.10	1.01

5—22 续表 2

品 名	规 格	全 年	1 月	2 月	3 月	4 月	5 月	6 月
大白菜	新鲜一级	0.77	0.57	0.56	0.57	0.81	0.92	0.75
油菜	新鲜一级	0.89	0.92	0.87	0.84	0.83	0.78	0.78
黄瓜	新鲜一级	1.21	1.53	1.55	1.50	1.34	1.16	0.81
冬瓜	新鲜一级	0.85	0.84	1.08	1.16	1.16	1.07	0.91
萝卜	新鲜一级	0.71	0.57	0.58	0.59	0.63	0.75	0.75
茄子	新鲜一级	1.48	1.60	1.85	2.07	1.96	1.55	1.02
西红柿	新鲜一级	1.32	1.59	1.80	1.58	1.42	1.29	1.00
土豆	新鲜一级	0.80	0.78	0.84	0.87	0.86	0.89	0.85
胡萝卜	新鲜一级	0.88	0.83	0.82	0.83	0.82	0.83	0.92
青椒	新鲜一级	1.74	2.24	2.68	2.22	2.28	2.17	1.32
尖椒	新鲜一级	1.81	2.12	2.57	2.26	2.40	2.25	1.37
圆白菜	新鲜一级	0.70	0.76	0.79	0.72	0.74	0.60	0.51
莴笋	新鲜一级	1.13	1.14	1.23	1.11	1.03	0.94	0.80
豆角	新鲜一级	1.86	2.32	2.60	2.49	2.37	2.07	1.24
蒜苔	新鲜一级	1.97	2.17	2.84	2.59	1.95	1.33	1.26
菜花	新鲜一级	1.36	1.30	1.25	1.13	1.23	1.26	1.15
大葱	新鲜一级	1.11	1.10	1.24	1.26	1.30	1.20	1.05
大蒜	新鲜一级	1.64	1.66	1.68	1.78	1.82	1.76	1.58
韭菜	新鲜一级	1.14	1.47	1.34	1.18	1.08	0.87	0.82
空心菜	新鲜一级	1.37	2.17	2.18	2.24	2.08	1.57	1.07
生菜	新鲜一级	1.47	1.63	1.67	1.53	1.44	1.18	1.06
丝瓜	新鲜一级	1.95	2.25	2.20	2.26	2.60	2.55	2.18
莲藕	新鲜一级	1.91	1.80	1.93	1.88	1.79	1.88	2.21
绿豆芽	新鲜一级	0.74	0.76	0.76	0.77	0.74	0.74	0.72
豇豆	新鲜一级	1.96	2.70	2.48	2.74	2.81	2.73	1.88
芦柑	一级	2.33	1.96	2.15	2.12	2.20	2.19	2.31
广柑	一级	2.03	2.09	2.24	2.05	2.01	1.99	1.99
蜜桔	一级	1.60	1.56	1.83	1.84	1.90	1.97	1.89
苹果	国光 一级	1.83	1.58	1.72	1.74	1.89	1.86	2.17
苹果	红富士 一级	2.73	2.51	2.69	2.81	2.92	2.82	3.05
梨	鸭梨 一级	1.95	1.87	1.97	2.12	2.12	2.04	2.20
桃	水蜜桃 一级	2.56	1.40	1.40		5.00	3.11	2.72
香蕉	国产 一级	2.11	2.12	2.34	2.32	2.27	2.16	2.07
西瓜	地产主销 一级	1.55	2.54	3.16	3.01	2.20	1.63	0.92

5—22 续表 3

品　名	规　格	7　月	8　月	9　月	10　月	11　月	12　月
大白菜	新鲜一级	0.87	0.96	1.08	0.91	0.65	0.57
油菜	新鲜一级	0.90	0.96	1.10	0.91	0.90	0.89
黄瓜	新鲜一级	0.78	0.85	0.97	1.22	1.33	1.51
冬瓜	新鲜一级	0.75	0.58	0.53	0.57	0.70	0.81
萝卜	新鲜一级	0.84	0.92	0.89	0.77	0.62	0.57
茄子	新鲜一级	0.90	0.85	1.03	1.21	1.58	2.13
西红柿	新鲜一级	0.94	0.97	1.10	1.38	1.39	1.37
土豆	新鲜一级	0.77	0.75	0.76	0.73	0.75	0.74
胡萝卜	新鲜一级	0.89	0.94	0.99	0.98	0.88	0.85
青椒	新鲜一级	1.05	0.97	1.06	1.34	1.61	2.10
尖椒	新鲜一级	1.14	1.07	1.19	1.49	1.71	2.18
圆白菜	新鲜一级	0.60	0.70	0.77	0.80	0.73	0.64
莴笋	新鲜一级	0.91	1.16	1.37	1.31	1.25	1.34
豆角	新鲜一级	1.15	1.28	1.45	1.52	1.74	2.04
蒜苔	新鲜一级	1.24	1.44	1.77	2.07	2.29	2.56
菜花	新鲜一级	1.43	1.64	1.77	1.60	1.33	1.29
大葱	新鲜一级	1.03	1.03	1.03	1.02	1.00	1.11
大蒜	新鲜一级	1.47	1.48	1.59	1.61	1.64	1.59
韭菜	新鲜一级	0.91	0.96	1.04	1.21	1.31	1.44
空心菜	新鲜一级	0.88	0.87	0.95	1.12	1.30	1.56
生菜	新鲜一级	1.15	1.35	1.78	1.74	1.60	1.52
丝瓜	新鲜一级	1.62	1.33	1.51	1.63	1.93	2.24
莲藕	新鲜一级	2.33	2.27	1.82	1.70	1.72	1.67
绿豆芽	新鲜一级	0.71	0.73	0.72	0.73	0.72	0.73
豇豆	新鲜一级	1.30	1.20	1.38	1.61	1.93	2.30
芦柑	一级	2.61	2.97	3.39	2.84	2.49	2.22
广柑	一级	1.93	2.09	2.06	1.89	1.96	1.91
蜜桔	一级	1.86	1.85	1.74	1.42	1.21	1.17
苹果	国光 一级	2.13	2.18	1.93	1.62	1.67	1.61
苹果	红富士 一级	3.10	3.38	2.88	2.36	2.21	2.28
梨	鸭梨 一级	2.19	2.14	1.78	1.76	1.62	1.66
桃	水蜜桃 一级	2.20	2.23	2.52	2.89	3.01	2.91
香蕉	国产 一级	2.00	2.01	2.11	2.10	1.95	1.90
西瓜	地产主销 一级	0.59	0.52	0.74	1.05	1.61	2.15

5—23 1999年36个大中城市主要生产资料市场平均价格

	工字钢 16,Q235 元/吨	工字钢 30,Q235 元/吨	槽钢 20,Q235 元/吨	槽钢 30,Q235 元/吨	角钢 40×40,Q235 元/吨	圆钢 12,Q235 元/吨	圆钢 16,Q235 元/吨	扁钢 4×30,Q235 元/吨
北京市	2674.29	2724.86	2370.00	2783.33	2456.76	2326.39	2260.88	2554.76
天津市	2768.06	2938.89	2452.78	2779.17	2362.50	2377.78	2285.83	2462.50
石家庄市	2711.43	2968.89	2419.44	3221.43	2288.89	2364.44	2199.17	2550.00
太原市	2787.57	4057.14	2667.74	2500.00	2246.77	2490.59	2284.38	2780.86
呼和浩特市	2962.86	2899.41	2818.57	2860.29	2172.86	2305.88	2255.29	2344.44
沈阳市	2448.53	2841.67	2510.00	2765.28	2396.97	2467.65	2345.59	2402.78
大连市	2759.72	3358.33	2605.56	2982.86	2375.28	2330.56	2326.11	2804.29
长春市	2633.33	3144.44	2516.67	2798.44	2297.06	2336.11	2316.67	2559.72
哈尔滨市	2668.06	3125.00	2442.86	2900.00	2194.44	2316.67	2300.00	3150.00
上海市	2465.28	2805.83	2235.28	2740.56	2211.11	2208.89	2183.06	2698.33
南京市	2497.22	2700.28	2297.50	2499.17	2197.78	2237.78	2185.83	2548.61
杭州市	2601.39	2812.50	2361.11	2570.83	2249.44	2367.78	2231.94	2463.89
宁波市	2648.33	3044.17	2281.39	2742.78	2326.39	2488.61	2349.72	3240.28
合肥市	2781.67	3050.00	2379.17	2803.61	2302.33	2494.72	2389.44	2638.89
福州市	2981.94	3872.22	2701.39	3227.78	2450.00	2408.61	2369.17	2504.17
厦门市	3608.33	3608.33	2583.33	2583.33	2583.33	2429.58	2407.08	2860.00
南昌市	2880.00	3851.43	2450.00	3287.35	2315.71	2344.12	2562.00	2378.57
济南市	2800.00	3200.00	2600.00	3100.00	2350.00	2381.18	2361.18	2340.00
青岛市	2675.71	2893.71	2287.78	2624.17	2293.89	2304.72	2269.17	2483.33
郑州市	2548.61	2756.94	2207.22	3023.61	2225.56	2383.75	2166.39	2395.83
武汉市	2564.72	2994.72	2151.11	2453.33	2196.67	2290.28	2206.39	2475.28
长沙市	2733.89	3169.17	2236.94	2738.86	2455.28	2427.22	2380.28	2363.06
广州市	2839.58	3392.31	2746.15	2996.30	2258.33	2435.28	2350.56	2301.15
深圳市					2550.00	2700.00	2650.00	
南宁市	2628.79	3081.43	2550.00	2797.06	2548.61	2385.71	2461.11	2213.89
海口市			2300.00		2391.18	2200.00		2300.00
成都市	2630.28	2966.94	2255.28	2398.06	2323.61	2459.44	2525.56	2944.44
重庆市	2776.47	3235.14	2259.17	3378.82	2362.22	2348.06	2311.11	2511.11
贵阳市	2709.12	3251.43	2348.06	2689.12	2505.83	2590.28	2551.43	2600.00
昆明市	3421.43	3664.57	2403.33	2492.50	2444.29	2389.17	2413.61	2355.28
拉萨市			4800.00		4500.00	3071.43	3071.43	5000.00
西安市	2673.33	2807.14	2286.67	2719.71	2361.39	2306.11	2290.83	2567.10
兰州市	2816.67	3608.57	2711.11	2772.22	2472.22	2361.11	2211.11	2479.17
西宁市	2612.50	3500.00	2900.00	3400.00	2700.00	2480.56	2480.56	2902.78
银川市	3181.94	3569.44	2826.39	3722.22	2583.06	2398.61	2430.56	2500.00
乌鲁木齐市	3047.78	3263.11	2426.39	2962.86	2256.39	2261.94	2258.61	2387.22

5—23 续表 1

	螺纹钢 18,Q235 元/吨	螺纹钢 22,Q235 元/吨	线材 普通 6.5, Q215A 元/吨	线材 普通 6.5, Q235A 元/吨	热轧中厚板 6,Q235A 普碳 元/吨	热轧中厚板 10,Q235A 普碳 元/吨	热轧薄板 0.5,Q235A 元/吨	热轧薄板 1,Q235A 元/吨
北京市	2368.06	2335.00	2419.09	2318.00	2617.71	2358.33	3969.57	3525.00
天津市	2112.22	2212.50	2217.78	2186.11	2385.56	2174.29	3379.17	2698.53
石家庄市	2231.67	2231.67	2215.28	2238.61	2387.22	2257.78	3313.89	2870.00
太原市	2412.81	2346.81	2312.00	2299.14	2571.43	2416.88	2370.00	
呼和浩特市	2337.71	2342.00	2351.18	2367.65	2453.57	2412.86	3245.83	3320.56
沈阳市	2303.24	2433.53	2339.44	2393.14	2515.56	2563.24	3008.29	2824.29
大连市	2322.78	2304.17	2288.33	2272.50	2478.61	2373.89	3253.43	3202.57
长春市	2262.50	2264.44	2275.83	2420.83	2445.00	2260.00		
哈尔滨市	2311.67	2314.44	2271.39	2274.17	2454.17	2260.83	3416.67	3200.00
上海市	2106.94	2062.50	2177.22	2225.83	2372.22	2167.50	3740.28	3150.28
南京市	2160.42	2163.19	2230.00	2227.78	2362.86	2172.86	3359.17	2991.67
杭州市	2215.56	2205.28	2219.44	2251.67	2225.00	2225.00	3463.89	3152.78
宁波市	2304.00	2265.71	2248.33	2268.33	2503.61	2199.17	3465.00	3170.29
合肥市	2316.39	2293.61	2273.61	2248.06	2598.61	2475.56	3462.50	3176.94
福州市	2272.22	2268.89	2251.94	2247.50	2488.89	2380.56	3187.50	2897.22
厦门市	2284.58	2284.58		2258.61	2499.17	2399.17	2880.00	2880.00
南昌市	2380.00	2376.47	2207.14	2208.24	2390.30	2274.71	3450.59	3011.76
济南市	2430.00	2391.76	2400.00	2420.00	2438.24	2357.65	3700.00	3600.00
青岛市	2195.56	2195.00	2279.44	2279.44	2377.78	2258.61	2782.94	2700.00
郑州市	2237.22	2210.56	2178.61	2202.78	2399.44	2154.44	3000.00	2900.00
武汉市	2221.67	2221.67	2200.83	2222.50	2372.78	2287.50	3176.39	2968.06
长沙市	2358.89	2350.28	2301.94	2301.94	2314.72	2193.33		3287.22
广州市	2276.67	2228.33	2181.43	2160.00	2401.85	2248.15	4182.00	4000.00
深圳市	2495.43	2334.64	2435.71	2437.35	3000.00	3000.00	3531.25	3288.89
南宁市	2329.17	2329.17	2268.06	2276.39	2530.00	2492.29	3250.00	3202.86
海口市	2280.36	2312.50	2300.00	2300.00	3000.00	3000.00		
成都市	2300.56	2347.50	2217.78	2282.78	2545.83	2399.72	3192.22	2955.83
重庆市	2358.61	2330.00		2350.83	2373.06	2298.57	3250.00	3065.28
贵阳市	2394.17	2387.14	2418.57	2420.00	2555.56	2410.00	3163.64	3157.14
昆明市	2486.94	2483.89	2394.44	2403.06	2585.28	2367.50	2960.71	3002.22
拉萨市	2987.14	2987.14	3000.00	3008.82	4500.00	4300.00		5000.00
西安市	2236.67	2233.89	2286.11	2248.89	2437.06	2272.42	3128.13	3010.59
兰州市	2365.28	2363.89	2297.22	2302.86	2576.39	2464.29	3780.56	3819.44
西宁市	2505.56	2502.78	2552.78	2552.78	2912.50	2822.22	4311.11	3211.11
银川市	2397.22	2495.83	2450.00	2450.00	2800.00	2700.00	3800.00	3700.00
乌鲁木齐市	2446.67	2446.67	2256.47	2262.78	2658.33	2478.33		

5—23 续表 2

	冷轧薄板 0.5,Q195 —Q235 元/吨	冷轧薄板 1,Q195 —Q235 元/吨	马口铁 0.25,E2 元/吨	镀锌板 0.5,200g 元/吨	镀锌板 0.75, 200g 元/吨	矽钢片 0.5, DW470—50 元/吨	镀锌管 15,Q235BF, 200g 元/吨	不锈钢板 1.2×1000 ×2000 元/吨
北京市	3988.89	3375.88	5400.00	5866.67	5463.64	8000.00	3373.91	19000.00
天津市	3806.94	3361.11	5656.67	4961.11	5101.39	6129.17	2557.14	14827.78
石家庄市	3516.67	3180.00	4500.00	5058.33	5027.78	4073.68	2850.00	19818.18
太原市	4013.24	3573.55		7200.00	6500.00		3740.74	15500.00
呼和浩特市	3791.43	3812.78	6558.33	4660.00	4490.28	3791.67	3062.86	21828.57
沈阳市	3550.00	3413.89	5350.00	5362.50	5301.39	4787.50	2878.86	16511.11
大连市	3680.00	3568.57	6194.74	5273.89	5735.28	4785.45	3291.18	17894.74
长春市	3314.29	3122.06	5694.44	5294.44	5000.00		3100.00	16750.00
哈尔滨市	4555.56	3563.06	6500.00	5900.00	5700.00	5255.56	3100.00	18861.11
上海市	4242.22	3773.89	5348.06	5161.94	5005.14	4959.44	3472.50	
南京市	4011.71	3611.39	5404.17	4908.06	4793.61	5437.78	3177.14	17144.44
杭州市	3420.83	3469.44	5550.00	5478.00	5391.71	4811.11	4119.44	14882.78
宁波市	4083.33	3883.06	5706.11	4960.28	4863.33	4783.61	3568.89	13749.71
合肥市	4297.78	4034.28	5868.06	5327.50	5138.89	5252.78	4130.56	23162.50
福州市	4108.33	3752.78	5691.67	5216.67	5104.17	4873.53	4398.61	15036.11
厦门市	4175.00	3591.67	6100.00	5475.00	5275.00	3900.00	4140.00	18000.00
南昌市	4004.71	3606.47	6129.41	5204.29	5123.53	4117.14	3994.12	14423.53
济南市	4000.00	3900.00	5950.00	5200.00	5000.00	6300.00	3300.00	19100.00
青岛市	4127.78	3586.67	5407.35	5141.67	5012.50	5091.67	3485.71	16000.00
郑州市	3746.11	3212.78	6750.00	5154.17	5012.50	4230.00	4072.22	
武汉市	4024.72	3562.78	5087.22	4781.67	4682.22	4659.44	3923.06	
长沙市	4213.61	3787.50	5425.14	5082.50	4978.06	5616.67	3776.67	15180.83
广州市	3919.12	3668.57	5544.00	4984.38	5011.67	3864.00	3150.00	17800.00
深圳市	4119.12	3984.48	5466.67	5687.88	5833.87		5100.00	13700.00
南宁市	4800.00	4078.57	6000.00	6786.11	6688.89		3800.00	16722.86
海口市	4000.00	4000.00		3684.62	3825.76		3108.33	
成都市	3931.39	3780.00	5786.94	5268.89	4945.28	4257.62	3045.83	19350.00
重庆市	4009.44	3639.44		5041.38	4878.28		2510.34	21551.85
贵阳市	3940.00	3734.29	4847.73	5211.43	5204.29	5435.00	4064.71	15414.29
昆明市	4147.22	3651.14	4768.06	5288.89	5191.67	5144.29	3239.44	17190.28
拉萨市	5000.00	5000.00		6800.00				
西安市	3923.06	3688.29	5790.28	4995.83	4925.56	5770.59	3701.21	17917.14
兰州市	3936.11	3954.55		5215.28	5215.28		3784.72	22222.22
西宁市	4500.00	4400.00	6100.00	5720.83	5422.22		3513.89	25000.00
银川市	3800.00	3700.00	5800.00	5800.00	5750.00		3533.33	18638.89
乌鲁木齐市	3100.00	3500.00	4340.00	4371.88	5450.00		3281.25	

5—23 续表 3

	炭结钢 25,45# 元/吨	铸造生铁 18 元/吨	炼钢铁 10 元/吨	钢坯 镇静钢 95—105 元/吨	硅铁 含硅量 75% 元/吨	电解铜 1# 元/吨	铝 AOO 元/吨	铝 AO 元/吨
北京市	2971.43	1134.78	1100.00			16361.11	14601.43	14100.00
天津市	2422.22	1359.43	1143.06	1929.17	4200.00	16088.89	14588.57	14383.33
石家庄市	2401.67	1194.44	1050.00	1600.00	4400.00	17683.33	15005.56	14650.00
太原市	3200.00	1068.24				15500.00	14500.00	
呼和浩特市	2972.22	1098.57	1224.29	2025.00	4343.94	17405.88	14580.00	14263.16
沈阳市	2788.86	1710.30	1567.06	1782.86	4631.43	15866.67	14541.67	12862.50
大连市	2464.44	1336.67	1354.55	2181.82		16816.67	14980.56	16366.67
长春市	3022.58					16930.56	14680.56	14362.86
哈尔滨市	2900.00	1308.33	1261.11	2150.00	5800.00	16611.11	15227.78	15044.44
上海市	2737.93					16060.56	14765.00	14003.47
南京市	2423.33	1188.86	1071.00	1928.00	4268.06	16502.78	15025.00	13500.00
杭州市	2384.72	1238.61	1250.00	1800.00	6000.00	15750.00	14377.78	13875.00
宁波市	2728.86	1393.33			3623.57	15943.06	14672.78	14597.50
合肥市	2659.44	1273.61	1030.00	1807.78	4740.28	16152.78	14240.57	14049.67
福州市	2802.78	1500.00	1141.00	1948.53	4514.29	18075.00	15178.57	15011.11
厦门市	2786.11					15589.29	14216.67	
南昌市	2577.65	1291.18	1165.29	1819.12	4535.29	15885.71	15785.71	15228.57
济南市	3100.00	1250.00	1020.00	1900.00	4600.00	17000.00	14000.00	13800.00
青岛市	2491.39	1197.22	1086.11	1871.11	4688.89	17066.67	14100.00	14000.00
郑州市	2609.72	1300.00	1750.00			17602.78	15125.00	14754.17
武汉市	2638.89	1352.78	1251.39	2015.00		15713.89	14166.67	13863.89
长沙市	2744.72	1273.89	1305.56		4733.89	16884.57	14940.00	
广州市	3057.50	1376.57	1354.55	2031.82		15905.71	14800.00	14244.44
深圳市						15629.41	14265.71	
南宁市	3031.94	1400.83	1350.00	1800.00	4535.29	16940.00	14872.22	14071.43
海口市								
成都市	2707.78	1272.50	1128.61	1893.89	4398.61	15130.56	13706.94	
重庆市	2742.94	1250.00	1200.00			16808.33	14967.50	
贵阳市	2920.00	1229.17		1800.00	4500.00	16382.86	13822.86	13772.86
昆明市	2987.78	1116.29	1074.43	2220.83	3800.00	15744.29	14376.39	14636.36
拉萨市								
西安市	2546.94					17074.17	14306.67	
兰州市						17041.67	13454.29	13368.57
西宁市	3088.89	1350.00	1304.17	2231.94	4309.72	16205.56	13594.44	13406.94
银川市	3147.22					16291.43	14333.33	13722.22
乌鲁木齐市	2856.25							

5—23 续表 4

	铅 1# 元/吨	锌 0# 元/吨	锌 1# 元/吨	锡 1# 元/吨	镍 1# 万元/吨	高压聚乙烯 薄膜 1F7B 元/吨	高压聚乙烯 薄膜 Q200 元/吨	高压聚乙烯 注塑 112A 元/吨
北京市	4961.11	10106.25	9400.00	49733.33	5.61	6825.81	6400.00	6360.00
天津市	4970.83	9994.44	9775.00	50666.67	5.41	7160.00	7373.61	7050.00
石家庄市	5408.57	10500.00	11150.00	55000.00	5.85	6863.16	9100.00	6726.32
太原市	6300.00	10800.00	10800.00	56500.00		7044.82		8117.65
呼和浩特市	6668.57	10525.00	10410.29	55527.78	6.90	7996.57	7405.56	7311.14
沈阳市	4934.29	9577.78	9394.44	52005.56	4.99	6740.64	6700.00	6916.00
大连市	5947.06	9774.19	9953.85	54183.33	6.49	7650.28	7250.00	7705.71
长春市	5476.47	10560.00	10229.41	55164.71	5.76	8000.00	7500.00	6500.00
哈尔滨市	5344.44	10488.89	10211.11	52611.11	6.08	7513.89		
上海市	4709.03	9828.47	9725.83	49943.06	5.97		7404.29	7776.47
南京市	5563.89	10602.86	10277.78	53538.89	5.38	7205.56	7125.00	7396.55
杭州市	4898.57	9577.78	9588.89	50000.00	6.01	6890.28	6994.44	6913.89
宁波市	4839.17	9594.44	9513.89	50025.56	5.03	7273.61	7273.61	7195.83
合肥市	6416.67	10659.36	10163.89	57418.06	6.37	6988.89	7192.50	6963.89
福州市	5758.57	10627.78	10409.72	55291.67	6.38	7200.29	7235.71	6931.71
厦门市	5200.00	9650.00	9194.44	52000.00		7110.00	7102.08	
南昌市	5266.67	9765.71	9477.14	55228.57	6.49	6874.29	6874.29	6874.29
济南市	5500.00	10500.00	10000.00	52000.00	5.05	7023.53	6993.94	7016.18
青岛市	5047.22	9700.00	9600.00	51083.33	5.32	7043.06	6822.41	6970.28
郑州市	4775.00	9996.55	10205.56	53485.71	5.71	6876.67	7338.89	7099.72
武汉市	4858.33	9544.44	9250.00	49597.22	5.43	6928.08		7047.14
长沙市	4958.06	10121.94	9989.44	51000.00	5.83	7461.76	7227.78	7454.29
广州市	5470.00	9740.00	9645.71	49896.15	5.53	7704.57	6164.29	6554.59
深圳市	4805.71	9761.76		49914.29	5.53	7720.00	7473.53	7717.14
南宁市	5405.88	9859.72	10294.29	51477.27	8.29	7356.25	7421.43	6807.50
海口市								
成都市	5502.22		9720.83	52251.39	5.53	7297.22	7388.89	7116.67
重庆市	4745.83		9908.57	51250.00	5.85	7484.29	7560.00	7453.03
贵阳市	5294.12	9486.00	9474.29	51003.57	5.81	7166.67		
昆明市	4538.57	9276.47	9276.47	51202.86	5.23	7729.41	7244.12	7550.00
拉萨市								
西安市	6979.17	10916.67	10926.11			7333.33		6811.11
兰州市	7118.75	9812.50	9721.88	62000.00	5.95	8694.44	8894.44	8141.67
西宁市	7263.89	10597.22	9838.89	58388.89	8.00	7000.00		
银川市	5614.29	11714.29	11100.00	59388.89	5.27	7214.29	7260.00	6832.35
乌鲁木齐市						7988.57	7800.00	7400.00

5—23续表5

	低压聚乙烯拉丝5000S 元/吨	低压聚乙烯薄膜7000P 元/吨	低压聚乙烯注塑7006A 元/吨	聚丙烯拉丝2401 元/吨	聚丙烯薄膜2400 元/吨	聚丙烯注塑1300,1400 元/吨	聚苯乙烯透明666D 元/吨	聚氯乙烯悬浮液 元/吨
北京市	6057.35	7034.00	6569.57	5475.00	5500.00	5070.00	5355.71	6100.00
天津市	6295.71	6197.22	6261.76	5561.11	5288.57	5644.44	6412.50	6194.44
石家庄市	6231.58	7136.84	7372.73	5705.26	8700.00	8700.00	6926.32	6200.00
太原市	6405.88	7870.59	7300.00	7172.73	7900.00	7247.06	6452.94	6605.88
呼和浩特市	6648.86	8141.21	7578.57	6250.00	5784.29	6711.11	6416.67	6366.67
沈阳市	6007.19	6636.36	6500.00	5581.82	5695.45	5611.11	6784.21	6625.96
大连市	7194.44	6870.59	6300.00	6205.71	5838.46	5738.46	6597.00	6505.26
长春市	6000.00	6020.00	6342.86	6500.00		6800.00	6800.00	6000.00
哈尔滨市	6422.86			5891.67	6112.50	5296.00	6219.44	7000.00
上海市	6658.82		6872.86	5400.00		6254.41	7774.29	9358.33
南京市	6358.33	6584.38	6569.70	5673.61	6140.00	7100.00	6488.89	6544.44
杭州市	6336.11	6511.11	6352.78	5544.44	5420.00	5812.50	6287.50	6248.61
宁波市	6534.72	7012.50	6634.44	5809.72	5886.11	5807.14	6449.44	6568.57
合肥市	6621.43	6697.65	6502.86	5992.50	7127.78	7491.67	6436.94	6879.44
福州市	6464.86	6932.86	6397.14	5643.71	5750.00	5771.89	5926.86	5898.57
厦门市	6800.00	5900.00		5371.67		5300.00	5700.00	5725.00
南昌市	6405.71	6395.71	6508.57	5234.29	5277.14	5285.71	5951.43	5771.43
济南市	6507.58	6580.30	6091.18	5260.29	5887.88		6357.58	6665.15
青岛市	6087.88	6512.50	6079.17	5354.17	5855.17	5626.39	6083.33	6217.24
郑州市	6454.17	7457.22	6736.11	6391.11	6211.39	6066.39	6488.89	7764.17
武汉市	6450.00	6598.15	6859.26	5697.22		5912.59	6469.12	
长沙市	6571.43		6674.29	5937.14	6677.78	7008.33	6727.78	6034.29
广州市	7291.18	6250.00	6470.37	6608.57	5297.86	5292.86	6416.67	6101.85
深圳市	7198.82	7486.00	6809.68	5725.00	7300.00	6142.42	6426.47	5900.00
南宁市	6592.42	7075.00	6513.16	5768.75	5625.00	6135.71	9000.00	7535.00
海口市								
成都市	6738.89	7102.78	6730.56	5925.00	6444.44	6394.44	6147.22	7006.25
重庆市	6655.71	7196.00	6969.23	5850.00	6064.00	6377.14	6200.00	
贵阳市	6000.00	6644.83	6200.00	5360.34	4800.00	4880.00	5431.43	5825.71
昆明市	6784.85		7063.64	5963.64	6041.67	8280.56	6835.29	6288.24
拉萨市								
西安市	6725.71	6909.09	5994.44	5736.18	5104.62	6386.36		7066.67
兰州市	7341.67	7541.67	7541.67	6850.00	7241.67		6094.44	7241.67
西宁市								
银川市	6251.43	7013.89		5602.86				7200.00
乌鲁木齐市	6730.86						6220.00	5703.33

5—23续表6

	聚氯乙烯乳液法 元/吨	聚酯切片纤维 元/吨	纯苯石油 元/吨	甲苯石油 元/吨	二甲苯石油 元/吨	电石 元/吨	甲醇 元/吨	乙醇 元/吨
北京市			2305.14	2358.57	2414.29	2300.00	1482.86	
天津市	5758.33		2468.57	2538.57	2594.29	2641.67	1447.06	
石家庄市	6563.64	6000.00	1250.00	3630.00	3500.00		1328.57	4863.16
太原市	6605.88	11800.00	3100.00	3200.00	2737.82			5500.00
呼和浩特市	7115.00	8300.00	3211.11	3368.57	3038.29	1957.14	1958.33	4119.44
沈阳市	6506.67	7547.22	2431.52	2524.29	2386.67	2300.00	1767.39	4235.29
大连市	6553.57		3254.17	3158.33	3485.71		3153.60	5942.86
长春市	6000.00							3860.00
哈尔滨市			2500.00	2590.28	2602.78		1654.17	3184.21
上海市		7965.52	2273.61	2579.17	2681.43	1886.83	1342.86	3919.44
南京市	7900.00	7825.00	2534.29	2588.57	2762.86	2070.59	1422.22	4405.00
杭州市	6208.33	6834.72	2295.83	2231.94	2109.72	1560.00	1338.89	5000.00
宁波市	6577.94		2548.57	2561.11	2571.39	2894.44	1287.14	4145.83
合肥市	5902.50	6067.22	2540.56	2357.78	2291.94	2487.50	1985.83	4562.50
福州市	6350.00	7005.56	2697.06	3056.94	3063.89	2190.56	1428.61	3575.00
厦门市			1900.00	2612.50	2781.82			
南昌市	5866.67	7455.88	3475.71	3205.88	3238.24	2288.24	1475.29	5370.59
济南市			2470.59	2419.12	2470.59	2441.18	1804.55	
青岛市	5793.10	6237.93	2426.39	2478.33	2483.33	1135.29	1700.00	3875.00
郑州市	9727.78	7738.89	2917.50	2925.00	2960.57	2021.39	2006.94	6191.39
武汉市			2552.78	2575.71	2694.29		1575.92	
长沙市	5863.89		3274.29	3122.22	3169.44	2605.88	1813.89	4081.25
广州市	5800.00	7440.74	3018.75	2845.45	3142.19		1563.46	4800.00
深圳市	5655.56	9600.00	3061.67	2773.44	2789.06	2600.00	1673.44	3672.96
南宁市	7206.67		2806.52	3071.21	3120.59	2026.67	1832.14	3603.13
海口市								
成都市	9272.41	8860.00	3240.00	3100.00	3129.41	2045.45	1801.47	4355.56
重庆市			2652.86	2777.94	2857.14	2700.00	1575.00	4872.22
贵阳市	6300.00	7500.00	2407.35	2435.29	2467.06	2700.00	1528.57	4400.00
昆明市	7200.00	8311.43	2550.00	2600.00	2450.00	2723.61	2800.00	6126.67
拉萨市								
西安市	6500.00		2627.27	2503.03	2593.94		1484.85	4500.00
兰州市		7400.00	2542.42	2744.12	2942.42	2782.35	2188.24	5688.24
西宁市				2877.78	3311.11	2611.11	2366.67	7300.00
银川市				3066.67	3066.67			
乌鲁木齐市				2473.33	3012.77		2206.67	4500.00

5—23续表7

	硫酸 98%酸 元/吨	硝酸 元/吨	盐酸 30%酸 元/吨	纯碱 工业碱含量≥98.5% 元/吨	烧碱 固碱(离子膜法)含量≥98% 元/吨	烧碱 液碱(离子膜法)含量≥30% 元/吨	橡胶 国产天然、1#标胶 元/吨	橡胶 合成顺丁胶 元/吨
北京市	824.29	2086.57	786.91	1358.33	2483.33	2000.00	9458.33	6044.44
天津市	475.28	1827.78	510.00	1075.00	2108.33		9574.29	6300.00
石家庄市	865.14	2372.86	910.00	1265.88	2234.72	1276.76	8857.75	6473.68
太原市	642.85	1758.12	691.45	1256.18	2268.55	800.00	8600.00	6000.00
呼和浩特市	624.44	2957.14	753.06	1321.67	2027.43	582.57	10230.56	7111.43
沈阳市	631.18	1822.86	783.82	1052.65	2096.00	2200.00	9565.71	6482.76
大连市	551.52	1533.68	745.77	1477.27	2778.57	681.25	8721.43	7814.29
长春市	550.00	2000.00	750.00	1450.00	3500.00		9582.86	6238.89
哈尔滨市	556.00	1986.11	615.28	1189.72	1865.28	798.00	10091.67	6628.57
上海市	600.00	2000.00	600.00	1182.86	2257.14		9337.04	5620.83
南京市	463.06	1586.11	459.14	1032.22	2112.50	540.67	9255.56	6022.22
杭州市	540.00	2165.00	748.53	1063.61	2185.56	620.86	9675.00	6345.83
宁波市	442.50	1578.61	594.17	1051.39	2050.00	549.17	9366.67	6500.00
合肥市	548.89	1903.33	517.78	1294.44	2318.00	1412.12	7846.11	5643.06
福州市	577.92	1941.50	750.00	1133.33	2002.78	718.48	9431.43	6133.33
厦门市				1037.50	2163.64		9218.06	6136.11
南昌市	454.86	1838.57	499.43	1272.86	2315.71	1441.43	9328.57	6514.71
济南市	750.91	1898.53		1022.65	2323.53		9282.35	6008.82
青岛市	910.94	2230.86	818.57	987.08	2034.44	1661.11	9797.14	5851.39
郑州市	865.71	1878.89	824.57	1414.17	2253.61	771.39	8585.56	6416.94
武汉市	500.00	1636.11	750.00	969.44	1982.22		9566.67	6258.33
长沙市	800.00	2116.67	848.61	1068.06	2236.11	775.71	9838.89	6488.57
广州市	454.80	2068.52	760.00	1132.58	1841.82	800.56	8028.89	7390.91
深圳市	504.67	1832.14	602.65	1146.06	2186.36	1900.00	9700.00	8500.00
南宁市	827.94	2829.41	727.74	1224.24	1721.21	638.85	8429.41	6000.00
海口市				1440.00	2285.71		8448.57	5783.33
成都市	708.61	1982.35	644.17	993.71	1805.00	1800.00	9802.86	6322.22
重庆市	600.00	2200.00		940.00	1740.28	1462.96	9642.86	6597.22
贵阳市	541.18	1634.29	674.29	1300.91	2002.94	711.71	8605.88	5900.00
昆明市	440.00	2294.72	800.00	1274.29	1654.17	1300.00	8000.00	6000.00
拉萨市								
西安市	854.55	2442.42		1157.35	2342.42		9827.27	5950.00
兰州市	755.43	1775.00	425.59	1544.12	2702.86	811.76	10300.00	7861.29
西宁市	972.22			1351.39	2311.11		7115.28	
银川市	800.00	2183.33	800.00	1322.22	2191.67		9963.89	6465.71
乌鲁木齐市	950.00		838.33	1289.09	2041.67		8588.89	5490.39

5—23 续表 8

	轮胎子午胎（桑塔纳）185/70SR13 元/个	红松原木 长4—6m径级 30cm以上 一等 元/立方米	红松原木 长6m径级 30cm以上 一等 元/立方米	落叶松原木 长4—6m径级 30cm以上 一等 元/立方米	落叶松原木 长6m径级 30cm以上 一等 元/立方米	杉原木 当地主销 径级 14—18cm 元/立方米	水曲柳原木 长4m径级 30cm以上 一等 元/立方米	白松厚板 长4m厚6cm 一等 元/立方米
北京市	233.61	1431.25	1400.00	772.50	909.09	758.57	1748.57	1115.15
天津市	260.00	1372.22	1555.56	811.11	854.17		1800.00	1250.00
石家庄市	245.86	1243.06	1351.39	766.94	846.67		1569.71	1130.56
太原市	285.45	972.12	1236.76	1050.00	1200.00		1700.00	
呼和浩特市	350.00	1047.71	1210.86	788.29	890.57	787.27	1215.28	1193.06
沈阳市	240.00	950.00	1100.00	650.00	750.00	750.00	1900.00	900.00
大连市	233.43	1103.82	1297.14	672.65	775.83		1704.41	1123.21
长春市	292.94	1550.00					1550.00	
哈尔滨市	240.00	1112.29	1490.91	660.29	760.00		2045.71	1068.06
上海市		1350.00		880.00			2294.44	1140.28
南京市	247.14	1301.39	1323.33	959.44	956.94	1063.89	1754.17	1208.29
杭州市	198.00	1700.00	1650.00	950.00	950.00	948.61	1183.33	1400.00
宁波市	278.29	1398.61	1498.61	1045.56	1145.00	1308.33	2048.61	1104.17
合肥市	250.56		1180.00	1122.00	1188.00	1210.00	1350.00	1320.00
福州市	247.08					861.67		
厦门市		1479.29	1604.29	1430.71	1555.71	1011.43	2324.29	2205.71
南昌市	230.00							
济南市	270.00	1398.53	1448.53	851.47	901.47		2102.94	1399.41
青岛市	328.00	1440.28	1532.22	970.28	1114.00		1650.00	1250.00
郑州市	295.00	1193.06	1383.33	851.11	950.29	1165.71	1745.59	1107.94
武汉市	285.29	1550.00	1700.00	1047.22		1300.00	2230.56	1300.00
长沙市	260.56	1650.00	1700.00	1498.61	1551.39		2330.56	
广州市	265.00	1200.00	1300.00	1246.86	1500.00	780.00	2592.86	2600.00
深圳市	350.00							
南宁市	284.48	1300.00	1500.00	1000.00	900.00	945.00	1800.00	1500.00
海口市	206.11							
成都市	303.33						1300.00	
重庆市	260.00					920.00		
贵阳市	244.29							
昆明市		1660.00	1900.00	880.00	1200.00	980.00		1560.00
拉萨市	326.67							780.00
西安市	260.45	1320.91	1373.03	945.31	1041.21	923.06	1798.79	1096.67
兰州市	390.56	1524.29	1624.29	1066.18	1120.59	1032.00	2208.57	1314.29
西宁市	266.39	1133.33	1418.06	850.00	916.67	1107.81	1555.56	1277.78
银川市	269.44	1100.00	1490.56	676.39	780.00		1950.00	1150.00
乌鲁木齐市	279.24					550.00		1130.00

5—23 续表 9

	落叶松厚板 长 4m 厚 6cm 一等 元/立方米	硬杂厚板 长 4m 厚 5cm 一等 元/立方米	国产胶合板 普通 1.22× 2.44×3 元/张	进口胶合板 普通 1.22× 2.44×3 元/张	纤维板 1×2 元/张	纸浆 针叶树漂白 牛皮纸进口 元/吨	纸浆 阔叶树漂白 牛皮纸进口 元/吨	胶版纸 国产 70 克 左右 元/令
北京市	852.27	1160.00	26.50	36.35	10.57			261.60
天津市	1125.00		18.00	39.31	7.00	4679.17	3977.78	180.00
石家庄市	900.00	1252.78	26.50	34.66	25.00			150.00
太原市			40.00	45.00				
呼和浩特市	988.06	852.57	26.00	50.00	12.26			
沈阳市	750.00	1154.84	18.00	33.00	8.00	3900.00	4100.00	180.00
大连市	834.81	1144.76	20.29	29.65	14.53			207.08
长春市			28.00	38.00				170.00
哈尔滨市	1025.28	1346.94	20.53	28.61	8.08	5333.33	6771.43	160.00
上海市			28.00	31.28	7.50			257.14
南京市	988.89	1071.74	25.51	29.75	8.17	6000.00	5500.00	487.65
杭州市	1300.00	1500.00	30.47	43.44	7.60	4822.22	4805.56	462.63
宁波市	1147.78	2445.83	22.00	30.83	8.00	4713.21	4780.71	189.96
合肥市	1298.00	1000.00	25.30	29.71	8.00	6569.44	5895.83	195.00
福州市		1176.94	23.12	28.59	7.70			250.00
厦门市	2205.71	829.17	25.00	31.42	9.00			
南昌市			17.66	29.80	7.74			150.00
济南市	1101.47	1502.94	29.59	38.00	10.00			
青岛市	1060.00	1350.00	25.00	33.91	6.18			527.19
郑州市	984.17	877.14	28.24	34.51	10.08	4903.70	4381.48	171.27
武汉市	1250.00		15.00	27.92	8.00	4965.71	4702.86	603.84
长沙市	1900.00		25.81	29.00	5.74	4905.56	4300.00	747.56
广州市	1900.00	1300.00	25.92	31.53				
深圳市			31.20	32.02				
南宁市	1200.00	900.00	27.56	31.61	9.00			
海口市			14.00	28.00	10.00			
成都市			21.42	31.58	7.34			113.45
重庆市			25.41	32.69				
贵阳市			15.00	30.00	9.80			
昆明市	1000.00	4303.13	38.00	46.00	10.00			172.00
拉萨市			22.00	36.61				331.09
西安市	1049.39	1123.33	26.55	32.42				157.36
兰州市	1321.15		28.41	38.38	8.29			210.00
西宁市	1066.67	1527.78	44.00	56.78				
银川市	1050.00	1150.00	24.00	35.00	7.00			168.00
乌鲁木齐市	1000.00		24.00	41.00	7.50			

5—23 续表 10

	新闻纸 加拿大产 31 英寸卷筒 元/令	烟煤 炼焦用洗精 煤 9 级主焦 元/吨	烟煤 工业锅炉混煤 粒度<50mm 元/吨	焦炭 冶金焦 ≥40mm 元/吨	柴油 0 号 （公交等 行业用油） 元/吨	柴油 —10 号 元/吨	柴油 —20 号 元/吨	汽油 93 号无铅 元/吨
北京市			254.44	750.00	2395.42	2538.89	2658.94	3117.94
天津市	5978.57	355.00	227.50	446.67	2376.67	2519.00	2629.56	3111.89
石家庄市		290.00	122.04	480.00	2452.08	2616.70	2744.70	3180.63
太原市		324.05	131.45	463.39	2378.64	2415.44	2705.13	2602.97
呼和浩特市		153.89	133.75	316.00	2714.36	2884.65	2915.05	3105.36
沈阳市		406.67	240.00	540.89	2434.17	2580.50	2693.00	3053.17
大连市	6175.00	426.86	377.50	490.83	2432.97	2590.06	2711.89	2960.50
长春市			249.72	541.00	2477.22	2630.75	2708.87	3008.19
哈尔滨市	5435.71	233.39	225.00	560.00	2473.00	2716.33	2745.00	3107.58
上海市	6277.78		280.00		2494.17	2643.50		3139.17
南京市		358.33	343.33	500.00	2118.48	2337.94	2741.31	2584.44
杭州市	5388.89	315.14	320.00	560.00	2317.86	2450.00		2572.71
宁波市	5800.00	340.00	284.56	758.94	2336.43	2465.00		2632.30
合肥市		322.50	302.50	457.50	2281.58	2392.36	2504.44	2742.36
福州市	5750.00	361.56	325.14	782.22	2526.37	2679.43	3071.70	3219.97
厦门市			308.33	641.67	2453.89			3025.61
南昌市		472.14	261.43	578.57	2460.26	2613.00		3064.40
济南市		242.00			2324.91	2207.48	2897.00	2299.79
青岛市	5700.00	280.00	280.00	420.00	2459.72	2533.51	2713.67	3089.06
郑州市	5978.57	254.17	198.61	419.72	2437.61	2618.61	2728.33	3068.42
武汉市			269.78		2481.57			2966.11
长沙市	5500.00	286.94	238.47	577.78	2499.89			3030.92
广州市		336.11		638.06	2297.69	2675.00		3145.00
深圳市		360.14		881.89	2659.00			3468.75
南宁市	3190.00	346.89	167.22	590.56	2362.00			2918.06
海口市			230.00		2619.60			3283.77
成都市	6014.29	284.44	345.56	512.78	2457.22			2955.71
重庆市		336.50	158.20					3181.11
贵阳市				362.00	2562.94	2920.00		3410.00
昆明市					2619.71			3039.36
拉萨市					3104.64		3355.80	
西安市			153.79	401.97	2421.36	2546.58		2989.91
兰州市	4842.57		171.33		2556.35	2585.68	2701.51	2888.73
西宁市			176.28		2462.13	2540.50		
银川市		125.00		490.00	2431.67	2573.19	2686.00	3067.00
乌鲁木齐市			74.10		2380.25	2523.97	2642.39	2882.48

5—23 续表 11

	汽油 90号无铅 元/吨	重油 减压(燃料用重油) 元/吨	普通工业用电 国家规定<315伏安单一电价 元/百度	天然气 工业用天然气 元/立方米	煤气 工业用焦炉煤气 元/立方米	工业用水 工业用自来水 元/吨	普通硅酸盐水泥 525#袋装 元/吨	普通硅酸盐水泥 425#袋装 元/吨
北京市	2899.83	1156.25	33.70	1.80	0.94	0.34	331.11	318.19
天津市	2893.22	1016.67	42.20	1.83	0.85	0.28	325.00	305.00
石家庄市	2878.50		44.12		0.85	1.35	325.00	280.00
太原市	2368.33	1300.00	24.00		0.73	1.50	348.82	305.45
呼和浩特市	2722.17		41.64		1.40		333.47	284.58
沈阳市	2734.72	1070.00	27.20	3.00	1.50		458.57	326.90
大连市	2949.53	1028.00	24.00		1.40		334.23	285.42
长春市	2693.24	1200.00	62.25	2.30	1.30	2.48	320.00	320.00
哈尔滨市	2901.47	1046.86	57.20	2.50	1.20	1.56	423.33	405.83
上海市	2910.00		63.30		1.28	1.10	377.43	303.75
南京市	2362.76	926.39	49.64		1.05	0.40	319.89	270.28
杭州市	2379.14	1257.86	52.58		1.50	0.10	338.19	276.67
宁波市	2353.62	1150.88	54.90			0.12	327.42	288.67
合肥市	2600.64	1100.00	24.78		1.20	0.01	299.44	270.00
福州市	2998.67	1521.29	57.19			0.04	389.36	385.03
厦门市	3126.61		65.07				405.32	351.08
南昌市	2761.31		50.48		1.40	0.02	412.86	362.65
济南市	3040.00		56.00				303.82	248.82
青岛市	2854.83	1008.89	67.48		1.20	0.05	300.00	274.94
郑州市	2749.77		46.18	1.80	2.90	0.30	276.50	235.71
武汉市	2639.14		45.46		1.70		382.08	321.53
长沙市	2798.28	1002.78	49.60		1.70		382.78	268.33
广州市	2339.00	1278.18	77.00				426.11	408.06
深圳市	3082.79	2111.11	86.37			1.70	455.71	365.71
南宁市	2624.06	1281.88	16.20				290.35	280.35
海口市	2875.83		58.53			0.98	368.29	313.14
成都市	2670.28		45.00	0.98			437.22	385.53
重庆市	2786.26			0.73			357.78	321.39
贵阳市	3195.00		35.49		0.70	1.25	325.00	303.53
昆明市	2712.17		33.91				371.00	326.00
拉萨市							827.78	727.78
西安市	2688.48	901.43	44.75	1.45	0.75		360.61	332.58
兰州市	2712.75	1050.17	37.20		1.20	0.18	350.56	332.29
西宁市			23.60				341.39	322.50
银川市	2847.00		26.00				309.92	292.00
乌鲁木齐市	2686.75		33.30	1.85		0.30	458.33	344.03

5—23 续表 12

	矿渣硅酸盐水泥525＃袋装 元/吨	矿渣硅酸盐水泥425＃袋装 元/吨	普通平板玻璃3mm 元/平方米	普通平板玻璃5mm 元/平方米	浮法平板玻璃5mm 元/平方米	货车解放CA1092 万元/辆	货车解放CA1092K2L2 万元/辆	货车东风EQ1092E 万元/辆
北京市	248.00	254.41	12.54	13.28	19.25	5.96	8.92	5.60
天津市		305.00	9.38		16.94	6.20	9.05	6.21
石家庄市	240.00	286.86	8.86	18.81		6.32		6.58
太原市		318.48	9.18	25.00	18.23	5.92	8.47	6.06
呼和浩特市		311.11	9.24	15.18	17.87	6.20	8.96	6.22
沈阳市	380.00	280.00	7.38	12.45		5.87	9.40	6.90
大连市	299.17	280.00	11.73	14.79	19.57	6.22	9.20	6.37
长春市	320.00	320.00	9.17	13.00	16.00	5.65	9.45	
哈尔滨市	383.33	363.71	15.00	20.00	25.00	5.90	11.60	6.01
上海市	391.97	345.31	13.45	17.89	22.61	5.70		5.69
南京市	320.00	265.00	9.00	14.50	19.55	5.87	8.30	5.60
杭州市	335.97	281.81	9.01	14.75	16.97	8.35	8.00	8.35
宁波市	332.03	269.14	9.81	15.29	19.65	6.14	9.14	6.18
合肥市	299.44	270.00	12.06	16.46	17.79	6.05	8.07	6.31
福州市			9.60	16.29	18.83	6.30	9.40	6.42
厦门市			9.47		17.37	12.28		5.94
南昌市	390.47	336.65	10.32	13.71	14.06	6.04		5.70
济南市	300.00	253.00	8.64	13.58	17.00	6.40	9.75	5.90
青岛市	290.00	270.00	7.00	10.00	18.04	6.33		5.79
郑州市	276.58	240.19	11.40	14.65	17.21	7.77	12.15	6.29
武汉市	362.08	293.19	10.35	15.35	16.96	5.88	9.35	5.80
长沙市	368.89	305.00	8.00	9.20	18.00	6.49	9.04	6.19
广州市	270.00	280.00	10.88	16.94	18.62	6.80	10.30	6.14
深圳市			12.00	22.83	22.00	9.70		6.80
南宁市	320.67	310.67	11.10	15.63	17.58	6.24	8.55	6.19
海口市			15.00	22.00		8.80	9.80	
成都市			9.35	13.03	16.97			5.84
重庆市	360.71	314.31	10.00	13.40	15.62	5.64	11.75	5.42
贵阳市		310.00	10.00	11.14	18.00	6.04	8.49	6.11
昆明市	376.00	305.00	10.00	14.00	18.00	6.45	5.69	9.01
拉萨市			20.94	28.75	38.00	4.50		6.50
西安市			8.86		15.11	5.94	9.03	5.70
兰州市	300.00	291.18	10.00	18.00	21.00	5.39	9.24	5.73
西宁市			8.69	16.39				6.56
银川市		255.00	9.28	15.33	17.76	5.98	7.80	6.10
乌鲁木齐市	466.40	351.33	9.65	14.25	18.45	5.80		

5—23 续表 13

	货车 东风 EQ1092F2D 万元/辆	货车 北京 BJ1041 万元/辆	货车 跃进 NJ1061A 万元/辆	轿车 上海桑塔纳 2000 型 GSI 万元/辆	轿车 一汽红旗吉星 CA7180AE 万元/辆	轿车 一汽新 捷达王 GTX 万元/辆	轿车 天津夏利 TJ7130UA 万元/辆	轿车 二汽神龙 富康 988 万元/辆	轻型客车 依维柯 A40—10—2Z 万元/辆
北京市	6.50	3.65	6.00	18.59	25.28	17.04	8.60	10.50	20.40
天津市	6.75	4.88	4.50	18.22	24.32	16.42	8.60	16.96	19.96
石家庄市	7.20	4.69	4.17	18.24	23.00	16.50	9.10	16.50	21.05
太原市	7.87	4.19	4.00	17.91	25.00	17.64	8.23	17.09	
呼和浩特市	7.68	4.30	4.04	18.09	22.34	17.30	8.68	16.97	21.28
沈阳市		4.11	3.78	16.67	22.00	17.61	8.36	17.20	20.75
大连市	7.94	5.78	4.77	17.40	25.40	17.18		13.79	21.44
长春市		4.65	4.80	17.40	22.69	16.91		17.00	21.00
哈尔滨市	8.21	4.30	3.76	18.03	24.00	17.05	7.38	17.22	21.40
上海市	6.65	4.03	3.40	18.24	24.52	15.03	8.49		20.34
南京市	7.20	4.25	3.31	18.25	24.48	17.15	9.30	16.94	20.55
杭州市	6.90	4.10	3.40	18.33	23.50	15.45	6.75	14.58	20.60
宁波市	8.13	4.49	3.55	18.39	23.01	18.36	8.92	17.40	20.41
合肥市	7.09	3.65	3.14	17.84	22.39	15.07	6.67	17.43	20.57
福州市	7.00	6.00	5.00	18.54	24.70	17.00	8.57	17.10	21.50
厦门市	7.52	5.65	3.79	17.84	22.15	17.35	8.63	17.93	20.64
南昌市	7.68	4.94	3.50	17.52	19.92	16.25	8.40		20.61
济南市	7.60	3.80		17.68	25.25	16.25	8.80	17.31	20.68
青岛市	7.90	4.02	4.54	17.36	22.98	16.75	8.35	17.21	20.66
郑州市	8.30	4.16	3.42	18.09	24.36	16.99	8.59	17.15	20.64
武汉市	7.79	4.19	3.44	18.16	24.50	18.60	8.35	17.61	20.49
长沙市	7.52	4.26	3.65	18.71	25.51	17.34	8.43	17.26	20.55
广州市	7.30	4.10	5.44	18.41	25.14	16.80		17.21	20.80
深圳市	9.00	5.30	5.00	18.67	25.74	17.79	8.38	17.20	
南宁市	8.67	5.13	4.85	18.00	25.50	16.95	8.72	17.39	21.95
海口市				18.53	21.00	17.30	8.50		21.84
成都市	7.69			17.12	24.41	17.28	8.73	17.14	20.74
重庆市	5.54	3.63	3.30	15.83	22.42	16.67	8.69	16.88	20.52
贵阳市	6.95	4.62	3.84	17.66	25.28		7.49		20.99
昆明市	8.29			18.75	25.33	16.51	8.76	17.20	21.23
拉萨市		6.70		18.10					
西安市	8.46	4.09	3.71	15.81	26.62	17.02	7.90	17.40	20.96
兰州市	6.94	5.37	4.74	17.82	23.83	18.30	6.41	14.35	20.44
西宁市	6.80	4.80	4.30	18.40	21.38	17.00		15.60	21.50
银川市	7.90	4.31	3.50	18.17	24.85	17.44		17.30	21.27
乌鲁木齐市		4.13		18.53	25.33		5.69	17.11	21.01

5—23 续表 14

	客货两用车 江铃 NHR54ELW 万元/辆	大客车 当地主销 万元/辆	越野吉普车 北京 BJ 2020S 万元/辆	越野吉普车 北京切诺基 7250,4×2 万元/辆	皮棉 三级 27mm 元/吨	纯棉纱 42 支筒纱 元/吨	涤棉纱 65/35 精梳 元/吨	纯棉坯布 38″30×3672 ×69 细布 元/百米	纯棉坯布 50″30×3068 ×68 细布 元/百米
北京市	9.80		4.63	12.96		20426.53			
天津市	9.80	15.39	5.06	13.57	12193.33	23326.39	19488.89		354.17
石家庄市	10.32	17.00	5.16	13.84	13614.61		20000.00		333.74
太原市	9.38		5.52	19.20	11391.19	22333.33		246.74	338.01
呼和浩特市	9.74	18.50	5.10	13.08					
沈阳市	9.40	16.49	4.77	13.06	12500.00	27200.00	19800.00	270.00	330.00
大连市	9.79	20.91	4.97	12.62		25000.00			
长春市	8.50	8.50	5.80	12.30	12800.00	23500.00	19338.24		
哈尔滨市	8.80	5.00	5.09	12.95		26750.00	23000.00	315.00	430.00
上海市	9.51	15.06	5.10	12.50	10662.07	25722.22		302.78	402.78
南京市	9.45	18.50	5.28	13.24	14127.94	26172.73	20375.00	239.29	373.06
杭州市	9.80	14.30	5.26	12.70	13043.51	23777.14		655.00	700.00
宁波市	9.41	23.31	4.93	13.35	12355.00	23316.67	18388.89	426.00	489.33
合肥市	9.27	248.33	4.62	12.25	14534.86	20257.14	20875.14	234.00	305.20
福州市	9.30	14.00	5.60	13.00	11635.46	31224.21	21046.79		388.00
厦门市	9.30	51.00	5.35	13.47	11900.98	24035.00	18082.78	321.00	450.00
南昌市	9.55	24.00	5.06	12.71					
济南市	9.58	16.70	4.94	12.26					
青岛市	9.36	16.48	5.23	12.45	16851.43	26953.85	18000.00	372.06	505.14
郑州市	9.32	9.48	4.72	12.90	11247.22	25419.44	21880.56	247.92	351.29
武汉市	9.60		5.20	13.73	12212.39	21796.29	19055.83		310.00
长沙市	9.63	12.80	4.82	13.04	15630.56	17365.78			
广州市	9.60	14.00	4.99	12.30					
深圳市	9.45			13.96					
南宁市	9.62	8.90	5.04	12.65		20714.71	19563.89	299.06	336.00
海口市	9.56		7.12	12.96					
成都市			5.68	14.12	17220.00	21772.73	18142.86	279.72	461.39
重庆市			5.33	12.47	11096.15			234.65	312.30
贵阳市	9.59		5.21	13.05	17000.00				
昆明市	9.78	50.00	5.25	12.57		23786.11	20100.00	300.00	
拉萨市			6.31	14.80					
西安市	9.27	57.83	5.12	13.38	12230.30	25363.64	21287.50	272.27	360.30
兰州市	9.40	23.94	5.88	12.87	17800.00	24800.00	24500.00	310.00	
西宁市	9.68	42.00	5.05	13.23		25000.00	21000.00	317.00	415.00
银川市	9.39	22.30	5.14	12.43	17500.00	26533.33	330.00		539.44
乌鲁木齐市	9.62		5.15	13.08	10722.88	20152.78			301.94

5—24 1999年36个大中城市主要生产资料分月市场平均价格

产品名称	规格、等级	单位	全 年	1 月	2 月	3 月	4 月	5 月	6 月
工字钢	16,Q235	元/吨	2773.62	2858.40	2845.53	2827.39	2828.14	2797.08	2771.15
工字钢	30,Q235	元/吨	3184.19	3283.94	3281.98	3281.05	3234.17	3208.53	3195.57
槽钢	20,Q235	元/吨	2526.39	2566.36	2570.90	2559.70	2572.50	2543.94	2528.16
槽钢	30,Q235	元/吨	2865.10	2927.72	2955.71	2916.37	2895.10	2900.21	2884.30
角钢	40×40,Q235	元/吨	2421.70	2479.71	2470.58	2442.50	2431.06	2427.18	2420.88
圆钢	12,Q235	元/吨	2398.81	2484.10	2480.19	2445.29	2424.04	2398.93	2380.15
圆钢	16,Q235	元/吨	2355.24	2431.31	2430.99	2408.69	2392.75	2374.75	2359.90
扁钢	4×30,Q235	元/吨	2650.76	2697.71	2696.25	2685.71	2685.73	2675.71	2683.12
螺纹钢	18,Q235	元/吨	2332.84	2420.71	2423.83	2408.50	2382.50	2365.61	2327.74
螺纹钢	22,Q235	元/吨	2328.68	2415.67	2416.82	2402.10	2380.80	2365.30	2324.64
线材	普通6.5,Q215A	元/吨	2317.37	2377.47	2374.95	2363.62	2339.49	2337.11	2330.00
线材	普通6.5,Q235A	元/吨	2322.02	2395.49	2388.70	2374.61	2352.79	2344.80	2321.08
热轧中厚板	6,Q235A普碳	元/吨	2557.07	2622.10	2596.97	2574.00	2549.70	2539.41	2542.57
热轧中厚板	10,Q235A普碳	元/吨	2422.65	2483.64	2475.05	2429.60	2411.88	2411.03	2411.57
热轧薄板	0.5,Q235A	元/吨	3367.07	3461.71	3417.61	3308.35	3302.41	3369.14	3358.43
热轧薄板	1,Q235A	元/吨	3210.79	3231.82	3218.43	3172.58	3177.28	3183.11	3183.74
冷轧薄板	0.5,Q195—Q235	元/吨	4017.09	3937.85	3931.76	3937.48	3931.67	3967.96	4026.40
冷轧薄板	1,Q195—Q235	元/吨	3705.20	3600.29	3611.14	3592.14	3596.16	3653.03	3701.03
马口铁	0.25,E2	元/吨	5636.30	5862.78	5875.77	5762.64	5744.46	5684.47	5626.91
镀锌板	0.5,200g	元/吨	5311.49	5434.90	5419.13	5398.57	5373.56	5270.00	5308.27
镀锌板	0.75,200g	元/吨	5187.51	5301.40	5329.18	5314.85	5262.04	5198.14	5221.22
矽钢片	0.5,DW470—50	元/吨	5030.57	5230.16	5204.76	5266.32	5228.31	5125.67	5221.79
镀锌管	15,Q235BF,200g	元/吨	3501.92	3584.41	3574.95	3569.58	3522.11	3498.65	3519.23
不锈钢板	1.2×1000×2000	元/吨	17743.55	18416.81	18298.33	17621.91	17726.38	17838.03	17564.47
炭结钢	25,45#	元/吨	2760.81	2812.41	2797.59	2783.52	2787.42	2803.67	2806.74
铸造生铁	18	元/吨	1286.48	1321.11	1315.07	1299.86	1299.15	1289.72	1285.54
炼钢铁	10	元/吨	1233.65	1259.62	1254.80	1254.47	1261.67	1241.30	1241.79
钢坯	镇静钢95—105	元/吨	1951.40	2035.00	2017.65	1988.67	1974.77	1982.89	1965.53
硅铁	含硅量75%	元/吨	4506.00	4783.70	4726.74	4582.56	4539.78	4544.00	4523.40
电解铜	1#	元/吨	16451.00	16905.92	16727.45	16326.13	16117.37	16045.73	15983.93
铝	AOO	元/吨	14540.67	14328.79	14298.47	14285.71	14183.08	14151.80	14133.01
铝	AO	元/吨	14211.08	14061.97	14061.79	14075.00	13909.42	13920.90	14011.62
铅	1#	元/吨	5465.89	5653.59	5534.54	5421.43	5450.52	5435.00	5983.91
锌	0#	元/吨	10110.25	9930.38	9904.69	9834.07	9762.02	9785.70	9917.36
锌	1#	元/吨	9950.70	9828.02	9753.99	9653.93	9603.15	9674.02	9785.69
锡	1#	元/吨	52864.46	53223.86	53050.56	53054.88	52802.44	52846.30	52767.78
镍	1#	万元/吨	5.85	5.76	5.70	5.55	5.53	5.59	5.58
高压聚乙烯	薄膜1F7B	元/吨	7319.37	7456.98	7446.74	7389.76	7189.48	7185.46	7186.99
高压聚乙烯	薄膜Q200	元/吨	7305.11	7398.41	7420.17	7300.65	7129.30	7168.63	7189.32
高压聚乙烯	注塑112A	元/吨	7174.47	7336.35	7352.32	7244.41	7071.09	7082.34	7064.20
低压聚乙烯	拉丝5000S	元/吨	6569.34	6142.47	6120.60	6079.09	6208.82	6481.98	6646.55

5—24续表1

产品名称	规格、等级	单位	7 月	8 月	9 月	10月	11 月	12 月
工字钢	16,Q235	元/吨	2751.46	2751.97	2740.43	2724.88	2703.75	2693.71
工字钢	30,Q235	元/吨	3198.37	3155.66	3129.60	3105.10	3082.93	3063.98
槽钢	20,Q235	元/吨	2526.93	2511.76	2505.78	2500.00	2472.45	2458.82
槽钢	30,Q235	元/吨	2868.70	2861.28	2827.26	2819.35	2781.73	2757.04
角钢	40×40,Q235	元/吨	2409.39	2406.41	2406.92	2405.98	2385.33	2375.85
圆钢	12,Q235	元/吨	2387.33	2375.58	2373.00	2355.74	2345.76	2334.33
圆钢	16,Q235	元/吨	2351.88	2314.32	2312.43	2298.27	2302.26	2294.05
扁钢	4×30,Q235	元/吨	2678.07	2637.62	2612.51	2605.60	2584.92	2575.05
螺纹钢	18,Q235	元/吨	2322.34	2290.42	2278.19	2266.13	2259.38	2244.62
螺纹钢	22,Q235	元/吨	2319.62	2286.90	2273.86	2267.40	2252.71	2235.48
线材	普通6.5,Q215A	元/吨	2317.11	2298.28	2289.49	2280.52	2256.43	2245.15
线材	普通6.5,Q235A	元/吨	2317.69	2294.86	2283.33	2276.97	2267.73	2256.62
热轧中厚板	6,Q235A 普碳	元/吨	2551.26	2550.38	2548.56	2538.82	2532.02	2542.52
热轧中厚板	10,Q235A 普碳	元/吨	2422.82	2424.76	2413.56	2398.04	2392.48	2400.20
热轧薄板	0.5,Q235A	元/吨	3367.98	3373.26	3363.60	3330.58	3364.76	3404.05
热轧薄板	1,Q235A	元/吨	3194.41	3210.95	3209.58	3210.53	3264.68	3267.92
冷轧薄板	0.5,Q195—Q235	元/吨	4059.60	4078.70	4093.73	4078.59	4076.08	4097.43
冷轧薄板	1,Q195—Q235	元/吨	3738.06	3761.65	3788.81	3780.74	3817.64	3830.53
马口铁	0.25,E2	元/吨	5606.58	5561.34	5513.81	5497.20	5507.53	5497.73
镀锌板	0.5,200g	元/吨	5281.90	5282.43	5271.71	5272.65	5231.73	5196.29
镀锌板	0.75,200g	元/吨	5167.04	5122.10	5106.76	5116.77	5082.70	5044.14
矽钢片	0.5,DW470—50	元/吨	4951.69	4934.84	4871.97	4760.16	4768.89	4833.93
镀锌管	15,Q235BF,200g	元/吨	3541.48	3493.02	3475.08	3430.08	3404.32	3425.25
不锈钢板	1.2×1000×2000	元/吨	17475.33	17489.07	17514.19	17700.69	17504.94	17823.17
炭结钢	25,45#	元/吨	2784.27	2749.89	2722.61	2707.67	2689.46	2691.54
铸造生铁	18	元/吨	1291.51	1288.89	1282.92	1275.83	1248.63	1242.03
炼钢铁	10	元/吨	1248.57	1231.95	1224.51	1210.41	1198.79	1197.74
钢坯	镇静钢95—105	元/吨	1959.15	1929.81	1909.26	1910.38	1895.27	1878.18
硅铁	含硅量75%	元/吨	4507.45	4479.41	4446.00	4420.63	4316.23	4299.26
电解铜	1#	元/吨	15969.85	16108.25	16338.28	16742.31	17045.41	17103.54
铝	AOO	元/吨	14141.43	14297.12	14576.96	15075.21	15422.91	15603.79
铝	AO	元/吨	14008.82	13857.46	14118.51	14548.94	14845.73	15010.14
铅	1#	元/吨	5409.46	5407.32	5375.79	5328.37	5302.37	5303.83
锌	0#	元/吨	9954.94	10000.34	10210.00	10443.22	10694.19	10822.76
锌	1#	元/吨	9757.81	9808.72	10017.06	10296.02	10600.86	10667.89
锡	1#	元/吨	52744.40	52498.86	52782.18	52907.06	52849.47	52839.58
镍	1#	万元/吨	5.60	5.62	5.74	6.02	6.55	6.80
高压聚乙烯	薄膜1F7B	元/吨	7036.07	6939.35	7074.04	7482.21	7839.12	7628.13
高压聚乙烯	薄膜Q200	元/吨	7094.59	6984.34	7107.63	7553.89	7696.23	7627.22
高压聚乙烯	注塑112A	元/吨	6945.90	6792.53	6920.69	7315.00	7534.19	7432.05
低压聚乙烯	拉丝5000S	元/吨	6642.64	6597.80	6743.93	7203.53	7184.56	6840.22

5—24 续表 2

产品名称	规格、等级	单位	全　年	1　月	2　月	3　月	4　月	5　月	6　月
低压聚乙烯	薄膜 7000P	元/吨	6901.56	6748.41	6750.53	6807.59	6718.79	6792.35	6825.00
低压聚乙烯	注塑 7006A	元/吨	6652.94	6378.68	6361.82	6344.53	6380.81	6526.25	6734.79
聚丙烯	拉丝 2401	元/吨	5848.67	5665.52	5597.27	5541.51	5460.80	5571.93	5761.20
聚丙烯	薄膜 2400	元/吨	6102.32	5977.45	5947.50	5948.96	5857.22	5917.36	6099.46
聚丙烯	注塑 1300,1400	元/吨	6173.86	5933.15	5940.90	6011.96	5867.30	5863.28	6054.56
聚苯乙烯	透明 666D	元/吨	6396.50	5953.08	5939.49	5985.00	6018.70	6180.90	6324.53
聚氯乙烯	悬浮液	元/吨	6532.97	6226.76	6239.03	6088.64	6113.79	6371.47	6501.35
聚氯乙烯	乳液法	元/吨	6670.82	6562.82	6552.56	6477.86	6437.44	6546.82	6639.35
聚酯切片	纤维	元/吨	7662.52	6576.92	6460.42	6796.00	6933.79	7011.52	7122.12
纯苯	石油	元/吨	2669.24	2654.05	2643.24	2659.72	2627.78	2603.21	2604.13
甲苯	石油	元/吨	2757.79	2682.64	2675.79	2626.28	2556.11	2567.28	2592.58
二甲苯	石油	元/吨	2805.71	2711.18	2720.95	2673.40	2598.66	2616.53	2594.32
电石		元/吨	2314.97	2765.00	2443.62	2392.05	2345.74	2342.34	2327.04
甲醇		元/吨	1765.93	1853.13	1825.93	1827.27	1793.50	1762.72	1777.40
乙醇		元/吨	4707.71	4716.36	4637.04	4717.38	4686.29	4649.24	4655.91
硫酸	98%酸	元/吨	649.17	640.60	639.71	649.48	643.67	641.81	631.62
硝酸		元/吨	2005.10	2014.53	2020.63	2008.76	2044.69	2037.15	2010.23
盐酸	30%酸	元/吨	688.85	714.67	698.70	688.36	688.43	678.30	673.26
纯碱	工业碱 含量≥98.5%	元/吨	1201.58	1266.24	1269.71	1249.50	1239.74	1233.00	1213.51
烧碱	固碱(离子膜法)含量≥98%	元/吨	2186.49	2254.12	2270.79	2228.33	2221.90	2207.59	2188.15
烧碱	液碱(离子膜法)含量≥30%	元/吨	926.53	790.08	845.50	829.66	867.84	856.41	1040.23
橡胶	国产天然、1#标胶	元/吨	9187.45	8935.87	9001.09	9021.80	8912.63	8969.02	9218.68
橡胶	合成顺丁胶	元/吨	6326.05	6205.49	6244.62	6166.09	6148.39	6161.54	6177.47
轮胎	子午胎(桑塔纳) 185/70SR13	元/个	272.64	276.66	276.59	279.35	276.53	276.76	275.72
红松原木	长 4—6m 径级 30cm 以上一等	元/立方米	1310.51	1327.35	1313.80	1328.11	1333.70	1336.95	1325.68
红松原木	长 6m 径级 30cm 以上一等	元/立方米	1445.70	1462.54	1440.97	1437.74	1443.18	1452.97	1454.70
落叶松原木	长 4—6m 径级 30cm 以上一等	元/立方米	940.87	942.10	932.97	935.01	958.46	949.18	953.58
落叶松原木	长 6m 径级 30cm 以上一等	元/立方米	1031.98	1037.52	1025.23	1033.29	1048.85	1046.83	1051.55
杉原木	当地主销径级 14—18cm	元/立方米	994.23	1222.36	1231.67	1108.75	1034.32	989.77	977.05
水曲柳原木	长 4m 径级 30cm 以上一等	元/立方米	1837.27	1891.88	1883.04	1885.22	1894.65	1883.43	1855.88
白松厚板	长 4m 厚 6cm 一等	元/立方米	1278.29	1236.53	1242.64	1258.08	1299.86	1306.44	1306.39
落叶松厚板	长 4m 厚 6cm 一等	元/立方米	1170.97	1159.11	1149.43	1161.16	1184.99	1186.77	1198.59
硬杂厚板	长 4m 厚 5cm 一等	元/立方米	1410.30	1470.00	1414.00	1445.11	1497.40	1464.09	1453.98
国产胶合板	普通 1.22×2.44×3	元/张	25.85	27.74	26.99	26.48	26.40	25.85	26.38
进口胶合板	普通 1.22×2.44×3	元/张	35.13	36.57	36.02	35.79	35.29	35.01	35.11
纤维板	1×2	元/张	8.70	8.75	8.69	8.78	8.71	8.97	8.40
纸浆	针叶树漂白牛皮纸 进口	元/吨	5071.66	5030.00	4980.00	4917.65	4952.08	4985.19	4782.36
纸浆	阔叶树漂白牛皮纸 进口	元/吨	4951.76	5011.11	4966.67	4886.00	4857.78	4785.33	4825.33
胶版纸	国产 70 克左右	元/令	247.59			456.31	341.98	200.33	532.42
新闻纸	加拿大产 31 英寸卷筒	元/令	5545.86			5791.07	5842.56	5878.46	5718.26
烟煤	炼焦用洗精煤 9 级主焦	元/吨	313.77	316.98	318.44	319.18	318.78	318.64	314.46
烟煤	工业锅炉混煤粒度<50mm	元/吨	238.07	247.31	244.23	239.64	239.15	242.66	238.27

5—24 续表 3

产品名称	规格、等级	单位	7 月	8 月	9 月	10 月	11 月	12 月
低压聚乙烯	薄膜 7000P	元/吨	6791.43	6735.21	6882.37	7191.17	7205.84	7218.40
低压聚乙烯	注塑 7006A	元/吨	6658.53	6516.62	6545.06	6998.49	7138.48	7096.17
聚丙烯	拉丝 2401	元/吨	5742.35	5638.41	5790.35	6399.38	6644.19	6397.67
聚丙烯	薄膜 2400	元/吨	6044.64	5993.77	6025.90	6320.36	6454.62	6457.01
聚丙烯	注塑 1300,1400	元/吨	6018.87	5980.56	6118.43	6557.46	6775.81	6691.20
聚苯乙烯	透明 666D	元/吨	6256.05	6222.08	6363.85	6835.26	7131.98	7258.49
聚氯乙烯	悬浮液	元/吨	6499.18	6552.76	6616.67	6912.14	7033.95	6915.41
聚氯乙烯	乳液法	元/吨	6612.98	6577.55	6665.10	6877.71	6973.33	6928.14
聚酯切片	纤维	元/吨	7324.85	7579.46	8419.23	7836.84	8707.45	9053.47
纯苯	石油	元/吨	2601.60	2630.49	2665.80	2758.23	2759.62	2826.79
甲苯	石油	元/吨	2597.87	2751.04	2865.82	2985.56	3073.98	3105.11
二甲苯	石油	元/吨	2602.34	2763.98	2935.26	3061.31	3154.94	3233.26
电石		元/吨	2253.92	2213.54	2207.31	2216.44	2170.26	2172.89
甲醇		元/吨	1781.27	1739.88	1733.01	1710.29	1701.19	1698.95
乙醇		元/吨	4755.31	4626.94	4688.49	4800.59	4779.04	4780.56
硫酸	98%酸	元/吨	635.87	661.75	659.32	660.34	663.47	659.28
硝酸		元/吨	1993.57	1997.95	1980.93	1971.49	1993.56	1987.91
盐酸	30%酸	元/吨	675.62	688.96	691.30	691.56	689.76	687.12
纯碱	工业碱 含量≥98.5%	元/吨	1201.25	1159.19	1157.14	1156.98	1133.86	1137.98
烧碱	固碱(离子膜法)含量≥98%	元/吨	2183.00	2162.57	2117.27	2124.81	2137.35	2145.10
烧碱	液碱(离子膜法)含量≥30%	元/吨	1059.56	1040.40	959.40	916.68	917.19	914.27
橡胶	国产天然、1#标胶	元/吨	9417.66	9393.18	9225.25	9253.09	9337.25	9488.45
橡胶	合成顺丁胶	元/吨	6197.14	6188.21	6189.89	6401.69	6782.93	6966.50
轮胎	子午胎(桑塔纳)185/70SR13	元/个	274.05	271.03	267.21	266.07	266.07	266.82
红松原木	长 4—6m 径级 30cm 以上一等	元/立方米	1310.68	1294.38	1288.90	1288.29	1291.40	1297.60
红松原木	长 6m 径级 30cm 以上一等	元/立方米	1453.33	1446.39	1432.19	1434.59	1444.80	1447.73
落叶松原木	长 4—6m 径级 30cm 以上一等	元/立方米	955.01	942.96	928.13	936.28	928.73	930.40
落叶松原木	长 6m 径级 30cm 以上一等	元/立方米	1047.18	1029.92	1008.65	1020.20	1019.22	1020.06
杉原木	当地主销径级 14—18cm	元/立方米	979.05	955.58	907.02	899.59	903.73	888.00
水曲柳原木	长 4m 径级 30cm 以上一等	元/立方米	1843.57	1823.65	1790.14	1797.07	1768.55	1755.95
白松厚板	长 4m 厚 6cm 一等	元/立方米	1293.06	1299.60	1284.79	1281.22	1266.41	1264.47
落叶松厚板	长 4m 厚 6cm 一等	元/立方米	1179.19	1181.31	1158.37	1173.53	1159.52	1158.19
硬杂厚板	长 4m 厚 5cm 一等	元/立方米	1421.18	1386.75	1380.09	1271.57	1356.40	1386.64
国产胶合板	普通 1.22×2.44×3	元/张	26.52	25.21	24.93	24.88	24.67	24.80
进口胶合板	普通 1.22×2.44×3	元/张	35.06	34.44	34.55	34.56	34.55	34.93
纤维板	1×2	元/张	8.39	8.58	8.61	8.63	9.03	8.79
纸浆	针叶树漂白牛皮纸 进口	元/吨	4911.11	5024.81	5072.22	5280.00	5330.00	5423.33
纸浆	阔叶树漂白牛皮纸 进口	元/吨	4822.00	4926.67	4953.33	5209.26	5063.79	5141.67
胶版纸	国产 70 克左右	元/令	196.36	192.63	194.52	194.83	190.12	192.06
新闻纸	加拿大产 31 英寸卷筒	元/令	5887.60	5511.43	5474.81	4660.00	5415.56	5378.52
烟煤	炼焦用洗精煤 9 级主焦	元/吨	311.70	310.99	309.40	307.31	309.77	309.04
烟煤	工业锅炉混煤粒度＜50mm	元/吨	237.29	236.05	235.47	237.95	230.27	229.77

5—24 续表 4

产品名称	规格、等级	单位	全 年	1 月	2 月	3 月	4 月	5 月	6 月
焦炭	冶金焦≥40mm	元/吨	539.69	542.81	544.89	538.33	539.58	543.32	542.62
柴油	0 号(公交等行业用油)	元/吨	2465.76	2473.13	2474.85	2450.28	2424.87	2415.82	2409.66
柴油	—10 号	元/吨	2544.87	2523.71	2527.93	2501.99	2508.18	2517.58	2505.01
柴油	—20 号	元/吨	2744.25	2722.29	2704.87	2719.47	2723.45	2723.45	2720.84
汽油	93 号无铅	元/吨	2975.03	2944.06	2933.58	2888.87	2867.90	2897.28	2902.32
汽油	90 号无铅	元/吨	2744.49	2724.72	2690.00	2705.59	2671.23	2655.81	2644.22
重油	减压(燃料用重油)	元/吨	1134.46	1096.33	1092.58	1088.95	1087.92	1087.67	1084.45
普通工业用电	国家规定<315 伏安单一电价	元/百度	45.85	45.15	44.71	45.58	46.33	46.22	45.50
天然气	工业用天然气	元/立方米	1.85	1.95	1.95	1.95	1.82	1.83	1.82
煤气	工业用焦炉煤气	元/立方米	1.28	1.28	1.28	1.28	1.27	1.29	1.27
工业用水	工业用自来水	元/吨	0.47	0.51	0.47	0.48	0.51	0.49	0.57
普通硅酸盐水泥	525#袋装	元/吨	374.60	375.74	379.89	377.81	377.04	376.35	375.79
普通硅酸盐水泥	425#袋装	元/吨	326.50	328.20	328.77	329.01	325.99	329.16	328.46
矿渣硅酸盐水泥	525#袋装	元/吨	331.34	316.57	319.19	323.76	325.13	335.41	335.22
矿渣硅酸盐水泥	425#袋装	元/吨	294.92	297.05	296.54	293.41	293.63	296.24	297.66
普通平板玻璃	3 mm	元/平方米	10.35	10.71	10.67	10.57	10.26	10.21	10.10
普通平板玻璃	5 mm	元/平方米	15.41	15.34	15.34	15.35	15.31	15.43	15.07
浮法平板玻璃	5 mm	元/平方米	18.64	17.94	17.88	17.81	18.22	18.48	18.29
货车	解放 CA1092	万元/辆	6.27	6.21	6.06	6.09	6.20	6.31	6.41
货车	解放 CA1092K2L2	万元/辆	9.15			8.95	9.18	9.44	9.24
货车	东风 EQ1092E	万元/辆	6.20	6.24	6.21	6.19	6.22	6.26	6.29
货车	东风 EQ1092F2D	万元/辆	7.54	7.69	7.67	7.59	7.52	7.50	7.57
货车	北京 BJ1041	万元/辆	4.57	4.80	4.76	4.64	4.57	4.59	4.59
货车	跃进 NJ1061A	万元/辆	4.02	3.97	3.97	3.97	3.95	3.96	4.00
轿车	上海桑塔纳 2000 型 GSI	万元/辆	17.95	17.47	17.52	17.90	17.86	17.91	17.94
轿车	一汽红旗吉星 CA7180AE	万元/辆	23.96	23.39	23.06	24.27	24.16	24.13	23.91
轿车	一汽新捷达王 GTX	万元/辆	16.95			16.84	16.88	16.83	16.85
轿车	天津夏利 TJ7130UA	万元/辆	8.26			8.29	8.24	8.18	8.15
轿车	二汽神龙富康 988	万元/辆	16.92			16.72	16.86	16.92	16.77
轻型客车	依维柯 A40—10—2Z	万元/辆	20.86	20.74	20.81	20.80	20.79	20.89	20.93
客货两用车	江铃 NHR54ELW	万元/辆	9.52	9.62	9.53	9.52	9.57	9.41	9.40
大客车	当地主销	万元/辆	30.37			27.76	25.25	30.81	30.38
越野吉普车	北京 BJ2020S	万元/辆	5.20	5.25	5.25	5.23	5.21	5.26	5.22
越野吉普车	北京切诺基 7250,4×2	万元/辆	13.06	12.88	12.96	12.98	12.98	13.00	12.88
皮棉	三级 27mm	元/吨	13659.71	15134.86	14752.08	14494.98	14176.90	14133.18	14093.58
纯棉纱	42 支筒纱	元/吨	23822.64	23699.31	23727.62	24498.82	24513.59	24192.33	24066.72
涤棉纱	65/35 精梳	元/吨	20077.47	19341.19	19381.41	19785.00	19461.56	19728.09	20006.25
纯棉坯布	38"30×3672×69 细布	元/百米	349.65	317.83	326.17	821.67	331.43	313.82	309.04
纯棉坯布	50"30×3068×68 细布	元/百米	394.58	441.09	431.81	412.74	402.26	387.75	385.95

5－24续表5

产品名称	规格、等级	单位	7 月	8 月	9 月	10 月	11 月	12 月
焦炭	冶金焦≥40mm	元/吨	541.61	539.03	538.21	531.12	537.75	537.78
柴油	0号(公交等行业用油)	元/吨	2400.06	2408.60	2432.93	2501.34	2563.39	2625.65
柴油	－10号	元/吨	2508.05	2505.30	2507.22	2562.60	2630.73	2720.84
柴油	－20号	元/吨	2719.75	2719.75	2713.73	2748.27	2806.85	2884.23
汽油	93号无铅	元/吨	2900.04	2910.01	2950.22	3062.61	3153.41	3228.75
汽油	90号无铅	元/吨	2625.37	2630.80	2683.47	2848.52	2969.17	3036.95
重油	减压(燃料用重油)	元/吨	1076.54	1077.98	1115.98	1178.57	1242.87	1285.37
普通工业用电	国家规定<315伏安单一电价	元/百度	45.51	45.26	46.29	46.47	46.26	46.86
天然气	工业用天然气	元/立方米	1.83	1.80	1.82	1.82	1.84	1.85
煤气	工业用焦炉煤气	元/立方米	1.28	1.27	1.27	1.27	1.28	1.30
工业用水	工业用自来水	元/吨	0.43	0.41	0.43	0.42	0.46	0.47
普通硅酸盐水泥	525#袋装	元/吨	376.79	371.78	372.89	370.90	370.83	369.46
普通硅酸盐水泥	425#袋装	元/吨	328.70	325.59	323.90	323.34	324.15	323.05
矿渣硅酸盐水泥	525#袋装	元/吨	334.37	335.81	335.14	334.16	334.89	337.83
矿渣硅酸盐水泥	425#袋装	元/吨	296.57	293.63	294.23	294.01	293.84	292.51
普通平板玻璃	3 mm	元/平方米	10.10	10.13	10.11	10.20	10.46	10.67
普通平板玻璃	5 mm	元/平方米	14.90	14.84	15.13	15.51	15.86	16.65
浮法平板玻璃	5 mm	元/平方米	18.31	18.48	18.48	18.68	20.34	20.76
货车	解放CA1092	万元/辆	6.45	6.46	6.27	6.26	6.23	6.24
货车	解放CA1092K2L2	万元/辆	9.16	9.16	9.13	8.88	9.14	9.13
货车	东风EQ1092E	万元/辆	6.28	6.25	6.05	6.11	6.13	6.12
货车	东风EQ1092F2D	万元/辆	7.58	7.48	7.49	7.49	7.43	7.46
货车	北京BJ1041	万元/辆	4.57	4.55	4.49	4.45	4.45	4.43
货车	跃进NJ1061A	万元/辆	4.08	4.04	4.05	4.04	4.05	4.11
轿车	上海桑塔纳2000型GSI	万元/辆	18.05	18.02	18.14	18.20	18.23	18.21
轿车	一汽红旗吉星CA7180AE	万元/辆	23.97	24.11	24.18	24.07	24.03	24.03
轿车	一汽新捷达王GTX	万元/辆	16.90	16.88	16.95	17.03	17.10	17.13
轿车	天津夏利TJ7130UA	万元/辆	8.17	8.21	8.42	8.34	8.34	8.32
轿车	二汽神龙富康988	万元/辆	16.67	16.67	17.09	17.14	17.13	17.14
轻型客车	依维柯A40－10－2Z	万元/辆	20.88	20.87	20.88	20.89	20.93	20.90
客货两用车	江铃NHR54ELW	万元/辆	9.48	9.56	9.53	9.53	9.53	9.53
大客车	当地主销	万元/辆	31.48	31.94	32.33	26.62	33.05	32.38
越野吉普车	北京BJ2020S	万元/辆	5.16	5.13	5.14	5.24	5.22	5.11
越野吉普车	北京切诺基7250,4×2	万元/辆	13.01	13.05	13.07	13.16	13.29	13.43
皮棉	三级27mm	元/吨	13823.52	13500.24	13167.09	13002.89	12312.50	12085.61
纯棉纱	42支筒纱	元/吨	23942.91	23745.59	23870.36	23533.90	23200.90	23053.60
涤棉纱	65/35精梳	元/吨	20371.77	20397.25	20396.12	20333.38	20545.86	20704.83
纯棉坯布	38"30×3672×69细布	元/百米	306.37	310.88	317.20	311.16	302.61	299.76
纯棉坯布	50"30×3068×68细布	元/百米	385.05	383.97	382.32	383.56	372.68	368.70

(5－20至5－24各表,由中国价格信息中心提供)

5—25　1999年全国主要农业生产资料价格

单位:元/吨

时间 \ 类别	国产尿素 含N>45%				硝酸铵 含N>34.4%				过磷酸钙 含磷14%			
	进货价		零售价		进货价		零售价		进货价		零售价	
	本期	上年同期	本期	上年同期	本期	上年同期	本期	上年同期	本期	上年同期	本期	上年同期
全年平均	1336	1404	1469	1534	1298	1331	1364	1454	389	427	470	500
1月	1436	1553	1527	1644	1365	1380	1413	1525	392	427	480	508
2月	1425	1512	1524	1634	1372	1390	1458	1650	386	415	475	530
3月	1406	1495	1492	1590	1362	1380	1417	1540	390	423	494	535
4月	1385	1445	1496	1580	1246	1290	1398	1480	371	414	489	540
5月	1352	1380	1461	1510	1231	1270	1389	1460	398	455	479	508
6月	1325	1324	1478	1488	1341	1380	1376	1450	386	432	471	510
7月	1312	1395	1482	1584	1296	1320	1367	1415	401	455	467	498
8月	1281	1398	1471	1589	1287	1310	1320	1430	396	435	470	485
9月	1294	1432	1453	1591	1301	1375	1318	1416	407	455	461	497
10月	1289	1323	1428	1426	1294	1318	1310	1392	388	425	455	480
11月	1281	1310	1407	1394	1248	1298	1308	1346	371	400	451	470
12月	1245	1280	1412	1380	1227	1256	1297	1347	380	407	449	482

5—25续表1

时间 \ 类别	碳酸氢铵 含N16.8%				复合肥 含N、P、K各15%				乐果 40%乳剂			
	进货价		零售价		进货价		零售价		进货价		零售价	
	本期	上年同期	本期	上年同期	本期	上年同期	本期	上年同期	本期	上年同期	本期	上年同期
全年平均	396	422	458	489	1705	1814	1794	1907	14004	15115	16243	17020
1月	418	440	487	514	1813	2010	1915	2025	14080	15300	17630	18075
2月	409	430	492	520	1826	1980	1935	2100	13910	14980	17740	18400
3月	421	452	508	530	1816	1900	1921	2050	13980	15370	17720	18260
4月	402	425	491	528	1772	1810	1813	1930	14010	15980	16970	18130
5月	389	405	477	510	1768	1815	1807	1915	13810	14600	16320	17000
6月	397	430	423	457	1637	1795	1796	1890	14040	17400	15740	16150
7月	396	425	460	505	1635	1768	1738	1845	13900	15400	15680	16400
8月	381	410	465	510	1639	1736	1746	1821	13870	15200	15390	16370
9月	390	427	446	474	1649	1753	1725	1841	14250	15400	15630	16750
10月	384	410	423	452	1653	1742	1721	1852	14160	15200	15500	16530
11月	382	405	418	446	1629	1734	1708	1816	14090	14980	15700	16215
12月	370	400	396	418	1619	1719	1702	1796	13950	14270	14890	15960

5－25续表2

类别 时间	敌敌畏 80%乳剂				敌百虫 80%乳剂				一六〇五 45～50%乳剂			
	进货价		零售价		进货价		零售价		进货价		零售价	
	本期	上年同期	本期	上年同期	本期	上年同期	本期	上年同期	本期	上年同期	本期	上年同期
全年平均	15948	18671	20154	21386	10994	12755	13630	15097	16819	18567	18173	19818
1月	18900	19786	21120	22472	12000	13125	13700	15975	15400	16600	17100	18867
2月	17630	18717	20130	21970	11970	13033	14300	17167	15230	16000	16980	17750
3月	18100	19500	21030	22920	11500	12667	14200	16533	15410	16580	17500	18840
4月	15800	20340	21430	22030	11000	12830	13760	16670	16310	18210	17800	19100
5月	15670	18230	21500	22900	12100	14670	14800	18200	16512	18900	18400	21000
6月	15480	18250	20480	21820	10500	12950	14700	17500	17500	19100	18670	20500
7月	15500	18450	21031	22100	10480	12630	14200	16980	17600	19800	18700	20520
8月	15000	18380	19890	20830	10470	12400	14100	16300	17680	19500	18800	20100
9月	15200	18625	20310	21400	10460	12267	13900	15730	17700	19840	18900	21000
10月	14600	18250	18700	19934	10450	12350	12000	13635	17540	19750	18800	20150
11月	14800	18130	18800	19674	10600	12150	12100	13231	17650	19550	18320	20152
12月	14700	17395	17430	18576	10400	11986	11800	12960	17210	18970	18100	19841

5－25续表3

类别 时间	氧化乐果 40%乳剂				农膜 厚0.08mm				地膜 51～80cm			
	进货价		零售价		进货价		零售价		进货价		零售价	
	本期	上年同期	本期	上年同期	本期	上年同期	本期	上年同期	本期	上年同期	本期	上年同期
全年平均	17992	19626	19666	21847	8350	8870	8767	9553	8072	8506	8627	9413
1月	18100	19500	20100	22150	8670	9275	9039	10071	8750	9105	9561	10520
2月	18020	19120	21000	22400	8540	9178	8996	9933	8640	9021	9410	9910
3月	18750	20130	21400	23530	8680	9292	8970	10067	8630	9080	9244	10025
4月	18900	21810	21500	24120	8830	9600	9135	10250	8765	9061	8661	9950
5月	17600	18400	21050	24800	8210	8800	8971	9680	8473	8975	8684	9460
6月	17800	19750	19600	20870	8140	8460	8700	9240	7980	8067	8580	9134
7月	17900	19700	19420	20520	8370	8767	8838	9170	7891	8633	8414	9980
8月	17430	18660	19200	20530	8450	9025	8869	9900	7654	8100	8533	9350
9月	17800	19833	18200	22325	8230	8700	8788	9460	7718	8300	8384	9133
10月	17910	19750	18300	21200	8240	8815	8975	9126	7542	8100	8045	8700
11月	17890	19638	18120	20316	8100	8536	7967	8978	7438	7968	8030	8542
12月	17700	19217	18100	19398	7740	7995	7958	8765	7386	7656	7980	8247

（中华全国供销合作总社经济发展部）

5—26 1999年36个大中城市主要农业生产资料市场平均价格

单位:元/公斤

品名 地区	碳酸氢铵 含氮17%以上 水分≤3.5%	尿素 含氮46% 国产	尿素 含氮46% 进口	磷酸二铵 国产	磷酸二铵 进口	氯化钾 含氧化钾 50—60%	三元复合肥 国产含P. N.K各5%
北　京	0.36	1.35	1.82	1.98	2.20	1.38	1.56
天　津	0.41	1.34	1.78		2.31		
石家庄	0.34	1.30	1.10	1.78	1.76	1.32	1.44
太　原	0.41	1.38	1.90	2.22	2.24	1.39	1.78
呼和浩特		1.70	1.82		2.50		
沈　阳	0.50	1.47				1.46	1.70
大　连	0.47	1.51			2.40	1.49	1.77
长　春		1.38	1.38			2.38	2.38
哈尔滨		1.64	1.50		2.25	1.50	1.86
上　海	0.51	1.49	1.86			1.61	1.04
南　京	0.56	1.43	1.74	0.90		1.55	1.69
杭　州	0.51	1.50	1.50			1.49	2.39
宁　波	0.49	1.45	1.49			1.50	0.93
合　肥	0.48	1.40	1.55	1.99	2.12	1.30	0.90
福　州	0.50	1.53	1.95	2.10		1.48	0.92
厦　门	0.47	1.41				1.38	1.30
南　昌	0.43	1.31	1.99			1.45	1.26
济　南	0.35	1.27	1.58			1.41	1.32
青　岛	0.40	1.26	1.42	1.96	2.20	2.26	1.51
郑　州	0.39	1.32	1.43			1.37	1.59
武　汉	0.44	1.43	1.52	0.48	2.40	1.52	1.07
长　沙	0.47	1.49				1.52	1.50
广　州	0.53	1.49	1.76			1.41	1.36
深　圳		1.36	2.20				
南　宁	0.40	1.31	1.77			1.37	1.90
海　口		1.44	1.75			1.38	2.74
成　都	0.47	1.46				1.66	1.30
重　庆	0.57	1.46				1.56	1.14
贵　阳	0.48	1.49		4.00		1.38	1.42
昆　明	0.46	1.40	1.60	2.00		1.55	1.30
拉　萨	2.00	1.32		2.00			
西　安	0.44	1.31		2.03	2.26	1.26	1.65
兰　州	0.51	1.39	1.53	2.34	2.50	1.10	1.39
西　宁		1.75					
银　川	0.38	1.35			2.50	1.65	
乌鲁木齐		1.85					

5－26 续表 1

品名 地区	三元复合肥 进口含 P. N.K 各 5%	高压聚乙烯棚膜 折径 1 米厚 0.10mm±0.02	高压聚乙烯棚膜 折径 3.5－5 米厚 0.10mm±0.02	高压聚乙烯地膜 厚 0.014mm±0.002	敌百虫 90%晶体	敌敌畏 80%	1605 乙基 50%
北 京		7.76	7.98	8.58	11.05	16.05	22.00
天 津		8.77		8.13	16.58	21.03	21.60
石家庄	1.40	7.00	7.07	8.00	11.90	14.53	19.90
太 原	2.10	6.80	8.00	8.00	24.00	21.17	22.00
呼和浩特		9.79	9.79	7.80	17.14	23.85	
沈 阳		9.00	11.00	8.90	13.50	18.23	19.80
大 连	2.06	7.74	8.33	8.17	14.13	19.54	22.00
长 春	2.38	9.74	9.74	7.98	11.27	16.36	
哈尔滨	2.22	7.65	13.27	8.04	13.09	17.86	
上 海	1.97	8.36	8.36	8.54	22.55	24.52	
南 京	2.20	7.64	8.29	9.18	18.00	26.00	19.00
杭 州	2.41	8.11	8.25	8.11	13.32	18.14	14.85
宁 波	1.98	8.12	8.04	8.53	14.83	21.64	18.00
合 肥	1.60	8.00	8.00	7.97	12.08	17.38	15.75
福 州	2.08	9.27		9.56	14.42	21.45	
厦 门	1.90	8.50		8.70	16.82	20.17	
南 昌	2.00	6.98	6.95	7.00	15.58	20.05	15.25
济 南	2.08	9.50	8.36	8.13	23.00	20.00	18.00
青 岛	1.77	7.71	8.33	7.68	11.96	17.17	17.00
郑 州	1.91	7.48	7.48	7.53	12.50	17.54	17.50
武 汉	2.02	8.20	8.32	8.38	13.04	18.29	17.50
长 沙	2.19	9.18	9.18	9.33	15.42	22.50	
广 州	2.33	9.88			11.84	16.94	
深 圳	1.80				9.83	15.54	
南 宁	2.22	9.50			10.45	15.99	
海 口	2.62				12.14	17.23	17.50
成 都				7.63	12.68	18.09	17.50
重 庆		9.21		8.74	12.26	17.33	
贵 阳		9.40		9.26	15.91	23.78	
昆 明	2.00	10.00	10.00	9.34	14.16	22.30	18.27
拉 萨		10.00	12.65	10.47	30.00	25.64	
西 安		8.07	7.66	8.47	13.38	18.33	17.86
兰 州	1.84	11.60	12.39	8.76	20.29	21.70	21.00
西 宁				12.00	14.00	24.00	
银 川	2.24	9.50	11.00	9.00	15.00	21.00	21.00
乌鲁木齐					15.00	21.43	

5—26 续表 2

品名 地区	1605甲基 50%	乐果 40%乳剂	氧化乐果 40%乳剂	甲胺磷 50%乳剂	杀灭菊脂 10%	敌杀死 40%乳剂	呋喃丹 3%	来福灵 5%乳油
北　京	15.60	9.00	17.04	19.27	44.00	76.00	7.71	68.83
天　津			18.33	17.73			5.70	
石家庄	17.67	15.00	15.79	13.88	20.26	36.86	3.87	65.00
太　原	19.66	16.00	16.44	14.43	35.78	35.80	7.30	70.00
呼和浩特	18.71	24.00	24.32	22.57	37.86	37.33		75.00
沈　阳	22.67	18.96	19.50	18.82	40.00	54.00		63.40
大　连	20.33		17.80	14.18	43.89	78.70	4.50	60.00
长　春	14.00	14.40	16.00	13.00			14.20	
哈尔滨		15.55	17.86		26.00	76.82	3.93	56.67
上　海		18.57			38.20	71.00	4.65	70.00
南　京	26.00	17.67	27.00	18.83	40.00	80.00	5.80	60.00
杭　州	11.70	15.53	18.42	14.92		142.50	3.98	35.00
宁　波	17.50	14.72	19.68	15.25	39.67	84.09	5.00	
合　肥	15.92	14.17	16.92	13.92	37.50	67.00	5.60	54.91
福　州	14.38	16.92	21.08	16.69	45.00	69.50	5.00	54.50
厦　门		16.17	23.67	16.42		80.00	5.00	
南　昌	14.80	15.22	17.71	14.47	39.00	57.88	3.33	
济　南	15.51	18.00	21.90	15.90	35.14	36.60	5.00	69.80
青　岛	17.90	17.17	19.67	13.29	27.10	64.42	4.03	52.75
郑　州	16.20	16.83	17.33	13.46	40.20	40.00	3.45	58.58
武　汉	16.65	16.57	19.75	16.16	42.85	67.02	4.41	56.30
长　沙	11.00	17.64	24.00	13.66		25.13	4.50	
广　州		15.85	18.71	21.20			5.61	
深　圳		14.23						
南　宁		14.08	16.74	13.61	40.78	75.00	4.17	
海　口	16.00	15.76	17.33	14.30	39.10	78.00	5.30	59.44
成　都	16.50	14.72	18.64	14.87	17.92	82.37	6.35	67.82
重　庆		13.31	16.98	13.65		75.05		
贵　阳	35.00	22.36	21.30	22.40	20.00	12.50	3.60	
昆　明	17.74	15.86	20.13	15.84		83.22	5.42	67.84
拉　萨	60.00	23.00	29.46	27.00		64.55	10.00	
西　安	17.40	13.50	16.14	14.96	38.50	69.80	3.08	64.90
兰　州	20.00	17.81	22.46	20.00	81.67	78.29	12.50	88.86
西　宁		19.50	28.00			50.00		68.00
银　川	24.71		20.36	19.00	42.00	85.00	5.50	72.00
乌鲁木齐		23.97	23.97					

单位:元/公斤、万元/辆　　5—26 续表 3

品名 地区	稻瘟净 40%乳剂	退菌特 50%粉剂	禾大壮 76%乳剂	农用柴油 0号	农用柴油 —20号	农用拖拉机 12—15马力 四轮当地主销	豆粕 国产	麦麸 国产
北　京		11.33	57.67	2.39	2.64	1.01	1.47	0.90
天　津				2.21		0.94	1.40	0.77
石家庄		13.00		2.42	2.62	0.68	2.00	1.00
太　原		10.00		2.20		0.90	1.64	0.89
呼和浩特				2.70	2.89	0.69	1.76	0.75
沈　阳		13.45	53.64	2.00	2.50	0.90	1.50	1.04
大　连	13.00	11.29	59.08	2.45	2.70	1.15	1.48	1.03
长　春		12.00	52.00	2.47	2.52	0.90	1.45	
哈尔滨				2.47	2.74	0.87	1.50	1.00
上　海	39.00	10.80	52.00	2.49		0.50	1.59	0.91
南　京	15.00	16.00	50.00	2.48	2.30	0.51	1.60	1.00
杭　州	10.50	13.67	52.00	2.30				
宁　波	14.45	15.00		2.38		2.57	1.50	0.92
合　肥	39.38		50.83	2.24	2.48			
福　州	14.58	14.00		2.50	3.09	1.26	1.63	1.11
厦　门	16.00			2.14			1.70	1.36
南　昌			50.30	2.42			1.79	
济　南	11.89	12.70		2.38		0.56	1.59	0.77
青　岛		9.67		2.28		0.61	1.42	0.87
郑　州	12.00	11.54	55.08	2.10		0.69	1.67	0.86
武　汉	13.64		59.29	2.34		2.07	1.72	1.08
长　沙	14.17			2.24		2.19	1.82	1.20
广　州				2.55				
深　圳				2.74				
南　宁		11.17		2.15		0.66	1.79	1.00
海　口	14.46	15.56		2.20			1.20	0.80
成　都	12.82	14.13	73.23	2.40				
重　庆								
贵　阳	20.00			2.52		1.35	1.85	1.16
昆　明	13.91	12.53		2.63		2.78		
拉　萨				2.64	2.82	1.63		
西　安	14.00	13.00	56.00	1.95		0.90	1.60	1.05
兰　州	24.00	12.17		2.33	2.53	1.09	1.83	0.86
西　宁				2.42				
银　川		14.42	56.00	2.43	2.69	0.77	1.10	0.95
乌鲁木齐				2.38	2.65			

5—27 1999年36个大中城市主要农业生产资料分月市场平均价格

单位:元/公斤、万元/辆

品 名	规 格	全 年	1 月	2 月	3 月	4 月	5 月	6 月
碳酸氢铵	含氮17%以上 水分≤3.5%国产	0.48	0.54	0.53	0.55	0.53	0.51	0.46
尿素	含氮46%国产	1.43	1.48	1.46	1.46	1.46	1.46	1.45
尿素	含氮46%进口	1.66	1.69	1.70	1.71	1.71	1.66	1.65
磷酸二铵	国产	2.02			2.12	2.12	2.10	1.94
磷酸二铵	进口	2.28			2.38	2.36	2.15	2.34
氯化钾	含氧化钾50—60%	1.51	1.54	1.51	1.49	1.51	1.54	1.51
三元复合肥	国产含P.N.K各5%	1.48	1.48	1.44	1.44	1.49	1.48	1.49
三元复合肥	进口含P.N.K各5%	2.06	2.08	2.10	2.10	2.10	2.08	2.11
高压聚乙烯棚膜	折径1米厚0.10mm±0.02	8.59	8.73	8.67	8.47	8.55	8.57	8.57
高压聚乙烯棚膜	折径3.5—5米 厚0.10mm±0.02	9.09	9.37	9.38	9.22	8.78	8.99	9.07
高压聚乙烯地膜	厚0.014mm±0.002	8.63	9.24	9.23	8.98	8.63	8.65	8.40
敌百虫	90%晶体	14.47	14.54	14.66	14.24	14.33	14.07	14.41
敌敌畏	80%	19.79	20.97	20.94	20.99	19.90	19.85	19.31
1605乙基	50%	18.63	18.77	18.70				
1605甲基	50%	18.03			18.36	20.10	17.65	17.46
乐果	40%乳剂	16.84	17.42	17.38	17.26	17.13	17.02	17.48
氧化乐果	40%乳剂	20.07	21.10	21.05	20.85	20.46	20.28	19.73
甲胺磷	50%乳剂	16.09	16.65	16.36	16.36	16.09	16.00	16.15
杀灭菊脂	10%	38.80			41.27	40.96	39.76	41.69
敌杀死	40%乳剂	66.51	68.32	69.21	67.91	69.08	67.63	66.82
呋喃丹	3%	5.06	4.66	4.59	4.66	4.74	5.12	4.99
来福灵	5%乳油	64.13	65.58	62.78	65.74	65.70	65.95	65.76
稻瘟净	40%乳剂	16.35	13.18	14.15	13.45	17.25	16.90	17.04
退菌特	50%粉剂	12.71	12.54	12.61	12.94	12.90	12.84	12.64
禾大壮	76%乳剂	55.75	55.52	55.42	55.48	55.73	55.67	54.61
农用柴油	0号	2.38	2.37	2.39	2.38	2.35	2.33	2.35
农用柴油	—20号	2.64	2.70	2.69	2.65	2.64	2.64	2.62
农用拖拉机	12—15马力四轮当地主销	1.20			1.11	1.37	1.26	1.29
豆粕	国产	1.62			1.63	1.64	1.57	1.55
麦麸	国产	0.98			1.09	1.09	1.07	1.04

5—27 续表

品　　名	规　　格	7　月	8　月	9　月	10　月	11　月	12　月
碳酸氢铵	含氮17%以上 水分≤3.5%国产	0.46	0.45	0.44	0.44	0.43	0.43
尿素	含氮46%国产	1.45	1.44	1.41	1.38	1.38	1.37
尿素	含氮46%进口	1.66	1.66	1.64	1.64	1.59	1.63
磷酸二铵	国产	2.06	2.09	2.09	1.95	1.96	1.95
磷酸二铵	进口	2.30	2.31	2.29	2.27	2.22	2.19
氯化钾	含氧化钾50—60%	1.54	1.51	1.51	1.50	1.47	1.45
三元复合肥	国产含P.N.K各5%	1.47	1.49	1.51	1.47	1.47	1.49
三元复合肥	进口含P.N.K各5%	2.10	2.07	2.03	2.01	1.97	1.98
高压聚乙烯棚膜	折径1米厚0.10mm±0.02	8.35	8.36	8.39	8.69	8.78	8.86
高压聚乙烯棚膜	折径3.5—5米 厚0.10mm±0.02	8.53	8.86	8.90	9.23	9.30	9.31
高压聚乙烯地膜	厚0.014mm±0.002	8.14	8.36	8.27	8.24	8.58	8.79
敌百虫	90%晶体	13.85	15.01	14.58	14.70	14.85	14.17
敌敌畏	80%	18.96	19.24	19.37	19.31	19.32	19.12
1605乙基	50%		17.00	18.00	18.00	18.00	18.00
1605甲基	50%	17.13	16.99	16.88	16.53	19.43	19.47
乐果	40%乳剂	16.77	16.89	16.15	15.93	16.71	16.08
氧化乐果	40%乳剂	18.72	19.47	19.81	19.82	19.78	19.46
甲胺磷	50%乳剂	16.01	15.77	16.01	15.66	16.00	16.07
杀灭菊脂	10%	40.14	36.74	36.27	35.94	38.50	38.56
敌杀死	40%乳剂	64.51	66.17	65.08	62.94	65.42	65.63
呋喃丹	3%	4.98	5.08	5.46	5.40	5.38	5.34
来福灵	5%乳油	61.76	64.66	63.71	62.86	62.54	62.76
稻瘟净	40%乳剂	17.14	17.68	17.54	17.54	15.90	17.10
退菌特	50%粉剂	12.45	12.57	12.60	12.58	12.88	12.86
禾大壮	76%乳剂	56.61	54.34	56.83	56.51	56.05	56.12
农用柴油	0号	2.32	2.30	2.32	2.41	2.46	2.55
农用柴油	—20号	2.58	2.59	2.59	2.60	2.63	2.72
农用拖拉机	12—15马力四轮当地主销	1.21	1.18	1.19	1.16	1.13	1.13
豆粕	国产	1.62	1.57	1.65	1.66	1.64	1.63
麦麸	国产	0.98	0.96	0.94	0.91	0.93	0.91

5—28　1999年36个大中城市主要工业消费品零售平均价格

单位:元

	豆腐 水豆腐 (散装) 500克	豆腐 水豆腐 (盒装) 500克	食用盐 精制 含碘盐 500克	绵白糖 当地主销 500克	白砂糖 当地主销 500克	红糖 当地主销 500克	酱油 当地主销 (瓶装) 500ml	酱油 当地主销 (袋装) 500ml
北京市	1.00	1.00	0.85	2.93	3.76	2.45	2.36	1.29
天津市	0.95	1.00	0.85	2.50		2.37	1.40	1.20
石家庄市	0.98	1.00	0.66	2.55	2.43	2.48	3.58	1.10
太原市	0.80	1.00	0.78	2.71	2.84	2.91	4.14	0.60
呼和浩特市	1.00	1.40	0.79	2.18	2.02	2.05	3.64	1.18
沈阳市	1.00	2.00	0.67	2.22		2.77	3.16	1.18
大连市	0.95	1.00	0.64	2.20	2.08	3.79	2.12	1.42
长春市	0.83	1.00	0.69	2.41		2.41	2.54	1.84
哈尔滨市	0.80	1.17	0.70	2.59	3.33	3.38	2.61	1.47
上海市	1.20	1.12	0.77	2.54	1.92	3.01	3.20	1.15
南京市	0.75	0.90	0.98	2.25	2.49	2.43	4.19	2.48
杭州市	0.60	0.70	0.90	3.66	1.65	2.71	3.28	1.20
宁波市	0.50	0.70	0.61	1.81	1.81	1.81	3.50	1.17
合肥市	0.64	0.76	0.60	2.33	2.33	2.10	2.89	1.30
福州市	0.58	1.03	0.90		1.95	2.85	4.41	2.90
厦门市	1.00	1.10	0.80		2.04	2.54	3.43	3.00
南昌市	1.00	1.20	0.71	2.07	2.68	1.71	2.22	1.80
济南市	0.90	1.00	0.55	2.42	2.42	2.42	4.14	2.05
青岛市	1.00	1.00	0.65	2.50	3.43	4.13	2.54	1.00
郑州市	1.00	2.00	0.64		2.60	2.83	2.63	1.00
武汉市	0.90	1.00	0.60	1.84	2.01	2.17	3.83	0.90
长沙市	0.60	0.80	0.76	2.00	2.00	2.16	5.70	0.90
广州市	1.10	1.50	0.93		2.91	2.56	3.26	1.50
深圳市	1.00	1.20	1.09	6.00	3.19	4.30	4.13	
南宁市	0.70	1.00	0.66		2.02	1.90	2.87	3.90
海口市	1.00		1.00		1.85	1.76	4.33	2.00
成都市	1.00	1.21	0.85		2.48	1.73	5.50	2.32
重庆市	0.80	1.00	0.85		2.58		2.70	2.00
贵阳市	0.70	1.00	0.60		2.02	2.02	2.01	1.50
昆明市	0.70	1.00	0.70		1.98	1.81	3.43	2.38
拉萨市	1.02	2.00	1.00	2.80	2.57	3.50	3.35	4.50
西安市	0.80	1.04	1.17	4.67	3.00	2.83	5.41	1.90
兰州市	1.00	1.25	0.72		2.53	3.00	3.79	1.48
西宁市	1.00	1.25	0.51	2.70	2.28	2.19	4.86	1.25
银川市	1.00	1.25	0.55	4.50	1.80	1.71	2.20	1.25
乌鲁木齐市	0.77		1.15	3.00	3.14	3.61	6.86	1.83

5—28 续表 1

	醋 当地主销 (瓶装) 500ml	醋 当地主销 (袋装) 500ml	鲜奶 消毒牛奶 500ml	味精 当地主销 500 克	挂面 普通富强粉 500 克	国产烟 红梅硬 84mm 盒	国产烟 云烟硬 (红盒)84mm 盒	国产烟 中华硬 84mm 盒
北京市	2.06	1.29	1.23	8.20	1.89	6.05	9.00	38.56
天津市	1.80	1.40	1.53	9.47	1.50	6.20	8.40	37.50
石家庄市	2.20	1.00	1.34	9.80	1.60	6.68	10.57	38.89
太原市	2.31	0.55	1.40	13.38	1.58	5.32	9.11	34.25
呼和浩特市	1.39	0.97	1.40	9.58	1.34	5.35	8.00	33.00
沈阳市	2.04	0.60	1.70	11.36	1.95	5.50	8.39	37.64
大连市	1.87	1.15	1.50	12.18	1.47	5.00	9.00	35.75
长春市	2.06	1.00	1.90	11.27	1.96	5.17	9.19	41.56
哈尔滨市	1.88	1.17	1.80	10.20	1.50	6.00	9.00	40.33
上海市	2.69	1.20	1.90	7.81	1.61	6.60	9.00	32.00
南京市	3.85	1.09	1.98	9.90	1.88	5.53	9.78	38.58
杭州市	2.04	1.20	1.87	6.80	1.41	4.66	5.80	35.92
宁波市	3.28	1.00	1.98	6.90	1.50	5.04	7.95	40.33
合肥市	2.41	1.00	1.75	6.25	1.47	4.54		35.42
福州市	1.92		1.80	7.80	1.70	5.42	8.50	35.75
厦门市	2.36		3.85	7.17	2.80	5.00	8.00	34.00
南昌市	2.85	2.80	4.88	8.00	1.30	4.58	7.50	31.22
济南市	1.92	1.08	1.48	6.48	1.56	6.40	19.50	40.00
青岛市	2.03	1.00	1.56	5.82	1.67	7.04	9.00	41.50
郑州市	2.63	1.00	1.67	8.53	1.73	5.71	10.00	40.00
武汉市	1.44	0.87	2.05	8.73	1.40	5.09	7.59	33.21
长沙市	3.00		1.40	9.62	2.00	6.09	11.00	38.67
广州市	2.25		2.56	11.00		5.54	6.53	38.90
深圳市	3.49		3.75	8.23	2.30	5.35	11.70	42.54
南宁市	4.33	3.80	2.20	7.50	2.21	6.00	7.00	37.64
海口市	2.41		2.40	9.00	3.00	5.33	7.60	37.80
成都市	3.47	1.90	2.02	8.58	1.41	5.00	8.17	34.67
重庆市	2.90		2.59	9.58	1.53	5.92	9.00	35.83
贵阳市	1.47	1.20	2.00	8.50	2.40	5.58	9.80	35.75
昆明市	3.04	2.30	1.72	8.85	1.62	5.25	8.25	34.00
拉萨市	3.38		3.60	9.00	1.69	5.00		35.50
西安市	2.75	1.90	1.40	13.27	1.72	6.60	10.21	34.18
兰州市	2.95	1.39	1.43	11.71	1.52	5.31	9.06	38.77
西宁市	2.87	1.25	1.43	12.70	1.90	5.37	9.00	34.00
银川市	2.68	1.15	1.23	7.40	1.66	5.35	8.01	34.00
乌鲁木齐市	3.00	1.50	1.40	12.29		5.72	9.17	37.29

5—28 续表 2

	国产烟 红塔山 硬 84mm 盒	啤酒 青岛 355ml 11 度 听	啤酒 五星 355ml 12 度 听	啤酒 贝克 640ml 11.4 度 瓶	啤酒 当地主销 640ml 瓶	白酒 红星二锅头 56 度 500ml 普通瓶装 瓶	白酒 杜康 500ml 瓶	白酒 飞天茅台 43 度 500ml 瓶
北京市	10.02	3.63	2.70	5.50	2.41	4.76		273.38
天津市	11.88	3.35	3.00	5.00	1.75	6.50	12.40	205.00
石家庄市	11.08	3.12			3.18	6.70	12.80	240.83
太原市	9.55	3.58			2.24	7.20	7.20	247.27
呼和浩特市	9.63	4.83	3.00		2.64	6.72	18.00	309.17
沈阳市	10.23	3.64		6.10	5.67	5.30		208.75
大连市	12.08	3.50		6.00	1.86	7.50	24.50	305.83
长春市	10.89	3.36	2.90		2.20	8.40		235.00
哈尔滨市	12.00	3.88	3.00	5.20	1.52	7.00	14.50	291.00
上海市	10.08	2.96		5.20	3.08	8.06	9.00	188.75
南京市	10.50	3.51		5.00	2.64	6.65		296.67
杭州市	8.63	4.00		4.50	1.54	7.50	26.40	209.09
宁波市	8.79	3.25	3.27	4.40	2.00	7.21		235.83
合肥市	9.73	3.57	3.50	6.00	2.56	7.71	14.00	246.08
福州市	9.05	4.03		3.50	1.80	5.60	15.40	322.93
厦门市	8.67	3.67	3.00	3.80	2.47	9.20	17.40	243.33
南昌市	8.71	3.14			4.95	4.88	7.00	264.00
济南市	13.00	3.40			2.30	7.19		261.09
青岛市	14.58	3.30			2.00	6.88		216.67
郑州市	12.13	3.48	5.00	7.50	3.31	5.58	23.25	239.64
武汉市	8.68	3.62	3.30	5.95	1.50	6.12	12.00	287.75
长沙市	13.20	4.40			2.83	5.50		288.00
广州市	10.00	5.52			3.64	5.68		296.00
深圳市	8.66	6.12			4.57	6.41		253.73
南宁市	10.58	3.58			2.25	5.52	18.00	261.82
海口市	9.73	3.80			3.58		21.00	
成都市	8.46	3.60			2.41	6.00	13.00	217.73
重庆市	10.83				3.50			285.00
贵阳市	11.55				2.41		23.00	190.00
昆明市	8.45	3.50		5.30	2.83	9.00		231.11
拉萨市	9.57				4.00	8.00	19.00	298.00
西安市	9.73	3.70			3.30	5.80		233.82
兰州市	11.90	4.20			2.50	5.66		310.32
西宁市	10.59				2.24	5.00	7.70	258.00
银川市	9.16	3.88		4.50	2.27	6.98		270.00
乌鲁木齐市	10.25	4.50			2.70	15.83	21.00	279.80

5－28 续表 3

	白酒 五粮液 39 度 500ml 普通瓶装 瓶	白酒 当地主销 瓶	葡萄酒 长城干红 750ml 11 度 瓶	葡萄酒 当地主销 干红 750ml 11 度 瓶	漂白棉布 当地主销 幅宽 180cm 米	毛涤花呢 当地主销 1.44 米毛 60％涤 40％ 米	纯毛单面 华达呢 当地主销 1.44 米 56 支 米	提花毛巾 38×85cm 条
北京市	255.40	4.80	39.55	43.38	18.00	103.45	68.91	
天津市	225.00	21.58	39.33	39.80	11.67	84.67	98.00	6.10
石家庄市	225.00	33.91	32.55	30.00	12.70	76.70	87.17	5.50
太原市	249.82	4.10	47.00		11.00	58.80	84.70	7.80
呼和浩特市	251.09	6.10	38.57	16.75	15.00	52.00	81.58	8.00
沈阳市	181.80	38.50	40.50	40.38	15.19	80.00	37.50	5.70
大连市	240.00	30.00	35.00	28.50	18.50	40.00	53.11	
长春市	196.55	9.72	39.80	31.44	13.19	37.26	42.82	5.40
哈尔滨市	283.00	18.32	54.88	48.75	12.93	56.03	77.55	9.70
上海市	196.91	12.42	39.58	27.22	11.50	48.00	57.45	7.90
南京市	280.00	45.00	42.93	40.80	7.80	84.00	96.00	9.00
杭州市	222.08	24.00	40.00	27.10	13.00	189.00	77.89	7.65
宁波市	189.55	16.12	41.02	36.00	9.17	95.82	79.40	10.05
合肥市	245.45	59.33	23.71	19.33	5.44	57.08	76.38	5.70
福州市	272.30	30.80	46.05	34.00	8.70	57.00	99.30	9.70
厦门市	184.58	7.50	38.83	26.50	8.50	48.00	99.50	5.50
南昌市	270.00	184.00	33.75	33.00	8.80	67.86	82.35	8.85
济南市	277.27	39.00	30.00	35.00	13.50	92.67	63.27	8.00
青岛市	190.00	18.80	41.00	35.00	11.73	44.91	58.58	6.00
郑州市	241.25	67.83	45.58	33.00	22.67	105.27	89.67	9.60
武汉市	268.00	3.29	37.95	38.86	7.08	112.91	86.33	9.50
长沙市	266.00	20.43	42.67	45.40	22.60	93.40	115.00	5.70
广州市	245.10	5.99	41.80	33.11				
深圳市	213.82	21.50	55.80	17.80	33.00	108.45	122.00	9.50
南宁市	200.67	3.50	43.00	11.80	20.50	23.60	83.00	7.60
海口市	283.18	5.53	44.56	37.00				
成都市	223.83	31.06	33.40	34.53	13.31	79.40	61.25	9.50
重庆市	220.00	5.86	38.67	42.00				11.00
贵阳市	225.00	25.50	48.00	56.00		75.00	78.70	9.80
昆明市	215.00	22.00	34.82	35.83	16.90	61.80	87.04	8.50
拉萨市	238.00	24.00	38.00	44.00		20.00		8.50
西安市	270.50	41.67	36.45	32.13	11.00	123.00	53.64	
兰州市	234.00	62.73	40.82	33.13	13.60	68.96	90.17	8.90
西宁市	260.00	32.27	43.00		17.70	87.10	61.48	10.20
银川市	249.55	4.03	42.65	35.00	15.93	73.27	76.60	8.20
乌鲁木齐市	280.60	22.00	44.20	45.00		48.50	39.70	

5—28 续表 4

	印花纯棉床单 当地主销 200×228cm 条	纯毛毛线 "恒源祥" 中粗 500克	男式纯棉棉毛衫 宜而爽半高领棉毛衫(L)号 件	女式纯棉棉毛衫 宜尔爽半高领棉毛衫(L号) 件	男式纯棉棉毛裤 宜而爽普通全棉(L号) 件	女式纯棉棉毛裤 宜尔爽普通全棉(L号) 件	男式纯棉背心 宜尔爽普通全棉(L号) 件	女式纯棉背心 宜而爽普通全棉(L号) 件
北京市	55.91	66.50	37.00	32.82	37.00	33.00	15.00	13.00
天津市	80.67	68.00	36.70	32.00	37.90	33.63	15.00	15.80
石家庄市	81.50	58.00	43.00	40.50	43.00	39.00	18.00	16.50
太原市	66.83	58.33	33.91	32.27	35.08	31.08	14.00	13.55
呼和浩特市	81.00	61.82	36.17	33.83	36.50	32.67	15.55	13.64
沈阳市	85.55	65.00	39.82	37.45	40.00	35.00	16.00	16.00
大连市	102.00	57.00	41.83	37.00	43.00	37.00	17.00	17.00
长春市	69.58	64.36	30.00	33.00	32.00	34.00	15.00	15.75
哈尔滨市	74.75	62.75	37.05	33.28	37.16	33.31	14.55	15.04
上海市	75.53	51.73	32.83	30.67	33.17	28.91	13.50	13.21
南京市	96.82	62.17	37.80	34.85	38.00	33.60	15.00	13.16
杭州市	87.00	67.46	36.58	31.07	34.85	30.98	10.37	8.08
宁波市	87.33	66.00	38.00	34.91	38.00	34.00	15.00	13.00
合肥市	83.27	54.42	37.13	33.67	37.13	33.08	14.00	13.58
福州市	95.00	69.50	41.18	38.36	41.91	36.73	17.00	16.64
厦门市	67.32	67.50	30.40	30.27	40.18	33.46	12.40	10.90
南昌市	62.08	71.70	36.38	34.67	36.96	33.08	15.59	16.22
济南市	102.33	58.00	36.00	34.58	37.42	32.75	13.90	17.40
青岛市	55.87	62.92	34.92	30.67	36.50	32.25	14.00	14.63
郑州市	93.78	65.00	37.83	34.73	38.00	34.00	15.00	17.92
武汉市	79.71	62.27	36.26	34.19	36.25	32.26	15.01	13.55
长沙市	88.25	65.00	37.60	35.40	37.60	31.86	15.50	15.03
广州市	119.00		38.00	38.23	38.00	36.00	16.00	
深圳市	86.60	85.33	33.39	33.02	33.51	33.75	15.02	14.83
南宁市	84.27	65.00	33.37	30.42	25.50	23.80	16.21	15.73
海口市	66.00		64.00	57.00		56.00	19.89	12.00
成都市	79.82	60.50	35.23	35.50	33.55	32.46	12.95	11.36
重庆市	83.00		39.32	36.68	37.17	33.17	14.83	12.50
贵阳市	87.00	62.00	41.25	39.00	41.50	37.00	16.42	16.95
昆明市	78.30	48.00	39.64	37.36	40.00	35.00	16.00	14.00
拉萨市	80.00	57.73	31.00	28.00	35.00	28.00	13.00	12.00
西安市	88.30	55.00	36.68	32.00	37.27	32.55	14.64	15.32
兰州市	77.72	67.50	38.25	35.05	38.47	34.11	15.31	13.55
西宁市	69.20	63.00	38.58	35.42	38.80	34.40	15.90	14.10
银川市	70.00	58.84	37.60	35.50	37.49	33.33	14.80	13.00
乌鲁木齐市	90.00	72.50	37.40	30.50	38.50	34.44	15.71	16.28

5—28 续表 5

	肥皂 当地主销 条	香皂 舒肤佳 125 克 块	香皂 当地主销 块	洗衣粉 碧浪超效(第2代)400 克 袋	洗衣粉 白猫超浓缩 400 克 袋	洗衣粉 沙市活力 28 450 克 袋	洗衣粉 当地主销 袋	洗发液 飘柔二合一 200ml (去头屑) 瓶
北京市	1.95	4.35	4.18	5.22	5.09	6.00	5.68	17.76
天津市	1.80	4.60	4.33	5.99	5.02	6.20	3.41	21.50
石家庄市	1.74	3.58	3.68	5.95	4.50		2.43	17.63
太原市	1.46	4.75	4.30	6.08	5.02	5.00	4.29	21.73
呼和浩特市	1.55	4.69	4.43	6.71	5.54	5.80	4.44	20.70
沈阳市	1.90	4.59	4.30	6.27	5.12	5.70	8.60	22.29
大连市	1.60	3.88	3.28	6.27	4.00	5.30	5.98	17.89
长春市	2.12	4.60	4.26	6.13	4.56	5.70	4.26	21.50
哈尔滨市	1.37	4.57	4.43	5.75	4.31	5.70	4.99	21.63
上海市	1.80	4.65	4.24	6.38	3.70	4.70	5.07	21.16
南京市	1.71	4.60	4.18	5.50	4.57	4.90	3.58	21.62
杭州市	2.00	4.28	4.23	5.70	4.37	5.70	4.45	19.77
宁波市	2.00	4.39	4.38	5.72	4.38		5.01	19.63
合肥市	1.28	4.07	4.03	6.75	4.93	4.20	3.00	18.93
福州市	2.30	4.90	4.55	6.67	5.00		5.49	23.53
厦门市	2.00	3.86	3.83	6.33	4.46	3.34	4.75	17.50
南昌市	1.80	3.99	3.94	7.70	3.83		7.88	17.33
济南市	2.00	4.32	4.30	6.32	5.47	6.75	3.90	21.03
青岛市	1.50	3.80	4.20	7.00	4.20	4.30	4.43	18.55
郑州市	1.50	4.13	3.27	5.35	4.47	4.90	2.61	18.41
武汉市	2.16	4.30	4.13	6.39	4.38	4.45	3.96	20.13
长沙市	1.50	4.70	4.50	5.50	4.80	3.90	5.00	20.13
广州市	2.50	5.00	5.00	6.70	5.15		5.00	22.09
深圳市	1.99	3.07	3.88	4.96	5.08		5.63	21.52
南宁市	1.34	3.80	1.59	5.18	3.66		3.50	18.33
海口市	2.09	5.00	4.91	6.86	4.75		5.82	22.08
成都市	1.50	4.50	4.10	5.67	4.53	4.00	5.57	18.89
重庆市	1.65	4.60	4.30	6.24	5.33		2.63	22.03
贵阳市	1.87	4.55	4.30	5.50	5.50		4.95	21.50
昆明市	2.10	4.48	4.39	6.10	4.64		5.28	17.96
拉萨市	2.00	5.00	6.11	9.39	5.00	7.50	2.00	22.45
西安市	1.70	4.28	3.84	5.36	5.13	6.00	4.48	20.30
兰州市	1.70	4.41	3.84	5.00	4.49	5.20	5.23	20.88
西宁市	1.70	4.56	4.64	6.06	3.42	5.00	2.20	21.07
银川市	2.12	4.39	3.85	5.52	4.59	4.50	2.41	20.65
乌鲁木齐市	2.24	4.79	3.90	7.36	4.52	5.90	5.69	22.03

5—28 续表 6

	牙膏 蓝天六必治 145克	牙膏 中华(新) 含钙 120克	灯泡 当地主销 普通40W	日光灯管 当地主销 40W	中小学生 作业本 当地主销 田字格本 32开22页	胶板纸 国产70克	黄金饰品 纯金24K	新闻纸 加拿大产 31英寸卷筒	自行车 永久 QE—16
	支	支	只	只	本	吨	克	吨	辆
北京市	3.50	4.66	2.58	8.27	0.40		105.42		396.67
天津市	3.60	4.24	1.61	8.38	0.74	5700.00	112.91	5900.00	410.00
石家庄市	3.10	2.70	1.50	9.55	0.20		113.75		393.20
太原市	4.00	3.20	1.25	6.46	0.57		110.18		393.33
呼和浩特市	4.10	3.20	1.58	6.55	0.40		100.00		394.55
沈阳市	4.60	3.39	1.50	7.23	0.40		111.73		380.00
大连市	3.70	3.13	1.50	7.50	0.50	6500.00	114.17	6300.00	434.58
长春市	3.90	3.00	1.29	6.78	0.32		110.82		414.29
哈尔滨市	4.15	3.40	1.50	8.40	0.30	6500.00	110.08	6200.00	412.92
上海市	4.10	2.90	1.95	7.00	0.62	7300.00	119.00	5800.00	292.73
南京市	4.10	3.21	1.46	7.50	0.60	8970.00	117.82		375.09
杭州市	4.00	3.47	1.40	8.18	0.50	5550.00	110.83	5200.00	361.08
宁波市	3.65	3.02	1.40	7.10	0.48	6475.00	114.67		355.17
合肥市	3.55	3.10	1.53	7.16	0.50	5500.00	114.83	4500.00	386.42
福州市	3.90	3.10	1.30	8.50	0.43	8311.50	112.65		375.00
厦门市	3.50	2.86	1.50	7.50	0.50	11428.00	111.83		395.50
南昌市	3.95	2.60	2.80	7.00	0.30		114.64		390.00
济南市	4.40	3.59	1.50	11.50	0.25	7700.00	118.00		380.00
青岛市	3.30	3.30	1.40	9.80	0.31	5900.00	111.67	5700.00	473.00
郑州市	4.10	2.59	1.50	14.67	0.50		114.58		394.00
武汉市	4.10	3.13	1.47	8.43	0.47	5700.00	118.96		400.67
长沙市	4.10	3.40	1.50	7.60	0.80	5300.00	119.25	5500.00	415.00
广州市	4.60	3.30	1.50	8.25	0.50		115.00		
深圳市		4.15	1.56	11.12	0.50		103.83		370.00
南宁市	4.30	3.78	1.37	9.22	0.29		107.17		
海口市	5.00	3.50	1.72	7.00	0.50		115.00		410.00
成都市	3.90	3.35	1.50	8.35	0.87	5500.00	109.91		
重庆市	3.90		1.50	7.00	0.40		112.83		
贵阳市	3.70	3.00	1.50	10.82	0.20		110.00		385.83
昆明市	4.10	4.50	5.00	12.00	0.20	7300.00	108.55		385.00
拉萨市	4.50	5.00	1.58	8.50	0.50		115.82		330.00
西安市	3.80	2.96	1.50	9.60	0.70	5400.00	99.10		313.50
兰州市	3.90	3.63	1.50	8.45	0.50	6983.00	117.64	5583.00	416.55
西宁市	4.00	3.00	1.50	8.10	0.50		124.91		423.91
银川市	3.80	2.99	1.50	7.50	0.40	6616.00	112.73	5800.00	423.00
乌鲁木齐市	4.25	3.87	1.29	12.50	0.40	11428.00	108.00		458.00

5—28 续表 7

	自行车 凤凰 QE—65 辆	自行车 当地主销 普通女士 26 辆	山地车 地产主销 12 速 26 型 辆	洗衣机 小鸭滚筒 XQG50—865 台	洗衣机 海尔小神童 XQB45—A 台	洗衣机 小天鹅 XQB50—95 台	洗衣机 当地主销 （双桶） 台	洗衣机 当地主销 国产全自动 台	微波炉 格兰士 WD750BS 台
北京市	396.67	411.25	789.82	2938.73	2650.18	1648.36	777.64	1642.50	912.73
天津市	426.00	355.00	585.82	3760.67	2313.33	1856.67	836.67	2180.00	841.58
石家庄市	403.83	496.18		3648.00	2339.17	2050.00	887.50	1770.55	1000.00
太原市	403.00	380.00		3537.50	2298.00	990.00	712.00	1482.58	982.10
呼和浩特市	395.00	440.00	370.00	2661.78	2222.00	2380.00	865.64	2188.18	1002.50
沈阳市	408.18	441.00	887.50	3980.00	2400.00	2020.00	830.00	2720.00	955.82
大连市	446.58	454.58	543.67	3390.83	2310.58	1990.00	855.83	2743.64	1795.50
长春市	394.75	541.73	800.45	3300.00	2298.00	1950.00	987.73	2459.00	915.27
哈尔滨市	385.92	360.00	822.00	3704.55	2005.09	1728.67	1214.18	2183.60	727.09
上海市	308.25	320.45	324.00	3443.00	2259.67	1941.67	828.33	1896.36	788.73
南京市	377.17	369.17	467.58	2825.45	2172.42	1692.50	778.89	1754.00	892.50
杭州市	329.27	347.18	726.36	2372.92	2126.55	1819.80	590.00	1859.17	690.33
宁波市	382.50	391.33	758.25	3175.83	2294.50	1736.67	767.50	1499.08	905.67
合肥市	398.00	332.50	473.00	2419.17	1970.83	1758.33	755.83	1911.82	578.83
福州市	373.83	359.55	456.25	3498.00	2263.67	1760.00	1059.17	2290.00	938.92
厦门市	400.83	340.00	500.00	3580.00	2298.00	1680.00	827.50	2646.67	981.83
南昌市	395.00	488.00		3724.67	2298.00	1830.00	712.50	1286.67	898.00
济南市	350.00	335.00	750.00	3196.50	2298.00	1775.00	932.00	2298.00	886.00
青岛市	476.33	395.40	809.45	3489.83	2296.00	2104.18	1064.00	2298.17	924.17
郑州市	377.50	461.67	685.45	3383.33	2123.00	1672.83	820.00	1189.17	843.83
武汉市	388.42	391.25	775.33	3324.50	2250.75	1727.67	799.04	989.25	819.96
长沙市	434.17	469.27	468.91	3224.67	1949.45	2015.45	1005.27	2168.33	866.00
广州市	440.09	371.27	560.00	3498.00	1495.00	1683.64	807.27	1701.82	901.27
深圳市	390.00	320.00	596.00	2536.18	3123.33	2074.30	661.25	3680.00	845.50
南宁市	355.58	358.75	248.00	3134.44	2298.00	1700.91	807.00	1483.33	916.00
海口市	341.67	330.00	480.00	2983.08	2200.20	1581.00	2672.82	2747.27	940.09
成都市	379.42	382.92	675.00	3561.45	1882.67	2349.09	1029.17	2384.55	930.20
重庆市				3907.27	2298.00	1950.00	790.00		926.67
贵阳市	391.92	330.00	650.00	3555.00	2298.00	1866.67	880.91	1529.09	899.75
昆明市	353.50	498.00	360.00	3686.00	2398.00	1957.27	934.00	3120.75	920.64
拉萨市	350.00	315.00		3000.00	2500.00	2170.00	1018.18	3620.00	1309.09
西安市	310.00	245.00	302.50	3422.70	2166.00	1734.00	848.60	1975.00	914.90
兰州市	391.45	459.00	778.00	3866.00	2500.00	1834.55	1108.18	3147.27	895.36
西宁市	412.00	412.00	789.00	2980.00	2285.09	1999.27	760.00	1928.00	
银川市	395.00	375.00	498.00	2870.00	2378.18	1995.00	836.00	1598.00	973.09
乌鲁木齐市	442.00	507.75		3638.00	2298.00	1900.00	941.00	2288.00	

5－28 续表 8

	抽油烟机 当地主销 普通 台	热水器 万家乐 7B5　6升 台	热水器 神州 TSYD6－G 台	热水器 当地主销 国产 5L 台	热水器 当地主销 国产 8L 台	空调机 海尔 KFR－25GW 台	空调机 春兰 KFR－22GW 台	冰箱 海尔大王子 BCD－268L 台	冰箱　容声 BCD－196L 无氟 台
北京市	758.64	1082.60	812.18	780.00	1216.73	4316.36	3951.67	4108.18	2672.67
天津市	550.00	1020.00		1100.00	1135.00	4306.67	3948.33	4148.33	2720.00
石家庄市	715.00	1380.00	795.64	812.00	1188.82	4246.67	3946.00	4355.00	3011.83
太原市	616.17			1168.00	1535.83	4116.67	4595.56	3840.00	2566.67
呼和浩特市	871.82	1200.00	1000.00	1190.00	1971.27	7144.00	4535.00	4149.00	2873.50
沈阳市	748.00	1725.00	1650.00		857.60	5824.50	4117.50	4558.18	3079.64
大连市	649.20	1229.83		1560.00	1606.17	5575.56	7328.57	4044.17	2590.83
长春市	542.36	1201.00		818.50	1148.00	4497.14	4020.00	4165.00	2525.83
哈尔滨市	985.00	1173.33	840.64	1020.00	1145.09	5114.55	4440.00	4091.67	2928.18
上海市	835.45	866.00			1241.67	4446.67	3736.67	4137.50	2901.82
南京市	552.73	820.00	887.27	770.00	886.91	4105.83	3810.00	4092.50	2638.18
杭州市	471.17	970.67	1190.00	836.00	829.83	3970.00	3894.83	4253.09	2300.00
宁波市	827.00				672.92	4481.67	3736.67	3978.33	2405.45
合肥市	609.83	902.50	790.00	820.00	863.33	4183.33	4000.00	4208.33	2702.33
福州市	750.67	1008.36	760.00	785.00	1066.00	4687.27	4100.00	4229.17	2587.50
厦门市	990.00	680.00	720.00	545.00	660.00	4080.00	4046.67	4337.50	2577.27
南昌市	780.00	820.00	780.50	820.00	1080.00	4280.00		4155.00	2500.00
济南市	418.00	771.50	843.00	577.00	1025.50	4080.00	3965.00	4177.50	2670.00
青岛市	705.09	753.75	838.00	1680.00	2180.00	4513.33	4100.00	4150.00	2708.33
郑州市	624.00	858.00	866.75	477.00	597.60	4438.33	3739.58	3980.00	2602.50
武汉市	573.33	844.17	663.42	415.00	1074.54	4420.83	3891.88	4357.25	2558.00
长沙市	912.73	897.20	1096.36	518.00	994.17	4736.00	4000.00	4232.50	2952.00
广州市	787.45	908.44		558.00	1229.20	3570.00		4120.00	3480.00
深圳市	510.00	758.73	787.09	502.67	1278.50	4037.14		4313.33	1662.55
南宁市	499.00	868.33	768.33	510.00	1085.83	4488.33	3880.00	4420.00	2728.33
海口市	690.50	440.00	1250.00	550.00	1235.00	4898.00	2242.00	4082.00	2490.55
成都市	789.00			530.00	848.70	4467.50	3917.50	4286.67	2585.00
重庆市	590.00				749.09	2780.00		4150.00	3000.00
贵阳市	730.00	1201.82			1150.00	4563.33	4100.00	4205.00	2768.00
昆明市	1054.55	795.00	850.00	795.00	1212.60	5480.00	5200.00	4480.00	3094.00
拉萨市	245.00	1036.36	1000.00			8900.00	5054.55	4427.27	2754.55
西安市	596.90	1080.86	751.00		1002.63	4416.89	3668.33	4052.00	2539.70
兰州市	935.00	1280.00	925.00	756.00	1159.09	4712.73	4290.91	4590.00	3200.00
西宁市	769.09	1280.00			1176.00	8270.00	4600.00	4191.82	3080.00
银川市	673.18	1244.00	820.00	628.00	1252.80	4810.00	4230.55	4500.00	2866.00
乌鲁木齐市	456.00	763.00		756.50	1120.60	4728.00	3880.00	4255.20	2568.00

5—28 续表 9

	冰箱 长岭 BCD —216 无氟 台	冰箱 新飞 BCD —216B 无氟 台	冰箱 当地主销 无氟 180— 200L 左右 台	冰柜 澳柯玛 BD—122L 台	冰柜 当地主销 150—200L 台	彩电 长虹 D2965A 台	彩电 长虹 D2523A 台	彩电 康佳 T2588N 台	彩电 康佳 T2987XIII 台
北京市	2632.73	2799.55	2851.50	1530.00		3820.91	1863.75	2748.00	3180.00
天津市	2750.83	2682.50	2668.33	1450.00	2376.00	3565.83	2024.00	2739.27	3985.83
石家庄市	2816.82	2943.17	2617.00		1688.00	4660.00	2156.67	2311.20	3728.80
太原市	2632.50	2720.00	2883.33		1945.60	3887.60		2980.00	3350.00
呼和浩特市	2748.45	2750.17	2416.67	1630.00	1605.80	3676.36	2185.83	2223.33	3378.75
沈阳市	3029.27	2943.64	2030.00			4233.91	2230.33	2747.00	3990.00
大连市	2854.17	2784.17	2282.50	1560.00	1352.00	4163.33	2161.67	2667.50	3647.27
长春市	2706.00	2830.00	3135.45		1389.80	4020.00			
哈尔滨市	2423.27	2851.00	2886.67	1680.00	1940.00	3640.67	2596.67	2252.50	3630.00
上海市		2791.67	2240.00		1540.00	3623.64	2146.67	2343.45	3630.00
南京市	2780.00	2800.91	1921.33		1797.00	3544.36	2126.17	2582.22	3372.00
杭州市	2360.83	2848.33	2084.58	2472.00		4005.83	2371.58	2208.67	3248.18
宁波市	2901.67	2588.33	2935.83		1367.50	3515.00	2221.71	2155.00	3238.33
合肥市	2688.00	2800.00	2505.83		1210.00	3438.33	2800.00	2545.83	3100.00
福州市	2651.00	2869.33	2543.33	1460.00	1436.00	3690.83	2297.09	2410.67	4685.45
厦门市	3026.67	3131.11	3150.00	2250.00	1990.00	4426.67	2430.00	2474.67	4050.00
南昌市	2393.33	2760.00	2510.00			3156.00	2200.00		3780.00
济南市	2346.36	2585.00	3475.00	1560.00	2360.00	4156.00	3105.00	2700.00	3860.00
青岛市	2900.00	3100.00	2833.33	1410.00	1500.00	3907.33	2402.67	2577.00	3361.00
郑州市	2576.67	2643.33	2164.17	1360.00	1350.00	3247.50	2338.33	2335.00	3460.00
武汉市	2597.42	2710.46	2311.21		1568.89	3455.58	2106.75	2259.50	3405.00
长沙市	2816.67	2950.00	2296.67		1249.60	3372.50	2228.33	2110.00	3494.17
广州市		2408.00	2602.55			3210.00	1877.50	2477.14	3703.57
深圳市	2570.00	2500.73	2826.33		1596.00	5356.00	1820.00	2258.33	3990.73
南宁市	2858.33	3167.00	2692.67	1430.00	1458.00	3582.50	2113.17	2344.17	3591.25
海口市	2696.00	2696.00	2438.67		1365.00	3848.18	2611.00	2524.73	3359.90
成都市	2650.00	2800.00	2428.33		1415.00	3645.45	2276.36	2680.00	3615.00
重庆市	2934.17	3150.00	1950.00			3883.64	2066.00	2580.00	3860.00
贵阳市	2799.17	3180.00	1932.73			3465.83	2275.17	2178.18	3298.89
昆明市	2964.00	2812.00	3230.00	1535.00	1986.25	3507.27	2634.00	2574.00	3933.64
拉萨市	2850.00	2900.00	2990.00			4300.00	2390.91	2759.09	3636.36
西安市	2547.78	2542.00	2816.50		1428.29	4153.33	1993.33	2520.00	3290.00
兰州市	3119.27	3171.20	2992.00	1552.00	1859.00	3911.82	2123.33	2493.64	3296.36
西宁市	2795.00	2658.18		1830.00		5520.00	3228.00	2810.00	4220.00
银川市	2864.00	2740.64	2335.00			3835.91	2167.09	2480.00	3798.18
乌鲁木齐市	2777.78	3070.00	2890.00			4163.60	2433.33	2150.00	3570.00

5—28 续表 10

	彩电 索尼 29 英寸 (国内组装) 台	彩电 索尼 T25MF1 台	彩电 松下 29 英寸 (国内组装) 台	彩电 松下 25GF85R 台	彩电 东芝 2960XP 台	彩电 东芝 2560XP 台	彩电 TCL 王牌 2968P 台	彩电 TCL 王牌 2566B 台	彩电 当地主销 25 英寸 台
北京市	6795.00		4014.29				3139.00	2290.00	1937.80
天津市	7035.45	4780.00	5112.00	4980.00			4900.00	2480.00	1985.00
石家庄市	6963.33	2800.00	6077.86				4115.00	2380.00	2043.64
太原市	7016.67	3600.00	6183.33		5550.00	3160.00	3534.00	2230.00	2366.00
呼和浩特市	7776.00	5600.00	5492.73	4280.00		3290.00	3876.50	2200.00	2406.67
沈阳市	7500.36		5829.09	5580.00	6380.00		3240.00	2530.00	2038.00
大连市	8315.00	4360.00	4593.33	4700.00	6200.00	5300.00	3973.33	2680.00	2721.67
长春市	6626.00		5594.55						2005.56
哈尔滨市	7348.33	4540.00	5374.17	3900.00	8000.00	5580.00	3457.50	2480.00	1966.36
上海市	6735.00	3900.00	4029.09	3600.00	4400.00	3500.00	3642.73	2580.00	1958.33
南京市	6807.27	4150.00	4921.67	4500.00	4080.00	2780.00	4109.09	2260.00	2125.00
杭州市	6450.00	4550.00	4861.67	3360.00	6900.00	3870.00	3129.17	2130.00	1419.55
宁波市	6565.83	4650.00	5581.67	4150.00	4750.00	3980.00	3292.92	2160.00	2290.00
合肥市	7301.67	5890.00	5245.83	4650.00	6000.00	4100.00	3402.73	2840.00	2624.17
福州市	7066.67	7380.00	4438.33	3870.00	6457.50	3250.00	3474.91	2296.00	2186.67
厦门市	6108.33	4500.00	5600.00	3750.00	4250.00	2700.00	4150.00	3080.00	2345.83
南昌市			5180.00					2200.00	1520.00
济南市	7000.00	4800.00	8600.00	5390.00	7400.00	4800.00	4980.00	2290.00	1600.00
青岛市	6710.00		5605.00	6400.00			3362.00	2280.00	2249.17
郑州市	6813.83	3980.00	3920.00	3500.00	4399.00	2980.00	3543.33	2380.00	2165.67
武汉市	6418.33	4965.00	4526.58	5153.00	6400.00	4100.00	3180.92	2267.50	
长沙市	7460.00	4980.00	4584.17	4080.00	7080.00		3667.27	2950.00	
广州市	8635.56	6480.00	8480.00				3307.78		2983.33
深圳市	7550.91	5800.00	7509.82	5150.00	7100.00	5000.00	3065.14	1598.00	2845.43
南宁市	7146.67		5236.67	4215.00			3064.17	2255.00	1990.00
海口市	6861.25				6559.00		3233.33	2721.50	2341.43
成都市	8455.56		6584.44		6880.00		3207.78		2261.11
重庆市	5491.67		5566.67		6700.00	4300.00	3230.00		
贵阳市	6780.00		5000.00		8000.00	5500.00	2570.00		2160.00
昆明市	5805.45	4850.00	5290.91	3900.00	8300.00	3680.00	2991.45	2180.00	2013.64
拉萨市			6454.55						4100.00
西安市	7094.29		5630.00				3220.00	2280.00	2224.44
兰州市	7556.00	5880.00			6600.00	3380.00	3875.67	2575.00	2270.00
西宁市	7500.00	6350.00	9125.00					3090.00	
银川市	7668.00		4538.18	5334.00	6960.00	5680.00	3502.18	2190.00	2412.73
乌鲁木齐市									2332.86

5—29 1999年36个大中城市主要工业消费品分月零售平均价格

金额单位:元

品 名	规 格	单 位	全 年	1 月	2 月	3 月	4 月	5 月	6 月
豆腐	水豆腐(散装)	500克	0.87	0.88	0.89	0.88	0.88	0.87	0.87
豆腐	水豆腐(盒装)	500克	1.13	1.15	1.15	1.15	1.14	1.13	1.13
食用盐	精制含碘盐	500克	0.77	0.72	0.72	0.72	0.73	0.75	0.77
绵白糖	当地主销	500克	2.63	2.64	2.61	2.74	2.77	2.78	2.69
白砂糖	当地主销	500克	2.42	2.60	2.53	2.49	2.45	2.48	2.39
红糖	当地主销	500克	2.61	2.72	2.71	2.79	2.61	2.71	2.60
酱油	当地主销(瓶装)	500ml	3.46	2.89	2.90	3.30	3.62	3.67	3.68
酱油	当地主销(袋装)	500ml	1.61			1.54	1.68	1.62	1.54
醋	当地主销(瓶装)	500ml	2.52	2.19	2.20	2.58	2.58	2.59	2.61
醋	当地主销(袋装)	500ml	1.29			1.17	1.29	1.27	1.28
鲜奶	消毒牛奶	500ml	1.96	1.85	1.94	1.87	1.95	1.95	1.96
味精	当地主销	500克	9.17	9.59	9.56	9.33	9.10	8.94	8.91
挂面	普通富强粉	500克	1.76	1.73	1.80	1.76	1.82	1.76	1.75
国产烟	红梅硬 84mm	盒	5.57	5.39	5.34	5.62	5.60	5.64	5.61
国产烟	云烟硬(红盒)84mm	盒	9.61			9.17	11.75	9.04	8.75
国产烟	中华硬 84mm	盒	36.81	40.83	41.22	36.99	37.01	36.70	36.54
国产烟	红塔山硬 84mm	盒	10.36	10.51	10.30	10.73	10.64	10.61	10.49
啤酒	青岛 355ml 11度	听	3.76	3.83	3.83	3.78	3.80	3.80	3.73
啤酒	当地主销 640ml	瓶	2.69	2.66	2.73	2.69	2.65	2.68	2.67
白酒	红星二锅头 56度 500ml 普通瓶装	瓶	7.19	7.52	7.45	7.52	7.19	7.67	7.60
白酒	飞天茅台 43度 500ml	瓶	258.05	283.03	275.91	271.33	263.25	258.55	251.96
白酒	五粮液 39度 500ml 普通瓶装	瓶	238.15	272.46	268.73	251.76	243.59	237.22	232.54
白酒	当地主销	瓶	25.30	31.29	30.82	22.74	26.40	26.38	21.81
葡萄酒	长城干红 750ml 11度	瓶	40.23	41.38	41.35	40.59	41.08	40.78	40.42
葡萄酒	当地主销干红 750ml 11度	瓶	34.88			35.34	35.93	35.19	34.52
漂白棉布	当地主销 幅宽 180cm	米	13.34	12.50	12.54	13.19	13.57	12.96	13.36
毛涤花呢	当地主销 1.44米 毛60% 涤40%	米	73.99	71.17	69.62	72.69	73.89	75.26	73.93

5—29 续表 1

品　　名	规　　格	单　位	7　月	8　月	9　月	10　月	11　月	12　月
豆腐	水豆腐(散装)	500 克	0.86	0.87	0.87	0.86	0.86	0.86
豆腐	水豆腐(盒装)	500 克	1.10	1.14	1.12	1.09	1.12	1.13
食用盐	精制含碘盐	500 克	0.76	0.81	0.80	0.77	0.82	0.82
绵白糖	当地主销	500 克	2.41	2.67	2.67	2.48	2.48	2.61
白砂糖	当地主销	500 克	2.38	2.38	2.39	2.29	2.38	2.27
红糖	当地主销	500 克	2.52	2.57	2.53	2.52	2.53	2.54
酱油	当地主销(瓶装)	500ml	3.44	3.65	3.61	3.48	3.65	3.60
酱油	当地主销(袋装)	500ml	1.60	1.60	1.60	1.61	1.62	1.70
醋	当地主销(瓶装)	500ml	2.49	2.60	2.63	2.59	2.62	2.60
醋	当地主销(袋装)	500ml	1.21	1.32	1.36	1.38	1.30	1.31
鲜奶	消毒牛奶	500ml	2.06	1.99	1.99	2.04	1.99	1.98
味精	当地主销	500 克	8.41	9.20	9.18	9.18	9.20	9.33
挂面	普通富强粉	500 克	1.82	1.74	1.74	1.73	1.75	1.74
国产烟	红梅硬 84mm	盒	5.64	5.63	5.58	5.59	5.62	5.58
国产烟	云烟硬(红盒)84mm	盒	8.70	10.08	9.87	9.83	10.04	8.79
国产烟	中华硬 84mm	盒	36.67	35.91	35.45	35.51	35.25	34.88
国产烟	红塔山硬 84mm	盒	10.37	10.21	10.17	10.16	10.19	9.96
啤酒	青岛 355ml 11 度	听	3.75	3.76	3.76	3.74	3.67	3.68
啤酒	当地主销 640ml	瓶	2.72	2.64	2.71	2.65	2.70	2.73
白酒	红星二锅头 56 度 500ml 普通瓶装	瓶	6.47	6.94	6.95	6.58	7.10	7.11
白酒	飞天茅台 43 度 500ml	瓶	249.77	251.19	250.35	249.36	248.11	245.25
白酒	五粮液 39 度 500ml 普通瓶装	瓶	227.54	232.93	224.74	224.14	223.64	222.15
白酒	当地主销	瓶	22.59	22.94	25.69	25.32	22.91	22.87
葡萄酒	长城干红 750ml 11 度	瓶	39.52	40.33	39.92	39.25	38.98	39.10
葡萄酒	当地主销干红 750ml 11 度	瓶	35.28	34.28	34.97	33.50	34.88	35.05
漂白棉布	当地主销 幅宽 180cm	米	12.60	13.41	13.71	13.41	14.25	14.15
毛涤花呢	当地主销 1.44 米 毛 60% 涤 40%	米	75.14	73.48	73.15	74.26	76.42	78.85

5—29续表2

品　名	规　格	单 位	全 年	1 月	2 月	3 月	4 月	5 月	6 月
纯毛单面华达呢	当地主销1.44米56支	米	77.76	82.28	80.47	80.78	78.83	78.26	78.25
提花毛巾	38×85cm	条	11.07	11.14	11.25	9.50	9.50	9.50	9.50
印花纯棉床单	当地主销200×228cm	条	81.27	80.68	80.64	81.07	82.51	82.02	80.35
纯毛毛线	"恒源祥"中粗	500克	63.22	63.46	63.49	63.65	63.31	63.25	63.05
男式纯棉棉毛衫	宜而爽 半高领棉毛衫(L)号	件	37.11	36.04	36.09	36.53	37.02	37.05	37.24
女式纯棉棉毛衫	宜尔爽 半高领棉毛衫(L号)	件	34.34	32.36	32.29	33.64	34.42	34.72	34.53
男式纯棉棉毛裤	宜而爽 普通全棉(L号)	件	37.40	36.51	36.62	36.65	37.20	37.57	38.12
女式纯棉棉毛裤	宜尔爽 普通全棉(L号)	件	33.42	32.65	32.66	33.04	33.13	33.35	33.69
男式纯棉背心	宜尔爽 普通全棉(L号)	件	15.04	14.77	14.82	14.86	14.99	14.99	15.48
女式纯棉背心	宜而爽 普通全棉(L号)	件	14.30	14.63	14.65	14.42	14.50	14.15	14.56
肥皂	当地主销	条	1.81	1.81	1.81	1.80	1.83	1.84	1.86
香皂	舒肤佳125克	块	4.39	4.39	4.35	4.38	4.39	4.36	4.35
香皂	当地主销	块	4.15	4.15	4.12	4.19	4.12	4.18	4.17
洗衣粉	碧浪超效(第2代)400克	袋	6.14	7.20	7.23	6.14	5.97	5.99	5.96
洗衣粉	白猫超浓缩400克	袋	4.66	4.70	4.81	4.70	4.77	4.68	4.65
洗衣粉	当地主销	袋	4.50	4.62	4.63	4.23	4.64	4.51	4.49
洗发液	飘柔二合一200ml(去头屑)	瓶	20.33	20.30	20.12	20.44	20.35	20.42	20.40
牙膏	中华(新)含钙120克	支	3.35			3.45	3.45	3.34	3.36
灯泡	当地主销 普通40W	只	1.65	1.66	1.67	1.68	1.66	1.66	1.65
日光灯管	当地主销40W	只	8.57	8.89	8.90	8.63	8.57	8.54	8.41
中小学生作业本	当地主销田字格本32开22页	本	0.46	0.47	0.47	0.43	0.47	0.45	0.46
黄金饰品	纯金24K	克	112.57	115.23	115.31	115.11	115.03	114.51	114.06
自行车	永久QE—16	辆	392.13	399.93	399.79	397.33	396.37	390.79	392.79
自行车	凤凰QE—65	辆	389.64	396.33	396.15	395.68	390.09	387.74	388.41
自行车	当地主销普通女士26	辆	397.86	394.26	394.13	392.12	404.94	398.93	405.41
山地车	地产主销12速26型	辆	607.83	594.21	592.22	613.50	608.44	604.52	610.74

5－29续表3

品 名	规 格	单 位	7 月	8 月	9 月	10 月	11 月	12 月
纯毛单面华达呢	当地主销 1.44 米 56 支	米	78.88	73.45	73.78	77.27	75.92	75.84
提花毛巾	38×85cm	条	9.50					
印花纯棉床单	当地主销 200×228cm	条	81.54	80.64	81.04	81.94	80.50	82.38
纯毛毛线	“恒源祥”中粗	500克	63.78	62.91	62.84	62.62	63.30	63.15
男式纯棉棉毛衫	宜而爽 半高领棉毛衫(L)号	件	37.29	37.20	37.15	37.17	38.17	38.46
女式纯棉棉毛衫	宜尔爽 半高领棉毛衫(L 号)	件	34.85	34.55	34.75	34.86	35.40	35.77
男式纯棉棉毛裤	宜而爽 普通全棉(L 号)	件	37.63	37.64	37.74	37.64	37.58	38.00
女式纯棉棉毛裤	宜尔爽 普通全棉(L 号)	件	33.66	33.47	33.37	33.37	34.04	34.58
男式纯棉背心	宜尔爽 普通全棉(L 号)	件	15.08	15.09	15.10	15.07	15.06	15.11
女式纯棉背心	宜而爽 普通全棉(L 号)	件	14.27	14.26	14.08	14.04	14.06	14.00
肥皂	当地主销	条	1.79	1.82	1.81	1.79	1.78	1.81
香皂	舒肤佳 125 克	块	4.32	4.38	4.41	4.41	4.44	4.44
香皂	当地主销	块	4.12	4.16	4.18	4.17	4.11	4.16
洗衣粉	碧浪超效(第 2 代)400 克	袋	5.86	5.75	5.79	5.83	5.88	6.03
洗衣粉	白猫超浓缩 400 克	袋	4.73	4.62	4.63	4.58	4.54	4.49
洗衣粉	当地主销	袋	4.67	4.41	4.45	4.26	4.41	4.56
洗发液	飘柔二合一 200ml(去头屑)	瓶	20.30	20.51	20.43	20.42	20.48	19.90
牙膏	中华(新)含钙 120 克	支	3.27	3.37	3.33	3.32	3.39	3.26
灯泡	当地主销 普通 40W	只	1.57	1.65	1.64	1.64	1.63	1.67
日光灯管	当地主销 40W	只	8.19	8.40	8.52	8.51	8.63	8.58
中小学生作业本	当地主销田字格本 32 开 22 页	本	0.46	0.46	0.46	0.46	0.45	0.45
黄金饰品	纯金 24K	克	110.76	108.03	106.88	110.89	111.82	112.50
自行车	永久 QE－16	辆	388.65	391.70	389.25	387.53	389.00	383.94
自行车	凤凰 QE－65	辆	389.33	386.21	389.12	385.31	386.00	385.68
自行车	当地主销普通女士 26	辆	392.32	392.56	400.39	397.10	404.19	396.46
山地车	地产主销 12 速 26 型	辆	637.48	632.16	607.60	600.00	602.22	597.70

5—29 续表 4

品　名	规　格	单位	全年	1月	2月	3月	4月	5月	6月
洗衣机	小鸭滚筒 XQG50—865	台	3306.90	3336.94	3351.06	3381.86	3405.61	3423.10	3273.77
洗衣机	海尔小神童 XQB45—A	台	2261.39	2223.61	2264.72	2295.20	2282.13	2304.69	2314.82
洗衣机	小天鹅 XQB50—95	台	1869.08	1864.88	1864.89	1867.00	1844.94	1821.65	1841.76
洗衣机	当地主销(双桶)	台	918.34	895.73	925.03	887.43	863.45	956.17	945.23
洗衣机	当地主销国产全自动	台	2110.77	2036.49	2041.14	2003.91	2199.91	2239.00	2241.09
微波炉	格兰士 WD750BS	台	921.19	788.07	780.39	922.94	933.58	929.50	920.29
抽油烟机	当地主销 普通	台	691.18	699.86	683.40	657.04	699.38	685.70	688.09
热水器	万家乐 7B5 6 升	台	999.97	797.24	777.83	970.52	1009.38	1013.91	1051.42
热水器	神州 TSYD6—G	台	872.63	858.79	859.53	841.72	850.67	847.89	896.00
热水器	当地主销国产 5L	台	776.10	786.21	803.43	480.00	480.00		548.00
热水器	当地主销国产 8L	台	1135.03	1160.83	1151.47	1153.36	1152.81	1126.00	1128.88
空调机	海尔 KFR—25GW	台	4689.24	4700.42	4707.60	4425.37	4565.69	4731.27	4764.12
空调机	春兰 KFR—22GW	台	4122.43	4165.48	4298.27	4124.25	4107.88	4204.52	4073.36
冰箱	海尔大王子 BCD—268L	台	4216.91	4268.00	4240.57	4246.41	4234.06	4227.37	4212.00
冰箱	容声 BCD—196L 无氟	台	2704.79	2678.74	2681.14	2756.52	2747.74	2729.80	2733.36
冰箱	长岭 BCD—216 无氟	台	2737.26	2550.23	2558.17	2791.87	2822.36	2827.79	2824.10
冰箱	新飞 BCD—216B 无氟	台	2813.40	2872.50	2887.42	2854.47	2838.61	2819.97	2812.03
冰箱	当地主销无氟 180—200L 左右	台	2600.71	2717.50	2729.06	2634.85	2622.44	2626.76	2599.65
冰柜	当地主销 150—200L	台	1627.95			1696.86	1687.90	1677.14	1630.48
彩电	长虹 D2965A	台	3810.56	5189.82	5113.73	4134.60	3921.97	3729.97	3511.94
彩电	长虹 D2523A	台	2297.15	2794.46	2786.48	2555.43	2400.14	2257.35	2208.90
彩电	康佳 T2588N	台	2448.73	2608.38	2593.00	2654.57	2599.18	2532.45	2471.29
彩电	康佳 T2987XIII	台	3605.39	3901.61	3901.07	3876.35	3825.19	3693.00	3647.85
彩电	索尼 29 英寸(国内组装)	台	7045.70	6936.00	6994.70	7263.56	7371.38	7299.87	7055.03
彩电	索尼 T25MF1	台	5029.57	4934.75	4940.68	5800.00	5800.00	5800.00	5800.00
彩电	松下 29 英寸(国内组装)	台	5644.15	8393.46	8320.25	5412.22	5392.86	5269.59	5027.69
彩电	松下 25GF85R	台	4566.68	4510.81	4483.67	5150.00	5150.00	5150.00	5150.00
彩电	东芝 2960XP	台	6395.90	6327.74	6311.00	7100.00	7100.00	7100.00	7100.00
彩电	东芝 2560XP	台	4152.44	4046.50	4046.50	5000.00	5000.00	5000.00	5000.00
彩电	TCL 王牌 2968P	台	3537.20	3753.38	3759.10	3723.65	3716.67	3572.50	3543.12
彩电	TCL 王牌 2566B	台	2395.66	2440.86	2435.93			1598.00	1598.00
彩电	当地主销 25 英寸	台	2220.77	1662.78	1661.48	2429.57	2455.19	2347.85	2328.81

5—29 续表 5

品　名	规　　格	单　位	7　月	8　月	9　月	10　月	11　月	12　月
洗衣机	小鸭滚筒 XQG50—865	台	3250.92	3276.23	3255.48	3222.48	3253.55	3239.64
洗衣机	海尔小神童 XQB45—A	台	2307.74	2240.82	2206.88	2205.24	2275.52	2233.64
洗衣机	小天鹅 XQB50—95	台	1855.68	1897.50	1899.79	1889.84	1894.42	1880.11
洗衣机	当地主销(双桶)	台	955.11	931.14	934.54	948.55	935.86	844.15
洗衣机	当地主销国产全自动	台	2126.70	2169.00	2108.06	2075.00	2021.63	2034.43
微波炉	格兰士 WD750BS	台	1182.43	917.33	916.94	914.64	925.16	922.31
抽油烟机	当地主销 普通	台	699.28	709.76	694.25	697.74	690.48	683.50
热水器	万家乐 7B5 6 升	台	1029.48	1040.24	1042.62	1008.67	1058.22	1076.45
热水器	神州 TSYD6—G	台	887.06	905.30	902.35	870.09	885.14	863.18
热水器	当地主销国产 5L	台	548.00					
热水器	当地主销国产 8L	台	1120.33	1128.39	1119.12	1131.00	1132.73	1124.03
空调机	海尔 KFR—25GW	台	4460.04	4727.06	4726.55	4705.68	4854.00	4786.00
空调机	春兰 KFR—22GW	台	4045.83	4123.72	3987.76	4121.80	4119.58	4111.41
冰箱	海尔大王子 BCD—268L	台	4176.00	4196.00	4195.00	4196.65	4206.94	4198.06
冰箱	容声 BCD—196L 无氟	台	2673.43	2691.35	2689.91	2688.42	2696.22	2695.91
冰箱	长岭 BCD—216 无氟	台	2728.00	2731.76	2762.38	2733.38	2767.78	2752.16
冰箱	新飞 BCD—216B 无氟	台	2781.46	2767.97	2789.69	2758.93	2777.19	2785.09
冰箱	当地主销无氟 180—200L 左右	台	2510.79	2523.12	2577.06	2571.97	2540.11	2545.14
冰柜	当地主销 150—200L	台	1614.35	1606.46	1606.74	1581.96	1577.46	1613.36
彩电	长虹 D2965A	台	3452.74	3313.39	3271.58	3272.53	3280.24	3310.50
彩电	长虹 D2523A	台	2182.44	2188.74	2103.07	2055.26	2116.62	2082.32
彩电	康佳 T2588N	台	2456.87	2391.84	2350.86	2247.08	2251.00	2180.13
彩电	康佳 T2987XIII	台	3601.61	3496.07	3380.25	3322.65	3328.59	3336.88
彩电	索尼 29 英寸(国内组装)	台	7172.92	6994.20	6892.53	6902.26	6924.90	6810.36
彩电	索尼 25MF1	台	5800.00					
彩电	松下 29 英寸(国内组装)	台	4962.92	4938.60	4924.60	4974.37	5010.00	5231.52
彩电	松下 25GF85R	台	5150.00					
彩电	东芝 2960XP	台	7100.00					
彩电	东芝 2560XP	台	5000.00					
彩电	TCL 王牌 2968P	台	3505.09	3368.93	3403.74	3416.00	3444.80	3404.43
彩电	TCL 王牌 2566B	台	1598.00					
彩电	当地主销 25 英寸	台	2199.45	2350.58	2343.93	2318.70	2158.50	2217.13

5—30 1999年36个大中城市主要服务项目平均价格

	公共汽车月票市区 元/张	公共汽车普票一票制 元/张	出租汽车租价夏利车基价 元/公里	出租汽车租价普通桑塔纳基价 元/公里	长途公汽车票普通国产客车省级干道 元/公里	公路货运普通零担 元/吨·公里	公有住房租金砖混成套住宅使用面积 元/平方米
北京市	16.25	0.54	1.30	1.70	0.08	0.33	1.30
天津市	20.00	0.50	1.40	2.00		0.38	1.30
石家庄市	30.00	0.50	1.20	1.38	0.07	0.45	1.60
太原市	25.00	0.54	1.20	1.00		0.35	0.81
呼和浩特市	30.00	0.50	1.00	1.50	0.10	0.29	0.96
沈阳市	50.00	1.00	1.50	1.50	0.06		1.60
大连市	45.00	1.00	1.00	1.20		0.06	0.42
长春市	30.00	0.60	1.30	1.50	0.07	0.51	1.30
哈尔滨市	27.50	0.50	1.60	1.90	0.07	0.53	1.36
上海市		0.92	1.60	2.00	0.08	0.34	1.73
南京市	30.00	1.00	1.40	1.80	0.07	0.36	1.60
杭州市	35.00	1.02	1.50	2.00	0.06	0.28	1.20
宁波市	26.00	1.00	1.50	1.80	0.07	0.36	1.60
合肥市	27.50	1.00	1.00	1.00	0.07	0.43	1.65
福州市	36.67	0.97	1.40	1.80	0.08	0.69	1.24
厦门市	35.00	1.00	1.50	2.00	0.08	0.52	2.91
南昌市	15.00	0.50	1.40	1.70			0.85
济南市	25.83	0.51	1.10	1.33	0.20	0.27	1.26
青岛市	26.00	0.50	1.10	1.18	0.04	0.34	1.43
郑州市	25.00	1.00	1.00	1.60	0.15		1.36
武汉市	24.00	0.50	1.40	1.50	0.07	0.46	1.03
长沙市	24.00	0.50	1.60	1.80	0.07	0.52	1.89
广州市	45.00	1.00	2.20	2.60	0.07	0.35	
深圳市		1.00	2.40	2.40	0.23	2.00	6.80
南宁市	35.00	0.80	1.40	1.60	0.11	0.41	1.50
海口市		1.00	1.80	1.80			1.41
成都市	30.00	1.00	1.30	1.30	0.10		1.50
重庆市	15.00	1.00	1.40	1.60	0.07		1.46
贵阳市	25.00	0.50	1.40	1.60	0.10	0.46	1.50
昆明市	30.00	1.00	1.60	1.80	0.11	0.20	1.20
拉萨市		2.00	1.27	1.00	0.31		
西安市		0.50	1.40	1.70	0.08	0.42	1.51
兰州市	23.00	0.50	1.20	1.40	0.08	0.32	0.64
西宁市	28.33	0.50	2.00	2.33	0.07		0.78
银川市	33.00	0.50	1.20	1.40	0.08	0.27	0.70
乌鲁木齐市	15.00	0.50	1.30	1.70	0.06	0.36	0.98

5—30 续表 1

	公有住房租金 钢混成套住宅 使用面积 元/平方米	写字楼租金 当地最高档 元/天·平方米	写字楼物业 管理费 当地最高档 元/月·平方米	旅馆房价 非星级 中档标准间 元/日	居民生活用水 不含污水 处理费 元/吨	电 民用 220v 元/百度	管道煤气 民用 元/立方米	管道天然气 民用 元/立方米
北京市	1.30			160.00	1.27	36.22	0.83	1.40
天津市	1.30		168.00		1.05	37.90	0.72	1.63
石家庄市	1.60	2.50		205.00	0.79	36.80	0.70	
太原市	0.81			120.00	1.20	37.00	0.50	
呼和浩特市	0.96	0.70		40.00	0.71	31.75	0.80	
沈阳市	1.60	3.78	7.72	180.00	1.18	33.90	1.20	2.40
大连市	1.08	3.60	26.00	213.45	1.80	40.10	1.00	
长春市	1.30	2.50	0.50	120.00	1.20	33.90	1.00	2.00
哈尔滨市	1.37	10.00	1.00	160.00	1.00	33.90	1.00	1.59
上海市	2.31	6.00	0.84	180.00	0.88	61.00	0.90	2.04
南京市	1.60	2.75	9.00	130.00	1.02	48.82	0.95	
杭州市	1.56	2.50	0.12	118.33	1.10	53.00	0.95	
宁波市	1.85	2.00	4.50	258.00	1.00	53.00	5.71	
合肥市	1.60	1.50	2.70	193.09	0.86	45.20	0.95	
福州市	1.60	2.41	4.67	160.00	1.02	36.70	3.60	
厦门市	3.78	1.82	5.00	158.33	1.85	36.70	1.00	
南昌市	0.85	2.06	1.20	150.00	0.64	44.90	0.92	
济南市	1.69	4.00	0.22	60.00	1.21	39.00	1.00	
青岛市	1.43	2.00	8.00	100.00	1.20	42.45	0.75	
郑州市	1.43	3.60	26.52	80.00	1.30	38.25	1.50	1.40
武汉市	1.05	2.80	17.00	70.00	0.67	44.57	0.80	
长沙市	1.89	3.00	3.00	80.00	0.82	51.10	0.80	
广州市	2.65	2.00	0.76	200.00	0.70	65.00	2.20	
深圳市	7.20	5.30	20.00	163.20	1.19	73.20	9.12	10.10
南宁市		1.48	20.43	60.00	0.80	43.60		
海口市	1.62		2.38	179.80	0.97	55.85	2.80	
成都市		6.00	0.50	120.00	0.85	43.50		1.00
重庆市	1.67			160.00	1.10	36.85		1.06
贵阳市		2.33	1.14	120.00	1.20	35.09	0.85	
昆明市	1.20	2.67	4.00	130.00	1.05	37.57	0.79	
拉萨市		60.00	38.00	35.00	0.70	64.00		
西安市	1.69	1.50	4.41	150.00	1.36	38.91	0.70	1.45
兰州市	0.70	2.30		120.00	0.65	37.28	0.87	
西宁市	1.20			39.17	0.50	27.00		
银川市	0.70	15.00	2.50	106.00	0.80	35.00		1.29
乌鲁木齐市	0.98	1.50	1.81	268.00	0.58	37.51	1.34	

5—30续表 2

	液化石油气民用平价 元/公斤	液化石油气民用议价 元/公斤	蜂窝煤民用一级 元/百公斤	原煤民用 元/百公斤	民用采暖锅炉供暖（热水直供） 元/建筑平方米	民用采暖锅炉供暖（蒸气经过二次交换） 元/建筑平方米	电话初装费直拨、程控（居民装机） 元/部	电话月租费 程控 元/月
北京市	1.85	3.20	18.91		4.00	4.50	1650.00	21.60
天津市	2.50	2.60	19.47	18.17	4.62	4.62	675.00	20.93
石家庄市	2.00	2.53	24.00	18.00	3.30		1250.00	17.94
太原市		3.20	12.83		2.80	2.80	1083.33	15.10
呼和浩特市		2.65	13.25	10.40	2.53		1340.00	14.07
沈阳市	2.50	2.67	24.00		3.80	4.09	781.82	27.85
大连市	2.33	2.73	28.00	39.33	4.50	4.50	818.18	23.58
长春市	2.40	3.00		25.00	4.09		683.33	34.05
哈尔滨市	1.90	2.22		23.45	4.09	4.09	750.00	21.60
上海市	2.60	4.00	44.00				1166.67	24.00
南京市	2.40	3.28	30.67	21.00			1333.33	17.60
杭州市	2.40	3.00	32.00	21.30			978.18	21.02
宁波市	2.18	2.83	29.58	29.93			916.67	12.77
合肥市	3.10	2.90	23.50	21.00			1091.67	15.41
福州市	2.80	3.45	28.80	23.83			1000.00	16.65
厦门市	3.33	3.00	29.00				1000.00	13.60
南昌市	2.71	3.11	24.64	13.40			1336.36	15.50
济南市	2.56	3.20	25.80		3.90		1200.00	21.50
青岛市	2.60	2.64	24.50	28.50	3.46	3.46	1222.00	23.68
郑州市	2.46	2.78	15.00		3.90	4.35	1200.00	20.05
武汉市	2.33	3.22	20.71				1606.91	24.37
长沙市	2.00	3.01	18.00	24.00			1083.33	18.55
广州市	1.86	2.61	46.00				1183.33	18.00
深圳市	3.71		31.10				1083.33	16.33
南宁市		3.11	28.95	18.00			1020.00	16.58
海口市		3.61	34.00	27.58			750.00	13.42
成都市		2.67	21.85	18.87			1000.00	17.68
重庆市	4.23	5.77	22.54	21.37			1215.00	24.18
贵阳市		4.11	18.83	18.00			916.67	14.33
昆明市	2.52	3.30	19.71	24.00			700.00	21.00
拉萨市	4.10	4.10	100.00				1000.00	11.50
西安市	2.00	2.56	27.50		3.90	2.28	1166.96	21.60
兰州市	2.10	2.50	18.10	26.00	2.00	2.00	1108.33	18.82
西宁市		2.99	16.90	18.00			1078.67	13.27
银川市	1.78	2.93	10.00	20.80	1.90		1020.91	21.00
乌鲁木齐市	1.33	1.60		11.20	3.20		1166.67	18.70

5—30续表3

	本地网营业区内通话费每次三分钟 元/次	本地网营业区间通话费每次一分钟 元/次	公用电话每次三分钟 元/次	移动电话资费市话费 元/分钟	无线寻呼机服务费中文机 元/年	无线寻呼机服务费数字机 元/年	挂号费普通门诊复诊 元/次	注射费肌肉注射 元/次
北京市	0.18	0.30	0.30	0.40	590.00	290.00	0.50	0.36
天津市	0.19	0.40	0.30	0.40	480.00	240.00	0.60	0.50
石家庄市	0.20	0.52	0.50	0.40	360.00	180.00	1.00	0.30
太原市	0.17	0.50	0.50	0.43	360.00	180.00	0.50	1.00
呼和浩特市	0.20	0.70	0.49	0.47	360.00	180.00	0.50	0.40
沈阳市	0.15	0.30	0.40	0.44	420.00	180.00	0.50	0.50
大连市	0.15	0.40	0.40	0.40	440.00	220.00	1.00	0.63
长春市	0.21	0.50	0.40	0.50	360.00	180.00	1.00	0.30
哈尔滨市	0.14	0.60	0.40	0.65	360.00	180.00	1.00	0.80
上海市	0.12		0.50	0.40	900.00	360.00	2.50	0.50
南京市	0.19	0.60	0.47	0.50	410.00	230.00	1.00	0.57
杭州市	0.20	0.46	0.50	0.72	480.00	240.00	1.00	0.40
宁波市	0.20	0.46	0.50	0.63	600.00	300.00	1.00	0.40
合肥市	0.19	0.50	0.40	0.43	360.00	180.00	0.75	0.25
福州市	0.16	0.40	0.40	0.43	480.00	240.00	0.80	0.50
厦门市	0.20	0.30	0.40	0.40	450.00	240.00	0.80	0.50
南昌市	0.20	0.50	0.40	0.40	360.00	180.00	0.50	1.50
济南市	0.23	0.50	0.42	0.50	420.00	180.00	0.50	0.25
青岛市	0.22	0.50	0.43	0.40	300.00	180.00	1.00	0.88
郑州市	0.19	0.48	0.40	0.48	480.00	240.00	0.50	0.50
武汉市	0.23	0.53	0.54	0.55	288.00	216.00	0.80	0.30
长沙市	0.22	0.53	0.50	0.47	600.00	190.00	0.50	0.40
广州市	0.18	0.24	0.50	0.50	790.00	406.00	1.00	1.00
深圳市	0.17	0.20	1.00	0.50	1080.00	540.00	3.00	2.58
南宁市	0.19	0.50	0.50	0.49	420.00	180.00	0.80	0.40
海口市	0.22	0.50	0.50	0.40	420.00	300.00	2.36	1.00
成都市	0.16	0.50	0.30	0.52	600.00	180.00	1.00	0.50
重庆市	0.18	0.50	0.50	0.42	600.00	280.00	0.50	0.50
贵阳市	0.14	0.52	0.30	0.50	300.00	180.00	0.71	0.50
昆明市	0.17	0.50	0.40	0.47	420.00	180.00	0.50	0.30
拉萨市	0.18	0.50	1.00	0.40	430.00	180.00	0.50	0.50
西安市	0.18	0.30	0.40	0.40	420.00	180.00	0.67	0.20
兰州市	0.19	0.50	0.30	0.40	255.00	180.00	1.00	0.80
西宁市	0.19	0.50	0.40	0.60	396.00	204.00	0.80	0.50
银川市	0.17	0.35	0.40	0.44	360.00	120.00	0.50	0.40
乌鲁木齐市	0.15	0.50	0.30	0.50	300.00	180.00	0.60	0.35

5—30续表 4

	手术费 阑尾 元/例	住院费 普通病房 （4人间） 元/床·日	理疗费 红外线 照射治疗 元/次	检查费 X光胸透 元/次	检查费 CT头颅 元/次	检查费 核磁共振 常规头部扫描 元/次	检查费 核磁共振 头部血管成像 元/次	检验费 乙型肝炎 5项指标 元/次
北京市	178.64	17.09	4.00	1.40	180.00	887.50	850.00	147.50
天津市	216.00	15.00	3.00	5.00	126.00	630.00	630.00	28.50
石家庄市	140.00	12.00	1.20	2.00	100.00	700.00	700.00	19.29
太原市	255.00	8.33	7.50	2.17	112.50	600.00	600.00	30.00
呼和浩特市	71.17	8.17	2.00	2.83	158.33	750.00	750.00	32.25
沈阳市	160.00	4.80	1.50	2.50	95.00	800.00		9.36
大连市	160.00	12.25	1.50	1.50	120.00	1000.00	1000.00	10.80
长春市	140.00	11.00	3.80	0.80	120.00	800.00		5.00
哈尔滨市	160.00	12.00	5.00	5.00	100.00	600.00	600.00	30.00
上海市	550.00	24.00	7.00	2.00	200.00	600.00	700.00	60.00
南京市	138.18	15.50	1.92	1.92	85.00	716.67	716.67	21.50
杭州市	150.00	14.00	1.50	4.00	120.00	450.00	650.00	21.00
宁波市	150.00	13.00	1.50	4.00	120.00	450.00	450.00	21.67
合肥市	56.00	6.58	1.50	2.00	120.00	800.00	800.00	17.33
福州市	80.00	5.00	1.00	4.00	220.00	1200.00	1200.00	21.67
厦门市	90.00	16.00	1.00	6.00	230.00	1000.00	2400.00	21.30
南昌市	200.00	5.00	3.00	2.00	200.00	1000.00	1000.00	21.00
济南市	50.00	5.00	0.40	1.00	100.00	800.00		19.29
青岛市	200.00	7.00		2.00	91.67	433.33	600.00	6.00
郑州市	65.00	5.00	2.00	4.00	125.00	850.00	850.00	3.00
武汉市	158.33	6.00	4.00	3.00	200.00	800.00	800.00	22.50
长沙市	150.00	4.00	1.50	3.00	150.00	750.00	825.00	25.00
广州市	259.09	21.82	3.36	5.00	183.64	807.50	1175.91	31.73
深圳市	308.18	25.98	5.15	2.00	230.00	790.00	1000.00	10.00
南宁市	50.00	3.50	0.70	1.00	250.00	1000.00	250.00	17.67
海口市	166.67	8.00	2.00	5.00	225.00	1000.00		28.00
成都市	90.00	4.00	0.50	3.00	140.00			16.33
重庆市	113.75	6.33	1.00	3.42	151.67	841.67	841.67	14.25
贵阳市	129.17	5.92	2.50	2.38	200.00	1133.33		20.56
昆明市	50.00	5.00	0.60	1.00	200.00	1000.00	1600.00	21.82
拉萨市	80.00	12.00	2.00	10.00	400.00			5.00
西安市	80.00	10.00	0.80	5.00	110.00	562.00	900.00	16.00
兰州市	150.00	12.73	3.18	3.64	200.00	618.18	1000.00	26.00
西宁市	60.00	5.50	0.80	12.00	120.00			25.00
银川市	90.00	7.00	1.00	1.50	170.00	800.00	1200.00	24.67
乌鲁木齐市	40.00	4.00	0.60	1.00	160.00	800.00	1200.00	7.86

5—30 续表 5

	检验费尿常规5项指标 元/次	旅游涉外饭店房价三星级标准间 元/日	大学学费非外语类专业文科 元/学年	大学学费理工科 元/学年	高中学费市重点学校 元/学期	高中学费普通学校 元/学期	普通职业高中学费 元/学期	中等专业学校学费 元/学期
北京市	4.45	352.73	2600.00	2654.55	330.00	160.00	1300.00	1436.36
天津市	1.50	390.00	2300.00	2700.00	300.00	140.00	900.00	950.00
石家庄市	3.00	400.00	2520.00	2520.00	230.00	199.00	527.27	1400.00
太原市	4.17	395.00	2300.00	2400.00	373.33	340.00	321.82	
呼和浩特市	7.02	280.00	3500.00	1833.33	235.00	201.67	166.67	666.67
沈阳市	3.16	325.00	2300.00	2000.00	300.00	200.00	200.00	75.00
大连市	1.00	364.09	2363.64	2463.64	335.00	208.75	922.50	566.67
长春市	1.00	420.00	2600.00	2600.00	120.00	120.00	900.00	250.00
哈尔滨市	11.00	350.00	1650.00	1250.00	300.00	150.00	200.00	250.00
上海市	20.00	380.00	3800.00	3800.00	640.00	373.33	240.00	1100.00
南京市	4.29	430.00	2683.33	2733.33	340.00	283.00	866.67	1245.00
杭州市	4.00	240.00	2300.00	2300.00	391.67	250.00	500.00	2000.00
宁波市	4.00	360.00	2800.00	2800.00	400.00	253.33	600.00	1050.00
合肥市	1.00	347.33	2566.67	2566.67	483.33	250.00	533.33	900.00
福州市	4.33	220.00	2200.00	2200.00	360.00	333.33	300.00	900.00
厦门市	4.80	800.00	2200.00	2200.00	400.00	353.33	466.67	900.00
南昌市	4.00	220.00	2581.82	2336.36	245.82	164.00	265.00	425.00
济南市	1.20	380.00	2133.33	2133.33	473.33	266.67	266.67	666.67
青岛市	2.00	500.00	3454.55	3454.55	135.83	122.73	129.09	527.27
郑州市	1.00	398.00	2500.00	2500.00	200.00	200.00	350.00	600.00
武汉市	0.80	230.00	1616.67	1616.67	350.00	250.00	450.00	1000.00
长沙市	10.00	420.00	2433.33	2433.33	669.50	519.50	533.33	716.67
广州市	3.00	350.00	3381.82	3566.67	752.73	595.45	703.64	1008.18
深圳市	10.00	420.00	1850.00	1850.00	480.00	480.00	480.00	750.02
南宁市	0.50	280.00	2200.00	2200.00	60.00	60.00	254.55	1980.00
海口市	2.27	341.67	2200.00	2433.33	173.33	143.33	210.00	1204.55
成都市	10.38	340.00	1600.00	2000.00	100.00	60.00	60.00	1100.00
重庆市	2.83	600.00	1720.00	2116.67	135.00	90.00	758.33	1050.00
贵阳市	0.40	580.00	1700.00	1600.00	60.00	60.00	250.00	300.00
昆明市	3.50	410.00	2000.00	2000.00	200.00	200.00	226.67	466.67
拉萨市	11.00	864.00	440.00			80.00		418.18
西安市	6.00	498.00	2091.67	2800.00	245.45	200.00	350.00	1275.00
兰州市	4.39	309.50	2400.00	2500.00	45.00	45.00	100.00	240.00
西宁市	5.00	268.00	1500.00	1700.00	100.00	100.00	200.00	600.00
银川市	1.00	449.00	1490.91	1545.45	110.00	100.00	218.18	904.55
乌鲁木齐市	0.50	400.00	2100.00	2300.00	93.33	62.50	1000.00	1800.00

5—30续表 6

	普通初级中学杂费	普通小学杂费	托儿保育费一级园中班日托	托儿保育费一级园中班整托	商品住房市区砖混一等成套住宅建筑面积	商品住房市区钢混一等成套住宅建筑面积	经济适用住房市区砖混一等成套住宅建筑面积	经济适用住房市区钢混一等成套住宅建筑面积
	元/学期	元/学期	元/月	元/月	元/平方米	元/平方米	元/平方米	元/平方米
北京市	123.64	77.27	113.64	213.64	4810.00	6393.00	3330.00	2480.00
天津市	60.00	40.00	50.00		2818.00	3499.00	2331.00	3289.00
石家庄市	57.00	38.00	40.00	95.00	1508.33	1808.33	1024.44	1080.00
太原市	60.00	40.00	31.67	36.67	1888.00	1888.00	1202.36	1202.36
呼和浩特市	40.00	30.00	20.00	40.00	1400.00	1800.00	850.00	
沈阳市	60.00	40.00	79.45	94.45	2200.00	2200.00	1050.00	1050.00
大连市	57.50	37.50	102.50	113.18	2800.00	3200.00	1390.00	
长春市	70.00	50.00	57.00	65.00	1800.00	2000.00	1300.00	
哈尔滨市	60.00	40.00	40.00	60.00	2000.00		1350.00	
上海市	80.00	50.00	176.67	390.00	3300.00	3500.00	2500.00	2900.00
南京市	88.00	55.00	71.18	122.50	3050.00	3100.00	1800.00	1850.00
杭州市	70.00	40.00	80.00	144.00	3722.36	4433.33	1500.00	
宁波市	75.00	45.00	128.33	400.00	2936.00	3176.00	1850.00	1056.00
合肥市	86.00	66.00	181.33	160.00	1725.00		1399.67	
福州市	60.00	40.00	70.00	90.00	1700.00	1912.50	1200.00	1350.00
厦门市	70.00	50.00	40.00		2400.00	2700.00	1500.00	1800.00
南昌市	52.00	36.00	75.00	105.00	1360.00	2500.00	997.45	
济南市	86.67	53.33	13.00	26.00	2680.00		1000.00	
青岛市	104.09	65.45	95.00	110.00	3000.00	3950.00	1400.00	1800.00
郑州市	70.00	50.00	33.00	53.00	1738.83	1738.83	990.00	990.00
武汉市	100.00	50.00	66.67	90.00	2400.00	2800.00	975.00	1200.00
长沙市	84.85	75.88	12.00	22.00	1728.00	2890.91	930.00	930.00
广州市	284.00	205.00	170.00	270.00		3500.00		2395.00
深圳市	215.00	155.00	150.00	195.00	8000.00		1600.00	
南宁市	40.00	30.00	35.00	45.00	1767.00	2166.00	1192.86	
海口市	125.00	75.00	53.33			1494.00		1200.00
成都市	25.00	20.00	65.00	90.00	2760.00	3200.00	1180.00	
重庆市	27.50	21.67	105.00	150.00	1951.11	2683.33	1203.33	1380.00
贵阳市	40.00	25.00	45.00	85.00	1800.00	2200.00	1237.50	
昆明市	70.00	40.00	20.00	40.00	2875.00	3583.33	1284.07	
拉萨市	30.00	20.00						
西安市	60.00	40.00	73.75	106.25	2300.00	4500.00	1000.00	
兰州市	30.45	20.45	45.45	55.45		1780.00		1180.00
西宁市	50.00	33.33	12.00	22.00	1450.00		1033.33	
银川市	50.00	40.00	49.50	70.00	1200.00	1600.00	897.78	
乌鲁木齐市	35.00	24.17	90.50	163.83	1780.00	2800.00	1350.00	

5—31 1999年36个大中城市主要服务项目分月平均价格

金额单位:元

名 称	规格、等级	单 位	全年平均	1 月	2 月	3 月	4 月	5 月	6 月
公共汽车月票	市区	张	28.30	27.12	27.19	27.88	27.88	27.88	27.88
公共汽车普票	一票制	张	0.76	0.76	0.75	0.77	0.77	0.77	0.77
出租汽车租价	夏利车基本租价	公里	1.41	1.41	1.41	1.41	1.40	1.40	1.40
出租汽车租价	普通桑塔纳基本租价	公里	1.65	1.66	1.67	1.67	1.65	1.65	1.65
长途公共汽车票	普通国产客车省级干道	公里	0.09	0.09	0.09	0.09	0.09	0.09	0.09
公路货运	普通零担	吨·公里	0.39	0.36	0.37	0.39	0.38	0.38	0.38
公有住房租金	砖混成套住宅使用面积	平方米	1.51	1.42	1.42	1.49	1.50	1.52	1.51
公有住房租金	钢混成套住宅使用面积	平方米	1.53	1.36	1.35	1.46	1.47	1.47	1.46
写字楼租金	当地最高档	天·m^2	4.03			3.22	3.84	3.77	3.62
写字楼物业管理费	当地最高档	月·m^2	10.98			5.32	17.34	18.23	17.85
旅馆房价	非星级中档标准间	日	136.57	138.27	138.88	139.16	137.45	141.52	142.19
居民生活用水	不含污水处理费	吨	1.01	0.92	0.92	0.96	0.98	0.99	0.99
电	民用220v	百度	42.49	42.19	42.12	42.09	41.85	41.95	41.95
管道煤气	民用	立方米	1.38	1.30	1.30	1.47	1.31	1.45	1.45
管道天然气	民用	立方米	1.62	1.53	1.53	1.51	1.51	1.55	1.55
液化石油气	民用平价	公斤	2.48	2.46	2.46	2.46	2.48	2.48	2.46
液化石油气	民用议价	公斤	3.05	3.08	3.07	3.06	3.03	2.95	2.93
蜂窝煤	民用一级	百公斤	25.06	24.78	24.67	24.73	24.89	24.67	26.75
原煤	民用	百公斤	21.88	22.23	22.23	22.18	21.98	21.98	21.89
民用采暖	锅炉供暖(热水直供)	建筑m^2	3.50			3.49	3.46	3.50	3.50
民用采暖	锅炉供暖(蒸气经过二次交换)	建筑m^2	3.72			3.77	3.82	3.85	3.85
电话初装费	直拨、程控(居民装机)	部	1070.72	1865.92	1852.03	1081.00	938.79	941.56	891.57
电话月租费	程控	月	19.10	20.39	20.52	18.71	18.90	18.76	18.42
本地网营业区内通话费	每次三分钟	次	0.18	0.17	0.17	0.19	0.19	0.19	0.19
本地网营业区间通话费	每次一分钟	次	0.46	0.48	0.48	0.46	0.46	0.46	0.46
公用电话	每次三分钟	次	0.45	0.46	0.46	0.46	0.45	0.45	0.45
移动电话资费	市话费	分钟	0.47	0.60	0.60	0.48	0.46	0.46	0.44

5—31续表1

名 称	规格、等级	单 位	7 月	8 月	9 月	10 月	11 月	12 月
公共汽车月票	市区	张	28.62	28.62	29.43	28.22	29.09	29.78
公共汽车普票	一票制	张	0.77	0.78	0.74	0.74	0.77	0.78
出租汽车租价	夏利车基本租价	公里	1.40	1.40	1.41	1.43	1.44	1.43
出租汽车租价	普通桑塔纳基本租价	公里	1.65	1.66	1.64	1.65	1.65	1.64
长途公共汽车票	普通国产客车省级干道	公里	0.09	0.09	0.09	0.08	0.12	0.12
公路货运	普通零担	吨·公里	0.38	0.39	0.39	0.39	0.39	0.44
公有住房租金	砖混成套住宅使用面积	平方米	1.38	1.60	1.60	1.59	1.46	1.62
公有住房租金	钢混成套住宅使用面积	平方米	1.56	1.56	1.60	1.59	1.67	1.84
写字楼租金	当地最高档	天·m^2	3.71	3.59	3.59	3.58	5.42	5.33
写字楼物业管理费	当地最高档	月·m^2	16.23	7.22	7.05	7.29	6.50	6.54
旅馆房价	非星级中档标准间	日	135.58	129.85	133.18	132.59	138.44	132.37
居民生活用水	不含污水处理费	吨	1.00	1.03	1.05	1.02	1.13	1.10
电	民用220v	百度	41.89	42.54	42.99	43.34	43.55	43.49
管道煤气	民用	立方米	1.47	1.30	1.12	1.44	1.50	1.44
管道天然气	民用	立方米	1.55	1.55	1.55	1.48	1.67	2.34
液化石油气	民用平价	公斤	2.45	2.47	2.40	2.54	2.56	2.56
液化石油气	民用议价	公斤	2.92	3.03	3.05	3.15	3.15	3.19
蜂窝煤	民用一级	百公斤	26.76	26.50	24.14	23.96	24.61	24.08
原煤	民用	百公斤	21.80	21.66	21.66	21.66	21.94	21.46
民用采暖	锅炉供暖(热水直供)	建筑^{2}m	3.50	3.50	3.50	3.48	3.61	3.50
民用采暖	锅炉供暖(蒸气经过二次交换)	建筑m^2	3.67	3.67	3.67	3.62	3.67	3.67
电话初装费	直拨、程控(居民装机)	部	891.57	874.19	885.61	868.47	860.50	852.68
电话月租费	程控	月	18.98	19.05	18.86	18.60	19.12	18.97
本地网营业区内通话费	每次三分钟	次	0.19	0.19	0.19	0.19	0.19	0.19
本地网营业区间通话费	每次一分钟	次	0.46	0.46	0.46	0.46	0.46	0.46
公用电话	每次三分钟	次	0.45	0.45	0.45	0.45	0.45	0.45
移动电话资费	市话费	分钟	0.44	0.44	0.44	0.44	0.44	0.44

5—31续表2

名称	规格、等级	单位	全年平均	1月	2月	3月	4月	5月	6月
无线寻呼机服务费	中文机	年	475.54	475.54	465.26	464.00	470.40	467.33	470.40
无线寻呼机服务费	数字机	年	225.00	221.67	228.00	226.67	226.67	226.67	226.67
挂号费	普通门诊复诊	次	0.92	0.92	0.94	0.94	0.94	0.92	0.85
注射费	肌肉注射	次	0.56	0.57	0.59	0.60	0.58	0.58	0.58
手术费	阑尾	例	139.92	142.14	138.00	138.00	139.35	146.19	146.19
住院费	普通病房(4人间)	床·日	9.55	9.55	9.80	9.80	9.55	9.99	9.97
理疗费	红外线照射治疗	次	2.31	2.34	2.25	2.25	2.25	2.35	2.28
检查费	X光胸透	次	3.34	3.37	3.29	3.29	3.29	3.33	3.28
检查费	CT头颅	次	160.31	161.42	160.17	160.17	160.17	160.17	160.17
检查费	核磁共振一常规头部扫描	次	815.38	815.38	798.50	798.50	798.50	773.50	766.19
检查费	核磁共振一头部血管成像	次	913.33	913.33	899.17	927.20	927.20	927.20	927.20
检验费	乙型肝炎5项指标	次	10.49	10.49	26.22	26.07	30.79	32.83	32.83
检验费	尿常规5项指标	次	3.53	3.54	4.75	4.27	4.36	4.41	4.98
旅游涉外饭店房价	三星级标准间	日	407.30	407.30	392.09	401.55	400.91	399.76	396.31
大学学费	非外语类专业文科	学年	2089.85	2089.85	2111.41	2095.50	2190.15	2183.79	2154.85
大学学费	理工科	学年	2173.48	2173.48	2170.45	2168.55	2244.85	2240.15	2209.56
高中学费	市重点学校	学期	221.82	221.91	224.47	235.30	234.70	254.09	251.06
高中学费	普通学校	学期	159.03	159.11	160.69	165.23	170.08	167.36	179.25
普通职业高中学费		学期	386.62	386.62	373.38	407.73	428.91	449.56	446.71
中等专业学校学费		学期	798.49	798.49	759.85	764.84	726.61	797.41	798.44
普通初级中学杂费		学期	67.48	67.97	68.36	68.47	68.47	64.52	71.91
普通小学杂费		学期	45.58	45.89	45.63	45.51	46.22	43.68	47.91
托儿保育费	一级园中班日托	月	63.74	63.74	65.09	65.97	66.94	66.94	68.12
托儿保育费	一级园中班整托	月	98.24	94.26	109.54	110.21	113.31	113.31	117.44
商品住房	市区砖混一等成套住宅建筑面积	平方米	2336.14	2383.17	2504.23	2413.69	2370.44	2521.10	2557.93
商品住房	市区钢混一等成套住宅建筑面积	平方米	2673.08	2681.08	2810.85	2733.58	2740.48	2907.15	2957.52
经济适用住房	市区砖混一等成套住宅建筑面积	平方米	1237.26	1243.07	1298.55	1292.89	1297.07	1386.82	1425.69
经济适用住房	市区钢混一等成套住宅建筑面积	平方米	1469.17	1469.17	1603.00	1553.25	1515.00	1592.50	1592.50

5—31 续表 3

名 称	规格、等级	单 位	7 月	8 月	9 月	10 月	11 月	12 月
无线寻呼机服务费	中文机	年	464.00	464.00	465.26	455.27	445.67	465.22
无线寻呼机服务费	数字机	年	226.67	226.67	228.00	226.55	217.67	225.56
挂号费	普通门诊复诊	次	0.85	0.85	0.86	0.88	0.85	0.89
注射费	肌肉注射	次	0.58	0.58	0.55	0.61	0.62	0.59
手术费	阑尾	例	146.19	146.19	137.97	152.27	149.44	143.49
住院费	普通病房(4人间)	床·日	9.97	9.97	9.91	10.85	10.46	9.94
理疗费	红外线照射治疗	次	2.24	2.24	2.15	2.39	2.32	2.28
检查费	X光胸透	次	3.24	3.24	3.29	3.59	3.40	3.33
检查费	CT头颅	次	160.17	160.17	161.50	161.70	169.33	161.28
检查费	核磁共振—常规头部扫描	次	779.75	765.21	762.25	746.40	760.36	781.79
检查费	核磁共振—头部血管成像	次	927.20	927.20	912.60	900.63	891.61	916.04
检验费	乙型肝炎5项指标	次	31.16	31.12	24.99	27.81	27.99	25.38
检验费	尿常规5项指标	次	4.41	4.62	4.55	4.63	4.48	4.37
旅游涉外饭店房价	三星级标准间	日	396.31	396.31	399.15	403.78	395.83	399.61
大学学费	非外语类专业文科	学年	2205.00	2421.14	2446.86	2486.06	2467.78	2249.83
大学学费	理工科	学年	2276.52	2580.00	2597.06	2631.25	2608.57	2342.25
高中学费	市重点学校	学期	246.82	386.06	388.59	446.88	419.14	294.64
高中学费	普通学校	学期	177.15	284.86	287.29	322.73	307.50	211.31
普通职业高中学费		学期	420.74	508.38	523.09	525.31	519.00	447.99
中等专业学校学费		学期	870.61	938.71	964.12	1029.22	999.71	856.48
普通初级中学杂费		学期	77.65	81.19	81.80	87.30	83.97	74.09
普通小学杂费		学期	52.47	54.75	55.17	58.79	56.83	49.87
托儿保育费	一级园中班日托	月	66.12	81.37	81.59	84.63	82.23	71.29
托儿保育费	一级园中班整托	月	112.37	114.03	116.28	119.85	118.70	111.52
商品住房	市区砖混一等成套住宅建筑面积	平方米	2514.55	2463.94	2490.41	2575.59	2470.38	2467.21
商品住房	市区钢混一等成套住宅建筑面积	平方米	2940.11	2908.32	2926.41	3006.27	2907.34	2851.91
经济适用住房	市区砖混一等成套住宅建筑面积	平方米	1380.33	1400.24	1412.03	1471.43	1438.26	1357.77
经济适用住房	市区钢混一等成套住宅建筑面积	平方米	1566.33	1566.33	1645.77	1717.38	1717.38	1590.08

(5—26至5—31各表,由中国价格信息中心提供)

Ⅵ　价格管理与改革记事

1999 年价格管理与改革记事

1月

9日 人民日报报道，国务院减轻企业负担部际联席会议决定，近日将派出 9 个检查组赴各地检查整顿电价秩序，制止乱加价、乱收费工作。

同日 国家计委发布《1999 年度棉花收购指导性价格的通知》，规定 1999 年度棉花收购指导性价格标准级皮辊棉每 50 公斤 500 元，新疆棉花收购指导性价格由自治区人民政府参照上述水平自行确定。

16日 国家计委发布《关于认真做好制止低价倾销工作及开展对低价倾销进行检查的通知》。

19日 国家计委发布《关于印发〈游览参观点门票价格管理办法〉的通知》。在国内外享有较高声誉的全国重点文物保护单位、大型博物馆、国家级风景名胜区和自然保护区等极少数重要游览参观点门票价格，由国务院价格主管部门管理，其它游览参观点门票价格，由省、自治区、直辖市政府价格主管部门确定价格管理权限，实施管理。

25日 国家计委发布《关于调整艺术院校学费标准有关问题的通知》，将学费标准由目前每生每学年最高不超过 6000 元调整为最高不超过 1 万元。

同日 国家计委、民航总局联合发布《关于加强民航国内航线票价管理制止低价竞销行为的通知》。

26日 国家计委、文化部联合发布《关于艺术院校学费改革试点问题的通知》，决定选择文化部所属的中央美术学院、中国美术学院和北京舞蹈学院进行艺术院校学费改革试点，上述 3 所试点院校的学费标准为最高每生每学年不超过 1.5 万元。

2月

2日 国家计委、国家税务总局联合发布《关于税务部门收费检查有关政策界限的通知》。

4日 国家计委发出《关于印发〈价格监测规定〉的通知》。

10日 国家计委发布《关于调整邮政电信资费的通知》。决定大幅度降低部分电信资费标准，适当提高部分邮政资费标准，整顿邮电建设附加费。

13日 国家计委发布《关于发布 1999 年度国产农膜原料出厂价格的通知》。为适应市场形势变化，国产农膜原料出厂价格由政府定价改为政府指导价，并调整国产农膜原料出厂价格。

同日 国家计委办公厅发出《关于公布青霉素V钾干糖浆等 27 种进口药品销售价格的通知》。

14日 国家计委发布《关于审定公布脂肪乳注射液价格的通知》。

23日 国家计委发出《关于印发低价倾销工业品的成本认定办法（试行）的通知》。《通知》规定，当企业以低于国家有关行业主管部门发布的行业平均成本的价格销售工业品并受到有关单位和个人举报时，政府价格主管部门应及时立案调查并组织进行该工业品成本认定，确属低价倾销行为的，依法进行处罚。

24日 国家计委、国家烟草专卖局联合发出《关于下达 1999 年度白肋烟香料烟和新疆自治区烤烟中准级收购价格的通知》。

3月

1日 国家计委、国家质量技术监督局联合发出《关于印发〈质量体系认证收费标准〉的通知》。

同日 国家计委、国家经贸委联合发出《关于 1999 年度茧丝价格政策及加强收购管理工作的通知》。桑蚕鲜茧收购价格、干茧供应价格继续实行中央指导下的省级政府定价，厂丝出厂价格继续实行中央政府指导价。

5日 国家计委办公厅发出《关于公布头孢拉定胶囊等 14 种进口（进口分包装）药品销售价格的通知》。

6日 国家计委主任曾培炎在第九届全国人民代表大会第二次会议上作《关于 1998 年国民经济和社会发展计划执行情况与 1999 年国民经济和社会发展计划草案的报告》。报告中指出，1998 年国内生产总值比上年增长 7.8%，商品零售价格总水平比上年下降2.6%,居民消费价格下降0.8%。

11日 国家计委、交通部联合发出《关于开展全国交通收费检查的通知》。要求各级价格主管部门严肃查处各种交通乱收费行为。

12日 国家计委、财政部发出《关于植物新品种保护权申请费、审查费、年费标准有关问题的通知》。

15日 国家计委、信息产业部联合印发《关于制止彩色显像管、彩色电视机不正当价格竞争的试行办法的通知》。凡经营企业为排挤竞争对手或独占市场,以低于成本的低价销售彩色显像管、彩色电视机的,属不正当价格竞争行为,由政府价格主管部门责令改正,并视具体情况依据《价格法》进行处罚。

18日 国家计委、民航总局联合发出《关于开展民航国内航线客票价格检查的通知》。

23日 国家计委办公厅发出《关于半乳糖—棕榈酸等20种进口(进口分包装)药品销售价格的通知》。

24日 人民日报报道,国家计委副主任王春正在1999年全国价格监督检查工作会议上,要求各级价格主管部门加强价格监督检查,坚决制止各种乱收费,整顿价格秩序,保护公平竞争。

25日 国家计委办公厅发出《关于印发中央管理药品价格申报审批办法的通知》。

4月

2日 经济日报报道,为加强宏观监管,发挥杠杆作用,《人民币利率管理规定》4月1日起开始实施。

9日 经济日报刊登《住房租金管理条例》。

14日 国家计委发出《关于重新审定头孢类等部分中央管理的药品价格的通知》。通知要求各地对本省制定的药品价格均应在调查的基础上重新审定,价格虚高及折扣过多的,要及时降价。

23日 国家计委、财政部、国家出入境检验检疫局联合发出《关于降低加工贸易品质检验和外商投资财产鉴定收费标准的通知》。

27日 国家计委、财政部联合发出《关于调整护照、认证和签证、认证代办费标准及有关问题的通知》。

5月

5日 国家计委办公厅发出《关于黄体酮等10种进口(进口分包装)药品销售价格的通知》。

7日 国家计委发出《关于1999年糖料价格政策的通知》,规定1999年甘蔗、甜菜收购中准价分别为170元和220元,上下浮动幅度为15%。

19日 经济日报报道,13～14日全国粮食流通体制改革会议在京召开,朱镕基总理在会上强调,继续深化粮食流通体制改革,着力促进粮食种植结构调整。

21日 人民日报报道,国家计委副主任王春正在国家计委召开的"价格法制理论与实践高级研讨会"上指出,创造一个良好的价格法制环境是当前经济增长的客观要求,必须加快对现行法规的清理工作。

25日 国家计委发出《关于国家储备含铅汽油出库价格等问题的通知》。

26日 国家计委发出《关于1999年粮食收购价格政策的通知》。通知要求,合理确定粮食定购价和保护价水平;拉开粮食品种差价;进一步拉开粮食等级差价;合理安排粮食收购的季节差价;做好粮食政策平衡衔接工作。

27日 国家计委发出《关于进一步明确进口化肥价格政策的通知》。

30日 国务院发出《关于进一步完善粮食流通体制改革政策措施的通知》。要求适当调整粮食保护价收购范围;完善粮食收购价格政策;完善粮食超储补贴办法,促进顺价销售;继续加强粮食收购市场管理;抓紧处理陈化劣变粮食;加快国有粮食企业改革步伐。

6月

2日 国家计委、建设部联合发出《关于贯彻城市供水价格管理办法有关问题的通知》。《通知》指出,城市供水价格改革工作要贯彻积极稳妥的方针,要与居民和企业承受能力相适应。

3日 国家计委发出《关于降低西力欣等114种进口(进口分包装)药品价格的通知》。

5日 国家计委发出《关于药品价格登记有关问题的通知》。

8日 经济日报报道,全国棉花工作会议于3～4日在京召开。朱镕基在会上强调抓住机遇,深化棉花流通体制改革,运用经济手段促进棉花结构调整。

10日 经济日报报道,经国务院批准,中国人民银行决定从10日起降低金融机构存、贷款利率,并同时降低中央银行准备金存款利率、再贷款和再贴现利率。金融机构存款利率平均下降1个百分点，贷款利率平均下降0.75个百分点。

18日 国家计委办公厅发出《关于下调足金饰品价格的通知》。足金饰品出厂价格下调为最低价每克86元，最高价每克90元；零售价格下调为最低价每克102元，最高价每克112元。

同日 国家计委发出《关于中央救灾储备化肥价格政策的通知》。

25日 国家计委发出《关于提高葛洲坝电厂上网电价的通知》。决定从7月1日起将葛洲坝电厂上网电价提高到每千瓦时0.102元。

28日 国家计委、教育部联合发出《关于制止向普通高校毕业生乱收费的通知》。通知强调不得以任何理由收取国家已明令取消的收费项目或巧立名目、扩大范围、提高标准乱收费。

同日 国家计委、财政部联合发出《关于不得向医疗机构征收污水排污费问题的通知》。

29日 国家计委印发《关于发挥价格杠杆作用扩大内需促进经济增长的若干意见的通知》。主要内容包括：(1)运用价格杠杆调整农业生产结构，减轻农民负担。(2)完善价格政策，促进基础产业发展。(3)整顿价格秩序，为促进经济增长创造良好的价格环境。(4)加强价格监测和成本调查工作，引导结构调整和需求增长。《通知》要求各地结合实际，在物价管理工作中参照执行。

7月

5日 国家计委发出《关于发布〈农产品成本调查管理办法〉的通知》。

同日 国家计委办公厅发出《关于旧机动车辆交易价格评估工作有关问题的通知》。

6日 国家计委发出《关于降低药品"虚高"价格有关政策问题的通知》。

15日 国家计委转发财政部、监察部、国家计委、审计署和中国人民银行《关于行政事业收费和罚没收入"收支两条线"管理的若干规定的通知》。

16日 卫生部、国家计委、教育部、民政部、财政部、人事部、劳动和社会保障部、建设部、国家计生委、国家中医药管理局联合发出《关于印发〈关于发展城市社区卫生服务的若干意见〉的通知》。

20日 国家计委发出《关于粮食优质优价政策有关问题的通知》。《通知》要求，贯彻落实粮食优质优价政策，优质粮食品种的收购价格主要由市场供求形成。具体收购价格由国有粮食购销企业根据市场情况，按照购得进、销得出的原则，自行确定，不得盲目抬价。

22日 国务院办公厅转发农业部、监察部、财政部、国家计委、法制办《关于做好当前减轻农民负担工作的意见》。

8月

1日 国家计委以1号令的形式发布经国务院批准、8月1日起施行的《价格违法行为行政处罚规定》。为依法惩处价格违法行为，《处罚规定》对操纵市场价格、低于成本倾销、价格歧视、不执行政府指导价、政府定价、不执行法定的价格干预措施、牟取暴利等违法行为的处罚作出具体规定。

2日 国家计委办公厅发出《关于核定沙丁胺醇气雾剂等17种中管国产药品价格的通知》。

同日 国家计委办公厅发出《关于开展价格鉴证机构资质认证的通知》。

同日 国家计委发出《关于三门峡水库供水价格的批复》。工业用水每立方米3分钱，生活用水每立方米2分钱，农业用水每立方米0.5分钱。

3日 为支持和促进公开、公平、合法的市场价格竞争，维护国家、消费者和经营者的合法权益，国家计委以2号令的形式发布《关于制止低价倾销行为的规定》。《规定》指出，低价倾销包括：为排挤竞争对手或独占市场，以低于成本的价格倾销商品，扰乱正常生产经营秩序，损害国家利益或者其他经营者合法权益的行为。

6日 国家经贸委、国家计委、财政部、监察部、审计署、国务院纠风办联合发出《关于整顿营销信息发布秩序、坚决制止乱排序、乱评比行为的通知》。

16日 经济日报报道，国家经贸委等七部委日前下发通知，对一次性使用的医疗用品管理秩序进行清理整顿，坚决制止乱发证、乱收费行为。

17日 国家计委发出《关于印发〈价格认证管理办法〉的通知》。

同日 经济日报刊发国务院办公厅转发农业部《关于当前调整农业生产结构的若干意见》。提出要完善农产品价格形成机制，继续执行有关税收优惠政策。

19日 国家计委发出《关于进一步做好城乡用电同价工作的通知》。要求各级物价部门积极参与"两改一同价"工作，发挥综合协调和主导作用，促进城乡用电同价目标顺利实现。

同日 国家计委发出《关于调整湖北省电网电价有关问题的通知》。

27日 人民日报报道，财政部日前发出通知，要求各级财政部门加大规范收费管理力度，促进国民经济持续快速健康发展。

28日 国家计委主任曾培炎在九届人大第十一次会议上作1999年以来国民经济和社会发展计划执行情况报告时强调，要推进改革，保持国民经济持续快速健康发展。

31日 国家计委发出《关于调整新疆自治区电网电价有关问题的通知》。

同日 国家计委发出《关于调整陕西省电网电价有关问题的通知》。

同日 人民日报刊发《中华人民共和国个人所得税法》。

9月

2日 国家计委发出《关于印发卢时彻同志在全国纠正医药购销不正之风工作电视电话会议上的发言的通知》。

3日 国家计委、财政部联合发出《关于教育部考试中心有关考试收费标准问题的通知》。

6日 经济日报报道，党中央、国务院决定提高全国城镇中低收入居民收入。

同日 国家计委、建设部、国家环保总局联合发出《关于加大污水处理费的征收力度建立城市污水排放和集中处理良性运行机制的通知》。

同日 国家计委办公厅发出《关于公布爱巴苏等27种进口(进口分装)药品销售价格的通知》。

9日 国家经贸委、国家计委发出《关于做好1999年秋茧生产与收购工作的通知》。

10日 国家计委发出《关于印发建设项目前期工作咨询收费暂行规定的通知》。

16日 财政部、国家计委联合发出《关于同意收取证券期货业从业人员资格报名考试等收费的通知》。

23日 国家计委办公厅发出《关于公布萘普生等22种进口药品销售价格的通知》。

27日 经济日报刊发《中共中央关于国有企业改革和发展若干重大问题的决定》。

28日 国家计委发出《关于调整贵州省电网电价有关问题的通知》。

29日 国家计委发出《关于贯彻实施〈价格违法行为行政处罚规定〉的通知》。《通知》要求各地价格主管部门做好宣传工作，要以贯彻实施《处罚规定》为契机，加大执法力度，提高办案质量。

30日 人民日报刊发《城市居民最低生活保障条例》。

同日 国家计委、信息产业部联合发出《关于降低部分电信资费的通知》。此次降价包括：中国电信出租给经营性互联网2兆带宽的国际半电路(国内端)租费，中国电信出租的数字、数字数据、模拟电路资费标准，以及修改计算机上网费月累计计算方法等。

10月

8日 国家计委、国家环保总局联合发出《关于环境管理体系认证收费的通知》。

11日 国务院发出《关于进一步完善粮食流通体制改革政策措施的补充通知》。要求采取有效措施，促进粮食顺价销售；合理安排1999年粮食收购保护价水平，拉开品种质量差价、季节差价；加强粮食收购市场管理，维护正常的收购秩序。

14日 国家计委、国家质量技术监督局联合发出《关于印发产品质量认证收费管理办法和收费标准的通知》。

15日 经济日报刊登中华人民共和国国务院令，发布《对储蓄存款利息所得征收个人所得税的实施办法》，自1999年11月1日起施行。

17日 国家计委发出《关于列入政府定价的药品不再公布出厂价和批发价的通知》。

20日 国家计委、财政部联合发出《关于第二批降低收费标准的通知》。决定再次降低部分收费标准，切实减轻企业负担，改善我国的投资环境，促进外贸进出口和社会经济的健康发展。

11月

1日 国家计委发出《关于调整部分成品油价格的通知》。全国平均90号无铅汽油零售中准价由每吨2797元提高到2937元；0号柴油由每吨2408元提高到2529元。

4日 国家计委发出《关于调整青海省电网电价有关问题的通知》。

5日 国家计委发出《关于调整食糖价格政策的通知》。自1999年跨2000年制糖期开始，食糖价格水平，由主产省、自治区政府价格主管部门根据本地区当年实际情况提出意见，经国家计委综合平衡后实施。

同日 国家计委发出《关于印发〈金饰品价格管理暂行办法〉的通知》。

6 **日** 财政部、国家经贸委、国家计委、审计署、监察部、国务院纠风办联合发出《关于公布第三批取消的各种基金(资金、附加、收费)项目的通知》。公布取消73项各种基金项目。

10 **日** 国家计委、信息产业部联合发出《关于开展全国电信资费检查的通知》。要求规范电信企业的价格行为，切实减轻用户负担。

11 **日** 国家计委、财政部、国家经贸委、审计署、监察部、国务院纠风办、国家金卡工程协调领导小组联合发出《关于清理整顿集成电路卡(IC卡)收费等有关问题的通知》。

18 **日** 经济日报报道，中央经济工作会议在京召开。会议确定2000年经济工作的指导思想和总体要求是：以邓小平理论和党的基本路线为指导，认真贯彻党的十五大和十五届三中全会、四中全会精神，继续实行中央关于推动改革和发展的一系列政策措施，突出抓好国有企业改革和发展、经济结构调整、科技进步和扩大内需。

19 **日** 经济日报报道，人民银行决定从11月21日起下调金融机构法定存款准备金率，由8%下调到6%。

21 **日** 经济日报报道，全国计划会议20日在京召开。国家计委主任曾培炎在会上总结了1999年宏观调控政策取得的成效，提出2000年经济和社会发展的主要目标和九项任务。

25 **日** 国家计委、财政部联合发出《关于保险业务监管费收费标准等有关问题的通知》。

同日 国家经贸委宣布，国家决定改革白银“统购统配”管理体制，放开白银市场。

29 **日** 国家计委、国务院纠风办联合发出《关于禁止对政府投资建设和偿还完贷款的公路、桥梁、隧道收取车辆通行费的通知》。要求坚决制止乱收费，整顿收费秩序。

12 月

4 **日** 国家计委办公厅发布《关于公布必需磷脂等11种进口药品销售价格的通知》。

13 **日** 国家计委发出《关于进一步做好降低药品“虚高”价格工作有关问题的通知》。

15 **日** 国家计委发出《关于华北四省市汽、柴油零售价格问题的批复》。将北京、天津、河北、山西四省、市的汽、柴油零售价在零售中准价基础上的上浮幅度由3%调至5%。

16 **日** 财政部、国家计委联合发出《关于批准收取事业单位登记费的通知》。

同日 国家计委发出《关于调整京津唐电网电价有关问题的通知》。

同日 国家计委发出《关于调整河北省南部电网电价有关问题的通知》。

同日 国家计委发出《关于调整湖南省电网电价有关问题的通知》。

21 **日** 国家计委、财政部联合发出《关于医师资格考试和执业医师注册收费标准及有关事项的通知》。

22 **日** 国家计委、国家经贸委、财政部、监察部、审计署、国务院纠风办联合发出《关于印发〈中介服务收费管理办法〉的通知》。

30 **日** 财政部、国家计委联合发出《关于取消第三批行政事业性收费项目的通知》。公布取消的第三批收费项目共计20项。

同日 国家计委、国家税务总局联合发出《关于规范税务代理收费有关问题的通知》。

31 **日** 国家计委发出《关于调整河南省电网电价有关问题的通知》。

同日 国家计委发出《关于2000年电煤政府指导价格有关问题的通知》。2000年对全国所有煤炭生产企业供电力企业发电用煤出厂价格(不分计划内外)继续实行政府指导价。 (李铁军整理)

Ⅶ　物价机构

省、自治区、直辖市及计划单列市物价局(委员会)名录

北京市物价局

局　长:李仲源

副局长:赵崇捷　张万恒

地　址:北京市西城区东滨河路7号

电　话:(010)62352464

传　真:(010)62356671

邮　编:100011

天津市物价局

局　长:翁家禄

副局长:赵　军　梁中伟　焦应法　廖晓武

地　址:天津市河西区苏州道35号

电　话:(022)23280895

传　真:(022)23289047

邮　编:300204

河北省物价局

局　长:王家珍

副局长:刘　日　刘平江　张立霞

地　址:石家庄市裕华西路408号

电　话:(0311)7044788

传　真:(0311)7044788

邮　编:050051

山西省物价局

局　长:张吉兆

副局长:韩国维　常　皓　王天珍

地　址:太原市后小河21号

电　话:(0351)3046935

邮　编:030002

内蒙古自治区发展计划委员会

主　任:雷·额尔德尼

副主任:巴达拉胡

地　址:呼和浩特市新华大街1号

电　话:(0471)6944648

传　真:(0471)6961451

邮　编:010055

辽宁省物价局

局　长:谢广仁

副局长:屈光生　赵希伟　王剑凯

地　址:沈阳市皇姑区北陵大街45—10号

电　话:(024)86892541

传　真:(024)86892265

邮　编:110032

大连市物价局

局　长:王太培

副局长:王淑英　孙俊兴

地　址:大连市西岗区新开路124号

电　话:(0411)3622576

传　真:(0411)3623077

邮　编:116011

吉林省物价局

局　长:骆德春

副局长:李志隆　赵玉环

地　址:长春市西中华路6号

电　话:(0431)8581118

传　真:(0431)8549505

邮　编:130061

黑龙江省物价局

副局长:王宇光　李云龙

地　址:哈尔滨市中山路202号

电　话:(0451)2628018

传　真:(0451)2628071

邮　编:150001

上海市物价局

局　长:姜耀中

副局长:林积昌　葛美君

地　址:上海市肇嘉浜路301号

电　话:(021)64432516

传　真:(021)64430298

邮　编:200032

江苏省物价局

局　长:孙炳辉

副局长:周卫国　赵耿毅　李春林

地　址:南京市北京西路24号

电　话:(025)3320701

传　真:(025)3302710

邮　编:210024

浙江省物价局

局　长:吴永革

副局长:黄家晖　杨　烨

地　址:杭州市省府2号楼
电　话:(0571)7052905
传　真:(0571)7052918
邮　编:310025

宁波市物价局

局　长:任彭微
副局长:范文英　孙秀兰　高庆丰
地　址:宁波市解放北路91号
电　话:(0574)7275371
传　真:(0574)7366974
邮　编:315010

安徽省物价局

局　长:沈素琍
副局长:王建中　周永超
地　址:合肥市长江中路221号省府大院内
电　话:(0551)2648911
传　真:(0551)2677919
邮　编:230001

福建省物价局

局　长:陈荣凯
副局长:姜榕兴　郑宝强　吴春官
地　址:福州市湖东路78号
电　话:(0591)7809566
传　真:(0591)7826141
邮　编:350003

厦门市物价局

局　长:薛　竹
副局长:杨品香　吕聪成
地　址:厦门市湖明路84号4楼
电　话:(0592)5063797
传　真:(0592)5140485
邮　编:361004

江西省物价局

局　长:方　彦
副局长:程　晓　李林茂　江忠益
地　址:南昌市北京西路6号省府大院内
电　话:(0791)6227232
传　真:(0791)6226021
邮　编:330046

山东省物价局

局　长:潘明桓
副局长:彭宪芳
地　址:济南市东关大街长盛小区38号
电　话:(0531)6974898
传　真:(0531)6974840
邮　编:250013

青岛市物价局

局　长:宋　力
副局长:胡宗伦　何　伟
地　址:青岛市香港中路11号
电　话:(0532)5911418
传　真:(0532)5911398
邮　编:266071

河南省发展计划委员会

主　任:夏宗勇
副主任:刘尚武
地　址:郑州市纬二路23号
电　话:(0371)5952958
传　真:(0371)5952440
邮　编:450003

湖北省物价局

局　长:冯世泽
副局长:张结民　韩德润
地　址:武汉市武昌水果湖洪山侧路4号
电　话:(027)87815816
传　真:(027)87815816
邮　编:430071

湖南省物价局

局　长:李后祥
副局长:廖林生　龚秀松
地　址:长沙市五一中路69号
电　话:(0731)2212606
传　真:(0731)2212459
邮　编:410011

广东省物价局

局　长:陈小川
副局长:林　林　梁炎佳　马壮昌
地　址:广州市东风中路305号省府大院内
电　话:(020)83331776
传　真:(020)83134115
邮　编:510031

深圳市物价局

局　长:聂振光
副局长:蓝镇强　彭曙曦　王玉生
地　址:深圳市桂园路1号
电　话:(0755)5572604
传　真:(0755)5576530
邮　编:518001

广西壮族自治区物价局

局　长:雷爱祖
地　址:南宁市星湖路35号
电　话:(0771)5851415
传　真:(0771)5854893
邮　编:530022

海南省物价局

局　长:许泽飞
副局长:刘善义
地　址:海口市海府路59号
电　话:(0898)5333426
传　真:(0898)5335814
邮　编:570204

重庆市物价局

局　长:王胜利
副局长:张成礼　刘卫东
地　址:重庆市江北区建新北路74号
电　话:(023)67851926
邮　编:400020

四川省物价局

局　长:胡安荣
副局长:严有勋　李公才　周廷水　张　健
地　址:成都市永兴巷15号省府综合大楼
电　话:(028)6522303
传　真:(028)6522496
邮　编:610012

贵州省物价局

局　长:高春生
副局长:陈仁贵　傅永华
地　址:贵阳市省府路51号
电　话:(0851)5823147
传　真:(0851)5823147
邮　编:550001

云南省发展计划委员会

主　任:庞锡钧
副主任:陈培富
地　址:昆明市东风东路106号
电　话:(0871)3134900
传　真:(0871)3169125
邮　编:650041

西藏自治区物价局

局　长:谭云高
副局长:顿　珠　宫明基　次仁卓玛
地　址:拉萨市北京中路22号
电　话:(0891)6336705
传　真:(0891)6336705
邮　编:850000

陕西省物价局

局　长:齐唤印
副局长:张建民　梁中枢　张文波
地　址:西安市新城省政府大院内
电　话:(029)7291477
传　真:(029)7292517
邮　编:710004

甘肃省物价局

局　长:高鹏程
副局长:马皋仁　姚栋新　刘　剑
地　址:兰州市皋兰路120号
电　话:(0931)8416182
传　真:(0931)8415538
邮　编:730000

青海省发展计划委员会

主　任:温成学
副主任:曲爱珍
地　址:西宁市五四西路4号
电　话:(0971)6305735
传　真:(0971)6305714
邮　编:810008

宁夏回族自治区物价局

局　长:马学恕
副局长:夏德亚　邱少宣
地　址:银川市解放西街西桥巷11号
电　话:(0951)5043977
传　真:(0951)5044857
邮　编:750001

新疆维吾尔自治区物价局

局　长:杨学亮
副局长:艾尔肯　沈元秋
地　址:乌鲁木齐市解放北路17号
电　话:(0991)2818207
邮　编:830002

省、自治区、直辖市及计划单列市物价检查所名录

北京市物价检查所

所　长:杨思磊
地　址:北京市西城区东滨河路 7 号
电　话:62352485
邮　编:100011

天津市物价检查所

所　长:梁中伟(兼)
常务副所长:李　东
地　址:天津市河西区苏州道 35 号
电　话:23288687
邮　编:300204

河北省物价检查所

所　长:王致同
地　址:石家庄市裕华西路 408 号
电　话:7024243
邮　编:050051

山西省物价检查所

所　长:刘文昶
地　址:太原市新民北街 49 号
电　话:3196335
邮　编:030002

内蒙古自治区物价检查所

所　长:图　门
地　址:呼和浩特市兴安北路
电　话:4933727
邮　编:010010

辽宁省物价检查所

所　长:曲宝山
地　址:沈阳市皇姑区宁山东路 1 号
电　话:86227339
邮　编:110032

大连市物价检查所

所　长:张克安
地　址:大连市西岗区新开路 124 号
电　话:3623073
邮　编:116011

吉林省物价检查所

所　长:刘俊营
地　址:长春市西中华路 6 号
电　话:8581016
邮　编:130061

黑龙江省物价检查所

副所长:马新亚
地　址:哈尔滨市南岗区宣信街 58 号
电　话:2631963
邮　编:150001

上海市物价检查所

所　长:王硕佟
地　址:上海市襄阳南路 218 号
电　话:64374584
邮　编:200031

江苏省物价检查所

所　长:甘家林
地　址:南京市北京西路 24 号
电　话:3306366
邮　编:210024

浙江省物价检查所

所　长:王自波
地　址:杭州市延安路皇亲苑小区 17 幢 5 楼
电　话:5064643
邮　编:310003

宁波市物价检查所

所　长:王先军
地　址:宁波市中山西路鼓楼大厦西 8 楼
电　话:7295175
邮　编:315010

安徽省物价检查所

所　长:李　静
地　址:合肥市宿州路合肥商城 6 楼
电　话:2654736
邮　编:230001

福建省物价检查所

所　长:李石顺
地　址:福州市华林路 100 号
电　话:7814740
邮　编:350003

厦门市物价检查所

所　长:朱龙钦

地　址:厦门市湖明路84号5楼
电　话:5061954
邮　编:361004

江西省物价检查所

所　长:李金平
地　址:南昌市沿江中路里洲住宅区附5栋
电　话:6613548
邮　编:330009

山东省物价检查所

所　长:卞其景
地　址:济南市东关大街长盛小区38号楼
电　话:6974873
邮　编:250013

青岛市物价检查所

所　长:张绍力
地　址:青岛市南区香港中路11号
电　话:5911406
邮　编:266071

河南省物价检查所

所　长:王建民
地　址:郑州市丰产路6号
电　话:3937063
邮　编:450002

湖北省物价检查所

所　长:严桂发
地　址:武汉市武昌水果湖洪山侧路4号
电　话:87814521
邮　编:430071

湖南省物价检查所

所　长:廖林生(兼)
地　址:长沙市芙蓉中路445号
电　话:5552429
邮　编:410007

广东省物价局直属分局

局　长:蔡一帆
地　址:广州市东风中路305号省府大院内
电　话:83134116
邮　编:510031

深圳市物价检查所

所　长:马裕滨
地　址:深圳市桂园路1号
电　话:5890781
邮　编:518001

广西壮族自治区物价检查所

所　长:卢启权
地　址:南宁市新竹路13号
电　话:5852283
邮　编:530022

海南省物价检查所

所　长:叶灶堂
地　址:海口市海府一横路华宇大厦605房
电　话:5331798
邮　编:570203

重庆市物价检查所

所　长:李兆武
地　址:重庆市人民路234号
电　话:63861110
邮　编:400015

四川省物价检查所

所　长:易攸石
地　址:成都市红星中路二段新巷子17号
电　话:6751490
邮　编:610012

贵州省物价检查所

所　长:王宪筑
地　址:贵阳市省府路51号
电　话:5823252
邮　编:550001

云南省检查所

所　长:淡松涛
地　址:昆明市东风东路106号
电　话:3169312
邮　编:650041

西藏自治区物价检查所

所　长:屠贵才
地　址:拉萨市北京中路22号
电　话:6322815
邮　编:850000

陕西省物价检查所

所　长:赵成功
地　址:西安市西北二路省计委培训中心
电　话:7322951
邮　编:710003

甘肃省物价检查所

所　长:石维岗
地　址:兰州市皋兰路120号
电　话:8415336
邮　编:730000

青海省物价检查所

所　长:乔正善

地　址:西宁市西大街66号省府院内

电　话:8244348

邮　编:810000

宁夏回族自治区物价检查所

所　长:郭敬中

地　址:银川市解放西街西桥巷11号

电　话:5043920

邮　编:750001

新疆维吾尔自治区物价检查所

所　长:杨兆山

地　址:乌鲁木齐市解放北路17号

电　话:2815321

邮　编:830002

省、自治区、直辖市及计划单列市价格研究所名录

山西省价格研究所

所　长:段治平

地　址:太原市后小河21号

电　话:3046651

邮　编:030002

内蒙古自治区价格研究所

所　长:王清成

地　址:呼和浩特市新城东街4号

电　话:6918316

邮　编:010010

辽宁省价格研究所

所　长:孙瑛祥

地　址:沈阳市皇姑区宁山东路1号

电　话:86227050

邮　编:110032

吉林省价格研究所

所　长:于钦林

地　址:长春市西中华路6号

电　话:8581028

邮　编:130061

黑龙江省价格研究所

副所长:庞红星

地　址:哈尔滨市南岗区宣信街15号

电　话:2632047

邮　编:150001

上海市物价研究所

所　长:张利生

地　址:上海市肇嘉浜路301号19楼

电　话:64431366

邮　编:200032

江苏省价格研究所

所　长:薛建华

地　址:南京市北京西路24号

电　话:3321100—415

邮　编:210024

安徽省价格研究所

所　长:刘孝广

地　址:合肥市阜阳路48号

电　话:2651505

邮　编:230001

福建省价格研究所

负责人:林国光

地　址:福州市湖东路78号

电　话:7822196

邮　编:350003

江西省价格研究所

所　长:李愈茂

地　址:南昌市二七北路301号

电　话:6221744

邮　编:330006

山东省价格研究所

所　长:陈　标

地　址:济南市东关大街长盛小区38号

电　话:6974843

邮　编:250013

河南省研究所

所　长:宗长青

地　址:郑州市丰产路6号

电　话:3936408

邮　编:450002

湖北省价格研究所

所　长:李兴华

地　址:武汉市武昌水果湖洪山侧路4号

电　话:87823522

邮　编:430071

湖南省价格研究所

所　长:蔡新军

地　址:长沙市芙蓉中路445号

电　话:5548502

邮　编:410007

广东省市场研究所

所　长:冯章龙

地　址:广州市中山一路40号三楼

电　话:87613280

邮　编:510600

广西壮族自治区价格研究所

所　长:陈　孟

地　址:南宁市新竹路13号

电　话:5876920

邮　编:530022

海南省物价研究所

所　长:何相荣

地　址:海口市海府路99号

电　话:5370942

邮　编:570203

四川省价格研究所

所　长:董大德

地　址:成都市红星中路二段新巷子17号

电　话:6628545

邮　编:610012

云南省价格研究所

所　长:陈凤昭

地　址:昆明市东风东路106号

电　话:3169949

邮　编:650041

陕西省价格研究所

所　长:曹保延

地　址:西安市新城省政府大院内

电　话:7292603

邮　编:710004

甘肃省价格研究所

所　长:侯和平

地　址:兰州市皋兰路120号

电　话:8415085

邮　编:730000

青海省经研所

所　长:李　勇

地　址:西宁市五四西路4号

电　话:6305994

邮　编:810008

新疆维吾尔自治区价格研究所

所　长:刘迪生

地　址:乌鲁木齐市中山路45号

电　话:2821870

邮　编:830002

省、自治区、直辖市及计划单列市价格信息中心(处)名录

北京市价格信息中心

主　任:唐　晨

地　址:北京市西城区东滨河路7号

电　话:62046614

邮　编:100011

天津市价格信息服务中心

主　任:赵德泉

地　址:天津市河西区苏州道35号

电　话:23288936

邮　编:300204

河北省价格信息中心

处　长:尚英才

地　址:石家庄市裕华西路408号

电　话:7025869

邮　编:050051

山西省物价局价格信息处

处　长:张行运

地　址:太原市后小河21号

电　话:3046921

邮　编:030002

内蒙古自治区信息中心

主　任:王清成

地　址:呼和浩特市新城东街4号

电　话:6918316

邮　编:010010

辽宁省价格信息中心

主　任:唐振庆

地　址:沈阳市皇姑区宁山东路1号

电　话:86272530
邮　编:110032

大连市价格信息中心

主　任:赵北林
地　址:大连市西岗区新开路124号
电　话:3628470
邮　编:116011

吉林省价格信息中心

主　任:高慧根
地　址:长春市万福街25号
电　话:7620095
邮　编:130062

黑龙江省价格信息中心

副处长:杨美荣
地　址:哈尔滨市南岗区宣信街58号
电　话:2652750
邮　编:150001

江苏省价格信息中心

副主任:赵　毅
地　址:南京市北京西路24号
电　话:3306374
邮　编:210024

浙江省价格信息中心

主　任:方兆富
地　址:杭州市延安路皇亲苑小区17幢6楼
电　话:5108056
邮　编:310003

宁波市价格信息中心

负责人:祝军波
地　址:宁波市中山西路鼓楼大厦西8楼
电　话:7314630
邮　编:315010

安徽省价格信息中心

主　任:包庆华
地　址:合肥市阜阳路48号
电　话:2674892
邮　编:230001

福建省价格信息中心

主　任:曹海伦
地　址:福州市华林路128号
电　话:7835402
邮　编:350003

厦门市价格监测中心

主　任:张梓经
地　址:厦门市湖明路84号4楼
电　话:5063855
邮　编:361004

江西省价格信息中心

主　任:杨　毅
地　址:南昌市孺子路85号3楼
电　话:6271132
邮　编:330003

山东省价格信息中心

主　任:高庆祥
地　址:济南市东关大街长盛小区38号
电　话:6974843
邮　编:250013

青岛市价格信息中心

主　任:鞠远孟
地　址:青岛市南区香港中路11号
电　话:5911415
邮　编:266071

河南省价格信息中心

主　任:张　毅
地　址:郑州市丰产路6号
电　话:3945806
邮　编:450002

湖北省价格信息中心

主　任:彭　平
地　址:武汉市武昌水果湖洪山侧路4号
电　话:87823735
邮　编:430071

湖南省价格信息中心

主　任:杨建国
地　址:长沙市芙蓉中路445号
电　话:5540253
邮　编:410007

广东省价格信息中心

主　任:陈　波
地　址:广州市中山一路40号4楼
电　话:87664602
邮　编:510600

深圳市价格信息中心

主　任:陈小燕
地　址:深圳市桂园路1号
电　话:3187789
邮　编:518001

广西壮族自治区价格信息中心

副主任:卢允庆
地　址:南宁市新竹路 13 号
电　话:5855604
邮　编:530022

海南省价格信息中心
主　任:史凡民
地　址:海口市海府路 99 号
电　话:5362329
邮　编:570203

重庆市价格信息中心
主　任:刘远庆
地　址:重庆市江北区建新北路 74 号
电　话:67853291
邮　编:400020

四川省价格信息中心
主　任:罗在军
地　址:成都市永兴巷 15 号省政府综合大楼
电　话:6522616
邮　编:610012

贵州省价格信息中心
主　任:徐望北
地　址:贵阳市省府路 51 号
电　话:5825781
邮　编:550001

云南省价格信息中心
主　任:陈凤昭
地　址:昆明市东风东路 106 号
电　话:3169949
邮　编:650041

陕西省价格信息中心站
主　任:张世权
地　址:西安市新城省政府大院内
电　话:7292605
邮　编:710004

甘肃省价格信息中心
主　任:肖福林
地　址:兰州市皋兰路 120 号
电　话:8883649
邮　编:730000

宁夏回族自治区物价局信息处
处　长:巴恩强
地　址:银川市解放西街西桥巷 11 号
电　话:5044883
邮　编:750001

新疆维吾尔自治区物价局信息处
处　长:廖泽生
地　址:乌鲁木齐市中山路 45 号
电　话:2810949
邮　编:830002

省、自治区、直辖市及计划单列市价格事务所名录

北京市价格事务所
所　长:王振田
地　址:北京市崇文区东兴隆街 51 号旁门
电　话:67027416
邮　编:100062

天津市价格事务所
所　长:赵德泉
地　址:天津市河西区苏州道 35 号
电　话:23289052
邮　编:300204

河北省物价局价格认证中心
所　长:王哲民
地　址:石家庄市裕华西路 408 号
电　话:7025958
邮　编:050051

山西省价格事务所
所　长:王　旭
地　址:太原市解放路 162 号
电　话:3043195
邮　编:030002

内蒙古自治区价格事务所
所　长:张　奎
地　址:呼和浩特市兴安北路
电　话:4929553
邮　编:010010

辽宁省价格事务所
所　长:牟学俭
地　址:沈阳市皇姑区宁山东路 1 号
电　话:86256839
邮　编:110032

大连市价格事务所

所　长:王寿公

地　址:大连市西岗区黄河路263号

电　话:3636535

邮　编:116011

吉林省价格事务所

所　长:高慧根

地　址:长春市万福街25号

电　话:7620095

邮　编:130062

黑龙江省价格事务所

所　长:宋金义

地　址:哈尔滨市南岗区宣信街57号

电　话:2631803

邮　编:150001

上海市价格事务所

所　长:张利生

地　址:上海市肇嘉浜路301号19楼

电　话:64432386

邮　编:200032

江苏省价格认证中心

主　任:祝井贵

地　址:南京市北京西路24号

电　话:3327604

邮　编:210024

浙江省价格事务所

所　长:方兆富

地　址:杭州市延安路皇亲苑小区17幢6楼

电　话:5108056

邮　编:310003

宁波市价格事务所

所　长:胡同华

地　址:宁波市中山西路372号

电　话:7247653

邮　编:315010

安徽省价格事务所

副所长:谢宝安

地　址:合肥市长江中路90号东6楼

电　话:2647775

邮　编:230001

福建省价格事务所

所　长:陈一凡

地　址:福州市华林路128号

电　话:7826180

邮　编:350003

厦门市价格事务所

所　长:蔡建辉

地　址:厦门市长青路191号劳动大厦13层

电　话:5140590

邮　编:361004

江西省价格事务所

所　长:杨　毅

地　址:南昌市孺子路85号3楼

电　话:6271132

邮　编:330003

山东省价格事务所

所　长:高庆祥(兼)

地　址:济南市东关大街长盛小区38号

电　话:6974843

邮　编:250013

青岛市价格事务所

所　长:闫伟和

地　址:青岛市东海东路18号

电　话:5920971

邮　编:266071

河南省价格事务所

所　长:田长安

地　址:郑州市丰产路6号

电　话:3935203

邮　编:450002

湖北省价格事务所

所　长:张　炎

地　址:武汉市武昌水果湖洪山侧路4号

电　话:87890285

邮　编:430071

湖南省价格事务所

所　长:蔡新军

地　址:长沙市芙蓉中路445号

电　话:5548502

邮　编:410007

广东省价格事务所

所　长:柏春生

地　址:广州市东风中路305号省政府大院内

电　话:83134119

邮　编:510031

深圳市价格事务所

所　长:林建民

地　址:深圳市桂园路1号
电　话:5890250
邮　编:518001

广西壮族自治区价格事务所
所　长:陈　孟
地　址:南宁市新竹路13号
电　话:5876920
邮　编:530022

海南省价格事务所
所　长:符大文
地　址:海口市海府路99号
电　话:5354693
邮　编:570203

重庆市价格事务所
所　长:刘远庆
地　址:重庆市江北区建新北路74号
电　话:67857711
邮　编:400020

四川省价格事务所
所　长:廖明斌
地　址:成都市永兴巷15号
电　话:6522639
邮　编:610012

贵州省价格事务所
主　任:徐望北
地　址:贵阳市省府路51号
电　话:5825781
邮　编:550001

云南省价格事务所
所　长:陈凤昭
地　址:昆明市东风东路106号
电　话:3169949
邮　编:650041

西藏自治区价格事务所
所　长:郑国平
地　址:拉萨市北京中路22号
电　话:6323280
邮　编:850000

陕西省价格事务所
所　长:张世权(兼)
地　址:西安市新城大院内
电　话:7292605
邮　编:710004

甘肃省价格事务所
所　长:肖福林
地　址:兰州市皋兰路120号
电　话:8883649
邮　编:730000

青海省价格认证中心
主　任:胡　军
地　址:西宁市西关大街53号
电　话:6151552
邮　编:810008

宁夏回族自治区价格事务所
所　长:张红昱
地　址:银川市解放西街西桥巷11号
电　话:5043939
邮　编:750001

新疆维吾尔自治区价格事务所
所　长:么春华
地　址:乌鲁木齐市中山路45号
电　话:2302234
邮　编:830002

省、自治区、直辖市及计划单列市价格学会名录

北京市价格学会
秘书长:崔永福
地　址:北京市西城区东滨河路7号
电　话:62044014
邮　编:100011

天津市价格学会
会　长:翁家禄
秘书长:郭永峰
地　址:天津市河西区苏州道35号
电　话:23288765
邮　编:300204

河北省价格学会
会　长:权运吉
秘书长:李胜群
地　址:石家庄市裕华西路408号
电　话:7022079

邮　编:050051

山西省价格学会

会　长:张吉兆

秘书长:韩国维

地　址:太原市后小河21号

电　话:3046918

邮　编:030002

辽宁省价格学会

会　长:谢广仁

秘书长:董新华

地　址:沈阳市皇姑区宁山东路1号

电　话:86248113

邮　编:110032

大连市价格学会

会　长:王太培

秘书长:王培智

地　址:大连市西岗区新开路124号

电　话:3622576

邮　编:116011

吉林省价格协会

会　长:王彤晖

秘书长:王家军

地　址:长春市西中华路6号

电　话:8581116

邮　编:130061

上海市价格学会

会　长:徐家树

秘书长:李文忠

地　址:上海市肇嘉浜路301号19楼

邮　编:200032

江苏省价格学会

会　长:王德驹

秘书长:薛建华

地　址:南京市北京西路24号

电　话:3315435

邮　编:210024

浙江省价格学会

会　长:吴永革

秘书长:陈　琪

地　址:杭州市省府2号楼

电　话:7057377

邮　编:310025

宁波市价格学会

会　长:任彭微

秘书长:王庆华

地　址:宁波市解放北路91号

电　话:7186352

邮　编:315010

安徽省价格学会

会　长:胡乾太

秘书长:关盛宏

地　址:合肥市阜阳路48号

电　话:2642744

邮　编:230001

福建省价格学会

会　长:陈荣凯

秘书长:廖宗瑞

地　址:福州市华林路128号

电　话:7842697

邮　编:350003

厦门市价格学会

会　长:薛　竹

秘书长:王生提

地　址:厦门市湖明路84号4楼

电　话:5140485

邮　编:361004

江西省价格学会

会　长:方　彦

地　址:南昌市二七北路301号

电　话:6221744

邮　编:330006

山东省价格学会

会　长:逄镜瓒

秘书长:周　齐

地　址:济南市东关大街长盛小区38号

电　话:6974843

邮　编:250013

青岛市价格学会

会　长:昌凤臣

秘书长:李德爱

地　址:青岛市南区香港中路11号

电　话:5911410

邮　编:266071

河南省价格学会

会　长:刘尚武

秘书长:宗长青

地　址:郑州市丰产路6号

电　话:3936408

邮　编:450002

湖北省价格学会

会　长:沈福权

秘书长:李兴华

地　址:武汉市武昌水果湖洪山侧路4号

电　话:87823522

邮　编:430071

湖南省价格学会

会　长:李后祥

秘书长:杨建国

地　址:长沙市芙蓉中路445号

电　话:5540253

邮　编:410007

广东省价格协会

会　长:蒋善利

秘书长:魏承史

地　址:广州市中山一路40号三楼

电　话:87613751

邮　编:510031

深圳市价格学会

会　长:聂振光

秘书长:范鸣春

地　址:深圳市桂园路1号

电　话:5892949

邮　编:518001

广西壮族自治区价格学会

会　长:陈　孟

秘书长:徐管康

地　址:南宁市新竹路13号

电　话:5876920

邮　编:530022

四川省价格学会

会　长:经荣生

秘书长:卢　磊

地　址:成都市红星中路二段新巷子17号

电　话:6628545

邮　编:610012

贵州省价格学会

会　长:高春生(代)

副秘书长:张玉玺

地　址:贵阳市省府路51号

电　话:5829632

邮　编:550001

云南省价格学会

会　长:任瑞刚

地　址:昆明市东风东路106号

电　话:3163958

邮　编:650041

陕西省价格学会

会　长:张文波

秘书长:曹保延

地　址:西安市新城省政府大院内

电　话:7292601

邮　编:710004

甘肃省价格学会

会　长:高鹏程

秘书长:刘文禄

地　址:兰州市皋兰路120号

电　话:8415085

邮　编:730000

青海省价格学会

会　长:曲爱珍

秘书长:钟鸣远

地　址:西宁市五四西路4号

电　话:6305733

邮　编:810008

宁夏回族自治区价格学会

会　长:赵春起

秘书长:朱正凡

地　址:银川市解放西街西桥巷11号

电　话:5045075

邮　编:750001

新疆维吾尔自治区价格学会

会　长:刘世雄

地　址:乌鲁木齐市中山路45号

电　话:2307332

邮　编:830002

Ⅷ 价格研究与教育

1999 年价格理论讨论观点简介

一、关于公共物品价格改革

随着价格改革的深入，公共物品价格改革问题逐渐成为价格改革的重点与难点，自然也成了理论界研究的热点问题。具体围绕以下问题展开：

1、关于对自然垄断物品价格的管制

一般认为，公共物品生产经营企业一般具有自然垄断性。对此，如果政府对价格不加管制，企业就会利用垄断高价获取垄断利润。根据福利经济学的基本理论，只有当价格等于边际成本时社会福利才最大。而如果按边际成本定价，企业就会亏损，从而出现自然垄断的定价矛盾，并使社会陷入社会福利与企业利益之间进行取舍的两难状态，这就使得对自然垄断进行管制成为必要。对自然垄断行业产品价格进行规制和管理的经济依据是：为了克服市场价格机制的缺陷；为了减少资源的浪费；为了防止竞争造成对于产业的损害。规制和管理的目标包括：提高企业效率，实现资源有效配置，保护消费者的利益，实现企业的长期稳定发展。

对自然垄断的管制，主要包括价格管制和对市场进入的管制。关于价格管制，有的人认为主要是指，在自然垄断行业中，管制者（政府）从资源的有效配置和服务的公平供给出发，以限制自然垄断企业制定垄断价格、差别价格为目的，对于价格或者收费水平和价格体系进行管制。当垄断价格减少社会福利或当边际成本价格使企业亏损时，为了保护社会或企业的利益，都需要对价格进行管制。而当潜在竞争者的威胁使垄断者无法用边际成本价格或盈亏相抵价格维持生存时，需要对潜在竞争者的进入进行管制。具体管制则需视自然垄断的强弱、进入市场有无障碍和企业是否具有可维持力等因素综合决定，分别采取不同的措施。不应一概认为凡是自然垄断都需要政府进行管制。

有的人指出，在我国自然垄断行业的生成环境，是以国家强制力彻底否定市场、铲除市场竞争的结果。这与西方诸国在市场经济条件下形成的垄断有本质不同。所以，西方经济学中基于市场经济的“自然垄断理论”不能完全解释和指导中国垄断行业调整在实践中存在的问题。在我国，自然垄断行业中的企业都是国有企业，管制与被管制者之间政企一体化，行业行政性垄断的特征十分明显，使这些行业官僚主义盛行、经营效率低下，加上缺乏有效的约束和监督，其利用垄断地位损害消费者利益的行为也十分严重。所以，要从根本上促进我国自然垄断行业的发展，就要彻底打破管制机构与被管制企业之间的利益关系，使其能超然地行使经济管理职能。还要区分人为垄断和自然垄断、自然垄断业务和非自然垄断业务、垄断行业和垄断企业，只有这样，才能搞清哪些国有企业需要退出，哪些应该保留，在非自然垄断业务领域引入竞争机制，逐步退出自然垄断行业中的非自然垄断企业；对仍需管制的领域，引入激励性规制方式，以刺激垄断企业提高效率。

另有的人提出，我国公用事业价格管理应抓好三个方面的工作：即完善对垄断经营的公用事业价格的管理；放开适宜公平竞争的公用事业价格；适当采取多种价格形式，促使公用事业更好地为公众、社会和经济服务。具体建议有：成立以价格管制为核心的综合性经济管制机构——各级公用事业管制委员会；保护和促进公平竞争；完善价格听证会制度；适当运用以绩效为基础的价格管制、根据成本变化而及时调整价格、依据价格指数的变化管制价格等多种价格管制方法；合理运用用量价格、季节价格、时段价格和社会公益性价格等多种价格形式；加强对公用事业公司的财务监督；帮助和支持消费者及社会各界参与公用事业价格管理；明确公用事业公司的价格义务，如应在每月帐单上详细说明用户公用事业服务使用量、单位价格、换算方式、附加费用、税收款项、应收总额等情况，并详细说明遇到服务价格问题时的解决办法，等等。

2、关于公共物品定价原则的主张

公共物品定价形式比较流行的主要有边际成本法、阮斯定价法和平均成本法。在讨论中，分歧主要集中在究竟是按边际成本定价还是按平均成本定价上。有的人将自然垄断区分为强的垄断和弱的垄断，并根据边际成本定价原则，认为在弱自然垄断情况下，当边际成本等于或大于平均成本时，边际成本定价原则保证了企业不亏损,实现了社会福利最大化,自然垄断中边际成本定价矛盾不复存在。在强自然垄断情况下,当边际成本小于平均成本,边际成本会导致企业亏损,按边际成本定价不能解决价格矛盾。

有的人通过对边际成本定价法和平均成本定价法比较,认为相对于边际成本定价法来说,平均成本定价法有利于减轻政府财政负担,能够激励自然垄断企业降低成本和促进技术进步,也便于监督机构测算、观察和对比,因而有较强的可操作性和较好的实施效果。主张自然垄断产品按社会平均成本定价法定价更为合理。

有的人提出,公共物品定价应区别对待,实行不同的原则:(1)零价格原则。适用于那些由政府免费提供的典型的公共物品,如国防、外交、司法、公安、行政管理、生态环境保护等。(2)损益平衡原则。即为了补偿成本而实行按平均成本定价,以保证物品提供者恰好收回全部成本,既不亏损也不盈利。(3)受益原则。对市内公共汽车、地铁、自来水、民用煤气、民用电等公共物品实行这一原则比较合理。(4)供需均衡原则。对某些不可储存的物品和劳务,如电力、电话和运输服务等,按供需均衡原则定价有利于保持合理的消费结构,如在旺季、淡季、高峰、低谷等不同情况下实行不同的价格,有利于调节供求矛盾。

有的人主张,公用事业价格的制定要遵循社会效益与经济效益并重,以社会效益为主的总原则。具体表现在三个方面:(1)以合理的价格出售其产品,提供服务,不允许公用事业公司凭借其垄断地位赚取高额利润,但又要保证其有一定的利润;(2)消费者能理解和接受,即该项支出占消费者全部收入的比重,应该是微不足道,大约为7%;(3)制定的价格,完全能维持公用事业公司的正常运转,不需要政府补贴。另有的人主张,对带有自然垄断性的行业的产品和服务,其定价方法应遵循"公平合理、切实可行"的原则,由政府、企业、消费者共同谈判、协调,针对市场准入、价格、服务建立约束市场供求双方的准则,达到既能最大限度保护消费者的应有权益,又能保障生产者开展正常经营的积极性。同时,还要提高价格管制效率,防止有的行业和企业滥用市场垄断力量谋取高额利润,充分发挥价格机制在市场经济中调节资源配置的作用。

3、关于公共物品价格的改革

公共物品价格改革与公共物品生产经营体制改革紧密相关,改革公共物品价格管理体制,必须相应改革其生产经营管理体制。对此,在讨论中提出以下主张:第一,对现有的部门结构进行改造,将自然垄断业务和非自然垄断业务分离,使网络的生产者与网络的使用者分开。对网络经营业务继续实行区域性独占价格,并仍由政府管制,同时放开网络使用者的生产经营,引入市场竞争机制。允许非网络所有者按政府规定的价格用技术标准使用网络。第二,改革公共物品投资体制。通过中央和地方政府的财政投资、公共物品经营企业的经营性收入再投资、政府和银行的低息贷款及发行债券筹资、引进外资等方式,实行投资主体多元化,实现公共物品生产经营的稳定、多渠道资金供给。第三,改革公共物品经营体制。包括改革政府干预行为,将政府直接生产与经营公共物品的传统方式,改变为补贴和管制方式来干预公共物品经营;进行市场化改革,将不具备自然垄断的公共部门果断地推向市场;明确划分公共物品经营职能,可将某些城市道路、桥梁等基础设施的专门经营权拍卖给私人或法人团体经营,也可以将一部分垄断性行业的现有国有企业资产或将建成投入使用的资产出售,还可以进行股份制改造;对于不能出售和股份制改造的企业,可以采用租赁、托管和公司化等方法实行商业化经营,从而缩小政府直接经营的范围。

关于我国公共物品价格改革的目标、原则和内容。从讨论的情况看,一般主张,改革的目标应是:建立科学、合理、规范的价格形成机制和价格管理体制,使价格能够起到合理配置资源,满足社会需求,激励企业提高生产和服务的质量和效率,抑制浪费,促进经济和效益的消费,实现消费者和经营者之间收入的合理转换与再分配。

关于定价原则,主张价格政策应尽可能做到效率与公平的统一;价格形成机制改革必须同时考虑价格形成的一般性和特殊性;价格形成必须实行区别对待,不能一刀切,即根据不同的生产经营环节,实行不同的价格形成方式,对不同的行业或产业实行不同的价格形成机制,根据不同的服务标准或质量实行不同的价格或收费标准;价格形成必须接受科学、合理的约束和监督,尤其是要建立对企业的成本约束机制和监督机制。

关于公共物品价格改革的内容,主要提出以下主张:转换价格形成机制;对自然垄断行业中的非自然垄断业务,在价格形成中引入竞争机制,同时对仍由政府定价的自然垄断业务继续实行政府定价,但必须建立规范的价格形成规则、制度,规范价格构成,建立成本约束机制;理顺价格关系,取消价外加价,逐步提高偏低的公共物品价格水平;适应对外开放的需要,逐步实现同国际市场价格的接轨;重塑价格管制监督机制,建立适应社会主义市场经济体制的公共物品价格管理体制。

二、关于价格战和行业自律价的深入讨论

一年来,价格战在继续,关于价格战的讨论也随之深入。有的人针对价格战是低层次竞争的说法,提出不同的看法。认为价格战的本质是总成本领先战略,与差异化战略、目标集聚战略同为三大主要的竞争战略,并无高低优劣之分。关键是要看企业适合走哪种战略路线和对这一战略能否持之以恒地坚持。持这种观点的人认为,价格战不能随便打,要科学、艺术地打。首先要通过扩大产销规模、提高装备档次与管理水平、降低费用和负债率、杜绝采购回扣、加强自我配套能力等方式,切实地使成本领先于一般对手。其次要有明确的目标设计,另外要打出一些新招术。有的人主张要用市场经济的观点看待"价格战"。认为价格战是来之不易的价格改革成果,是市场经济的必然现象。应以正常心态对待价格战问题,并以积极姿态支持、鼓励、保护这种竞争。同时,又要反对以暴利和倾销为主要形式的"价格恶战",因为它严重背离价值规律,违反市场公平竞争原则,破坏市场竞争秩序。但反对"价格恶战"应主要依靠法律、法规来进行。

与此相应,关于行业自律价的讨论也在继续。有的人从制定和执行行业自律价中的政策成本的角度分析,认为行业自律价作为一种合谋行为之所以很快破产,是因为其制定和执行都需要付出高昂的政策成本。具体有以下因素妨碍其协议的签订与实施:一是市场集中度低,需要的交易成本高;二是产品差异较大,使企业制定价格协议和执行协议的难度增大;三是企业成本、需求条件的差异大。另外,制定行业自律价所需的成本依据是行业平均成本,难以反映各企业的实际情况,自律价也就难以操作。在实际执行中,违规企业总是能从"违规"行为中受益,这就使得合谋组织具有内在的不稳定性。还有,地方保护主义也在一定程度上提高了自律价政策执行成本。更不用说行业自律价违反了《价格法》和《行政处罚法》的有关规定,损害了经营者的正当利益和对消费者产生不利影响。

有的人认为,行业自律价不能凌驾于《价格法》之上;价格自律是"企业的一种自我约束行为",不能把它与行业价格自律混为一谈;制止低价倾销要用法律手段,不是靠行业组织自行其是。如果能够正确处理这些问题,行业"加强价格自律"仍是大有可为的。

有的人提出,实行行业价格自律的调控办法是有条件的,具体为:第一,行业价格自律必须严格按市场价格机制办事;第二,行业价格自律要遵守国家法律,即不能违反《价格法》,又不能违反《行政处罚》规定。行业协会不是从事生产经营的法人,无权制定具体的市场价格,更不能行使行政罚款、取消企业产品目录等属于政府主管部门职能的行政处罚权;第三,行业价格自律要在政府价格主管部门或受政府委托的价格协会等中介服务机构参与指导下进行。

有的人指出,行业自律价不是解决矛盾的根本出路。普遍实行自律价的危害,是将严重损害价格机制在经济运行中的基础性调节作用,使商品价格回复到计划价格的老路上去,使价格改革的作用大部分被抵消。对于企业的困境,政府可以在价格政策上采取若干必要的措施,如通过理顺税费关系,减少或降低不必要的收费,针对各种行业的具体情况,提出鼓励消费的价格结构等。

还有的人认为,企业实行自律价是必要的,但在行业内部不应实行自律价。在推行企业自律价过程中,行业组织可以而且应当发挥其积极作用。其职责与义务是:宣传国家的价格政策与法规,促使企业不断增强价格自律意识;调查研究企业经营和价格方面的问题,向政府价格主管部门反映企业的呼声,提出合理化建议,帮助企业抵制不合法的"他律",维护企业的价格自主权;了解、掌握企业生产经营成本,在此基础上测算行业平均成本,协助政府科学定价,并指导企业正确制定自律价;对企业价格行为进行监督,发现违法行为及时予以制止,并向价格主管部门报告,必要时协助查处;指导和帮助企业制定和完善价格管理办法和有关台帐制度,为价格自律打好基础。

有的人分析了产生"行业自律价"的原因,认为主要是:思想囿于计划经济时期的价格管理思维模式,对建立市场价格机制的"改革目标不明";对价格法律、法规学习浅薄,依法治价的"价格法制观念不强";市场竞争意识较差,对市场经济条件下价格竞争的"规律性认识不足";误解"价格自律"的涵义,对"价格自律"与"自律价"的不同点辨别不清;

以为自律价是制止低价倾销的灵丹妙药，对制止低价倾销的“法律依据运用不当”。据此指出，只有在遵守《价格法》的基础上，强化“价格自律”，才是发挥行业组织协调价格管理作用的根本出路。有的人则认为行业自律起因于价格大战。而造成价格大战的根本原因在于传统的公有制体制和地方保护主义。一方面，地方保护主义使得各地企业都从自身利益出发而采取非合作态度，另一方面，行业自律通常只对国有企业起作用，而对行业内其他占 2/3 的无行政主管部门的非国有企业的约束不大。在这种情况下，行业自律无多大意义。

三、关于经济结构调整与价格改革

1、关于如何充分发挥价格机制在结构调整中的重要作用

有的人指出，价格问题是造成产业结构失衡的一个至关重要的因素，具体表现为：价格形成与价格运行机制不完善，价格机制的资源配置功能难以充分发挥；价格改革与企业制度、市场发育不配套，导致市场主体行为不规范，价格秩序混乱，市场信号失灵，而市场体系不健全，要素流动受阻，导致价格机制难以发挥对产业结构调整与优化的作用，加上价格改革措施与产业政策不协调，则导致价格结构不尽合理。为此，调整与优化产业结构，必须深化价格改革，转换价格机制，促进竞争性商品价格形成的市场化，科学制定与调整国家管理的价格，以发挥价格信号对产业结构调整的导向作用；理顺价格结构，处理好工农业产品的比价关系，进一步缩小工农业产品价格剪刀差；重点解决铁路等各种运输业、石油、煤炭、电力等行业的价格矛盾，加强基础产业、抑制加工工业的盲目发展；完善自然资源有偿使用制度和价格体系，逐步建立资源更新的经济补偿机制，促使各行业节约资源，提高资源利用效率；贯彻优质优价政策，从价格上鼓励新产品、高技术产品以及节能降耗型产品和环保产品的研制与开发；建立与完善价格法规体系，规范企业与政府的价格行为；促进生产要素价格的市场化，引导生产要素的合理流动。

有的人认为，从当前来看，首先是要确立新的发展观和结构调整观。第一，利用价格杠杆，促进产权制度改革，建立适应生产力发展的所有制格局。在价格、税收、信贷、市场准入等方面使各种经济成分都获得同样的政策，消除价格歧视；建立和完善产权交易价格形成机制，合理地确定资产价格，通过价格运行机制实现形式来推动企业改制、兼并、重组。第二，完善价格政策，培育和开发新的经济增长点，促进工业结构升级和主导产业发展。为此，关键是要完善高新技术产品价格形成机制和实行价格倾斜政策；还要实行优质优价或新产品价格政策。第三，深化价格改革，为结构调整提供宽松的经济环境。要为市场主体提供高效优质的价格服务，大力加强价格信息服务，搞好价格评估，为企业的存量调整服务；要规范价格秩序，反对地方保护主义，反对垄断，清理各种乱收费、乱加价、乱涨价，创造和维护一个公平竞争的价格环境和投资环境。

有的人则认为，为了做好经济结构调整工作，确保市场价格机制的有效运行，政府价格行为必须实现八项转变：(1)政府价格调控目标从抑制物价上涨为主的单方向调控转变为在不放松抑制通货膨胀前提下防止物价过度下降，保持物价基本稳定的双方向调控目标。(2)政府宏观调控手段从直接的行政干预为主转变为以间接的经济杠杆为主。(3)政府对价格的管理从注重实行政府定价的商品转变为全部价格的管理。(4)政府管理价格的方式从注重定价、调价等日常价格工作转变为注重规范管理，侧重于建立完备的价格法规体系，规范政府价格行为，保护竞争，维护市场价格的正常秩序，并注意政府定价和市场价格的相互协调。(5)政府从直接经营垄断行业，直接制定垄断价格转变为政府打破行业垄断，营造竞争环境，放开价格，为企业参与市场竞争创造条件。(6)政府定价机制由注重考虑企业生存发展能力、一个企业一个企业价格转向注重促进产业结构调整、新兴产业的发展和现代企业制度的建立。(7)政府价格管理视角由仅注重国内价格管理转变为注重国内外价格接轨。(8)政府对价格的监督检查由行政机关进行检查和行政处罚为主转变为法律监督和群众监督相结合、依法处罚为主的社会全面监督，依法维护正常的市场秩序和价格行为，为市场价格机制正常发挥作用创造良好的环境。

2、关于深化价格改革的任务

主要有以下意见：

有的人提出，价格形成市场化和市场价格规范化，是价格改革的两个基本要求。经过 20 年的改革，价格放开已基本到位，价格调整成效显著，价格宏观调控体系已经形成，但市场价格秩序尚未真正起步。因而，应把价格改革的重点转到规范价格秩序上来。具体要做好四项工作：一是价格行为的主体规范；二是价格行为的准则规范；三是价格行为的

手段规范;四是价格行为的客体规范。持相同观点的人还认为,当前价格秩序极度混乱,价格宏观调控目标实现问题上出现“失真”或“失控”现象,与政府忽视价格管理不无关系,因而主张政府应对全社会价格实施调控和管理,即政府要对放开价格的合理形成进行必要的监督和指导,主要是对企业成本价格管理的监督和指导;在管理职能上,应主要运用法律和经济手段进行管理;还要做好一个基础性的工作,即建立起面向全社会的成本价格监管体系,规范成本价格构成,减少不合理的收费、摊派、集资等增加成本的因素。

有的人认为,我国新的价格体制尚未建立,深化价格改革的思路是:转变价格改革战略,即将结构性的价格改革转变为基础性价格改革上来,其内涵包括:提高价格市场化程度;加大基础性产品价格改革的力度;加大生产要素价格改革力度。在改革的重点与步骤上,从现在起到21世纪最初几年,重点应放在基础性产品的价格改革与建立宏观调控体系上,同时逐步提高已放开商品与服务价格形成的市场化水平;然后将重点放在生产要素价格改革上,同时完善其他方面的价格改革。

有的人则认为,深化价格改革的目标应是:第一,要以规范价格行为为切入点进一步深化价格改革;第二,以搞好与国际市场价格对接,促进结构调整、新兴产业发展、现代企业制度建立,实现资源合理配置为目标,进一步深化价格改革;第三,通过深化改革进一步完善价格体制,实现价格管理的科学化。

四、关于知识经济与价格问题

我们面临知识经济即将到来的新时期。世界经济正处于从主要依靠占有和配置自然资源的资源经济,向主要依靠占有和配置智力(知识)资源的知识经济的过渡时期。价格具有综合反映性。知识经济的内涵与特征、知识经济作为关键性生产要素的功能、知识经济所引起的社会生产领域的变革、知识经济使社会经济发展呈现的新特点等,都将直接或间接地综合反映在价格的运动上。知识经济必然导致传统的价格形成理论、价格构成理论、企业定价办法、价格运动规律、价格水平的变动等发生变革。从现有的研究看,普遍认为,在知识经济时代需要研究以下一些新的价格理论和实际问题:

1、知识经济条件下的价格形成问题

在这方面,存在以下几种见解:

第一种:认为在知识经济时代,知识、科技型劳动在价值生产中发挥重大作用,原来以体力劳动为主要基础的价值理论将让位于以知识劳动为主要基础的价值理论。商品体系和价格领域也将扩大,各类服务型商品和无形资产成为商品,因而价格领域也将扩展到无形服务商品的价格和无形资产价格的领域,其中包括金融和期货市场上产品价格的领域。这些商品价格如何确定,有其特殊的规定性。为此,需要从理论上研究知识科技型劳动和服务劳动创造价值的形式和数量,研究各类商品的比价关系及其变化,特别要注意在经济虚拟化情况下,投机行为和各类经济主体对经济活动心理预期在价格决定中的作用等。

第二种:认为在知识经济时代,知识(科学技术)既是创造使用价值所消耗的主要资源,又是创造价值所依赖的主要生产要素。知识作为最重要的生产要素,其价值将越来越成为重要的价格形成基础,并将在商品价值中占有越来越大的比重。企业在制定价格时就必须越来越注重知识价值在产品中的构成与所占比重,即主要按照产品中所包含的知识价值的大小来确定产品的价格,而不再是按照传统的办法以价值或成本来制定价格。因此,必须研究知识尤其是高科技知识的价值,知识在知识产品中的组成、地位和作用,知识价值在产品价格中的构成、地位和作用,知识价值的计量或测算。

第三种:认为在知识经济时代下,知识经济的外在性使价格决定不同于传统经济中的价格决定,表现为一种商品或服务的价格随着用户数量的增加而剧增;同时还存在被经济学家凯文·凯利称为的所谓“反向定价法则”(指随着产品质量的提高,产品的价格每年都在下降)与“慷慨法则”(指一旦某种产品的价值和不可或缺性形成,厂商几乎都会免费提供或差不多免费提供,厂商利润在于与其同时销售的服务)。总之,知识经济将对传统的价格形成理论提出挑战。

2、知识经济条件下的成本问题

有的人指出,知识经济是一种网络经济、信息经济。由于受信息网络各种特点的影响,与传统经济比较,其中一个显著的特点是,由于网络的发展,经济组织结构趋向薄平化,处于网络终端点的生产者与消费者可以直接联系,实行“产销见面”,从而使中间的作用减弱,甚至使之失去存在的必要性。最终使经济交易低成本和高效率具有普遍性。但又因网络市场交易的复杂性,需要有各种专业经纪人与信息服务中介企业,又可能增加交易费用。此外,在知识经济中，软件、多媒体、信息咨询服务、研究与开发、教育与培训、网络设备与产品等变动成本占总成本较高比例的信息产业、网络产业、知识产业在经济中起主导作用，成本构成与传统经济的成本构成发生很大差异，也必将对价格产生影响。这都是需要研究的新问题。

有的人认为，在知识经济时代，成本问题将成为经济增长中的重要问题。首先，社会产品知识将越来越多地为知识密集型产品，随之而来的是柔性制造系统时代的到来，进而使产品生产中劳动成本的作用大大降低。其次，由于电脑等相关设备的价格持续下降，而电脑占许多企业的成本比例却逐渐提高，从而使企业有更大的空间可以降低自己的成本。再次，电子商务的发展有利于交易成本的节约。当电子计算机技术、数字信息技术、网络技术应用于流通领域的各个方面后，将不同时间和空间的生产者、经营者、消费者通过网络数字技术有机地联结起来，实现商品的无时空限制销售，从而减少了许多流通环节和交易中介，也减少了商品不必要的库存和流动资金，以及广告、发印刷产品、文件处理等费用，使交易成本大幅下降，特别是企业的促销成本、与用户的接触成本、接单成本以及仓储成本，出现边际效益递增的反传统的经济现象。成本的变化必将对商品价格产生影响。最后，网络经济的发展和电脑的普及，使消费者在购买商品时的搜寻成本大幅度降低。为此，需要认真研究在知识经济条件下产品生产和流通成本及其结构的变化，以及对产品价格的革命性影响。

还有的人认为，在知识经济时代，成本结构将发生很大变化。在工业经济时代，价格中绝大部分是由支付给工人的工资和投资者的收益构成的，而在知识经济时代，相当大的部分是支付给设计人员、工程师、计划工作人员、战略专家、金融专家、经理人员、律师、广告商和销售商等一大群善于识别新问题和解决新问题的创新者的报酬。（今天在一片半导体芯片的价格中，至多3%归原材料和能源的主人，5%归拥有设备和设施的人，6%归常规工人，85%以上用于专门设计和工程服务，以及专利和版权。）成本结构的变化需要重视和研究新的成本问题。

3、无形资本（资产）的价值和价格问题

在知识经济时代，由于高新技术主要依靠知识和智力，无形资产的投入对于高新技术的发展起着决定性的作用，从而决定了投资方式也将发生重大的转变，即从向有形资产的投资转为向无形资产的投资倾斜。目前，国际经济合作发展组织内国家投入研究与开发的费用已达到占国内生产总值的2.3%。一些先进企业有形资产与无形资产的比例已达1：2乃至1：3。而无形资产投资的增加，将意味着无形资本的增多。无形资产表现为发明专利权、专有技术权、工业外观设计权、软件权、商标权、企业名称权、企业识别性标记权、专营权、特许经营权、进出口许可证、生产许可证、土地使用权、租赁权、商誉、商业秘密、营销网络、优惠融资条件、税收优惠等。无形资产具有非实物形态性、智能性、附着性、本身的财富性和高效收益性等特点，其本身不仅具有极高的经济价值，而且能够给企业产品带来极大的附加值，即极大地提升产品价格构成中的（V＋M）部分的比重，进而对价格形成和运动产生新的影响。这就提出一个研究无形资产价值问题，即无形资产的价值如何测算或计量，无形资产价值在产品价格中的构成及其对产品价格变化的作用，以及无形资产价格的管理、评估制度。

4、知识经济条件下价格运动规律及其特点

在知识经济时代，由于产品价格将围绕知识价值的变动而变动，由此：一方面，知识价值的变动则由于知识本身更新的快捷和波动性因而变动相对比较频繁，也必将影响价格运动的波动性增强，速度加快，波幅和波及面较大，从而出现价格水平运动新的特点，也导致价格运动和价格水平变动的复杂性及风险性加强。另一方面，由于知识价值本身具有增值性、溢散性、积累性、可重复利用性等特点，又使知识价值对价格运动产生不同于传统经济条件下价格运动的特点和效果。因而，认真研究知识经济条件下价格总水平运动的规律性及其特点，价格总水平对经济影响的新特点，也将成为理论工作者的新任务。

5、知识经济条件下的价格管理

一种观点认为，在知识经济时代价格管理方面需要注意以下新情况：(1)生产和消费的个性化，导致价格管理的复杂化。在知识经济条件下，由于可以使经济活动的行为主体有多项选择性，促进生产与消费的个性化，进而使商品和服务价格的制定个性化和复杂化，这又将增加政府对价格管理和监督、对宏观价格调控的难度。(2)价格管理目标将发生大的变化。在知识经济条件下，由于市场价格运行的环境发生了变化，要求价格管理工作也相应改变，在价格水平调控方面将需要从对价格高低，或对物价指数的上升与下降的注意和研究转变为对比关系发生变化的研究。(3)价格咨询服务工作需进一步加强。其中一个重要方面是要加强对于人们价格心理的研究和咨询服务。为此,必须对人们在股票市场和其他证券市场、期货市场、货币和资本市场、外汇市场、保险市场乃至房地产市场上的价格心理,还有一般消费品市场上的价格心理进行研究,以帮助人们形成合理的心理预期。

另一种观点认为,知识经济作为一种新型经济,在价格形成、价格运行、价格关系等各方面都将发生不同于现行价格体制的变化,从而对价格管理方面将提出新的要求:更新与发展价格管理理论;提高价格管理人员的素质;提高价格决策的科学性和规范性;改变价格管理方式,增强价格管理的服务意识,提高管理水平和宏观价格调控效果;改变价格行为的监控办法;制定和完善适应知识经济要求的价格法律、法规、制度。为此,必须研究知识经济条件下价格运行的规律和特点,研究新形势下价格管理的新对象、新内容、新方式、新理论,建立为知识经济服务的新的价格管理理论体系和适应知识经济要求的价格管理体制。 (温桂芳)

1999 年全国物价系统培训工作

1999 年,全国物价系统培训教育部门紧密围绕价格管理工作的中心任务,深入开展专题研讨活动,大力开展国家公务员培训,根据物价工作的需要,广泛开展各类培训活动,初步完成了年初制定的培训计划,取得了很大的成绩。据初步统计,共举办各类培训班、研讨班 543 期,培训 46820 人次,其中,系统内 23924 人次,系统外 22896 人次。在物价系统内参加的培训人员中,厅局级干部 82 人次,占 0.3%;县处级干部 1625 人次,占 6.8%;科级干部 4997 人次,占 20.9%;一般干部 17220 人次,占 72%。

一、继续大力开展国家公务员专业培训

继续大力开展价格管理专业国家公务员培训是各级教育培训部门的中心工作任务。各地物价局教育培训部门与当地组织人事部门协调,对新进入物价部门工作的公务员进行初任培训,对晋升的公务员进行任职培训。初任培训的目的主要是使新录用的公务员尽快适应政府机关工作。在培训内容上,除一般专业培训之外,还培训公共行政管理知识和其他有关知识。而任职培训则重点放在专业培训上。近些年来干部调换多,尤其是新上任的地县物价局局长,有的是从部队转业来的,有的是从非经济职能部门调过来的,这批干部有一定的行政管理能力,但对物价管理工作比较陌生。所以,在培训过程中重点培训价格管理专业基本知识和物价局的主要业务。国家计委培训中心举办了地市物价局局长培训、收费管理与收费检查的业务培训。各省区市物价局教育培训部门对新任职的县物价局局长进行培训。通过培训,使这些公务员很快就能全面掌握情况,从事领导工作。

同时,各地根据物价干部的需要,结合价格管理中心工作任务,为促进物价系统干部知识水平、业务素质和综合工作能力的进一步提高,积极开展价格专业更新知识培训活动。天津、河北、河南、内蒙古、陕西、福建、广东、江苏、安徽、广西、四川等省、自治区、直辖市物价教育培训部门,分别举办了价格法律法规培训班、价格管理业务培训班、收费管理培训班、房地产价格管理与物业管理培训班、农产品调查与核算培训班,及公文写作培训班、微机操作培训班和计算机等级培训班。贵州省物价局结合机关工作需要,对 50 岁以下的机关干部进行了计算机基础知识培训,使大家学会了 Word97 软件的使用,提高了干部的办公效率。这些培训班的培训内容专业性强,并且与当地价格管理工作联系紧密,聘请的教师大部分是从事价格管理工作的领导和专家,理论联系实际,再加上重视培训的组织工作,均收到了比较好的效果。据初步统计,全国物价系统共举办专业更新知识短期脱产培训班 280 期。

二、围绕价格管理的难点、热点问题,开展专题研讨活动

1、开展制止低价倾销专题研讨培训活动。为规范市场价格行为,维护公平、公正、公开的竞争秩序,国家计委根据国务院领导的指示,采取必要的措施制止低价倾销。但在实际中,如何判断低价倾

销,如何规范低价倾销行为,都存在许多问题。为了统一认识,搞清问题,便于操作,国家计委培训中心与价格司共同举办了全国制止低价倾销工作研讨班。通过交流与研讨,来自各个行业、企业的学员,反映了问题,统一了认识。在下面几个方面达成了共识:第一,弄清了低价倾销的概念与判定低价倾销的“三个要素”。低价倾销是《价格法》中明确禁止的不正当价格行为。判定低价倾销要从经营者的目的、行为和行为后果三个要素进行分析,如果企业的目的是为了排挤竞争对手,实行低于产品成本的销售价格,造成了市场价格秩序的混乱,就构成了低价倾销。具体认定企业低价倾销,必须以企业先进、合理的个别成本为主要判别依据,将行业的社会平均成本作为参照依据。只要企业销售的商品价格不低于成本价格,采取低于行业产品平均成本的价格销售,不属于低价倾销行为,应该受到保护。当企业具有排挤竞争对手的明显企图,以低于产品成本的价格销售,并造成市场价格秩序的混乱,违反了国家的法律法规,损害了其他经营者的合法权利,将其认定为低价倾销行为。企业销售商品的价格不低于行业的平均成本,而低于自己的成本价格,未扰乱市场价格秩序,对其他经营者的利益没有造成损害的,也不属于低价倾销行为。第二,提高了对低价倾销危害性的认识。大家认识到,低价倾销属于恶性竞争,对我国经济的正常运行造成了以下危害:一是使许多国有企业的经营变得更加困难,造成国有资产和国家税收的严重流失,低收入人员越来越多,购买力也相应下降,最终会导致恶性循环;二是一些企业的降价是以牺牲商品的技术性能、质量和服务为代价的,最终还是损害消费者的利益;三是使大多数企业无力进行技术开发和改造,影响企业的发展后劲,将使企业的生产技术水平与国际同行的差距越来越大。从目前来看,低价倾销行为与国家提出的国有企业三年扭亏的目标要求是背道而驰的,应依法予以制止。第三,正确地理解了行业价格自律与行业自律价格的区别。大家认识到行业价格自律是《价格法》对行业价格组织提出的要求,是行业组织在国家法律法规基础上一种自发的约束行为,包括严格执行政府定价,抵制不正当的价格行为等。而一些行业协会自行制定的行业自律价格则是一种违法的价格卡特尔行为,剥夺了企业的定价自主权,违反了《价格法》的有关规定,应依法予以制止。第四,明确了制止低价倾销的思路。产生低价倾销的根本原因是我国目前的供求总量不平衡、产品结构不合理所造成的。要从根本上制止低价倾销,需将规范市场价格行为与控制总量、调整结构、深化企业改革相结合。要压掉一部分严重供过于求落后的生产能力,对一些严重超过市场需求的产品实行限产,减少生产数量,制止低水平的重复建设,加快经济结构的调整,优化资源配置。同时要继续深化国有企业改革,增强企业风险约束意识,规范企业经营行为,促使企业调整产品结构,改善经营,以在高水平上进行市场竞争。

各地参照国家计委培训中心的办班模式,广泛开办了制止低价倾销培训班。

2、开展大中城市价格工作研讨培训活动。充分利用价格杠杆,扩大内需,促进国民经济的发展是当前价格管理的重要工作。为此,国家计委培训中心举办了全国大中城市价格工作研讨班。在研讨班上,分析了当前价格管理工作的形势和大中城市收费工作的特点,对大中城市价格管理的重点和难点问题进行了广泛深入的讨论。广州、厦门、青岛、南昌、沈阳等市物价局提交了论文,并在研讨班上作了典型发言。通过研讨,在价格法律配套建设、信息引导、价格调节基金、深化价格改革等方面提出了很多建设性意见和建议。

3、深入开展收费管理工作研讨培训活动。随着价格改革的深化,收费项目越来越多,收费管理涉及的面越来越广,情况复杂,并且乱收费、乱罚款、乱摊派一直侵害着企业和农民的利益,经过大力治理,近几年取得了一定的成效。为了进一步减轻企业和农民的负担,优化经济环境,加快基础产业发展,推进整体收费改革,国家计委价格司、中国价格学会、培训中心联合举办了全国收费管理工作研讨班。研讨班上,回顾和分析了两年来以减轻企业和农民负担为核心的清费治乱工作,运用价格杠杆扩大内需,促进经济增长的经验,以及推进收费改革工作的情况。学员围绕教育收费、治乱减负工作和实行“两证一卡”制度,进行了热烈的讨论,进一步明确了今后收费改革的总体思路和目前收费改革的重点。

三、开展国际合作培训

各地围绕国民经济和社会发展的重大问题及价格管理工作中的实际问题,开展国际合作培训。国家计委培训中心已与十几个国家或地区的政府部门、企业和高等院校建立了合作培训关系。每年至少组织一期价格管理专业研讨班赴国外进行培训。1999年国家计委培训中心组织价格管理干部到日本等国或地区进行房地产价格管理等专题培训。各地根据实际情况，开辟多种渠道、多种形式的国际合作培训。全年全国物价系统共举办国际合作培训班18期。

四、从实际培训需求出发，开展社会培训活动

随着社会主义市场经济体制的初步建立和在政府宏观调控下主要由市场机制形成价格的价格机制的形成，企业已成为市场价格的主体。帮助企业用好用活定价权，规范市场价格行为，整治收费秩序，是政府价格管理部门的一项重要职责。1999年，全国物价系统共举办系统外培训班220期，共培训学员22896人次。

五、开展涉案物品价格鉴证资格培训

目前，全国物价系统价格事务所大约有2500个，从业人员约15000人，随着各地机构改革的深入，这支队伍还会扩大。但是，涉案物品价格鉴证的政策性、专业性都很强，对从业人员的政治业务素质的要求高。而这支队伍的"新兵"多，知识更新的任务大，故培训任务也十分繁重。近几年来，国家计委培训中心一直与价格认证中心合作开展培训活动，1999年，联合举办涉案物品价格鉴证资格培训班3期，培训业务人员604人次。北京、天津、河北、江苏、安徽、福建、广东、河南、陕西、四川、贵州、内蒙古等省、自治区、直辖市物价局参照国家计委的办班模式，按属地原则，分别开展涉案物品价格鉴证资格培训活动，增加了价格鉴证专业培训的覆盖面，加快了价格鉴证队伍的素质建设，促进了价格鉴证工作的开展。

六、加强培训教材建设

培训教材是提高培训质量的基本保证。为了加强教材建设，1999年国家计委培训中心召开了全国物价系统培训教材会议。在会议上，大家达成了以下几点共识：第一，全国物价系统通用的、基础性的培训教材，原则上由国家计委培训中心组织编写。第二，专业性很强的，各地有关法规制度与实施办法具体的专业培训教材和参考资料，原则上由各地自己编写，也可以采取省际合作，或由国家计委培训中心组织有关省区市物价局合作编写。第三，全国物价系统在培训教材、参考资料的编写与发行上应进行合作。大家认为，国家计委培训中心可设立一个培训教材编写编审委，对省区市物价局组织编写的有关培训教材或参考资料进行评审，经教材编审委审核之后，认为可在全国物价系统内适用的，可向全国推荐，用于物价干部培训。各地根据培训教材会议精神，认真组织培训教材的编写。由国家计委汪洋副主任任主编、由国家计委培训中心具体组织国家计委有关业务司编写了《价格理论与价格管理》(2000年5月由中国物价出版社出版)，与价格司合作编写了《制止低价倾销工业品政策法》；江苏、广东、陕西等省物价局培训中心组织编写了《收费管理》等培训教材；四川、贵州等省编写了《价格评估政策法规》、《价格评估资料实用选编》等专业培训教材。

七、承担全国经济技术资格的考务工作

国家计委培训中心受国家人事部人事考试中心的委托，承担了全国经济技术资格(价格管理专业)的部分考务工作。1999年上半年，国家计委培训中心组织编写了中、初级经济技术资格价格管理专业课的考试大纲和(初级)《价格管理专业基本知识与实务》、(中级)《价格管理专业基本知识与实务》等考试用书，并开展了征题工作，继而召开了试题初审会议，向国家人事部考试中心提供了中、初级价格管理专业试卷。 (张念瑜 国汉海)

1999年中国价格学会工作概况

1999年，中国价格学会的工作主要有三部分：

一、完成《社会主义市场经济价格体制研究》课题

这个课题回顾了我国改革开放以来价格体制的历史演变，提出了社会主义市场经济条件下价格体制的基本框架，并对若干重要商品价格和服务收费提出了改革思路。

课题报告指出，以初步建立社会主义市场价格体制为标志，我国价格改革的第一步任务已经胜利完成，第二步任务是逐步完善社会主义市场经济条件下的价格体制。课题从指导思想、目标模式、价格形成基础、价格结构、调控体系、法制建设及价格监督体制等七个方面描述了未来价格体制的基本框架。

课题还分别就垄断性商品价格问题、与国际市场相关的商品价格问题、规范价格竞争行为、整顿市场价格秩序问题以及收费改革问题等提出了改革意见。

二、配合价格工作举办一些研讨会、培训班等

这些研讨会和培训班主要涉及：加入 WTO 与价格管理问题、IC 卡管理与整顿问题以及农产品成本的计算机管理问题等。

三、积极运作更名和调整职能事宜

中国价格学会拟更名为中国价格协会，同时适当调整职能，这是形势的需要，是改革的必然。这个问题从 1998 年就已经提出。1999 年在价格学会内广泛征求了意见，通过了相应的程序。已通过了国家计委审核，上报到民政部。学会更名为协会后，将继续做好学会的全部工作，主要在咨询、协调、服务等方面增加一些新的工作内容，还将接受委托，协助价格管理部门完成一些其他工作。

（侯　嘉）

Ⅸ 附　录

全国各种物价总指数

（上年＝100）

年　份	商品零售价格指数	居民消费价格指数	城市居民消费价格指数	农村居民消费价格指数	农产品收购价格指数	农村工业品零售价格指数	工农业商品综合比价指数（以农产品收购价格指数为100）
1978	100.7		100.7		103.9	100.0	96.2
1979	102.0		101.9		122.1	100.1	82.0
1980	106.0		107.5		107.1	100.8	94.1
1981	102.4		102.5		105.9	101.0	95.4
1982	101.9		102.0		102.2	101.6	99.4
1983	101.5		102.0		104.4	101.0	96.7
1984	102.8		102.7		104.0	103.1	99.1
1985	108.8	109.3	111.9	107.6	108.6	103.2	95.0
1986	106.0	106.5	107.0	106.1	106.4	103.2	97.0
1987	107.3	107.3	108.8	106.2	112.0	104.8	93.6
1988	118.5	118.8	120.7	117.5	123.0	115.2	93.7
1989	117.8	118.0	116.3	119.3	115.0	118.7	103.2
1990	102.1	103.1	101.3	104.5	97.4	104.6	107.4
1991	102.9	103.4	105.1	102.3	98.0	103.0	105.1
1992	105.4	106.4	108.6	104.7	103.4	103.1	99.7
1993	113.2	114.7	116.1	113.7	113.4	111.8	98.6
1994	121.7	124.1	125.0	123.4	139.9	117.2	83.8
1995	114.8	117.1	116.8	117.5	119.9	114.7	95.7
1996	106.1	108.3	108.8	107.9	104.2	106.2	101.9
1997	100.8	102.8	103.1	102.5	95.5	101.1	105.9
1998	97.4	99.2	99.4	99.0	92.0	97.8	106.3
1999	97.0	98.6	98.7	98.5	87.8	97.3	110.8

全国各种物价总指数

（1978年＝100）

年　份	商品零售价格指数	居民消费价格指数	城市居民消费价格指数	农村居民消费价格指数	农产品收购价格指数	农村工业品零售价格指数	工农业商品综合比价指数（以农产品收购价格指数为100）
1978	100.0		100.0		100.0	100.0	100.0
1979	102.0		101.9		122.1	100.1	82.0
1980	108.1		109.5		130.8	100.9	77.1
1981	110.7		112.2		138.5	101.9	73.6
1982	112.8		114.4		141.5	103.5	73.1
1983	114.5		116.7		147.7	104.5	70.8
1984	117.7		119.9		153.6	107.7	70.1
1985	128.1	100.0	134.2	100.0	166.8	111.1	66.6
1986	135.8	106.5	143.6	106.1	177.5	114.7	64.6
1987	145.7	114.3	156.2	112.7	198.8	120.2	60.5
1988	172.7	135.8	188.5	132.4	244.5	138.5	56.6
1989	203.4	160.2	219.2	157.9	281.2	164.4	58.5
1990	207.7	165.2	222.0	165.1	273.9	172.0	62.8
1991	213.7	170.8	233.3	168.9	268.4	177.2	66.0
1992	225.2	181.7	253.4	176.8	277.5	182.7	65.8
1993	254.9	208.4	294.2	201.0	314.7	204.3	64.9
1994	310.2	258.6	367.8	248.0	440.3	239.4	54.4
1995	356.1	302.8	429.6	291.4	527.9	274.6	52.0
1996	377.8	327.9	467.4	314.4	550.1	291.6	53.0
1997	380.8	337.1	481.9	322.3	525.3	294.8	56.1
1998	370.9	334.4	479.0	319.1	483.3	288.3	59.7
1999	359.8	329.7	472.8	314.3	424.3	280.5	66.1

（资料来源：2000《中国统计年鉴》）

农副产品市场调节价比重继续提高 生产资料政府指导价比重略有上升

1999年与上年相比，三种价格形式比重发生了一些新的变化：在社会消费品零售总额中，政府定价比重略有下降，政府指导价比重小幅上升，市场调节价比重基本持平；在农副产品收购总额中，政府定价和政府指导价比重均有明显下降，市场调节价比重则相应上升；在生产资料销售总额中，三种价格形式比重基本持平。具体情况是：

一、社会消费品零售总额中三种价格形式比重及其变化

1、政府定价比重合计为3.7%，比上年下降0.4个百分点。其中，中央政府定价比重为1.5%，比上年下降0.4个百分点，主要原因是国家调低了部分药品价格。省以下政府定价比重为2.2%，与上年持平。

2、政府指导价比重合计为1.5%，比上年提高0.3个百分点。其中，中央政府指导价比重为0.5%，比上年微升0.1个百分点；省以下政府指导价比重为1.0%，比上年提高0.2个百分点。政府指导价比重提高的主要原因是不少地区提高了民用电、民用水等公用事业价格以及防伪税控机等商品使用量的增加等。

3、市场调节价比重为94.8%，比上年提高0.1个百分点。

二、农副产品收购总额中三种价格形式比重及其变化

1、政府定价比重合计为6.7%，比上年下降2.4个百分点。其中，中央政府定价比重为1.9%，比上年下降0.4个百分点；省以下政府定价比重为4.8%，比上年下降2个百分点。导致省以下政府定价比重明显下降的主要原因，一是粮食定购数量减少；二是部分地区等外粮比重加大，相应减少了政府定价的比重。

2、政府指导价比重合计为2.9%，比上年下降4.2个百分点。其中，中央政府指导价比重为0.5%，比上年下降5.3个百分点，主要原因是棉花价格由中央政府指导价改为市场调节价；省以下政府指导价比重为2.4%，比上年上升0.9个百分点，主要原因是地方政府实行指导价管理品种有所增加，如新疆将中央已经放开的棉花价格改由自治区政府进行指导价管理。

3、市场调节价比重为90.4%，比上年提高6.6个百分点。主要原因是政府进一步放开了农副产品价格，缩小了政府定价范围。

三、生产资料销售总额中三种价格形式比重及其变化

1、政府定价比重合计为9.6%，与上年持平。其中，中央政府定价比重为6.4%，比上年下降0.5个百分点，主要原因是部分生产资料如化肥等退出了中央政府定价范围。省以下政府定价比重为3.1%，比上年上升0.4个百分点。

2、政府指导价比重合计为4.6个百分点，比上年上升0.2个百分点。其中，中央政府定价比重为3.7个百分点，比上年上升0.1个百分点，主要是因为成品油价格提高所致。省以下政府指导价比重为0.9个百分点，比上年上升0.1个百分点。

3、市场调节价比重为85.6%，比上年下降0.4个百分点。

四、对服务和要素价格市场化程度测算方法的研究情况

服务和要素价格市场化程度测算是物价部门的一项新任务，也是一项十分重要的基础性工作。按照国家计委的要求，各地物价部门对开展服务和要素价格测算进行了积极探索，山东、上海、内蒙古等省市区试行开展了具体的测算工作，安徽、湖南等省制定了比较完整的测算方案，福建、云南、重庆等省市提出了一些建设性意见。但由于此项工作开展较晚，经验相对不足，而且测算难度很大，开展测算工作的地区太少，因此，今年暂不进行测算结果汇总。各地物价部门要继续研究与完善服务和要素价格市场化程度测算方案，为今后正式开展测算工作做好准备。

（国家计委价格司提供）

三种价格形式所占比重及其变化

表1 1999年度社会消费品零售总额中三种价格形式比重

单位:%

地区	政府定价			政府指导价			市场调节价
	合计	中央	省以下	合计	中央	省以下	
平均	3.7	1.5	2.2	1.5	0.5	1.0	94.8
北京	5.5	1.9	3.6	1.2	0.7	0.5	93.3
天津	3.6	2.0	1.6	2.1	1.4	0.7	94.3
河北	4.0	2.9	1.1	1.8	1.8	0.0	94.2
山西	7.0	4.5	2.5	0.0	0.0	0.0	93.0
内蒙古	4.0	3.3	0.7	1.4	0.0	1.4	94.6
辽宁	3.6	3.4	0.2	0.0	0.0	0.0	96.4
吉林	5.9	5.1	0.8	0.2	0.0	0.2	93.9
黑龙江	3.3	1.7	1.6	0.2	0.2	0.0	96.5
上海	3.6	1.1	2.5	1.7	1.4	0.3	94.7
江苏	1.0	0.6	0.3	0.0	0.0	0.0	99.1
浙江	5.2	2.4	2.8	0.0	0.0	0.0	94.8
安徽	2.4	1.0	1.4	1.0	0.3	0.7	96.6
福建	1.1	0.5	0.6	0.0	0.0	0.0	98.9
江西	4.3	1.6	2.7	4.6	0.1	4.5	91.1
山东	2.5	1.2	1.3	1.2	1.1	0.1	96.3
河南	3.2	1.3	1.9	1.2	1.2	0.0	95.7
湖北	1.4	0.6	0.8	1.3	0.0	1.3	97.3
湖南	2.9	1.3	1.6	1.2	1.2	0.0	95.9
广东	5.9	0.4	5.5	7.4	0.0	7.4	86.7
广西	3.6	0.8	2.8	0.9	0.0	0.9	95.5
海南	5.8	0.6	5.2	3.3	1.6	1.7	90.9
重庆	4.5	1.6	2.9	4.5	3.4	1.1	91.0
四川	6.3	0.7	5.6	4.6	1.2	3.4	89.2
贵州	1.8	0.3	1.5	4.6	1.0	3.6	93.6
云南	8.2	1.6	6.6	0.0	0.0	0.0	91.8
陕西	3.4	1.2	2.2	0.0	0.0	0.0	96.4
甘肃	4.3	1.7	2.6	0.0	0.0	0.0	95.6
青海	6.1	3.6	2.5	0.9	0.8	0.1	93.0
宁夏	6.8	4.5	2.3	0.8	0.0	0.8	92.4
新疆	4.1	0.6	3.5	1.9	0.5	1.4	94.0

表2 1999年度农副产品收购总额中三种价格形式比重

单位：%

地区	政府定价			政府指导价			市场调节价
	合计	中央	省以下	合计	中央	省以下	
平均	6.7	1.9	4.8	2.9	0.5	2.4	90.4
北京							
天津	1.4	1.4	0.0	0.0	0.0	0.0	98.6
河北	3.6	0.0	3.6	0.3	0.3	0.0	96.3
山西	8.5	0.2	8.3	0.0	0.0	0.0	91.5
内蒙古	5.0	0.0	5.0	1.2	0.0	1.2	93.8
辽宁	8.8	8.8	0.0	0.8	0.0	0.8	90.4
吉林	13.3	13.2	0.1	0.0	0.0	0.0	86.7
黑龙江	7.2	0.0	7.2	0.0	0.0	0.0	92.7
上海	7.8	0.0	7.8	0.0	0.0	0.0	92.2
江苏	1.7	0.0	1.7	0.0	0.0	0.0	98.3
浙江	9.7	0.0	9.7	0.0	0.0	0.0	90.3
安徽	7.7	0.5	7.2	0.0	0.0	0.0	92.3
福建	0.0	0.0	0.0	2.8	2.8	0.0	97.2
江西	4.4	0.2	4.2	0.0	0.0	0.0	95.6
山东	7.0	1.3	5.7	0.1	0.1	0.0	92.9
河南	8.9	2.1	6.8	0.0	0.0	0.0	91.1
湖北	5.5	0.0	5.5	0.0	0.0	0.0	94.5
湖南	6.5	0.8	5.7	0.8	0.0	0.8	92.7
广东	3.5	0.4	3.1	4.4	0.0	4.4	92.1
广西	2.4	0.1	2.3	12.3	1.2	11.1	85.3
海南	3.0	0.0	3.0	0.0	0.0	0.0	96.6
重庆	3.9	2.8	1.1	2.7	2.7	0.0	93.4
四川	7.9	6.0	1.9	11.5	0.0	11.4	80.6
贵州	9.9	1.1	8.8	3.7	1.0	2.7	86.4
云南	24.3	20.3	4.0	11.7	11.7	0.0	64.0
陕西	39.3	8.0	31.3	0.0	0.0	0.0	60.7
甘肃	6.6	1.0	5.6	0.0	0.0	0.0	93.4
青海	2.8	0.0	2.8	0.0	0.0	0.0	97.2
宁夏	7.5	7.5	0.0	1.0	0.0	1.0	91.5
新疆	11.1	6.5	4.6	36.7	0.0	36.7	52.2

表3　1999年度生产资料销售总额中三种价格形式比重

单位：%

地区	政府定价			政府指导价			市场调节价
	合计	中央	省以下	合计	中央	省以下	
平均	9.6	6.4	3.2	4.8	3.7	0.9	85.6
北京	11.1	9.8	1.4	0.6	0.4	0.2	88.2
天津	7.2	3.4	3.8	4.8	4.8	0.0	88.0
河北	22.1	20.0	2.0	10.7	7.7	3.0	70.3
山西	12.9	9.6	3.3	16.6	13.5	3.1	70.5
内蒙古	25.9	25.3	0.6	2.3	1.8	0.5	71.7
辽宁	17.3	15.5	1.8	0.1	0.0	0.1	82.6
吉林	10.6	7.5	3.1	1.5	0.4	1.1	87.9
黑龙江	10.7	5.1	5.6	3.1	3.1	0.0	86.2
上海	4.0	3.3	0.7	9.7	9.6	0.1	86.3
江苏	9.0	8.4	0.6	8.2	7.1	1.1	82.8
浙江	6.9	6.4	0.5	0.3	0.2	0.1	92.8
安徽	7.6	3.7	3.9	6.7	3.1	3.6	85.7
福建	7.4	0.0	7.4	0.0	0.0	0.0	92.6
江西	11.3	7.3	4.0	3.9	1.9	2.0	84.8
山东	8.0	7.3	0.7	4.6	3.6	1.0	87.4
河南	18.4	8.3	10.1	4.7	4.7	0.0	76.9
湖北	8.6	7.5	1.1	11.5	9.4	2.1	79.9
湖南	15.3	14.0	1.3	1.1	0.0	1.1	83.6
广东	6.4	0.0	6.4	0.0	0.0	0.0	93.6
广西	9.1	8.8	0.3	11.9	2.0	9.9	79.0
海南	11.0	0.0	11.0	12.9	11.8	1.1	76.1
重庆	7.9	6.0	1.9	2.4	2.4	0.0	89.7
四川	15.1	10.2	4.9	6.8	1.2	5.6	78.1
贵州	7.3	1.0	6.3	5.1	1.3	3.8	87.6
云南	11.2	10.7	0.5	7.7	0.0	7.7	81.1
陕西	11.6	11.1	0.5	5.1	1.4	3.7	83.3
甘肃	13.8	7.2	6.6	0.0	0.0	0.0	86.2
青海	19.2	19.0	0.2	1.2	0.3	0.9	79.7
宁夏	18.7	14.1	4.6	2.6	0.0	2.6	78.7
新疆	15.0	3.6	11.4	35.6	35.1	0.5	49.4

历年人民币对美元汇价

(1949～1999年)

单位:100美元折人民币元

年 份	汇 价	年 份	汇 价	年 份	汇 价
1949	230.00	1976	188.03	1988	372.21
1950	275.00	1977	173.00	1989	472.21
1951	223.80	1978	157.71	1990	522.21
1952	261.70	1979	149.62	1991	543.42
1953	261.70	1980	153.03	1992	575.18
1954	261.70	1981	174.55	1993	580.00
1955～1970	246.18	1982	192.27	1994	844.62
1971	226.73	1983	198.09	1995	831.74
1972	224.01	1984	279.57	1996	829.82
1973	202.02	1985	320.15	1997	827.98
1974	183.97	1986	372.21	1998	827.89
1975	196.63	1987	372.21	1999	827.95

注:表中数字均为年末中间价。

政策性补贴支出

(1978～1999年)

单位:亿元

年 份	合 计	粮棉油价格补贴	平抑物价等补贴	肉食品价格补贴	其他价格补贴
1978	11.14	11.14			
1979	79.20	54.85			24.35
1980	117.71	102.80			14.91
1981	159.41	142.22			17.19
1982	172.22	156.19			16.03
1983	197.37	182.13			15.24
1984	218.34	201.67			16.67
1985	261.79	198.66		33.52	29.61
1986	257.48	169.37		42.24	45.87
1987	294.60	195.43		42.74	56.43
1988	316.82	204.03		40.40	72.39
1989	373.55	262.52		41.29	69.74
1990	380.80	267.61		41.78	71.41
1991	373.77	267.03		42.46	64.28
1992	321.64	224.35		38.54	58.75
1993	299.30	224.75		29.86	44.69
1994	314.47	202.03	41.25	25.41	45.78
1995	364.89	228.91	50.17	24.17	61.64
1996	453.91	311.39	53.38	27.46	61.68
1997	551.96	413.67	43.20	28.25	66.84
1998	712.12	565.04	28.10	26.09	92.89
1999	383.71	318.74	7.35	20.55	37.07

注:政策性补贴支出,1985年以前冲减财政收入,1986年以后作为支出项目列在财政支出中。

1999 年农产品成本收益情况分析

1999 年,我国农业生产继续全面发展,农作物种植结构有所调整。粮食产量稳中有降,棉花、糖料等减产较多,油料、水果和茶叶等产量继续增长。蔬菜种植面积增加。但农业经济效益并不乐观。据农产品成本调查数据显示,绝大多数农产品成本均比上年下降,但由于农产品市场价格全面下降,收益普遍减少。粮、棉、油等主要农产品均处于减产减收或增产不增收的境地。

一、粮食生产成本下降,收益减少

1、单产有增有减。稻谷、小麦、玉米三种主要粮食品种单位面积产量有增有减。其中,小麦亩产 261 公斤,比上年增产 6.3%;稻谷和玉米产量分别为 421 公斤、363 公斤,分别比上年减收 0.3%和 5.4%。

2、生产成本下降。主要农产品生产成本在前几年连续下降的基础上又比上年有所减少。其中,稻谷、小麦、玉米三种主要粮食品种每 50 公斤含税生产成本分别为 40.8 元、55.2 元和 36.3 元,分别比上年下降 5.4%、1.1%和 7.6%。主要原因:一是由于主要农业生产资料价格不断下降,农民购买化肥、农膜支出逐渐减少;二是由于农业机械化程度提高,劳动用工数量减少,人工费用进一步降低。此外,粮食生产中的期间费用也有不同程度的减少。

3、收益减少。国家下调了粮食定购价和保护价水平,全国平均稻谷、玉米、小麦三种粮食每 50 公斤保护价分别比上年下跌 4.6 元、11.7 元和 2.6 元,使粮食实际收购价格大幅降低。三种粮食每 50 公斤平均出售价格分别较上年下跌 15.4%、9.3%和 18.8%。由于粮食价格大幅度下跌,虽然生产成本有所下降,农民种粮收入仍然明显减少。分品种看,稻谷减幅最大,每亩减税纯收益比上年减少 34%;玉米减幅高达 55%;小麦由于单产有所提高,减收幅度较小,减幅为 24%,但其收益绝对额却是三种粮食中最低的。

二、棉花价格大幅下跌,收益剧减

1、成本下降。由于生产资料价格下跌,农民用于购买化肥、农药和种籽的费用较上年下降,每亩物质费用比上年减少 26 元,加上田间管理粗放,劳动用工减少,由上年的 34 个降到 30 个。1999 年度每亩棉花含税成本为 567 元,比上年下降 80 元,降幅 12%。

2、价格大幅下跌,收益剧减。1999 年国家放开棉花收购价格,受国内外棉花市场供过于求的影响,棉花收购价格大幅度下跌,由上年的每 50 公斤 594 元下跌到 381 元,下跌了 213 元,跌幅 35.8%,是本年度价格跌幅最大的农产品品种。由于价格跌幅很大,加之单产比上年下降 2%,尽管成本降低,收益仍然锐减。每亩减税纯收益只有 34 元,比上年减少了 240 元,减幅 87.5%,是改革开放以来收益最低的一年。

我国棉花生产按地域和生产特点的不同,分为黄河流域棉区、长江流域棉区和新疆棉区 3 个主产区。其中,新疆棉区物质费用投入较多,为每亩 380 元,比黄河和长江棉区分别高出 168 元和 158 元。但用工较少,为 21 个,分别少 8 个和 16 个。收益最好,每亩纯收益为 134 元,分别比黄河和长江棉区高 20 元和 203 元。长江流域棉区已经出现亏损。

三、油料减支减收,油菜籽继续亏损

三种油料(花生、油菜籽、芝麻)平均每亩产量与上年持平;每亩物质费用 103 元,比上年下降 5%;每亩用工由 14.6 个减少到 12.5 个,减幅 15%;每亩含税生产成本由 272 元下降到 243 元,降幅 10.5%;每 50 公斤平均出售价格 145 元,比上年下跌 19 元,跌幅 12%;每亩减税纯收益 90 元,比上年减少 18 元,减幅 17%。其中,油菜籽由于价格降幅过大,每 50 公斤平均出售价格由上年的 132 元下降到 112 元,降幅达 16%,而单产增幅较小,成本降低不多,扣除各项费用和劳动成本后,在上年已出现亏损的情况下每亩亏损近 8 元。

四、桑蚕茧产量下降,收入减少

桑蚕茧亩产 80 公斤,较上年下降 11 公斤,降幅 12.5%;每亩用工由上年的 64 个下降到 51 个,使劳动力成本减少了 124 元。每亩含税成本降低到 813 元,较上年下降 176 元,降幅 18%。每 50 公斤平均出售价格 626 元,较上年下跌 54 元,跌幅 8%。由于单产和价格均大幅下降,虽然成本降低较多,收益仍比上年减少。每亩减税纯收益225元,较上年减少81元,减幅27%。其收益为90年代以来较低水平。

五、糖料收益十年来最低

受恶劣气候影响,1999年糖料单产下降。每亩甘蔗、甜菜产量分别为4469公斤和2183公斤,比上年下降7%和3.5%。近几年国内食糖市场一直供过于求,食糖价格长期低迷,使糖料收购价格继续下降。每50公斤甘蔗、甜菜平均出售价格分别为8.6元和11元,比上年下跌22%和15%。虽然生产成本有所下降,甘蔗、甜菜每亩含税成本分别由上年的769元和454元下降到700元和416元,但减产和降价的双重压力却使糖料收益降至90年代以来最低谷,每亩减税纯收益第一次降到100元以下。其中,甘蔗减幅达70%;甜菜减幅达49%。

六、烤烟收入增加

在大田作物中,只有烤烟一枝独秀,收益比上年增加,每亩减税纯收益230元,比上年增加204元。主要原因:一是单产有所提高,每亩产量138公斤,比上年略增0.6%;二是成本有所下降,每亩含税成本737元,比上年下降43元,降幅5%;三是价格提高;每50公斤平均出售价格344元,比上年上涨61元,涨幅21%,从而使1999年的农民收益较上年有较大幅度的提高。

七、水果增产增支,收益不同

主要水果调查品种苹果和柑桔亩产提高较多,分别达到1792公斤和1703公斤,分别比上年增产197公斤和438公斤,增幅12%和35%;柑桔每亩含税成本也呈现较大幅度的上涨,为1308元,比上年增长293元,涨幅29%,苹果生产成本与上年基本持平;两品种平均出售价格均下跌,柑桔每50公斤62元,比上年下跌8%,苹果每50公斤43元,比上年下跌13%;每亩减税收益柑桔达到806元,比上年增长14%,而苹果亩收益468元,减幅为15%。

八、蔬菜成本上升,收益最好

1、单产。大中城市主要蔬菜品种单产有升有降,其中,陆地西红柿和茄子升幅较大,分别比上年增产716公斤和476公斤,增幅分别为22%和17%。主要是因为气候适宜,科技兴农力度加大。

2、成本。多数蔬菜品种含税成本上升。其中,芹菜1321元,较上年增加186元,增幅16%。主要原因:一是种籽秧苗费、机械作业费、棚架材料费等费用上升,造成物质费用增加;二是农民加强了田间管理,用工数量也较上年有所增长,用工作价上升。

3、收益。由于多数品种平均出售价格出现上扬,加上产量增加的影响,蔬菜生产收益较好,除菠菜、马铃薯、蒜苗外,其它品种收益均比上年有所增长。其中,萝卜和油菜增幅较大,分别增长51%和54%。收益最高的是大棚黄瓜,每亩3011元,收益最低的是马铃薯,也达到每亩507元。

九、生猪价格下跌,几无收益

养猪成本下降,国营集体生猪平均每头含税成本597元,比上年下降133元,降幅18%,农户散养生猪平均每头604元,比上年下降162元,降幅21%。主要原因:一是仔猪进价降低,分别比上年下降38元和72元,降幅为19%和40%;二是由于粮食连年丰收,主要饲料原料充裕,价格下跌,精饲料费分别比上年降低了15%和17%。但由于猪价大幅度下跌,国营生猪和农户生猪平均每头分别比上年下跌77元和68元,跌幅均为20%。农户由于生猪品种改良换代慢,质量不高,售价低,如果扣除劳动用工折价,每头猪净产值142元,如包括用工作价,纯收益只有5元。而国营集体养猪由于投资较大,人员较多,猪价持续低迷,每头猪已经亏损22元。

十、淡水鱼收益有增有减

1、成本。淡水鱼生产成本均比上年下降,其中,国营集体粗养每亩317元,比上年下降187元,降幅37%。主要原因:一是精饲料价格较上年有所下降,费用减少;二是由于产量下降,费用相应减少。

2、收益。国营集体精、粗养和农户精养减税收益较上年大幅度下降,其中,国营集体粗养已经出现亏损,由上年的每亩盈利29元转为亏损50元。农户粗养则扭亏为盈,由上年的每亩亏损125元到赢利273元,主要原因是由于亩产增加达319公斤,比上年增长20%。

从1999年农产品成本收益变化中,可以看到:

1、农产品价格普遍下降,农民增产不增收。农产品市场继续供大于求,除个别品种价格有所上升外,其余品种价格均有不同程度的下降。农民收益比上年大幅减少。

2、国营集体经营单位的经营成本普遍较高,收益偏低甚至出现亏损。调查显示,国营集体单位养鱼、养猪等成本均比农户高,原因主要是国营集体公司管理费用支出多,负担重。在目前农产品价格全面走低的情况下,收益降低甚至出现亏损。因此,国营集体单位应采取积极有效的措施,加强内部管理,搞活经营,降低生产成本,提高经营收益。

(周鸿燕)

1999年和1998年全国主要农副产品成本收益比较表(一)

品种			六种粮食平均				四种粮食平均			
	项目名称	计量单位	1998年	1999年	增减额	+-%	1998年	1999年	增减额	+-%
每亩	主产品产量	公斤	293.85	274.49	-19.36	-6.59	295.16	291.69	-3.47	-1.18
	产值合计	元	393.68	315.73	-77.95	-19.80	424.51	361.09	-63.42	-14.94
	主产品产值	元	365.17	292.27	-72.90	-19.96	399.20	337.57	-61.63	-15.44
	副产品产值	元	28.51	23.46	-5.05	-17.71	25.31	23.52	-1.79	-7.07
	其它收入	元	0.63	1.47	0.84	133.33	0.95	0.75	-0.20	-21.05
	生产成本	元	254.14	235.47	-18.67	-7.35	272.41	258.78	-13.63	-5.00
	物质费用	元	136.73	131.64	-5.09	-3.72	150.97	148.86	-2.11	-1.40
	用工作价	元	117.41	103.83	-13.58	-11.57	121.44	109.92	-11.52	-9.49
	用工数量	日	12.23	10.93	-1.30	-10.63	12.65	11.57	-1.08	-8.54
	期间费用	元	16.53	12.95	-3.58	-21.66	17.35	13.83	-3.52	-20.29
	税金	元	12.97	11.78	-1.19	-9.18	13.65	12.92	-0.73	-5.35
	含税成本	元	283.64	260.20	-23.44	-8.26	303.41	285.53	-17.88	-5.89
	净产值	元	256.95	184.09	-72.86	-28.36	273.54	212.23	-61.31	-22.41
	减税纯收益	元	110.67	57.00	-53.67	-48.50	122.05	76.31	-45.74	-37.48
	成本纯收益率	%	39.02	21.91	-17.11		40.23	26.73	-13.50	
每五十公斤主产品	平均出售价格	元	62.14	53.24	-8.90	-14.32	67.62	57.86	-9.76	-14.43
	物质费用	元	21.58	22.20	0.62	2.87	24.05	23.85	-0.20	-0.83
	生产成本	元	40.11	39.71	-0.40	-1.00	43.39	41.47	-1.92	-4.42
	含税成本	元	44.77	43.88	-0.89	-1.99	48.33	45.75	-2.58	-5.34
	净产值	元	40.56	31.04	-9.52	-23.47	43.57	34.01	-9.56	-21.94
	减税纯收益	元	17.48	9.63	-7.85	-44.91	19.45	12.24	-7.21	-37.07
每一劳动日	主产品产量	公斤	24.03	25.11	1.08	4.49	23.33	25.21	1.88	8.06
	净产值	元	21.01	16.84	-4.17	-19.85	21.62	18.34	-3.28	-15.17

1999年和1998年全国主要农副产品成本收益比较表(二)

品种			三种粮食平均				稻谷			
	项目名称	计量单位	1998年	1999年	增减额	+-%	1998年	1999年	增减额	+-%
每亩	主产品产量	公斤	350.54	348.35	-2.19	-0.62	421.86	420.57	-1.29	-0.31
	产值合计	元	463.14	396.25	-66.89	-14.44	593.36	500.90	-92.46	-15.58
	主产品产值	元	435.00	369.55	-65.45	-15.05	564.63	475.99	-88.64	-15.70
	副产品产值	元	28.14	26.70	-1.44	-5.12	28.73	24.91	-3.82	-13.30
	其它收入	元	1.21	0.86	-0.35	-28.93	1.44	1.01	-0.43	-29.86
	生产成本	元	304.71	292.08	-12.63	-4.14	345.49	329.24	-16.25	-4.70
	物质费用	元	172.33	170.48	-1.85	-1.07	187.67	185.70	-1.97	-1.05
	用工作价	元	132.38	121.60	-10.78	-8.14	157.82	143.54	-14.28	-9.05
	用工数量	日	13.79	12.80	-0.99	-7.18	16.44	15.11	-1.33	-8.09
	期间费用	元	16.90	14.45	-2.45	-14.50	16.84	14.21	-2.63	-15.62
	税金	元	14.79	13.92	-0.87	-5.88	19.72	17.99	-1.73	-8.77
	含税成本	元	336.40	320.45	-15.95	-4.74	382.05	361.44	-20.61	-5.39
	净产值	元	290.81	225.77	-65.04	-22.37	405.69	315.20	-90.49	-22.31
	减税纯收益	元	127.95	76.66	-51.29	-40.09	212.75	140.47	-72.28	-33.97
	成本纯收益率	%	38.04	23.92	-14.12		55.69	38.86	-16.83	
每五十公斤主产品	平均出售价格	元	62.05	53.04	-9.01	-14.52	66.92	56.59	-10.33	-15.44
	物质费用	元	23.09	22.82	-0.27	-1.17	21.17	20.98	-0.19	-0.90
	生产成本	元	40.82	39.10	-1.72	-4.21	38.96	37.20	-1.76	-4.52
	含税成本	元	45.07	42.89	-2.18	-4.84	43.09	40.83	-2.26	-5.24
	净产值	元	38.96	30.22	-8.74	-22.43	45.75	35.61	-10.14	-22.16
	减税纯收益	元	17.15	10.27	-6.88	-40.12	24.00	15.88	-8.12	-33.83
每一劳动日	主产品产量	公斤	25.42	27.21	1.79	7.04	25.66	27.83	2.17	8.46
	净产值	元	21.09	17.64	-3.45	-16.36	24.68	20.86	-3.82	-15.48

1999年和1998年全国主要农副产品成本收益比较表(三)

早中晚籼稻				早籼稻				中籼稻			
1998年	1999年	增减额	+-%	1998年	1999年	增减额	+-%	1998年	1999年	增减额	+-%
401.87	398.13	-3.74	-0.93	351.29	352.80	1.51	0.43	474.46	475.02	0.56	0.12
539.88	451.86	-88.02	-16.30	442.35	402.04	-40.31	-9.11	640.28	516.74	-123.54	-19.29
512.24	428.87	-83.37	-16.28	417.56	382.08	-35.48	-8.50	609.46	489.80	-119.66	-19.63
27.64	22.99	-4.65	-16.82	24.79	19.96	-4.83	-19.48	30.82	26.94	-3.88	-12.59
1.77	0.74	-1.03	-58.19	1.32	1.11	-0.21	-15.91	1.45	0.48	-0.97	-66.90
327.08	312.81	-14.27	-4.36	322.22	301.43	-20.79	-6.45	349.61	337.28	-12.33	-3.53
171.27	168.50	-2.77	-1.62	178.80	172.33	-6.47	-3.62	165.67	167.99	2.32	1.40
155.81	144.31	-11.50	-7.38	143.42	129.10	-14.32	-9.98	183.94	169.29	-14.65	-7.96
16.23	15.19	-1.04	-6.41	14.94	13.59	-1.35	-9.04	19.16	17.82	-1.34	-6.99
11.27	10.32	-0.95	-8.43	10.67	10.25	-0.42	-3.94	13.27	13.34	0.07	0.53
19.68	18.00	-1.68	-8.54	20.46	17.79	-2.67	-13.05	20.51	18.84	-1.67	-8.14
358.03	341.13	-16.90	-4.72	353.35	329.47	-23.88	-6.76	383.39	369.46	-13.93	-3.63
368.61	283.36	-85.25	-23.13	263.55	229.71	-33.84	-12.84	474.61	348.75	-125.86	-26.52
183.62	111.47	-72.15	-39.29	90.32	73.68	-16.64	-18.42	258.34	147.76	-110.58	-42.80
51.29	32.68	-18.61		25.56	22.36	-3.20		67.38	39.99	-27.39	
63.73	53.86	-9.87	-15.49	59.43	54.15	-5.28	-8.88	64.23	51.56	-12.67	-19.73
20.22	20.08	-0.14	-0.69	24.02	23.21	-0.81	-3.37	16.62	16.76	0.14	0.84
38.61	37.29	-1.32	-3.42	43.29	40.60	-2.69	-6.21	35.07	33.65	-1.42	-4.05
42.26	40.66	-1.60	-3.79	47.47	44.38	-3.09	-6.51	38.46	36.86	-1.60	-4.16
43.51	33.78	-9.73	-22.36	35.41	30.94	-4.47	-12.62	47.61	34.80	-12.81	-26.91
21.69	13.29	-8.40	-38.73	12.15	9.93	-2.22	-18.27	25.92	14.75	-11.17	-43.09
24.76	26.21	1.45	5.86	23.51	25.96	2.45	10.42	24.76	26.66	1.90	7.67
22.71	18.65	-4.06	-17.88	17.64	16.90	-0.74	-4.20	24.77	19.57	-5.20	-20.99

1999年和1998年全国主要农副产品成本收益比较表(四)

品种			晚籼稻				粳稻			
	项目名称	计量单位	1998年	1999年	增减额	+-%	1998年	1999年	增减额	+-%
每亩	主产品产量	公斤	379.85	366.56	-13.29	-3.50	481.84	487.92	6.08	1.26
	产值合计	元	537.01	436.81	-100.20	-18.66	753.80	648.01	-105.79	-14.03
	主产品产值	元	509.69	414.74	-94.95	-18.63	721.81	617.33	-104.48	-14.47
	副产品产值	元	27.32	22.07	-5.25	-19.22	31.99	30.68	-1.31	-4.10
	其它收入	元	2.55	0.63	-1.92	-75.29	0.43	1.80	1.37	318.60
	生产成本	元	309.52	299.73	-9.79	-3.16	400.51	378.59	-21.92	-5.47
	物质费用	元	169.36	165.21	-4.15	-2.45	236.83	237.33	0.50	0.21
	用工作价	元	140.16	134.52	-5.64	-4.02	163.68	141.26	-22.42	-13.70
	用工数量	日	14.60	14.16	-0.44	-3.01	17.05	14.87	-2.18	-12.79
	期间费用	元	9.89	7.38	-2.51	-25.38	33.54	25.84	-7.70	-22.96
	税金	元	18.08	17.36	-0.72	-3.98	19.83	17.98	-1.85	-9.33
	含税成本	元	337.49	324.47	-13.02	-3.86	453.88	422.41	-31.47	-6.93
	净产值	元	367.65	271.60	-96.05	-26.13	516.97	410.68	-106.29	-20.56
	减税纯收益	元	202.07	112.97	-89.10	-44.09	300.35	227.40	-72.95	-24.29
	成本纯收益率	%	59.87	34.82	-25.05		66.17	53.83	-12.34	
每五十公斤主产品	平均出售价格	元	67.09	56.57	-10.52	-15.68	74.90	63.26	-11.64	-15.54
	物质费用	元	21.16	21.40	0.24	1.13	23.53	23.17	-0.36	-1.53
	生产成本	元	38.67	38.82	0.15	0.39	39.80	36.96	-2.84	-7.14
	含税成本	元	42.16	42.02	-0.14	-0.33	45.10	41.24	-3.86	-8.56
	净产值	元	45.93	35.17	-10.76	-23.43	51.37	40.09	-11.28	-21.96
	减税纯收益	元	25.27	14.64	-10.63	-42.07	29.84	22.20	-7.64	-25.60
每一劳动日	主产品产量	公斤	26.02	25.89	-0.13	-0.50	28.26	32.81	4.55	16.10
	净产值	元	25.18	19.18	-6.00	-23.83	30.32	27.62	-2.70	-8.91

1999年和1998年全国主要农副产品成本收益比较表(五)

小 麦				玉 米				大 豆			
1998年	1999年	增减额	+-%	1998年	1999年	增减额	+-%	1998年	1999年	增减额	+-%
245.87	261.26	15.39	6.26	383.90	363.23	-20.67	-5.38	128.99	121.68	-7.31	-5.67
351.25	339.45	-11.80	-3.36	444.79	348.40	-96.39	-21.67	308.68	255.61	-53.07	-17.19
327.38	315.37	-12.01	-3.67	412.98	317.28	-95.70	-23.17	291.83	241.64	-50.19	-17.20
23.87	24.08	0.21	0.88	31.81	31.12	-0.69	-2.17	16.85	13.97	-2.88	-17.09
1.80	0.87	-0.93	-51.67	0.38	0.69	0.31	81.58	0.17	0.42	0.25	147.06
281.92	280.39	-1.53	-0.54	286.67	266.68	-19.99	-6.97	175.71	158.97	-16.74	-9.53
178.72	181.02	2.30	1.29	150.64	144.70	-5.94	-3.94	86.81	84.02	-2.79	-3.21
103.20	99.37	-3.83	-3.71	136.03	121.98	-14.05	-10.33	88.90	74.95	-13.95	-15.69
10.75	10.46	-0.29	-2.70	14.17	12.84	-1.33	-9.39	9.26	7.89	-1.37	-14.79
18.09	16.70	-1.39	-7.68	15.76	12.45	-3.31	-21.00	18.73	11.96	-6.77	-36.15
13.43	13.06	-0.37	-2.76	11.21	10.72	-0.49	-4.37	10.26	9.92	-0.34	-3.31
313.44	310.15	-3.29	-1.05	313.64	289.85	-23.79	-7.59	204.70	180.85	-23.5	-11.65
172.53	158.43	-14.10	-8.17	294.15	203.70	-90.45	-30.75	221.87	171.59	-50.28	-22.66
39.61	30.17	-9.44	-23.83	131.53	59.24	-72.29	-54.96	104.15	75.18	-28.97	-27.82
12.64	9.73	-2.91		41.94	20.44	-21.50		50.88	41.57	-9.31	
66.58	60.36	-6.22	-9.34	53.79	43.67	-10.12	-18.81	113.12	99.29	-13.83	-12.23
33.88	32.19	-1.69	-4.99	18.22	18.14	-0.08	-0.44	31.81	32.64	0.83	2.61
53.44	49.86	-3.58	-6.70	34.67	33.43	-1.24	-3.58	64.39	61.75	-2.64	-4.10
59.41	55.15	-4.26	-7.17	37.93	36.33	-1.60	-4.22	75.02	70.25	-4.77	-6.36
32.70	28.17	-4.53	-13.85	35.57	25.53	-10.04	-28.23	81.31	66.65	-14.66	-18.03
7.54	5.38	-2.16	-28.65	15.91	7.43	-8.48	-53.30	38.17	29.21	-8.96	-23.47
22.87	24.98	2.11	9.23	27.09	28.29	1.20	4.43	13.93	15.42	1.49	10.70
16.05	15.15	-0.90	-5.61	20.76	15.86	-4.90	-23.60	23.96	21.75	-2.21	-9.22

1999年和1998年全国主要农副产品成本收益比较表(六)

品种			三种油料				花生			
	项目名称	计量单位	1998年	1999年	增减额	+-%	1998年	1999年	增减额	+-%
每亩	主产品产量	公斤	110.68	110.03	-0.65	-0.59	182.67	176.17	-6.50	-3.56
	产值合计	元	379.23	333.03	-46.20	-12.18	541.08	479.89	-61.19	-11.31
	主产品产值	元	362.88	317.99	-44.89	-12.37	518.15	455.36	-62.79	-12.12
	副产品产值	元	16.35	15.04	-1.31	-8.01	22.93	24.53	1.60	6.98
	其它收入	元	0.63	0.31	-0.32	-50.79	0.62	0.61	-0.01	-1.61
	生产成本	元	248.24	221.30	-26.94	-10.85	358.08	308.88	-49.20	-13.74
	物质费用	元	107.79	102.55	-5.24	-4.86	171.26	163.63	-7.63	-4.46
	用工作价	元	140.45	118.75	-21.70	-15.45	186.82	145.25	-41.57	-22.25
	用工数量	日	14.63	12.50	-2.13	-14.56	19.46	15.29	-4.17	-21.43
	期间费用	元	11.94	10.73	-1.21	-10.13	18.68	16.68	-2.00	-10.71
	税金	元	11.52	11.06	-0.46	-3.99	9.97	10.85	0.88	8.83
	含税成本	元	271.70	243.09	-28.61	-10.53	386.73	336.41	-50.32	-13.01
	净产值	元	271.44	230.48	-40.96	-15.09	369.82	316.26	-53.56	-14.48
	减税纯收益	元	108.16	90.25	-17.91	-16.56	154.97	144.09	-10.88	-7.02
	成本纯收益率	%	39.81	37.13	-2.68		40.07	42.83	2.76	
每五十公斤主产品	平均出售价格	元	163.93	144.50	-19.43	-11.85	141.83	129.24	-12.59	-8.88
	物质费用	元	46.59	44.50	-2.09	-4.49	44.89	44.07	-0.82	-1.83
	生产成本	元	107.31	96.02	-11.29	-10.52	93.86	83.19	-10.67	-11.37
	含税成本	元	117.45	105.48	-11.97	-10.19	101.37	90.60	-10.77	-10.62
	净产值	元	117.34	100.00	-17.34	-14.78	96.94	85.17	-11.77	-12.14
	减税纯收益	元	46.76	39.16	-7.60	-16.25	40.63	38.81	-1.82	-4.48
每一劳动日	主产品产量	公斤	7.57	8.80	1.23	16.25	9.39	11.52	2.13	22.68
	净产值	元	18.55	18.44	-0.11	-0.59	19.00	20.68	1.68	8.84

1999年和1998年全国主要农副产品成本收益比较表(七)

油菜籽				芝麻				棉花			
1998年	1999年	增减额	+-%	1998年	1999年	增减额	+-%	1998年	1999年	增减额	+-%
93.60	104.95	11.35	12.13	55.76	48.98	-6.78	-12.16	68.25	66.87	-1.38	-2.02
261.00	245.36	-15.64	-5.99	335.59	273.85	-61.74	-18.40	919.63	601.03	-318.60	-34.64
247.83	234.48	-13.35	-5.39	322.65	264.13	-58.52	-18.14	810.55	510.05	-300.50	-37.07
13.17	10.88	-2.29	-17.39	12.94	9.72	-3.22	-24.88	109.08	90.98	-18.10	-16.59
1.28	0.33	-0.95	-74.22					1.48	0.35	-1.13	-76.35
241.84	229.85	-11.99	-4.96	144.70	125.17	-19.53	-13.50	589.86	521.00	-68.86	-11.67
97.74	100.65	2.91	2.98	54.36	43.38	-10.98	-20.20	259.72	233.81	-25.91	-9.98
144.10	129.20	-14.90	-10.34	90.34	81.79	-8.55	-9.46	330.14	287.19	-42.95	-13.01
15.01	13.60	-1.41	-9.39	9.41	8.61	-0.80	-8.50	34.39	30.23	-4.16	-12.10
10.23	10.21	-0.02	-0.20	6.92	5.28	-1.64	-23.70	37.25	27.12	-10.13	-27.19
14.39	13.42	-0.97	-6.74	10.21	8.92	-1.29	-12.63	20.19	19.10	-1.09	-5.40
266.46	253.48	-12.98	-4.87	161.83	139.37	-22.46	-13.88	647.30	567.22	-80.08	-12.37
163.26	144.71	-18.55	-11.36	281.23	230.47	-50.76	-18.05	659.91	367.22	-292.69	-44.35
-4.18	-7.79	-3.61		173.76	134.48	-39.28	-22.61	273.81	34.16	-239.65	-87.52
-1.57	-3.07	-1.50		107.37	96.49	-10.88		42.30	6.02	-36.28	
132.39	111.71	-20.68	-15.62	289.32	269.63	-19.69	-6.81	593.81	381.37	-212.44	-35.78
49.58	45.82	-3.76	-7.58	46.87	42.71	-4.16	-8.88	167.70	148.36	-19.34	-11.53
122.67	104.65	-18.02	-14.69	124.75	123.24	-1.51	-1.21	380.88	330.59	-50.29	-13.20
135.16	115.41	-19.75	-14.61	139.52	137.22	-2.30	-1.65	417.97	359.92	-58.05	-13.89
82.81	65.89	-16.92	-20.43	242.45	226.92	-15.53	-6.41	426.11	233.01	-193.10	-45.32
-2.09	-3.54	-1.45	69.38	149.80	132.41	-17.39	-11.61	176.92	21.71	-155.21	-87.73
6.24	7.72	1.48	23.72	5.93	5.69	-0.24	-4.05	1.98	2.21	0.23	11.62
10.88	10.64	-0.24	-2.21	29.89	26.77	-3.12	-10.44	19.19	12.15	-7.04	-36.69

1999年和1998年全国主要农副产品成本收益比较表(八)

品种			烤烟				桑蚕茧			
	项目名称	计量单位	1998年	1999年	增减额	+-%	1998年	1999年	增减额	+-%
每亩	主产品产量	公斤	137.29	138.05	0.76	0.55	90.92	79.55	-11.37	-12.51
	产值合计	元	789.89	959.15	169.26	21.43	1290.48	1036.12	-254.36	-19.71
	主产品产值	元	779.72	951.09	171.37	21.98	1236.77	996.36	-240.41	-19.44
	副产品产值	元	10.17	8.06	-2.11	-20.75	53.71	39.76	-13.95	-25.97
	其它收入	元	15.22	7.43	-7.79	-51.18	4.39	1.70	-2.69	-61.28
	生产成本	元	733.66	695.96	-37.70	-5.14	916.97	758.83	-158.14	-17.25
	物质费用	元	321.82	311.12	-10.70	-3.32	304.59	278.89	-25.70	-8.44
	用工作价	元	411.84	384.84	-27.00	-6.56	612.38	479.94	-132.44	-21.63
	用工数量	日	42.90	40.51	-2.39	-5.57	63.79	50.52	-13.27	-20.80
	期间费用	元	33.18	29.61	-3.57	-10.76	36.54	28.87	-7.67	-20.99
	税金	元	12.50	11.24	-1.26	-10.08	35.41	25.42	-9.99	-28.21
	含税成本	元	779.34	736.81	-42.53	-5.46	988.92	813.12	-175.80	-17.78
	净产值	元	468.07	648.03	179.96	38.45	985.89	757.23	-228.66	-23.19
	减税纯收益	元	25.77	229.77	204.00	791.62	305.95	224.70	-81.25	-26.56
	成本纯收益率	%	3.31	31.18	27.87		30.94	27.63	-3.31	
每五十公斤主产品	平均出售价格	元	283.97	344.47	60.50	21.31	680.14	626.25	-53.89	-7.92
	物质费用	元	115.70	111.74	-3.96	-3.42	160.53	168.57	8.04	5.01
	生产成本	元	263.75	249.95	-13.80	-5.23	483.28	458.65	-24.63	-5.10
	含税成本	元	280.18	264.62	-15.56	-5.55	521.20	491.46	-29.74	-5.71
	净产值	元	168.27	232.73	64.46	38.31	519.61	457.68	-61.93	-11.92
	减税纯收益	元	9.33	82.54	73.21	784.67	161.35	135.86	-25.49	-15.80
每一劳动日	主产品产量	公斤	3.20	3.41	0.21	6.56	1.43	1.57	0.14	9.79
	净产值	元	10.91	16.00	5.09	46.65	15.46	14.99	-0.47	-3.04

1999年和1998年全国主要农副产品成本收益比较表(九)

绿毛茶				苹　果				柑　桔			
1998年	1999年	增减额	＋－%	1998年	1999年	增减额	＋－%	1998年	1999年	增减额	＋－%
86.84	73.97	－12.87	－14.82	1594.59	1791.55	196.96	12.35	1265.20	1703.23	438.03	34.62
1262.92	1211.91	－51.01	－4.04	1637.82	1569.03	－68.79	－4.20	1716.64	2114.15	397.51	23.16
1248.58	1208.35	－40.23	－3.22	1600.44	1556.43	－44.01	－2.75	1709.22	2112.69	403.47	23.61
14.34	3.56	－10.78	－75.17	37.38	12.60	－24.78	－66.29	7.42	1.46	－5.96	－80.32
52.68	0.02	－52.66	－99.96	4.51	0.09	－4.42	－98.00	2.40		－2.40	－100.00
748.31	744.02	－4.29	－0.57	881.37	918.86	37.49	4.25	873.22	1105.09	231.87	26.55
363.73	247.36	－116.37	－31.99	413.37	460.68	47.31	11.44	453.99	644.34	190.35	41.93
384.58	496.66	112.08	29.14	468.00	458.18	－9.82	－2.10	419.23	460.75	41.52	9.90
40.06	52.28	12.22	30.50	48.75	48.23	－0.52	－1.07	43.67	48.50	4.83	11.06
168.05	93.35	－74.70	－44.45	95.99	87.00	－8.99	－9.37	81.69	76.52	－5.17	－6.33
95.95	55.11	－40.84	－42.56	114.40	95.26	－19.14	－16.73	59.78	126.41	66.63	111.46
1012.31	892.48	－119.83	－11.84	1091.76	1101.12	9.36	0.86	1014.69	1308.02	293.33	28.91
899.19	964.55	65.36	7.27	1224.45	1108.35	－116.10	－9.48	1262.65	1469.81	207.16	16.41
303.29	319.45	16.16	5.33	550.57	468.00	－82.57	－15.00	704.35	806.13	101.78	14.45
29.96	35.79	5.83		50.43	42.50	－7.93		69.42	61.63	－7.79	
718.90	816.78	97.88	13.62	50.18	43.44	－6.74	－13.43	67.55	62.02	－5.53	－8.19
207.05	166.71	－40.34	－19.48	12.66	12.75	0.09	0.71	17.86	18.90	1.04	5.82
425.97	501.44	75.47	17.72	27.00	25.44	－1.56	－5.78	34.36	32.42	－1.94	－5.65
576.24	601.50	25.26	4.38	33.45	30.49	－2.96	－8.85	39.93	38.37	－1.56	－3.91
511.85	650.07	138.22	27.00	37.52	30.69	－6.83	－18.20	49.69	43.12	－6.57	－13.22
172.99	215.29	42.30	24.45	16.87	12.95	－3.92	－23.24	27.71	23.65	－4.06	－14.65
2.17	1.41	－0.76	－35.02	32.71	37.15	4.44	13.57	28.97	35.12	6.15	21.23
22.45	18.45	－4.00	－17.82	25.12	22.98	－2.14	－8.52	28.91	30.31	1.40	4.84

1999年和1998年全国主要农副产品成本收益比较表(十)

品种			甘蔗				甜菜			
	项目名称	计量单位	1998年	1999年	增减额	+-%	1998年	1999年	增减额	+-%
每亩	主产品产量	公斤	4814.95	4468.78	-346.17	-7.19	2262.00	2182.74	-79.26	-3.50
	产值合计	元	1098.50	795.86	-302.64	-27.55	613.05	498.10	-114.95	-18.75
	主产品产值	元	1054.53	764.30	-290.23	-27.52	586.87	480.32	-106.55	-18.16
	副产品产值	元	43.97	31.56	-12.41	-28.22	26.18	17.78	-8.40	-32.09
	其它收入	元	0.94	2.53	1.59	169.15	0.98	0.22	-0.76	-77.55
	生产成本	元	703.54	630.23	-73.31	-10.42	394.89	361.12	-33.77	-8.55
	物质费用	元	396.44	357.39	-39.05	-9.85	233.13	210.55	-22.58	-9.69
	用工作价	元	307.10	272.84	-34.26	-11.16	161.76	150.57	-11.19	-6.92
	用工数量	日	31.99	28.72	-3.27	-10.22	16.85	15.85	-1.00	-5.93
	期间费用	元	45.99	48.23	2.24	4.87	46.97	42.53	-4.44	-9.45
	税金	元	19.84	21.83	1.99	10.03	12.44	12.68	0.24	1.93
	含税成本	元	769.37	700.29	-69.08	-8.98	454.30	416.33	-37.97	-8.36
	净产值	元	702.06	438.47	-263.59	-37.55	379.92	287.55	-92.37	-24.31
	减税纯收益	元	330.07	98.10	-231.97	-70.28	159.73	81.99	-77.74	-48.67
	成本纯收益率	%	42.90	14.01	-28.89		35.16	19.69	-15.47	
每五十公斤主产品	平均出售价格	元	10.95	8.55	-2.40	-21.92	12.97	11.00	-1.97	-15.19
	物质费用	元	3.95	3.84	-0.11	-2.78	4.93	4.65	-0.28	-5.68
	生产成本	元	7.01	6.77	-0.24	-3.42	8.35	7.97	-0.38	-4.55
	含税成本	元	7.67	7.52	-0.15	-1.96	9.61	9.19	-0.42	-4.37
	净产值	元	7.00	4.71	-2.29	-32.71	8.04	6.35	-1.69	-21.02
	减税纯收益	元	3.29	1.06	-2.23	-67.78	3.38	1.82	-1.56	-46.15
每一劳动日	主产品产量	公斤	150.51	155.60	5.09	3.38	134.24	137.71	3.47	2.58
	净产值	元	21.95	15.27	-6.68	-30.43	22.55	18.14	-4.41	-19.56

1999年和1998年全国主要农副产品成本收益比较表(十一)

品种			国营集体生猪				农户散养生猪			
	项目名称	计量单位	1998年	1999年	增减额	+-%	1998年	1999年	增减额	+-%
每头	主产品产量	公斤	94.42	94.14	-0.28	-0.30	109.16	105.11	-4.05	-3.71
	产值合计	元	724.24	573.90	-150.34	-20.76	785.48	609.28	-176.20	-22.43
	主产品产值	元	713.60	566.12	-147.48	-20.67	757.78	585.68	-172.10	-22.71
	副产品产值	元	10.64	7.78	-2.86	-26.88	27.70	23.60	-4.10	-14.80
	其它收入	元	3.10	1.13	-1.97	-63.55	0.74	0.28	-0.46	-62.16
	生产成本	元	700.31	567.60	-132.71	-18.95	757.37	595.80	-161.57	-21.33
	物质费用	元	661.62	549.08	-112.54	-17.01	609.15	466.89	-142.26	-23.35
	用工作价	元	38.69	18.52	-20.17	-52.13	148.22	128.91	-19.31	-13.03
	用工数量	日	4.03	1.95	-2.08	-51.61	15.44	13.57	-1.87	-12.11
	期间费用	元	28.24	26.91	-1.33	-4.71	4.04	4.75	0.71	17.57
	税金	元	1.11	2.31	1.20	108.11	4.71	3.94	-0.77	-16.35
	含税成本	元	729.66	596.82	-132.84	-18.21	766.12	604.49	-161.63	-21.10
	净产值	元	62.62	24.82	-37.80	-60.36	176.33	142.39	-33.94	-19.25
	减税纯收益	元	-2.32	-21.79	-19.47		20.10	5.07	-15.03	-74.78
	成本纯收益率	%	-0.32	-3.65	-3.33		2.62	0.84	-1.78	
每五十公斤主产品	平均出售价格	元	377.89	300.68	-77.21	-20.43	347.10	278.60	-68.50	-19.73
	物质费用	元	345.22	287.68	-57.54	-16.67	269.18	213.49	-55.69	-20.69
	生产成本	元	365.40	297.38	-68.02	-18.62	334.68	272.44	-62.24	-18.60
	含税成本	元	380.72	312.69	-68.03	-17.87	338.54	276.41	-62.13	-18.35
	净产值	元	32.67	13.00	-19.67	-60.21	77.92	65.11	-12.81	-16.44
	减税纯收益	元	-1.19	-11.41	-10.22		8.90	2.32	-6.58	-73.93
每一劳动日	主产品产量	公斤	23.43	48.28	24.85	106.06	7.07	7.75	0.68	9.62
	净产值	元	15.54	12.73	-2.81	-18.08	11.42	10.49	-0.93	-8.14

1999 年国际市场商品价格变动析评

1999 年国际商品市场风云诡谲，许多商品价格出现较大的起伏和波动。综观国际市场商品价格的变动，有如下一些重要变化和特点：

1、世界初级产品价格继 1997 年下半年以来的长期下跌后，1999 年下半年逐渐从低谷中走出并有所回升。截至年底，已初步恢复并回升至较上年底略高的水平。据英国《经济学家》周刊编发的、综合反映国际市场初级产品价格变化的"世界商品价格指数"（不含石油），按美元计算，继 1998 年 12 月较上年 5 月高点下降 30.7%后，1999 年 7 月较上年 12 月再降 5.4%，但至 12 月，较 7 月回升 6.4%，较上年同期升 0.7%。

2、一些类别工业制成品和初级产品价格出现明显回升或续升。如 12 月与上年同期比较，国际市场原油和石油化工品的价格分别回升 159.5%和 47.2%，有色金属价格回升 28%，钢材和棉（坯）布价格也分别回升 1%和 3%，机电产品价格则续升 8.4%。

3、各主要商品中，以原油、石脑油、乙烯和镍等价格上涨尤烈，12 月较上年同期分别上涨 1 倍以上。其次，聚氯乙烯、苯乙烯、丙烯、溶剂二甲苯和航空煤油等价格分别涨逾 80%；汽油、柴油、苯、甲苯、聚乙烯、聚丙烯和纸浆等价格分别涨逾 50%；铜、铝和锌等价格各升逾 20%；冷轧卷板、茶叶和木材等价格各升逾 10%；锡和天然橡胶等价格也有不同程度的上涨。

4、一些商品价格仍有下跌，特别是许多粮油食品和饮料类初级产品价格有较大下跌。如 12 月较上年同期，棕榈油和可可等价格分别降逾 40%，亚麻油和豆油等价格分别降逾 30%，大米、糖、咖啡和棉花等各降逾 20%，大豆、小麦、玉米、蓖麻油、厚钢板和工槽钢等各降逾 10%；此外，椰油、花生油、羊毛和铅等价格也有程度不同的下跌。

1999 年国际市场各类主要商品价格指数

（按美元计算，1990＝100）

商品类别	1998 年 12 月	1999 年				1999 年 12 月较 1998 年 12 月（±%）
		3 月	6 月	9 月	12 月	
初级产品①	87.1	82.6	83.7	85.1	87.7	0.7
食品、饮料	101.7	92.8	89.6	87.3	90.4	－11.1
原料	74.5	73.8	78.6	83.2	85.2	14.4
农产品	90.3	91.1	96.7	88.5	88.9	－1.6
有色金属	64.9	63.3	67.7	80.0	83.1	28.0
石　油	41.7	53.2	67.4	95.8	108.2	159.5
工业制成品②	97.0	96.0	94.0	93.0	93.0	－4.1
棉（坯）布	70.9	69.0	73.4	77.0	73.0	3.0
化工品	54.2	54.6	66.3	75.8	79.8	47.2
钢材	76.2	73.2	72.9	73.7	77.0	1.0
机电产品	127.6	127.4	126.3	135.2	138.3	8.4

注：①不含石油。②含表列各类工业制成品，但指数选项范围更广；为各该月所在的季度指数及比较。表列各类工业制成品价格各为有代表性的市场价格。

资料来源：据英国《经济学家》、《金属导报》等有关数字，并加以计算。

下半年，特别是 8 月份以来，国际市场许多商品价格出现回升或续升，主要是由以下一些因素相互交织发展形成的：

首先，受世界经济，特别是亚洲经济强劲复苏的影响，市场需求有所增长。据统计，由于经济增长，全球镍的消费量较上年回增 6.1%，铜和铝的消费也分别增长 3.3%和 6%。在亚洲经济迅速恢复下，1999 年韩国自日本进口的热轧钢板以及汽车用冷轧卷板等较上年猛增 30 倍，同期日本钢材的出口量也有较大增长；与此同时，欧洲经济的复苏也使钢材需求迅速回增。由于需求增长，11 月末美国、加拿大和瑞典等世界五大生产国纸浆的总库存量较上年末再降 24.7%。一些化工中间原料如乙烯、苯和甲苯等，在旺盛需求下，价格也普见回升。

其次，由于亚洲经济前景见好，引起对市场发展前景的较高期望和由此而引发的套期保值的大量涌现,导致价格有所上升。这在有色金属市场表现尤为明显。据报道,由于需求活跃,伦敦金属交易所的总成交量升达6159.8万手,较上年剧增16%,较1997年的历史最高记录还增7.5%。一些化工品市场需求增长的很大一部分也是由于对前景看好,"一些中间商有积极囤货迹象"。

第三,一些产品产量或供应有所减少。如旨在扭转油价颓势,拯救油市,3月石油输出国组织部长会议决定,自4月1日起与挪威、墨西哥和俄罗斯等非欧佩克国家协调行动,削减原油日产量达210万桶。加拿大国际镍公司因劳资纠纷迟迟未得解决,加之俄罗斯又因严寒,港口提前封冻,镍的出口也严重受阻。印度、肯尼亚和孟加拉等国因天气严重不利,导致世界茶叶产量较上年同期剧减10.9%,其中肯尼亚产量更减20.1%。锡因印尼政局动荡,天然橡胶因泰国、马来西亚出现多雨等恶劣天气,产量也分别受到严重影响。

第四,原(燃)料价格回升,也在一定程度上加剧了一些制成品价格的上涨。此种情况以原油与许多石油化工产品价格的上涨最为明显。如世界原油价格上涨了约1.6倍,同期,石脑油价格上涨107%,乙烯价格上涨107.8%,苯价格上涨58.8%。

一些商品价格仍有下跌或转跌,主要是由于产量增长,供应过剩或严重过剩。据报道,1998/99年度世界棕榈油的产量为1931.4万吨,较上年度增长13.6%,其中主要生产和出口国家马来西亚产量更增14.7%。同期,世界糖产量预计将连续第6年再创历史最高记录,特别是最大生产国家巴西产量将达1830万吨,将较上年度剧增16.6%。1998/99年度美国大豆产量也将超过上年度再创新高,期末库存预计也将达自1986/87年度即12年来的最高水平。

此外,可可、咖啡、亚麻油和玉米等预计都有增产或大幅增产。一些产品如大米、棉花和铅等,则市场需求减少,竞争加剧,也是价格下跌的一个重要原因。特别是大米,继上年价格大幅上升后,由于需求剧减,特别是主要进口国家印尼政府一度甚至决定不再签订新的大米进口合同,加之市场竞争激烈,致使大米价格一度降至5年多来的最低价位。

1999年各类各项主要商品国际市场的发展和变化,还各有其不同的情况和特点。

粮谷由于产量增长、供应充裕或进口需求减少,世界粮谷,包括小麦、玉米和大米等价格普见低落。据统计,继上年度产量创历史最高记录后,1998/99年度世界粮谷总产量为18.73亿吨,较上年度虽略有减少,但仍达历史上的第二个高产年。其中,小麦产量为5.89亿吨,较上年度减少3.3%,但供应依然充裕,该年度期末存货为1.37亿吨,存销比仍高达23.2%(上年度末为23.8%,均大大高于世界粮农组织认为的粮谷库存应有的安全水平17%)。因此,价格继上年下降19.3%后再见下降。如以芝加哥商品交易所最近期货收盘价为例,1998年12月为每吨99.38美元,至1999年12月降为86.66美元,即较上年同期再降12.8%(各商品价格变动,参见附表:《1999年国际市场主要商品价格动态》,下同)。1998/99年度世界玉米产量继上年度有所下降后,创达历史最高记录,为6.06亿吨,而该年度的消费量为5.81亿吨,即生产大于消费2507万吨,价格随之也有下跌。仍以芝加哥商品交易所最近期货收盘价为例,1999年12月为每吨76.36美元,较上年同期再降10%。1998/99年度世界大米产量为3.94亿吨,较上年度增长1.9%,亦创历史最高记录。但继上年度因天气不良一些国家的进口需求有所激增后,本年度世界市场对大米的需求明显减少(减8.1%),因此价格出现转跌。如以含碎25%的泰国大米曼谷离岸价为例,继1998年上升0.7%后,1999年12月回降至每吨207.5美元,即较上年同期下跌了20.2%。

植物油籽及油品由于产量续有增长,供应过剩,许多植物油籽和油品的价格仍有下跌或出现转跌。据统计,1998/99年度世界大豆、油菜籽等十大油籽的产量为2.94亿吨,较上年度增长2.7%。消费量为2.89亿吨,较上年度虽也有增长,但产大于消仍达500万吨,其中,大豆产大于消达340万吨。在此影响下,世界大豆、花生和椰干等价格普呈下跌。如以芝加哥商品交易所大豆的最近期货收盘价为例,12月为每吨169.95美元,较上年同期再跌17%。花生和椰干在一些有代表性的国际市场价格也分别下跌0.6%和2.2%。1998/99年度世界十大植物油的产量为8027.7万吨，而消费为7958.8万吨，即生产超过消费68.9万吨，其中，豆油、棕榈油和亚麻油等产大于消分别达13.8万吨、94.8万吨和1.5万吨，价格随之也有明显下跌。如以马来西亚/苏门答腊粗制棕榈油英国/鹿特丹到岸价为例，1998年12月为每吨659.52美元，至1999年12月降为341.93美元，即下降了48.2%，豆油、亚麻油、蓖麻油、花生油和椰油等一些有代表性的国际市场价格都有不同程度的下跌。

饮料及糖由于产量增长或供应仍见过剩，除茶叶外，世界饮料及糖的价格普见跌落。据统计，1998/99年度世界可供出口的咖啡产量为480.7万吨，较上年度略有增长，消费量为469.8万吨，即生产大于消费仍达10.9万吨，加上长期积累下来的库存至该年度初已达234.6万吨，即存消比高达51.9%，供应继续严重过剩。在此情况下，世界咖啡价格出现大幅下跌。如以罗勃斯脱咖啡伦敦交易所最近期货收盘价为例，12月为每吨1493.32美元，较上年同期下跌20.3%。1998/99年度世界可可的产量为280.2万吨，消费量为277.4万吨，产大于消2.8万吨，加之预计1999/2000年度产量还将剧增，将出现约11万吨的过剩，而市场库存量仍大，期初的存消比仍高达44.7%，也使可可价格再见大幅下跌。如以伦敦交易所最近期货收盘价为例，12月降至每吨556.68英磅，合897.71美元，较上年同期降达40.7%。1998/99年度世界糖产量续有增长，为1.31亿吨，再超消费631.2万吨，加之市场库存继续严重积压，也加剧了糖价的跌势。如以原糖英国到岸价为例，12月降至每吨97.63英磅，合157.44美元，即较上年同期下跌了20.7%。

世界茶叶市场情况有所不同。据统计，由于受天气不良影响，世界茶叶的供应量较上年减少8.9%，为193.4万吨，而需求和消费仍达203.3万吨。因此，茶叶市场供不应求，价格转跌为升。如肯尼亚蒙巴萨市场各级茶的平均拍卖价继上年下跌32.7%后，至12月升达每公斤229美分，即较上年同期上升了13.4%。

纺织纤维及织品由于需求不振，棉花、羊毛、生丝乃至棉纱等价格普见低落。据统计，由于生产长期过剩，1998/99年度世界棉花的期初库存高达955万吨，而继上年度消费减少0.9%后，1998/99年度世界棉花的消费需求又再减2.6%。因此，棉花价格继续大幅下跌。如以美国孟菲斯棉花英国利物浦市场到岸价为例，继1998年下跌8.4%后，1999年12月跌至每磅52.65美分，即较上年同期再跌25.2%。在此影响下，棉纱的价格也有走软。1998/99年度世界羊毛的产量为138.9万吨，而消费为128.7万吨，较上年度再降6.7%。在此情况下，世界羊毛市场继上年度产大于消4.6万吨后，本年度生产再超消费10.2万吨；加之由于长期供应过剩，1998/99年度世界羊毛的期初库存仍高达24.7万吨，使羊毛价格不能不再趋下跌。12月21微米美利奴洗净毛澳大利亚羊毛局报价降至每公斤501.67澳分，合每吨3213.96美元，较上年同期再跌3.2%。棉布市场由于需求有所好转，价格略呈回升。据统计，美国纺织品和服装的进口较上年分别增长6.2%和5.3%，继1997年和1998年进口下降10%后，1999年日本棉布的进口量也增14.4%。以台湾粗疏布出口欧洲的成本加运费价为例，1999年12月为每码59.67美分，较上年同期回升了2.9%。

天然橡胶世界天然橡胶市场供应仍呈过剩，价格续趋下跌，但由于受气候不良影响，一些主要生产国家天然橡胶的产量严重受损，价格在进入第4季度后出现回升，以至12月份价格较上年同期仍略见上升。据统计，1999年世界天然橡胶的产量为684万吨，而消费为670万吨，继上年过剩13万吨后，世界天然橡胶的生产仍超过消费14万吨。在此影响下，天然橡胶的价格续趋下跌。截至8月，价格较上年12月，按美元计下跌了14.6%。但其后，由于受天气不良影响，一些主要生产国家如泰国和马来西亚的产量将较上年分别剧减11.7%和13.2%，引起胶价有所回升。截至12月，以新加坡商品交易所1号烟胶片最近期货价为例，升达每公斤110.86新分，折合每吨662.09美元，较上年同期上升了2.9%(上年为下降11.6%)。

石油世界石油价格在1998年曾出现大幅下跌。据统计，1998世界原油的日产量为7550万桶，而需求为7350万桶，即日过剩200万桶。在此情况下，英国北海布伦特原油的价格在1998年12月一度曾跌至每桶9.82美元，即较上年同期下跌42.8%，其后，随着欧佩克国家于1999年3月决定实行减产保价，将日产量减少210万桶；同时，随着需求的增长，一些主要工业大国石油的库存量不断下降，致使世界石油市场又出现了供不应求。据统计，1999年世界原油的日产量7410万桶，而消费为7470万桶，即日短缺60万桶。在此情况下，原油价格随之大幅回升。至12月，升至每桶25.45美元，较上年同期上升了159.2%。随着原油价格的剧升，世界汽油、柴油乃至航空煤油等价格都有大幅上升。

化工品由于受世界经济形势好转，特别是亚洲经济走向强劲复苏的影响，一些国家家用电器，包装材料等工业对石化产品的需求迅速恢复和增长；而在此以前，在亚洲金融危机影响下，韩国、泰国和菲律宾等一些国家石化工业的生产曾大幅下降，许多建设工程被取消或无限期推迟。这样，世界石化产品的供求关系发生变化，加之原油价格剧涨，原料成本增加，许多产品的价格便出现大幅回升。以一些有代表性的国际市场价格为例，12月与上年同期比较，石脑油和乙烯等价格分别上涨了1倍以上，聚氯乙烯和苯乙烯价格分别涨逾90%，丙烯和溶剂二甲苯价分别涨逾80%，苯、聚乙烯和聚丙烯等价格也各涨逾50%。

有色金属许多有色金属市场仍有过剩，但由于受亚洲经济见好的影响，有色金属市场需求增长超过生产增长，有的生产还有减少，生产过剩有所减缓，甚或出现短缺。据统计，1999年世界铜的产量为1426.3万吨，较上年增长1.1%，而消费为1385.2万吨，较上年增长3.3%。在此情况下，铜的生产过剩量自上年的69.7万吨降为41.1万吨；同年，世界镍的产量为104.6万吨，较上年减少0.5%，而消费为104.9万吨，较上年增长6.1%，在此情况下，世界镍的供应由上年的过剩6.3万吨转为不足0.3万吨。加之，在世界经济，特别是亚洲经济不断有所恢复和回升下，市场对经济发展前景期望过高和由此引发了套期保值的大量涌现，更促使价格普呈大幅回升。如以伦敦金属交易所上午市卖价为例，12月份平均较上年同期，铜和铝价分别上涨了20.1%和24.8%，锌价上涨23.3%，锡价上涨8.7%，镍价更上涨了109.6%。

钢材由于需求增长，特别在亚洲一些国家经济强劲复苏下，市场需求明显增长，如下半年日本出口钢材1537.4万吨，较上年同期增长5%，其中，热轧钢板以及汽车用冷轧钢板等对韩国的出口更有大幅增长。与此同时，欧洲企业、建筑业因景气复苏，对钢材的需求也有迅速回增，使交货期已不得不有所延长。再加上一些国家因前一段时期钢材市场的不景气而减少产量，如1998年世界钢的产量为7.4亿吨，较上年下降了3%，这种情况导致市场的供应和库存加速下降，以致1999年世界钢材价格出现转降为升。如以欧陆钢材出口价为例，1998年12月冷轧卷板的出口牌价（离岸价）为每吨310美元，至1999年12月升为362.5美元，上升了16.9%，同期，钢筋价分别为每吨205.63美元和220美元，上升了7%。盘条价分别为222.5美元和230美元，也上升了3.4%。

机电产品世界一些主要国家机电产品市场的发展仍表现出较大的不平衡。美国情况较好，机械工业接获的新订单量和生产量较上年分别增长6.3%和15.5%，德国机械工业8月份以来情况也有好转；但日本情况仍疲，生产和新订单接获量较上年分别减少4.4%和5.6%。由于受亚洲经济走向复苏等影响，国际市场对机电产品的需求有所回增。头9个月美国和日本机电产品的出口分别为2462.7亿美元和2220.5亿美元，较上年同期分别增长1.8%和5.3%；机电产品的出口价格也有上升。如以日本为例，第4季度其机电产品的出口价格，按美元计算，较上年同期上升了8.4%。值得注意的是，1999年随着亚洲经济的复苏和世界通讯设备、电脑及微电子产品等高技术产品的发展，网络设备、无线信息载体及其终端设备的需求迅速增长，世界半导体的销售额急剧增长，达1490亿美元，即较上年增长18.9%，作为半导体基础材料的芯片销售额也达1452亿美元，较上年增长15.6%。芯片的价格更有大幅上扬。如以64兆位半导体芯片的价格为例，截至10月下旬，为每个11美元左右，较上年底剧升22.2%；进入11月份以后，由于担心2000年计算机问题的影响，价格虽略有回降，但预计随着2000年计算机问题的解决，价格仍将迅速攀升。

（郭培兴）

附表

1999年国际市场主要商品价格动态

品 名	单 位	1998年12月	1999年3月	1999年6月	1999年9月	1999年12月	1999年12月较上年同期涨(+)跌(-)幅度(%)
小麦	美元/公吨	99.38	98.72	93.67	99.51	86.66	-12.8
大米	美元/公吨	260.00	236.09	226.14	217.27	207.50	-20.2
玉米	美元/公吨	84.86	87.45	85.59	81.29	76.36	-10.0
大豆	美元/公吨	204.88	174.98	170.00	180.62	169.95	-17.0
豆油	美元/公吨	522.64	410.84	373.21	375.97	349.60	-33.1
花生仁	美元/公吨	855.00	820.00	875.00	800.00	850.00	-0.6
花生油	美元/公吨	860.71	776.09	755.45	797.73	805.00	-6.5
椰干	美元/公吨	476.05	450.43	515.20	462.05	465.55	-2.2
椰油	美元/公吨	767.14	701.96	824.55	739.43	707.39	-7.8
棕榈油	美元/公吨	659.52	497.02	389.36	386.02	341.93	-48.2
亚麻油	美元/公吨	682.62	610.00	530.00	530.00	453.64	-33.5
篦麻油	美元/公吨	1275.00	913.48	982.05	1195.45	1109.72	-13.0
桐油	美元/公吨	1860.00	1400.00	1394.00	1340.00	1150.00	-38.2
糖	英镑/公吨	118.87	94.65	97.47	104.66	97.63	-17.9
咖啡	美元/公吨	1872.60	1743.22	1404.45	1267.77	1493.32	-20.3
可可	英镑/公吨	906.95	834.09	754.55	633.32	556.68	-38.6
茶叶	美分/公斤	186.75	216.25	200.20	226.33	229.00	22.6
木材	美元/千板英尺	301.86	332.63	383.63	330.35	337.66	11.9
棉花	美分/磅	70.42	—	—	56.63	52.65	-25.2
羊毛	澳分/公斤	537.60	514.33	548.57	498.75	501.67	-6.7
生丝	日元/公斤	3391.00	2995.04	3542.73	3002.05	3380.59	-0.3
铜	美元/公吨	1474.45	1378.35	1422.48	1750.34	1771.05	20.1
铅	美元/公吨	501.48	507.83	496.11	507.32	478.59	-4.6
锌	美元/公吨	961.35	1029.59	1000.48	1193.75	1185.23	23.3
锡	美元/公吨	5262.00	5360.22	5265.91	5342.50	5719.32	8.7
铝	美元/公吨	1249.98	1181.96	1315.64	1492.86	1559.73	24.8
镍	美元/公吨	3870.25	5014.78	5198.18	7031.36	8113.86	109.6
黄金	美元/盎司	291.62	285.93	261.46	264.97	283.79	-2.7
天然橡胶	新分/公斤	106.28	104.82	104.41	96.46	110.86	4.3

续表

品 名	单 位	1998年	1999年				1999年12月较上年同
		12月	3月	6月	9月	12月	期涨(+)跌(-)幅度(%)
石油	美元/桶	9.82	12.51	15.86	22.54	25.45	159.2
汽油	美元/桶	13.42	15.86	18.52	26.85	25.31	88.6
柴油	美元/桶	14.38	15.50	18.71	24.38	27.27	89.6
航空煤油	美元/桶	15.86	15.86	18.79	26.32	29.53	86.2
石脑油	美元/公吨	115.16	125.56	159.98	219.25	226.55	96.7
乙烯	美元/公吨	315.25	274.57	441.82	598.86	655.00	107.8
苯	美元/公吨	204.45	219.83	245.34	298.45	324.66	58.8
聚氯乙烯	美元/公吨	404.00	394.13	532.95	604.55	790.91	95.8
钢筋	美元/公吨	205.63	213.33	220.00	220.00	220.00	7.0
盘条	美元/公吨	222.50	215.00	217.50	217.50	230.00	3.4
厚钢板	美元/公吨	402.50	340.00	340.00	340.00	340.00	-15.5
冷轧卷板	美元/公吨	310.00	310.00	318.06	327.50	362.50	16.9
棉布	美分/码	58.00	56.40	60.00	63.00	59.67	2.9

注:各商品的市场、规格及价格条件如下:

小麦、玉米、大豆、豆油:芝加哥商品交易所最近期货收盘价。

大米:含碎25%,曼谷离岸价。

花生仁:美国兰娜40/50,手拣货,鹿特丹到岸价。

花生油:鹿特丹到岸价。

椰干、椰油:菲律宾/印尼产,鹿特丹到岸价。

棕榈油:马来西亚/苏门答腊粗制,英国/鹿特丹到岸价。

亚麻油:不分产地,鹿特丹油罐交货。

篦麻油:巴西一级,散装,鹿特丹到岸价。

桐油:鹿特丹油罐交货价。

糖:原糖,4号合同,英国到岸价。

咖啡:罗勃斯脱咖啡,伦敦交易所最近期货收盘价。

可可:伦敦交易所最近期货收盘价。

茶叶:肯尼亚市场,内罗毕拍卖价,高/中级。

木材:芝加哥商业交易所最近期货收盘价。

棉花:美国孟菲斯,英寸,英国利物浦市场到岸价。

羊毛:美利奴洗净毛,21微米,澳大利亚羊毛局报价。

生丝:26/28条分,横滨交易所最近期货收盘价。

铜、铅、锌、锡、铝、镍:现货(其中铜、铝为现货A级),伦敦金属交易所上午市结算价(卖价)。

黄金:伦敦市场现货,收盘价。

天然橡胶:1号烟胶片,新加坡商品交易所最近期货价。

石油:英国北海布伦特原油,现货,伦敦市场离岸价。

汽油:新加坡市场离岸价,95号无铅。

柴油:东京市场成本加运费价,含硫0.2%。

航空煤油:新加坡市场离岸价。

石脑油:新加坡现货,离岸价。

乙烯:现货,西北欧到岸价。

苯:现货,鹿特丹离岸价。

聚氯乙烯:现货,悬浮级,西北欧离岸价。

钢筋、盘条、厚钢板、冷轧卷板:欧陆出口牌价,离岸价。

棉布:台湾粗疏布,欧洲成本加运费价。

资料来源:路透社每日商电;德国《油世界》;英国《金属导报》等。

世界部分国家国内生产总值指数(A)和消费物价指数(B)

(较上年增长%)

国别		1980	1990	1991	1992	1993	1994	1995	1996	1997	1998	1999[(1)]
美国	A	-0.5	1.2	-0.9	2.7	2.3	3.5	2.3	3.4	3.9	4.3	4.2
	B	13.5	5.4	4.2	3.0	3.0	2.6	2.8	2.9	2.3	1.6	2.2
日本	A	3.5	5.1	3.8	1.0	0.3	0.6	1.5	5.0	1.4	-2.5	0.3
	B	7.8	3.1	3.3	1.7	1.2	0.7	-0.1	0.1	1.7	0.6	-0.3
德国[(2)]	A	1.0	5.7	5.0	2.2	-1.2	2.7	1.2	1.3	2.2	2.2	1.5
	B	5.4	2.7	3.5	5.1	4.4	2.7	1.8	1.5	1.8	0.6	0.7
英国	A	-2.2	0.4	-2.0	-0.5	2.1	4.3	2.8	2.6	3.5	2.2	2.0
	B	18.0	8.1	6.8	4.7	3.0	2.4	2.8	2.9	2.8	2.7	2.3
法国	A	1.6	2.5	0.8	1.2	-1.3	2.8	2.1	1.6	2.3	3.4	2.7
	B	13.3	3.4	3.2	2.4	2.1	1.7	1.8	2.0	1.2	0.7	0.6
意大利	A	4.1	2.2	1.1	0.6	-1.2	2.2	2.9	0.9	1.5	1.5	1.4
	B	21.2	6.5	6.3	5.3	4.6	4.1	5.2	3.9	1.7	1.7	1.7
加拿大	A	1.5	0.3	-1.9	0.9	2.5	3.9	2.6	1.2	3.8	3.1	4.2
	B	10.2	4.8	5.6	1.5	1.8	0.2	2.2	1.6	1.4	1.0	1.7
澳大利亚	A	2.3	1.5	-0.7	2.4	3.8	5.5	4.2	3.6	3.6	5.1	4.4
	B	10.1	7.3	3.2	1.0	1.8	2.0	2.7	2.7	1.7	0.9	1.5
俄罗斯	A			-5.0	-14.5	-8.7	-12.6	-4.1	-3.5	0.8	-4.5	3.2
	B			92.7	1353.0	895.9	302.0	190.1	47.8	14.7	28.0	86.0
捷克	A					-0.6	2.7	6.4	3.9	1.0	-2.3	-0.5
	B					20.8	10.0	9.1	8.8	8.0	11.0	2.0
波兰	A		-11.6	-7.0	2.6	3.8	5.2	7.0	6.1	6.9	4.8	4.1
	B	9.7	585.8	70.3	43.0	35.3	32.2	27.9	19.9	15.0	12.0	7.0
匈牙利	A	0.2	-3.5	-11.9	-3.1	-0.6	2.9	1.5	1.3	4.6	4.9	4.1
	B	9.3	28.6	34.8	22.8	22.4	18.8	28.3	23.5	18.0	14.0	10.0

续表

国　　别	1980	1990	1991	1992	1993	1994	1995	1996	1997	1998	1999[1]
印　　度A	6.5	5.9	1.7	4.2	5.0	6.9	8.0	7.4	5.5	4.7	6.8
B	11.4	9.9	13.0	9.8	8.4	10.0	10.2	9.0	7.2	13.2	5.0
印度尼西亚A	9.9	9.0	8.9	7.2	7.3	7.5	8.2	8.0	4.6	-13.2	0.2
B	18.0	7.8	9.4	7.5	9.7	8.5	9.4	7.9	6.6	58.4	20.5
菲 律 宾A	5.2	3.0	-0.6	0.3	2.1	4.4	4.7	5.8	5.2	-0.5	3.2
B	18.2	12.7	18.7	8.9	7.6	9.0	8.1	8.4	6.0	9.7	6.7
泰　国 A	4.8	11.6	8.1	8.2	8.5	8.6	8.8	5.5	-0.4	-10.4	4.2
B	19.7	6.0	5.7	4.1	3.4	5.1	5.8	5.9	5.6	8.1	0.3
马来西亚 A	7.4	9.6	8.6	7.8	8.3	9.2	9.4	8.6	7.7	-7.5	5.4
B	6.7	2.8	2.6	4.7	3.5	3.7	3.4	3.5	2.7	5.3	2.7
新 加 坡A	9.7	9.0	7.3	6.2	10.4	10.5	8.9	7.5	8.0	0.4	5.4
B	8.5	3.5	3.4	2.3	2.2	3.1	1.7	1.4	2.0	-0.3	0.4
韩　　国A	-2.2	9.5	9.1	5.1	5.8	8.6	8.9	7.1	5.5	-6.7	10.7
B	28.7	8.6	9.3	6.2	4.8	6.3	4.5	4.9	4.4	7.5	0.8
埃　　及A		2.4	2.1	0.3	0.5	2.9	3.0	4.3	5.0	5.3	6.0
B	20.7	21.2	19.5	21.1	11.2	9.0	9.4	7.0	6.2	4.7	3.8
沙特阿拉伯A	7.9	10.7	8.4	2.8	-0.6	-0.5	0.5	1.4	1.9	1.6	-2.3
B	3.8	2.1	4.6	-0.4	0.8	0.6	5.0	0.9	-0.4	-0.2	-1.2
南　　非A	6.6	-0.3	-1.0	-2.2	1.3	2.7	3.4	3.2	1.7	0.6	1.2
B	13.8	14.4	15.2	13.9	9.7	9.0	8.6	7.4	8.6	6.9	5.2
墨 西 哥A	8.3	5.1	4.2	3.6	2.0	4.5	-6.2	5.2	7.0	4.8	3.7
B	26.4	26.7	22.7	15.5	9.8	7.0	35.0	34.4	20.6	15.9	16.6
巴　　西A	9.1	-4.3	1.0	-0.5	4.9	5.9	4.2	2.8	3.2	-0.1	0.5
B	82.8	2740.0	414.8	991.4	2111.4	2166.2	59.6	11.1	7.9	3.2	4.9
阿 根 廷A	1.5	-1.3	10.5	10.3	6.3	8.5	-5.8	4.8	8.6	3.9	-3.1
B	100.8	2314.7	171.7	24.9	10.6	4.2	3.4	0.2	0.8	0.9	-1.2
智　　利A	7.8	3.3	7.3	11.0	6.3	4.2	10.6	7.4	7.1	3.4	-1.0
B	35.1	26.0	21.8	15.4	12.7	11.4	8.2	7.4	6.1	5.1	3.3

注:(1)初步数字或估计。

(2)1980 年及 1990 年为西德。

资料来源:国际货币基金组织《国际金融统计年鉴》,1995 年;国际货币基金组织《世界经济展望》,2000 年 5 月。

(郭培兴供稿)